LES

1001

VINS

QU'IL FAUT AVOIR GOÛTÉS DANS SA VIE

LES
1001
VINS
QU'IL FAUT AVOIR GOÛTÉS DANS SA VIE

PRÉFACE DE JP GÉNÉ
AVANT-PROPOS DE HUGH JOHNSON

OUVRAGE RÉALISÉ SOUS LA DIRECTION DE NEIL BECKETT

TRÉCARRÉ
Une compagnie de Quebecor Media

LISTE DES ABRÉVIATIONS

AG	Auslese Goldkapsel	ALG	Auslese lange Goldkapsel
BA	Beerenauslese	Ch.	Château
DC	Deuxième cru	Dom.	Domaine
GC	Grand cru	LBV	Late Bottled Vintage
NM	Non millésimé	PC	Premier cru
SGN	Sélection de grains nobles	ST	Spätlese
TAV	Titre alcoolique volumique	VORS	Very Old Rare Sherry
VOS	Very Old Sherry	VT	Vendanges tardives
VV	Vieilles vignes		

€ moins de 10 euros
€€ entre 11 et 20 euros
€€€ entre 21 et 60 euros
€€€€ entre 60 et 120 euros
€€€€€ + de 120 euros

À boire jusqu'en 2020+ =
À boire jusqu'en 2020, voire plus

Copyright © 2008, Quintessence
Tous droits réservés
Titre original : *1001 Wines you must try before you die*
Directeur du projet : Tristan de Lancey
Responsable éditoriale : Jodie Gaudet, Jane Laing
Iconographe : Stuart George
Designer : Jon Wainwright

Direction de l'édition française : Ghislaine Bavoillot
Traduit de l'anglais par Marie-Hélène Corréard, Patricia Crossley-Lamin,
Jacques Guiod, Lorena Lamin, Amandine Mathieu, Lise-Eliane Pomier
Adaption de la maquette : David Fourré, Frédéric Rey
Index : Julie Robert

© 2008, Éditions Flammarion pour l'édition française
© 2008, Éditions du Trécarré pour l'édition en langue française au Canada

Éditions du Trécarré
Groupe Librex inc.
Une compagnie de Quebecor Media
La Tourelle
1055, boul. René-Lévesque Est
Bureau 800
Montréal (Québec) H2L 4S5 Canada
Tél. : 514 849-5259

ISBN 978-2-89568-426-8
Dépôt légal – Bibliothèque et Archives nationales du Québec, 2008

Imprimé en Chine

Sommaire

Préface par JP Géné

Publié voici une trentaine d'années, ce livre aurait été fort différent. Jamais en effet dans son histoire millénaire, le monde du vin n'a changé aussi radicalement en si peu de temps. Production, fabrication, consommation, ce fut le grand bouleversement. En 2007, il s'est produit 266,7 millions d'hectolitres sur 7,899 millions d'hectares et le genre humain en a consommé 240,6 millions d'hectolitres (chiffres OIV). Jadis limité au vieux continent, le vignoble s'est considérablement agrandi, gagnant l'hémisphère sud et des contrées aussi étrangères que l'Inde ou la Chine. Les quatre grands cépages – Cabernet Sauvignon, Merlot, Chardonnay, Sauvignon blanc – ont pris racine dans tous les pays et le Riesling, le Pinot noir ou la Syrah ne sont plus l'apanage de l'Alsace, de la Bourgogne ou des Côtes-du-Rhône.

La France qui caracolait en tête du palmarès, non sans une certaine suffisance, s'est trouvée fort démunie lorsque la concurrence arriva ce 24 mai 1976. Lors d'une dégustation à l'aveugle de Chardonnays et de Cabernets Sauvignons français et californiens organisée à Paris devant un jury bilingue, ceux de là-bas passèrent devant ceux d'ici dans les deux catégories. Napa Valley, Connawara, Maipo, Mendoza, Marlborough, Stellenbosch : de nouveaux noms sont apparus sur l'atlas des vins. Ils étaient jeunes, bon marché, meilleurs chaque année, libres de toutes règles et de toutes contraintes patrimoniales. Ils partaient sans complexe à l'assaut du vieux continent avec les ruses du marketing et de la technologie moderne dans leur carquois. Certains figurent aujourd'hui parmi ces 1 001 vins du monde. Ce n'est que justice.

Avec eux sont apparus de nouveaux personnages, artisans de ces mutations. Ainsi a-t-on vu naître le *flying winemaker*, cet œnologue volant dont Michel Rolland est l'archétype, courant les vignobles de tous les pays pour y soigner les ceps et les cuves au risque de produire des vins – sinon du même tonneau – du moins du même acabit. Face à la multiplication des crus et l'abondance du choix, l'amateur n'eut d'autre recours que de faire appel aux spécialistes pour éclairer son jugement et déterminer ses achats en ligne ou chez le caviste. La critique vineuse a connu un essor sans précédent avec ses guides, ses revues, ses sites Internet et autres systèmes de notation qui peuvent ruiner un millésime ou le transformer en produit financier. À l'insu de son plein gré, le très écouté Robert

Parker a engendré un vin d'un nouveau genre : celui qui préfère la bourse à la cave, la spéculation à la dégustation.

Paradoxalement, jamais celle-ci n'avait suscité autant d'attention et d'engouement. Pas un jour sans que naissent écoles, clubs ou séminaires avec pour unique objet de leur désir vitis vinifera et ses alentours. Le phénomène est planétaire. C'est *wine bar* et dégustation sans frontières. Les femmes – autrefois exclues de ce monde masculin – y sont entrées par toutes les portes. À la vigne et à la cave, dans les jurys ou en sommellerie, à table ou au magasin, le vin est aussi devenu leur affaire. Il s'en est trouvé plus civilisé et parfois mieux goûté. Au Japon, les femmes se sont ainsi approprié la culture et l'élégance du flacon face à un univers préférant les boissons d'homme à 40 % et plus. Chardonnay ou whisky, entre les deux leur cœur ne balance plus et le monde du vin l'a compris, devenant plus simple à lire et soignant sa mise pour mieux séduire.

L'installation définitive des vins de cépages que le vieux continent a finalement acceptés y a contribué. Brisés les codes de l'étiquette et de la bouteille ! Finies les appellations en costume cravate ! Aucun accessoire n'est tabou dans ce lifting généralisé qui voit la capsule grignoter lentement mais sûrement sur le bouchon de liège, compagnon de goulot depuis tant de siècles. En cave sont entrées les technologies les plus modernes qui, avec le secours des additifs chimiques, transforment parfois la vinification en activité industrielle. Dans les vignes où l'irrigation est de plus en plus nécessaire, engrais et pesticides ont eu la vie belle durant ces dernières décennies, mais sous l'impulsion des pionniers de l'agriculture biologique ou de la biodynamie, la tendance s'inverse en faveur d'un plus grand respect de la terre. La volonté de produire des vins naturels s'affirme sur le marché, notamment à l'égard des jeunes générations et des néo-consommateurs.

Dans ce grand bouleversement des goûts, des pratiques et des origines, il n'était pas aisé de sélectionner 1 001 vins à boire au moins une fois avant de mourir. C'est le pari réussi de cet ouvrage dont le jury de dégustation anglo-saxon a su faire la part entre le Nouveau Monde et le vieux continent et où la France figure en tête avec 330 références. Merci messieurs les Anglais !

Avant-propos par Hugh Johnson

« Il n'y a pas de grands vins, il n'y a que de grandes bouteilles. » C'est l'un des plus vieux adages circulant dans le cercle des amateurs de vin et il doit figurer en tête de toute liste énumérant les trésors de la cave. Il signifie, naturellement, que le vin est un liquide doté d'une vie intrinsèque. D'un même fût peuvent être issues des bouteilles absolument délicieuses et d'autres qui laisseront un goût de déception amer. Parallèlement, le vin remet en cause le buveur ; la grandeur est une affaire de reconnaissance. Les vins les plus raffinés peuvent demeurer inappréciés tandis que d'autres, moins prestigieux, seront source d'un plaisir sublime. Il est dans l'intérêt du commerce du vin de nous convaincre, vous et moi, que la qualité est quelque chose d'objectif et de quantifiable. Vous et moi savons qu'il n'en est rien : vous aimez ce que vous aimez. La seule donnée quantifiable, au final, est le prix. Le prix dépend du consensus – et c'est précisément la raison d'être du marché. Cependant, nombreux sont les paramètres qui influencent le marché et n'ont que peu de rapport avec la qualité.

Cela explique pourquoi cet ouvrage n'a pas été intitulé *Les 1001 Meilleurs Vins du monde*. Ce livre adopte le registre de la variété. Le vin est un produit miracle. Vous fermentez des raisins mûrs et c'est tout. Les cépages, le terroir, l'année, les exploitants, voilà les paramètres qui font la différence. Et pourtant, lors de chaque récolte, partout dans le monde, émergent des résultats prévisibles : des goûts spécifiques qui ne peuvent être brevetés. Qui peuvent être imités, mais jusqu'à un certain point. L'unicité est garantie ; les circonstances précises qui ont produit un vin ne peuvent être reproduites. Si elles le pouvaient, l'immense édifice qu'est le marché du vin, soit le monde du vin, serait vain. Un Château Lafite ne peut pas faire un Château Latour : fin de l'histoire.

Lorsque je découvris pour la première fois le bon vin, il y a presque cinquante ans, l'histoire s'achevait presque à ce point. Le nombre des vins méritant le détour s'élevait bien à plusieurs centaines, mais en aucun cas on n'approchait des mille. Un demi-siècle de progrès a eu l'effet inverse de ce que nombre avaient prédit : tous les vins finiraient par avoir le même goût. Une connaissance plus approfondie, des aspirations nouvelles, de nouveaux territoires et davantage de moyens financiers n'ont fait qu'accroître la liste des expériences uniques qu'offre le vin. Chaque génération apporte sa pierre à l'édifice. Rares sont les vins qui, une fois leur valeur reconnue, sont rayés de la liste. Nous sommes les chanceux bénéficiaires d'un monde à la variété et au choix sans cesse croissants. En l'espace de trente-cinq ans, la géographie des vins a pris des directions que jamais je n'aurais imaginées.

La majorité de cette expansion a consisté à essayer de trouver de nouvelles sources pour le vin, quelles qu'elles soient. Je ne trouvais pas d'un grand intérêt le fait que les Australiens aient trouvé un moyen de transformer l'eau (du fleuve Murray) en vin. Les vins issus des régions où les vignes font simplement office de pompes pour eau sucrée retiennent rarement l'attention. Mais ce qui était et demeure toujours intéressant, ce sont les essais de plantation de vignes dans les lieux marginaux où l'on ne sait trop si les baies pourront mûrir ou non. Les climats frais ont formé le Saint-Graal des viticulteurs du Nouveau Monde pendant toutes ces années. Il y a de fortes raisons de penser que les climats frais seront recherchés par tous dans les années à venir.

Les nouvelles régions les plus productives figurant sur la liste des vins à ne pas manquer sont ainsi situées soit à une latitude élevée, soit à une haute altitude. Au sommet des Andes ; plus bas, près du Cap ; au nord, près de la côte du Pacifique ; au sud, quasiment dans la région des fjords de Nouvelle-Zélande ; et même à proximité des chutes de Niagara. Ce ne sont pas les vignes qui aiment les extrêmes, mais les viticulteurs et, bien entendu, leurs clients au sens critique développé.

Mais alors, si l'atlas des vins d'aujourd'hui est presque deux fois plus long que son arrière-arrière-grand-père, c'est certainement une bonne nouvelle sans ombre au tableau. Que dites-vous lorsque vous apprenez que l'on réalise des boutures de Château Lafite en Chine ? Accueillez-vous cette nouvelle par un cri enthousiaste ?

Les 1001 vins qu'il faut avoir goûtés dans sa vie proposent une sélection allant des nouvelles découvertes aux bouteilles tellement exceptionnelles qu'elles demeurent des repères plus d'un demi-siècle après. Nul n'est en mesure de tenir à jour la liste mondiale des vins compte tenu des nombreux ajouts opérés chaque année. Toutefois, afin de figurer sur cette liste, les vins doivent prouver leur degré de qualité et, plus important encore, leur caractère distinctif. Vous ne les goûterez probablement jamais tous, mais il est certainement temps de vous y mettre.

Introduction par Neil Beckett

Mille et un vins, c'est à la fois trop et trop peu. Trop peu parce que, comme le fait remarquer Hugh Johnson dans son introduction, on trouve de plus en plus de bons vins. Trop, parce que le risque est de nous faire oublier le plaisir qu'un seul de ces vins peut nous apporter. Que ces mille et un vins ne vous rendent pas aveugles à celui que vous avez dans votre verre. C'est en partie pour limiter ce risque que nous avons décidé de ne pas noter les vins que nous vous proposons ici.

Comme le rappelle aussi Hugh Johnson, « il n'y a pas de grands vins, il n'y a que de grandes bouteilles ». Ce que l'on croit être le même champagne peut avoir dégorgé plus ou moins longtemps. De nombreux vins de longue garde peuvent avoir été mis en bouteilles en différents lieux, ou à des moments différents. Et puis, il y a le bouchon : la quantité d'oxygène qu'il laisse passer est infiniment variable. L'effet produit dépend aussi de conditions de stockage et de transport. C'est donc un fait, les bouteilles d'un même vin, y compris de la même caisse, peuvent être très diverses.

Mais elles diffèrent davantage encore sur un plan subjectif, car il faut également prendre en considération ce que nous-mêmes apportons (ou pas) à la fête – l'appétit, l'enthousiasme, l'expérience, la forme physique, l'humeur. L'atmosphère, la pression, l'humidité, la température de la salle ou du vin, le verre, le menu, le vin précédent, l'eau, le sommelier – toutes ces variables et bien d'autres font en sorte que le même vin n'a jamais deux fois le même goût. Contrairement aux autres objets d'étude de notre série 1001 – les albums, les livres, les tableaux… –, le vin doit être consommé pour être apprécié. Aux yeux de certains, sa nature éphémère réduit sa valeur. Pour d'autres, dont nous sommes, son immédiateté participe de sa magie. Cette présence est peut-être brève, mais elle peut laisser un souvenir inoubliable.

Revenons sur terre, et à cet ouvrage. Bien que plusieurs des excellents vins de ce livre soient non millésimés (certains des plus grands Champagnes, Madères, ou Xérès, par exemple), la plupart sont des vins millésimés – produits, largement ou exclusivement, d'une seule et même année, mentionnée sur l'étiquette. La qualité et le style varient considérablement en fonction des millésimes. Le 1945 est encore superbe, alors que le 1946 risque fort d'être imbuvable. Les prix aussi sont très variables et, bien évidemment, un 1945 coûtera beaucoup plus cher qu'un 1946.

Il y a toujours une bonne raison, dans cet ouvrage, pour expliquer les choix des « grands » millésimes, mais elle n'est pas nécessairement de même nature. Il s'agit souvent d'un classique reconnu, d'un millésime particulièrement favorable à ce type de vin ; pour rester fidèle à l'esprit de la série, s'il faut boire un seul millésime de ce vin, que ce soit celui-là. C'est son essence même. Parfois, surtout lorsque la qualité est d'une rare constance, le choix s'explique par son caractère historique. En d'autres occasions, il ne s'agit pas du meilleur millésime – qui peut très bien ne pas être le plus représentatif – mais d'un très bon millésime, plus récent et plus typique. Notez enfin que le producteur, presque toujours, est plus important que l'année de production.

De même que nous n'avons pas toujours traqué les «meilleurs» millésimes, nous n'avons pas toujours cherché à répertorier les «meilleurs» vins. Bien que tous les producteurs renommés soient représentés, nous n'avons pas cherché à dresser la liste de 1001 plus grands vins. Nous avons résisté à la tentation de citer plus d'un seul vin d'un même producteur dans le cas où la seule différence eût été le millésime. Et il nous est arrivé d'opter pour un premier cru plutôt que pour un grand cru, pour une bouteille courante plutôt que pour une réserve ou une cuvée spéciale...

Si ce livre ne dresse pas la liste des plus grands vins, il ne s'agit pas non plus de nos vins préférés (même si la plupart y figurent). De temps à autre, nous avons choisi un vin précisément parce qu'il est controversé, et pour vous, le seul moyen de trancher, c'est de le goûter.

Bien que très peu d'entre nous puissent se targuer d'avoir exploré mille et un quoi que ce soit, notre souhait est que vous dégustiez un nombre aussi grand que possible de ces vins. Il est encore possible de les acheter tous, parfois seulement aux enchères ou sur Internet et à des prix certes impressionnants… Tous seront au minimum agréables à boire. Parmi les plus jeunes, la plupart peuvent être bus dès maintenant, mais beaucoup gagneront à être gardés en cave quelques années de plus. Nous vous donnons les dates de consommation optimales pour chaque vin, mais vous pouvez les adapter à votre goût.

L'objectif de ce livre est de présenter le vin comme un produit susceptible d'offrir un plaisir immense, mais surtout d'exprimer de façon particulière l'âme des gens, des lieux et des époques. Même pour les vins que nous ne boirons jamais, il est toujours très intéressant de savoir qu'ils existent et ce qu'ils sont. Connaître l'histoire du vin, c'est explorer ses points culminants, c'est laisser une petite place au rêve.

Comme pour toute sélection, vous noterez des lacunes, que certains trouveront inexplicables. Nous sommes conscients d'avoir omis des producteurs, des vins, voire des pays entiers. Mais combler des lacunes peut être tout aussi exaltant que remplir son verre. Tous ceux qui ont participé à l'élaboration du présent ouvrage ont un même souhait, vous avoir présenté des vins capables de satisfaire votre palais, votre curiosité, votre enthousiasme, des vins qui méritent d'être goûtés, bien sûr, mais qui ont aussi une histoire passionnante à raconter.

Index par pays

CHAMPAG

KRU

A REIMS - FRANC

BRUT

GRANDE CUV

PRODUIT DE FRANCE - PRODUCE OF FR

12%vol

ÉLABORÉ PAR KRUG S.A. REIMS, FRANC

'E

G

E

750 ml

M-225-001

vins effervescents

Adami *Prosecco di Valdobbiadene Bosco di Gica Brut*

Origine Italie, Vénétie, Valdobbiadene
Type vin blanc sec effervescent, 11 % vol.
Cépages Prosecco 97 %, Chardonnay 3 %
Non millésimé, à boire jusqu'en 2020
€

En 1920, Abele Adami, grand-père de Franco et d'Armando, les propriétaires actuels, racheta au comte Balbi Valier un beau vignoble. Ainsi naissait la propriété Adami et ses grands Proseccos. Le cépage Prosecco provient de la province de Trieste, à l'extrémité nord-est de l'Italie, à la frontière slovène où il est appelé Glera. C'est cependant dans la province de Trévise qu'il acquit ses lettres de noblesse et produisit ce beau vin fruité désaltérant très apprécié.

Le Bosco di Gica est produit presque exclusivement à partir des cépages Proseccos : un pourcentage infime de Chardonnay contribue à donner un peu plus de profondeur au mélange final. Ne croyez pas, au vu de la forme caractéristique de sa bouteille, que le Prosecco soit un vin réservé aux fêtes ou aux grandes occasions. Le véritable rôle de ce vin est de vous apporter un petit moment de douceur quotidien, un rayon de soleil même lorsqu'il fait gris. Ouvrez-le pour recevoir des amis ou découvrez sa versatilité en l'accompagnant de jambon de Parme et d'une assiette de melon : une combinaison idéale qui fera de vous un inconditionnel de ce vin. **AS**

Agrapart & Fils
L'Avizoise

Origine France, Champagne, côte des Blancs
Type vin blanc sec effervescent, 12 % vol.
Cépage Chardonnay
Millésime dégusté 2002, à boire entre 2009 et 2020
€€€

Les frères Agrapart, Pascal et Fabrice, possèdent 9,5 ha de vignobles exceptionnels, principalement des grands crus Oger, Cramant, Oiry et Avize. Tous les efforts sont faits pour que ces fabuleux terroirs puissent s'exprimer pleinement jusque dans les verres. Les soins attentifs que portent les Agrapart à leurs vignobles comportent le labour, avec une charrue traditionnelle, des intervalles restés libres entre les rangées de plants pour enrichir biologiquement les sols. Les Champagnes Agrapart sont le résultat d'une vinification précise de cet Avize et autres grands vignobles, d'une utilisation scrupuleuse de levures indigènes et d'un élevage sur lies dans de grands fûts de chêne, dont les dimensions et l'âge relativement avancé (8 ans en moyenne) permettent au vin d'acquérir ses flaveurs boisées.

L'Avizoise est le plus connu des Champagnes produits par les deux frères. C'est un pur Avize, issu du vignoble des Robards, dont les terres argileuses donnent au vin une grande stabilité. Les principales vertus de ce 2002, sont sa maturité, son élégance délicate et son harmonie – traits typiques de ce très grand millésime. **ME**

Seconde fermentation en bouteilles du Champagne Agrapart. ➜

Beaumont des Crayères
Fleur de Prestige

Origine France, Champagne, vallée de la Marne
Type vin blanc sec effervescent, 12 % vol.
Cépages Chard. 50 %, P. noir 40 %, P. meunier 10 %
Millésime dégusté 1996, à boire jusqu'en 2020
€€€

Beaumont des Crayères, tel est le nom de la célèbre coopérative champenoise de Mardeuil. Ses 247 membres y cultivent 95 ha de vignobles situés sur les pentes ensoleillées de Cumières et de Mardeuil. Le Chardonnay cultivé dans la région est aujourd'hui complété par un cépage blanc de la célèbre côte des Blancs. Avec une telle qualité de fruits, le chef de cave de Beaumont, Jean-Paul Bertus, n'a cessé depuis 1987 de créer d'excellents Champagnes dans un style riche et élégant. La palme revient cependant à Fleur de Prestige.

Ce Fleur 1996 est le grand apéritif par excellence. La forte présence de Chardonnay se manifeste dans les éclats lumineux verts qui traversent sa robe jaune or. Les bulles sont ondulantes, persistantes et douces à la fois; aux arômes de fleurs printanières s'entremêlent des effluves de baies d'aubépines et de chèvrefeuille. Une fois le vin légèrement chambré, le bouquet exhale des senteurs de poire, de pêche et de noisette fraîche. La bouche ample confirme un arôme de pêche tandis que le Pinot noir s'affirme lentement mais sûrement. La finale possède une merveilleuse fraîcheur citronnée. **ME**

Bellavista
Gran Cuvée Brut

Origine Italie, Lombardie, Franciacorta
Type vin blanc sec effervescent, 12,5 % vol.
Cépages Chardonnay 72 %, Pinot noir 28 %
Millésime dégusté 1999, à boire jusqu'en 2017
€€€

Le domaine Bellavista a été fondé en 1976, quand Vittorio Moretti transforma la petite ferme familiale en ce qu'elle est aujourd'hui, un domaine vini-viticole de classe internationale. Il est secondé dans sa tâche par Mattia Vezzola qui a reçu en 2004 le prix du meilleur vinificateur d'Italie. Vezzola communique à ses vins une touche retenue et très élégante, une personnalité et un style très reconnaissables, même dans les cuvées les plus ordinaires.

Ce vin permet de comprendre ce que signifie le mot « enthousiasme » en dégustation. Les cépages dont il est issu ont fermenté dans des fûts de chêne neuf. Après assemblage et une deuxième fermentation en bouteilles, le vin a été élevé sur lies pendant 36 mois. Le résultat est un vin très pâle, couleur paille, avec d'intenses reflets verts. Les bulles sont très fines, et la mousse dense et harmonieuse. Au nez, on est séduit par son bouquet aux notes fruitées typiques du Chardonnay, et aux notes plus chaudes de pain et levure fraîche. Rond en bouche, il donne libre cours à sa fraîcheur, tandis que les bulles semblent dilater le palais, maintenant les flaveurs pour une finale remarquablement longue. **AS**

Chez Bellavista, les tonneaux sont décorés de sculptures originales. →

Billecart-Salmon
Clos Saint-Hilaire

Origine France, Champagne, vallée de la Marne
Type vin blanc sec effervescent, 12 % vol.
Cépage Pinot noir
Millésime dégusté 1996, à boire jusqu'en 2025+
€€€€€

Cette prestigieuse petite maison de Chamapagne a toujours fait preuve de dynamisme et ajoute aujourd'hui à sa gamme de produits sa toute dernière innovation. Bien que déjà fiers de la réputation de leur maison en matière d'équilibre, d'élégance et de finesse, les frères Rolland-Billecart ont voulu prouver qu'ils pouvaient également produire des vins plus riches et davantage structurés. Le Clos Saint-Hilaire en est la preuve la plus éclatante.

Les 0,97 ha de Clos Saint-Hilaire, proches de l'établissement vinicole de Billecart-Salmon à Mareuil-sur-Aÿ, ont longtemps été reconnus comme un site unique. Planté de cépages de Pinot noir en 1964, le terrain fut ensuite utilisé pendant 25 ans pour la production de raison rouge pour le rosé. En dépit de sa désavantageuse exposition à l'est, sa proximité avec le village, ses murs, la richesse et la profondeur de son sol ont engendré des vins riches et matures. La concentration est d'autant plus forte que le rendement est limité et que seul le cœur de cuvée (soit la meilleure partie issue de la presse) est utilisé.

Le Clos Saint-Hilaire 1995 avait assuré des débuts prometteurs mais le 1996 est encore plus spectaculaire. Dégorgé après dix ans, il reçut un dosage Extra Brut de 4,5 g/l afin d'adoucir la sévérité de ce millésime scintillant. Tout comme le Vieilles Vignes Françaises de Bollinger, le Vauzelle Termes de Jacquesson et le Clos des Goisses de Philipponnat, ce Blanc de Noirs est l'ultime expression d'un style unique. **NB**

Billecart-Salmon produit du Champagne depuis près de 200 ans. ➜

LECART

le **CHAMPAGNE**
qui franchit les siècles

HERVÉ
MORVAN

Billecart-Salmon
Cuvée Nicolas François Billecart

Origine France, Champagne
Type vin blanc sec effervescent, 12 % vol.
Cépages Pinot noir 60 %, Chardonnay 40 %
Millésime dégusté 1982, à boire jusqu'en 2020
€€€€

Ce millésime 1982 n'est peut-être pas le plus grand de toute l'histoire de cette maison, mais c'est à coup sûr le plus parfait de son ère moderne. Cette « ère moderne » se définit par un double débourbage et une première fermentation très longue à basse température, dont le risque majeur est d'affecter négativement l'autolyse et de créer des arômes amyliques comme on en retrouve dans le chewing-gum ou les bonbons acidulés. Dans la pratique, toutefois, ce processus a conduit à une extrême finesse. Une autre innovation a consisté à remplacer les grandes cuves traditionnelles par des cuves plus petites.

Le responsable de ces modifications s'appelle James Coffinet, chef de caves entre 1976 et 1985. L'homme était un vinificateur brillant, mais si amoureux du Champagne qu'il avait une nette tendance à multiplier les interventions. Maigre à faire peur, coiffé d'un bandeau blanc caractéristique, il ressemblait davantage à un blessé de la Grande Guerre qu'à un spécialiste de la vinification mais, comme en témoigne incontestablement cette cuvée Nicolas François 1982 à l'équilibre parfait, c'était sans doute l'un des plus grands maestros de toute la Champagne. **TS**

Henri Billiot & Fils
Cuvée Laetitia

Origine France, Champagne, Montagne de Reims
Type vin blanc sec effervescent, 12,5 % vol.
Cépages Pinot noir, Chardonnay
Non millésimé, à boire dès sa sortie ou entre 5 et 7 ans
€€€€

Les 5,5 ha du domaine de Serge Billiot sont l'un des trésors de Champagne. Propriétaire de ces seules terres de grand cru de la commune d'Ambonnay, il produit 3 700 caisses de vins chaque année.

Inaugurée en 1967 avec la naissance de la fille de Billiot (dont elle tire son nom), la Cuvée Laetitia est une véritable tête de cuvée. En 2000, elle comptait 11 millésimes. Il s'agit donc d'un vin élevé en solera, rafraîchi lorsque les vins de base de qualité satisfaisante sont disponibles. Des cuvées récentes de Laetitia semblent contenir plus de Chardonnay.

Dans les premières années, ce vin était extrêmement vineux, insondable et parfois impénétrable ; il vous fallait conserver le verre en main pendant au moins trente minutes après l'attaque. Il s'est aujourd'hui « modernisé » : il est plus épicé, exhale des arômes de reines-claudes et des effluves d'aubépines, et dégage des notes sourdes de coquille Saint-Jacques et de safran. Vous y retrouverez des arômes de tomates cerises et de fraises, la marque des sols forestiers d'Ambonnay, et ferez l'expérience de la vitalité hyperactive et de la densité du style éminemment personnel de Billiot. **TT**

Un vitrail de la cathédrale de Reims rend hommage aux vinificateurs champenois. ➡

Bisol *Cartizze Prosecco*

Origine Italie, Vénétie, Valdobbiadene
Type vin blanc sec effervescent, 11,5 % vol.
Cépage Prosecco
Millésime dégusté 2005, à boire avant 1 ou 2 ans
€€

L'Italie n'a jamais été traditionnellement associée à la production de vins effervescents de premier choix. L'Asti du Piémont a certes ses adeptes inconditionnels, mais si l'on recherche quelque chose de plus sec, il faut se tourner vers le Prosecco.

Dans les années 1990, le Prosecco vit peu à peu grandir sa renommée mondiale au prix de réformes générales de ses procédures de vinification, d'une démarcation plus stricte des vignobles appropriés et de l'approche qualitative de grands producteurs.

Viticulteur dans cette région depuis le milieu du XVIe siècle, Bisol possède tous les vignobles dont sont issus ses vins. Sa cuvée Cartizze est un témoignage éloquent de cette révolution. Cultivés sur un sol friable et pierreux, en réalité le terroir du cépage Prosecco où les vignes mûrissent très lentement (les vendanges commencent vers la mi-octobre), la cuvée est réalisée au moyen de la méthode dite Charmat ou de cuves. Bien que la mention « millésime » ne figure pas sur leur étiquette, les vins n'en sont pas moins le produit de vendanges uniques.

Ce Bisol Cartizze Prosecco dégage des arômes captivants et exhale des effluves subtils d'amande et de poire. En bouche, la douceur de sa mousse est contrebalancée par une acidité mordante mais mûre, une faible teneur en alcool (11,5 %) et une finale ferme et étoffée. Les 25 g/l de sucre qu'il contient lui confèrent une douceur presque identique à celle d'un demi-sec. C'est le genre de vin effervescent qui se marierait avec un plat de coquilles Saint-Jacques poêlées. **SW**

AUTRES SUGGESTIONS		
Autres vins du même producteur		
Crede • Desiderio Colmei • Desiderio Jeio Garnéi • Valdobbiadene Vigneti del Fol		
Autres producteurs de Prosecco		
Carpenè Malvolti • Adami Adriano • Fratelli Bartolin		

Un ancien *castello* surplombe les vignes de Prosecco près de Valdobbiadene. ➜

Bollinger *R.D.*

Origine France, Champagne
Type vin blanc sec effervescent, 12 % vol.
Cépages Pinot noir 70 %, Chardonnay 30 %
Millésime dégusté 1996, à boire jusqu'en 2025+
€€€€€

Le Champagne R.D. (Récemment Dégorgé) est un concept unique inventé par Bollinger. D'autres maisons procèdent occasionnellement au dégorgement d'un vin exceptionnel à la fin de sa maturité, mais aucune ne le fait avec l'élan manifesté par cette maison aristocratique depuis 1952. Avant de devenir R.D., ce vin est une Grande Année – le prestigieux Champagne millésimé de Bollinger – ayant subi une maturation beaucoup plus longue, soit entre huit et vingt ans, et parfois plus encore. Au cours de cette période de vieillissement, le vin R.D. développe des arômes subtils tout en créant un style vineux unique caractéristique du grand Pinot noir de Bollinger et à la présence élégante de Chardonnay.

En 1996, le temps fut extraordinaire : à l'hiver froid et sec succéda le bourgeonnement vers mi-avril ; le Chardonnay fleurit péniblement en juin, puis arriva l'été et sa chaleur torride ; la pluie vint enfin avec le mois de septembre ; et c'est sous un ciel ensoleillé et sans nuages que furent effectuées les vendanges. Le résultat obtenu est une combinaison unique de sucre et d'acidité des plus naturels. Lorsqu'elle fut commercialisée pour la première fois sous l'appellation Grande Année, la cuvée 1996 montra une verve et un élan prodigieux. Dans sa version R.D., l'on retrouve cette vigueur, bien que le nez ait développé des notes secondaires de chocolat noir et d'épices ; en bouche, les flaveurs confirment les arômes, avec une pointe de vinosité, une texture soyeuse et une finale extrêmement longue. **ME**

AUTRES SUGGESTIONS
Autres grands millésimes
1966 • 1981 • 1982 • 1985 • 1988 • 1990 • 1997
Autres vins du même producteur
Spécial Cuvée (NV) • 2003 de Bollinger • Grande Année Grande Année Rosé • Vieilles Vignes Françaises

Le superbe siège du Champagne Bollinger, à Aÿ. ➡

Bollinger *Vieilles Vignes Françaises Blanc de Noirs*

Origine France, Champagne
Type vin blanc sec effervescent, 12 % vol.
Cépage Pinot noir
Millésime dégusté 1996, à boire jusqu'en 2025
€€€€€

Voici donc le phénomène Bollinger, le vin qui a entretenu la légende selon laquelle tous les Blancs de Noirs sont des grands Champagnes. La plupart des Blancs de Noirs ont une structure de Champagne tout à fait classique, et certains sont même relativement légers. Le fait que ce Vieilles Vignes Françaises soit si imposant tient à deux raisons étroitement liées : le fait qu'il provienne de vignes non greffées et l'inflexibilité de la bureaucratie champenoise. Un grand merci, donc, à ces bureaucrates : grâce à eux, ce Blanc de Noirs a toujours été produit à partir de raisins très mûrs, ce qui a pour résultat de donner un Champagne superconcentré d'une qualité extraordinaire.

Jusqu'en 2005, le Vieilles Vignes Françaises était issu de minuscules parcelles de vignes non greffées : Chaudes Terres, Clos Saint-Jacques et Croix Rouge. En 2004, toutefois, les vignes de Croix Rouge ont été détruites par le phylloxéra, si bien que le Vieilles Vignes est devenu un monocru. Il est bien difficile de sélectionner LE millésime qu'il faut avoir bu une fois dans sa vie, mais le 1996 arrive en tête, avec ses flaveurs intenses et une capacité de garde très nettement supérieure à la plupart de ses concurrents. **TS**

Raymond Boulard *Les Rachais*

Origine France, Champagne, massif de Saint-Thierry
Type vin blanc sec effervescent, 12 % vol.
Cépage Chardonnay
Millésime dégusté 2001, à boire jusqu'en 2020+
€€

Nombre des meilleurs producteurs de Champagne doivent leur succès à leurs exploitations de grands crus. Boulard montre les fruits que l'on peut tirer de terroirs moins prestigieux grâce à l'expérience et à la clairvoyance. Les Rachais offrent le témoignage le plus audacieux et le plus pertinent de leur savoir-faire. La plupart des aspects de la viticulture pratiquée par les Boulard sont d'origine organique, mais ce vin-là est leur première production à partir de cépages cultivés selon la méthode biodynamique. Les cépages proviennent de la même région que la Cuvée Boulard Blanc de Blancs, le massif de Saint-Thierry, même si les deux vins diffèrent en tous points.

Même en 2001, le premier millésime de cette cuvée, lorsque le titre moyen d'alcool naturel n'atteignait que 8 %, ses cépages biodynamiques atteignaient près de 10 %, ce qui permit, grâce à la fermentation malolactique, de le produire non dosé. Doté d'un nez complexe, ce vin animé, expressif et soyeux devient incontrôlable lorsque advient sa finale explosive. Compte tenu de ses débuts de millésimé, ce tour de force mérite de devenir l'un des vins les plus recherchés de Champagne. **NB**

◄ Les caves de la maison Bollinger, à Aÿ.

Bouvet Ladubay
Cuvée Trésor Brut

Origine France, vallée de la Loire, Saumur
Type vin blanc sec effervescent, 12 % vol.
Cépages Chenin blanc 80 %, Chardonnay 20 %
Non millésimé, à boire jusqu'à 5 ans après sa sortie
€€

Pour les amoureux de la vallée de la Loire, Saumur occupe une place particulière. Protégée par le climat tempéré du fleuve, la « ville blanche » et ses vignobles environnants sont le terreau du Chenin blanc depuis des siècles. À la fin du XIXᵉ siècle, Étienne Bouvet construisait d'immenses édifices en tuffeau pour abriter sa production viticole. Au tournant du siècle, Bouvet-Ladubay était devenu le premier producteur de Saumur brut, place qu'il occupe toujours.

La prestigieuse Cuvée Trésor de Bouvet est issue des meilleures parcelles viticoles d'un terrain situé autour de Saumur. Les 120 viticulteurs sélectionnés sont affectueusement surnommés les « jardiniers du Chenin ». Le vin est d'abord fermenté dans des nouveaux fûts en chêne de type Tronçais, qui confèrent au vin une belle robe couleur or égayée d'éclats verts. Des notes exotiques au nez mènent à une bouche musclée quoique fine, caractéristique du Chenin. La présence du Chardonnay apporte une finesse à l'ensemble, et affecte en particulier l'élégante et surprenante finale. Parmi les autres cuvées, le Saphir Brut offre une alternative économique des plus satisfaisantes. **ME**

Cà del Bosco
Cuvée Annamaria Clementi

Origine Italie, Lombardie, Franciaorta
Type vin blanc sec effervescent, 12,5 % vol.
Cépages Chard. 60 %, P. blanc 20 %, Pinot noir 20 %
Millésimé dégusté 1996, à boire jusqu'en 2017+
€€€€

La prestigieuse cuvée Annamaria Clementi tient son nom de la mère de Maurizio Zanella, fondateur du Cà del Bosco. Dans la même veine, le nom de la propriété renvoie au déménagement d'Annamaria Clementi dans une vaste « demeure dans les bois » (Cà del Bosco), à Franciaorta en 1965. C'est à cette époque que Zanella s'éprit de la région et décida d'y produire des vins. D'après la version officielle, « après des études à la faculté d'œnologie de Bordeaux, Maurizio Zanella décida de produire des vins effervescents selon la méthode traditionnelle » – en réalité le premier millésime d'Annamaria Clementi date de 1979 et ses études à Bordeaux, de 1980.

Cette cuvée nous prouve l'immense potentiel de la région. À la robe d'un jaune paille intense teinté de nuances or de ce vin de 1996 s'ajoute une mousse délicate et persistante. Le nez est bien défini et envoûtant. Les notes d'attaque fruitées (agrumes et poires) évoluent vers des senteurs fleuries et sont arrondies par une délicate note de levure et vanillée. En bouche, la synergie parfaite entre l'acidité et la mousse semble imprégner le palais d'arômes qui perdurent pendant plusieurs minutes. **AS**

Les vins de Chardonnay, dans le vignoble Breda de Cà del Bosco, à Passirano. ➜

Cattier
Clos du Moulin

Origine France, Champagne, Montagne de Reims
Type vin blanc sec effervescent, 12 % vol.
Cépages Pinot noir 50 %, Chardonnay 50 %
Non millésimé, boire la cuvée actuelle
€€€€

Le charmant village fleuri de Chigny-les-Roses est le berceau de la famille Cattier depuis le XVIIIe siècle. Sous l'agréable maison d'allure moderne se cachent certaines des caves champenoises les plus profondes, creusées sur trois niveaux allant jusqu'à 30 m, avec plusieurs voûtes magnifiques de style gothique, Renaissance et roman.

La qualité des Champagnes est la hauteur de leur environnement, en particulier celui du Clos du Moulin. Le Champagne issu de ce terroir est toujours un assemblage de trois grands millésimes. La cuvée actuelle se compose des millésimes 1996, 1998 et 1999, à pourcentage presque égal de Pinot noir et de Chardonnay. La robe jaune paille est égayée de reflets verts ; les arômes sont relativement matures et dégagent des notes de biscuits. En bouche, ce Champagne demeure jeune, serré, avec une grande réserve ; après dix minutes de contact avec l'air, le Pinot noir révèle enfin sa présence et envahit le palais.

Plus récemment, Cattier a développé un excellent Blanc de Noirs, aux flaveurs exubérantes de fruits rouges et au caractère enjoué et canaille. **ME**

Cavalleri
Brut Satèn Blanc de Blancs

Origine Italie, Lombardie, Franciacorta
Type vin blanc sec effervescent, 12,5 % vol.
Cépage Chardonnay
Millésime dégusté 2003, à boire d'ici 3 à 5 ans
€€€

Le premier millésime issu du domaine Cavalleri fut 1905, lorsque la production italienne était bon marché et sans fantaisie. Les temps changent, cependant, et la situation s'améliore en 1967, date à laquelle la région acquiert son statut DOC. Les sols profonds et pierreux permettent à l'eau de s'écouler facilement et sont pauvres en matières organiques. Les nuits fraîches et les journées bien ventilées, dues à la proximité des Alpes, maintiennent un niveau d'acidité particulièrement favorable à la production de vins effervescents de grande qualité.

Sur le domaine, le raisin est récolté manuellement. La période d'élevage sur lies du Franciacorta DOCG non millésimé est de 18 mois, mais le Satèn, issu exclusivement de Chardonnay et seulement les meilleures années, est laissé sur lies au moins 30 mois. Le Satèn, qui contient au maximum 18 g/l de sucre ajouté pour la seconde fermentation, produit une mousse délicate, proche de celle du Crémant d'Alsace. Le Satèn Cavalleri est subtil et succulent, la note citronnée du Chardonnay étant contrebalancée par la complexité des arômes de pain grillé qui caractérisent les grands vins effervescents. **MP**

Dans les caves Cavalleri, les dépôts s'accumulent dans le col des bouteilles. ➜

Claude Cazals
Clos Cazals

Origine France, Champagne, côte de Blancs
Type vin blanc sec effervescent, 12,5 % vol.
Cépage Chardonnay
Millésime dégusté 1996, à boire jusqu'en 2020
€€€

Le domaine de Claude Cazals, uniquement planté de Chardonnay, a été fondé en 1897 par Ernest Cazals, un tonnelier originaire du midi de la France. Presque essentiellement composé de grands crus, Le Mesnil et Ogier, mais aussi de premiers crus, Vertus et Villeneuve-Renneville, il s'étend sur 9 ha dans la côte des Blancs. Le plus grand et le plus brillant de ces diamants bruts est le Clos Cazals, une parcelle de 3,7 ha plantée d'Ogier, qui entoure la maison familiale – l'une des raisons pour lesquelles l'usage des insecticides a toujours été proscrit. Certaines vignes datent de 1947 et, en moyenne, le degré naturel d'alcool est supérieur à celui des autres parcelles. Le produit de ces vieilles vignes, après une sélection rigoureuse et l'usage de pressoirs traditionnels Coquard, est mis en bouteilles sous le nom de Clos Cazals – à peine 2 000 bouteilles, même pour les meilleures années.

Bien qu'apparu pour la première fois en 1995, le Clos Cazals, en raison de son origine distinguée et de sa production méticuleuse, est déjà considéré comme l'un des plus grands vins de Champagne. **NB**

Domaine Chandon
Green Point

Origine Australie, Victoria, Yarra Valley
Type vin blanc sec effervescent, 12,5 % vol.
Cépages Chardonnay, Pinot noir, Pinot meunier
Non millésimé, boire la cuvée actuelle d'ici 3 ans
€€

Moët & Chandon a toujours été au premier rang des producteurs européens prêts à investir dans les vins du Nouveau Monde, mais, cette fois, il ne s'agit pas simplement de vins produits par le géant du Champagne sur ses propriétés lointaines. Ce sont des vins en grande partie élaborés par des spécialistes locaux, même si la compagnie de tutelle y fait valoir ses intérêts financiers.

Le Green Point, produit phare du domaine Chandon australien élevé par le vinificateur virtuose Tony Jordan, offre un exemple éloquent. Élaboré selon la méthode traditionnelle, cet assemblage non millésimé contient jusqu'à 30 % de vins de réserve provenant des années précédentes, ajoutant profondeur et autorité à sa finesse élégante, dominée par la note aiguë du Chardonnay. Les vins de réserve sont conservés dans une sorte de solera et comprennent des lots de Pinot et de Chardonnay, dont certains sont vieillis en fûts de chêne.

La maison élabore aussi toute une gamme de cuvées millésimées mais, comme pour le Champagne, un producteur de vins effervescents doit à tout prix maintenir la qualité de son porte-drapeau. **SW**

André Clouet
Cuvée 1911

Origine France, Champagne, Montagne de Reims
Type vin blanc sec effervescent, 12 % vol.
Cépage Pinot noir
Non millésimé, à boire jusqu'en 2015+
€€€€

Un jour de 1911, l'arrière-grand-père de la génération actuelle du Champagne André Clouet dessina une étiquette de style Ancien Régime en hommage au fondateur de la propriété, imprimeur à la cour royale de Louis XV à Versailles. Celle-ci joue désormais le rôle d'ambassadrice du vin nostalgique de l'amour et de la gaieté tel qu'illustré sur le célèbre tableau des Folies-Bergère de Paris réalisé par Manet – où sont encore stockées les réserves de la Cuvée 1911.

Le Champagne est encore meilleur que ne le laisse suggérer son étiquette. En tant qu'assemblage prestigieux de ce domaine de 8 ha, il provient de dix lieux-dits, tous des sites de grand cru Pinot noir de Bouzy. La robe vive est jaune or ; les arômes dégagent une grande fraîcheur et des notes fleuries, avec un bouquet secondaire de fruits caractéristiques du Pinot (les pêches en particulier) ; bien que charnue, la bouche est magnifiquement équilibrée et rehaussée par la fraîcheur et la vigueur des bulles ondulantes. Un Blanc de Noirs racé de grande qualité. La production s'élève à exactement 1 911 bouteilles ; Pierre Santz-Clouet et son globe-trotter de fils Jean-François ne manquent pas d'humour. **ME**

Jaume Codorníu
Brut

Origine Espagne, Penedès, Sant Sadurni d'Anoia
Type vin blanc sec effervescent, 11,5 % vol.
Cépages Chardonnay, Macabeu, Parellada
Non millésimé, boire la cuvée actuelle
€€

Les noms de Cava et Codorniu vont de pair et l'histoire de Codorniu est l'histoire du Cava. En effet, le vin effervescent le plus célèbre d'Espagne fut inventé en 1872 par Joseph Raventós, alors directeur de l'établissement vinicole de Codorniu, selon la méthode traditionnelle. Ses descendants continuent de produire du Cava et dirigent toujours l'entreprise. L'établissement lui-même est un chef-d'œuvre de l'architecture moderniste catalane conçu par Josep Maria Puig i Cadafalch en 1898 et devenu aujourd'hui monument national. Il abrite certaines des plus grandes caves du monde – plus de 24 km répartis sur cinq niveaux souterrains différents.

Le Jaume Codorniu Brut est un Cava ayant vieilli de nombreuses années sur lies. Il est composé pour moitié de Chardonnay, les cépages Cava traditionnels, le Macabeu et le Parellada constituant l'autre moitié. Le vin possède une robe jaune tirant vers le vert. Il offre une bonne intensité au nez, avec des notes de graines de sésame grillées à l'attaque et des notes, minérales, de levure et de fruits tropicaux en fond. Il possède une acidité mordante, un fruité tonique et une finale remarquable. **LG**

Les vignobles de Codorniu, sur les collines près de Monestir de Poblet. ➔

Col Vetoraz
Prosecco Extra Dry

Origine Italie, Vénétie, Valdobbiadene
Type vin blanc sec effervescent, 11,5 % vol.
Cépage Prosecco
Non millésimé, boire la cuvée actuelle
€

Les caves de Col Vetoraz sont situées à Santo Stefano di Valdobbiadene. Cette région de la province de Trévise (au nord de Venise) est réputée pour sa production de Prosecco, l'apéritif italien par excellence, un grand vin qui peut être bu toute l'année.

Le Prosecco est l'un des rares vins italiens nommés d'après une variété de cépage, même s'il est en réalité souvent assemblé à d'autres variétés. Son compagnon le plus commun est le Verdiso, associé à la Perera et à la Boschera, même si de petites quantités de Pinot blanc et de Chardonnay trouvent également leur place dans ce mariage. La deuxième fermentation du vin est effectuée selon la méthode dite Charmat ou de cuves, qui réduit considérablement le temps entre la production et la vente du vin. Le but de la manœuvre étant de préserver les arômes primaires, caractéristiques du Prosecco.

Avec une touche plus sucrée que celle normalement présente dans un vin effervescent, cette version Extra Sec de Col Vetoraz offre la délicate fraîcheur des pêches et des poires, et dévoile des notes de fruits mûrs associées à un palais légèrement demi-sec et à une mousse crémeuse. **AS**

Colet
Assemblage Extra Brut

Origine Espagne, Penedés, Pacs del Penedés
Type vin rosé sec effervescent, 11,5 % vol.
Cépages Pinot noir, Chardonnay
Non millésimé, boire la cuvée actuelle avant 3 ans
€€

La famille Colet est un bon exemple de petit viticulteur espagnol dont la réussite a contribué à la relance du Champagne ces dernières années. Cette position dominante leur a permis d'acquérir un prestige national et international en tant que bodega de production intégrée. Bien que les Colet aient produit des cépages pour d'autres maisons depuis plus de deux siècles, ils n'existent comme entreprise de viticulture que depuis 1994 ; leurs premières cuvées n'ont été mises sur le marché qu'en 1997.

La décision de passer de la viticulture à la viniculture fut prise par Sergi Colet dont la fibre aiguë d'entrepreneur l'amena à produire des vins étonnants et uniques tels que ce Colet Assemblage, un vin effervescent franc mais crémeux et expressif, qui n'est ni véritablement blanc ni véritablement rosé. Il n'est pas non plus déclaré comme millésime bien qu'il soit produit à partir de vins issus de cépage unique. C'est précisément ce type de vins qui a poussé Sergi à s'affranchir de l'appellation d'origine de Cava et à se diriger vers celle de Penedés qui est à la fois plus focalisée sur le terroir et plus réceptive à l'innovation. **JB**

René Collard
Cuvée Réservée Brut

Origine France, Champagne, vallée de la Marne
Type vin blanc sec effervescent, 12 % vol.
Cépage Pinot meunier
Millésime dégusté 1969, à boire jusqu'en 2015+
€€€

Encore trop méconnus dans le reste du monde, les vins de René Collard sont légendaires en Champagne.

René succéda à son père en 1943 et fit, pendant plus de cinquante ans, ses preuves dans le domaine de la viticulture traditionnelle et de la vinification : herbicides, insecticides et pesticides étaient proscrits. La fermentation s'effectuait dans de larges cuves en chêne, la fermentation malolactique était stoppée et le vin n'était mis en bouteilles qu'après une maturation de plusieurs années dans des demi-muids de 600 litres. Les vins poursuivaient ensuite leur maturation dans des crayères. Lorsqu'un vin était commercialisé, une grande partie du stock était néanmoins conservée.

Dégorgés une fois par an, ces vins merveilleux sont devenus moelleux au point de ne plus nécessiter de liqueur d'expédition ; ils sont alors complétés par l'ajout d'un vin identique. Rien de tel pour infirmer l'idée selon laquelle le Pinot meunier ne vieillit pas convenablement. À 40 ans d'âge, le millésime 1969 possède toujours cette grande finesse et fraîcheur au nez, ainsi qu'une délicate pointe d'acidité qui tranche avec la richesse mielleuse du palais. **NB**

Comte Audoin de Dampierre
Family Réserve GC Blanc de Blancs

Origine France, Champagne, côte des Blancs
Type vin blanc sec effervescent, 12 % vol.
Cépage Chardonnay
Millésime dégusté 1996, à boire jusqu'en 2015+
€€€

Le comte Audoin de Dampierre est un Champenois légèrement excentrique issu d'une famille aristocratique établie dans la région depuis plus de 700 ans. Conforme à sa devise familiale « Sans peur et sans reproche », il n'achète que des fruits de grand et premier cru, ne cherchant pas à se disculper du prix élevé de ses vins. Parmi ceux pouvant s'offrir ces vins, l'on distingue des ambassadeurs du monde entier, ainsi que des rois et reines, des présidents et des premiers ministres. Mais bien que 42 ambassadeurs ne puissent pas unanimement se tromper et que la Cuvée des Ambassadeurs NM soit un assemblage raffiné de Chardonnay et de Pinot noir, le comte possède lui aussi un goût assuré : son Family Reserve est assurément un grand vin.

Ce Blanc de Blancs provient exclusivement des grands crus Avize (50 %), Le Mesnil-sur-Oger (40 %) et Cramant (10 %). Fermenté dans des cuves en acier inoxydable, il reflète ses origines distinguées. Ce Grand Cru 1996 possède une mousse extra-fine, une texture soyeuse et une finale étincelante. Il possède ainsi une étiquette dessinée au XIXe siècle et un bouchon relié à la bouteille par une cordelette. **NB**

De Meric
Cuvée Catherine

Origine France, Champagne, vallée de la Marne
Type vin blanc sec effervescent, 12 % vol.
Cépages Pinot noir 60 %, Chardonnay 40 %
Non millésimé, à boire dès sa sortie pendant 20 ans+
€€€

Au cours des dernières années, la petite maison de Champagne De Meric établie à Aÿ a subi des transformations radicales. En 1997, Christian Besserat céda la marque à un petit groupe de huit investisseurs américains, français et allemands amoureux de Champagne et chaperonnés par Daniel Ginsburg. Le nouveau président de De Meric se prit de passion pour le vieux Champagne après avoir goûté le millésime 1961 de René Collard, qui devint le « père spirituel » de la nouvelle entreprise.

La maison achète des cépages (et non des vins clairs) provenant de douze viticulteurs. Seule la cuvée est utilisée, près de 60 % des vins sont fermentés et vieillis dans de vieilles barriques bourguignonnes ; la fermentation malolactique est stoppée et les lies sont remuées.

Les vins les plus remarquables produits sous l'ancien système sont les exceptionnelles Cuvée Catherine dont la sélection est si rigoureuse que la production ne s'élève qu'entre 10 000 et 20 000 bouteilles par décennie. Ces cuvées sont à 100 % du Grand Cru Aÿ, à 60 % du Pinot noir et à 40 % du Chardonnay et résultent généralement de l'assemblage de deux grands millésimes consécutifs. La cuvée 1995-1996 est un vin d'un équilibre exquis alliant les meilleures qualités des deux cépages et millésimes. La cuvée précédente était celle extraordinaire de 1988-1989, d'une finesse moins développée mais d'une plus grande richesse. Le millésime 1999 marqua une rupture de la tradition et devint le premier vin à être fermenté à 100 % dans des fûts de bois. **NB**

De Sousa
Cuvée des Caudalies

Origine France, Champagne, côte des Blancs
Type vin blanc sec effervescent, 12 % vol.
Cépage Chardonnay
Non millésimé, à boire pendant 10 ans+
€€€

Installée dans le village du grand cru Avize, cette maison est aujourd'hui l'une des plus prometteuses, grâce à la détermination de son propriétaire de la troisième génération, Erick de Sousa. Diplômé du lycée viticole d'Avize, celui-ci a repris la direction de l'exploitation en 1986. Son héritage était impressionnant : un domaine de 8 ha de vignes, avec des parcelles de six grands crus dans la côte des Blancs et la Montagne de Reims, et plus de 2,4 ha de très vieilles vignes, désormais vinifiées séparément.

Grand admirateur de Bollinger et de Krug, Erick a équipé ses caves de petites barriques de bois. Il a converti le domaine à la culture biodynamique et introduit l'usage des levures indigènes, et il soumet tous ses vins à la fermentation malolactique. L'influence de l'autolyse est promue par le « poignettage », formule traditionnelle décrivant le tour de main qui consiste à secouer la bouteille pour remettre les dépôts en suspension. La méthode, autrefois très courante à Avize, est aujourd'hui très peu utilisée en raison du temps qu'elle prend.

En tête d'une gamme excellente, on trouve la Cuvée des Caudalies, reprenant un terme ancien qui signifie « seconde », et que l'on utilise en dégustation pour mesurer la longueur de la finale. En principe, la cuvée n'est pas millésimée, dans la mesure où elle est faite à 100 % de Chardonnay d'Avize issu de vignes de 50 ans au moins, fermentée sans chaptalisation dans le bois, et élevé dans une solera inaugurée en 1996. Dense, intensément fruité, mûr, riche et soyeux, ce vin justifie parfaitement son nom. **NB**

◄ Les vignobles de De Meric bordent le village de Aÿ.

Delamotte *Blanc de Blancs*

Origine France, Champagne, côte des Blancs
Type vin blanc sec effervescent, 12 % vol.
Cépage Chardonnay
Millésime dégusté 1985, à boire jusqu'en 2015+
€€€

Fondée en 1760, cette petite maison de Champagne, qui jouit d'une grande réputation parmi les connaisseurs, ne compte pas de preuve plus éloquente de sa qualité que cet intense millésime 1985 à base de Chardonnay. Les vendanges cette année-là furent réduites en raison des dégâts causés par le gel au début du printemps ; mais le temps fut radieux lors des vendanges. Fait encore plus remarquable, ce Champagne conserve toute sa fraîcheur plus de 20 ans après sa sortie. Sa robe jeune et ambrée est parsemée d'éclats verts ; au demeurant revigorante au palais, sa mousse d'une finesse exquise est si discrète qu'elle est à peine perceptible à l'œil nu ; le nez est vif, précis bien que chargé des notes pluri-aromatiques de fleurs blanches ; le palais possède toutes les qualités, la délicatesse, la richesse mielleuse, et cette fraîcheur qui inonde le vin. Idéalement, il conviendrait de boire cet excellent Champagne en deux heures, afin de laisser toutes ses nuances se déployer.

Le secret de ce vin réside dans l'extraordinaire qualité des cépages. Établi au Mesnil, Delamotte dispose de sources d'approvisionnement sans pareilles issues des grands crus d'Oger, de Cramant et du Mesnil. La cuvée 1999 assure une digne succession à celle de 1995 ; elle dégage des arômes de sous-bois, et de champignons sauvages. Les visiteurs de la côte des Blancs pourront en juger par eux-mêmes, avec un millésime Delamotte accompagné d'une lotte cuisinée par Cédric Boulhaut, le chef talentueux du restaurant Le Mesnil situé dans le village. **ME**

AUTRES SUGGESTIONS
Autres grands millésimes
1982 • 1996 • 1999
Autres Blanc de Blancs
Cazals Clos Cazals • Gosset Celebris Blanc de Blancs Krug Clos du Mesnil • Pol Roger Blanc de Chardonnay

Une affiche de 1900 illustre les vertus émancipatrices du Champagne. ➡

Deutz
Cuvée William Deutz

Origine France, Champagne
Type vin blanc pétillant sec, 12 % vol.
Cépages P. noir 55 %, Chard. 35 %, P. meunier 10 %
Millésime dégusté 1996, à boire jusqu'en 2025
€€€€

William Deutz, un des grands Champagnes de 1996, millésime intense, est pourtant subtil et raffiné, en harmonie totale avec la réputation de Deutz. L'image que projette cette vieille société d'Aÿ, fondée en 1838 par William Deutz et Pierre-Hubert Geldermann, est l'antithèse du « m'as-tu vu ».

La main de Deutz est évidente dans cette cuvée prestige, qui se résume tout simplement ainsi: un vin superbement élégant, avec des bulles aussi légères que du tulle. La robe est d'un doré brillant et le nez puissant et complexe à souhait, exhibant une finesse dotée d'arômes évoquant des baies de haies, des fleurs et même, très discrètement, de la menthe.

En bouche, le vin démontre beaucoup de personnalité, bien que son caractère soit tempéré par la finale pleine de raffinement qui met en exergue de sublimes arômes du verger. Détail intéressant, le vin contient 10 % de meunier. Ce vin d'une pureté exceptionnelle promet une garde de plusieurs décennies. Il serait fascinant d'ici un an ou deux de comparer ce 1996 avec le 1990, son seul rival potentiel de ces derniers millésimes. **ME**

Diebolt-Vallois
Fleur de Passion

Origine France, Champagne, côte des Blancs
Type vin blanc sec effervescent, 12 % vol.
Cépage Chardonnay
Millésime dégusté 1996, à boire jusqu'en 2025+
€€€€

Vigneron enjoué et amateur d'antiquités, Jacques Diebolt possède un talent incontestable pour la fabrication de Champagnes raffinés qui contrastent avec sa corpulence. Certes, le domaine familial de 10 ha et ses vignobles établis sur le village de Cramant, le grand cru le plus racé de la côte des Blancs, ne sont pas complètement étrangers à cette réussite.

La dextérité de Jacques est magnifiquement illustrée par ce vin issu d'un grand millésime. Fleur de Passion 1996 est un assemblage de vins fermentés en barriques provenant des meilleurs vignobles de Cramant tels que Bouzons, Grosmont et Goutte d'Or. Le chêne est intégré sans heurt au Champagne final qui n'a rien perdu de sa pureté et de sa fraîcheur après 10 ans en bouteille.

Sa couleur jaune paille vif reflète la maturité de l'année, les bulles sont fines et persistantes; des arômes d'agrumes se mêlent à des notes de terres riches en minéraux dont sont issus les raisins. La bouche est fraîche et incisive, rehaussée par la rondeur généreuse de flaveurs de fruits du verger: un authentique Blanc de Blancs, complexe dès l'attaque, à la puissance subtile et pourtant éthérée. **ME**

◄ Ces messieurs et leurs escortes féminines se délectent de Champagne.

Romano Dogliotti
Moscato d'Asti La Galeisa

Origine Italie, Piémont, Langhe
Type vin blanc sec effervescent, 5,5 % vol.
Cépages Moscato Bianco, Muscat blanc à petits grains
Millésime dégusté 2006, à boire dans les 2 ans
€

Après la fin de la Seconde Guerre mondiale, lorsque Redento Dogliotti entreprit de faire du Moscato avec les raisins de ses vignobles de Castiglione Tinella, il renouait avec une tradition oubliée. Son Muscat n'a pas rencontré le succès espéré, mais il a transmis le flambeau à son fils Romano qui produit aujourd'hui, avec l'aide de ses fils, un Moscato d'Asti hautement respectable, la Galeisa. Dogliotti vendange à la main le raisin produit par le sol calcaire et sableux des 3 ha de ses vignobles en pente, exposés plein sud. Les grains sont fermentés en autoclave et la fermentation est arrêtée à 5 %, lorsque la pression du dioxyde de carbone est encore faible. Cette pression basse permet de fermer les bouteilles d'un simple bouchon de liège inséré dans le goulot, plutôt que d'un bouchon de type Champagne retenu par un muselet.

Ce remarquable Asti Spumante présente une fine mousse de bulles minuscules et un nez végétal élégant de citron vert et de sauge. D'abord suave et légèrement écumeux au palais, il laisse en finale une note agréablement acidulée. 2006 a été un bon millésime, mais ce n'est pas un vin de longue garde. **NB**

Dom Pérignon

Origine France, Champagne
Type vin blanc sec effervescent, 12 % vol.
Cépages Pinot noir 50 %, Chardonnay 50 %
Millésime dégusté 1998, à boire jusqu'en 2030+
€€€€

Seuls les ignorants s'essaieront à évaluer la maturité et à classer les millésimes Dom Pérignon encore jeunes. Et pour cause, ce n'est qu'après 15 ou 20 ans que ce Champagne révèle toute sa splendeur, en raison de sa vinification délibérément réductrice (sans bois) et de l'assemblage complexe de vignobles de qualité identique. Le DP 1998 est sans doute la grande inconnue de ces dernières années et pourrait bien distancer certains millésimes excessivement prisés tels que le 1996.

Le millésime 1998 doit sa spécificité aux températures anormalement élevées du mois d'août et aux pluies particulièrement importantes qui survinrent en septembre. Le soleil refit ensuite son apparition pour donner ce Champagne raffiné issu des vendanges tardives. Le nez exhale des senteurs fleuries mêlées à celles d'amandes fraîches et d'épices, complétées d'une note briochée. Le palais est doux et soyeux, des traits de caractère typiques de ce Champagne magnifiquement assemblé. Persistante avec une pointe d'acidité citronnée, la finale donne le coup de grâce. Sublime. **ME**

La signature de Dom Pérignon, dans le musée de l'abbaye d'Hautvillers. ➜

18. auril 1691

Dom Irenée Richard
prieur

L. pierre perignon

Dom Pérignon *Rosé*

Origine France, Champagne
Type vin rosé sec effervescent, 12 % vol.
Cépages Pinot noir, Chardonnay
Millésime dégusté 1990, à boire jusqu'en 2020+
€€€€€

La Cuvée Rosé est caractéristique du style Dom Pérignon, en particulier dans l'intensité dénuée de lourdeur de son palais et dans sa texture crémeuse. Elle propose cependant une alternative. Sans altérer la structure ni la complexité du Dom Pérignon, la composition et l'équilibre de l'assemblage rosé diffèrent, principalement par la présence plus développée de Pinot noir.

En 1990, la saison fut presque parfaite. Après un hiver très doux et une floraison précoce, l'été fut chaud et particulièrement ensoleillé ; la pluie fit une heureuse apparition juste avant les vendanges, ce qui permit d'éviter le stress des grosses chaleurs et de maintenir un niveau honorable d'acidité.

La robe cuivre-or est teintée d'éclats orangés, et les arômes de pain d'épice frais et de noix de cajou se mêlent à ceux d'écorces d'oranges confites. Le vin est charnu et caresse le palais ; sa texture sensuelle est d'emblée solide et riche, avec cette souplesse et cette élégance intrinsèques au Dom Pérignon, avec toujours quelque chose en réserve. La finale longue et précise est parfaite. Il est cependant utile de rappeler que la composition et l'élaboration du rosé Dom Pérignon ne sont pas figées dans la pierre. Aussi grand que le 1990 quoique montrant une autre facette de ce style, le rosé 1982 est plus éthéré, avec le Chardonnay qui s'affirme d'emblée. **ME**

AUTRES SUGGESTIONS
Autres grands millésimes
1982 • 1985 • 1996 • 1999
Autres Champagnes rosés
Billecart-Salmon Cuvée Elisabeth Salmon
Cristal • Deutz Cuvée William Deutz • Dom Ruinart

Une statue célèbre l'illustre Dom Pérignon. ➜

Dom Ruinart

Origine France, Champagne
Type vin blanc sec effervescent, 12 % vol.
Cépage Chardonnay
Millésime dégusté 1990, à boire jusqu'en 2015+
€€€€€

Le millésime de Champagne 1990 était promu à un bel avenir dès le départ. Cet été-là fut particulièrement chaud, avec un record de 2 100 heures de soleil. Fort heureusement, les grappes ne souffrirent pas de la chaleur puisque la pluie arriva au bon moment, ce qui permit aux viticulteurs précautionneux de bénéficier d'un niveau d'acidité correct. Ces conditions exemplaires permirent au Dom Ruinart 1990, la cuvée prestigieuse 100 % Chardonnay doyenne des maisons de Champagne, de voir le jour.

Ce Blanc de Blancs se différencie pourtant des autres dans la mesure où Ruinart a toujours utilisé un pourcentage variable de Chardonnay issu de ses villages Sillery et Puissieulx situés sur la Montagne de Reims. Ces crus donnent des vins à la richesse et à la rondeur plus développées que ceux issus des célèbres vignobles de la côte des Blancs. Lorsque les Chardonnays de la Montagne et de la côte sont assemblés avec soin, comme ils le furent par le maître de cave Jean-François Barot créateur de ce millésime 1990, l'on obtient quelque chose de très spécial.

Toutes les qualités semblent s'être rassemblées dans ce Champagne dégorgé en 2002 s'apprêtant à fêter son 18e anniversaire : une magnifique couleur jaune or, un nez doté d'une maturité sensuelle immédiate bien que minérale et une bouche généreuse et luxueuse teintée d'une note subtile vanillée.

Inutile de préciser que l'opulence de ce 1990 en fait un vin gastronomique parfait pour les grandes occasions : il accompagne à merveille un foie gras ou un risotto aux truffes blanches. **ME**

AUTRES SUGGESTIONS
Autres grands millésimes
1975 • 1982 • 1985 • 1988 • 1996
Autres vins du même producteur
R de Ruinart • Ruinart Blanc de Blancs Ruinart Brut Rosé

Dom Ruinart *Rosé*

Origine France, Champagne
Type vin rosé sec effervescent, 12 % vol.
Cépages Chardonnay 87 %, Pinot noir 13 %
Millésime dégusté 1988, à boire jusqu'en 2025+
€€€€€

Le rosé Dom Ruinart 1988 est sans doute le meilleur Champagne rosé disponible sur le marché et tord le cou au mythe selon lequel le Champagne rosé serait un vin effervescent éphémère qu'il faudrait boire jeune. Il est réalisé à partir des mêmes grands crus Chardonnay que le Blanc de Blancs, mais avec un ajout de 17 % de Bouzy rouge dans le cas de ce rosé 1988.

Ce Champagne millésimé est fait pour les viticulteurs et les vrais connaisseurs : un classique, une année bien équilibrée, plus ferme, plus sec et moins canaille que le 1990 quoique aussi raffiné et fort de toutes les qualités requises pour un vieillissement optimal. De couleur saumon égayée d'éclats cuivrés, ce 1988 possède un bouquet extraordinaire, végétal au bon sens du terme et très bourguignon dans sa tonalité sensuelle. Le palais est naturellement très élégant, avec une présence soutenue de Chardonnay, et développe également une merveilleuse complexité davantage associée au Pinot noir.

Le caractère exotique et épicé de ce rosé magnifiquement vieilli et toujours vif en fait un vin versatile digne d'accompagner de nombreux mets classiques et orientaux.

Reims et ses alentours, restaurés selon le style du XVIIIe siècle, respirent la tradition. Classées Monuments historiques, les crayères gallo-romaines de la maison Ruinart comptent parmi les plus belles de la ville. Les caves ont accueilli pendant de nombreuses années le Trophée Ruinart, un concours international du meilleur sommelier d'Europe. **ME**

AUTRES SUGGESTIONS
Autres grands millésimes
1982 · 1985 · 1990 · 1996
Autres vins 1988
Dom Pérignon Œnothèque · Gosset Celebris · Henriot Cuvée des Enchanteleurs · Jacquesson Signature · Krug

Drappier
Grande Sendrée

Origine France, Champagne, côte des Bar
Type vin blanc sec effervescent, 12 % vol.
Cépages Pinot noir 55 %, Chardonnay 45 %
Millésime dégusté 1996, à boire jusqu'en 2016+
€€€€

Grande Sendrée est la cuvée prestige de Drappier, la première maison de Champagne indépendante de l'Aube, basée à Urville, et dont le style de Champagne se distingue par des flaveurs de Pinot noir tempérées par la retenue d'un bon Chardonnay. Dans les années 1950, un incendie réduisit en cendres la totalité des arbres et arbustes. Les Drapier décidèrent d'y planter un vignoble, qui fut appelé les Cendrées. La première cuvée de Grande Sendrée réalisée par Michel Drappier ne vit le jour qu'en 1974 (le « C » ayant été remplacé par erreur par un « S » lors de l'enregistrement de l'appellation du vignoble). C'est l'un des vins les plus raffinés de Champagne.

Presque toujours issu d'une légère majorité d'excellent Pinot noir sur le Chardonnay, il provient invariablement de vins à la structure et à la finesse assurées, ne se révélant qu'après un certain temps. La cuvée 1996 est à la fois un Champagne exceptionnel et une exception au style classique des grands millésimes harmonieux et soyeux tels que le 1990 et le 1995. Doté d'une robe or aux reflets cuivrés, il regorge d'une acidité vigoureuse tout en étant profondément mature. **ME**

Egly-Ouriet *Les Crayères*
Blanc de Noirs Vieilles Vignes

Origine France, Champagne, Montagne de Reims
Type vin blanc sec effervescent, 12,5 % vol.
Cépage Pinot noir
Non millésimé, à boire jusqu'en 2015
€€€€

Les Egly-Ouriet d'Ambonnay peuvent se targuer de produire le Blanc de Noirs le plus raffiné de Champagne. Les vins sont issus de vieilles vignes de Pinot noir plantées au domaine en 1947. La terre de ce terroir exceptionnel regorge de craie, d'où l'appellation de ce lieu-dit « Les Crayères ». Fermement enracinée dans cette craie, la vigne produit un vin voluptueux aux arômes de fruits rouges qu'équilibre un arôme subtilement minéral. Attributs de tous les grands vins provenant de la Champagne au Coonawarra, rondeur, puissance et élégance qualifient ce Blanc de Noirs.

Bien que ce Champagne ne porte pas la mention millésime, il s'agit en réalité d'un millésime 2001. La pluie qui sévit cette année-là dans la Marne accrut la fragilité du millésime ; pourtant la finesse du vignoble transparaît dans le verre. Les vignes firent l'objet d'un soin particulier afin de maintenir le rendement à un niveau correct et d'assurer la maturité optimale de ces vieux Pinots. Le vin subit une fermentation dans des barriques en chêne sans être jamais filtré. Sa maturité et sa concentration étaient telles qu'un simple dosage de 2 g/l suffit. Un superbe Champagne. **ME**

◄ Des flasques de verres sont utilisées par le Champagne Drappier pour mettre en haut des barils.

Giulio Ferrari
Riserva del Fondatore

Origine Italie, Trentin, Trente
Type vin blanc sec effervescent, 12,5 % vol.
Cépage Chardonnay
Millésime dégusté 1989, à boire jusqu'en 2017
€€€€€

Produit par la famille Lunelli depuis 1971, le Giulio Ferrari Riserva del Fontadore est sans doute le meilleur Spumante italien. Le vin tient son nom de Giulio Ferrari, le fondateur, propriétaire et gérant du « G Ferrari & C – Trente, Autriche » de 1902 à 1952. Après d'innombrables négociations, il finit par revendre l'affaire à Bruno Lunelli. Seul importait à Ferrari d'obtenir un prix des plus élevés ainsi que le droit de travailler dans les caves jusqu'à la fin de sa vie.

Giulio Ferrari était un homme très scrupuleux : son attention aux détails alliée à une quête de la perfection ont contribué à faire de ce Spumante la merveille qu'il est aujourd'hui. Les cépages de Chardonnay utilisés pour sa production sont issus de ceux que Giulio Ferrari introduisit dans la région en les important secrètement d'Épernay, en Champagne. Le millésime 1989 confine à l'excellence. Son nez mature dégage des arômes de beurre de cacahuète et de croissants chauds, ainsi que des notes plus fraîches de lavande et d'orange de Séville. Le palais demeure vif et vibrant, en dépit de sa lourdeur considérable, grâce à l'acidité et à la minéralité qui l'imprègnent jusqu'à la finale prolongée et précise. **AS**

Freixenet
Cuvée DS

Origine Espagne, Penedès, Sant Sadurni d'Anoia
Type vin blanc sec effervescent, 11,5 % vol.
Cépages Macabeo, Xarel-lo, Parellada
Millésime dégusté 2003, à boire jusqu'en 2013+
€€€€

On dénote, parmi les aficionados du vin, une méfiance générale à l'égard des grandes maisons qui comptent leur production non pas en milliers mais en millions de bouteilles. Si l'on considère l'image des producteurs espagnols de vin effervescents comme celle des moins nantis du Champagne, il y aurait peu de raisons de réserver une place aux principaux producteurs de Cava (Codorniu et Freixenet) dans cet ouvrage.

Mais outre les millions de bouteilles de vins moyens, les deux maisons produisent une bonne demi-douzaine de cuvées qui méritent une attention soutenue. Si l'on tient compte de la qualité du vin et du respect des traditions, la cuvée Freixenet la plus mémorable est ce millésime spécial, un assemblage des trois variétés traditionnelles catalanes : le Macabeu, le Xarel-lo et le Parellada.

La Cuvée DS fit son entrée sur le marché en 1969, en hommage à la Segnora Dolores Sala, ancienne directrice de l'entreprise. Le millésime 2003 allie fraîcheur et complexité comme peu de Cavas en sont capables. Sa plus grande vertu est sans doute son corps et sa profondeur uniques. **JB**

Placées dans des pupitres, les bouteilles attendent d'être remuées dans le complexe vinicole de Freixenet. ➜

Pierre Gimonnet *Millésime de Collection*

Origine France, Champagne, côte des Blancs
Type vin blanc sec effervescent, 12,5 % vol.
Cépage Chardonnay
Millésime dégusté 1996, à boire entre 2011 et 2025
€€€€

À l'instar de nombreux producteurs de Champagne, Didier Gimmonet produit une Tête de Cuvée à partir de ses meilleures terres, de ses plus vieux vignobles et/ou de ses plus belles parcelles. En tant que membre du Club Trésors de Champagne, ses bouteilles portent l'appellation Spécial Club et engendrent des millésimes réputés, avec une mention spéciale pour le 1996. Ce même vin est également mis en bouteilles dans des magnums sous le nom « Millésime de Collection », ce qui nous permet d'observer l'influence de la taille des bouteilles dans la courbe de vieillissement d'un Champagne. Le magnum, pourrait-on dire, est destiné au buveur qui n'est pas pressé.

Les 25 ha de Gimmonet sont concentrés dans la moitié nord de la côte des Blancs, principalement dans le village premier cru de Cuis et dans les villages grands crus de Cramant et de Chouilly. Le millésime 1996 est composé à 45 % de Cramant (vignes de 40 et 80 ans), à 25 % de Chouilly et à 30 % de Cuis. D'après Didier, un vin issu uniquement de grands crus serait trop lourd et manquerait de fraîcheur et d'élégance. « Selon moi, la concentration, mais également l'équilibre, l'élégance et l'harmonie doivent être présents », affirme t-il.

Bien que le vin manifeste une austérité affirmée à 10 ans d'âge, Gimmonet croit en son avenir. « Un grand vin est un vin minéral au début, et non un vin fruité », précise-t-il. **TT**

AUTRES SUGGESTIONS
Autres grands millésimes
1975 • 1982 • 1985 • 1988 • 1990 • 1999 • 2002
Autres vins du même producteur
Special Club Millésime Premier Cru 1996
Millésime de Collection 1995 • Premier Cru Sans Année

L'église de Cuis, sur les terres calcaires de la côte des Blancs. ➜

Henri Giraud *Aÿ Grand Cru Fût de Chêne*

Origine France, Champagne, Montagne de Reims
Type vin blanc sec effervescent, 12 % vol.
Cépages Pinot noir 70 %, Chardonnay 30 %
Millésime dégusté 1996, à boire jusqu'en 2012+
€€€€€

L'inscription « Fût de Chêne » figure en gros sur l'étiquette de ce Champagne original de Grand Cru Aÿ. Et pour cause, Claude Giraud est certainement le producteur ayant le plus contribué à une revalorisation originale de l'emploi du chêne dans la viniculture champenoise moderne. Il possède aujourd'hui 30 parcelles viticoles établies dans 14 lieux-dits situés sur les meilleures collines et vallées entourant la commune.

Compte tenu de la qualité des cépages, il est naturel que Claude ait choisi d'utiliser le chêne. Remontant aux premiers essais, Claude procéda à de nombreuses recherches afin de déterminer quel type de chêne conviendrait le mieux à la puissance et à la finesse du Champagne Aÿ. Il jette finalement son dévolu sur le chêne de la forêt d'Argonne, près de Sainte-Ménehould, à 1 h 30 de route au sud-est d'Aÿ. À la fois doux et agréable, ce bois local disparut pratiquement de la Marne pendant plusieurs décennies.

Il s'agit de l'un des meilleurs crus 1996. Sa couleur ambrée aux reflets dorés traduit la puissance du Champagne et son alliance avec le chêne ; son nez gagne en complexité au fil de l'évolution. En bouche, le vin est charnu, l'acidité et les arômes fruités se succédant d'abord timidement l'un à l'autre puis finissant par se fondre progressivement sous l'influence du chêne. Il est cependant conseillé de consommer ce vin avant 2010 car, en dépit de toutes ses qualités, il ne s'agit pas d'un Champagne à l'équilibre classique : il s'agit là d'un grand vin d'exception. **ME**

AUTRES SUGGESTIONS
Autres grands millésimes
1993 • 1995 • 1998
Autres producteurs utilisant le bois
Bollinger • Alfred Gratien • Krug
Jérôme Prévost • Jacques Selosse • Tarlant

Un moment d'excitation provoqué par la force explosive du Champagne. →

Gloria Ferrer *Royal Cuvée*

Origine États-Unis, Californie, Sonoma
Type vin blanc sec effervescent, 12 % vol.
Cépages Pinot noir 65 %, Chardonnay 35 %
Millésime dégusté 2000, à boire jusqu'en 2015
€€

L'épidémie de phylloxéra qui ravagea la Californie dans les années 1980 surprit de nombreux producteurs. En effet, la marque Gloria Ferrer, détenue par le producteur de Cava Freixenet, ne possédait qu'un seul clone de Chardonnay et de Pinot noir. Fort heureusement, son équipe de viticulteurs dirigée par Mike Crumly et Bob Lantosca effectua des essais de clonage pour le vin effervescent, lors d'un voyage en Champagne réalisé en 1986. Trois clones relativement méconnus (Colmar 538, UCD 32 et PN 927) forment la base de leurs cuvées prestige, comme cette «Royal Cuvée» millésimée. Produit exclusivement à partir des fruits de la propriété, le jus à la douce texture subit une fermentation dans des cuves en acier inoxydable afin de retenir les délicats arômes fruités. Le nombre de vins de base utilisés pour l'assemblage de la Royal Cuvée n'a cessé d'augmenter au cours des années et ce millésime 2000 en contient 17.

Pour les producteurs de vins effervescents, l'année 2000 rassembla les conditions climatiques idéales : une floraison sans heurts, un mois de juillet frais et des conditions globalement clémentes lors des vendanges. La longue période de mûrissement permit aux grappes de développer des arômes complexes tout en conservant une pointe d'acidité fraîche. Caractéristique de la Royal Cuvée, le millésime 2000 exhale des notes de fruits mûrs et florales complexes, une acidité vibrante et une aptitude au vieillissement. **LGr**

AUTRES SUGGESTIONS
Autres grands millésimes
1994 • 1995 • 1996 • 1997
Autres vins du même producteur
Blanc de Blancs • Blanc de Noirs
Carneros Cuvée • Sonoma Brut

Des plants de moutarde fleurissent au milieu des vignobles Gloria Ferrer. ➜

Gosset
Celebris

Origine France, Champagne
Type vin blanc sec effervescent, 12 % vol.
Cépages Chardonnay 70 %, Pinot noir 30 %
Millésime dégusté 1988, à boire jusqu'en 2020+
€€€€

Avec ses origines remontant à 1584, Gosset est sans doute la doyenne des maisons de Champagne. Établie à Aÿ, elle fut rachetée par la famille Cointreau en 1994 après avoir appartenu pendant plus de 400 ans à la famille Gosset. Les cépages sont gérés de main de maître depuis 1983 par le chef de cave né à Aÿ, Jean-Pierre Mareigner, inclus dans la liste des 40 plus grands viticulteurs de Champagne réalisée par Tom Stevenson. La fermentation malolactique est depuis toujours interrompue, ce qui contribue à l'exceptionnelle longévité des vins et au style puissant et pénétrant de la maison. La plupart des cuvées offertes par la maison sont fermentées en partie dans des fûts en bois, y compris l'extraordinaire cuvée prestige Celebris.

Le Chardonnay et le Pinot noir qui constituent Celebris sont issus de 7 à 9 grands crus exclusivement, et le vin n'est produit que lors d'années exceptionnelles. Le 1988 était ainsi un premier millésime hors pair, dont la qualité est toujours appréciée aujourd'hui. Pour une cuvée prestige de cette qualité, les vins sont d'une valeur exceptionnelle, d'autant que seules 18 000 bouteilles furent produites. **NB**

Gosset *Cuvée Celebris*
Blanc de Blancs Extra Brut

Origine France, Champagne
Type vin blanc sec effervescent, 12 % vol.
Cépage Chardonnay
Non millésimé, à boire jusqu'en 2020+
€€€€€

Gosset étendit d'abord sa gamme de cuvée prestige avec le Celebris Rosé 1998. Or le chef de cave de la maison Gosset, Jean-Pierre Mareigner, avait commencé à travailler sur une cuvée intégralement issue de Chardonnay depuis le milieu des années 1990, en mettant de côté environ 4 000 bouteilles de chaque millésime. La première cuvée résulte d'un assemblage de Chardonnays soigneusement issus de 11 crus différents, issus pour la plupart de la côte des Blancs, comme les grands crus Avize, Chouilly, Cramant, Le Mesnil-sur-Oger et Oger, et les premiers crus Cuis, Grauves, Vertus et Villeneuve-Renneville. Elle provient également de l'assemblage de quatre millésimes différents : 1995, 1996, 1998 et 1999. En conformité avec le style traditionnel de la maison, les vins de base n'ont pas subi de fermentation malolactique et certains ont été fermentés dans des fûts de bois.

La première production révéla un vin imposant et unique dès sa jeunesse. Elle donna certainement le jour à un vin plus complexe et original qualifié à juste titre par de Varine comme «notre interprétation personnelle et unique du Chardonnay». **NB**

Gramona
III Lustros Gran Reserva

Origine Espagne, Penedès, Sant Sadurni d'Anoia
Type vin blanc sec effervescent, 11,5 % vol.
Cépages Xarel-lo, Macabeo
Millésime dégusté 2001, boire la cuvée actuelle
€€

Le monde du Cava est dominé par de grandes entreprises produisant un nombre important de bouteilles. Mais il existe aussi de multiples petits établissements vinicoles familiaux de qualité dignes d'intérêt. Fondé en 1921, Gramona est l'un d'entre eux.

Gramona dispose d'un vignoble de 25 ha utilisé pour la production de Cava et d'une gamme de vins tranquilles et de raretés telles qu'un «Vin de glace» produit grâce à la neige carbonique. III Lustros vit le jour à la fin des années 1930, après la guerre civile espagnole. Le but était de produire un Cava qui vieillirait en cave pendant quinze ans. Le mot espagnol *lustro* signifie la moitié d'une décennie ; le Cava était donc vieilli pendant trois *lustros*, d'où son nom.

Le marché actuel a changé, tout comme le vin. III Lustros est aujourd'hui âgé de cinq ou six ans, durée de vieillissement très longue comparée à la majorité des Cavas. Il possède un pourcentage élevé de Xarel-lo, cépage réputé le meilleur pour un long vieillissement, complété par 30 % de Macabeu. Il s'agit d'un Brut Nature (sans ajout de sucre) ; Gramona insiste sur l'importance de fermer les bouteilles avec du liège lors de la seconde fermentation. **LG**

Alfred Gratien

Origine France, Champagne
Type vin blanc sec effervescent, 12 % vol.
Cépages Chardonnay, Pinot noir, Pinot meunier
Millésime dégusté 1998, à boire entre 2009 et 2020
€€€€

Cette maison, fondée en 1867 par Alfred Gratien, faisait auparavant des vins effervescents dans le Saumurois. Henkell, tout-puissant producteur du Sekt, en est aujourd'hui le propriétaire. Avec sagesse, le géant allemand a préféré laisser son rejeton français aux bons soins de la famille Jaeger, maîtres de cave de cette maison depuis trois générations.

Toute la gamme de ces Champagnes est élaborée dans le respect de la plus pure tradition. Depuis le brut non millésimé mais très fiable (expédié sans interruption à la Wine Society britannique depuis 1906) jusqu'à l'exquise et prestigieuse Cuvée Paradis, tous les vins sont vinifiés en barriques de chêne. La fermentation malolactique est évitée, pour assurer à ces Champagnes distinction et longévité.

Ce sera très certainement le cas pour ce millésime 1998. Ce brillant cadet arbore une robe d'or scintillante. Les arômes sont déjà expressifs et intenses, avec des notes de brioche et de pain grillé. Frais, précis et presque croustillant en bouche, il n'en offre pas moins des flaveurs profondes de citron et de fruits à noyaux, qui ne manqueront pas de se développer au cours de la prochaine décennie. **ME**

Gratien & Meyer
Cuvée Flamme Brut

Origine France, vallée de la Loire, Saumur
Type vin blanc sec effervescent, 12 % vol.
Cépages Chenin blanc, Cab. franc, Chardonnay
Non millésimé, à boire entre 2009 et 2012
€€€

Alfred Gratien était un homme qui voyait grand. Il l'a prouvé dès 1864, en fondant deux exploitations viticoles, l'une à Saumur et l'autre à Épernay. Toutefois, la société de Saumur a toujours été sa priorité, et reste aujourd'hui encore le leader des Crémants de Loire. Les raisins de la Cuvée Flamme, assemblage classique de Chenin blanc et de Cabernet franc, auxquels s'ajoute un peu de Chardonnay, sont cultivés sur des sols crayeux et blanchâtres appelés tuffeau, emblématiques de la région de Saumur, qui donnent aux vins effervescents une flaveur raffinée caractéristique. Le tuffeau a aussi pour vertu d'emmagasiner la chaleur du soleil pendant la journée et de la restituer la nuit pour réchauffer les vignes. C'est sans doute là réside l'exceptionnelle qualité de ces vins.

La robe de la Cuvée Flamme est d'un beau jaune pâle et doré, tandis que le cordon de mousse est stable, régulier et élégant. Les arômes sont profonds et primesautiers, et les senteurs dominantes celles des fleurs des bois au printemps. Le Flamme est l'un des vins effervescents les plus proches du Champagne, ses arômes fruités et minéraux délicats se combinant à des flaveurs plus mûres et plus complexes. **ME**

Charles Heidsieck
Brut Réserve Mis en Cave 1997

Origine France, Champagne
Type vin blanc sec effervescent, 12 % vol.
Cépages P. noir 55 %, Chard. 30 %, P. meunier 15 %
Non millésimé, à boire jusqu'en 2015+
€€€

Élaboré par Daniel Thibault, ancien viticulteur de Charles Heidsieck et considéré par de nombreux connaisseurs comme le plus grand assembleur de Champagne de son époque, ce vin compte parmi les Champagnes bruts sans année les plus raffinés.

Pourquoi donc l'étiquette de cet assemblage non millésimé indique-t-elle une année ? Daniel Thibault croyait fermement que les connaisseurs en Champagne devaient avoir accès à toutes les informations concernant l'âge exact de l'assemblage afin d'évaluer sa maturité. Le terme « mis en cave » indique la date de mise en bouteille et le vin de base est toujours embouteillé au cours du printemps suivant les vendanges précédentes ; « 1997 » indique donc que le vin de base est ici le grand millésime 1996.

Testé lors d'une dégustation verticale de cinq vins mis en cave en 1997, ce vin conquit les participants. Sa robe or tirant sur le vert évoque sa structure particulière ; elle est confirmée par un bouquet frais et vigoureux teinté d'une acidité massive et presque rocheuse. En bouche, il se révèle généreux, rond et charnu, avec de merveilleux arômes de pêche et d'abricot. **ME**

Henriot
Cuvée des Enchanteleurs

Origine France, Champagne
Type vin blanc sec effervescent, 12 % vol.
Cépages Chardonnay 55 %, Pinot noir 45 %
Millésime dégusté 1988, à boire jusqu'en 2020+
€€€€

Personnage complexe, Joseph Henriot est l'un des hommes les plus influents de Champagne. Il a une passion dévorante pour le Chardonnay qui mène son plus célèbre vin : la Cuvée des Enchanteleurs.

Produit exclusivement lors d'années exceptionnelles, ce Champagne au fort potentiel de garde ne devrait en principe pas être débouché avant ses 13 ans d'âge et ne dévoile pleinement sa richesse qu'après 20 ans de vieillissement. Les grands crus de la côte des Blancs forment le cœur de l'assemblage, alliés à des crus tout aussi raffinés de la Montagne de Reims.

Cette Cuvée des Enchanteleurs 1990 a fait couler beaucoup d'encre mais la cuvée 1988 l'emporte cependant de peu, pour la simple raison que ce vin plus âgé compte parmi les Champagnes les plus admirables réalisés au cours des cinquante dernières années. Sa couleur chatoyante jaune or arbore davantage d'éclats verts que la cuvée 1990. Le bouquet est saisissant, extrêmement complexe, teinté de minéralité, avec des notes de beurre et de noisette évoluant doucement ; le palais se situe au-delà de toute description tant l'harmonie entre les arômes fruités, le terroir et la vinosité est parfaite. **ME**

Domaine Huet
Vouvray Brut

Origine France, vallée de la Loire, Touraine
Type vin blanc sec effervescent, 12 % vol.
Cépage Chenin blanc
Millésime dégusté 1959, à boire jusqu'en 2015+
€€€€

Pour tous ceux qui estiment qu'aucun vin effervescent ne peut apporter un plaisir égal à celui que procure un bon Champagne millésimé, ce Vouvray brut discrètement pétillant sera une révélation. Gaston Huet, qui a repris le domaine familial en 1938, en a fait plus que tout autre pour préserver la réputation de son célèbre village, dont il fut le maire de 1947 à 1987 (précisément deux des plus grands millésimes du siècle).

C'est très certainement du premier vignoble du domaine Huet, le Haut-Lieu qu'est issu ce superbe vin. Il a été rendu pétillant plutôt que véritablement mousseux. Une bonne bouteille a conservé intacte cette caractéristique et cela, allié à l'acidité et à la minéralité bien connues du Chenin blanc, contribue à en faire un vin frais, malgré sa richesse onctueuse. Doté d'une robe d'un jaune or profond, il offre un nez irrésistible de senteurs d'automne, de pommes, de miel et de pâte feuilletée, et une bouche somptueuse de fruits mûrs et soyeux. Il est difficile de faire un choix entre les deux 1959, le brut et le demi-sec, mais le premier l'emporte néanmoins d'une courte tête, grâce à sa définition précise et à sa très longue finale. **NB**

Iron Horse *Vrais Amis*

Origine États-Unis, comté de Sonoma, Green Valley
Type vin blanc sec effervescent, 13 % vol.
Cépages Pinot noir 70 %, Chardonnay 30 %
Millésime dégusté 2001, à boire jusqu'en 2013+
€€

À l'origine, Vrais Amis fut conçue comme une cuvée commune par deux amis proches, Barry Sterling de Iron Horse et Bernard de Nonancourt du Champagne Laurent-Perrier. Une fois la part de Iron Horse détenue par Laurent-Perrier rachetée par les Sterling en 1998, on découvrit que le Pinot noir de Thomas Road initialement prévu pour le projet produisait un vin tranquille spectaculaire. Le projet tomba donc à l'eau jusqu'à ce qu'un autre ami proche des Sterling, le chef Charlie Trotter, réclame la création d'une cuvée spéciale destinée à accompagner sa cuisine innovante.

Sterling racheta les vignobles de Iron Horse à Rodney Strong dans les années 1975. Les conditions de la Green Valley se révélèrent propices à la production de vin effervescent. Bien que l'établissement produise des vins tranquilles, c'est avant tout sur la complexité de ses vins effervescents que repose la réputation d'Iron Horse.

La cuvée des Vrais Amis est une variation du millésime brut traditionnel Iron Horse. Comme pour tous les vins effervescents Iron Horse, la fermentation malolactique est bloquée afin de maintenir une acidité vibrante. La spécificité de la cuvée tient dans sa liqueur d'expédition 100 % Chardonnay – un clin d'œil à Nonancourt qui considéra toujours le Chardonnay de Iron Horse, avec ce caractère typique de la Green Valley qu'on lui connaît, comme son meilleur vin. Avec sa structure achevée et ses arômes complexes, la cuvée des Vrais Amis est le reflet des alliances qu'elle célèbre. **LGr**

AUTRES SUGGESTIONS
Autres grands millésimes
1992 • 1993 • 1994 • 1995
Autres vins effervescents Iron Horse
Classic Vintage Brut • Joy
Russian Cuvée • Wedding Cuvée

Les vignobles Iron Horse parmi les conifères dans la Green Valley de Sonoma. ➜

Jacquesson
Cuvée 730

Origine France, Champagne
Type vin blanc sec effervescent, 12 % vol.
Cépages Chard. 48 %, P. noir 32 %, P. meunier 20 %
Non millésimé, à boire jusqu'en 2012
€€€

De toutes les prestigieuses maisons de Champagne, celle de Jacquesson sort résolument du lot par son art d'assembler une cuvée non millésimée de vin sec. Jean-Hervé Chiquet, copropriétaire de la maison avec son frère Laurent, explique : « À la fin des années 1990, nous nous sommes rendu compte que le principe fondamental visant à produire un vin Brut Sans Année classique au style régulier limitait nos possibilités d'améliorer le vin. » Consécutivement aux vendanges de 2000, les Chiquet décidèrent alors de faire primer l'excellence sur l'uniformité en élaborant un vin qui reflétait le millésime principal dans l'assemblage.

Cette Cuvée 730, assemblée par la maison depuis sa fondation en 1798, est née de l'exceptionnel millésime 2002. Bien que constituant seulement un tiers de cette cuvée, le Pinot noir diffuse son arôme vineux et profond. Le succès de l'assemblage, dans un vin au taux d'acidité satisfaisant mais non excessif, réside dans la proportion élevée de Chardonnay, source d'équilibre et de fraîcheur. La Cuvée 730 subit une fermentation dans de larges fûts de chêne sans filtrage. **ME**

Jacquesson *Grand Cru*
Äy Vauzelle Terme

Origine France, Champagne, Montagne de Reims
Type vin blanc sec effervescent, 12 % vol.
Cépage Pinot noir
Millésime dégusté 1996, à boire jusqu'en 2020
€€€€€

Vauzelle Terme est le plus petit des prestigieux vignobles de Jacquesson : quelque 0,3 ha situé à flanc d'une colline orientée vers le sud à Aÿ, le terroir du Pinot noir le plus réputé de Champagne. Composé de calcaire, le sol doit sa formation aux dépôts alluviaux riches en grains abrasifs. Un socle rocheux crayeux facilite le drainage de l'eau. Ce site est idéal pour la culture du célèbre cépage noir.

Le millésime 1996 fut fermenté dans des demi-muids en fûts de chêne. Après un léger soutirage, la première dégustation des vins clairs révéla un vin unique, expansif et magnifiquement structuré. Laurent Chiquet, le viticulteur, décida d'utiliser un fût afin de rehausser le Grand Vin Jacquesson 1996 ; il assembla les deux autres pour former cette cuvée issue d'un seul vignoble.

Lors d'une dégustation de Blancs de Noirs effectuée en 2004, le Vauzelle Terme l'emporta sur tous les autres vins. Ce dernier possède une robe jaune or et exhale des arômes de fruits rouges mûrs et de pain d'épice ; il dévoile des saveurs caractéristiques de 1996, une acidité purifiante avec une longue finale d'une exquise pureté. **ME**

◄ Une publicité dramatique pour Jacquesson réalisée par A. Cometti dans les années 1930.

Krug *Clos d'Ambonnay*

Origine France, Champagne, Montagne de Reims
Type vin blanc sec effervescent, 12 % vol.
Cépage Pinot noir
Millésime dégusté 1995, à boire jusqu'en 2020+
€€€€€

Vingt et un ans après la sortie du Clos du Mesnil 1979, en 1986, le Clos d'Ambonnay 1995 a fait une entrée triomphale. Le secret avait été bien gardé, jusqu'à ce qu'Henri Rémi et Olivier Krug n'accueillent les premiers visiteurs dans leur cave voûtée, en bordure du grand cru de la Montagne de Reims.

Dès le début des années 1880, le fondateur, Paul Krug, avait su repérer les meilleures sources de Pinot noir et de Chardonnay, respectivement Ambonnay et Le Mesnil-sur-Oger, qui jouent depuis lors un rôle majeur dans la Grande Cuvée Krug. Les Krug ont acquis le Clos d'Ambonnay au milieu des années 1990 et, bien qu'ils aient réalisé des cuvées expérimentales pendant près de dix ans, ils estiment que le millésime 1995 est le premier à exprimer la quintessence de ce grand terroir.

Petit verger à taille humaine (0,7 ha), le Clos d'Ambonnay représente ce que Rémi Krug appelle « l'individualité de l'extrême ». De fait, la personnalité de ce vin issu d'un sol mince et crayeux est marquée par une forte individualité. Le bouquet de ce 1995 unit une remarquable complexité à une extrême pureté (un paradoxe pour cette maison), avec des notes sauvages distinctives et nobles ; l'anis, le croissant aux amandes, les fruits confits, les fleurs blanches et le miel d'acacia cèdent la place aux abricots secs et à la réglisse. En bouche, le vin est dense et intense, mais aussi élégant, harmonieux et infiniment soyeux. On peut estimer qu'il s'agit là d'un millésime très chaleureux, doté d'une finale extraordinairement longue. **NB**

AUTRES SUGGESTIONS
Autres millésimes attendus
1996 • 2000 • 2002 • 2004
Autres Champagnes issus d'un seul vignoble
Billecart-Salmon Clos St. Hilaire • Cattier Clos du Moulin Cazals Clos Cazals • Philipponnat Clos des Goisses

Les cavistes sont passés maîtres dans l'art de déplacer de lourds tonneaux. ➔

Krug
Clos du Mesnil

Origine France, Champagne, côte des Blancs
Type vin blanc sec effervescent, 12 % vol.
Cépage Chardonnay
Millésime dégusté 1979, à boire jusqu'en 2015+
€€€€€

Le grand cru Le Mesnil-sur-Oger est un village capable de produire des vins à la splendeur minérale unique. C'est au cœur du village que se niche le vignoble fermé de Clos du Mesnil. Avec 1,8 ha, le plus fameux vignoble champenois possède la même superficie que le plus célèbre vignoble du monde : Romanée-Conti. Dans les deux cas, la combinaison d'une qualité exceptionnelle et de la rareté des produits se traduit par des prix extrêmement élevés : le Clos du Mesnil a longtemps été le Champagne le plus cher du marché, les cuvées 1995 et 1996 étant vendues aux alentours de 726 € la bouteille.

Le premier Krug Clos du Mesnil date de 1979 ; il fut commercialisé en 1988 et est considéré par l'expert en Champagne Tom Stevenson comme l'un des trois meilleurs Champagnes produit au cours des trente dernières années. Le vin a donné le jour à seulement onze autres millésimes : 1980, 1982, 1983, 1985, 1986, 1988, 1989, 1990, 1992, 1995 et 1996. Comme tous les vins Krug, il est fermenté dans de petites barriques en chêne d'Argonne vieilli et ne subit pas de fermentation malolactique – des facteurs qui contribuent à sa complexité, à son identité et à sa longévité.

Dotés d'une minéralité vivifiante et d'une pureté pénétrante dans leur jeunesse, ces vins exceptionnels développent des arômes et des senteurs de miel d'acacia, d'abricots, de fleurs blanches, de café, de vanille et de noix avec l'âge. **NB**

◄ Les inscriptions sur les fûts se font avec de la peinture blanche.

Krug *Collection*

Origine France, Champagne
Type vin blanc sec effervescent, 12 % vol.
Cépages Pinot noir, Chardonnay, Pinot meunier
Millésime dégusté 1981, à boire jusqu'en 2020+
€€€€€

Lorsqu'ils sont stockés dans des conditions parfaites, les Champagnes millésimés de Krug peuvent vieillir convenablement pendant des décennies, révélant ainsi de nouvelles facettes de leur personnalité. La clé de leur longévité tient dans la première fermentation effectuée dans de petits fûts en chêne. Cette opération renforce la résistance du vin jeune à l'oxydation et encourage une évolution lente et durable, tout en conservant sa fraîcheur et sa couleur vibrante. Après quinze ou vingt ans, les millésimes Krug entrent dans une « seconde vie » durant laquelle l'équilibre général de leur goût se modifie tandis que les senteurs individuelles s'intensifient. C'est à ce moment qu'on les juge prêts à quitter une nouvelle fois les caves Krug pour faire partie de la Krug Collection ; dernières bouteilles disponibles d'un remarquable millésime antérieur.

Le millésime 1981 est l'un d'entre eux. Doté d'une robe or lumineuse, il exhale des arômes de truffes blanches, d'épices douces, de pain grillé, de pomme mûre et de citron confit finissant sur des notes plus rondes d'abricot et de miel. Extrêmement long au palais, il laisse une impression finale d'élégance et de vigueur.

Le gastronome Paul Levy pensait-il au Collection 1981 lorsqu'il affirmait : « Krug est le Champagne que Dieu donne à ses anges lorsqu'ils ont été particulièrement bons » ? Sans doute, même s'il pourrait également s'agir du 1979, de l'admirable 1976 ou de quasiment tous les autres en remontant jusqu'au légendaire 1928. Quelle Collection ! **ME**

AUTRES SUGGESTIONS
Autres grands millésimes
1964 • 1966 • 1969 • 1971 • 1973 • 1975 • 1976 • 1979
Autres Champagnes 1981
Bollinger Vieilles Vignes Françaises
Cristal • Taittinger Comtes de Champagne

Krug *Grande Cuvée*

Origine France, Champagne
Type vin blanc sec effervescent, 12 % vol.
Cépages Pinot noir, Chardonnay, Pinot meunier
Non millésimé, à boire dès sa sortie ou à 10 ans d'âge
€€€€

Pour nombre de connaisseurs, Krug est le plus grand nom du Champagne et sa Grande Cuvée porte l'art de l'assemblage à son acmé. Ce vin est constitué des trois cépages de Champagne – le Pinot meunier apportant une touche démocratique à celle aristocratique du Pinot noir et du Chardonnay – et résulte d'un assemblage de quarante vins issus d'une dizaine de millésimes. La Grande Cuvée subit une première fermentation dans de petites barriques en chêne vieilles de un à vingt ans avant d'être transvasée dans des cuves en acier inoxydable afin de préserver une fraîcheur optimale.

Depuis l'intégration de cette entreprise familiale dans la famille Moët en 2004, les ressources financières du groupe ont «accru la puissance [de leur] moteur», selon les mots d'Henri Krug, célèbre concepteur du style Krug et viticulteur en chef. En 2007, le groupe réalisa un investissement substantiel chez Krug en installant quarante cuves dernier cri, chacune divisée en deux compartiments, permettant ainsi une maturation séparée de petites quantités des meilleurs vins en vue d'une traçabilité totale et d'une vinification perfectionnée.

Vieilli durant six années avant sa sortie, ce vin à la robe or tirant sur le vert exhale d'abord des arômes d'agrumes, puis des arômes de noisette, de beurre et de miel – un grand Chardonnay. Sa bouche riche demeure raffinée et élégante, les petits fruits rouges du Pinot noir se mêlant aux arômes de pain grillé et d'épices provenant du Pinot meunier. La finale est aussi longue que magnifiquement complexe. **ME**

AUTRES SUGGESTIONS
Autres grands Champagnes Krug
Krug Collection • Krug Rosé • Krug Vintage
Autres Champagnes non millésimés
Billiot Cuvée Laetitia • De Meric Cuvée Catherine De Sousa Cuvée des Caudalies • Gosset Celebris

La Morandina
Moscato d'Asti

Origine Italie, Piémont, Asti
Type vin blanc doux effervescent, 5,5 % vol.
Cépage Moscato
Millésime dégusté 2006, boire la cuvée actuelle
€€

Longtemps resté dans l'ombre de son cousin plus mousseux Asti Spumante, le temps est enfin venu pour le Moscato d'Asti d'occuper le devant de la scène. Contrairement à l'Asti, il est légèrement pétillant et la pureté de son arôme fruité, qui rappelle celle des grappes sucrées fraîchement cueillies, est des plus appréciées. Avec son faible titre alcoométrique et son caractère fruité scintillant et vivifiant, le Moscato d'Asti est le vin idéal à déguster lors d'un long après-midi estival.

Giulio et Paolo, les frères Morando, ont mené la propriété vers de nouveaux sommets au cours de ces dernières années. Une partie des caves a beau dater du début du XIXᵉ siècle, l'esprit qui y règne n'en demeure pas moins résolument moderne. Depuis 1988, les cépages constitutifs du Moscato d'Asti sont cultivés dans la commune de Castiglione Tinella, non loin de la ville d'Asti elle-même où 14 ha de plantations sur des sols calcaires engendrent la beauté aromatique caractéristique du grand Moscato.

Bien que La Morandina soit un vin millésimé daté, il fait preuve d'une constance remarquable d'année en année. C'est jeune qu'il doit être apprécié. Il se dégage du bouquet une grande fraîcheur de raisins soutenue par des arômes d'amandes sucrées contenus dans le Moscato. En bouche, le caractère séveux et rafraîchissant du vin équilibre à merveille sa douceur veloutée. Son pétillement chatouille le palais sans toutefois dominer en bouche et l'on retrouve des notes de menthe et même de basilic frais. **SW**

Langlois Château
Crémant de Loire Brut

Origine France, vallée de la Loire, Anjou
Type vin blanc sec effervescent, 12,5 % vol.
Cépages Chenin blanc, Chardonnay, Cab. franc
Non millésimé, boire la cuvée actuelle, jusqu'à 3 ans
€€€

Avec son importante réserve de sève et d'acidité, le Chenin blanc forme le cépage blanc de vigne le plus connu de la Loire. C'est grâce à lui que les sublimes vins de dessert d'Anjou tels que Bonnezeaux, Quarts-de-Chaume et Vouvrays se maintiennent pendant des décennies sous la forme de grands millésimes. C'est un cépage idéal pour la fabrication de vin effervescent, en particulier lorsqu'il est assemblé avec du Chardonnay. Le Langlois Château a trouvé en François-Régis de Fougeroux, un éminent viticulteur qui a porté sa gamme de vins effervescents au sommet de l'appellation Crémant de Loire. Né à Angers en 1974, François-Régis passa son diplôme de chimie à l'université de Nantes. Il travailla ensuite dans un vignoble près de la ferme de son père avant de partir pour l'Australie où il affina ses connaissances auprès du maître Brian Croser. À son retour en France, il rejoignit l'entreprise de Langlois Château comme directeur de production.

Ce Crémant de Loire entrée de gamme est un délice. Il est frais et vif, avec une fine mousse. Le nez exhale un agréable arôme de pain tandis que le palais est dominé par l'arôme citronné et cireux du Chenin, rehaussé par le panache du Chardonnay et la vigueur du Cabernet franc. La composition du Crémant Réserve est identique à celle du brut même si le premier vieillit sur lies trois années supplémentaires. Il possède davantage d'arômes secondaires ; c'est à la fois un vin de table et un digestif. Le Crémant rosé Langlois est intégralement constitué de Cabernet franc. **ME**

Une affiche des années 1940 associe le Champagne à la haute société. →

Larmandier-Bernier
VV de Cramant GC Extra Brut

Origine France, Champagne, côte des Blancs
Type vin blanc sec effervescent, 12,5 % vol.
Cépage Chardonnay
Millésime dégusté 1999, à boire de 10 à 20 ans d'âge
€€€€

Il y a dix ans, les Larmandier faisaient partie du Club Trésors de Champagne et leur meilleure cuvée était la Spécial Club, généralement issue des plus anciens vignobles de Vertus. Formant à l'origine une cuvée séparée, le Vieilles Vignes de Cramant est depuis devenu la spécialité des Larmandier et l'un des grands Blanc de Blancs de Champagne.

Pierre Larmandier commença un programme de bâtonnage (action de remettre en suspension les lies) pour ses vins tranquilles avant d'entamer la seconde fermentation.

Le Champagne Cramant est issu de deux parcelles, datant de quarante et soixante-dix ans. Bien que leurs inclinaison et exposition varient, les vignobles de Cramant forment les Champagnes les plus proches du Riesling, avec des nuances de jade-oolong et autres thés verts, de zeste de citron, d'estragon, de pomme Stayman et de minéraux. Comme presque toutes les petites productions cultes de Champagne, le Vieilles Vignes de Cramant Larmandier-Bernier sort de cave avant d'être parfaitement mature ; l'amateur qui le laisse vieillir le temps qu'il faut découvrira l'un des vins les plus profonds de Champagne. **TT**

Laurent-Perrier
Grand Siècle

Origine France, Champagne
Type vin blanc sec effervescent, 12 % vol.
Cépages Chardonnay 55 %, Pinot noir 45 %
Non millésimé, à boire dans les 10 ans après sa sortie
€€€€

Bernard de Nonencourt est un chef de file courageux. Dans les années 1950, il rêvait de créer une cuvée prestige qui aurait une composition très différente de celle des grandes maisons de Champagnes de Reims et d'Épernay. Rejetant le choix traditionnel d'un vin millésimé daté, il opta pour un assemblage de trois grandes années de style et de qualité homogènes.

Depuis sa commercialisation en 1957, la cuvée témoigne d'un remarquable équilibre entre Pinot noir et Chardonnay, avec une légère majorité du célèbre cépage blanc. Plus de dix ans après, je relis mes notes : « Une robe jaune paille tirant sur le vert : le Chardonnay domine au premier contact, avec des arômes de lis, de brioche et d'amandes grillées. Les notes élégantes et citronnées prévalent, soutenues par la puissance tranquille du Pinot noir. »

À l'instar de toutes les personnes raisonnables, Nonencourt et son équipe ne font pas toujours ce qu'ils disent. Occasionnellement, ils produisent un vin Grand Siècle millésimé issu d'une année exceptionnelle. Le 1985 en est l'exemple le plus abouti, avec une concentration extrême de Pinot noir. **ME**

Le vin sans-sucre était élaboré à partir de baies mûres et à faible teneur en acidité. ➋

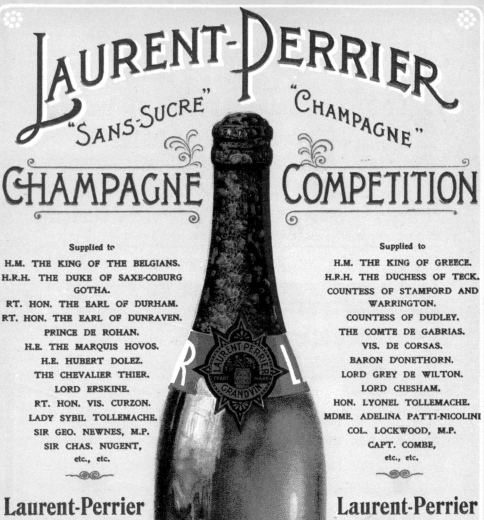

LAURENT-PERRIER

"SANS-SUCRE" "CHAMPAGNE"

CHAMPAGNE COMPETITION

Supplied to

H.M. THE KING OF THE BELGIANS.
H.R.H. THE DUKE OF SAXE-COBURG GOTHA.
RT. HON. THE EARL OF DURHAM.
RT. HON. THE EARL OF DUNRAVEN.
PRINCE DE ROHAN.
H.E. THE MARQUIS HOVOS.
H.E. HUBERT DOLEZ.
THE CHEVALIER THIER.
LORD ERSKINE.
RT. HON. VIS. CURZON.
LADY SYBIL TOLLEMACHE.
SIR GEO. NEWNES, M.P.
SIR CHAS. NUGENT,
etc., etc.

Supplied to

H.M. THE KING OF GREECE.
H.R.H. THE DUCHESS OF TECK.
COUNTESS OF STAMFORD AND WARRINGTON.
COUNTESS OF DUDLEY.
THE COMTE DE GABRIAS.
VIS. DE CORSAS.
BARON D'ONETHORN.
LORD GREY DE WILTON.
LORD CHESHAM.
HON. LYONEL TOLLEMACHE.
MDME. ADELINA PATTI-NICOLINI
COL. LOCKWOOD, M.P.
CAPT. COMBE,
etc., etc.

Laurent-Perrier

"SANS-SUCRE,"

Is supplied by all Wine Merchants throughout the World.

It is found at all the most important Hotels and Restaurants in Great Britain, Her Colonies and Possessions, the United States, Germany, France, Holland, Belgium, &c.

VINTAGES

1889, 1892, 1893,
"SANS-SUCRE."
(Gold Label).

Laurent-Perrier

"SANS-SUCRE,"

Is supplied by all Wine Merchants throughout the World.

It is found at all the most important Hotels and Restaurants in Great Britain, Her Colonies and Possessions, the United States, Germany, France, Holland, Belgium, etc.

VINTAGES

1889, 1892, 1893,
"SANS-SUCRE."
(Gold Label).

PRIZES of the Value of about £6000

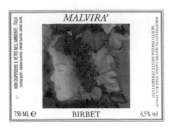

Lilbert-Fils
Brut Perle

Origine France, Champagne, côte des Blancs
Type vin blanc sec effervescent, 12 % vol.
Cépage Chardonnay
Non millésimé, à boire dès sa sortie et jusqu'à 10 ans
€€

La famille Lilbert détient des parts de Cramant dans certains des lieux-dits les plus réputés, où l'âge moyen des vignes est supérieur à quarante ans. La fermentation est effectuée avec de la levure de culture dans des cuves en acier inoxydable afin de réduire le risque d'arômes ou de parfums dénaturés qui compromettraient la pureté cristalline recherchée. La fermentation malolactique est encouragée et les vins passent au moins vingt-quatre à trente mois sur lies.

Le Brut de Perle est le vin le plus atypique de cette gamme et l'un des rares du terroir à conserver un style populaire ancien précieux : le Crémant de Cramant. À l'origine, Crémant désignait un Champagne « crémeux » soumis à une pression inférieure à la normale mais le terme dut être rendu aux producteurs d'autres vins effervescents français lorsqu'ils décidèrent d'abandonner l'expression « méthode champenoise ». Cette élégante version signée Lilbert est vive, crayeuse et florale au nez, avec une vinosité douce et soyeuse au palais, révélatrice de la transparence de son terroir. **NB**

Malvirà
Birbét Brachetto

Origine Italie, Piémont, Roero
Type vin rouge doux effervescent, 6,5 % vol.
Cépage Brachetto
Non millésimé, boire la cuvée actuelle
€

La propriété de Malvirà est située dans la petite ville de Canova, sur les rives gauches de la rivière Tanaro. La région de Roero s'étend de l'autre côté de la rivière, en face des collines de Langhe, terroir des vins Barolo et Barbaresco. Le sol de la région de Roero est de formation plus récente que celui des Langhe où le paysage se compose de collines plus abruptes que sur l'autre versant de la rivière. Fondée en 1974, la propriété de Malvirà appartient toujours à la famille Damonte, impliquée dans la viticulture et la viniculture depuis plus de deux siècles.

Le titre alcoométrique de Birbét Brachetto est délibérément maintenu au-dessous du minimum légal pour le « vin ». Ce dernier est donc considéré (et étiqueté) comme « moût partiellement fermenté ». La première fermentation est réalisée dans des cuves en acier inoxydable et la seconde dans des cuves pressurisées. La mise en bouteilles s'effectue en trois fois, aux mois de novembre, février et mai afin d'assurer un vin aussi frais que possible. Sa beauté tient à ses arômes primaires de roses et de fraises, qui se dissiperont au cours du vieillissement. Au palais, il se montre dangereusement facile à boire. **AS**

MATEUS

Mateus
Rosé

Origine Portugal, Bairrada / Douro
Type vin rosé demi-sec effervescent, 11 % vol.
Cépages Baga, Bastardo, Touriga Nacional et autres
Non millésimé, boire la cuvée actuelle
€

Commercial génial, Fernando Van Zeller Guedes a inventé une marque appréciée de tous. Ni sec ni doux, ni rouge ni blanc, ni lourd ni léger, ni pétillant ni plat, son vin peut être apprécié seul, accompagné d'un plat salé ou d'un pudding. La forme en lingam de la bouteille est inspirée des flasques des soldats de la Première Guerre mondiale. L'étiquette représente le lieu de naissance historique du Mateus Rosé, le Palácio de Mateus, un manoir baroque datant du XVIIIe siècle et situé près de la ville de Vila Real.

Le vin est issu d'un assemblage de variétés de cépages rouges portugais provenant essentiellement des régions du Douro et de la Bairrada. Le jus fermente lentement, sans contact avec la peau, à des températures contrôlées oscillant entre 16 et 18 °C. Cette méthode appelée le processus *Bica Aberta* confère au Mateus Rosé sa couleur « rose » qui le caractérise.

Un temps associée aux soirées des années 1970 et aux pantalons pattes d'ef, la marque Mateus connut un nouveau souffle au début de ce siècle. La gamme inclut aujourd'hui le rosé Shiraz, le rosé Tempranillo et un vin blanc. **SG**

Serge Mathieu *Cuvée Tradition*
Blanc de Noirs Brut

Origine France, Champagne, côte des Bar
Type vin blanc sec effervescent, 12 % vol.
Cépage Pinot noir
Non millésimé, à boire dès sa sortie et pendant 5 ans+
€€

Une cuvée 100 % Pinot noir issue des sols riches en calcaire du sud de la Champagne et d'un excellent rapport qualité-prix. Le domaine de première classe d'Avirey-Lingey est aujourd'hui géré par la fille de Serge Mathieu, Isabelle, et son mari, Michel Jacob, viticulteur non interventionniste talentueux et gardien méticuleux et écologiste des 11 ha de la propriété familiale ; un pragmatique flirtant avec l'agriculture biodynamique sans y adhérer. Le vignoble est principalement planté des plus beaux cépages de Pinot noir et de Chardonnay. Les caves ne contiennent pas de chêne, afin de laisser s'exprimer la pureté du raisin et le caractère du terroir.

Ce Blanc de Noirs arbore une robe aux reflets dorés et tire sur le bronze ; les arômes de cerises mûres exhalés par le Pinot se mêlent à des senteurs de viande, d'épices et de cuir ; en bouche, le vin est charnu et ressemble à une mini-Bollinger (Grande Année, et non Spéciale Cuvée !). L'impression la plus durable demeure celle de la finesse, de l'équilibre et d'un soin admirable manifesté dans le processus de vinification, tout cela pour moins de 22 euros la bouteille. **ME**

Medici Ermete
Lambrusco Reggiano Concerto

Origine Italie, Émilie-Romagne
Type vin rouge sec effervescent, 11,5 % vol.
Cépage Lambrusco
Millésime dégusté 2006, boire la cuvée actuelle
€

Le Lambrusco souffre souvent d'une mauvaise réputation en Italie comme à l'étranger. La raison est liée au fait que la production de ce vin est contrôlée par d'énormes coopératives de viticulteurs payés à la tonne sans se soucier de la qualité du raisin. Le laxisme des lois de production fait le reste.

La propriété Medici Ermete fut la première à tirer parti de la production de Lambrusco vers le milieu des années 1980. Elle décida alors de produire son propre raisin pour ses vins haut de gamme tout en continuant à acheter les raisins des coopératives pour ses autres productions. La différence qui en résulta était telle que les acteurs du marché et d'autres producteurs suivirent l'exemple des Medici. Ces derniers augmentèrent la densité des vignes jusqu'à 1 620 par hectare (au lieu des 650 traditionnels) et réduisirent les rendements à 5,4 tonnes par hectare (au lieu des 13 autorisées par la réglementation des DOC). Les systèmes de plantation et de treillages subirent aussi des transformations, notamment grâce à la pratique de la taille en cordon.

Le Lambrusco Reggiano Concerto est un vin qui fera changer les consommateurs d'avis concernant cette DOC si décriée. Servi, il développe une pâle mousse rose qui est l'image même du bonheur. De délicats arômes de baies et de fleurs marquent le nez. En bouche, il se révèle sec et dévoile une relativement longue finale. Sa place se trouve sur la table, au dîner, où il se marie à merveille avec une assiette de jambon italien accompagnée d'un copieux plat de pâtes à la viande. **AS**

Bruno Michel
Cuvée Blanche

Origine France, Champagne
Type vin blanc sec effervescent, 12 % vol.
Cépages Pinot meunier 53 %, Chardonnay 47 %
Non millésimé, boire la cuvée actuelle
€

Voici une petite maison très intéressante, créée à partir de rien, à force d'application, de passion et de clairvoyance. Le père de Bruno Michel possédait des vignes, mais ne faisait pas de vins. Titulaire d'un diplôme de microbiologie, Bruno s'est occupé un temps de pépinières, puis a entrepris en 1982 d'acheter et de louer des vignobles. Lui et sa femme Catherine cultivent aujourd'hui quelque 43 parcelles, sur 15 ha, dans le petit village de Pierry.

Les Michel ont opté pour la viticulture biologique en 1999, et s'orientent graduellement vers la culture biodynamique. Depuis 1994, ils utilisent pour la première fermentation des barriques bourguignonnes, achetées à l'un des plus prestigieux producteurs de Côte-de-Beaune, ce qui leur permet de traiter séparément les raisins de leurs différentes parcelles. Le sort de chaque barrique est déterminé par un essai à l'aveugle et non pas d'après l'origine des grains. Des levures indigènes sont utilisées pour certains lots, le bâtonnage est pratiqué chaque fois que nécessaire, de même que la fermentation malolactique pour assouplir le vin et lui donner plus de gras. Tous les Champagnes passent au moins trois ans à l'horizontale sur des lattes de bois.

Bruno Michel attend de sa Cuvée Blanche qu'elle soit beaucoup plus qu'une cuvée de base non millésimée. Son souhait est de produire quelque chose « d'un peu original ». La fermentation dans le bois et l'assemblage de deux cépages issus de différents villages et de différentes années ont pour résultat une complexité exceptionnelle pour un premier prix. **AS**

Montana Deutz Marlborough
Cuvée *Blanc de Blancs*

Origine Nouvelle-Zélande, Marlborough
Type vin blanc sec effervescent, 12 % vol.
Cépage Chardonnay
Millésime dégusté 2003, à boire jusqu'en 2013
€€

La société Montana Wines (aujourd'hui Pernod Ricard Nouvelle-Zélande) a signé un partenariat avec le Champagne Deutz pour exploiter les possibilités de la Nouvelle-Zélande en matière de vins effervescents de première qualité. Trois vins sont ainsi produits : la cuvée de base Deutz Marlborough, la cuvée Deutz Marlborough Pinot Noir, et la cuvée Deutz Marlborough Blanc de Blancs, la meilleure.

La majeure partie du Chardonnay utilisé est cultivée à Renwick Estate, qui appartient à Pernod Ricard, sur le côté sud de Wairau Valley, dont les sols lourds produisent des vins d'une grande élégance et d'une grande finesse. Le clone Mendoza est le plus répandu, pour les flaveurs concentrées qu'il apporte.

La cuvée Deutz Marlborough Blanc de Blancs ne voit le jour qu'à l'occasion des meilleures années (il n'y en a eu que sept depuis 1994). Les raisins sont cueillis à la main une fois qu'ils sont mûrs, mais pas trop fruités, et qu'ils ont un bon niveau d'acidité. Ils sont pressés entiers dans un pressoir à Champagne, pour en extraire un jus de grande qualité, sans trop de tanin. Les différents éléments sont analysés et assemblés pour obtenir la meilleure qualité possible (plutôt qu'un style maison constant). Le vin passe ensuite entre trois et cinq ans en bouteilles.

Le 2003 est un vin fin et retenu, avec des bulles explosives et des flaveurs séduisantes de citron vert, de pain grillé et de noisettes rôties, et des notes minérales. Très accessible, il a un bon potentiel de garde, grâce à la pureté de ses arômes et à son acidité équilibrée. **BC**

Moutard
Cuvée aux 6 Cépages

Origine France, Champagne, Aube
Type vin blanc sec effervescent, 12 % vol.
Cépages Chardonnay, P. noir, P. meunier, autres
Non millésimé, à boire jusqu'en 2012
€€€

Si quelqu'un, parmi la nouvelle génération de producteurs, peut être considéré comme responsable de la renaissance de la Champagne, c'est bien Lucien Moutard, qui a replanté de l'Arbane dans ses vignobles dès 1952. Le fait que, cuvée après cuvée, le Vieilles Vignes Arbane *(sic)* de Moutard ne soit pas très bon est hors de propos. L'important, c'est que le propriétaire ait ressuscité une variété historique notoirement difficile à cultiver. Très franchement, le Vieilles Vignes n'était pas le seul vin médiocre de cette maison. Très peu de Champagnes Moutard ont fait un score honorable jusqu'à ces toutes dernières années.

Le véritable point fort du producteur n'était pas son Champagne, mais ses alcools. Les Diligent tiennent une distillerie artisanale depuis le XIXᵉ siècle, et cette expérience est visible à travers toute la gamme, de l'excellent Marc de Champagne blanc au Vieux Marc de Champagne, en passant par les alcools de fruits, notamment l'Eau-de-vie de poire Williams et l'Eau-de-vie de framboise. Les Champagnes, en revanche, n'ont jamais suscité le même emballement.

Du moins, jusqu'à cette Cuvée aux 6 Cépages, sortie sur le marché avec le millésime 2000. Fermenté deux ans dans des barriques bourguignonnes, bouché avec du liège plutôt qu'avec les capsules couronnes habituelles et très légèrement dosé (6 g/l), ce Champagne est agréable et doux, et l'accueil qu'il a reçu semble avoir dynamisé toute la gamme des vins, qui sont tous beaucoup plus frais et plus intéressants qu'à l'accoutumée. **TS**

Mumm
De Cramant

Origine France, Champagne, côte des Blancs
Type vin blanc sec effervescent, 12 % vol.
Cépage Chardonnay
Non millésimé, à boire dès sa sortie et pendant 3 ans
€€€

Mumm est l'un des rares Champagnes entièrement constitué de Chardonnay. Ce demi-mousse ou Crémant raffiné était appelé Crémant de Cramant lors de sa création pour la maison G. H. Mumm en 1882. À l'époque, ce vin atypique était livré en mains propres aux amis de la maison dans une bouteille plate avec une carte de visite cornée. Cet héritage se retrouve sur l'étiquette actuelle.

Le Champagne ne se compose que de cépages de Chardonnay grand cru provenant de Cramant. Afin de conserver le dynamisme et la fraîcheur des productions de la maison, le vin est vieilli deux ans uniquement et n'est donc pas autorisé par la législation française à porter la mention « millésime ». Pourtant, il est toujours issu d'une seule année.

L'assemblage final est embouteillé à une pression de 4,5 bars, créant ainsi un vin délicat et raffiné aux bulles extra-fines. La robe arbore une teinte jaune pâle aux reflets d'argent ; le bouquet exhale des senteurs de fleurs blanches et d'agrumes frais ; la bouche est fraîche et douce, avec des arômes de citron et de pamplemousse. La finale, précise, subtile, est longue pour un Champagne de cette qualité. **ME**

Mumm
Cuvée R. Lalou

Origine France, Champagne
Type vin blanc sec effervescent, 12 % vol.
Cépages Pinot noir 55 %, Chardonnay 45 %
Millésime dégusté 1998, à boire jusqu'en 2018
€€€€

Ce millésime 1998 est le premier de la Cuvée R. Lalou, héritière directe de la célèbre Cuvée René Lalou. Sa production aura nécessité l'intervention de trois chefs de cave, Pierre Harang, Dominique Demarville et Didier Mariotti. Harang a succédé à André Carré, qui est parvenu à détruire la réputation de la maison avec les vins mis sur le marché entre 1985 et 1999. À l'insu de leur personnel, Harang et Demarville ont mis au point une cuvée de prestige fondée sur le terroir, en prenant soin de désigner les vignobles et les lots sélectionnés par le seul sigle GC (grand cru) dans leurs fichiers électroniques. Lorsque Harang a pris sa retraite, Demarville a pris la suite et mené à bien le projet. Didier Mariotti, pour sa part, s'est chargé d'affiner le dosage.

Le résultat est un Champagne complet et harmonieux, avec une mousse de bulles minuscules à développement lent, un nez de notes florales, dont l'acacia, le raisin noir dominant l'attaque et le milieu de bouche, avec une finale de citron vert et de noix et une persistance aromatique minérale. La Cuvée R. Lalou est un vin long dont le potentiel ne se révélera pleinement qu'avec le temps. **TS**

Cette cave de la maison Mumm est dédiée à la Cuvée R. Lalou. ➡

Nyetimber *Premier Cuvée Blanc de Blancs Brut*

Omar Khayyam

Origine Royaume-Uni, West Sussex
Type vin blanc sec effervescent, 12 % vol.
Cépage Chardonnay
Millésime dégusté 1992, à boire jusqu'en 2012
€€€

Origine Inde, vallée des Sahyadrî
Type vin blanc sec effervescent, 12,5 % vol.
Cépages Chardonnay, Pinot noir, Ugni blanc
Non millésimé, boire la cuvée actuelle
€€

C'est le premier millésime commercialisé d'un vin qui est parvenu à convaincre les plus sceptiques que le Royaume-Uni était parfaitement capable de produire un effervescent de classe internationale. Les premiers propriétaires de Nyetimber, les Américains Stuart et Sandy Moss, ont sollicité l'aide de spécialistes champenois. Les premiers plants sont à taille courte, proches du sol, comme ils le sont en Champagne, pour exploiter au mieux les capacités de ce superbe site, qui rend possible la dispersion de l'humidité par capillarité.

Le légendaire 1992 a été élevé à High Weald, dans les caves de Kit Lindlar, dont on ne peut sous-estimer le rôle dans l'aboutissement réussi d'un vin effervescent anglais, en particulier parce qu'il a produit les quelques premiers vins de Rigeview. Les Moss ont fini par vendre le domaine. Après trois changements successifs de propriétaire (et trois vinificateurs différents), le dernier en date, Eric Hereema, a stabilisé la production.

Comme l'a dit Hereema lui-même, le Nyetimber doit sa réputation et les nombreuses récompenses à sa haute qualité et à son bouquet uval distinctif. Il a donc décidé d'étendre le domaine existant et de passer de 14 ha à 105 ha. Était-il sage de prendre un tel risque, l'avenir nous le dira. Pendant ce temps, tous les regards se sont tournés vers cet étonnant millésime 1992, aux saveurs de crème et de pêche, et dont la maison Nyetimber n'a gardé que des réserves minuscules, qu'elle ne sort que dans les grandes occasions ou pour de rares dégustations. **TS**

Nommé d'après le poète persan Omar Khayyam dont le recueil de poèmes *Rubaiyat* contient de nombreuses références au vin, ce vin effervescent réalisé à partir de la méthode traditionnelle indienne en surprendra beaucoup par sa qualité. Lors de ses voyages en Europe, le millionnaire Shamrao Chougule, originaire de Mumbai, tomba amoureux du Champagne et décida de se lancer dans la production de vin effervescent en Inde. C'est ainsi que le vin connu en Occident sous le nom Omar Khayyam et en Inde sous celui de Marquise de Pompadour vit le jour dans l'établissement vinicole de son Château Indage en 1988, sous la houlette d'un jeune œnologue français Raphael Brisbois. Le vin fut commercialisé en Inde dans les années 1980 par la maison de Champagne Piper-Heidsieck.

Le vignoble s'étend aujourd'hui sur 243 ha, sur les collines de la vallée des Sahyadrî, à l'est de Mumbai, et la production est contrôlée par le viticulteur indien Abhay Kewadkar. Près de 40 % de la production d'Indage est exportée en Europe. Le vin est également commercialisé aux États-Unis, au Canada, et au Japon.

Les vins Omar Khayyam et Marquise de Pompadour sont tous deux réalisés à base des cépages classiques de Chardonnay et de Pinot noir utilisés pour la production de Champagne, mais l'assemblage comporte également de l'Ugni blanc. Omar Khayyam est vieilli pendant trois ans avant sa sortie tandis que Marquise de Pompadour est commercialisé au bout de deux ans. **SG**

◧ Le manoir des Nyetimber, dans le Sussex, date du XIVᵉ siècle.

L'Origan
L'O Cava Brut Nature

Origine Espagne, Penedès, Sant Sadurní d'Anoia
Type vin blanc sec effervescent, 12 % vol.
Cépages Xarel-lo, Macabeu, Parellada, Chardonnay
Non millésimé, boire la cuvée actuelle avant 1 ou 2 ans
€€

L'Origan porte le nom de Gaston Coty en hommage à François Coty qui créa en 1906 un parfum original et séduisant appelé L'Origan. En 1998, Manuel et son fils Carlos inventèrent un nouveau Cava modernisé à l'image avant-gardiste bien que réalisé grâce à d'anciennes méthodes de production. Ils s'installèrent dans un établissement également construit en 1906, le plus ancien du centre-ville de Sant Sadurni d'Anoia.

Ce Blanc de Blancs Brut Nature sans année constitua la première cuvée ; il résulte d'un assemblage de Xarel-lo local et de Macabeu complétés par du Chardonnay, en partie fermenté dans des cuves en chêne et vieilli pendant trente mois en cave. Le Brut Nature possède un nez d'une personnalité puissante. Fermé au début, il exhale peu à peu des notes d'anis étoilée et de thé aux feuilles de tilleul, mêlées à celles de levure et de pain grillé, évoluant vers des arômes de foin et de paille pour finir par des notes médicinales et balsamiques. Rond en bouche, frais, doté de fines bulles, il dégage des notes de fruits blancs, d'anis et de pain grillé, tandis que les notes médicinales et balsamiques réapparaissent sur la longue finale. **LG**

Perrier-Jouët
Belle Époque

Origine France, Champagne
Type vin blanc sec effervescent, 12,5 % vol.
Cépages Chard. 50 %, P. noir 45 %, P. meunier 5 %
Millésime dégusté 1995, à boire jusqu'en 2015+
€€€€€

Lancé en 1970 dans une boîte de nuit parisienne en hommage au 70e anniversaire du musicien de jazz américain Duke Ellington, Belle Époque connut un succès immédiat, son nom évoquant les images du Paris des années 1890.

Ce 1995 apparaît comme une expression particulièrement réussie de la Belle Époque, les cépages blancs de ce millésime provenant principalement des superbes vignobles de l'entreprise dans les grands crus de Cramant et d'Avize. Ces Chardonnays prédominent dans l'assemblage (50 %), vient ensuite le Pinot noir de Mailly, de Verzy et d'Aÿ (45 %) qui combine différents styles de la Montagne de Reims, et enfin une touche de Pinot meunier.

Le Champagne est désormais « à point » et révèle une sensation de fraîcheur et de pureté visible dans les nuances de vert égayant la robe or tandis qu'un arôme de pêches blanches teinté de notes grillées marque le nez. Au contact de l'air, ce style délicat et éthéré se complexifie par des notes beurrées ; le soupçon de Pinot meunier ajoute une rondeur au palais qui se marie à merveille avec la puissance du Pinot noir. **ME**

Une carte des menus de la Belle Époque représente le Champagne Perrier-Jouët. ➜

RESERVE CUVÉE
PERRIER-JOUET & Cᵒ
EPERNAY

MENU

DEVAMBEZ, GR.

Pierre Peters *Cuvée Spéciale*
Grand Cru Blanc de Blancs

Origine France, Champagne, côte des Blancs
Type vin blanc sec effervescent, 12 % vol.
Cépage Chardonnay
Millésime dégusté 1996, à boire entre 10 et 30 ans d'âge
€€€€

Ce Champagne pénètre depuis peu dans la cour des grands. La Cuvée Spéciale est un monocru, à savoir un vin issu d'un terroir unique, appelé Les Chétillons, aux vignes vieilles de 72 ans.

Peters lui-même qualifie son vin de «minéral». Les millésimes tels que le 1996 contiennent cependant des notes qualifiées de «végétales». Rares sont les ouvrages qui déclinent les différents arômes des Chardonnays issus des communes classées grand cru de la côte des Blancs. Cela dit, l'impression provoquée par Le Mesnil chez cet écrivain est celle d'un pudding au citron parfumé au jasmin et recouvert de craie. Oger et Avize sont plus incisifs par leurs arômes de pommes et de mines de plomb. Cramant est lui davantage marqué par les arômes de thé vert et de tilleul. Quant au Mesnil, il revêt un caractère crayeux.

Dans les millésimes de la maison tels que le 1996 (et 1990), le vin adopte l'identité d'un chablis grand cru pétillant. Des décennies lui sont nécessaires pour dévoiler ses arômes de beurre et de safran mais il demeure sans conteste parmi les Champagnes de Chardonnay les plus emblématiques. **TT**

Philipponnat
Clos des Goisses

Origine France, Champagne, Montagne de Reims
Type vin blanc sec effervescent, 13 % vol.
Cépages Chardonnay, Pinot noir
Millésime dégusté 1991, à boire à 15 ans d'âge
€€€€€

Il semble inconcevable que ce prestigieux vignoble de 5,5 ha ne soit pas classé grand cru mais le village auquel il appartient, Mareuil-sur-Aÿ, n'est rien moins qu'un premier cru (à 99 %). Orienté plein sud, planté à 70 % de Pinot noir et 30 % de Chardonnay, le Clos des Goisses surplombe les maisons de Mareuil. Il est demeuré pendant des années l'ultime secret des initiés du Champagne. Mais le Clos des Goisses est aujourd'hui cité à tout-va par les aficionados du Champagne désireux de prouver leurs références.

Le Clos des Goisses est indéfinissable. Il est presque impossible de distinguer avec précision ses caractères de Pinot noir et de Chardonnay. Ce vin se distingue par sa robustesse, sa masculinité et sa profonde minéralité crayeuse. Il définit à la fois le genre du grand Champagne tout en s'en détachant ; il n'est pas aussi fruité que le Crystal, ni aussi salé et parfumé de notes de noisettes que le Krug.

Le Clos des Goisses est sans doute le Champagne prédominant, celui que vous devez rechercher. Car c'est celui que vous ne comprendrez jamais complètement. C'est un vin capable de susciter à la fois votre admiration et votre curiosité. **TT**

Les oiseaux survolent les pentes abruptes du Clos des Goisses de Philipponnat. ➜

CHAMPAGNE POL ROGE

Pol Roger
Blanc de Blancs

Origine France, Champagne
Type vin blanc sec effervescent, 12 % vol.
Cépage Chardonnay
Millésime dégusté 1999, à boire jusqu'en 2013
€€€

Le Blanc de Blancs Pol Roger est un Champagne outrageusement délicieux et stylé, et ridiculement sous-évalué – même s'il faut bien reconnaître que c'est une bête curieuse en matière de paradoxes. Sachant que les Champagnes Pol Roger sont connus pour leur longévité et que le Chardonnay est le cépage le plus propice en la matière, on pourrait s'attendre à ce qu'un Pol Roger pur Chardonnay soit de très longue garde. Mais c'est le contraire. Tous les millésimes de cette cuvée sont si somptueux et si crémeux dès leur apparition sur le marché que leur capacité de vieillissement n'est pas un point capital, bien qu'ils s'accommodent fort bien de trois à cinq ans supplémentaires en cave. Mais même s'ils ne quittent pas les caves du producteur, leur durée de vie excède rarement 20 à 25 ans. Si vous voulez un Champagne qui se conserve allégrement un demi-siècle, optez pour un Pol Roger millésimé classique. En revanche, si vous recherchez le choc instantané, ouvrez une bouteille de Blanc de Blancs.

Le 1998 était l'un des meilleurs millésimes récents de cette cuvée, mais ce 1999 a davantage de classe encore, ce qui n'est pas un mince compliment. **TS**

Pol Roger
Cuvée Sir Winston Churchill

Origine France, Champagne
Type vin blanc sec effervescent, 12 % vol.
Cépages Pinot noir, Chardonnay
Millésime dégusté 1975, à boire jusqu'en 2025
€€€€

Premier millésime de la plus grande cuvée de prestige des temps modernes, ce 1975, lancé en 1984, n'est disponible qu'en magnum. En acceptant cet honneur au nom de son défunt père, lady Soames a rappelé l'attachement légendaire de Churchill au Champagne Pol Roger.

Tout ce que Pol Roger accepte de dire sur la composition de ce Champagne, c'est que le Pinot occupe la plus forte proportion dans son assemblage et qu'il provient des villages auxquels la maison avait déjà accès pour produire les millésimes préférés de Churchill. Il est bon d'ajouter qu'il se compose à 80 % de Pinot noir et à 20 % de Chardonnay alors qu'au temps de Churchill le célèbre Champenois évitait de mentionner que plus de la moitié de ses vignobles étaient plantés de Pinot meunier. En dehors de toute spéculation malvenue, il est clair que la Cuvée sir Winston Churchill comporte 80 % de raisin noir.

Ce vin a acquis une très grande richesse, les flaveurs de fruit ont fait place à la complexité et à la finesse d'un Christmas Cake plus que du pain grillé, même s'il révèle quelques fines notes toastées. À l'évidence, un grand et séduisant Champagne. **TS**

Pommery
Cuvée Louise

Origine France, Champagne
Type vin blanc sec effervescent, 12 % vol.
Cépages Chardonnay 60 %, Pinot noir 40 %
Millésime dégusté 1990, à boire jusqu'en 2015+
€€€€

Jeanne Alexandrine Louise Pommery devint veuve en 1858, avec deux enfants à charge dont l'un, Louise, était encore un bébé. La maison Pommery était alors occupée par le gouverneur prussien de Reims lors de la guerre franco-prussienne (1870-1871). La guerre finie, Mme Pommery remit l'entreprise sur pied ; elle agrandit les caves en achetant 60 ha à cet effet et investit dans 300 ha de vignobles de premier choix.

Le vin prestigieux de Pommery tient son nom de Mme Pommery et de sa fille cadette. La Cuvée Louise n'est produite que lors d'années exceptionnelles, à partir d'une sélection de vignobles des grands crus Avize, Aÿ et Cramant. Principalement constitué de Chardonnay, il offre un style plus léger de Champagne millésimé, capable au demeurant de vieillir pendant de nombreuses années.

Lors d'un cours de maître dirigé par le chef de cave de Pommery, Thierry Gasco, à Londres, en avril 2006, un magnum de 1990 s'est distingué par sa robe ambrée or et ses merveilleux arômes complexes de grillé, de brioche, de caramel et de café. **SG**

Roger Pouillon
Cuvée de Réserve Brut

Origine France, Champagne, vallée de la Marne
Type vin blanc sec effervescent, 12 % vol.
Cépages P. noir 80 %, Chard. 15 %, P. meunier 5 %
Non millésimé, à boire dans les cinq ans
€€

Bien que la famille Pouillon cultive la vigne depuis des générations, ce n'est que ces trois dernières années qu'elle met un vin en bouteilles sous sa propre étiquette. Avec Fabrice Pouillon, petit-fils de Roger, qui a pris la tête de cette maison en 1998, le domaine s'est agrandi et la qualité s'est améliorée.

Établi à Mareuil-sur-Aÿ, le domaine possède aussi des vignobles dans deux grands crus, Le Mesnil-sur-Oger et Aÿ, et dans plusieurs villages de premiers crus – près de 15 ha au total. Dans ses vignobles, Fabrice pratique ce qu'il appelle une « culture artisanale raisonnée », fondée sur l'utilisation de pesticides bio, l'enherbement et le labour, bien qu'il ait fait depuis 2003 quelques essais de culture biologique et biodynamique. Tous les vins subissent une fermentation malolactique, et le bâtonnage est pratiqué en barriques. Pour le dosage du brut non millésimé, on utilise du sucre de canne.

La Cuvée de Réserve Brut non millésimée est d'une qualité exceptionnelle dans sa catégorie. Mûr et rond, le vin est ample et riche avec des notes de fruits secs. La fin de bouche harmonieuse atteste la grande qualité de ce Champagne. **NB**

◄ Une affiche de style Art Nouveau célèbre le Champagne Pommery.

Jérôme Prévost *La Closerie Cuvée Les Béguines*

Origine France, Champagne, Montagne de Reims
Type vin blanc sec effervescent, 12 % vol.
Cépage Pinot meunier
Non millésimé, à boire dans les 4 à 10 ans
€€€

À bien des égards, Jérôme Prévost est le plus individualiste des viticulteurs éleveurs de Champagne. C'est aussi le plus courageux, le plus dévoué à la cause, le plus original et le plus poétique (lisez bien ses étiquettes). Il travaille seul, n'élève qu'un seul vin, toujours à partir des raisins d'une seule année et d'une seule variété de cépage – le Pinot meunier. Cela n'aurait sans doute qu'un intérêt limité, si cette Cuvée des Béguines La Closerie n'était pas un Champagne aussi intéressant.

Prévost a repris le domaine familial de Gueux, 2,2 ha sur la Montagne de Reims, à l'âge de 21 ans. Il a commencé à faire son propre vin lorsque son collègue Anselme Selosse lui a fait une place dans ses caves, entre 1998 et 2001. Attentif à tirer le meilleur de ses vignobles, il pratique le labour et la biodynamique. Ses vins fermentent dans le bois et, contrairement à la tradition, il préfère laisser le vin sur lies dans les tonneaux, à partir de levures naturelles. Riche et mûr, son Champagne n'est que très légèrement dosé, ce qui lui permet de rester extra-brut.

Selon Prévost lui-même, « le Pinot meunier est comme un enfant ; il a des choses intéressantes à dire, mais il ne les dit que si vous l'encouragez à le faire ». Il lui offre d'ailleurs tous les encouragements possibles, et le cépage répond par des vins exotiques, extrêmement complexes et concentrés. Comme René Collard à Reuil, il produit non seulement un grand Pinot meunier, mais un grand Champagne. **NB**

AUTRES SUGGESTIONS

Autres grands Champagnes à base de P. meunier

René Collard • Egly-Ouriet Les Vignes de Vrigny

Autres Champagnes fermentés dans le bois

Bollinger Jacques Selosse Tarlant • De Sousa
Alfred Gratien • Krug

La Cuvée des Béguines est issue exclusivement de Pinot meunier. ➡

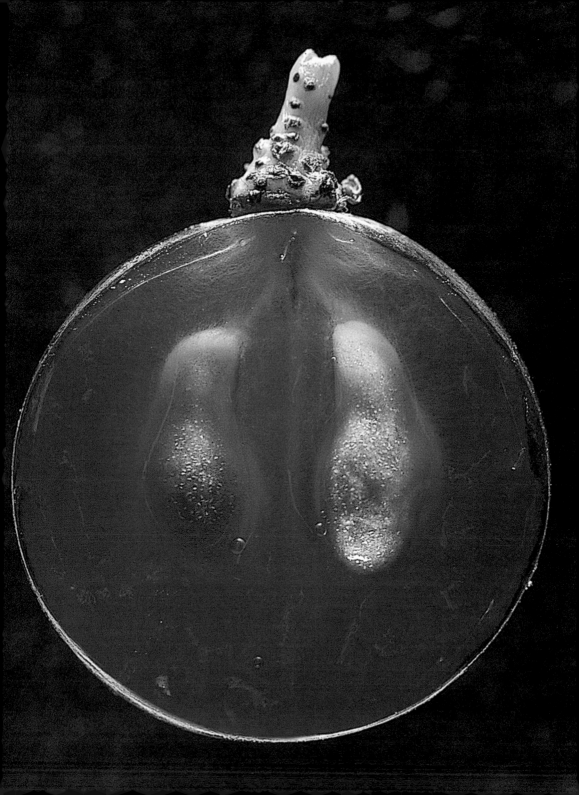

Raventós i Blanc *Gran Reserva de la Finca Brut Nature*

Alain Robert *Réserve Le Mesnil Tête de Cuvée*

Origine Espagne, Penedès, Sant Sadurní d'Anoia
Type vin blanc sec effervescent, 12 % vol.
Cépages Macabeo, Xarel-lo, Parellada, autres
Millésime dégusté 2003, à boire jusqu'en 2013+
€€

Origine France, Champagne, côte des Blancs
Type vin blanc sec effervescent, 12 % vol.
Cépage Chardonnay
Millésime dégusté 1986, à boire jusqu'en 2016+
€€€€€

La société tire une partie de son nom de celui de Joseph Raventós, membre légendaire de la famille Cordoniu, à qui l'on doit d'avoir introduit la «méthode champenoise» dans le Penedès en 1872, et qui a produit le premier vin effervescent d'Espagne. La maison est née de la volonté d'un autre grand nom du Cava catalan, Joseph Maria Raventós i Blanc, qui décida en 1986 de consacrer sa vie à la viniculture.

Près de l'entrée des caves, en face du bâtiment conçu par l'architecte moderne Puig i Cadafalch, se dresse un vieux chêne majestueux, celui-là même qui figure dans le logo de la société. Les vignobles et les caves constituent l'un des domaines les plus impressionnants de la région, avec ses 100 ha de vignes comportant presque exclusivement les cépages traditionnels, Macabeo, Xarel-lo et Parellada. Ces trois variétés, équilibrées par un peu de Chardonnay et de Pinot noir, entrent à 85 % dans l'assemblage de la Gran Riserva de la Finca Brut Nature 2003.

Compte tenu de son prix modeste, cet effervescent atteint un équilibre rare entre complexité et fraîcheur. Contrairement à la plupart de ses homologues, c'est un Cava d'assez longue garde. **JB**

Le Champagne millésime 1986 est resté dans l'ombre de son prédécesseur, le millésime 1985. Dans le cas de Champagnes 100 % Chardonnay, c'est regrettable. En effet, dans les mains d'Alain Robert, ce vin millésimé 1986 est une merveille de vigueur et de nuances subtiles vingt ans après sa création.

Robert est en effet un producteur perfectionniste dont la cuvée de Champagne la plus jeune n'est pas commercialisée avant au minimum 7 ans d'âge. Il sait que Le Mesnil est un vignoble particulièrement privilégié qui produit des vins jeunes tellement acides qu'ils ont besoin – mais ne bénéficient généralement pas – d'une décennie voire de deux pour dévoiler toute leur splendeur minérale.

L'emplacement des parcelles dans cette vaste commune composite a une importance cruciale. Les vignes les plus anciennes sont réservées pour le millésime Tête de Cuvée. Le millésime 1986 séduit par ses teintes chatoyantes ambrées et ses arômes de pêches succulentes et d'épices asiatiques ; le palais confirme l'absence de défaut de ce Champagne d'une belle longueur, complexe mais en aucun cas surextrait. La perfection. **ME**

◧ Ce petit château du XVIIᵉ siècle, à Raimat, abrite la famille Raventós.

Louis Roederer
Cristal

Origine France, Champagne
Type vin blanc sec effervescent, 12 % vol.
Cépages Pinot noir 63 %, Chardonnay 37 %
Millésime dégusté 1990, à boire jusqu'en 2017+
€€€€€

Cet excellent millésime Cristal fut utilisé pour la production du vin de cuvée millénium mis en bouteilles dans des mathusalems, soit l'équivalent de 8 bouteilles de taille standard. À cette occasion, seuls 2 000 mathusalems furent produits, chacun étant numéroté. Une histoire apocryphe prétend qu'un container rempli de ces bouteilles fut détruit par accident, ce qui raréfia encore la production. Ces mathusalems jouissent d'un prestige sans pareil et font désormais partie des vins «branchés» dont aucun rappeur ou millionnaire russe qui se respecte ne pourrait se passer.

Quant au vin lui-même, en 1990, les bouteilles les plus grandes firent l'objet d'un dosage légèrement plus important que les bouteilles classiques, ce qui lui confère un goût plus sucré qu'à l'ordinaire. Lors d'une dégustation de Cristal en mathusalem et en magnum à Londres en 2005, le magnum fut qualifié de supérieur par plusieurs dégustateurs. Bien que les bouteilles de taille plus petite continssent un vin de meilleure qualité, ces mathusalems se vendirent chacun à plus de 11 000 euros lors de ventes aux enchères, en 2007. **SG**

Roederer Estate
L'Ermitage

Origine États-Unis, Californie, Mendocino
Type vin blanc sec effervescent, 11,8 % vol.
Cépages Chardonnay 53 %, Pinot noir 47 %
Millésime dégusté 2000, à boire jusqu'en 2020+
€€€

De même que l'Ermitage de Saint-Pétersbourg est un hommage à la culture et aux beaux-arts conçu par des architectes étrangers, le vin éponyme du domaine Roederer est né en Amérique, mais il doit beaucoup à la Champagne natale de ses créateurs.

D'autres producteurs s'étaient déjà établis en Amérique du Nord et avaient pénétré plus avant dans le Sud lorsqu'en 1981 la maison Louis Roederer fit l'acquisition de vastes vignobles. Jean-Claude Rouzaud, alors président de la société, avait longuement cherché sur la côte ouest une propriété qui justifierait d'une longue saison chaude. Les 235 ha qu'il a finalement achetés bénéficiaient d'un microclimat induit par la proximité de l'océan Pacifique, dont les brises fraîches et les brumes adoucissaient la température et permettaient d'allonger à 100 jours la période allant de la véraison aux vendanges.

Environ 20 % de la récolte sont mis à part pour les vins de réserve, conservés en fûts de chêne pendant trois ans. Seule une infime quantité arrive jusqu'à L'Ermitage, lui donnant finesse et profondeur. **LGr**

Schramsberg
J. Schram

Salon

Origine France, Champagne, côte des Blancs
Type vin blanc sec effervescent, 12 % vol.
Cépage Chardonnay
Millésime dégusté 1996, à boire jusqu'en 2025+
€€€€€

Origine États-Unis, Californie, Calistoga
Type vin blanc sec effervescent, 12,6 % vol.
Cépages Chardonnay 80 %, Pinot noir 20 %
Millésime dégusté 2000, à boire jusqu'en 2017
€€€

Salon est une légende, une quête de la perfection. Il est toujours un Blanc de Blancs issu du grand cru Le Mesnil. Salon utilise uniquement des raisins provenant de vignes vieilles de quarante ans ; les fruits sont ramassés et triés manuellement.

Le 1996 compte certainement parmi les meilleurs millésimes de Salon. L'année se déroula sans heurts et, à la saison des vendanges, le Chardonnay était parfaitement mûr et dévoilait une richesse insoupçonnée en sucre et en acides, deux signes indéniables de qualité exceptionnelle.

Le vin possède une robe jaune pâle égayée d'éclats verts et son attaque est d'emblée claire. Le nez dénote une remarquable complexité, les premiers arômes de pommes vertes cédant la place à ceux de citron et de pamplemousse ; après un bref contact avec l'air, des notes plus riches de poire et de kiwi émergent. En bouche, le Salon 1996 se révèle puissant avec une richesse qui se développera progressivement au cours des vingt ou trente années suivantes. Les anciens comparent ce millésime à celui de 1928. Un Salon issu d'aussi bonnes années que celles-ci est en effet une légende. **ME**

« La lumière vibrante du soleil, et les vignobles luxuriants, et les cuves et les bouteilles dans la grotte, composent une musique qui enchante l'esprit », écrivait Robert Louis Stevenson dans *The Silverado Squatters* après avoir visité Diamond Mountain, en 1880. Pourtant, lorsque Jack et Jamie achètent la propriété en 1965, elle est pratiquement à l'abandon. Ils remettent en état Schramsberg Vineyards pour produire ce qu'on peut considérer comme le meilleur vin effervescent des États-Unis.

Le facteur le plus important pour l'équipe des vinificateurs est l'existence de sites au climat frais en bordure du Pacifique. Le vin est élevé sur lies pendant près de six ans dans des caves naguère creusées à flanc de colline par les ouvriers chinois de Jacob Schram. En 2000, un printemps doux a conduit à un été frais et brumeux, qui a permis au Chardonnay de retenir son acidité et de développer des arômes plus concentrés. Avec une persistance et une densité en bouche plus nettes que pour les millésimes précédents, le J. Schram 2000 laisse éclater ses flaveurs de tangerine, de pomme verte et de brioche, couronnées d'une finale minérale. **LGr**

Jacques Selosse
Cuvée Substance

Origine France, Champagne, côte des Blancs
Type vin blanc sec effervescent, 12,5 % vol.
Cépage Chardonnay
Non millésimé, à boire dès sa sortie et pendant 10 ans+
€€€€

Gérant du célèbre domaine familial de grand cru Avize, Anselme Selosse est un anticonformiste qui a lui-même transmis cette approche manuelle de la viniculture des blancs de Bourgogne au monde plus vaste et dominé par les assemblages du Champagne. À l'instar de cette Cuvée Substance de renom, les créations de Selosse apparaissent comme des expressions grandioses et audacieuses du Chardonnay grand cru. Différente des autres Champagnes et davantage semblable à un vin d'une extrême vinosité, la Cuvée Substance provient des seules terres d'Avize. La particularité de son assemblage réside dans l'introduction des vins de réserve dans un système de solera : un tiers des vins de réserve est soutiré et remplacé par du vin issu du millésime le plus récent.

Le bouquet extraordinaire révèle les arômes séveux d'une vigne dont les racines sont profondément ancrées dans la terre tandis que dénotent dans un deuxième temps des arômes d'épices et le caractère salé et piquant du Sherry. La bouche est charnue et dévoile un Champagne idéal pour accompagner poisson fumé, tapas et plats épicés. **ME**

Seppelt Great Western
Show Sparkling Shiraz

Origine Australie, Victoria
Type vin rouge sec effervescent, 13,5 % vol.
Cépage Shiraz
Millésime dégusté 1985, à boire immédiatement
€€€

Le Shiraz effervescent est une spécialité ésotérique propre à l'Australie. Issu de vieilles vignes et traité selon la méthode «traditionnelle» des effervescents, le vin est conservé un an dans de grandes barriques de chêne avant d'entamer une seconde fermentation en bouteilles. Il est ensuite élevé sur lies entre neuf et dix ans avant dégorgement. La méthode, utilisée depuis une bonne centaine d'années, induit un style complexe et massif caractéristique des vins de longue garde.

L'histoire du Seppelt commence avec Joseph Ernst Seppelt, un riche droguiste allemand qui émigre en Australie en 1851. Installé à Barossa Valley, il y crée le domaine aujourd'hui connu sous le nom de Seppeltsfield, mais ce n'est qu'en 1918, avec l'achat de vignobles et de caves dans la ville de Great Western que commence la production de ce surprenant vin rouge effervescent.

Ce Show Sparkling Shiraz 1985 est véritablement superbe, avec ses arômes subtils de cassis, de poivre et d'épices, auxquels s'ajoutent les notes d'humus et de cuir dues à sa longue maturation en bouteilles. **SB**

Certaines des caves Seppelt ont été creusées au XIXᵉ siècle. ➜

Soldati La Scolca *Gavi*
dei Gavi La Scolca d'Antan

Origine Italie, Piémont
Type vin blanc sec effervescent, 12 % vol.
Cépage Cortese
Millésime dégusté 1992, à boire jusqu'en 2012+
€€€

Jusqu'au début du xxᵉ siècle, le Gavi était un vin essentiellement rouge mais, vers la fin des années 1940, Vittorio Soldati a fait de son domaine de la Scolca le fief du vin blanc sec issu du cépage Cortese. Dans les années 1980, Giorgio Soldati, fils de Vittorio a entrepris l'élevage de vins effervescents selon la méthode traditionnelle. Il a découvert que le vin issu du Cortese, si on le laissait sur lies, pouvait acquérir des arômes et des saveurs extrêmement complexes.

Ce vin n'est produit que les meilleures années, et seulement à partir de raisins sélectionnés, cultivés à flanc de coteau. Il est élevé dix ans avant sa commercialisation. Alors que la plupart des grandes marques se réclament de leurs homologues champenois, la Scolca est parvenu à se construire une réputation beaucoup plus personnelle et discrète. Pour le mariage de Tom Cruise et de Katie Holmes en novembre 2006, dans un château des environs de Rome, la Scolca était à l'honneur, l'acteur ayant déclaré que ce vin savoureux valait tous les porte-bonheur. À 15 ans d'âge, le 1992 est toujours aussi frais et fringant. Ses flaveurs complexes et mûres rappellent la brioche et les noix. **HL**

Taittinger
Comtes de Champagne

Origine France, Champagne, côte des Blancs
Type vin blanc sec effervescent, 12 % vol.
Cépage Chardonnay
Millésime dégusté 1990, à boire jusqu'en 2020+
€€€€€

La famille Taittinger a toujours aimé le Chardonnay. Comtes de Champagne, la cuvée prestige de la maison, est un Champagne exclusivement constitué de Chardonnay issu des cépages des grands crus d'Avize, de Cramant, de Chouilly et du Mesnil sur la côte des Blancs. Élaboré au cours des seules années exceptionnelles, le vin est fermenté dans des cuves ; 5 % du vin sont ensuite vieillis en fûts de chêne pendant quatre mois. Après la fermentation malolactique et la prise de mousse, le Champagne vieillit sur lies pendant quatre ans.

Le millésime 1990 possède une robe jaune pâle aux reflets verts annonciateurs de sa vigueur future ; la mousse est fine et dansante ; les arômes délicats exhalent des notes boisées subtiles. Le palais est racé, maigre et long, et dégage des arômes de citron et citron vert confits rehaussés d'une pointe de noisette inhérente au grand Chardonnay.

Dans l'ensemble, il s'agit d'un Comtes de Champagne à l'élégance classique, avec de belles années devant lui. Sa pureté et sa réserve en font un apéritif hors pair même s'il accompagne magnifiquement une sole grillée ou un homard. **ME**

Graffiti gravé par un soldat s'étant abrité dans les caves Taittinger lors des bombardements. →

Tarlant
Cuvée Louis

Origine France, Champagne, vallée de la Marne
Type vin blanc sec effervescent, 12 % vol.
Cépages Chardonnay 50 %, Pinot noir 50 %
Non millésimé, à boire dans les 10 ans
€€€

Dans la famille Tarlant, installée dans le village d'Œuilly, on est vigneron de père en fils depuis 1687, comme nous le rappellent fièrement les étiquettes. La maison met ses propres vins en bouteilles depuis les années 1920. L'actuel chef de famille, Jean-Mary, siège au comité technique du Conseil interprofessionnel des vins de Champagne. Il est président de l'Institut technique viticole.

Jean-Mary et son fils Benoît possèdent 13 ha de vignes, situées à Œuilly, dans la vallée de la Marne, et dans les villages avoisinants. Attentifs à leurs divers terroirs, ils s'efforcent de produire plusieurs vins d'un seul cépage, parmi lesquels la prestigieuse Cuvée Louis. Ce vin superbe, entièrement fermenté dans le bois, est un assemblage de Chardonnay et de Pinot noir, issus de vignes plantées dans les années 1960 dans l'un de leurs plus vieux vignobles, Les Crayons.

Les étiquettes sont claires et détaillées, précisant la date de mise en bouteilles et de dégorgement. L'assemblage 1995-1994, mis en bouteilles en 1996 et dégorgé sept ans plus tard, avait atteint toute sa maturité à 12 ans d'âge, avec un brio, une intensité et une complexité dignes d'un Champagne Krug. **NB**

Agustí Torelló
Kripta

Origine Espagne, Penedès, Sant Sadurní d'Anoia
Type vin blanc sec effervescent, 11,5 % vol.
Cépages Macabeo, Xarel-lo, Parellada
Millésime dégusté 2002, à boire jusqu'en 2012+
€€€

Cette entreprise familiale, située dans les faubourgs de Sant Sadurní d'Anoia, a été fondée dans les années 1950 par Agustí Torelló Mata. Elle est aujourd'hui dirigée par ses quatre fils. Les raisins qu'ils utilisent proviennent pour la plupart de leur domaine de 28 ha.

Tous les vins effervescents de la propriété sont issus des trois cépages traditionnels du Cava. Chaque variété est cultivée dans un endroit particulier, et joue un rôle spécifique dans l'assemblage : le Macabeo, cultivé dans la région côtière du Garraf, donne au vin sa finesse et son élégance ; le Xarel-lo, cultivé à 200 m au-dessus du niveau de la mer dans le Penedès, lui donne du corps et de la structure ; le Parellada, cultivé à 500 m d'altitude, lui apporte acidité et fraîcheur.

Le Kripta est d'une grande originalité, non seulement pour sa bouteille en forme d'amphore, conçue par Rafael Batolozzi, mais en raison d'une longue période d'élevage de plus de quatre ans. Cette maturité, renforcée par la qualité initiale du raisin, donne au vin son onctuosité, ses fines bulles et son nez complexe d'amandes, de brioche et de pain grillé. **JB**

◄ Un vignoble champenois à flanc de coteau, dans la vallée de la Marne.

Veuve Clicquot
La Grande Dame

Origine France, Champagne
Type vin blanc sec effervescent, 12 % vol.
Cépages Pinot noir 61 %, Chardonnay 39 %
Millésime dégusté 1990, à boire jusqu'en 2020
€€€€€

La Grande Dame est indéniablement l'une des plus grandes cuvées prestige de Champagne, bien qu'elle ne jouisse pas d'un profil aussi élevé que certains de ses acolytes. Peu importe, La Grande Dame est faite pour le connaisseur de vins tranquilles.

Derniers de trois grands millésimes consécutifs, le 1990 connut une floraison précoce. Cette dernière se réalisa par un temps plus frais qu'à l'ordinaire, mais en juillet l'été s'installa et perdura en août pour aboutir au nombre record d'heures d'ensoleillement depuis trente ans. Ces conditions idéales furent renforcées par l'apparition de pluies rafraîchissantes.

Doté d'une jolie couleur dorée nuancée de reflets verts, le vin possède une effervescence fine et délicate. Le nez est d'une finesse et d'une complexité remarquables : des notes de fleurs et de fruits blancs se dégagent au début, surviennent ensuite une touche de douceur et des arômes de confiserie complétés par des notes légèrement torréfiées de noisette et d'amande. En bouche dominent une grande richesse et une agréable rondeur équilibrées par un aspect léger et crémeux. La fin de bouche, persistante, fraîche et noble, est exceptionnelle. **ME**

Veuve Clicquot
La Grande Dame Rosé

Origine France, Champagne
Type vin rosé sec effervescent, 12 % vol.
Cépages Pinot noir 60 %, Chardonnay 40 %
Millésime dégusté 1989, à boire jusqu'en 2012
€€€€€

Dans la France entière, 1989 fut l'année des grandes chaleurs. Les gérants et viticulteurs des vignobles Clicquot se montrèrent cependant à la hauteur comme en témoigne ce prestigieux rosé à la maturité parfaite.

Son nom se réfère à Barbe-Nicole Clicquot qui s'occupa de la gestion des vignobles à la mort de son époux en 1805. Le Grande Dame Rosé est un Champagne Clicquot classique dans sa constitution puisque dominé par des cépages noirs. L'assemblage se répartit comme suit : 60 % de Pinot noir issu des prestigieux vignobles d'Aÿ, de Verzenay, d'Ambonnay et de Bouzy, équilibrés par 40 % de grand cru Chardonnay d'Avize, d'Oger et du Mesnil. Sa qualité particulière tient, entre autres, à l'ajout d'un excellent vin rouge provenant du meilleur site de Clicquot, Les Censières, au cœur de Bouzy.

Le 1989 possède une délicate et chaude robe or pourpre, avec des nuances rouge brique en bordure. Le nez est naturellement intense et puissant, avec des arômes exotiques de figues noires, de dates et d'épices douces comme la vanille. En bouche, la chaleur du soleil se diffuse dans ce vin voluptueux. **ME**

Portrait de la Veuve Clicquot (1777-1866) réalisé par Léon Cogniet en 1859. →

Veuve Fourny & Fils *Cuvée du Clos Faubourg Notre Dame*

Origine France, Champagne, côte des Blancs
Type vin blanc sec effervescent, 12 % vol.
Cépage Chardonnay
Millésime dégusté 1996, à boire jusqu'en 2016
€€€

Bien que moins connue que celles de nombreuses veuves champenoises, cette petite maison peut à bon droit s'enorgueillir de l'authenticité, de l'originalité et de la qualité de ses vins. Fondée en 1856, elle est aujourd'hui dirigée par Mme Monique Fourny et par ses deux fils, les talentueux Charles-Henry et Emmanuel.

Implanté dans la commune de Vertus, berceau d'un premier cru, le domaine comporte quelque 40 parcelles de vignes (12 ha au total) réparties dans la côte des Blancs. Beaucoup sont des vieilles vignes, plantées dans les années 1960 et 1970, et toutes sont entourées de soins attentifs. De nombreux aspects du processus de vinification rappellent la formation reçue par Emmanuel en Bourgogne, en particulier la fermentation en barriques et le bâtonnage.

En tête de la gamme, on trouve deux Champagnes superbes. Le premier, la Cuvée R non millésimée, est un hommage rendu au défunt mari et père des propriétaires, Roger Fourny, un assemblage de trois variétés comme il les aimait lui-même. Le second, un Blanc de Blancs, la Cuvée du Clos Faubourg Notre-Dame, est encore plus remarquable. Il est issu de l'un des neuf clos officiellement reconnus de Champagne. Les barriques utilisées pour la fermentation sont généralement plus récentes que celles de la Cuvée R, mais le vin est néanmoins fermenté sur lies indigènes régulièrement dispersées, soumis à la fermentation malolactique et mis en bouteilles sans filtrage. Il est parfois millésimé, pour les grandes années telles que 1996. **NB**

Vilmart *Cœur de Cuvée*

Origine France, Champagne, Montagne de Reims
Type vin blanc sec effervescent, 12 % vol.
Cépages Chardonnay 80 %, Pinot noir 20 %
Millésime dégusté 1996, à boire jusqu'en 2030+
€€€€€

La maison Vilmart est installée à Rilly-la-Montagne, en plein cœur de la Montagne de Reims. La caractéristique la plus inhabituelle de ses vins est la proportion importante de Chardonnay, 80 % dans le cas qui nous occupe. À l'est de la Montagne de Reims, un tel type d'assemblage est la règle plus que l'exception, mais les collines du Nord et du Sud sont plus généralement plantées de Pinot noir.

Le facteur de réussite le plus important des Champagnes Vilmart est sans doute l'extrême qualité des principes de viticulture. Parmi les premiers à avoir tenté la culture biologique (en 1968) puis biodynamique (dans les années 1980), Vilmart est revenu, en 1998, à la «viticulture raisonnée». Dans ses vignobles immaculés, on pratique l'enherbement, la taille est soignée et rigoureuse, et les engrais sont exclusivement organiques. Les rendements faibles qui en découlent contribuent à donner au vin ses flaveurs intenses et mûres, mais ce sont ses arômes boisés que la plupart des consommateurs remarquent. S'il est vrai que les derniers millésimes 1980 et les premiers des années 1990 étaient exagérément boisés, le Cœur de Cuvée 1996 marque à cet égard un tournant décisif.

Le Cœur de Cuvée 1996 s'est vendu en moins de temps qu'il ne faut pour le dire, et il n'en reste pas une seule bouteille en stock, pas même à titre d'archives. Toutefois, les millésimes très boisés comme le 1992 ou le 1993 sont sublimes après une douzaine d'années, à la manière d'un Montrachet ou d'un Corton-Charlemagne. **TS**

Sur ce vitrail de la maison Vilmart, le fruit des vendanges quitte la Terre promise. ➜

MARGARET R

CHARDONN

2005

PIERR

Vintaged at Caves Road Will

Margaret River region of

750
ml

WINE OF AUSTRALI

FROM MARGARET RIV

VER

O

p in the

tralia

13.5%

vol

vins blancs

Abbaye de Novacella
Kerner Praepositus

Origine Italie, Haut-Adige, vallée d'Isarco
Type vin blanc sec, 13,5 % vol.
Cépage Kerner
Millésime dégusté 2002, à boire jusqu'en 2012
€€

Fondée en 1142, l'abbaye de Novacella commença à héberger les pèlerins en route vers la Terre sainte et devint vite un centre culturel célèbre en Europe. Aujourd'hui, elle s'est transformée en un centre moderne de conférences, pourvu d'un restaurant et de chambres. Fort heureusement, le vignoble continue d'exister et produit des vins pour plupart issus de cépages locaux. Les standards de qualité de ces vins comptent parmi les plus élevés du monde.

Le Kerner Praepositus 2002 va certainement introduire cette variété sur votre liste de cépages préférés. Les raisins sont issus de vignobles de choix, situés à une altitude de 650 m à 931 m. Le sol est en grande partie sablonneux et très riche en cailloux, parfait pour le drainage. La récolte s'est déroulée vers la fin du mois d'octobre et 2002 s'est avérée, à la différence du reste de l'Italie, une année presque parfaite. La vinification et la maturation du vin se sont effectuées en cuves d'acier inoxydable. On peut espérer une grande pureté et vivacité des saveurs, une complexité qui se bonifiera en vieillissant en bouteille, une charpente remarquable et une longévité raisonnable. **AS**

Alzinger
Loibenberg Riesling Smaragd

Origine Autriche, Wachau
Type vin blanc sec, 14 % vol.
Cépage Riesling
Millésime dégusté 2005, à boire jusqu'en 2015
€€€

Le gneiss et le schiste de Loibenberg sont parsemés ici et là de loess (poussière de l'ère glaciaire). Cultivé au moins depuis le Moyen Âge, ce site en bordure du Danube et son village, Unterloiben, ont été détruits le 11 novembre 1805, lorsque les alliés austro-russes anéantirent l'armée napoléonienne.

Les Leo Alzinger – père et fils – font preuve d'une assurance calme et modeste, que l'on retrouve aussi dans leurs vins. Leur Riesling 2005 révèle l'intensité introvertie et ardente des arômes de noyau, de racine, de zeste de citron et d'herbes, se mêlant à de puissants arômes salins et minéraux, qui atteignent le sommet de leur expression dans la finale – fait typique dans ce genre de Riesling de la Wachau.

Petite récolte bien arrosée, 2005 a donné beaucoup de jus mais a connu la menace de pourriture. L'entretien du feuillage et la sélection des raisins ont été primordiaux. Les conditions difficiles n'ont pas inhibé l'expression glorieuse de Loibenberg dans un Riesling, pour preuve ce Smaragd – nom désignant la catégorie de vins secs la plus riche de la région, ainsi que ces lézards vert émeraude se prélassant au soleil sur les murs à la fin de l'automne. **DS**

◄ L'abbaye de Novacella, entourée de ses vignobles Kerner.

Roberto Anselmi *I Capitelli*
Veneto Passito Bianco

Origine Italie, Vénétie, Soave
Type vin blanc doux
Cépage Garganega
Millésime dégusté 2001, à boire jusqu'en 2020+
€€€

Roberto Anselmi, passé de la course automobile aux vins, a été un véritable moteur dans le monde placide du vin vénitien. Dans les années 1980, il reprit le domaine familial créé par son père en 1948. Alors qu'il possède une DOC à Soave, où il fabrique trois blancs secs et un vin de dessert, il étiquette désormais ses vins IGT Vénétie.

Pourquoi cette résistance ? Soave n'est pour l'instant qu'un nom trop librement utilisé. En s'y associant, Anselmi craignait donc de porter ombrage à sa production.

Les raisins du vignoble I Capelli sont traités selon la méthode classique passito, qui consiste à étendre les fruits sur des treillis de bambou, pour que s'intensifient les sucres, l'acidité et les saveurs, tandis que le raisin sèche dans les courants d'air. La méthode Guyot, que l'on ne pratique pas beaucoup à Soave, réduit considérablement la production de raisin et permet une plus grande concentration. La fermentation en chêne français ajoute un caractère aromatique épicé à ce vin déjà très parfumé.

Dans sa jeunesse, le vin d'I Capitelli arbore une robe dorée profonde et dégage des arômes de miel d'acacia, de bonbon acidulé et de noix de cajou grillée. En bouche, il surprend par le délicieux équilibre entre la douceur de la pêche et l'acidité charpentée, légèrement astringente. Cette combinaison en fait un vin incontournable, dont tous les éléments s'unissent en harmonie dans le succulent millésime 2003. Il forme une alliance divine avec les fromages bleus et crémeux d'Italie. **SW**

Yannis Arghyros
Visanto

Origine Grèce, Santorin
Type vin blanc doux, 14% vol.
Cépage Assyrtiko
Non millésimé, à boire immédiatement
€€€€

Située presque à mi-chemin entre le continent européen et la Crète, l'île de Santorin ne semble pas, à première vue, un terroir très prometteur pour les vignes avec son sol volcanique, ses vents forts et ses étés secs. Pourtant, certaines des vignes présentes ici sont très anciennes, remontant aux années 1920 ou plus. Le principal cépage de Santorin, le raisin blanc local Assyrtiko, s'adapte parfaitement au climat de l'île et, bien entretenu, peut conserver son acidité et donner des vins d'une grande fraîcheur.

Les vignobles de Yannis Arghyros figurent parmi les meilleurs – peut-être même les meilleurs – de Santorin, et Arghyros est décidé à tirer le meilleur parti de ce que la nature lui a donné. Le Visanto est un vin blanc doux traditionnel issu de raisins séchés, qui faisait office de vin de communion de l'Église orthodoxe russe au XIXe siècle. Celui de Yannis Arghyros fait partie des meilleurs Visantos de l'île. Comme le rendement est limité et que les raisins sont séchés, Yannis n'obtient que l'équivalent de 10 bouteilles de vin pour 30 kg de raisins. Dans son chai, il possède des fûts de Visanto qui remontent aux années 1970, son Visanto actuel étant issu d'un judicieux assemblage de différents millésimes.

En vieillissant, le Visanto de Yannis Arghyros prend une belle couleur ambrée. Le nez et la bouche font preuve d'une concentration presque incroyable, avec des arômes de figues, de dattes et de prunes séchées. Une note d'orange amère donne du mordant au bouquet et équilibre la douceur et la texture veloutée du vin. **GL**

Des vignes basses s'épanouissent sur les collines volcaniques et venteuses de Santorin. ➜

Château d'Arlay
Côtes du Jura Vin Jaune

Origine France, Jura, côtes du Jura
Type vin blanc sec, 13,5 % vol.
Cépage Savagnin
Millésime dégusté 1999, à boire jusqu'en 2025+
€€€

Les remparts en ruine du vieux château au sommet d'une petite colline et le vignoble qui recouvre ses pentes sont visibles de très loin. Le château moderne (qui date du XVIIIe siècle) du comte Alain de Laguiche se situe au pied de la colline, juste au-dessus du village d'Arlay, à l'ouest du Jura. C'est le père d'Alain de Laguiche qui a d'abord bâti une solide réputation pour son vin jaune du Château d'Arlay. Le sol est principalement composé de calcaire, avec par-ci, par-là des veines de marne. Environ 3,5 ha de Savagnin sont cultivés sur deux terrains assez différents.

Le château d'Arlay fabrique ce vin de façon plutôt traditionnelle et accomplit la mise en bouteilles en janvier, après un élevage obligatoire de six ans et trois mois. En temps normal, au moins quatre millésimes sont disponibles à la dégustation au château, qui font preuve d'une remarquable intensité de saveurs. Le 1999, considéré par Laguiche comme le «Château d'Arlay classique», est merveilleux. Il possède cette extraordinaire charpente indispensable aux vins de longue garde, doublée d'intenses arômes de fruits confits, de champignon et même de tabac. Il parvient à marier élégance et richesse. **WL**

Domaine d'Auvenay
Chevalier-Montrachet GC

Origine France, Bourgogne, côte de Beaune
Type vin blanc sec, 13 % vol.
Cépage Chardonnay
Millésime dégusté 2002, à boire entre 2015 et 2035
€€€€€

Mme Lalou Bize-Leroy est propriétaire, avec ses actionnaires, du domaine Leroy, sis à Vosne-Romanée, et de la maison Leroy, négociants en vins, installée à Auxey-Duresses. Avec sa sœur, elle possède la moitié du domaine de la Romanée-Conti. Pour faire bonne mesure, elle a entrepris, il y a une vingtaine d'années, de se constituer un domaine personnel. Il n'est pas immense, à peine 4 ha. Mais il se compose de Mazis-Chambertin, de Criots-Bâtard-Montrachet et de Chevalier-Montrachet, assez, dans ce dernier cas, pour produire près de deux barils et demi. Elle a acheté cette parcelle au domaine Chartron de Puligny-Montrachet au début des années 1990. Celle-ci se situe dans les Demoiselles, juste au-dessus de la face nord de Montrachet.

Les rendements du domaine Leroy sont limités à l'essentiel. D'autres en tireraient au moins un tiers de plus. Mais on en retrouve le bénéfice dans la concentration du vin. Ce 2002 est doté d'une puissance rare, même en comparaison avec d'autres Montrachets. Il est bien charpenté et encore un peu jeune, sinon austère. Il est sec mais riche, profond, multidimensionnel, aristocratique, en un mot magnifique. **CC**

Avignonesi *Occhio di Pernice* *Vin Santo di Montepulciano*

Origine Italie, Toscane, Montepulciano
Type vin doux rosé, 16 % vol.
Cépage Prugnolo Gentile
Millésime dégusté 1995, à boire jusqu'en 2020+
€€€€€

Lancé en 1974, Occhio di Pernice (« Œil de Perdrix », appelé ainsi à cause de sa teinte rosée) est un nom générique donné au vin Santo issu exclusivement de raisins rouges, bien que cette catégorie de vin doux soit en grande partie du vin blanc.

Entièrement fabriqué à partir de Prugnolo Gentile, clone local du Sangiovese que l'on trouve à Montepulciano, le vin est issu des meilleurs raisins, que l'on laisse sécher sur des treillis au moins six mois – appassimento (passerillage). Ils perdent ainsi au moins 70 % de leur liquide original. Le moût, lentement pressé goutte à goutte, est d'une consistance presque grasse, riche en sucre et en alcool. Ce nectar dense est ensuite élevé pendant dix ans dans de petites barriques de chêne appelées caratelli.

Selon Burton Anderson, l'Occhio di Pernice d'Avignonesi « est sans doute le vin doux le plus apprécié d'Italie ». Très travaillé, avec une texture moelleuse, il possède un bouquet complexe qui évoque les fruits secs, les figues et les épices, à l'image d'un vieux Cognac. Les arômes amples et le moelleux du vin sont équilibrés grâce aux tanins vivifiants et à son extraordinaire longueur en bouche. **KO**

Jim Barry *The Florita Riesling*

Origine Australie, Clare Valley
Type vin blanc sec, 13,5 % vol.
Cépage Riesling
Millésime dégusté 2005, à boire jusqu'en 2012+
€€

Dans les années 1960 et 1970, nombre des meilleurs Rieslings de Leo Buring étaient issus du vignoble Florita, dans l'Australie du Sud. Mais vers 1985, l'industrie viticole australienne dut faire face à une surproduction de raisins. Jim Barry acheta Florita à Lindeman pour une bouchée de pain en 1986, et l'exploitation produit depuis l'un des meilleurs exemples de Rieslings de Clare Valley, aux côtés du Polish Hill de Paul Grosset et des bouteilles de Classic Clare de Watervale et Leasingham.

Étoffé, exotique et riche en arômes, le Florita 2005 a une charmante texture en bouche. Ses arômes évoquent le citron, le citron vert, la mandarine et le pamplemousse. Au cœur du vin se trouve une note minérale caractéristique de ce vignoble. Bien que riche et rond, il garde une grande fraîcheur grâce à la touche classique d'acidité de Clare Valley, qui masque un soupçon de moelleux, malgré un 2005 très sec, sans aucune trace de sucre résiduel. Comme de nombreux Rieslings de Clare Valley, il possède la charpente nécessaire au vieillissement, mais sera sans doute plus apprécié jeune, lorsque l'acidité et le fruit sont encore à leur apogée. **SG**

← Des raisins destinés au vin Santo d'Avignonesi sèchent sur des treillis de cannes.

Dr. von Bassermann-Jordan *Riesling Forster Pechstein*

Origine Allemagne, Palatinat
Type vin blanc sec, 13 % vol.
Cépage Riesling
Millésime dégusté 2005, à boire jusqu'en 2015
€€

Le petit village de Forst, dont les vignobles sont célèbres, est considéré comme la star de la région de Mittelhaardt, au cœur du Palatinat. Ici, un microclimat parfait s'allie à un sol de qualité, unique pour ses dépôts de roche basaltique. Quel meilleur endroit pour étudier l'anomalie minéralogique du terroir de Forst que Pechstein, dont le nom évoque les pierres noires d'origine volcanique (*pechstein* signifie « pierre de poix » en allemand) ?

Il y a environ 38 millions d'années, lorsqu'a lieu l'effondrement de la faille de la vallée du Rhin, la croûte terrestre se fragilise, permettant ainsi au magma liquide du noyau terrestre de remonter vers la surface et de se solidifier pour donner naissance à des veines de basalte. À Forst, on trouve un petit dépôt d'environ 640 m de long et 182 m de large, le seul sur les pentes du Mittelhaardt. Si le sol de Pechstein recèle à l'origine des veines de basalte, les roches visibles en surface ont été transportées manuellement au vignoble au cours de siècles passés. Ces roches proviennent d'un dôme de lave situé en bordure de la forêt du Palatinat.

La composition minérale unique de Pechstein peut se savourer dans les vins de l'excellente exploitation Dr. von Basserman-Jordan, qui peut s'enorgueillir de deux cents ans d'expérience et d'expertise. L'arôme du Riesling Pechstein évoque le bonbon acidulé et, pour certains, les arômes fumés du volcan. Les vins ont toujours une charpente imposante et même les vins secs font preuve d'un extraordinaire potentiel de garde. **FK**

AUTRES SUGGESTIONS
Autres grands millésimes
2002 • 2004
Autres vins du même producteur
Deidesheimer Hohenmorgen und Kalkofen
Ruppertsberger Reiterpfad • Forster Kirchenstück

Cette étiquette rend hommage à l'empereur romain Probus (232-282). ➡

Weingut Geheimer Rat

Dr. von Bassermann-Jordan

D-67146 Deidesheim

Pfalz

2005

Pechstein

Forst

Domaine Patrick Baudouin
Après Minuit

Origine France, vallée de la Loire, Anjou
Type vin blanc doux, 6,29 % vol.
Cépage Chenin blanc
Millésime dégusté 1997, à boire jusqu'en 2030
€€€

Patrick Baudouin, ancien syndicaliste, a repris en 1990 le domaine créé par ses grands-parents, Maria et Louis Juby. En une décennie, ce vigneron passionné s'est fait un nom grâce à ses vins doux flamboyants et pleins de caractère, qui ont joué un rôle important dans le réveil de la région des coteaux du Layon, longtemps en proie à un revers de fortune.

Après Minuit est un vin iconoclaste qui défie les lois d'appellation en raison de son degré d'alcool peu élevé et de son taux élevé de sucre résiduel. Pour Baudouin, le respect sain du terroir et des vignes anciennes de Chenin blanc du domaine est bien plus important que des règles qui encouragent les vignerons moins consciencieux à augmenter le degré d'alcool en ajoutant du sucre.

En 1997, un millésime de rêve, Après Minuit, est fabriqué à partir d'un second tri, au degré potentiel d'alcool de 28,4° et dont la fermentation dure environ un an. Avec 373 g/l de sucre résiduel, ce vin fait preuve d'une ampleur et d'une concentration d'arômes citriques et de fruits exceptionnelles et, comme son nom le suggère, se doit d'être dégusté dans une ambiance de contemplation sereine et de camaraderie. **SA**

Domaine des Baumard
Quarts de Chaume

Origine France, vallée de la Loire, Anjou
Type vin blanc doux, 12,5 % vol.
Cépage Chenin blanc
Millésime dégusté 1990, à boire jusqu'en 2015
€€€

En 1957 Jean Baumard acheta 6 ha à Quarts-de-Chaume. Au Moyen Âge, les moines de l'abbaye de Ronceray, à Angers, louaient des vignes dans le village de Chaume et payaient du meilleur quart de leur récolte, issu de l'actuel Quarts de Chaume, qui reçut sa propre sous-appellation en 1954.

Les vins de l'appellation sont d'une pureté et d'une charpente extraordinaires avec une nervosité caractéristique, comme le millésime emblématique 1990. Pour cette vendange classique du Layon, l'été chaud et sec a été suivi par des mois de septembre et d'octobre chauds. La brume matinale régulière a favorisé le botrytis, qui a affecté 80 % de la récolte.

À Baumard, seuls les raisins de Chenin blanc trop mûrs ou botrytisés sont récoltés manuellement, habituellement en trois tries (vendanges sélectives), puis vite transportés vers le chai dans des caisses peu profondes, afin de garder les raisins intacts et d'éviter l'oxydation. Le domaine utilise une presse pneumatique depuis 1966, et cela explique, avec la fermentation à température contrôlée en cuves d'acier inoxydable, la fraîcheur et l'expression si pure du fruit et du terroir de Baumard. **SA**

Ch. de Beaucastel *Châteauneuf-du-Pape blanc Roussanne VV*

Belondrade y Lurton
Rueda

Origine France, Châteauneuf-du-Pape
Type vin blanc sec, 13,5 % vol.
Cépage Roussanne
Millésime dégusté 1997, à boire jusqu'en 2012
€€€€

Origine Espagne, Rueda
Type vin blanc sec, 14 % vol.
Cépage Verdejo
Millésime dégusté 2004, à boire jusqu'en 2012
€€

Depuis des dizaines d'années, la famille Perrin de Beaucastel produit l'un des vins rouges les meilleurs de Châteauneuf-du-Pape. Elle fabrique aussi l'un des blancs les plus remarquables de tout le Midi : le Vieilles Vignes, issu d'une parcelle de 3 ha de Roussanne de plus de 65 ans d'âge. Les Perrin s'efforcent de ne pas surcharger leur vin d'arômes et de saveurs de chêne, ainsi une moitié est fermentée en cuves, quand l'autre l'est en barriques d'un an d'âge.

Le Châteauneuf-du-Pape blanc est un vin mystérieux. Cultivé dans une région très chaude, son taux d'acidité est bas, mais il est cependant capable de vieillir. Souvent délicieux jeune, il passe par une phase insipide entre 4 et 8 ans d'âge. Les millésimes, tels que 1987, qui n'ont rien d'extraordinaire pour les Châteauneufs rouges sont souvent les meilleurs pour les blancs. Le Roussanne Vieilles Vignes n'échappe pas à la règle, et le 1997 est un magnifique millésime. Il possède un nez fruité très ample, avec une touche d'abricot et même de coing, tandis que la texture est somptueuse. Charpenté, gras et concentré, le vin reste néanmoins léger et fait preuve d'une surprenante longueur en bouche. **SBr**

Didier Belondrade est un Français amoureux de l'Espagne et d'un cépage blanc de Castille, le Verdejo, dont sont issus les vins de Rueda. Lorsque le premier millésime de Belondrade y Lurton sort en 1994, il annonce une révolution sur la scène viticole espagnole. La plupart des Ruedas étaient alors fabriqués dans un style frais et fruité à consommer jeune, et voilà que surgit un Rueda dans le style des grands Bourgognes blancs.

2004 est une bonne année dans la région, et les vins de Belondrade font preuve d'un meilleur équilibre et d'un bois mieux intégré à chaque nouvelle récolte. La robe est jaune pâle et, lorsque le vin est jeune, le nez révèle l'influence du chêne, ainsi que des caractéristiques typiques du Verdejo : foin fraîchement coupé et pomme, une touche de zeste d'orange et une note balsamique. En bouche, le vin est onctueux mais frais, avec une acidité bien équilibrée, une bonne longueur et une finale légèrement amère. Les vins vieillissent bien, dans le style d'un Bourgogne de village, et développent quelques notes de laine mouillée, faisant preuve d'une minéralité calcaire une fois le bois totalement intégré. **LG**

Paul Blanck *Schlossberg Riesling Grand Cru*

Origine France, Alsace
Type vin blanc sec, 12 % vol.
Cépage Riesling
Millésime dégusté 2002, à boire jusqu'en 2022
€€€

Blue Nun

Origine Allemagne, Hesse rhénane
Type vin blanc demi-sec, 9,5 % vol.
Cépages Müller-Thurgau 70 %, Riesling 30 %
Millésime dégusté 2005, consommer la cuvée actuelle
€

En 1975, le Schlossberg fut le premier grand cru d'Alsace à être délimité, et le mérite en revient à Paul Blanck. La famille est implantée dans la viticulture depuis 1610, mais ce n'est qu'au cours de la seconde moitié du XXᵉ siècle que l'entreprise a acquis son dynamisme actuel. Aujourd'hui, le contrôle des opérations est entre les mains de Frédéric et Philippe Blanck. Leur domaine de 36 ha recouvre les grands crus Furstentum, Mambourg, Schlossberg, Sommerberg et Wineck-Schlossberg et les lieux-dits Altenbourg, Grafreben, Patergarten et Rosenbourg.

Les Blanck produisent chaque année une soixantaine de vins différents, mais leur porte-drapeau est le Grand Cru Riesling Schlossberg. Ce vignoble classé s'étend sur un peu plus de 80 ha et se divise entre les villages de Kaysersberg et de Kientzheim. «Divisé» est le mot qui convient, car, situé à la pointe nord-est de ce grand cru, il en est très distinct. Les pentes sont exposées au sud et au sud-est, et la plupart sont en terrasses. Les sols sont grossiers, composés de sédiments et de sables argileux riches en minéraux, sur un sous-sol de granite. Combinaison rare, ce millésime 2002 allie minéralité et richesse. **TS**

H. Sichel Söhne lance en 1921 la marque Blue Nun Liebfraumilch, arborant une étiquette moins impénétrable que les noms des vins allemands, longs et compliqués. La «Nonne» fait allusion aux origines de Liebfraumilch, qui commença avec un vin issu d'un vignoble situé juste à côté d'une église.

L'entreprise familiale allemande Langguth rachète Sichel en 1996 et commence à replacer la marque Blue Nun, en déclin depuis de nombreuses années. Le vin est alors promu par Langguth de Liebfraumilch – un nom générique en Allemagne pour des vins qui n'ont pas besoin de contenir une seule goutte de Riesling – à Qualitätswein, ce qui signifie que les raisins doivent provenir d'une région déterminée (de Rhénanie dans le cas du Blue Nun). Le Blue Nun contient désormais un minimum de 30 % de Riesling, et le vin est fabriqué dans un style bien plus sec, avec une réduction des sucres résiduels du très doux 42 g/l à 28 g/l.

Considéré comme ringard, le Blue Nun est pourtant un triomphe de marketing et de renouvellement de la marque, et il plaît à tout le monde. Pour Langguth, ce vin est «assez versatile pour accompagner la plupart des mets. Et excellent à boire seul». **SG**

Le vin Blue Nun tire ses origines de ce vignoble à côté d'une église, à Worms. ➜

Domaine Jean Boillot
Puligny-Montrachet PC La Truffière

Origine France, Bourgogne, côte de Beaune
Type vin blanc sec, 13,5 % vol.
Cépage Chardonnay
Millésime dégusté 2002, à boire jusqu'en 2017
€€€€

Lorsque le célèbre domaine Étienne Sauzet cède une partie de ses vignobles dans les années 1980, c'est Henri Boillot qui se charge de les reprendre. Ce dernier est le petit-fils du premier Étienne Sauzet et le fils de Jean Boillot.

Les vins du domaine Jean Boillot aspirent à la grandeur, dans un style toutefois plus maigre, plus classique que le caractère gras, généreux et boisé actuellement recherché par bon nombre de Chardonnays de Bourgogne. Ils ont un cœur pur et minéral et sont élevés en barrique, dont le chêne est judicieusement appliqué de façon modérée. Ils révèlent une nervosité d'acier dans leur jeunesse, reflétant le jus concentré dont ils sont issus, mais prennent un caractère plus rond et plus doux avec l'âge, tout en gardant un sens du terroir impressionnant.

La Truffière est l'un des premiers crus les plus célèbres de Puligny – sa renommée est comparable à celle du grand cru Chevalier-Montrachet. La splendide vendange de 2002 produisit d'excellents Bourgognes blancs, probablement les meilleurs depuis 1996. La Truffière 2002 de Boillot possède d'intenses arômes de poire et de citron, avec juste un soupçon de beurre fondu. En bouche, il est élégant et chic, mais aussi d'une netteté rigoureuse, qui équilibre son acidité à la perfection grâce au fruité de la pêche. À l'âge de 3 ans, la finale est substantielle mais encore en retenue, et prendra toute sa mesure lors du vieillissement en bouteille. **SW**

Un vignoble en pente douce du domaine réputé de Montrachet. ➔

Dom. Bonneau du Martray
Corton-Charlemagne GC

Origine France, Bourgogne, côte de Beaune
Type vin blanc sec, 13 % vol.
Cépage Chardonnay
Millésime dégusté 1992, à boire jusqu'en 2012+
€€€€

Architecte de formation, Jean-Charles Le Bault de la Morinière a hérité du domaine familial de Bonneau du Martray en 1994. Les vignobles de ce domaine sont réunis en une seule grande parcelle de 9,5 ha située sur le côté Pernand de la grande colline de Corton, qui correspond au site ayant appartenu au IXe siècle à l'empereur Charlemagne, dont le vin blanc issu des raisins cultivés ici porte le nom. C'est le seul domaine de Bourgogne, hormis le célèbre domaine de la Romanée-Conti, à ne vendre que des grands crus (l'autre étant le Corton rouge).

La vendange 1992 de Bourgogne blanc a beaucoup fait parler d'elle, avec un niveau de maturité très élevé donnant des vins charpentés, malgré un taux d'acidité plutôt bas. En mars 2007, John Kapon, d'Acker Merrall & Condit, a dégusté une bouteille de Bonneau du Martray 1992, remarquant qu'il possède «un nez doux, mielleux, qui [lui] rappelle le bacon sucré et beurré […] il demeure rond et savoureux». Malgré une pureté et une fraîcheur cinglantes dans sa jeunesse, le vin prend de l'ampleur avec l'âge, et développe un arôme de noix, de miel, de caramel, tout en gardant une touche minérale éloquente. **SG**

Bonny Doon
Le Cigare Blanc

Origine États-Unis, Californie, Santa Cruz
Type vin blanc sec, 13,5 % vol.
Cépages Roussanne 73 %, Grenache blanc 27 %
Millésime dégusté 2004, à boire jusqu'en 2012+
€€€

Les assemblages blancs du nord et du sud du Rhône ne font pas partie des vins blancs français les plus appréciés. Souvent, ils sont de qualité irrégulière, avec une corpulence inélégante et extra-sèche qui libère peu d'arômes, et ne présente aucune évolution intéressante lors du vieillissement en bouteille. Faites confiance à Randall Grahm pour réécrire l'histoire.

Dans le Cigare Blanc, la minéralité austère du Roussanne forme l'épine dorsale du vin, tandis que le Grenache blanc (un cépage souvent négligé au sud du Rhône) y ajoute une dimension inattendue et donne des arômes fruités et épicés. Le vin dégage un parfum de pêche blanche et un soupçon de chèvrefeuille, ainsi qu'une touche de safran. La vendange de 2004 a donné un vin couronné de succès, avec une proportion de Grenache blanc plus élevée qu'à l'ordinaire. Dans les millésimes précédents, ce niveau s'abaissait parfois jusqu'à 3 %.

L'autre caractéristique extraordinaire du vin – sa concentration de textures – est due en partie à la faible production. Le Cigare Blanc laisse en bouche une sensation durable de viscosité, appuyée par un taux d'alcool de 13,5 %, qui divise les opinions. **SW**

L'élevage en fût du Corton-Charlemagne dans les caves du domaine Bonneau du Martray.

Bonny Doon
Muscat Vin de Glacière

Origine États-Unis, Californie, Santa Cruz
Type vin blanc doux, 11,5 % vol.
Cépage Muscat
Non millésimé, à boire jusqu'en 2015
€€€

En 1986, Randall Grahm s'est lancé dans le vin de glace. Son prédécesseur européen, l'Eiswein allemand, est l'un des grands vins doux produits à partir de raisins que l'on laisse flétrir, puis geler, sur les vignes en hiver. En Californie, la production de vin de glace s'effectue grâce à la cryoextraction, qui revient simplement à mettre des grappes de raisin dans un congélateur. Cette technique est utilisée depuis des années pour le Gewurztraminer et même le Grenache, mais c'est le Muscat qui remporte le premier prix. De nombreux clones du Muscat entrent dans la composition du vin – principalement le Muscat Canelli, mais ces dernières années, le Muscat orange et des dérivés de Greco et de Giallo y ont aussi contribué.

Dans le verre, le vin dégage d'abord des serpentins pailletés de fruits : la mandarine, le citron confit, l'ananas et le pamplemousse sucré, portés par un déploiement d'épices sucrées telles que la cannelle et le gingembre, et parsemés de pétales cristallisés de fleur d'oranger et de jasmin. La texture du vin possède une intensité durable ainsi qu'une ampleur aux multiples couches d'arômes décadente, adjectif trop souvent utilisé mais qui ne semble pas de trop ici. **SW**

Borgo del Tiglio
Malvasia Selezioni

Origine Italie, Frioul-Vénétie-Julienne, Collio
Type vin blanc doux, 13 % vol.
Cépage Malvasia Istriana
Millésime dégusté 2002, à boire jusqu'en 2012+
€€€

Le Collio est une petite bande de terrain vallonné au nord-est de l'Italie, juste à la frontière de la Slovénie. Il est considéré par la majorité comme l'une des meilleures régions de production de vins blancs du pays. Le sol se compose de marne et de grès.

Nicola Manferrari, ancien étudiant en pharmacie, fonde le domaine de Borgo del Tiglio en 1981. Et lorsqu'il élabore ses vins, Manferrari est aussi méticuleux qu'un pharmacien : la quantité de bois, l'acidité et l'alcool sont toujours en proportions parfaites, et le plaisir que procurent ces vins compense largement l'effort mis à les dénicher – la production totale du domaine avoisine les 3 300 caisses par an.

Le Malvasia Istriana est un cépage que l'on néglige souvent injustement, même dans la région de Collio, mais ce Malvasia Selezione 2002 vient corriger cet oubli et rappeler la valeur du raisin. Les arômes concentrés de pommes et de fleurs blanches sont séduisants et irrésistibles. En bouche, le vin fait preuve d'intensité et d'un équilibre parfait, et se révèle encore plus complexe qu'au nez, avec un fruité moelleux et une acidité presque salée qui offre une belle longévité à cette révélation viticole. **AS**

◄ Le vignoble de Bien Nacido fournit une partie des raisins utilisés par Bonny Doon.

Domaine Bott Geyl
Pinot Gris Sonnenglanz GC (VT)

Origine France, Alsace
Type vin blanc doux, 13,5 % vol.
Cépage Pinot gris
Millésime dégusté 2001, à boire jusqu'en 2030
€€€

À la succession de son père Édouard en 1992, la première tâche de Jean-Christophe Bott fut de tailler les vignes afin de restreindre leur rendement de 35 %. Il s'est ensuite assuré que les raisins récoltés manuellement arrivaient au chai par grappes entières et intactes, le but étant d'atteindre le pressurage «doux et subtil» qui donne aux vins Bott-Geyl leur limpidité cristalline.

En 2001, Jean-Christophe a récolté à la mi-octobre le Pinot gris de son principal site de grand cru à Beblenheim, le Sonnenglanz, dans l'intention de fabriquer deux vins. Recouverts de pourriture noble, les premiers raisins cueillis étaient destinés à l'origine à une sélection de grains nobles (SGN). Entre le 25 et le 30 octobre, les raisins restants sont cueillis. Ils sont alors fermentés en partie en cuve, tandis que ceux destinés à la SGN sont fermentés exclusivement en barriques de chêne neuves.

Après avoir goûté les deux vins, Jean-Christophe déclare: «Les deux sont extrêmement bons, mais je voulais faire un vin exceptionnel, et j'y suis parvenu en les mélangeant.» Le vin possède un caractère fumé qui provient de la pourriture noble, avec des notes de truffes issues des raisins cueillis tardivement, tout comme une combinaison des caractéristiques de la saison 2001 – dont la charpente due à un été chaud, la concentration engendrée par un rendement bas et un bon climat automnal, ainsi que l'acidité vivifiante issue des pluies d'automne précoces. **MW**

Le feuillage des vignobles alsaciens vire au doré au début de l'automne. →

Bouchard Père et Fils *Corton-Charlemagne Grand Cru*

Origine France, Bourgogne, côte de Beaune
Type vin blanc sec
Cépage Chardonnay
Millésime dégusté 1999, à boire jusqu'en 2014+
€€€€

L'entreprise familiale Bouchard fut fondée en 1731. Bouchard est passé de père en fils dans la famille, qui finit par s'établir dans le château de Beaune en 1810. La demeure est alors rachetée en 1995 par Henriot, créateur de très bons Champagnes dominés par le Chardonnay. Le portefeuille comprend alors 12 ha de vignobles de grands crus, de diverses appellations, avec 3 ha de Corton-Charlemagne parmi les fleurons du domaine. Ce dernier est mis en bouteilles au domaine et possède toute la concentration, l'élégance et la puissance que l'on attend d'un vin de ce genre. Les vendanges précoces font partie de la philosophie des Bouchard, dans le but de garder la fraîcheur de l'acidité, qui aide le vin à supporter le vieillissement prolongé en barrique puis en bouteille. Des passages séparés sont effectués dans le vignoble lors des vendanges, chaque parcelle étant ensuite vinifiée différemment, avant de les assembler et de les élever en jeune chêne pendant six mois, puis une autre année dans du chêne plus âgé.

La récolte de 1999 a donné des vins d'un équilibre superbe. Ce Corton-Charlemagne offre un mélange de pommes cuites beurrées et de faibles arômes de ferme, caractéristiques de ce cru, avec une bouche d'une grande corpulence, ample et autoritaire, son chêne luxuriant et vanillé contrasté par une acidité fruitée qui évoque l'ananas. La densité de la charpente indique que ce vin n'a jamais été destiné à être bu jeune. Dans l'idéal, il doit être consommé légèrement frappé, avec un poulet de Bresse à l'estragon et à la crème. **SW**

AUTRES SUGGESTIONS
Autres grands millésimes
1992 • 1995 • 1996 • 1997 • 2000 • 2002 • 2005
Autres grands producteurs de Corton-Charlemagne
Bonneau du Martray • Coche-Dury • Michel Juillot Olivier Leflaive • Jacques Prieur • Rollin

De nombreux excellents Bourgognes se bonifient dans ces anciennes caves de Bouchard. ➡

Henri Bourgeois
Sancerre d'Antan

Origine France, vallée de la Loire, Sancerre
Type vin blanc sec, 12,5 % vol.
Cépage Sauvignon blanc
Millésime dégusté 2003, à boire jusqu'en 2012+
€€

Le chai du domaine Henri Bourgeois se situe au sommet de Chavignol, et offre une vue superbe sur les vignes. Lorsque l'on insiste, Jean-Marie Bourgeois vous dit qu'il en possède la moitié, mais il sous-estime. Pour commencer la dégustation, il sort deux bouteilles, un Sauvignon blanc et un Pinot noir. Je lui demande de quelle parcelle ils sont issus, m'attendant à le voir pointer par la fenêtre. « Malborough, Nouvelle-Zélande, me répond-il, de ma propriété Clos Henri. »

Le domaine Henri Bourgeois produit environ 550 000 bouteilles par an, et le Clos Henri 120 000 de plus. Sancerre d'Antan ne représente que 6 000 à 10 000 bouteilles à l'année. Le d'Antan est issu à 100 % de sol de silex. Le terroir se reflète de façon évidente dans la note minérale que dégage le nez du 2003. La bouche offre un mélange unique de saveurs croquantes de silex, arrondies par un superbe arôme de pain au raisin grillé et recouvert d'une généreuse couche de beurre. Voici un Sauvignon blanc dans toute sa splendeur. Le vin est un produit de son terroir, mais il s'élève bien au-delà du Sancerre dans le domaine du sublime. **KA**

Georg Breuer *Rüdesheimer Berg Schlossberg Riesling Trocken*

Origine Allemagne, Rheingau
Type vin blanc sec, 12,5 % vol.
Cépage Riesling
Millésime dégusté 2002, à boire jusqu'en 2015
€€€

Redécouvrir et ressusciter le concept de terroir en Allemagne fut l'œuvre de la vie de Bernhard Breuer et il travaille sans répit à la transformation de ses Rieslings secs haut de gamme en vins de grand cru du Rheingau. Il donne la priorité au caractère unique de ses vignobles et cette philosophie est appréciable pour son Riesling Berg Schlossberg de Rüdesheim. Le sol de son vignoble escarpé, composé principalement d'ardoise et de quartz, donne un vin expressif, délicieusement piquant et riche en minéral, d'une longueur et d'une longévité superbes. Le Schlossberg de Breuer est plutôt impénétrable dans sa jeunesse, mais développe une grande complexité au fil des ans.

En mai 2004, Bernhard Breuer décède soudainement à l'âge de 57 ans. Il laisse en héritage une longue lignée de Rieslings extraordinaires de renommée mondiale, et par-dessus tout le Schlossberg 2002. Le maître ès vins Michael Broadbent a déclaré en 2005 : « Le meilleur Riesling Trocken allemand que j'aie jamais bu… Un arôme si développé, si divin, et un goût d'une telle subtilité et d'une telle longueur que l'on se demande comment de tels raisins peuvent être cultivés, de tels vins fabriqués. » **FK**

Bründlmayer *Zöbinger Heiligenstein Riesling Alte Reben*

Origine Autriche, Kamptal
Type vin blanc sec, 13,5 % vol.
Cépage Riesling
Millésime dégusté 2002, à boire jusqu'en 2015
€€

Heiligenstein est la zone principale de Riesling du Kamptal. Avec une flore et une faune aussi rares que ses origines géologiques, ce rocher fut connu pendant des siècles comme la « Pierre de l'Enfer ».

Pendant des années, Willi Bründlmayer observa la façon dont les vieux pieds de vigne étaient entretenus par un octogénaire. Lorsque celui-ci n'en fut plus capable, le gendre du vieil homme promit de s'occuper des vignes mais ne possédait ni la capacité ni le temps pour tenir parole. Bründlmayer accepta alors de tout prendre en charge.

La série Heiligenstein Alte Reben de Bründlmayer naquit en 1991. Les pluies de l'automne 2002 représentèrent un défi, mais le site finit par prouver ce dont il est capable en donnant un Riesling d'une étonnante clarté et au jeu de saveurs dynamique. Arômes de lilas d'été (buddléia) et de fleur de citronnier, profusion d'arômes citriques, de baies, de noyau et de fruits tropicaux, minéralité subtile et pétillante, telles sont les caractéristiques de Heiligenstein que l'on retrouve chorégraphiées dans le 2002, même si l'on rencontre assez souvent du Riesling de Heiligenstein avec un taux d'alcool pouvant aller jusqu'à 15 %. **DS**

Bucci *Verdicchio dei Castelli di Jesi Riserva Villa Bucci*

Origine Italie, les Marches
Type vin blanc sec, 14 % vol.
Cépage Verdicchio
Millésime dégusté 2003, à boire jusqu'en 2020+
€€

On ne fabrique le Riserva Villa Bucci que lorsque les vendanges sont très bonnes. Les raisins utilisés pour sa fabrication viennent de vignes plantées dans les années 1960 et, après fermentation, le vin est élevé à maturité dans de grands tonneaux en chêne (*botti*). L'élevage s'étend sur un minimum de 18 mois en cuve, suivis de 12 mois supplémentaires en bouteille.

Il est recommandé de décanter le vin environ dix à quinze minutes avant de le servir, pour lui donner la possibilité de « s'assouplir ». Il est également important de ne pas le servir trop froid, afin de ne pas dénaturer sa complexité. C'est particulièrement vrai pour les millésimes plus anciens, car ce Verdicchio peut vieillir avec grâce pendant de nombreuses années, développant alors de séduisants arômes de fines herbes.

Le 2003 a une longue vie devant lui. Sa robe est jaune paille avec des reflets vert émeraude. Le nez regorge de notes de pêche mûre, d'agrumes et de biscuits à peine sortis du four, tandis qu'en bouche semblent se développer plutôt les saveurs de noix, égayées par des touches balsamiques plus fraîches et un soupçon de peau d'orange. La longueur en bouche est remarquable. **AS**

Reichsrat von Buhl
Forster Ungeheuer Riesling ST

Origine Allemagne, Palatinat
Type vin blanc sec, 12,5 % vol.
Cépage Riesling
Millésime dégusté 2002, à boire jusqu'en 2012+
€€

Le vignoble de Ungeheuer devint mondialement célèbre au XIXᵉ siècle – principalement pour les vins du domaine de Buhl qui, à l'époque, figuraient parmi les meilleurs vins du monde. Le chancelier Bismarck (1815-98) en fit son vin favori et surnomma le propriétaire de l'époque, Franz Armand Buhl, son « ami personnel et compagnon d'armes ».

Le terreau sablonneux et les sols d'argile, parsemés de débris calcaires et de roche basaltique, rendent la composition du sol d'Ungeheuer unique et assurent une forte minéralité aux vins. Vers la fin de l'après-midi, un vent chaud souffle régulièrement, absorbant l'humidité du vignoble. C'est ainsi qu'il est souvent possible de récolter des raisins très mûrs mais en bonne santé dans l'Ungeheuer, qui donnent des vins particulièrement expressifs, des arômes fruités séduisants et des textures juteuses. Les vins secs ne sont cependant pas les seuls vins remarquables de la zone : de nombreuses années, il est possible de produire des vins doux d'une nature presque royale. Il semble donc normal que la reine mère Élisabeth ait dégusté un Ungeheuer Beerenauslese issu du vignoble de Buhl pour son 100ᵉ anniversaire en 2000. **FK**

Leo Buring
Leonay Eden Valley Riesling

Origine Australie, Australie du Sud, Eden Valley
Type vin blanc sec, 12,2 % vol.
Cépage Riesling
Millésime dégusté 2005, à boire jusqu'en 2015
€€

Leonay, nom que portait l'exploitation initiale de Leo Buring dans la vallée de Barossa, est aussi celui qu'a donné John Vickery, vigneron de longue date, à la remarquable parcelle de Riesling de ce vignoble dans les années 1970. Selon l'année, il est issu d'Eden Valley ou de Watervale, dans Clare Valley, et si l'année s'avère mauvaise dans les deux régions, aucun vin n'est produit. Il arrive, comme en 2004, que les deux vins soient produits.

Le Leonay 2005 d'Eden Valley est issu à 85 % de Bay F2, situé dans le vignoble d'Eden Valley (qui appartient au groupe) à environ 375-400 m d'altitude, les 15 % restants provenant du vignoble High Eden, situé quant à lui à 450 m d'altitude. Dans les deux vignobles, les vignes ont été plantées au début des années 1970 sur des sols peu fertiles – le premier composé de podzol jaune, le second à base de calcaire crayeux.

Le 2005 arbore une robe jaune pâle ainsi qu'un bouquet raffiné de fleur de citron aux nuances minérales et florales. En bouche, le vin offre une texture fine et délicate, avec une grande continuité et une bonne longévité. L'acidité intégrale est douce et régulière et l'impression générale est harmonieuse. **HH**

Dr. Bürklin-Wolf *Forster Kirchenstück Riesling Trocken*

Origine Allemagne, Palatinat
Type vin blanc sec, 13,5 % vol.
Cépage Riesling
Millésime dégusté 2002, à boire jusqu'en 2020+
€€€

Le vignoble de Kirchenstück, souvent décrit comme le «Montrachet du Palatinat», occupe un site excellent sur 3,6 ha. Aucun autre terroir du Palatinat ne produit un Riesling si succulent et élégant. Le sol se compose de couches d'argile et de sable, imprégnées de débris de basalte et de calcaire.

Aucun producteur n'est mieux qualifié que Dr. Bürklin-Wolf pour transformer le potentiel naturel du site en un incontournable monument du vin. Il s'agit de la plus grande exploitation privée d'Allemagne, qui ne possède pourtant que treize rangées de vignes au cœur de Kirchenstück, mais le Riesling produit ici compte depuis de nombreuses années parmi les rares vins secs «cultes» issus de ce cépage. Le Kirchenstück 2002 de Bürklin-Wolf a été acclamé par le Gault-Millau comme l'un des meilleurs Rieslings secs jamais produits en Allemagne. Ce vin allie profondeur énergique et élégance séduisante, richesse d'arômes, brillance et finesse. La corde wagnérienne de la finale semble se prolonger à l'infini, et en laisse plus d'un sans voix. Voici un vin qui exige et apprécie le passage du temps, en bouteille comme en verre. **FK**

Clemens Busch *Pündericher Marienburg Riesling TBA*

Origine Allemagne, Moselle-Sarre-Ruwer
Type vin blanc doux, 6 % vol.
Cépage Riesling
Millésime dégusté 2001, à boire jusqu'en 2060+
€€€€€

Le journaliste viticole Stuart Pigott, a choisi ces termes pour parler du vin de l'exploitation de Busch: «Vin de Moselle wagnérien qui mérite qu'on l'exalte!» L'entreprise, dirigée depuis 1985 par Clemens et Rita Busch, est considérée comme une référence en Moselle. Ce domaine écologique est capable de produire des Rieslings secs et doux remarquables. Leur percée internationale s'est cependant faite grâce à certains vins doux nobles extrêmement rares.

C'est le Riesling TBA 2001 qui a ravi les experts. Cette année-là, seule une petite quantité de raisins adéquatement botrytisés se trouvait disponible jusqu'à la mi-novembre. Un TBA ne pouvait donc être fabriqué qu'après une sélection extrêmement stricte des baies. La petite quantité de moût contenait cependant une acidité incroyablement élevée. Aujourd'hui, c'est cette brillante charpente acide qui tranche la douceur baroque et crémeuse donnant au TBA un fascinant équilibre ainsi qu'une longévité presque infinie. Il s'agit d'un vin auquel Pigott attribue sans hésitation un score parfait de 100 points: «Quiconque désire déguster l'ultime densité matérielle de l'univers se trouve au bon endroit.» **FK**

Calvente *Guindalera Vendimia Seleccionada Moscatel*

Origine Espagne, Andalousie, Grenade
Type vin blanc sec, 12,5 % vol.
Cépage Moscatel (Muscat)
Millésime dégusté 2006, à boire jusqu'en 2009
€

Si la plupart des nouveaux projets viticoles d'Andalousie s'attachent aux rouges, ce vin plus modeste se fabrique depuis trois siècles dans la tradition andalouse à partir de trois cépages blancs – Palomino Fino, Pedro Ximénez et Moscatel (Muscat).

Il y a environ deux cents ans, Simóne de Rojas Clemente identifia le Moscatel comme le cépage dominant sur la crête d'Almuñecar. C'est ici que l'on trouve des vignes de 30 à 60 ans, plantées sur des collines très escarpées, comme suspendues à des balcons, entre 600 m et 700 m au-dessus du niveau de la mer, dont le propriétaire Horacio Calvente s'occupe avec amour. D'où les grandes différences de température entre le jour et la nuit, qui donnent une maturation parfaite tout en préservant l'acidité naturelle du raisin.

Pour la première décennie de ce siècle, 2002 et 2006 sont les meilleures années. Ce vin puissant est doté d'une expression fruitée très nette aussi bien au nez, où elle est accompagnée d'arômes variétaux marqués, qu'en bouche, où l'équilibre harmonieux du bouquet est couronné en finale par l'âpreté caractéristique du Moscatel fermenté à sec. **JB**

Can Ràfols dels Caus *Vinya La Calma*

Origine Espagne, Catalogne, Penedès
Type vin blanc sec, 13 % vol.
Cépage Chenin blanc
Millésime dégusté 2000, à boire jusqu'en 2010
€€

Le domaine de Can Rafóls dels Caus appartient à Carlos Esteva, véritable pionnier et visionnaire du marché viticole espagnol. Aujourd'hui, 48 de ces 445 ha sont recouverts de vignes d'environ 20 ans d'âge, même si certaines atteignent 60 ans. Dans les années 1980, Esteva se concentrait sur les rouges, mais il développe à présent quelques blancs intéressants.

Le sol est très riche en chaux et contient aussi un peu d'argile. Le vignoble se divise en de nombreuses petites parcelles, chacune avec une orientation, une composition du sol et des cépages différents, et récoltés, fermentés et élevés séparément. Les vignes de Chenin blanc viennent du vignoble de La Calma, dont le sol calcaire est riche en fossiles de coquillages.

Le vin La Calma 2000, le seul Chenin blanc d'Espagne, a une robe jaune or profonde. Il possède un bouquet unique et fin, de pêche blanche, de coing et d'anis, qui se mêlent à quelques notes de fruits secs et de bois. Tendre en bouche, il fait preuve d'une grande acidité, contient beaucoup de glycérine et offre une finale remarquable. **LG**

Cape Point Vineyards
Semillon

Origine Afrique du Sud, Cape Point
Type vin blanc sec, 13,7 % vol.
Cépages Sémillon 85 %, Sauvignon blanc 15 %
Millésime dégusté 2003, à boire jusqu'en 2015
€€

Il est loin le temps où le Sémillon constituait encore la majorité des vignobles du Cap. Cape Point Vineyards est la seule exploitation du district de Wine of Origin (vin d'origine) qui porte ce nom. L'entrepreneur Sybrand Van der Spuy planta les premières vignes de cette jeune exploitation en 1996.

Le seul hectare consacré au Sémillon s'est avéré, selon les mots du vigneron Duncan Savage (de Cape Point) « un site excellent ». Savage est très sensible à ce que le vignoble peut offrir : en 2003, il ne fait fermenter que 30 % du vin dans du chêne, afin de préserver les notes vertes et de pyrazine qu'il apprécie tant. Aucune mise en bouteilles en 2004, tandis que la récolte 2005, plus mûre, a vu mettre la moitié du vin en chêne, accentuant ainsi l'arôme de mandarine, avec un peu de Sauvignon pour donner plus de verve à ce qui est en fait un vin dans le style Graves-Pessac.

Les vins sont austères dans leur prime jeunesse, avec une minéralité caractéristique d'un climat frais. Vers la mi-2007, le 2003 commençait à évoluer de son caractère herbacé des débuts vers une plus grande complexité et un bouquet auquel s'ajoutent des saveurs d'asperge, de terre et une touche d'herbe. **TJ**

Capichera *Vermentino di Gallura Vendemmia Tardiva*

Origine Italie, Sardaigne
Type vin blanc sec, 14 % vol.
Cépage Vermentino
Millésime dégusté 2003, à boire jusqu'en 2013
€€€

Capichera est situé près du village d'Arzachena, à l'extrémité nord-est de la Sardaigne. Le sol de ce côté de l'île est très aride, avec une présence caractéristique de rocher granitique et de sable. La famille Agnedda, propriétaire du domaine, produit du vin depuis près d'un siècle, mais jusque dans les années 1970, ce vin était uniquement consommé en famille. Le millésime de 1980 fut le premier à être commercialisé et on remarqua de suite sa différence avec les autres Vermentino. Il était plus concentré, plus parfumé, plus complexe. Les frères Fabrizio et Mario Agnedda commercialisèrent leur premier Vermentino Vendemmia Tardiva en 1990 – un vin sec issu de raisin récolté tardivement.

Le Vermentino di Gallura Vendemmia Tardiva 2003 est un vin étonnement concentré, mais aussi élégant et onctueux. Au nez, il arbore des notes de miel et de fleurs que viennent rafraîchir très agréablement les arômes d'agrumes sous-jacents. En bouche, c'est un vin doux et caressant, fort charpenté et velouté, avec des nuances de fleurs, d'agrumes, de miel et de buissons méditerranéens. La finale est longue et finement ciblée. **AS**

Domaine Carillon *Bienvenues-Bâtard-Montrachet GC*

Origine France, Bourgogne, côte de Beaune
Type vin blanc sec, 13 % vol.
Cépage Chardonnay
Millésime dégusté 2002, à boire entre 2010 et 2020

€€€€€

Les Carillon, père et fils, fabriquent du vin à Puligny-Montrachet depuis le XVIIe siècle, et même avant selon certains registres. Voici un domaine de qualité, et l'un des meilleurs de vin blanc du monde. Ici, pas de chichis, pas question de courir les salons et marchés du vin de Tokyo à Los Angeles, rien de médiatique, juste une entreprise familiale qui se consacre à fond à tirer le meilleur de ses vignes.

Environ 12 ha et une douzaine de vins, plutôt typique en Bourgogne. Du Puligny-Montrachet pour la plupart : un vin de village élevé dans des demi-muids. On y trouve plusieurs premiers crus : Combettes, Perrières, Champ-Canet, Champ-Gain et Referts. Jacques Carillon, qui dirige aujourd'hui le domaine, est un homme mince dans la cinquantaine, le gabarit d'un ténor plutôt que d'une basse.

Mais le fleuron de la cave, et le seul grand cru, est le Bienvenues-Bâtard-Montrachet. Il y a environ 0,11 ha de ce dernier : quelques deux barriques et demie, peut-être 750 bouteilles par an. Comme tous les grands blancs de Bourgogne, il est vinifié dans sa barrique, ne subissant pratiquement aucune manipulation par la suite, c'est à peine s'il est égoutté avant d'être mis en bouteilles après dix-huit mois. Les millésimes récents de Bourgogne blanc sont bons, mais le meilleur reste le magnifique 2002. C'est un vin ample, étoffé et concentré, merveilleusement stylé, avec une touche d'acier et une base minérale. Il possède une complexité et une dimension qui, tout comme le vin lui-même, promettent une amélioration continue. **CC**

Castel de Paolis *Muffa Nobile*

Origine Italie, Lazio, Castelli Romani
Type vin blanc doux, 13,5 % vol.
Cépages Sémillon 80 %, Sauvignon blanc 20 %
Millésime dégusté 2005, à boire jusqu'en 2020

€€

Castel de Paolis est l'un des maints exemples de l'énorme potentiel de la zone de Castelli Romani, jadis célèbre pour sa production de Frascati, puis quelque peu négligée pour la même raison. Si le Frascati était largement apprécié dans le monde, ce n'est toutefois pas le même vin que l'on consommait entre les années 1960 et 1980. La grande différence réside dans les cépages utilisés dans sa fabrication – Malvasia Laziale, Bellone, Bombino et Cacchione avant l'attaque du phylloxéra, puis les très productifs Malvasia di Candia et Trebbiano.

En 1985, Giulio Santarelli, propriétaire de Castel de Paolis, se laissa convaincre par le professeur Attilio Scienza, l'un des plus éminents experts dans son domaine, de faire des expériences avec les cépages locaux traditionnels. Ils commencèrent alors à déraciner les neutres Malvasia di Candia et Trebbiano, pour replanter les cépages historiques, pour améliorer le Frascati. Santarelli et Scienza firent aussi des essais avec des cépages internationaux, et le Muffa Nobile est le fruit de ces expériences.

Sémillon et Sauvignon blanc composent ce vin et sont complètement affectés par la pourriture noble, *Botrytis cinerea*. Le vin a une couleur ambre pâle, et est doté d'un nez aux arômes typiques des vins botrytisés : notes claires, douces et intenses de fruits secs, de miel et de noix. En bouche, il révèle une belle intensité, une attaque douce, sucrée et équilibrée, maintenue par l'alcool et l'acidité. Il accompagnera des desserts à base de miel, comme le baklava, ou les fromages bleus ou bien faits. **AS**

Domaine Cauhapé
Quintessence du Petit Manseng

Origine France, Jurançon
Type vin blanc doux, 12 % vol.
Cépage Petit Manseng
Millésime dégusté 2001, à boire jusqu'en 2013+
€€€

Le Jurançon, situé sur les versants des Pyrénées, est composé en grande partie de forêts et de prairies dégagées. C'est sur une colline d'argile rocheuse abritée et orientée vers le sud, où le soleil peut s'attarder que le foehn, vent chaud venu d'Espagne, vient chatouiller le Petit Manseng et l'assécher le temps d'un long automne. Le résultat ? L'un des meilleurs sites au monde pour les vins de dessert. Le botrytis ne joue ici aucun rôle, le passerillage (surmaturation) fait tout.

Henri Ramonteu est un vigneron qui n'hésite pas à céder ses raisins à la morsure de l'hiver avant de les cueillir. Le fruit dont est issu ce vin est récolté pendant la seconde moitié du mois de décembre, en trois ou quatre sorties. Le vin est ensuite fermenté en barrique et vieilli pendant deux ans dans des fûts de chêne neufs.

Le spectre fruité, fort différent de la plupart de ses congénères français, avec des notes d'ananas, de mangue et de banane est l'une des vertus du Petit Manseng. L'acidité du cépage lui procure un équilibre envoûtant, presque digne d'un Riesling. Dans les vins vendangés si tardivement, la concentration et les niveaux de sucre explosent, sans pour autant que le vin perde sa puissance aromatique, tellement évidente dans les raisins cueillis plus tôt dans l'année. Le choix du jeune chêne pourrait, dans un vin inférieur, se révéler une erreur esthétique, alors qu'ici il ajoute une dose supplémentaire d'ampleur et de sensualité. Ramonteu produit une vaste gamme de vins à partir de ses 40 ha de vignobles, dont Folie de Janvier, issu de raisins gelés. Le Quintessence reste le vin emblématique du domaine comme de la région. **AJ**

Vincenzo Cesani *Vernaccia di San Gimignano Sanice*

Origine Italie, Toscane
Type vin blanc sec, 13 % vol.
Cépage Vernaccia di San Gimignano
Millésime dégusté 2005, à boire jusqu'en 2012
€€

Dans les années 1950, à l'époque où les Italiens abandonnaient la campagne pour les grandes villes du Nord, la famille Cesani quitte les Marches pour la Toscane, en quête d'un style de vie plus «naturel». Soyez sûrs que la nature prendra soin de vous si vous vous donnez la peine de prendre soin d'elle : telle est la philosophie de Vincenzo Cesani. Aujourd'hui, Vincenzo Cesani et sa famille font plus que jamais confiance à la nature car ils produisent également de l'huile d'olive et du safran excellents dans leur belle propriété au nord de San Gimignano.

Le Vernaccia di San Gimignano est un cépage dont l'origine est obscure, mais dont les vins étaient, comme le dit Jancis Robinson, «déjà connus dans les magasins du Londres médiéval sous le nom de Vernage». Les raisins des vignobles, situés à 299 m d'altitude et orientés vers le sud, sont récoltés manuellement lors de la dernière semaine de septembre. Après les vendanges, ils sont pressés et leur jus est fermenté en cuves de ciment avec paroi intérieure de verre. Suite à la fermentation, le vin est élevé dans des nouvelles barriques de chêne français pendant huit mois, puis mis en bouteilles en juin. Avant sa mise en vente, le vin subit trois mois supplémentaires de vieillissement en bouteille.

Le vin a une couleur jaune paille aux nuances dorées, et un nez ample et doux qui évoque pommes dorées et fleurs jaunes. Le chêne ne domine jamais : il émerge délicatement en bouche, accompagné d'un léger arôme de vanille dans la finale si caractéristique, rafraîchissante et légèrement amère. **AS**

Chamonix
Chardonnay Reserve

Origine Afrique du Sud, Franschhoek
Type vin blanc sec, 13,6 % vol.
Cépage Chardonnay
Millésime dégusté 2005, à boire jusqu'en 2015
€€

La ferme Chamonix possède des vignobles non irrigués sur les flancs de la vallée de Franschhoek, dont les sols pauvres et l'altitude sont essentiels pour la qualité du vin. Vers la fin du XVIIᵉ siècle, des huguenots français fuyant la persécution envahirent cette région : la ville et la vallée furent alors baptisées Franschhoek, ou « le coin des Français ».

Aujourd'hui, la propriété appartient à l'entrepreneur allemand Chris Hellinger et à son épouse Sonja. Les raisins de Chamonix sont les derniers de la région à être récoltés, fait qui se doit à la fraîcheur des vignobles. Ici, l'approche classique domine la viticulture et la vinification, et les taux d'alcool sont modérés. Cela va de pair avec une fermentation naturelle, et contribue à la longévité constatée de ces vins.

Le Reserve 2005 offre à Gottfried Mocke le titre Diners Club Winemaker de l'année 2006, et les juges remarquent alors des arômes et des saveurs délicates allant du porridge aux fruits tropicaux et aux agrumes. Frais et étoffé, il possède une charpente acide ferme, délicatement accompagnée de chêne épicé et sucré. L'essence de ce vin repose cependant sur sa base minérale. **TJ**

Didier et Catherine Champalou
Vouvray Cuvée CC Moelleuse

Origine France, vallée de la Loire, Touraine
Type vin blanc doux, 12 % vol.
Cépage Chenin blanc
Millésime dégusté 1989, à boire jusqu'en 2030+
€€€€€

Les Champalou ont établi leur domaine en 1984 et depuis lors, celui-ci a donné une série régulière de Vouvrays en tous genres : vins d'une intensité en retenue, comblant la charpente souvent maigre du Chenin, à la chair onctueuse et appétissante.

Cette régularité est étonnante car le Chenin est connu pour ses caprices. Les mauvaises années, sa maturité physiologique peut frôler la limite. Les bonnes années, il peut pendre jusqu'à ce que la moitié des baies soit recouverte de pourriture noble, donnant alors des vins du même calibre que la crème de la crème des Sauternes. 1989 fait partie de ces dernières, produisant des vins d'une concentration légendaire, emplissant onctueusement la bouche.

Les vins doux des Champalou portent le nom de CC, et les plus belles bouteilles portent la mention « Trie de Vendange », garantissant qu'il s'agit là du produit d'une méticuleuse sélection de baies. Dans ce vin, on retrouve des notes d'abricots séchés en crème, de nectarine et de pêche, qui se déploient jusqu'à la longue finale, le tout relevé par une éblouissante acidité citrique d'une grande pureté minérale – un exploit d'équilibre parfait. **SW**

L'exploitation de Chamonix est située dans la zone viticole de l'ouest de la province du Cap.

Channing Daughters
Tocai Friulano

Origine États-Unis, New York, Long Island
Type vin blanc sec, 12,5 % vol.
Cépage Tocai Friulano
Millésime dégusté 2006, à boire jusqu'en 2008
€€

James Christopher Tracy devient le vinificateur de Channing Daughters en 2002, et depuis lors, il utilise son palais et sa créativité pour donner naissance à une multiplicité de microcuvées et compose ses vins pour mettre au jour leurs textures et leurs complexités en un tout harmonieux.

Cultivé sur les semblants de coteaux de sable et de terreau de l'East End de Long Island, au climat marin tempéré et humide, le Tocai est récolté en un seul passage afin de capturer différentes nuances d'arômes et de saveurs : certains lots sont verts et herbacés, d'autres ont un caractère minéral et citrique, et d'autres des notes plus fruitées et exotiques.

Tracy fait fermenter les fruits de 2006 dans six cuves d'acier inoxydable, deux barriques de chêne slovène vieilles d'un an, et quatre fûts de chêne plus anciens. Les fruits cueillis à la main sont pressés avec les baies entières, à peine manipulés, et mis en bouteilles par gravité pour garder le parfum de fleurs, d'agrumes, d'amandes et de pierres mouillées caractéristiques du Tocai, qui explosent en bouche et se mêlent à des notes d'épices exotiques, de quinine et à un léger caractère minéral sous-jacent. **LGr**

Domaine Chapoutier
L'Ermite Blanc

Origine France, Rhône septentrionale, Hermitage
Type vin blanc sec, 15 % vol.
Cépage Marsanne
Millésime dégusté 1999, à boire jusqu'en 2030
€€€€€

Le terroir est au cœur de la vinification de Michel Chapoutier, et constitue la raison pour laquelle il a lancé, à la fin des années 1980, une gamme de sélections parcellaires de vins issus de parcelles individuelles. L'Ermite, dont c'est la première année, se trouve au sommet de la colline de l'Hermitage, près de la chapelle, où les vieilles vignes de Marsanne poussent sur un sol de granit décomposé que l'on appelle « gore ».

Lorsque Michel reprend le domaine en 1980, il est déterminé à le révolutionner. Si son père avait laissé la qualité décliner, Michel est décidé à changer la donne et convertit une grande partie de la propriété au biodynamisme. Ses voisins le prennent alors pour un fou. « Le botrytis provient d'un excès d'azote et de potassium dans le sol, affirme-t-il un jour de façon controversable, et comme nous n'utilisons pas de produits chimiques, nous n'avons pas de botrytis. »

Rien à redire de son dévouement au terroir, qu'il laisse s'exprimer, ni de la qualité de ses vins à leur apogée. Jeune, L'Ermite est tout en pommes et fruits tropicaux en crème, avec une touche d'herbes et beaucoup de minéralité. À maturité, le millésime 1999 offre des notes riches et charnues de miel et de noix. **MR**

Domaine Chapoutier
Vin de Paille

Origine France, Rhône septentrionale, Hermitage
Type vin blanc doux, 14,5 % vol.
Cépage Marsanne
Millésime dégusté 1999, à boire jusqu'en 2020
€€€€

Lorsque Michel Chapoutier et son frère Marc succèdent à leur père à la tête du domaine familial vers la fin des années 1980, ils décident d'apporter des changements radicaux. Ce Vin de Paille est une de leurs innovations, idée qui, selon eux, reprenait une vieille tradition puisque la technique est née à Hermitage.

Le principe est simple. Les raisins doivent être sains, sans botrytis. Ils sont mis à l'intérieur pendant deux mois pour sécher. Ils fermentent ensuite et la concentration du sucre est telle que le vin fini possède un peu plus de 100 g/l de sucre résiduel.

Il s'agit d'un vin un peu gras d'une grande concentration et d'un équilibre exemplaire, avec un taux d'alcool de 14,5 %. On y décèle le fruité du coing, des pommes et un soupçon de quelque chose de tropical, tout comme l'onctuosité de la noix, du miel et une complexité incroyable. C'est un vin de séduction, peut-être même un *vino di meditazione*, bien que sa corpulence lui permette de se marier avec certains desserts riches. Le millésime 1999, délicat malgré sa lourdeur, regorge d'abricots séchés, et présente une acidité très fraîche. Avec sa robe couleur de bois satiné, c'est un vin dont on s'entiche facilement. **MR**

Chateau Montelena
Chardonnay

Origine États-Unis, Californie, Napa Valley
Type vin blanc sec, 13,5 % vol.
Cépage Chardonnay
Millésime dégusté 2004, à boire jusqu'en 2015
€€€

La légende de Château Montelena débute avec l'histoire la plus importante de la viticulture du Nouveau Monde, le «jugement de Paris» de l'été 1976 : l'importateur anglais Steven Spurrier, qui vit alors à Paris, organise une dégustation aveugle rigoureusement contrôlée, afin de comparer les meilleurs vins de France aux nouvelles productions de Californie. Les juges de Spurrier dégustent quatre Bourgognes blancs et six Chardonnays de Californie. Une fois les votes comptés et les bouteilles révélées, c'est le Château Montelena 1973 qui remporte la première place, suivi par un Meursault-Charmes 1973 et deux autres vins californiens, un Chalone 1974 de Monterey County et un Spring Mountain 1973. D'un jour à l'autre ? En une seule nuit, le mythe des vins français inégalables est brisé à jamais.

À ce jour, ce vin demeure une expression élégante et retenue du style : élevé en nouvelles barriques de chêne et jamais soumis à la fermentation malolactique, il possède les caractéristiques sous-jacentes de bois et de beurre emblématiques du Chardonnay californien, mettant l'accent plutôt sur un croquant et une minéralité uniques. **DD**

Chateau Ste Michelle
Eroica Riesling

Origine États-Unis, État de Washington
Type vin blanc sec, 12,5 % vol.
Cépage Riesling
Millésime dégusté 2005, à boire jusqu'en 2015
€€

Grand amoureux du Pinot noir, Ernst Loosen est attiré vers la côte pacifique du nord-ouest des États-Unis. Lors de l'une de ses visites, il entend dire que le Château Ste Michelle recherche des partenaires européens pour entreprendre des vinifications conjointes. Après un détour par le siège de la société, le concept Eroica vient au monde, baptisé d'après la *Troisième Symphonie* de Beethoven, le vin incarne les philosophies opposées du Vieux et du Nouveau Monde.

Depuis son premier millésime en 1999, le style d'Eroica, toujours issu d'un assemblage de raisins de différents vignobles, s'est épuré chaque année. Ici, on évite le foulage et l'éraflage pour ne perdre aucune fraîcheur. De même, la fermentation se fait lentement et à froid, capturant ainsi le caractère pur et vibrant du Riesling. Le 2005 fait preuve d'une intensité supérieure à tous les Eroica qui le précèdent : les vignobles de la région plus fraîche de Yakima Valley qui forment le noyau ont donné une récolte timide en 2005. Le vin ne perd néanmoins rien de sa délicatesse. 2005 est aussi le premier millésime contenant des raisins du vignoble d'Evergreen, et offre des arômes de pêche blanche avec des notes minérales et citriques. **LGr**

Domaine J.-L. Chave
Hermitage Blanc

Origine France, Rhône septentrional, Hermitage
Type vin blanc sec, 13 % vol.
Cépages Marsanne 80 %, Roussanne 20 %
Millésime dégusté 1990, à boire jusqu'en 2015+
€€€€€

La lignée Chave remonte à 1481 : aucune autre région viticole classique de France ne possède une famille avec une telle histoire liée à la vigne. La superbe colline de l'Hermitage est un petit vignoble de 130 ha largement consacré au raisin rouge. L'Hermitage Blanc est produit en très petites quantités, mais il a toujours joui d'une belle réputation. Vers la fin du XIXe siècle, l'Hermitage Blanc figurait parmi les vins blancs les plus chers. Les raisins Hermitage de Chave sont parsemés dans quatre parcelles différentes, avec certains pieds de Marsanne centenaires dans le climat Péléat. Les vendanges tardives contribuent à la couleur dorée du vin et la fermentation, avec des levures naturelles, peut durer jusqu'à un an.

En 1990, Chave produit probablement son meilleur vin blanc. Récompensé de six étoiles (note maximale) par John Livingstone-Learmonth dans son ouvrage, *The Wines of the Northern Rhône* (les vins du Rhône septentrional), il s'agit d'un vin d'une ampleur et d'un équilibre étonnants, avec des arômes de fruits secs, d'abricot, de miel et d'épices. Malgré une acidité faible, l'Hermitage Blanc vieillit à merveille vingt ans ou plus. **SG**

La mise en bouteilles du Riesling Eroica au chai du Château Ste Michelle.

Domaine de Chevalier

Domaine François Chidaine
Montlouis-sur-Loire Les Lys

Origine France, Bordeaux, Pessac-Léognan
Type vin blanc sec, 12,5 % vol.
Cépages Sauvignon blanc 70 %, Sémillon 30 %
Millésime dégusté 1989, à boire jusqu'en 2015+
€€€€

Origine France, vallée de la Loire, Touraine
Type vin blanc doux, 12,5 % vol.
Cépage Chenin blanc
Millésime dégusté 2003, à boire jusqu'en 2020
€€

Avec le château Haut-Brion et Laville Haut-Brion, le domaine de Chevalier produit l'un des meilleurs vins blancs secs du Bordelais. Bien qu'issu majoritairement de Sauvignon, il manifeste un bon potentiel de garde. Pendant plus d'un siècle, le domaine a été la propriété de la famille Ricard, mais en 1983 celle-ci a été contrainte de vendre à Olivier Bernard.

Seuls 5 ha sont plantés de raisin blanc, de sorte que la production est limitée. Le vin est fermenté en barriques, essentiellement sur levures indigènes, puis élevé pendant dix-huit mois. Dans les vignobles du domaine, les températures sont fraîches et les gelées fréquentes, ce qui donne au vin une grande finesse, et une minéralité qui lui permet d'équilibrer la maturité du fruit.

Bien que 1989 ait été une année chaude, c'est un grand millésime pour le domaine de Chevalier. Dans sa jeunesse, ce vin avait des arômes un peu trop boisés, mais le nez est désormais dominé par les fruits, notamment les abricots et les pêches. Ce vin manifeste une puissance et une concentration remarquable et possède, grâce à son terroir, un prodigieux croquant minéral et une très longue finale. **SBr**

François Chidaine travaillait avec son père Yves avant de se lancer en solo en 1989, pour s'occuper de 5 ha à Montlouis-sur-Loire. Depuis que sa femme Manuela et son cousin Nicolas Martin l'ont rejoint, il a agrandi son domaine, qui compte désormais 20 ha à Montlouis-sur-Loire et 10 ha à Vouvray.

Converti à l'agriculture organique en 1990, puis à l'agriculture bio en 1999, le domaine couvre quelques-uns des vignobles les plus convoités surplombant la Loire. Dans le chai, une intervention minimaliste et de longues fermentations naturelles en vieilles barriques de chêne donnent des vins minéraux, amples et longs en bouche, secs ou moelleux.

Le moelleux Les Lys n'est élaboré que lors de millésimes exceptionnels, tels que 2003, à partir de tries de raisins botrytisés. En 2003, ce nectar vineux (avec 160 g/l de sucre résiduel) est fabriqué à partir d'un assemblage de quatre parcelles de vieilles vignes situées aux alentours du village de Husseau : Clos du Volagré, Clos du Breuil, Clos Renard et Les Épinais. Le vin fait preuve d'une grande longueur et d'un bon équilibre, avec une minéralité sous-jacente, de bon augure pour son vieillissement en cave. **SA**

Chivite *Blanco Fermentado en Barrica Colección 125*

Origine Espagne, Navarre
Type vin blanc sec, 13,5 % vol.
Cépage Chardonnay
Millésime dégusté 2003, à boire jusqu'en 2013+
€€€

Bodegas Julián Chivite est l'exploitation la plus célèbre de Navarre, au nord de l'Espagne, entre Rioja et le Pays basque. L'origine de cette famille de viticulteurs dans la région remonte à 1647, mais l'exploitation actuelle a été créée en 1860. La Colección 125 a été lancée pour célébrer le 125e anniversaire de la maison, et représente le meilleur de leur gamme. Vin rouge à l'origine, il existe désormais en rouge, en blanc et en doux.

Le blanc est entièrement issu de Chardonnay, fermenté en barrique Allier où il repose ensuite sur des lies pendant dix mois supplémentaires. Cette cuvée 2003 a été élue «meilleur vin blanc de l'année» en janvier 2007, lors de la 5e édition de Madrid Fusión, congrès gastronomique qui réunit les meilleurs chefs du monde à Madrid. Il s'agit de l'un des vins blancs les plus prestigieux d'Espagne. Une robe jaune vif aux reflets verts, et un bouquet complexe qui marie notes lactiques et citriques, fruits jaunes, noix et graines de sésame grillées, avec quelques touches crayeuses et des arômes de vanille, de fumé et de beurre, provenant des barriques. Étoffé et long en bouche, il offre toutes les saveurs promises. **LG**

Christmann *Königsbacher Idig Riesling Grosses Gewächs*

Origine Allemagne, Palatinat
Type vin blanc sec, 13,5 % vol.
Cépage Riesling
Millésime dégusté 2001, à boire jusqu'en 2012
€€€

Peu de vignobles en Allemagne sont célèbres à la fois pour leurs vins rouges et leurs vins blancs. Le meilleur de ces vignobles est Idig, situé près de Königsbach, dans la région de Mittelhaardt, en plein cœur du Palatinat. Le sol d'Idig est dominé par l'argile calcaire avec une proportion élevée de pierres. De remarquables Rieslings, classés parmi les vins les plus riches de cette variété en Allemagne, poussent ici aux côtés d'élégants et soyeux Pinots noirs.

La renommée de ce lieu est liée à la famille Christmann de Neustadt-Gimmeldingen, qui possède environ 7 ha de vignobles au centre d'Idig. L'affable Steffen Christmann, produit depuis des années un Riesling sec impressionnant qui marie des saveurs fruitées d'abricot et de melon à une charpente solide, une profondeur, une puissance et une texture soyeuse évoquant les meilleurs Bourgognes blancs. Pour faire honneur à la richesse minérale et à l'immensité de l'Idig 2001, ce vin doit être décanté à l'avance. Son ampleur et sa vinosité en font le partenaire idéal des mets avec lesquels la plupart des Rieslings allemands ont d'habitude un peu de mal, tels que les plats en sauce crémeux. **FK**

Christoffel *Ürziger*
Würzgarten Riesling Auslese

Origine Allemagne, Moselle-Sarre-Ruwer
Type vin blanc doux, 8 % vol.
Cépage Riesling
Millésime dégusté 2004, à boire jusqu'en 2025
€€€

Comme aime à dire Hans-Leo Christoffel lorsqu'il savoure l'un des Rieslings Kabinett récents qui portent son étiquette, « voici ce que l'on appelait avant un bon Auslese », car la vague ininterrompue de maturité qui a débuté en 1988 a porté ses fruits. Lorsqu'il s'agit d'un Auslese « trois étoiles », on s'approche du Trockenbeerenauslese d'une époque révolue. Et pourtant, malgré toute son ampleur anoblie, ce vin possède une fraîcheur succulente : une clarté, une délicatesse et une absence de douceur superficielle qui démentent son analyse. Saveurs de miel, d'agrumes et par-dessus tout de fraises apportent la signature Würzgarten et mettent en évidence le mélange unique de terreau et d'ardoise rouge du site en question.

Les vins de Christoffel – qui représentent depuis cinquante ans le meilleur du Riesling de Moselle – furent longtemps plus célèbres en Amérique qu'en Allemagne. Leur renommée locale tardive arrive avec un millésime 1997. En 2000, Christoffel apprend qu'il souffre de problèmes cardiaques et son entourage lui conseille d'abandonner ses vignobles.

Un accord est alors passé avec le plus éminent propriétaire d'Ürzig – Robert Eymael, de Moenchhof. Eymael loue les vignes avec une option à long terme et prend Christoffel comme consultant. Ces vignes sont vinifiées et mises en bouteilles sous sa supervision, tandis que celles du domaine de Moenchhof préservent leur propre style. **DS**

Ces vignes jouissent du reflet du soleil dans l'eau. ➔

Château Climens *PC Sauternes-Barsac*

Origine France, Bordeaux, Barsac
Type vin blanc doux, 14 % vol.
Cépage Sémillon
Millésime dégusté 2001, à boire jusqu'en 2070+
€€€€€

Climens produit des vins depuis le XVIIᵉ siècle. À l'époque, l'exploitation produisait des rouges comme des blancs, mais lors du classement de 1855, le domaine se trouva inclus parmi les premiers crus de vins doux. Des cinq communes productrices de Sauternes, Barsac était alors la seule autre pouvant joindre son nom à la propriété, Climens jouissant ainsi du meilleur des deux mondes.

Climens est capable de produire de grands vins lorsque d'autres ont baissé les bras : le millésime 1991 en est un exemple spectaculaire. Couvrant 29 ha, la propriété fait partie d'une petite bande de vignerons qui ne produisent que du Sémillon au cœur d'une région où l'assemblage est autant un droit de naissance qu'une police d'assurance. Le sol sablonneux et graveleux sur base calcaire contribue à l'étonnante qualité minérale du Sémillon et la vendange se fait en vagues successives, ne rassemblant que les baies joliment pourries à chaque passage.

Climens croit aux pouvoirs enrichissants du jeune chêne et renouvelle jusqu'à deux tiers de son bois chaque année. Dix-huit mois de vieillissement en barrique ajoutent une couche de vanille crémeuse à la douceur du fruit. La profonde robe jaune or offre des arômes décadents de miel, d'abricots séchés et de figues. En bouche, ce vin dévoile des saveurs d'orange confite et de miel de fleurs, enveloppées par de l'essence de vanille parfumée et sous-tendues par la charpente robuste du botrytis. La fraîcheur apportée par l'acidité est merveilleuse, en particulier dans un vin qui boude le Sauvignon. **SW**

AUTRES SUGGESTIONS
Autres grands millésimes
1989 • 1990 • 1991 • 1997 • 2003 • 2004 • 2005 • 2007
Autres grandes propriétés de Barsac
Château Coutet • Château Doisy-Daëne
Château Doisy-Védrines • Château Nairac

À Barsac, les vignobles sont plus plats que dans le Sauternes voisin.

La Coulée de Serrant

Origine France, vallée de la Loire, Anjou
Type vin blanc sec, 13 % vol.
Cépage Chenin blanc
Millésime dégusté 2002, à boire jusqu'en 2012+
€€€

Avant de prendre le contrôle des vignobles du domaine familial de Coulée de Serrant, Nicolas Joly étudia l'œnologie à Bordeaux pendant deux ans. En 1981, Joly déniche un livre sur l'agriculture biodynamique du philosophe autrichien Rudolf Steiner. En à peine quatre ans, Coulée de Serrant se retrouve dirigé selon des principes bio et Joly demeure, depuis cette époque, l'un des plus fervents partisans de ce type de viticulture.

Le vignoble de 7 ha du Clos de la Coulée Serrant est planté en 1130 par des moines cisterciens. Bien que le domaine se limite à une seule propriété à Savennières, il possède sa propre appellation. La cuvée 2002 arbore une robe jaune paille et un nez mielleux exubérant. Les sensations annoncent un vin doux, et son goût, d'une belle longueur, est manifestement botrytisé, même s'il s'agit en fait d'un vin sec. Ces vins restent frais et se développent pendant au moins une semaine après ouverture.

La vinification de Joly reste irrégulière. Il produit parfois des vins moyens lors de très bonnes années, tout en étant capable d'exceller lors d'années médiocres. **SG**

Clos Floridène

Origine France, Bordeaux, Graves
Type vin blanc sec, 13 % vol.
Cépages Sém. 50 %, Sauv. bl. 40 %, Muscadelle 10 %
Millésime dégusté 2004, à boire jusqu'en 2016
€€

Denis Dubourdieu, œnologue réputé de Bordeaux, est également propriétaire et prend soin des propriétés paternelles de Doisy-Daëne et de Cantegril, tout comme de domaines tels que Château Reynon. La plus intéressante de ses entreprises est sans doute le Clos Floridène, qui appartient, comme son nom l'indique, aux deux époux. La région des Graves est actuellement dans l'ombre de l'appellation plus prestigieuse Pessac-Léognan, au nord des Graves, et Dubourdieu a pour but, avec son Clos Floridène, de montrer que le Sud est capable de produire une qualité remarquable, surtout pour les vins blancs.

Le vignoble de 30 ha est acheté et rénové en 1982, et Dubourdieu y plante alors du Sauvignon blanc, tout en conservant les vieilles vignes de Sémillon. Si le jeune chêne n'est jamais utilisé pour le Sauvignon blanc, le Sémillon est élevé dans du bois jeune à 30 %. Le millésime 2004 est un vin robuste, aux arômes de pêche, plutôt lourd en bouche et d'une belle longueur. Plus effronté que certains autres millésimes de Floridène, il possède néanmoins une densité et un extrait suffisants pour vieillir de façon intéressante. **SBr**

Les bouteilles de Nicolas Joly portent sa marque : un hippocampe.

Domaine du Clos Naudin
Vouvray Goutte d'Or

Origine France, vallée de la Loire, Touraine
Type vin blanc doux, 12,5 % vol.
Cépage Chenin blanc
Millésime dégusté 1990, à boire jusqu'en 2050
€€€

Philippe Foreau est la troisième génération à produire du Vouvray dans ce domaine emblématique, acheté par son grand-père en 1923. Les vins de cette appellation sont caractéristiques du millésime dont ils sont issus et vont du vin extra-sec au vin doux, et ce grâce au climat marginal et nordique de la Loire. La réputation du domaine du Clos Naudin repose toutefois sur l'apparente facilité avec laquelle il produit des vins minéraux, concentrés et piquants, à l'équilibre parfait année après année.

Les 11,5 ha de vignobles du domaine du Clos Naudin sont situés à mi-coteau orientés vers le sud-sud-est-sud-ouest, et reposent sur un sol d'argile et de silex, que l'on appelle Perruches. Les vignobles sont cultivés selon des méthodes organiques. Fabriqué à partir de raisins extrêmement mûrs et botrytisés récoltés à plus de 27 % d'alcool potentiel, le Vouvray Goutte d'Or 1990 représente l'apogée d'une vendange exceptionnelle. Avec plus de 200 g/l de sucre résiduel, sa texture suave ressemble à du caramel liquide. Il n'en conserve pas moins une grande fraîcheur – un tour de force qui va procurer bien du plaisir pour de nombreuses années à venir. **SA**

Clos Uroulat
Jurançon Cuvée Marie

Origine France, Sud-Ouest, Jurançon
Type vin blanc sec, 12,5 % vol.
Cépages Gros Manseng 90 %, Petit Courbu 10 %
Millésime dégusté 2006, à boire jusqu'en 2012
€€

Le domaine d'Uroulat est acheté en 1985 par Charles et Marie Hours et s'est agrandi depuis pour arriver aux 14 ha actuels. L'investissement continu a donné de beaux profits. Plantations à haute densité, palissage très haut et faible production optimisent la concentration du fruit, qui peut alors montrer son éblouissante couleur. Le Petit Manseng est réservé au vin de vendanges tardives qui est une tradition de longue date du Jurançon, tandis que son cousin plus gros – agrémenté de l'indigène Petit Courbu – forme l'assemblage d'un vin sec aromatique.

Le Cuvée Marie passe jusqu'à onze mois en barriques, dont à peine quelques-unes (un peu plus de 10 %) sont nouvelles. Il déborde d'arômes d'ananas, qui se mêlent aux influences plus tranchantes de la pomme verte et de la poire. Une bouffée envoûtante de fumé issu des barriques s'élève ensuite en volute. En bouche, le vin est étoffé et très expressif, avec un cœur d'acier et une acidité citrique qui parcourt le fruit tropical généreux. Des notes de réglisse, de cannelle et de crème émergent dans la finale. Très attrayant jeune, sa charpente acide le rend apte à vieillir en bouteille quelques années. **SW**

Cloudy Bay
Sauvignon Blanc

Origine Nouvelle-Zélande, Malborough
Type vin blanc sec, 13 % vol.
Cépage Sauvignon blanc
Millésime dégusté 2006, à boire jusqu'en 2009
€€

La région de Cloudy Bay donne son nom à l'un des vins blancs les plus connus et les plus recherchés du Nouveau Monde. Le premier Sauvignon de Cloudy Bay à être commercialisé est le millésime 1985. Les arômes et saveurs puissants et osés du vin, très différents des Sauvignons français classiques tels que le Sancerre et le Pouilly-Fumé, firent sensation et le vin devint rapidement un élément incontournable de toutes les soirées à la mode.

Malgré plus de vingt ans de succès critique et commercial, l'opinion au sujet de Cloudy Bay reste mitigée. D'aucuns prétendent que le vin n'est plus aussi bon qu'auparavant, bon nombre des anciens fournisseurs de raisins de Cloudy Bay fabriquant aujourd'hui leur propre vin. La ruée annuelle de consommateurs qui «doivent absolument avoir» le Cloudy Bay, alors que d'autres vins aussi bons sont négligés, a étiqueté le Cloudy Bay comme entreprise de marketing plutôt que de vinification. Une version boisée du Sauvignon blanc, aux fioritures quelque peu superflues, appelée Te Koko, reçoit elle aussi un accueil mitigé. L'héritage du premier millésime de 1985 n'en demeure pas moins vivant. **SG**

Paul Cluver *Noble Late*
Harvest Weisser Riesling

Origine Afrique du Sud, Elgin
Type vin blanc doux, 13 % vol.
Cépage Riesling
Millésime dégusté 2003, à boire jusqu'en 2013
€€

En Afrique du Sud, le Riesling souffre de la déférence des autorités locales envers les grandes entreprises, qui réservent le nom de ce grand cépage à des raisins inférieurs. Et cela sans compter le peu d'engouement qu'entraîne cette variété. Le climat, au contraire – un plateau élevé, frais, entouré de montagnes et proche de la mer – s'est avéré très approprié.

La cave Paul Cluver est la première de l'appellation moderne. Au cœur du vignoble de Riesling, quelques viticulteurs allemands en visite se montrent très impressionnés par les pierres qui entourent les vignes. Tout le travail et le coût, leur répond-on, est le fruit de «Mère Nature», comme le botrytis qui se développe par le biais des vents du sud frais et humides sur les baies de Riesling avec lesquelles est fabriqué ce Noble Late Harvest la plupart des années.

Le style est à mi-chemin entre l'allemand (pas boisé) et le français (plus alcoolisé). Les tensions électrifient le fruit somptueux, la douceur et l'acidité nerveuse, tandis que le botrytis renforce les notes de pêche et de poivre. Charmant dans sa jeunesse, sa charpente et son fruit suggèrent qu'il devrait durer plus de dix ans. **TJ**

Domaine Coche-Dury
Corton-Charlemagne GC

Origine France, Bourgogne, côte de Beaune
Type vin blanc sec, 13,5 % vol.
Cépage Chardonnay
Millésime dégusté 1998, à boire jusqu'en 2025
€€€€€

Jean-François Coche est plutôt laconique lorsqu'il s'agit de fournir des informations sur ses vignobles et ses vins. La demande excède de loin la production, il n'a donc besoin ni de nouveaux importateurs ni de nouveaux contacts médiatiques, et ses vins atteignent des prix élevés. Il préfère donc plutôt passer son temps à s'occuper de ses 10 ha de vignes ou à contrôler l'évolution des vins en cave.

La plupart des vignobles du domaine, à la renommée dûment méritée, sont de simples sites villageois, bien que Coche possède un peu de Meursault-Perrières et, depuis 2003, de Genevrières. Il ne ressent cependant pas le besoin d'étendre ses biens, et vend donc quelques parcelles moindres à chaque fois qu'il acquiert une parcelle de choix, afin de maintenir le domaine à sa taille actuelle. Bien que basé à Meursault, son vin le plus réputé est le Corton-Charlemagne, dont il ne cultive pourtant que 0,3 ha, la production étant limitée à environ 1 200 bouteilles. Le vin est élevé en fûts pendant environ vingt mois, avec une proportion variable de jeune chêne selon son instinct et le millésime.

La rareté et la qualité du Corton-Charlemagne de Coche signifient qu'il se vend à un prix extrêmement élevé. Il s'agit d'un vin qui demande quelques années en bouteille pour se montrer sous son meilleur jour. La cuvée 1998 est superbe, avec des arômes à la fois floraux et minéraux. En bouche, le vin est d'une densité et d'une puissance remarquables, avec une texture onctueuse sans être pesante, et une longue finale de noix. **SBr**

Colle Duga
Tocai Friulano

Origine Italie, Frioul-Vénétie-Julienne, Collio
Type vin blanc sec, 13,5 % vol.
Cépage Tocai
Millésime dégusté 2005, à boire jusqu'en 2010
€€

L'Italie a failli ne pas avoir le Tocai frioulais de Colle Duga dans son répertoire viticole. Lorsque le fondateur de Colle Duga, Giuseppe Princic, naquit en 1898, les terres où se trouvent actuellement le chai et les vignobles de Cormons faisaient alors partie de l'Autriche. Ce n'est que lors du retrait très impopulaire des frontières nationales en 1947 que le territoire fut réclamé par l'ancien régime italien, avant de passer finalement sous le domaine de la Yougoslavie puis de la Slovénie en 1991, gagnant ainsi son indépendance. Les 7 ha de Colle Duga, divisés en quatre parcelles, se trouvent désormais du bon côté de la frontière, tombant ainsi dans le Frioul.

Damian, le petit-fils de Giuseppe, est aujourd'hui le fier propriétaire de Colle Duga, ayant hérité le vignoble de son père, Luciano, en 1970. Aux côtés de son épouse Monica et de leurs deux enfants, Damian tient à ce que chaque étape de production reste une affaire de famille. Il produit une moyenne de 30 000 à 40 000 bouteilles de vin de grande qualité chaque année.

Le Tocai frioulais est leur vin porte-étendard, même si le Pinot grigio et le Chardonnay («autochtone honoraire») sont aujourd'hui tout aussi remarquables. Le Tocai de Colle Duga est devenu un vin incarnant l'été d'un pays auquel il a failli ne pas appartenir. Ce vin couleur de paille, frais mais rond, dont l'arôme d'amande quelque peu amer se mêle aux saveurs rafraîchissantes de foin, d'herbes et de fleurs, ainsi qu'un soupçon de paraffine, a reçu de nombreuses récompenses. **HL**

Colli di Lapio
Fiano di Avellino

Origine Italie, Campanie, Irpinia
Type vin blanc sec, 13 % vol.
Cépage Fiano
Millésime dégusté 2004, à boire jusqu'en 2012+
€€

Clelia Romano et sa famille sont responsables d'un des domaines passionnant du sud de l'Italie. 1994 est le premier millésime lancé par Colli di Lapio et, depuis, le vin de Clelia donne l'image d'un Fiano di Avellino sans concessions, sérieux et même un peu austère. Clelia est une femme déterminée : peu de producteurs auraient travaillé six récoltes avec des pressoirs traditionnels. Ce n'est qu'en 1999 qu'arrivent au domaine un pressoir pneumatique et un équipement de tirage adéquat.

Après leur sortie, les vins de la DOCG Fiano di Avellino ont besoin d'au moins six mois pour atteindre leur apogée, et le splendide exemplaire produit par Clelia Romano ne fait pas exception, gagnant en équilibre après la première année. Le millésime 2004 en est le parfait exemple. Les raisins ont été récoltés à la mi-octobre et pressés immédiatement. Le moût a ensuite été fermenté dans des cuves d'acier inoxydable puis laissé reposer pendant six mois supplémentaires sur les lies avant d'être mis en bouteilles.

Le Fiano aspire à l'élégance et à la complexité, et le 2004 de Colli di Lapio démontre largement ce potentiel. Le vin possède un intense nez citrique et minéral. En bouche, il révèle une texture légèrement onctueuse, équilibrée par une attaque très fraîche, un milieu en bouche ample et pourtant vif, et une finale de noix presque salée. Il s'agit d'un vin auquel on peut faire confiance. S'il est possible de résister à la tentation de le boire jeune, la patience se voit récompensée par un degré supérieur de profondeur et de complexité qui ne vient qu'avec l'âge. **AS**

Attilio Còntini
Antico Gregori

Origine Italie, Sardaigne
Type vin blanc sec, 18 % vol.
Cépage Vernaccia di Oristano
Millésime dégusté à boire jusqu'en 2050+
€€€

L'exploitation d'Attilio Còntini se situe dans le village de Cabras, dans la province d'Oristano, à l'ouest de la Sardaigne. L'objectif principal du domaine Còntini, aujourd'hui dirigé par les fils et neveux d'Attilio, est l'amélioration de la qualité des cépages locaux, tels que le Vernaccia di Oristano et le Cannonau.

Le Vernaccia di Oristano est un raisin blanc qui trouve son environnement idéal dans la partie inférieure de la vallée du Tirso, grâce à son climat et son sol. Ce dernier est principalement sablonneux et plutôt aride, et appelé localement Gregori, tandis qu'Antico signifie « ancien ». Ce vin peut en effet être considéré ancien, puisqu'une partie du vin contenu dans chaque bouteille date des premiers temps de la solera de Còntini, dans les premières années du XXe siècle.

Les vins qui composent le Gregori Antico sont soigneusement sélectionnés parmi les meilleurs Vernaccias de la propriété. Les raisins sont élevés dans de petites barriques de chêne et de châtaignier que l'on ne remplit qu'à 80 % de leur capacité. L'espace laissé vide entre la surface du vin et du bois, ainsi que l'environnement créé par la cave elle-même, favorisent la formation d'une couche de levure *(flor)*, qui à la fois protège le vin de l'oxygène de l'air et contribue au caractère unique de cet assemblage.

Ce vin n'est pas facile à interpréter. Il possède une robe splendide d'ambre profond, un caractère volontairement oxydé et d'intenses notes de noisettes et d'amandes huileuses. En bouche, il révèle des couches bien définies de miel amer, de caramel, de café, petites perles d'un bracelet unies par un fil acide. **AS**

Cotat Frères
Sancerre La Grande Côte

Origine France, vallée de la Loire, Sancerre
Type vin blanc sec, 13 % vol.
Cépage Sauvignon blanc
Millésime dégusté 1983, à boire jusqu'en 2013
€€€

La famille Cotat mit en bouteilles son premier Sancerre dans les années 1920. Dans le vignoble de premier rang La Grande Côte, les vendangeurs travaillaient habituellement assis sur des coussins.

Ici, les vignes de Sauvignon sont greffées à leur partenaire racinaire idéal, 3309C. Pour ceux qui ont le courage d'attendre, cela favorise une solide maturation des saveurs même dans le climat automnal inconstant de Sancerre : les raisins de Cotat sont normalement les derniers à être récoltés. Le 3309C canalise également l'énergie abondante du Sauvignon vers des racines assez profondes pour aller trouver des saveurs minérales complexes. Les Cotat préservent la maturité de leurs raisins en utilisant un pressoir de bois pour éviter la tendance du Sauvignon à l'amertume et en laissant des levures sauvages.

Comme les Cotat refusent de se conformer à la norme, leurs vins « atypiques » se sont vu interdire la mention « Sancerre » sur leur étiquette – ce qui n'est fort heureusement pas le cas pour le 1983, millésime emblématique réticent durant sa première décennie en bouteille, délicatement expressif la deuxième, et d'une minéralité brillante la troisième. **MW**

Château Coutet
Sauternes-Barsac

Origine France, Bordeaux, Barsac
Type vin blanc doux, 13,5 % vol.
Cépages Sém. 75 %, Sauv. bl. 23 %, Muscadelle 2 %
Millésime dégusté 1988, à boire jusqu'en 2015
€€€

La tour du XIIIᵉ siècle qui s'élève au beau milieu du Coutet prouve l'ancienneté de ce domaine, connu pour ses vins dès le XVIIᵉ siècle. En 1977, le Coutet est vendu à une famille alsacienne du nom de Baly, qui s'y intéresse de près.

Les vignobles, presque 40 ha, s'étendent autour du château en une seule parcelle, inchangée depuis 1855. Malgré des sols variés, tous sont typiques du plateau calcaire où se trouvent les meilleurs secteurs de Barsac. Les vignes utilisées ont en moyenne 35 ans. La vinification est entièrement traditionnelle, le pressurage s'effectuant dans des pressoirs verticaux, la fermentation en barrique et l'élevage dans une proportion de jeune chêne avoisinant les 50 % dans les années 1990, mais qui s'approche aujourd'hui des 100 %.

Le Coutet n'est pas un vin expansif. Il possède l'élégance retenue d'un bon Barsac. Il ne manque pourtant pas d'ampleur et de potentiel de garde, et les millésimes des années 1920 restent frais et même jeunes encore aujourd'hui. Le vin de 1988 offre de charmants arômes citriques et d'abricot, une ampleur en bouche coupée par une acidité piquante qui mène à une finale épicée persistante. **SBr**

Les pressoirs verticaux des années 1920 sont toujours utilisés à Coutet. ➡

Lucien Crochet
Sancerre Cuvée Prestige

Origine France, vallée de la Loire, Sancerre
Type vin blanc sec, 13% vol.
Cépage Sauvignon blanc
Millésime dégusté 2002, à boire jusqu'en 2012
€€€

Il est fort édifiant de rappeler que le Sancerre n'avait pas de réputation, bonne ou mauvaise, et cela aussi récemment que dans les années 1960. Le Sauvignon de l'est de la Loire donne ce genre de vin blanc sec croquant, bon à boire avec une cuisine campagnarde simple, pâtés et poissons d'eau douce.

L'établissement du Sancerre comme un vin remarquable (et remarqué) date d'une soudaine obsession journalistique au sein des critiques parisiens. Son expression du Sauvignon blanc, issu des meilleurs sites, commence alors à être vue comme étant si pure, d'une austérité de silex et d'acier, si dure et intransigeante qu'il est impossible de la confondre. Et de fait, honte à ceux qui résistent encore à placer cette variété en première division.

Le domaine Lucien Crochet est l'heureux fruit de l'union de cette famille avec la famille Picard, dont les racines au sein de l'appellation remontent à la seconde moitié du XVIIIe siècle. La Cuvée Prestige de Crochet est issue d'une parcelle de vignes noueuses à faible rendement. Environ 10% de chaque récolte sont fermentés en barrique, ce qui ne fait que dévoiler le caractère d'acier du Sauvignon et sert à mettre en évidence la note fugitive de fumé que le Sancerre retire souvent de son sol. En 2002, ce secteur de la Loire donne une vendange nettement meilleure que dans le reste du pays. Le Sauvignon mûrit bien et le résultat est un vin qui marie un fruité presque indécent de pêche et d'abricot et un noyau d'acidité disciplinée évoquant le diamant, permettant à un vin d'une telle concentration de bien vieillir. **SW**

Marisa Cuomo *Costa d'Amalfi*
Furore Bianco Fiorduva

Origine Italie, Campanie, côte d'Amalfi
Type vin blanc sec, 13,5% vol.
Cépages Ripoli 40%, Fenile 30%, Ginestra 30%
Millésime dégusté 2005, à boire jusqu'en 2015
€€€

Fiorduva est un vin «extrême». Les vignobles en terrasses qui s'étendent le long de la côte et font face à la Méditerranée ont été conquis de force aux versants de ses grandes falaises escarpées, et y travailler exige un dévouement et une passion exceptionnels. Fiorduva non seulement fait partie de la DOC Costa d'Amalfi, reconnue en 1995, mais appartient également à l'une de ses trois minuscules sous-zones, Furore, aux réglementations bien plus sévères.

Les vignobles sont plantés à une densité d'environ 60 pieds par are, à une altitude de 200 m à 500 m au-dessus du niveau de la mer, et sont soutenus par un système local de pergola qui leur permet de pousser sur les surfaces les plus escarpées. Il va sans dire que, dans ces vignobles, même l'opération la plus simple doit être effectuée manuellement. Pour fabriquer le Fiorduva, les raisins utilisés doivent être très mûrs et sont récoltés vers la fin du mois d'octobre, ce qui leur permet de jouir du long été italien et de la lumière directe du soleil, tout comme de celle reflétée par la mer. La brise fraîche de la nuit est essentielle à la préservation de l'acidité et des arômes.

Après les vendanges, les raisins sont délicatement pressés. Le jus est alors laissé reposer, puis fermenté en barriques pendant trois mois. Le vin récompense tous ces efforts par une robe jaune or, et des arômes de mangue, d'abricot mûr et de fleurs jaunes. En bouche, il est sec, bien charpenté et possède une texture dense, tout en faisant preuve d'élégance et de finesse. **AS**

Une pergola soutient des raisins Fenile au vignoble Furore de Marisa Cuomo. ➜

CVNE *Corona Reserva Blanco Semi Dulce*

Origine Espagne, Rioja
Type vin blanc demi-sec, 12,5 % vol.
Cépage Viura
Millésime dégusté 1939, à boire jusqu'en 2015
€€€€

Lorsque Franco déclare la fin de la guerre civile d'Espagne après la reddition des républicains le 1er avril 1939, l'Espagne n'en demeure pas moins sens dessus dessous jusqu'à l'automne. Dans la région de la Rioja, les vendanges sont alors le dernier souci des habitants et de nombreux raisins pendent sur les vignes, affectés par le botrytis. Ce Corona Reserva est sans doute issu de Viura botrytisé, avec un peu de Malvasia et de Macabeo, mais personne ne semble vraiment savoir ce qu'il en est (ou s'en soucier). On le laisse vieillir dans des tonneaux de bois pendant plus de trente ans avant qu'il ne soit «redécouvert» au début des années 1970 et finalement mis en bouteilles, avec quelque 1 000 bouteilles produites.

La belle robe aux reflets dorés et ambrés de ce vin suggère immédiatement un «moelleux», même si le semi dulce (demi-sec) de l'étiquette est une description plutôt exacte. Le nez révèle des arômes de miel, de noix et de brûlé très complexes, semblables à ceux d'un Sherry Amontillado, malgré une légère touche d'oxydation. À 66 ans d'âge, ce vin garde une acidité cuisante, qui suggère qu'il est probablement un peu plus doux qu'un demi-sec. Il est d'une incroyable longueur, persistant en bouche comme les rêves que fait Don Quichotte de Dulcinée. Une telle combinaison de douceur, d'acidité et d'oxydation est un goût qui s'acquiert, mais cela reste sans aucun doute l'un des meilleurs vins blancs jamais fabriqués dans le pays. Corona Reserva est toujours produit par CVNE, mais n'est vendu qu'en bouteilles de 50 cl. **SG**

AUTRES SUGGESTIONS
Autres grands millésimes de Rioja blancs
1922 • 1934 • 1952 • 1955 • 1958 • 1964 • 1982
Autres vins du même producteur
Imperial Gran Reserva Rioja, Monopole Rioja Blanco, Viña Real Gran Reserva Rioja, Reserva Contino

Ces collines isolées coiffées d'églises sont typiques de la région de la Rioja. ➡

Didier Dagueneau
Silex

Origine France, vallée de la Loire, Pouilly-Fumé
Type vin blanc sec, 12 % vol.
Cépage Sauvignon blanc
Millésime dégusté 2004, à boire jusqu'en 2012+
€€€

Didier Dagueneau (décédé en 2008), considéré comme « l'homme sauvage de la Loire », est passé du statut de non-conformiste à celui de référence incontournable. Dagueneau cultivait 11,5 ha autour de Saint-Andelain, l'une des communes les plus densément cultivées de l'appellation Pouilly-Fumé.

Probablement le représentant le plus adroit de la fermentation en barrique dans la vallée de la Loire, son domaine produit quatre types de vins blancs secs différents. Son vin de base est l'En Chailloux, un assemblage issu de plusieurs vignobles, fait dans un style plus doux. Suit le Buisson Menard, au style plus siliceux et qui vieillit mieux. Ses deux autres vins sont des superstars au prix très élevé, issus de vignobles individuels et fermentés en barrique. Pur Sang fait allusion aux chevaux avec lesquels Dagueneau labourait ses vignobles. Mais le plus grand vin de Dagueneau, et sans doute le plus grand vin blanc de la Loire septentrionale, reste Silex, issu de vieilles vignes qui poussent sur un sol d'argile riche en silice. Sous-tendu par une magnifique veine d'acidité pure et limpide, le Silex 2004 offre une charmante combinaison de fraîcheur, de minéralité et d'exotisme. **SG**

Dom. Darviot-Perrin *Chassagne-Montrachet PC Blanchots-Dessus*

Origine France, Bourgogne, côte de Beaune
Type vin blanc sec, 13 % vol.
Cépage Chardonnay
Millésime dégusté 2002, à boire entre 2010 et 2020
€€€€

À l'extrémité sud du Montrachet, on remarque une faille dans le rocher. Un peu plus bas, à moins de trois mètres, s'étend le vignoble des Blanchots-Dessus, un premier cru qui occupe une superficie de 1,32 ha. Parmi les principaux propriétaires de ces vignes, on trouve en bonne place le couple Darviot-Perrin, viticulteurs installés à Monthélie.

L'essentiel de ces terres a été reçu en héritage par Geneviève Darviot (née Perrin), et l'entreprise qu'elle exploite aujourd'hui avec son mari n'a cessé de prendre de l'ampleur. M. Perrin père, vers la fin de sa vie, proposait une bonne partie de ses vignobles à la location, mais ses héritiers ont repris en mains la totalité du domaine. Ils ne mettent leur vin en bouteilles sous leur propre étiquette que depuis 1989.

Darviot a beaucoup appris avec son beau-père, viticulteur et vinificateur de talent, et il produit des vins d'une grande minéralité et pureté ; un peu austères dans leur jeunesse, ils ont besoin de temps pour s'épanouir. Ce millésime 2002, très concentré et élégant, est sans doute sa plus grande réussite. Il ne manquera pas de se développer et de rester au mieux de sa forme pendant dix bonnes années encore. **CC**

Dom. René & Vincent Dauvissat *Chablis GC Les Clos*

De Bortoli *Noble One*

Origine France, Bourgogne, côte de Beaune
Type vin blanc sec, 13 % vol.
Cépage Chardonnay
Millésime dégusté 1996, à boire jusqu'en 2012+
€€€€

Origine Australie, N[lle] Galles du Sud, Upper Hunter Valley
Type vin blanc doux, 13 % vol.
Cépage Sémillon
Millésime dégusté 1982, à boire jusqu'en 2015
€€€€

Ce domaine est considéré par beaucoup comme le meilleur producteur de Chablis. Fondé dans les années 1920 par Robert Dauvissat, il compte 11 ha, comprenant deux grands crus (Les Clos et Les Preuses) et trois premiers crus (Séchet, La Forest et Vaillons). Des rendements faibles donnent des vins qui expriment pleinement leur provenance. Ces vins secs aux notes minérales caractéristiques de pierre à fusil se développent en bouteilles pour atteindre toute la grâce que l'on peut attendre d'un grand Chablis.

Les vignes des Clos (sur 1,7 ha), propriété du domaine, ont été plantées dans les années 1960. Le vignoble, comme les autres grands crus, pousse sur un sol de marne et de craie, au nord-est du village de Chablis, qui donne son nom à l'AOC. Le millésime 1996 a produit les meilleurs vins de la région depuis 1990. Leur concentration est impressionnante, et les meilleurs, comme celui-ci, manifestent un équilibre quasi miraculeux entre acidité et opulence. Le bois donne au raisin mûr une touche épicée de cannelle, et l'âge apporte au vin ses flaveurs de beurre frais et de poireau qui le rendent si appétissant. **SW**

Darren de Bortoli était à l'université d'agriculture lorsqu'il décida de faire des expériences sur des raisins botrytisés de l'exploitation familiale. Il y avait, cette année-là, un surplus de raisins de Sémillon infectés de botrytis. Le vin fit sensation, remportant de nombreux trophées et médailles, en Australie et ailleurs.

Comme le prouve son étiquette de faux Château d'Yquem, Noble One est fabriqué à l'image du vin doux français classique Sauternes, malgré quelques différences. Le meilleur Sauternes passe deux ans en fût de chêne, alors que le Noble One est élevé en barrique pendant douze mois au maximum. Depuis 2002, une portion de vin non boisé est ajoutée à l'assemblage final pour une plus grande fraîcheur. À Sauternes, le vin est habituellement issu d'un assemblage de Sémillon et de Sauvignon blanc, alors que seul le Sémillon est utilisé pour le Noble One.

Noble One possède d'intenses arômes d'abricot, et une sensation succulente et grasse en bouche, toujours équilibrée par une acidité croquante et vive. N'empêche qu'il est toujours extrêmement doux. C'est le seul vin de dessert du classement Langton de vins australiens. **SG**

Domaine Marcel Deiss
Altenberg de Bergheim

Origine France, Alsace
Type vin blanc demi-sec, 11,5 % vol.
Cépages Riesling, Gewurztraminer, Pinot gris
Millésime dégusté 2002, à boire jusqu'en 2020+
€€€

Établi après 1945, le domaine Marcel Deiss aujourd'hui compte 26 ha qui s'étendent sur de nombreux sites. Après plusieurs années de culture organique, Deiss est passé à la biodynamie en 1998.

Deiss est un fervent adepte du terroir et, bien qu'en Alsace les vins variétaux soient la règle, il produit des assemblages de différentes variétés suivant une tradition plus ancienne. Dans le chai, les raisins sont pressés lentement par grappes entières. Comme aucun azote n'est appliqué sur les vignes, la fermentation peut prendre entre trois semaines et une année. Ensuite, le vin est refroidi et l'on y ajoute un peu d'anhydride sulfureux.

L'Altenberg de Bergheim 2002, le meilleur vin de Deiss, est issu principalement de Riesling, avec un peu de Gewurztraminer et de Pinot gris du site Grand Cru Altenberg. Le vin marie un taux élevé de sucre résiduel (100 g/l) à une incroyable minéralité et à une grande acidité. Il possède une finale de demi-sec car l'acidité lui donne un goût moins sucré que ce que l'on attend d'un vin avec un tel taux de sucre. La profondeur du vin justifie pleinement l'approche orientée vers le terroir de Deiss. **JG**

Schlossgut Diel *Dorsheimer*
Goldloch Riesling Spätlese

Origine Allemagne, Nahe
Type vin blanc demi-sec, 9 % vol.
Cépage Riesling
Millésime dégusté 2006, à boire entre 2016 et 2026
€€€

Des trois grands crus d'Armin Diel – Goldloch, Burgberg et Pittermännchen - Goldloch est son préféré. «Tous les amateurs de vins de Moselle préfèrent le Pittermännchen, explique-t-il, mais le Goldloch est incomparable.» Et il a raison: le Goldloch est somptueusement rococo dans ses vagues de fruits estivaux juteux, tout en ayant une charpente baroque ferme et une logique structurelle qui permettent au vin de ne pas s'effondrer sous cette approche séductrice.

Le site de Goldloch est également le meilleur des trois crus pour sa capacité à donner de très bons vins de types divers. Certains des meilleurs Rieslings secs d'Allemagne sont issus des récentes Grosses Gewächs de Goldloch, et même les vins Kabinett les plus légers d'années classiques comme 1997, 2002 et 2004 sont séduisants et plantureux.

Le Spätlese 2006 est un très grand Riesling allemand, avec une touche délicieusement «vieille école», due à un élevage dans des tonneaux qui ne sont pas totalement neutres. Si le consommateur peut y dénicher maintes nuances fruitées, l'important ici s'avère la pâmoison et le silence qui s'installent en présence de la perfection terrestre. **TT**

Ces caractères géants signalent le vignoble Grand Cru éponyme. ➡

Disznókő
Tokaji Aszú 6 Puttonyos

Origine Hongrie, Tokaj
Type vin blanc doux, 12 % vol.
Cépages Furmint, Harslévelü
Millésime dégusté 1999, à boire jusqu'en 2020+
€€€€

Disznókő veut dire «Rocher du Sanglier»: il se trouve à côté d'un temple toscan inhabituel au sommet du domaine. La propriété figurait déjà comme cru classé en 1730, ce qui a certainement incité le géant français de l'assurance, Axa, à acheter des terres autour de la célèbre Sárga Borház en 1992.

Contrairement à de nombreux domaines du Tokaj, Disznókő est formé d'un seul bloc de 100 ha. Le sol est un mélange de rhyolite et de tufa. Jusqu'à une date récente, le vin 6 Puttonyos apparaissait comme l'étalon-or de Disznókő, mais la vente du Kapi comme un cru séparé a survalorisé le premier.

Les vins sont mis sur le marché à 3 ans d'âge. Une critique fréquente est qu'ils ressemblent trop aux vins français et sont trop proches du Sauternes. La cuvée 1999 est le meilleur 6 Puttonyos produit par Disznókő depuis 1993. Il a 170 g/l de sucre résiduel et un peu plus de 12 g/l d'acidité. Le vin possède un léger arôme de truffes blanches et des saveurs d'ananas et d'abricots. Un léger soupçon de gel dans le nez indique des vendanges tardives. Il possède une belle longueur et une belle charpente, que l'on peut attribuer en partie à la grande proportion de Harslévelü. **GM**

Château Doisy-Daëne

Origine France, Bordeaux, Barsac
Type vin blanc doux, 14 % vol.
Cépage Sémillon
Millésime dégusté 2001, à boire jusqu'en 2050+
€€€

Doisy-Daëne appartient à la famille Dubourdieu. Denis, le fils vinificateur, fut l'un des instigateurs de la hausse de qualité du Bordeaux blanc sec à la fin des années 1980, et cet excellent Barsac démontre aussi sa parfaite aptitude à fabriquer du Sauternes.

Le vignoble englobe 15 ha de sol d'argile sablonneux sur le lit calcaire de la région. Il compte jusqu'à six passages pour permettre une sélection de première qualité, et le jus sucré et sirupeux qui en résulte subit une lente fermentation, suivie de trois mois en barriques en hiver, avant une année supplémentaire de maturation en cuve. Ce procédé implique une quantité moindre d'anhydride sulfureux lorsque le vin est finalement mis en bouteilles.

L'image de marque de Doisy-Daëne est donc un style plus léger de Barsac. Cependant, dans le millésime 2001, il donne, tout comme ses voisins, un vin sensationnel qui vieillit sans prendre une ride. La texture est légèrement grasse, et accompagne des arômes et saveurs magiques d'abricots juteux, de zeste de citron vert et de noix de cajou rôties au miel, le tout discipliné par l'équilibre que donnent les acides vivifiants aux effluves d'ananas. **SW**

On a fait construire ce fameux garage pour les tracteurs viticoles de Diznóko. **Vins blancs** | 185

Donnafugata

Ben Ryé

Origine Italie, Sicile, Pantelleria
Type vin blanc doux, 14,5 % vol.
Cépage Zibibbo
Millésime dégusté 2005, à boire jusqu'en 2025+
€€

L'exploitation Donnafugata fut fondée en 1983, bien avant la renaissance des vins italiens et siciliens. Les premiers à faire bouger les choses sont Giacomo et Gabriella Rallo. Au départ, seuls étaient utilisés les raisins issus des vignobles de Contessa Entellina. Quelques années plus tard, les Rallo étendirent cependant leur entreprise à l'île de Pantelleria, à mi-chemin entre la Sicile et le continent africain. Ils achetèrent un vignoble de Zibibbo, un clone du Muscat, et le cultivèrent en utilisant un système de conduite de buissons, taillés très court. Les vignes sont actuellement plantées dans des trous creusés dans la terre, chacune étant protégée des vents féroces par un petit mur de pierre. Ce sont ces raisins de Zibibbo qu'utilisent les Rallo pour fabriquer le Ben Ryé, nom qui signifie en arabe « fils du vent ».

Les raisins proviennent de onze parcelles différentes sur l'île, toutes vendangées séparément à des époques différentes. Certains raisins sont laissés à sécher quatre à cinq semaines, tandis que le reste est utilisé frais. L'assemblage qui en résulte est un vin qui possède l'opulente richesse du soleil de l'île tout en gardant une fraîcheur surprenante. La robe est d'un ambre doré riche, et le nez est envoûtant, avec des notes enivrantes d'abricots séchés, de miel et de sous-bois méditerranéens, suivies de soupçons de champignons et d'herbes séchées. En bouche, il s'attarde quelques minutes, révélant tout au long un équilibre parfait entre le corps, le moelleux et l'acidité. **AS**

Des vignes entourent le lac volcanique de l'île de Pantelleria. ➜

Hermann Dönnhoff
Oberhäuser Brücke Riesling AG

Origine Allemagne, Nahe
Type vin blanc doux, 8 % vol.
Cépage Riesling
Millésime dégusté 2003, à boire jusqu'en 2025
€€€€€

En 1931, Hermann Dönnhoff achète ce petit site sur le Luitpoldbrücke, pont qui relie l'ancienne Oberhausen bavaroise et l'ancienne Niederhausen prussienne sur la Nahe, et y plante des vignes de Riesling. Il reconnaît très vite l'extraordinaire potentiel de ce vignoble pour la production de vins doux. Il s'agit du plus petit vignoble individuel enregistré en Allemagne, ne couvrant que 1,1 ha.

Grâce à sa situation abritée sur les rives de la rivière, il jouit d'une floraison précoce et d'une longue et lente maturation, idéale pour les Rieslings. La particularité du sol, sous-sol d'ardoise grise recouvert d'argile de loess, garantit suffisamment d'eau, même les années sèches. Lors d'automnes chauds, l'humidité provenant de la Nahe crée les conditions parfaites pour le développement de pourriture noble, tandis que la protection de la vallée donne souvent des vins de glace superbes. En 2003, année très chaude, un Riesling Auslese brillant et cristallin d'une merveilleuse densité complexe est produit ici. Ce vin coiffé d'un bouchon doré figure parmi les vins allemands les plus impressionnants et les plus recherchés de cette année exceptionnelle. **FK**

Domaine Droin
Chablis Grand Cru Les Clos

Origine France, Bourgogne, Chablis
Type vin blanc sec, 13,5 % vol.
Cépage Chardonnay
Millésime dégusté 2005, à boire jusqu'en 2020
€€€

Les sept climats de grand cru de Chablis n'occupent que 3 % de la surface totale plantée dans la zone. Les Clos est le plus apprécié et souvent le plus lourd de tous, d'une grande ampleur mais assez racé pour éviter d'être lourd comme du plomb.

Jean-Paul Droin, qui cultive 24 ha, s'est fait un nom dans les années 1980 avec des vins d'une concentration et d'une puissance exceptionnelles. Ces derniers se trouvaient alors au centre d'une controverse, causée par la proportion de jeune chêne utilisée pour ses grands crus. Depuis le début des années 2000, son fils Benoît a modéré la proportion : il élève la moitié des vins du cru en cuve, tandis que le reste est élevé dans 15 % jeune chêne.

Le 2005 est brillant et exemplaire. Le nez et la bouche dévoilent un caractère de pierre, qui dérive du sol riche en calcaire, ainsi qu'une certaine ampleur épicée. Il y fait preuve d'une véritable puissance et corpulence, le tout en parfaite harmonie grâce à une acidité qui donne une incroyable persistance des saveurs. Jeune, il s'agit d'un vin accessible mais sa charpente et son équilibre lui assurent une vie longue et non dépourvue d'intérêt. **SBr**

Joseph Drouhin
Beaune PC Clos des Mouches

Origine France, Bourgogne, côte de Beaune
Type vin blanc sec, 13,5 % vol.
Cépage Chardonnay
Millésime dégusté 1999, à boire jusqu'en 2019
€€€€

La plupart des vignobles de la côte de Beaune sont la propriété de négociants en vins. La société de Joseph Drouhin a commencé à acheter des terres après la Première Guerre mondiale. La première parcelle acquise par Maurice Drouhin, fils de Joseph, fut le Clos des Mouches (13,7 ha), déclaré premier cru en 1936.

Le renom de ces vins est tel que beaucoup de gens pensent que c'est un monopole Drouhin. En fait, la société partage le vignoble avec quatre autres propriétaires au moins. Mais la famille Drouhin n'en possède pas moins une bonne moitié des terres viticoles de la région. Le Chardonnay est planté à flanc de colline, où le sol est mince, composé de débris de calcaire, sur un sous-sol rocheux également calcaire. Les terrains plus riches, en contrebas, permettent aussi de cultiver du Pinot noir, en quantités beaucoup plus importantes. Le Beaune blanc est assez différent du Meursault et d'autres Bourgognes blancs plus classiques. Ils sont légers et fruités, avec une note épicée. Le Clos des Mouches de Drouhin est l'un des meilleurs qui soient, et ce millésime 1999, ample, rond et soyeux, est là pour nous en convaincre. **CC**

Joseph Drouhin *Montrachet*
Marquis de Laguiche GC

Origine France, Bourgogne, côte de Beaune
Type vin blanc sec, 13 % vol.
Cépage Chardonnay
Millésime dégusté 2002, à boire entre 2015 et 2030+
€€€€€

Montrachet est le plus grand vignoble de Chardonnay du monde. Cette AOC de 8 ha s'étend de Puligny à Chassagne, et la plus grande parcelle appartient à la famille du marquis de la Guiche. Avec ses 2,6 ha. Depuis 1947, le vin est fait par la maison Joseph Drouhin.

Qu'est-ce que cette région a donc de particulier ? Son aspect et l'écoulement des eaux, disent les autochtones. Mais il ne faut pas négliger non plus le rôle du calcaire – moins important que pour le Chevalier, mais plus déterminant que pour le Bâtard. On y trouve de l'argile et des sels minéraux en abondance. Le chrome active la véraison, le zinc réduit l'acidité et augmente les sucres. Le cobalt stimule le mûrissement, le fer aussi, bien sûr. On trouve encore du magnésium, du plomb et même de l'argent.

Les Drouhin sont des vinificateurs talentueux. Les vendangeurs, très au fait des particularités de la vigne, passent à l'action exactement au bon moment, après quoi, d'une certaine façon, le vin « se fait tout seul ». Le 2002 est un vin absolument parfait, du début à la fin. Harmonieux, concentré, riche, profond et élégant, le Chardonnay dans toute sa splendeur. **CC**

Dry River *Pinot Gris*

Origine Nouvelle-Zélande, Martinborough
Type vin blanc sec, 14 % vol.
Cépage Pinot gris
Millésime dégusté 2004, à boire jusqu'en 2014
€€€

Ayant acquis un goût pour les bons vins lors de ses études à l'université d'Oxford dans les années 1970, Neil McCallum rentre dans son pays natal et plante, en 1979, un vignoble près de Dyerville, dans une zone très sèche de drainage libre, qui se nomme désormais la terrasse. D'autres pionniers du Martinborough plantent du Chardonnay, du Cabernet-Sauvignon et du Pinot noir, mais McCallum possède de très bons souvenirs des grands vins d'Alsace qu'il a dégustés et opte pour sa part pour du Gewurztraminer, du Riesling, et du Pinot gris.

Fabriqué pour la première fois en 1986, Dry River reste l'emblème du Pinot gris Kiwi, et le seul vin de Nouvelle-Zélande capable de tenir tête aux meilleurs venus d'Alsace ou du nord-est de l'Italie. Malgré un taux d'alcool souvent élevé (jusqu'à 14 %), il offre des saveurs intenses et riches (et pas du tout boisées), soutenues par un équilibre parfait du sucré et de l'acidité, qui se marie à merveille avec la légère douceur du vin, donnant ainsi une impression d'astringence. Le fruit charnu et la solide charpente permettent au vin de vieillir une dizaine d'années.

McCallum attribue en partie l'excellence de son vin au clone particulier de Pinot gris qu'il cultive, importé à l'origine en Nouvelle-Zélande en 1886 par la Mission, et qui donne de petites récoltes de minuscules grappes formées de très petites baies. Cela illustre bien l'attention méticuleuse qu'il porte aux détails dans son vignoble comme dans son chai, et c'est l'une des raisons pour lesquelles Dry River est sans doute le meilleur producteur de Nouvelle-Zélande. **SG**

AUTRES SUGGESTIONS
Autres grands millésimes
1999 • 2000 • 2001 • 2002 • 2003 • 2005
Autres vins de ce producteur
Chardonnay Amaranth • Gewürztraminer • Pinot Noir • Late-Harvest Riesling • Syrah • Sauvignon Blanc

Les sols graveleux de la terrasse de Martinborough profitent aux vignobles. ➡

Mme Aly Duhr et Fils
Ahn Palmberg Riesling

Origine Luxembourg, Moselle luxembourgeoise
Type vin blanc sec, 12,5 % vol.
Cépage Riesling
Millésime dégusté 2005, à boire jusqu'en 2015
€€

L'histoire de ce domaine familial remonte à 1872. Les 8,3 ha de vignes sont plantées sur les meilleures collines d'Ahn, de Wormeldange, de Machtum, de Grevenmacher et de Mertert. Les vins vont du grand premier cru Riesling Aly Duhr, croquant et rafraîchissant, au vin de table de Luxembourg Monsalvat, fabriqué ici en réponse au Bourgogne blanc.

Le vignoble de Palmberg, qui appartient au domaine d'Aly Duhr depuis le début, jouit d'une exposition sud en plein cœur de la Moselle luxembourgeoise. Le sol est composé de calcaire crayeux, ce qui explique sans doute la belle minéralité du Riesling cultivé ici. Palmberg est également connu pour son climat presque méditerranéen, et abrite insectes et plantes que l'on trouve d'habitude bien plus au sud.

La robe du Riesling Palmberg 2005 est d'un jaune or vif. Le nez du vin dévoile de profonds arômes d'abricot mûr et de miel sucré, alors qu'en bouche, il est très élégant et frais, avec une acidité croquante mais délicate et une belle longueur. Riesling sec et aromatique, sa texture légèrement grasse le rend tout à fait agréable à déguster jeune, tout en ayant un potentiel de garde d'au moins sept à dix ans. **CK**

Domaine Dupasquier
Roussette de Savoie Marestel

Origine France, Savoie
Type vin blanc sec, 13 % vol.
Cépage Altesse
Millésime dégusté 2004, à boire jusqu'en 2025
€

Les caves du domaine Dupasquier sont situées dans le hameau d'Aimavigne, sur la commune de Jongieux. En quittant le jardin des Dupasquier, on entre de plain-pied dans le plus célèbre vignoble de Jongieux, Marestel, un cru destiné à la Roussette de Savoie, issu du cépage Altesse.

L'Altesse permet d'obtenir des vins riches en sucre et d'une bonne acidité. Les vignes de Noël Dupasquier ont près de 100 ans d'âge, et celui-ci vendange tardivement le raisin, lorsque les grains sont très mûrs et souvent soumis à la pourriture noble. Au cours des dernières années, le titre alcoolique volumique de 13 % a été atteint sans difficulté, la fermentation étant conduite, jusqu'au mois de janvier suivant dans des vieux foudres méticuleusement entretenus.

Le Marestel 2004 est un vin de longue garde. Les arômes de pierre et de citron vert laissent peu à peu la place à la pêche blanche. Sec et corpulent, il révèle une acidité de pomme verte et des flaveurs d'épices conduisant à une finale minérale. C'est un accompagnement idéal pour les plats de poisson d'eau douce, et notamment l'omble chevalier fréquent dans la région, ou pour le fromage de Beaufort. **WL**

◀ La Moselle sert de frontière orientale entre le Luxembourg et l'Allemagne.

Dutton Goldfield
Rued Vineyard Chardonnay

Origine États-Unis, Californie, Sonoma Valley
Type vin blanc sec, 13,5 % vol.
Cépage Chardonnay
Millésime dégusté 2005, à boire jusqu'en 2012+
€€

Warren Dutton fait figure de pionnier lorsqu'il plante, dans les années 1960, du Chardonnay et du Pinot noir dans des zones considérées trop froides. Aujourd'hui, Dutton Ranch comprend plus de soixante parcelles différentes dans la Russian River Valley : le vignoble Rued, planté avec du Chardonnay en 1969, se situe sur le coteau est d'une colline, en plein cœur de la Green Valley. Ici, Dutton a planté la bouture d'un vieux clone de Wente, qui donne des caractéristiques de fruits exotiques bien distinctes, ainsi qu'une bouche très riche. Aujourd'hui, ce sont Steve, le fils de Warren, et son associé vinificateur Dan Goldfield qui sont chargés de produire des vins. Les deux hommes travaillent côte à côte depuis 1990 (Dutton-Goldfield est fondée en 1998).

Dan vendange pour garder un équilibre ferme entre le fruit et l'acidité. Les vins subissent 100 % de fermentation malolactique en barriques de chêne français pour prendre de la rondeur. Souple en bouche, le Chardonnay Rued Vineyard 2005 offre de succulentes notes florales et de fruits jaunes, avec un bois bien intégré et une charpente furtive qui lui donne longueur et persistance en bouche. **LGr**

Domaine de l'Ecu *Muscadet*
S. & M. Expression d'Orthogneiss

Origine France, vallée de la Loire
Type vin blanc sec, 12 % vol.
Cépage Melon de Bourgogne
Millésime dégusté 2004, à boire jusqu'en 2012
€€

Le Muscadet est l'un des vins français les plus calomniés, qui associe un terroir difficile, humide et lourd dans l'ouest de la Loire, à un cépage prétendu fade, le Melon de Bourgogne. Aux mains de Guy Bossard, cette association produit des vins blancs capables de vieillir et des saveurs de terroir riches en minéraux. Bossard laboure ses champs à l'aide d'un cheval au lieu d'utiliser ces tracteurs qui compactent le sol, afin d'offrir aux racines des vignes une expression plus pleine. Il croit en la culture biodynamique, taille et vendange selon les rythmes cosmiques et terrestres et asperge ses vignes d'infusions d'herbes, de minéraux et de fumier d'origine animale. Le vin possède le label Demeter certifiant son origine « bio ».

En 2002, Bossard cesse de produire un assemblage appelé Hermine d'Or, issu de ses meilleures parcelles, et fabrique à la place trois cuvées de terroir baptisées d'après le type de sol de chacune – Granite, Gneiss et Orthogneiss. L'Orthogneiss (type de granit formé à partir de roches éruptives) est le plus expressif, mais il faut attendre au moins cinq ans pour que ses saveurs de fruits secs et d'amande amère se développent en notes minérales de pierre mouillée. **MW**

Les visiteurs du Domaine de l'Écu sont accueillis par ce charmant vendangeur. ➜

Guy BOSSARD

DOMAINE DE L'ÉCU

Emrich-Schönleber *Monzinger Halenberg Riesling Eiswein*

Origine Allemagne, Nahe
Type vin blanc doux, 7 % vol.
Cépage Riesling
Millésime dégusté 2002, à boire jusqu'en 2040+
€€€€€

Depuis des siècles, le vin Monzinger jouit d'une réputation remarquable dans la région de Nahe. Au XVIIIe siècle, le *Rheinische Antiquarius* (description détaillée du Rhin et de ses affluents) racontait l'histoire de 500 bouteilles de vin de ce village envoyées vers l'est de l'Inde. Le capitaine rapporta chez lui trois bouteilles et, bien qu'ayant traversé l'équateur quatre fois, on raconte que le vin resta d'une qualité incroyable.

Plus récemment, les vins de glace de cette région acquirent également une excellente réputation. Il semble alors évident que les vignobles situés au nord de la Nahe, qui s'écoule dans la vallée du Rhin, sont prédestinés à produire ce genre de vins, et ce parce que la maturation des raisins a lieu environ huit à dix jours plus tard que dans le fossé du Rhin, à des températures plus basses.

Le vin qui résulte du millésime 2002 est d'une finesse transcendantale, presque éthérée. *Le Guide Gault-Millau des vins* lui attribue la note maximale de 100 points et s'extasie : « Un magnifique feu d'artifice de fruits tropicaux [...], clair comme de l'eau de roche, perfection que l'on ne peut surpasser. » **FK**

Château de Fargues

Sauternes

Origine France, Bordeaux, Sauternes
Type vin blanc doux, 13,5 % vol.
Cépages Sémillon 80 %, Sauvignon blanc 20 %
Millésime dégusté 1997, à boire jusqu'en 2020+
€€€€€

Avec à peine 12 ha de vignobles près d'un château en ruines et une production de 1 000 caisses par vendange, ce domaine de Sauternes appartenant à Lur-Saluces ne fait que trop peu parler de lui. Il reçoit le même traitement que son grand frère Yquem, minutieux tout au long de la vinification – la fermentation et l'élevage en fûts 100 % jeune chêne – et un rendement souvent inférieur. Ce vin est succulent et élégant, et très différent d'Yquem, parce que le vignoble repose sur un sol plus lourd, avec plus d'argile. Le vignoble est aussi enclin à geler, cause d'un taux d'échec élevé dans une région viticole déjà précaire.

Seules quinze barriques (4 500 bouteilles) ont été produites en 1997. La belle robe dorée précède un nez de pain grillé et de raisin au caractère prononcé de pourriture noble. Ample et mielleux, avec une bonne acidité, il manque peut-être du « tranchant » des très grandes années comme 1989 ou 1990. Équilibre et concentration excellents, finale claire et très persistante. Sans être classé, et parfois surnommé « l'Yquem du pauvre », le Château de Fargues peut être plus cher que certains Sauternes premier cru classé tels que le Rieussec. Vu le résultat, le prix est plus que justifié. **SG**

◀ Halenberg, vignoble escarpé de Monzinger, est le plus petit de la région.

Feiler-Artinger
Ruster Ausbruch Pinot Cuvée

Origine Autriche, Burgenland, Neusiedlersee-Hügelland
Type vin blanc doux, 11,5 % vol.
Cépages Pinot blanc 75 %, Pinot gris 25 %
Millésime dégusté 2004, à boire jusqu'en 2020
€€€

Le village de Rust devient une cité libre en 1681 grâce à son Ausbruch (Aszú) botrytisé, récolté le long des côtes ouest du Neusiedlersee. À la même époque naît, en Hongrie, le Tokaji Aszú. Aujourd'hui, un fatras de maisons baroques témoigne de la richesse passée de Rust, et aucune n'est plus opulente ni plus colorée que celle de la famille Feiler. Depuis plus d'un siècle, les Feiler sont reconnus comme les patriarches (et parfois les maires) de la ville, mais ce n'est que dans les années 1980 que les vignerons actuels de Rust deviennent célèbres. Kurt Feiler, le fils, a aujourd'hui repris le domaine et le vin rouge issu de variétés de Blaufränkisch et de Bordeaux partage le devant de la scène avec l'Ausbruch.

Dans certaines cuvées, l'Ausbruch est élaboré à partir de membres de la famille Pinot. Comme la plupart des Ausbruch de Feiler-Artinger, ce Pinot Cuvée 2004 est fermenté dans des barriques françaises majoritairement neuves. Il libère des notes de caramel, de bonbons aux noix et au beurre et de fruits tropicaux que l'on trouve dans les grands Sauternes. Voilà un vin faible en alcool, aux vibrantes notes de noyaux de fruits frais et d'agrumes. Baroque dans sa sensualité et sa complexité, il est intensément moelleux tout en étant vif et rafraîchissant.

Lors de cette année au climat irrégulier, les vendanges n'ont pu s'effectuer qu'en novembre, avec des raisins jouissant alors d'une merveilleuse concentration et d'un vibrant noyau acide, mais avec un rendement très faible. Prenez le temps de savourer ce vin si « lent » seul et sans souci. **DS**

Livio Felluga
Picolit

Origine Italie, Frioul
Type vin blanc doux, 13,5 % vol.
Cépage Picolit
Millésime dégusté 2005, à boire jusqu'en 2015+
€€€€

L'histoire des Felluga débute en Istrie, territoire appartenant auparavant à l'Empire austro-hongrois et faisant désormais partie de la Croatie. En 1920, le père d'Andrea, Giovanni, est envoyé diriger les intérêts viticoles de la famille à Grado, station balnéaire de l'aristocratie de Hapsburg. Aujourd'hui, le domaine Livio Felluga englobe 146 ha de vignobles. La production annuelle est d'environ 650 000 bouteilles, exportées dans le monde entier.

Spécialité de Felluga, le Picolit est l'un des rares cépages réellement frioulais, et, même ici, on n'en trouve probablement qu'une trentaine d'hectares. Ce n'est que depuis 1750, grâce aux écrits de l'abstinent comte Fabio Asquini, qu'il existe une documentation précise concernant les origines du Picolit. Certains domaines construisent leur production de Picolit sur ces notes. Au XVIIIe siècle, ce vin était à la mode et très recherché, et Asquini en exportait alors 100 000 bouteilles vers les cours de toute l'Europe.

La particularité de cette vigne étrange et délicate est la faible, ou piccoli, fertilisation de ses fleurs, que d'aucuns surnomment « avortement floral ». Cela signifie que seules quelques baies très concentrées mûrissent pour chaque grappe. Les raisins sont vendangés vers la fin du mois d'octobre, puis laissés à sécher et à mûrir sur des nattes avant le pressurage. Le vin est sucré sans être doux, et son acidité naturelle évite que le moelleux ne devienne écœurant. Même s'il se marie bien aux fruits et aux desserts, il vaut mieux considérer le Picolit comme un *vino da meditazione*, un vin à déguster seul. **SG**

L'étiquette du Picolit a gardé le style traditionnel de la carte de Livio Felluga. ➦

Livio Felluga®
Picolit
2005
Ciseriis
Sedilis
Chialininis
Romeais
Ramandolo
Nimis
Attimis
Platischis
Qualso
Savorgnano
Ravosa
Gugliano
Torreano
Orsaria
B. Vida
Cividale del Friuli
Spessa
Oleis
R. Bernarda
Buttrio
R. di Manzano
Rosazzo
Vicinale

Benito Ferrara
Greco di Tufo Vigna Cicogna

Origine Italie, Campanie, Irpinia
Type vin blanc sec, 13,5 % vol.
Cépage Greco di Tufo
Millésime dégusté 2005, à boire jusqu'en 2017
€€

Il s'agit là de l'un des grands vins du sud de l'Italie, plein de caractère, d'originalité et de «punch». Le domaine Benito Ferrara – fondé en 1880 dans la petite ville de Tufo et actuellement dirigé par Gabriella Ferrara – est l'un des rares à se donner la peine d'utiliser le Greco di Tufo en produisant un vin issu d'un seul vignoble, l'exceptionnel Cru Vigna Cigogna.

Les raisins sont cueillis à maturité et, après pressurage, le moût est fermenté pendant environ un mois dans des cuves d'acier inoxydable à thermostat. Après une brève période en cuve, le vin est mis en bouteilles et vieilli pendant six mois supplémentaires avant d'être mis sur le marché.

La plupart des aficionados italiens oublient souvent que les plus grands vins blancs d'Irpinia (en particulier ceux issus de Greco et de Fiano) semblent être meilleurs dans le verre après douze à quinze mois en bouteille. Avant cela, ces vins semblent passer par un âge «bête», avec une bonne texture en bouche mais un nez peu expressif. Ceux qui respectent cette règle simple en auront pour leur argent.

Le Vigna Cigogna 2005 possède une robe jaune paille qui en inquiète plus d'un au premier abord. Laissez vos doutes de côté et approchez votre nez du verre – une note délicatement florale vous accueille en prologue d'un authentique festin de pêches mûres et de fines herbes méditerranéennes. En bouche, le vin est étoffé et pourtant onctueux et velouté, sans doute un peu plus puissant qu'élégant, et toujours très satisfaisant. **AS**

Do Ferreiro
Cepas Vellas Albariño

Origine Espagne, Galice, Rías Baixas
Type vin blanc sec, 13 % vol.
Cépage Albariño
Millésime dégusté 2004, à boire jusqu'en 2010+
€€

La Bodega Gerardo Méndez Lázaro, située dans la vallée du Salnés, produit des vins «du forgeron» (*do ferreiro* en galicien), qui figurent parmi les plus authentiques de la DO Rias Baixas aux côtés de Fillaboa Selección Finca Monte Alto, Pazo de Señorans Selección de Añada et Lusco do Miño Pazo Piñero. La cuvée de base (simple étiquette Albariño Do Ferreiro) provient de vignes plus jeunes, d'environ 10 ans d'âge, plantées dans des vignobles rescapés sur des collines jadis envahies par les eucalyptus. La cuvée haut de gamme, Albariño Do Ferreiro Cepas Velhas, est issue d'un vignoble pré-phylloxéra planté depuis plusieurs générations. La maison estime qu'il remonte à environ deux cents ans.

Gerardo Méndez, propriétaire et vinificateur de ces vins, explique que sa grand-mère (décédée à l'âge de 98 ans) lui racontait que sa propre grand-mère connaissait déjà les vignes telles qu'elles sont aujourd'hui. Ces *cepas velhas* (vieilles vignes) sont situées dans une parcelle de 2 ha près de la maison familiale. Les sceptiques quant à leur âge peuvent se rendre à la belle vallée du Salnés et en juger par eux-mêmes. En chair et on os, leur âge apparaît totalement crédible.

Le vin est élevé sur des lies en cuves d'acier inoxydable pendant dix mois et mis sur le marché deux ans après la date de vendange. Année après année, ce vin figure parmi les grands Albariños, difficile à trouver mais à un prix très raisonnable, et est un autre vin espagnol abordable pour ceux qui ont la chance de le dénicher. **JB**

La ville de Montefalcione surplombe les vignes de Benito Ferrara.

Feudi di San Gregorio
Fiano di Avellino

Origine Italie, Campanie, Irpinia
Type vin blanc sec, 13,5 % vol.
Cépage Fiano
Millésime dégusté 2004, à boire jusqu'en 2012
€€€

Tremblements de terre et routes brisées sont le lot de la région campanienne d'Irpinia, située au sud d'Avallino et de l'autostrada Naples-Bari. Cependant, Faudi San Gregorio, domaine viti-vinicole exemplaire génère un optimisme qui symbolise le Nouveau Sud.

Le vin de Feudi qui connaît la plus grande couverture médiatique, est un blanc sec de caractère, issu du cépage Fiano. Partout dans le Sud, cette variété gagne actuellement des médailles lors des compétitions internationales. Le Fiano di Avellino est surtout spécial à cause des conditions dans lesquelles il pousse : une conjonction de vents, une bonne précipitation annuelle et un méso-climat particulier. Autre avantage : le sol des sous-régions de Candida, de Parolise et de Sorbo Serpice, où Feudi cultive cette variété, est un sol d'origine à prédominance volcanique.

Ce 2004, millésime fin et équilibré, possède une robe pâle jaune paille et d'élégants arômes de fruits blancs et de fleurs, qui cèdent la place à une note minérale et à une impression de résine, auxquelles se mêle un soupçon de miel. Étoffé, charpenté et harmonieux, le vin possède une réelle présence en bouche, avec une finale de fruits jaunes du verger bien mûrs. **ME**

William Fèvre *Chablis GC*
Bougros Côte de Bouguerots

Origine France, Bourgogne, Chablis
Type vin blanc sec, 13 % vol.
Cépage Chardonnay
Millésime dégusté 2002, à boire jusqu'en 2015+
€€€€

Le domaine William Fèvre est le plus important de la région de Chablis, non pas en superficie, mais parce qu'il possède les meilleurs vignobles : des terres dans presque tous les grands crus et quelques-uns des meilleurs premiers crus. En 1998, William Fèvre a vendu sa société à Henriot-Champagne, assorti d'un bail à long terme sur ses 60 ha de vignobles.

Les vins de William Fèvre sont très concentrés, ils ont de la classe et se gardent longtemps. Mais les consommateurs qui associent le Chablis à la pureté, à l'austérité et aux arômes de pierre à fusil, ont pu reprocher aux vins de Fèvre d'être trop boisés. Le vinificateur Didier Seguier, est parvenu à inverser la tendance.

Le Clos des Bouguerots se situe dans la meilleure partie du grand cru Bougros. L'essentiel des vignobles de ce grand cru est exposé au sud-ouest, mais le Côte Bouguerots échappe à cette règle. Normalement, un Bougros n'est jamais aussi fin qu'un Valmur, un Vaudésir ou un vin du Clos. Mais celui-ci soutient la comparaison avec les meilleures productions de la région. Ce 2002 est ample, minéral, racé et profond, toutes les qualités que l'on attend d'un Chablis. **CC**

Le trèfle, emblème distinctif de William Fèvre. ➋

Château Filhot

Origine France, Bordeaux, Sauternes
Type vin blanc doux, 13,5 % vol.
Cépages Sém. 60 %, Sauv. bl. 36 %, Muscadelle 4 %
Millésime dégusté 1990, à boire jusqu'en 2015
€€€

Filhot, situé aux abords des forêts de pin des Landes, est le domaine de Sauternes le plus au sud, ainsi que l'un des plus grands. La famille Filhot établit ses vignobles au début du XVIIIe siècle, puis construisit le beau et spacieux château.

Les Filhot périrent guillotinés en 1794, et la propriété fut rendue à la famille des années plus tard. Une des héritières épousa en 1807 le propriétaire d'Yquem, et ce dernier reprit la direction de Château Filhot, agrandissant vignobles et bâtiments. Des années plus tard, le domaine se retrouva totalement négligé jusqu'à ce que, en 1935, le marquis de Lur-Saluces vende Filhot à sa sœur, dont l'actuel propriétaire, le comte Henri de Vaucelles, est le descendant.

Les vignobles sont plus frais que la plupart de ceux de Sauternes, ce qui peut aussi expliquer pourquoi le vin manque parfois d'ampleur. Les grands millésimes du passé, tels que 1945, démontrent néanmoins le potentiel du domaine, mais les vins des années 1970 et 1980, qui n'ont pas été élevés en barrique, s'avèrent décevants.

Gabriel, le fils du comte Henri, dirige à présent Filhot, et produit des vins plus propres et plus concentrés, qui n'atteignent cependant pas leur plein potentiel. D'autre part, ces vins figurent parmi les moins chers des crus classés. Le 1990 est l'un des meilleurs Filhot de ces dernières années, avec des arômes de noyaux de fruits et d'ananas. Pas spécialement intense, le vin a du style et ne manque pas de longueur. Et meilleur encore, le Crème de Tête de la même année. **SBr**

AUTRES SUGGESTIONS
Autres grands millésimes
1976 • 1983 • 1989 • 1997 • 2001 • 2003
Autres producteurs de Sauternes
Guiraud • Lafaurie-Peyraguey • Rieussec Suduiraut • Yquem

Château Filhot, entouré d'un parc conçu par Louis-Bernard Fischer. →

Fillaboa Seléccion
Finca Monte Alto

Origine Espagne, Galice, Rías Baixas
Type vin blanc sec, 12,5 % vol.
Cépage Albariño
Millésime dégusté 2002, à boire jusqu'en 2009
€€

Cette maison a été créée, sous le nom de Granja Fillaboa, en 1986, c'est-à-dire avant la création de la DO Rias Baixas. C'est un beau et grand domaine (le plus grand de Pontevedra), sur la rive droite du fleuve Miño, dans la Salvaterra. Avec ses 50 ha, il est resté longtemps une propriété familiale, avant sa récente acquisition, en 2000, par le groupe Masaveu. Le Fillaboa Seléccion Finca Monte Alto est issu d'une petite parcelle de vignes de qualité exceptionnelle, plantées en 1988.

Ce vin, l'un des meilleurs exemples de longévité parmi les produits du cépage Albariño, a connu différentes phases, remplaçant la fraîcheur du fruit par l'intensité aromatique. On y trouve encore des notes de citron vert, de pêche, de graine d'anis et de verdure, mais l'âge apporte son lot de complexité, de minéralité et d'équilibre. Au fil du temps, il accompagne avec bonheur des mets différents : jeunes, ces vins se marient agréablement aux fruits de mer et au poisson blanc. Quelques années plus tard, ils s'accommodent plus volontiers de plats en sauce. Chaque touche d'exubérance perdue laisse place à un peu plus de complexité et de structure. **JB**

Fiorano
Sémillon Vino da Tavola

Origine Italie, Lazio
Type vin blanc sec, 11 % vol.
Cépage Sémillon
Millésime dégusté 1978, à boire jusqu'en 2012
€€€€

Décrits par Burton Anderson comme « un secret connu de peu », les rares vins cultes que l'on connaît sous le nom de Fiorano continuent d'éblouir les collectionneurs chanceux qui peuvent mettre la main sur les dernières bouteilles restantes.

Alberico Boncompagni Ludovisi, prince de Venosa, hérite du domaine de Fiorano en 1946 et y plante le Malvasia local et des cépages français, puis engage le grand œnologue Tancredi Biondi Santi. Les vins restent méconnus jusqu'au début des années 1960, lorsque feu Luigi Veronelli, attiré par les vignobles parfaits de l'Appia Antica réussit à persuader le prince de le laisser déguster ses vins.

Veronelli comparera plus tard l'assemblage rouge de bordeaux au grand Sassicaia, mais c'est cependant le 100 % Sémillon, cépage n'ayant jamais réellement prospéré en Italie, qui surprit le plus Veronelli. Les vieux millésimes de Sémillon continuent d'émerveiller les connaisseurs par leur couleur étonnamment jeune, leur remarquable fraîcheur et leur potentiel de garde apparemment infini. Le 1978 dévoile un ample bouquet floral, une bouche vive et riche en minéral, d'une incroyable persistance. **KO**

◧ Au milieu des pins de Galice, les vignes sont surmontées de pergolas basses.

Flowers *Camp Meeting Ridge Chardonnay*

Origine États-Unis, Californie, Sonoma Coast
Type vin blanc sec, 14,2 % vol.
Cépage Chardonnay
Millésime dégusté 2005, à boire jusqu'en 2015+
€€€

En 1989, Walt et Joan Flowers, alors propriétaires florissants d'une chaîne de pépinières, répondirent à une annonce dans le magazine Wine Spectator et découvrirent Camp Meeting Ridge, une zone sans vignes mais dont le climat tempéré est parfait pour le Chardonnay et le Pinot noir. Camp Meeting Ridge se situe à moins de 4 km de l'océan Pacifique, sur une arête délimitant la région et possède au moins six types de sols, marins et volcaniques. À l'ouest, une autre arête côtière protège le vignoble.

Les vignes, une sélection de clones de vieux Wente et de Dijon, poussent sur des blocs orientés vers l'ouest, plantées à une altitude allant de 350 m à 420 m. La base de la cuvée provient du Bloc 6, terrain rocailleux et escarpé sur lequel les vignes ont peu de vigueur, donnant ainsi des raisins très concentrés, persistants et d'une minéralité incroyables.

Depuis 1997, les vins sont fabriqués dans un chai par gravité. Les fruits du domaine sont sélectionnés manuellement et les grappes pressées entières. La fermentation s'opère avec des levures indigènes, et le moût subit un bâtonnage régulier jusqu'à ce que s'achève la fermentation malolactique au printemps après les vendanges. La minuscule vendange de 2005, qui connut du mauvais temps lors de la floraison, jouit d'un merveilleux climat par la suite, et donne des vins d'une incroyable concentration et aux diverses couches de saveurs riches, rehaussées par des arômes de jasmin, de chèvrefeuille et de citron. **LGr**

Des filets protègent les vignes des oiseaux à Camp Meeting Ridge. ➡

Framingham
Select Riesling

Origine Nouvelle-Zélande, Marlborough
Type vin blanc doux, 8 % vol.
Cépage Riesling
Millésime dégusté 2007, à boire jusqu'en 2017
€€

Voici le meilleur d'un nouveau type de Rieslings «de style allemand», faible en alcool et de plus en plus populaire en Nouvelle-Zélande. Le taux d'alcool du 2007 ne dépasse pas un modeste 8 %, avec une teneur en sucre résiduel de 70 g/l ou, en termes allemands, un Auslese (vendange choisie). Cela montre que ni l'Allemagne ni l'Autriche ne peuvent se laisser aller en ce qui concerne la qualité de leur Riesling, et que la Nouvelle-Zélande ne doit pas faire preuve de suffisance quant à son Sauvignon blanc.

Select Riesling est le vin porte-drapeau du vinificateur Dr. Andrew Hedley. Il s'agit d'un vin explosif qui reçoit la première collecte de vignes entretenues avec grand soin. La deuxième vendange va au Framingham Dry Riesling, et le meilleur du lot restant au Classic Riesling, tandis que tous les raisins botrytisés sont utilisés pour fabriquer le Framingham Noble Riesling. Tous sont d'excellents vins, mais seul le Select Riesling mérite vraiment son statut de premier de la classe.

Il s'agit d'un Riesling puissant aux saveurs minérales, citriques et de rose blanche prononcées. Le vin possède une texture éthérée et un magnifique équilibre de sucres et d'acidité. Il est produit pour la première fois en 2003, et chaque année depuis. Une dégustation verticale de chaque millésime a démontré son excellent potentiel de garde. Le vieillissement en bouteille semble amplifier les saveurs d'agrumes, tout en introduisant un élément de miel, qui suggère l'influence du botrytis bien que celui-ci n'ait pas été détecté lors de la dégustation du vin le plus ancien. Le bouchon à vis aide à maintenir la pureté du fruit. **BC**

Dr. Konstantin Frank/Vinifera
Wine Cellars *Dry Riesling*

Origine États-Unis, New York, Finger Lakes
Type vin blanc sec, 12 % vol.
Cépage Riesling
Millésime dégusté 2006, à boire jusqu'en 2016
€

Le vin de Dr. Frank est issu des coteaux d'ardoise situés aux abords des lacs de Keuka et de Seneca, creusés des glaciers qui déposèrent sur ces terres un mélange d'argile et de calcaire, avec de l'ardoise et du schiste argileux. Les lacs rendent la viticulture possible dans la froide région du nord de l'État de New York, où la température moyenne en hiver est de - 6 °C. Le groupe Vinifera apparaît comme un vrai défi, du moins jusqu'à ce que Dr. Frank, émigré d'Ukraine, où il enseignait la viticulture, persuade Charles Fournier, alors président de Gold Seal, qu'il suffit de trouver des vignes dont les racines supportent l'hiver. Dans les années 1950, Fournier et lui se mirent en quête de pieds de vigne dans le nord-est de l'Atlantique, et finirent par découvrir ce qu'ils cherchaient dans le jardin d'un couvent québécois : des vignes qui survivaient et donnaient des fruits même après un hiver rigoureux. Après des années d'expérimentation pour greffer du Chardonnay, du Riesling et du Gewurztraminer à ces pieds de vigne, Frank put enfin crier victoire lorsque ses vignes survécurent et donnèrent des fruits après des températures de - 32 °C. Frank décida alors de fonder sa propre exploitation en 1962 et se concentra sur le Riesling.

Le Riesling sec de Dr. Frank est toujours cristallin et pur, et subit jusqu'à six semaines de longue fermentation à froid, afin de préserver le caractère floral, citrique, de pomme verte, de poire et de coing du fruit. La fermentation est arrêtée juste avant que le vin ne devienne sec pour équilibrer l'acidité importante, donner une texture souple et révéler le fruit mûr qui enrobe un subtil filigrane minéral. **LGr**

Freie Weingärtner Wachau
Achleiten G. Veltliner Smaragd

Origine Autriche, Wachau
Type vin blanc, 14 % vol.
Cépage Grüner Veltliner
Millésime dégusté 2005, à boire jusqu'en 2012
€€

Près de la moitié de la région viticole la plus prestigieuse d'Autriche appartient à la coopérative Freie Weingärtner. Situés le long du Danube, à Weissenkirchen, ces coteaux escarpés de micaschiste et de gneiss, riches en feldspath, sont cultivés en terrasses depuis au moins le début du Moyen Âge. Ils sont d'une excellence régulière et jouissent de la même prodigieuse aptitude au succès, tant pour le Grüner Veltliner que pour le Riesling. L'été et le début de l'automne 2005, frais et presque trop humides, furent suivis d'un mois d'octobre et d'un début novembre largement ensoleillés. Cette vendange de Riesling se caractérise par une stricte sélection afin d'éliminer pourriture et botrytis, alors que le Grüner Veltliner jouit en général d'une santé de fer.

Les résultats de Freie Weingärtner sur le vignoble d'Achleiten pourraient difficilement être plus caractéristiques de ce site : notes minérales subtiles mais distinctes, fleurs et pêches blanches dévoilent un vin à l'ampleur et la texture subtilement onctueuse. On y trouve aussi cette caractéristique tactile – une force poivrée « mordante » – du Grüner Veltliner. **DS**

Château de Fuissé
Le Clos

Origine France, Bourgogne, Mâconnais
Type vin blanc sec, 13 % vol.
Cépage Chardonnay
Millésime dégusté 2005, à boire entre 2010 et 2013
€€€

Pour bon nombre d'amateurs de Bourgogne blanc, l'intérêt s'émousse rapidement lorsqu'un vin provient d'endroits hors de la limite méridionale de la Côte d'Or à Santenay. Jean-Jacques Vincent, du Château de Fuissé, a cependant beaucoup contribué à ce que la région reste connue des vrais amateurs de Bourgogne blanc. La famille Vincent a développé, depuis 1985, une entreprise fondée sur le mélange de fruits du domaine et de moûts achetés ailleurs sous l'étiquette JJ Vincent Sélection, et produisent une gamme de vins du Mâconnais ainsi que du Beaujolais.

Le Clos est élaboré à partir d'une unique parcelle de 2,3 ha, au sol d'argile et de calcaire. Après un bel été, les vendanges de 2005 débutèrent le 17 septembre et s'achevèrent le 28 du même mois. Après une fermentation alcoolique et une fermentation malolactique complète (stoppée certaines années), le vin passe neuf mois dans du chêne âgé de 2 à 5 ans. Le vin révèle des arômes floraux et de noyau de fruit, et possède ces mêmes caractéristiques en bouche, qui se mêlent ici à des saveurs d'abricot et de pomme. Le vin est équilibré par une acidité rafraîchissante et une finale satisfaisante de longueur modérée. **JW**

Gaia
Ritinitis Nobilis Retsina

Origine Grèce, Péloponnèse, Nemea
Type vin blanc sec, 12 % vol.
Cépage Roditis
Non millésimé, à boire dans l'année
€€

L'image que se font de nombreux touristes du Retsina repose sur le souvenir d'un repas pris à la taverne locale et des grands pichets de vin posés au milieu de la table. Le goût du vin – évoquant le pin fraîchement coupé ou l'aggloméré – se marie à merveille avec la nourriture locale grecque.

Ajoutez le nom Gaia au Retsina et vous entrez dans une autre dimension d'expérience gustative. Les fondateurs de Gaia – Leon Karatsalous et Yannis Parakevopoulos – ont choisi non pas le Savitiano, pauvre en acides, mais le noble Roditis, cultivé dans un vignoble au rendement faible, orienté vers le nord. Le vin est fermenté à basse température et comme pour tous les Retsina, lorsque le moût fermente, on y ajoute une résine obtenue en coupant le tronc de pins, ce qui donne le caractère si spécial au vin. Pour le Retinitis Nobilis, il s'agit d'une résine délicate provenant du conifère *Pinus halepensis*.

Il en résulte un Retsina subtil aux arômes d'agrumes et à l'acidité rafraîchissante, avec juste un soupçon de pin. Ce vin est à son apogée lorsque dégusté avec des mets méditerranéens, et plus subtil, fruité et complexe que le vin de ces pichets estivaux. **GL**

Giaconda
Chardonnay

Origine Australie, Victoria, Beechworth
Type vin blanc sec, 14 % vol.
Cépage Chardonnay
Millésime dégusté 2002, à boire jusqu'en 2015
€€€

Alors qu'il travaille chez Brown Brothers, Rick Kinzbrunner décide de planter ses vignes à Beechworth, célèbre pour ses mines d'or, et ses sols à base de granit. Le domaine des vignes de Chardonnay se situe sur une parcelle très riche en quartzite. Kinzbrunner produisit son premier Cabernet-Sauvignon en 1984 et son premier Chardonnay en 1985. Comme la température augmente, il va déplacer ses vignes de Chardonnay vers des coteaux plus frais, orientés vers le sud, dans le but de protéger la délicatesse du vin – qui évolue alors vers un style plus ample et plus opulent. Les années de grande chaleur, celui-ci devient en effet un peu trop gras et trop puissant.

Le 2002 est l'un des Giaconda Chardonnay les plus amples et complexes, produit d'un été frais qui a donné de bons vins blancs dans tout l'est de l'Australie. Les arômes de confitures de pêche et d'abricot du vin jeune se sont développés pour donner des arômes multiples de noisette grillée, de blé, de beurre et de noyaux de fruits pochés. Intense, plein, ample et persistant en bouche, avec une touche de chaleur en finale, due à l'alcool. Meilleur à partir de 2008, il devrait rester bon pendant six à dix ans de plus. **HH**

Château Gilette
Crème de Tête

Origine France, Bordeaux, Sauternes
Type vin blanc doux
Cépages Sém. 94 %, Sauv. bl. 4 %, Muscadelle 2 %
Millésime dégusté 1955, à boire jusqu'en 2015+
€€€€€

Situé juste en dehors du village de Preignac, et juste en dehors de la classification, Gilette est l'un des noms les plus extraordinaires de Sauternes, et même de tout le Bordelais. Planté sur un sol sablonneux avec une base d'argile et de pierre, le vignoble se compose d'un peu moins de 3,6 ha. Le Crème de Tête, vin emblématique de la maison, n'est fabriqué qu'à partir de vendanges exceptionnelles. Il repose dans de petites cuves de béton pendant vingt ans. Cet élevage prolongé a l'avantage d'offrir aux vins une maturité plus complexe que s'ils vieillissaient en bouteille.

Les conditions de vendanges de 1955 sont difficiles à surpasser, avec un climat favorable à la qualité comme à la quantité. Les vendanges débutèrent le 21 septembre et se poursuivirent pendant le mois d'octobre, chaque grappe étant rigoureusement inspectée et privée uniquement des baies les plus pourries. Le vin sera finalement mis en bouteilles vingt-six ans plus tard, en 1981. À présent, la robe a pris une profonde couleur fauve et le bouquet demeure onctueux et riche. En bouche, le vin garde un soupçon d'acidité citrique croquante, un botrytis légèrement caramélisé et une finale musclée et triomphante. **SW**

Domaine Gourt de Mautens
Côtes du Rhône Villages Rasteau

Origine France, côtes du Rhône
Type vin blanc sec, 13 % vol.
Cépages Grenache blanc, Bourboulenc, autres
Millésime dégusté 1998, à boire jusqu'en 2013+
€€€

Étant parvenu à produire quelques vins rouges et blancs (moins habituel) très concentrés au sein de l'appellation du sud du Rhône peu prometteuse de Rasteau, Jérôme Bressy fit la une à la fin du millénaire.

Aujourd'hui, il possède 12 ha et produit environ 25 000 bouteilles. Les vins portent le label Ecocert, prouvant leur fabrication selon des principes organiques. Bressy s'inspira d'abord de Châteauneuf, où il trouva des modèles comme Henri Bonneau et feu Jacques Reynaud. Comme eux, il décida de réduire son rendement à moins de la moitié autorisée par l'AOC. Son Rasteau rouge a été comparé à du Porto sec. Les Rasteaux blancs sont extrêmement rares, et encore plus chers que les rouges.

Bressy a abandonné le petit chêne pour les grandes barriques et élève le vin dans du bois pendant dix à douze mois. Son blanc 1998 suscite la controverse : certains y ont détecté un goût de colle et une odeur de paille chaude, tout en pointant du doigt sa robe sombre et développée. D'autres ont admiré ses notes florales, l'arôme de bourgeons d'acacia, sa corpulence en bouche et le chêne bien intégré. **GM**

Graf Hardegg V
Viognier

Origine Autriche, Weinviertel
Type vin blanc sec, 13,5% vol.
Cépage Viognier
Millésime dégusté 2003, à boire jusqu'en 2012
€€€

Ce vin très apprécié reste encore aujourd'hui le seul Viognier produit en Autriche. Il est issu de la région de Weinvertel, à une heure au nord de Vienne.

Lorsque le vinificateur Peter Malberg fit ses débuts ici, personne ne savait alors quels étaient les meilleurs cépages pour la région. Le problème venait en partie de la viticulture : l'agriculteur moyen possède environ 15 ha de terres, dont seule une partie est dédiée au vin. En revanche, Hardegg possède 43 ha de vignes, divisés en cinq parcelles. En 1995, sa décision de planter un hectare de Viognier sema la controverse. Le choix s'avéra finalement judicieux, et le vin s'établit comme un vin de style, expression sophistiquée de ce cépage désormais à la mode.

Les millésimes 2001 et 2002 sont très bons, mais le 2003 est sans doute encore meilleur. Le fruit s'y exprime avec clarté et croquant, et le vin possède une charmante tension entre l'ampleur de la texture caractéristique du Viognier et la fraîcheur de l'acidité. Le vin est fermenté à l'aide de levures indigènes dans de grandes barriques de chêne, dont une partie est jeune. Agréable à boire à sa sortie, il peut potentiellement se développer jusqu'à dix ans en bouteille. **JG**

Grans-Fassian
Leiwener Riesling Eiswein

Origine Allemagne, Moselle-Sarre-Ruwer
Type vin blanc doux, 6,5 % vol.
Cépage Riesling
Millésime dégusté 2004, à boire jusqu'en 2035+
€€€€€

En 2004, presque toute la région allemande de Riesling reçut la bénédiction en une nuit d'une bonne récolte de raisins gelés, quatre jours avant Noël. Pour Gerhard Grans, les raisins proviennent de Leiwener Laurentiuslay, un mur en terrasses composé d'ardoise grise, dont il réserve le fruit à un vin sec. Le Laurentiuslay est l'un des vignobles de Moselle au potentiel exceptionnel. Mais on n'a jamais connu de Riesling issu de ce site tel que cet Eiswein 2004.

Une sensation de fumé de mauvais augure et un léger picotement dans les narines sont les signatures de ce genre glacé. Épais et visqueux en bouche, cet élixir possède une ressemblance superficielle avec un glaçage vanillé traversé de jus de citron frais, ce qui n'est pas inhabituel pour un jeune Eiswein. Les confitures de coing et de prune jaune évoquent l'un des nombreux Rieslings de Laurentiuslay. Avec cette pénétration si tranchante, les dégustateurs ayant encore des amygdales doivent prendre garde de ne pas les perdre. Oui, c'est un vin tout en excès, mais qui ne manque pas de raffinement. Dégusté aujourd'hui, il vous coupera le souffle. Vos descendants le trouveront moins audacieux, mais pas moins merveilleux. **DS**

Josko Gravner
Breg

Origine Italie, Frioul
Type vin blanc sec, 14 % vol.
Cépages Sauv., Chard., Pinot gris, Riesling Italico
Millésime dégusté 1999, à boire jusqu'en 2020+
€€€

Génie ou hérétique ? Josko Gravner polarise l'opinion comme aucun autre vigneron italien. Les vins frioulais sont typiquement faits dans un style ultra-propre et aromatique – Gravner lui-même fait partie des pionniers du genre. En 1998, il a cependant commencé à expérimenter une méthode de viticulture qui emploie de grandes barriques de chêne et des amphores. Depuis 2001, Gravner n'utilise toutefois que des amphores pour la fermentation et la macération de ses trois vins – les deux blancs, Ribolla et Breg, et le rouge Rosso Gravner. Le domaine, composé de 18 ha de vignobles, se situe à proximité de Gorizia, et chevauche la frontière italo-slovène.

Les amphores proviennent de Géorgie et sont recouvertes de cire d'abeille juste après leur mise au feu, afin de permettre à la cire de pénétrer l'argile. Elles sont ensuite enfouies dans la terre.

Le style oxydatif et tannique des vins blancs de Gravner est un anathème absolu pour ceux qui aiment leur vin frais et limpide. Lors d'une dégustation des meilleurs vins blancs italiens organisée par World of Fine Wine en 2005, Alison Buchanan qualifie le Breg 1999 d'« étrange », tandis qu'Alex Hunt le trouve « désagréablement âcre. Ses autres caractéristiques et qualités [n'étant] pas de taille ». Nicolas Belfrage déclare, quant à lui, que « ce vin demande réflexion ». Depuis 2001, le vin est devenu encore plus difficile. Que l'on considère ses vins bons, mauvais ou indifférents, Gravner le solitaire est un iconoclaste, qui défie à la fois l'orthodoxie de la viticulture et le consommateur. **SG**

Château Grillet
Cuvée Renaissance

Origine France, Rhône septentrional
Type vin blanc sec, 13 % vol.
Cépage Viognier
Millésime dégusté 1969, à boire jusqu'en 2012+
€€€€

Château Grillet est l'une des appellations les plus incongrues de France. Propriété d'une seule et même famille depuis 1825, le domaine se compose d'un seul vignoble planté dans un vaste amphithéâtre naturel, le château étant perché au sommet. Étant donné le rang assez secondaire des vins de la vallée du Rhône dans la hiérarchie des vins français, on peut être surpris qu'une telle appellation existe.

Les quelque 25 ha de vignes sont alignés le long du Rhône, face aux usines et aux complexes industriels que leur a depuis longtemps préférés la main-d'œuvre régionale. Le domaine a connu des moments difficiles, surtout lors de la crise du vin dans les années 1970 et 1980, après des années 1960 florissantes. Les propriétaires se sont repris dans les années 2000 et ont investi dans de nouvelles caves. Ils ont aussi engagé un nouveau consultant. Mais la Cuvée Renaissance existe depuis la fin des années 1960, date à laquelle elle faisait déjà l'objet d'une mise en bouteilles distincte.

Il est sorti exactement 1 730 bouteilles de cette Cuvée Renaissance 1969. C'est un vin qui mérite de vieillir longuement en cave, car il est beaucoup plus réservé que son voisin Condrieu. C'est peut-être le sol de granit et de mica qui lui donne dans sa jeunesse cette nature très métallique. Avec le temps, le vin se développe pour offrir des arômes de fleur et de laine humide et des saveurs gourmandes de poire et d'abricot, avec quelques notes épicées conduisant à une pointe minérale en finale. **JL-L**

Château Grillet se cramponne au flanc d'une colline, au milieu de ses vignes. ➔

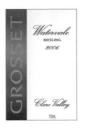

Gróf Dégenfeld
Tokaji Aszú 6 Puttonyos

Origine Hongrie, Tokaj
Type vin blanc doux, 10 % vol.
Cépage Furmint
Millésime dégusté 1999, à boire jusqu'en 2015+
€€€€

    L'histoire de Gróg Dégenfeld est celle de la renaissance rare, mais significative, d'un domaine aristocratique de l'ex-bloc soviétique après la chute du rideau de fer en 1989. Les Dégenfeld sont une famille hongro-allemande réputée dans la fabrication de Tokaj haut de gamme au XIXᵉ siècle. Le domaine de 100 ha fut saisi par les communistes après 1945. Il appartient à présent à l'entrepreneur allemand Thomas Lindner, époux de la comtesse Marie, la fille de Gróf Sandor Dégenfeld-Schönfeld. En 1996, Lindner décide de développer le domaine familial de son beau-père.

    Le 6 Puttonyos 1999 a une teneur en sucre résiduel de 173 g/l et une acidité de 11 g/l. Il est issu des vignobles du domaine situés au nord de Tarcal. Les sols contiennent du loess et du *nyirok* – un sol volcanique érodé par les éléments, de style argile, typique des collines de Zemplén. Le vin arbore une robe dorée aux nuances d'ambre. Le nez révèle une touche de cuir et de noisettes, qui se mêlent à un soupçon de miel et d'amandes. En bouche, il évoque la prune, la reine-claude, la pêche jaune et l'abricot. Il possède une bonne longueur et se termine sur une impression de noisettes onctueuses. **GM**

Grosset
Watervale Riesling

Origine Australie, Clare Valley
Type vin blanc sec, 13 % vol.
Cépage Riesling
Millésime dégusté 2006, à boire jusqu'en 2016
€€

    Le Riesling de Grosset Watervale est un vin issu d'un seul vignoble, produit à partir de Riesling cultivé dans le vignoble d'altitude de Springvale. Jeffrey Grosset est un maître réputé du Riesling australien. «Faire du Riesling est la forme la plus pure de vinification, explique-t-il, parce que le vigneron est très limité dans ses choix. Pas de chêne, pas de fermentation malolactique, et aucun contact avec les lies ou les pellicules n'est permis. Une approche disciplinée est nécessaire pour garder les caractéristiques inhérentes au fruit et l'expression du vignoble.»

    Ce vin est la parfaite illustration du style classique de Clare Valley, avec sa retenue, sa pureté du fruit et un goût qui vous met l'eau à la bouche. Il possède un nez floral, avec des arômes de citron et de citron vert. En bouche, il est délicat mais intense, avec de puissantes saveurs concentrées d'agrumes sous-tendues par une note minérale. Comme d'habitude, le Watervale 2006 est solidement charpenté, légèrement charnu et fait preuve d'un corps impressionnant, et d'une acidité croquante sur la longue et belle finale. Il peut être consommé jeune et frais, ou vieilli jusqu'à une dizaine d'années pour plus de complexité. **SG**

🍴 Ce restaurant fait partie du Palais Dégenfeld, sur la place principale de Tokaj.

Domaine Guffens-Heynen
Pouilly-Fuissé La Roche

Origine France, Bourgogne, Mâconnais
Type vin blanc sec, 13 % vol.
Cépage Chardonnay
Millésime dégusté 2002, à boire jusqu'en 2015
€€€

En 1980, Jean-Marie et Maine Guffens-Heynen, un couple belge, produisirent leur premier millésime dans le Mâconnais. Jean-Marie continue à faire, dans son hectare de vignes situées sur le splendide sol rocheux de Vergisson, un Pouilly-Fuissé classique qui est l'un des modèles de la renaissance de cette appellation, son petit vignoble entrant en concurrence avec les grands domaines tels que Château de Fuissé et Château de Beauregard. Guffens a une approche traditionnelle de la viticulture, «la façon de Grand-Père», permettant au vin de se faire tout seul.

Le sol de Vergisson est très peu profond, la vigne prenant racine dans la roche calcaire. Cette Cuvée La Roche possède donc une exceptionnelle profondeur de saveurs minérales, aidée par la vendange 2002. Dans le Mâconnais, il s'agit partout d'une année excellente mais difficile : un été chaud parsemé d'averses, qui exige une date de vendanges très précise, et une cueillette manuelle à la demande insistante de Jean-Marie. Le transfert par gravité du moût et une manipulation très réduite en cave donnent un vin d'une austérité majestueuse en harmonie avec les saveurs de miel et de citron d'un Chardonnay. **ME**

Château Guiraud

Origine France, Bordeaux, Sauternes
Type vin blanc doux, 13,5 % vol.
Cépages Sémillon 65 %, Sauvignon blanc 35 %
Millésime dégusté 2005, à boire jusqu'en 2035
€€€

Cette vaste propriété, le seul premier cru dans la commune de Sauternes autre que d'Yquem, fut achetée par Frank Narby, un armateur canado-égyptien, en 1981. Son fils Hamilton reprit en main le domaine en annonçant audacieusement qu'il défierait la suprématie d'Yquem. Il n'y est peut-être pas parvenu, mais il a indubitablement transformé Guiraud en un premier cru digne d'estime. L'implication personnelle de la famille Narby croît et décroît au fil des ans, et en 2006, le producteur Xavier Planty organise un consortium et ils font une offre d'achat, couronnée de succès.

Guiraud possède une plus grande proportion de Sauvignon blanc que la plupart des domaines de Sauternes, et si Planty valorise le caractère fumé qu'il donne au vin, il n'est pas sur la même longueur d'ondes que d'autres vignerons qui préfèrent vendanger le Sauvignon tôt pour donner de la fraîcheur au vin. Le vin, élevé dans au moins 50 % de jeune chêne pendant vingt-quatre mois au maximum, est étoffé et charpenté, et offre souvent un caractère botrytisé prononcé. Le 2005 a des arômes de pêche, est voluptueux et velouté et reste un vin complexe et long en bouche. **SBr**

Château Guiraud s'appela la maison de Bayle jusqu'au XVIIIe siècle. ➡

Guitián
Valdeorras Godello

Origine Espagne, Galice, Valdeorras
Type vin blanc sec, 12,5 % vol.
Cépage Godello
Millésime dégusté 2006, à boire jusqu'en 2011
€

Le Godello est un raisin blanc que l'on trouve en Galice, au nord-ouest de l'Espagne, principalement dans l'appellation Valdeorras ainsi qu'au Portugal, où il porte le nom de Gouveio. Vers la moitié des années 1990, la famille Guitián lui a donné une nouvelle dimension grâce à ses superbes vins produits avec l'aide de José Hidalgo et d'Ana Martín.

Le domaine La Tapada, où sont cultivés 9 ha de vignes depuis 1985, se situe à 548 m au-dessus du niveau de la mer. Le sol est riche en ardoise, avec des pentes douces d'orientation sud. On y trouve un méso-climat particulier, qui subit les influences atlantique et continentale, et les vins offrent une forte sensation de terroir. 1992 est le premier millésime fermenté à l'aide de levures indigènes dans des cuves d'acier inoxydable, sans fermentation malolactique.

Guitían a réussi à convaincre les consommateurs espagnols que le vin blanc peut, lui aussi, s'améliorer après quelques années en bouteille. Le 2006 a une robe jaune or aux reflets verts. Il possède un nez fin, complexe et parfumé, à la personnalité marquée, avec d'élégantes notes de feuilles de laurier, de moutarde, d'abricot, et de fenouil, de pamplemousse, de musc, ainsi que des notes minérales de pierre à fusil et de poudre. En bouche, il est de corpulence moyenne, bien défini, élégant, pur et rafraîchissant, relevé par une belle acidité et soutenu par d'intenses saveurs qui se prolongent jusqu'à la très longue finale. **LG**

Les vignobles à l'automne. Au loin, le village de Larouco. ➜

Gunderloch *Nackenheimer Rothenberg Riesling AG*

Origine Allemagne, Hesse rhénane
Type vin blanc doux, 10 % vol.
Cépage Riesling
Millésime dégusté 2001, à boire jusqu'en 2020
€€€€

Cette exploitation de premier plan, située à Nackenheim, fut fondée en 1890 par le banquier de Mainz, Carl Gunderloch. Agnès et Fritz Hasselbach ont développé un style qui réinterprète les caractéristiques du vin blanc allemand : intense richesse minérale, harmonie inhabituelle malgré l'acidité marquée, et de profondes saveurs fruitées. Fritz Hasselbach affirme : «Pour moi, l'aspect le plus important est de faire ressortir le terroir sous son meilleur jour. Je sais que notre site est notre plus grand trésor et je me sens obligé de ramener ce trésor à la vie chaque année.»

Il connaît un succès régulier sur l'excellent site de Rothenberg. Ce vignoble descend jusqu'au Rhin et est orienté vers le sud-est. Les vignes de Riesling ont été plantées dans les années 1970, ont des racines de presque 50 m de long et sont exposées au soleil, la large surface du fleuve leur servant de «réflecteur solaire» géant. Le sol d'argile rouge se réchauffe rapidement, emmagasinant suffisamment de chaleur vers la fin de l'automne pour donner aux raisins une maturité luxuriante. Les vins de ce site offrent des arômes particuliers, sont riches en extrait et possèdent une bonne charpente. **FK**

Fritz Haag *Brauneberger Juffer-Sonnenuhr Riesling ALG*

Origine Allemagne, Moselle
Type vin blanc doux, 7 % vol.
Cépage Riesling
Millésime dégusté 2002, à boire jusqu'en 2030+
€€€€

Le nom d'origine de l'exploitation Fritz Haag, Dusemonder Hof, évoque le nom originel du village. Jusqu'en 1925, le nom Brauneberg ne s'appliquait qu'au coteau planté de vignes situé sur la rive opposée de la Moselle, où se trouve le site mondialement connu de Juffer. Un vieux cadran solaire donne son nom à la parcelle de Sonnenuhr («heure solaire»). Avec une pente escarpée orientée sud-sud-est et un sol d'argile et d'ardoise très rocailleux, Juffer-Sonnenuhr se place depuis toujours parmi les meilleurs vignobles de vin blanc du monde, égalé en Moselle uniquement par Wehlener Sonnenuhr et Bernkasteler Doctor. Le Riesling cultivé ici associe donc la richesse minérale caractéristique d'un sol d'ardoise avec l'expression élégante et fruitée d'une grande maturité.

Depuis des dizaines d'années, les vins Auslese de Wilhelm Haag sont une expression exemplaire du site dont ils sont issus. Ils allient richesse aromatique enivrante, texture soyeuse et longueur extrême, tout en étant d'une légèreté et d'une subtilité presque éthérées. Dans l'Auslese Lange Goldkapsel 2002, cette tension interne magique est presque palpable. **FK**

Le vignoble Juffer-Sonnenuhr face au Brauneberg sur l'autre rive de la Moselle. ➜

Hamilton Russell Vineyards *Chardonnay*

Origine Afrique du Sud, Walker Bay
Type vin blanc sec, 13,3 % vol.
Cépage Chardonnay
Millésime dégusté 2006, à boire entre 2009 et 2016
€€€

Pendant des années depuis 1975, les Hamilton-Russell ont été certainement les porte-parole les plus passionnés du terroir en Afrique du Sud. Leur leadership est très significatif en bien d'autres aspects. Ils ont sélectionné leur propriété de la vallée relativement méridionale et fraîche de Hemel-en-Aarde («Ciel-et-Terre») précisément parce qu'elle semblait potentiellement appropriée aux deux grands cépages de la Côte d'Or. Les vignes sont refroidies par les brises venues de la mer, qui ne se trouve qu'à 3 km de là. Des efforts ont été faits à grand peine pour parvenir à la plus grande qualité technique possible – c'est-à-dire malgré d'importants problèmes bureaucratiques pendant les premières années, lorsque la réglementation était encore très sévère.

D'autres ont construit leur réputation sur le travail de ces pionniers dans la région, Hamilton Russell Vineyards s'est quant à lui agrandi et a gardé sa réputation internationale de premier plan. Pour Pierre Crisol, du Gault-Millau, le Pinot noir comme le Chardonnay du domaine «ne connaissent pas de rivaux parmi les meilleurs vins du *Nouveau Monde*».

Ce Chardonnay a contribué à l'appréciation internationale croissante de la subtilité, de l'acidité naturelle et de la longévité des meilleurs vins blancs sud-africains. Il fait preuve d'une capacité à maintenir son fruit et sa fraîcheur, mais aussi à vieillir avec grâce. Subtilement boisé, le vin est soyeux, avec une charpente puissante et élégante et une acidité fraîche, dévoilant son fruit par-dessus une minéralité fraîche de galets. **TJ**

AUTRES SUGGESTIONS
Autres grands millésimes
2001 • 2003
Autres Chardonnays sud-africains
Bouchard Finlayson • Chamonix • Glen Carlou • Meerlust Newton Johnson • Vergelegen

Les vendanges dans un vignoble de Hamilton Russell, près de Hermanus. →

Hanzell *Chardonnay*

Origine États-Unis, Californie, Sonoma Valley
Type vin blanc sec, 14,5 % vol.
Cépage Chardonnay
Millésime dégusté 2003, à boire jusqu'en 2018
€€€

Fondé il y a cinquante ans par un riche ex-ambassadeur américain, James Zellerbach, Hanzell est l'une des premières boutiques californiennes de vins. Désormais un musée, le chai originel s'inspirait, de manière plutôt libre, de Clos Vougeot et, dès le départ, Zellerbach s'est concentré sur les cépages bourguignons. En Californie, Hanzell fut un pionnier de la fermentation en barrique. Après le décès de Zellerbach en 1963, sa veuve vendit le domaine, qui appartient à présent à Alexander de Brye. Le premier et le plus innovateur des vinificateurs de l'exploitation, Brad Webb, installa les cuves de fermentation carrées en acier, révolutionnaires en 1956. Entre 1973 et 2001, Bob Sessions a été à la barre et a amélioré le style boisé de Hanzell.

La plupart des vignes de Chardonnay ont été replantées il y a dix-huit ans et seule une petite parcelle de vignes des années 1950 a survécu. Le rendement demeure extrêmement bas car la sélection plantée ici donne de très petites baies, d'où la concentration et la remarquable longévité du vin. Seule une petite partie du moût est fermentée en barrique et le vin est ensuite élevé pendant environ douze mois dans 30 % de jeune chêne français. Le 2003, aux riches arômes de miel et de pain grillé, peut se confondre avec un Meursault, en particulier lorsque l'ampleur de son corps est tranchée par une fine ligne d'acidité. La teneur en alcool est élevée, comme c'est souvent le cas avec le Chardonnay Hanzell, mais cela n'est pas perceptible en bouche et le vin possède une finale prolongée. **SBr**

AUTRES SUGGESTIONS
Autres grands millésimes
1994 • 1995 • 1996 • 1997 • 1998 • 1999 • 2002 • 2004
Autres Chardonnays californiens
Sutton-Coldfield • Flowers • Kistler • Marcassin Newton • Stony Hill

Les vignes en bordure du chai de Hanzell dans le comté de Sonoma. ➜

Château Haut-Brion
Blanc

Origine France, Bordeaux, Pessac-Léognan
Type vin blanc sec, 13,5 % vol.
Cépages Sémillon 55 %, Sauvignon blanc 45 %
Millésime dégusté 1998, à boire jusqu'en 2020
€€€€€

Cette grande propriété a longtemps produit une petite quantité de vin blanc magistral, issu de 3 ha de raisins blancs. Le rendement de Sauvignon blanc est très bas, car les vignes souffrent d'une maladie appelée eutypiose, tandis que le Sémillon donne une vendange plus importante. Le microclimat ici est précoce car le domaine est situé en ville, et Haut-Brion est souvent le premier domaine de Bordeaux à vendanger ses raisins.

Quelle que soit la date des vendanges, les raisins sont toujours mûrs, avec un taux d'alcool entre 13 et 14 %. Le moût est fermenté dans de nouvelles barriques Allier et élevé pendant environ douze mois. Auparavant, le Haut-Brion était entièrement élevé dans du jeune chêne, mais de nos jours la proportion avoisine plutôt les 45 %. Les lies sont peu remuées, car le vin fait déjà preuve de gras et d'ampleur.

Dans les années 1980, le vin arborait des arômes et saveurs de chêne très prononcés, qui semblent aujourd'hui excessifs aux amateurs, mais cette influence boisée s'est depuis modérée, lui donnant un meilleur équilibre. 1998 est une excellente année pour les vins rouges de Pessac-Léognan, tout comme pour les blancs de Haut-Brion. Les arômes sont riches, boisés et épicés : il s'agit là d'un vin d'une énorme concentration et d'un extrait moelleux. Comme souvent pour le Haut-Brion, le Sauvignon n'est pas très évident, grâce à la maturité du fruit. **SBr**

Haut-Brion a été l'un des plus beaux châteaux de Bordeaux. ➔

Hétsőlő
Tokaji Aszú 6 Puttonyos

Origine Hongrie, Tokaj
Type vin blanc doux, 10,7 % vol.
Cépage Furmint
Millésime dégusté 1999, à boire jusqu'en 2015+
€€€€

Le nom de cet excellent domaine du Tokaj est un hommage aux sept frères Garai, membres d'une grande famille de la région qui acquit les terres en 1502. Aujourd'hui, la compagnie possède 50 ha des meilleures vignes de Tokay, sur le versant sud du mont Tokaj, à une altitude d'environ 300 m. Les deux vignobles s'appellent Nagy et Kisgarai, soit le grand et le petit Garai. Ils jouissent d'une localisation parfaite. La compagnie possède également les caves historiques de Rákóczi, au cœur du Tokaj.

Les vignes sont plantées sur des sols de lœss avec sous-sol de granit et se caractérisent par des vins légers et fruités, d'une acidité relativement faible. Le 6 Puttonyos 1999 contient 157 g/l de sucre résiduel avec une acidité de 9,7 g/l, quantités non négligeables. Le vin possède une pâle robe dorée, un bouquet de miel et de riz au lait, ainsi qu'un soupçon de poires et de pêches blanches charnues bien cuites. Le fruit est rafraîchissant en bouche et le goût semble inexistant au départ, avant de s'élever en un lent crescendo. Ce n'est pas un vin immense, mais il laisse une plaisante impression de pêche sur la fin. À déguster de préférence avec du foie gras ou un dessert riche. **GM**

Freiherr Heyl zu Herrnsheim
Niersteiner Pettental Riesling Auslese

Origine Allemagne, Hesse rhénane
Type vin blanc doux, 9,5 % vol.
Cépage Riesling
Millésime dégusté 2001, à boire jusqu'en 2020
€€

La zone que l'on appelle la « terrasse du Rhin », située entre Nackenheim et Worms, où les vignobles s'étendent vers l'est en direction du fleuve, donne une qualité de vin différente des vastes plaines éloignées de l'eau. L'excellent potentiel de cette région se concentre en particulier dans le Roter Hang (« coteau rouge »), entre Nierstein et Nackenheim, dont le sol rouge composé d'ardoise argileuse est à l'origine du nom. Heyl zu Herrnsheim ne possède qu'environ 3,5 ha du vignoble de Pettenthal (30 ha) mais ce domaine est depuis toujours considéré comme le principal interprète de ce terroir. De plus, l'exploitation est pionnière de la viticulture organique en Allemagne.

L'Auslese 2001 issu du vignoble de Pettenthal en est un excellent exemple. Un peu plus mûr et plus amplement charpenté que certains vins semblables de la région voisine du Rheingau, ce vin captive par son fruit exotique. Tous les vins de Pettenthal possèdent une remarquable longévité, gagnant en complexité sans jamais perdre ce caractère épicé presque huileux qu'ils tirent du sol d'ardoise argileuse. Au domaine, ce vin est souvent servi en compagnie de fruits frais, en particulier de fraises mûres. **FK**

◀ Un hygromètre indique un haut taux d'humidité dans une cave à vin du Tokaj.

Heymann-Löwenstein *Riesling*
Von Blauem Schiefer TBA

Origine Allemagne, Moselle, Winningen
Type vin blanc doux, 7 % vol.
Cépage Riesling
Millésime dégusté 2002, à boire jusqu'en 2050
€€€€€

Autrefois révolutionnaire, ayant débuté avec presque rien et produit uniquement des vins extrêmement secs, Reinhard Löwenstein fabrique également aujourd'hui des Rieslings nobles doux d'une qualité sublime. Ses vignobles sont perchés sur les coteaux de Coblence. Les Allemands surnomment cet endroit la Terrassenmosel («Terrasses de Moselle»), des vignobles en terrasses qui semblent accrochés tels des nids d'hirondelles aux falaises rocheuses surplombant la vallée fluviale. Beaucoup de ces vignobles furent classés comme grands crus par les Prussiens, qui contrôlaient la région à l'époque napoléonienne.

Von Blauem Schiefer signifie «ardoise bleue» et évoque le sol prédominant dans les meilleurs vignobles, qui offre au vin sa minéralité salée et son élégance fraîche. Ce Trockenbeerenauslese 2002 est le vin le plus luxuriant jamais produit par le domaine. Bien que Löwenstein se soucie peu de l'analyse chimique, le taux d'acidité de 17,5 g/l et la teneur en sucre résiduel de 334 g/l sont plutôt inhabituels. Il préfère parler d'harmonie interne et de complexité, qui donnent effectivement à ce vin – dont seuls 152 litres ont été produits – son statut international. **JP**

Hiedler
Riesling Gaisberg

Origine Autriche, Kamptal
Type vin blanc sec, 12,5 % vol.
Cépage Riesling
Millésime dégusté 2004, à boire jusqu'en 2012
€€

Ludwig Hiedler est de ces vignerons dont les caves contiennent des vins permettant de comparer les vertus de Heiligenstein à celles de Gaisberg. La complexité du gneiss érodé et du micaschiste riche en argile et en humus se reflète dans un Riesling plus épicé et plus herbacé que le Heiligenstein, qui ne perd pas pour autant son caractère minéral.

Le 2004 a été conçu dans une cave complètement refaite et Hiedler a décidé de ralentir ses fermentations, s'appuyant sur des levures ambiantes, des niveaux de soufre bien moins importants et une mise en bouteilles tardive. «L'automne s'est avéré presque constamment humide et brumeux», rapporte-t-il, et a abouti à des vendanges plus tardives que jamais: c'est la première fois que Hiedler doit finalement éliminer la moitié de chaque grappe.

L'approche de Hiedler et le caractère de la vendange ont donné des vins irréguliers: lors de leur passage en barrique, Gaisberg et Heiligenstein ne présageaient rien de bon. Le botrytis était aussi de la partie mais les plus grands vins sont parfois ceux qui se détachent du lot lors d'années difficiles et en voici un qui en apporte la preuve. **DS**

◄ Des jeunes feuilles de vignes de Riesling dans un vignoble de Winningen.

Hirtzberger
Singerriedel Riesling Smaragd

Origine Autriche, Wachau
Type vin blanc sec, 13,5 % vol.
Cépage Riesling
Millésime dégusté 1999, à boire jusqu'en 2015
€€€

Lorsque Franz Hirtzberger achève de récolter le 1er décembre, il possède alors plus de 800 caisses de Riesling Smaragd Singerriedel, plaçant la barre à un niveau sans précédent pour une nouvelle race de vins blancs autrichiens.

Toujours brillant dans sa forme, ce vin fait preuve de saveurs mûres et fumées de fruits tropicaux, d'épices exotiques et de notes minérales indélébiles qui reflètent le gneiss, l'ardoise et le fer contenus dans le sol.

Franz Hirtzberger est l'une des principales figures d'une nouvelle génération de vignerons autrichiens. Son chai se situe sur le Danube, à l'extrémité ouest de la Wachau, juste au-dessus du village de Spitz. Se dressant juste derrière, le vignoble de Singerriedel forme un amphithéâtre couvrant presque 10 ha. Même si la production de 1999 dépasse la moyenne, les vins autrichiens tels que celui-ci se font rares sur le marché mondial. Vu la demande, ce dernier s'épuise rapidement et n'est que rarement disponible dans les ventes aux enchères. Aujourd'hui, le meilleur espoir des amateurs est de dénicher quelques bouteilles de la cuvée récente de 2006, qui compte parmi les meilleurs millésimes jamais issus de ce vignoble. **JP**

Weingut von Hövel
Oberemmeler Hütte Riesling ALG

Origine Allemagne, Moselle-Sarre-Ruwer
Type vin blanc doux, 8 % vol.
Cépage Riesling
Millésime dégusté 2002, à boire jusqu'en 2025
€€€€€

Le domaine de von Hövel possède de forts liens historiques avec la célèbre abbaye Saint-Maximin de Trèves. Cette abbaye est l'un des plus vieux monastères de l'Europe de l'Ouest, et a eu, du Moyen Âge au début du XIXe siècle, un impact significatif sur la viticulture de la Moselle, de la Sarre et du Ruwer. Après la sécularisation, le domaine des moines bénédictins de Saint-Maximin à Oberemmel fut acheté par Emmerich Grach. En 1917, la petite-fille de Grach épousa Balduin von Hövel, et l'exploitation porte depuis son nom.

Bien que von Hövel possède également des terres dans le célèbre vignoble de Scharzhofberg, le site d'Oberemmeler Hütte (5,1 ha), monopole de von Hövel, est considéré comme le fleuron du domaine. Les vins cultivés ici se placent parmi les plus subtils et les plus complexes de cet Anbaugebiet.

L'Auslese Lange Goldkapsel (ALG) 2002 (« longue capsule dorée ») fait preuve d'un équilibre superbe. Ce vin, vendangé le 11 décembre, s'illustre par une acidité d'acier (10,3 %) typique de la Sarre, tandis que les saveurs fruitées sont marquées par la richesse minérale caractéristique du sol érodé d'ardoise bleue datant du Dévonien. **FK**

Howard Park
Riesling

Origine Australie, Australie-Occidentale
Type vin blanc sec, 13 % vol.
Cépage Riesling
Millésime dégusté 2006, à boire jusqu'en 2026
€€

Howard Park possède deux résidences en Australie-Occidentale, avec des exploitations à Margaret River et dans le Grand Sud. Dans cette région, Howard Park est un domaine de taille considérable. Le vin porte-drapeau en est le Riesling, créé en 1986, qui jouit aujourd'hui d'un statut emblématique. Le Riesling de Howard Park a révélé au reste de l'Australie la qualité de ce cépage issu du Grand Sud et démontré que la région est un concurrent sérieux à la suprématie des Rieslings de Clare Valley et d'Eden Valley.

Le Grand Sud est une région énorme. Les raisins de Howard Park sont issus des districts de Mount Barker et de Porongurups.

Produit en petites quantités, ce Riesling possède un goût puissant de citron et d'agrumes et une acidité prononcée, caractéristiques classiques de ce cépage. Tout en restant austère, le vin fait preuve de générosité et d'élégance. C'est un vin qui peut vieillir sans problème au moins vingt ans. Sec, minéral et très frais, c'est un classique en son genre. **SG**

Domaine Huet
Le Haut-Lieu Moelleux

Origine France, vallée de la Loire, Touraine
Type vin blanc demi-sec, 10 % vol.
Cépage Chenin blanc
Millésime dégusté 1924, à boire jusqu'en 2025+
€€€€€

De tous les cépages blancs, le Chenin blanc et le Riesling se disputent la palme en matière de longévité et de variété stylistique. Et, parmi les vins issus de Chenin blanc, on n'en trouve guère de plus vénérables que les Vouvrays du domaine Huet, dont beaucoup estiment qu'il est le meilleur domaine de France en matière de vins blancs.

Les vins du Haut-Lieu sont généralement plus précoces que ceux qui proviennent des deux autres sites du domaine, Le Mont et le Clos du Bourg. Les vins moelleux sont issus de vignes plantées sur des sols lourds d'argile et de craie, qui leur donnent couramment une capacité de garde de plus d'un siècle.

Le Haut-Lieu Moelleux 1921 a été le meilleur millésime de la décennie, à armes égales avec Yquem, mais le 1924 est tout à fait capable de soutenir la comparaison. Même ceux qui connaissent bien les vins Huet pourraient se tromper de plusieurs décennies lors d'une dégustation à l'aveugle. Sous sa robe dorée et brillante, il reste étonnamment frais et intense, avec des notes précises de miel d'acacia et d'agrumes, et une longueur en bouche incroyable. Un vin décidément sublime et captivant. **NB**

Hugel *Riesling*
Sélection de Grains Nobles

Origine France, Alsace
Type vin blanc doux, 12,5 % vol.
Cépage Riesling
Millésime dégusté 1976, à boire jusqu'en 2025+
€€€€€

L'entreprise familiale de Hugel approche son quatrième siècle d'existence. Lorsque les conditions le permettent, l'Alsace est capable de produire des vins botrytisés du même niveau que le Sauternes. Les styles, divers, sont, bien entendu, entièrement différents du Sauternes.

La cuvée 1976 est l'une des légendes de la fin du XXᵉ siècle, donnant des vins d'une concentration majestueuse au cœur de l'Alsace. Ce vin porte simplement le nom du cépage et du style dont il est issu, alors qu'il pourrait techniquement porter le nom de Grand Cru Schoenenbourg, étant donné que tous les raisins sont issus de cette honorable parcelle vertigineusement escarpée.

À 30 ans d'âge, ce vin garde une vivacité exubérante. Sa robe est d'un jaune or profond et il offre les arômes classiques de pétrole et de miel, caractéristiques du Riesling mûr, soutenus par la richesse de l'abricot séché et de la pêche. En bouche, l'équilibre entre le gras du botrytis, l'acidité et le taux d'alcool relativement bas (12,5 %) lui a permis de rester frais et vif au fil des ans et devrait lui permettre de jouir encore de nombreuses années. **SW**

Hunter's
Sauvignon Blanc

Origine Nouvelle-Zélande, Marlborough
Type vin blanc sec, 13 % vol.
Cépage Sauvignon blanc
Millésime dégusté 2006, boire la cuvée actuelle
€€

Fondé en 1979, Hunter's Wines est le produit des rêves d'Ernie Hunter, marchand de vin de Christchurch né dans l'Ulster, et de sa femme Jane, d'origine australienne. Cinq ans après avoir produit ses premiers vins médaillés, Ernie décède dans un accident de la route à l'âge de 37 ans. Suite à cette tragédie, Jane, elle-même viticultrice hautement qualifiée issue d'une longue lignée de viticulteurs australiens, décide de s'appuyer sur le potentiel avéré du vignoble. En coopération avec son vinificateur en chef Gary Duke et l'œnologue australien Dr. Tony Jordan, Hunter's Wines se consolide.

La réputation de Hunter se base sur son Sauvignon Blanc excellent. Ses raisins sont issus de neuf sites de la Wairau Valley et sont manipulés rapidement afin de conserver leur fraîcheur et leur caractère aromatique – vendangés en avril, mis en bouteilles en août. Exemple du style de Marlborough, ce vin offre des arômes de piment, de groseille à maquereau et de fruits tropicaux mûrs. Au goût, on distingue des saveurs fruitées mûres et nettes, sans aucune trace de chêne. Hunter produit également un Sauvignon du nom de Kaha Roa, terme maori pour « élevé en barrique ». **SG**

Les vins de Hugel sont en vente à leur cave au centre de Riquewihr.

Stefano Inama *Vulcaia Fumé Sauvignon Blanc*

Origine Italie, Vénétie
Type vin de table blanc sec, 13 % vol.
Cépage Sauvignon blanc
Millésime dégusté 2001, à boire jusqu'en 2011
€€

En 1992, Stefano Inama prit en charge le domaine Inama, fondé par son père une trentaine d'années auparavant. Situé au cœur de Soave Classico, Inama a développé depuis un enviable portfolio de vins, allant du Soave Classico croquant et savoureux issu de raisins de Garganega, aux vins plus exotiques tels que cet étonnant Sauvignon Blanc. On y produit aussi un incroyable vin rouge, Bradisismo, assemblage de Cabernet-Sauvignon et de Carménère cultivé sur un terroir spécial. Bon nombre de ces vins portent la mention IGT (Indicazione Geografica Tipica) Veneto en raison de l'utilisation de cépages non autorisés.

Planté pour la première fois en 1986 sur les flancs du mont Foscarino par le père de Stefano, Giuseppe, le Sauvignon Blanc est devenu depuis une spécialité d'Inama. On y fabrique deux vins, qui portent tous deux le nom de Vulcaia, issus de vignes de Sauvignon âgées de 15 ans, élevées sur un système de treillis suspendu (GDC), avec 4 500 vignes par ha et un rendement de 60 hl/ha. Le premier est élevé dans de l'acier inoxydable tandis que le Vulcaia Fumé est fermenté et élevé en petites barriques de chêne. Tous deux sont des vins impressionnants, mais c'est le Fumé qui se détache, car c'est tout simplement un vin intense et un peu fou – le mariage du Sauvignon mûr et du chêne fonctionne de façon surprenante.

Le vin offre un nez riche d'une remarquable complexité, aux notes herbacées et de pain grillé. En bouche, il fait preuve d'une intense complexité herbacée et d'une texture dense. Osé et ample, voici un vin remarquable brillamment distinct. **JG**

Inniskillin *Okanagan Valley Vidal Icewine*

Origine Canada, Colombie-Britannique
Type vin blanc doux, 10 % vol.
Cépage Vidal
Millésime dégusté 2003, à boire jusqu'en 2020
€€€€

Le Canada est un important producteur de vin de glace : on en produit en effet plus que dans tout autre pays. Températures froides pendant l'automne ou l'hiver sont la règle plutôt que l'exception. On recouvre les vignes de filets, préservant ainsi le fruit jusqu'au début des vendanges, en décembre ou en janvier. Les raisins totalement gelés sont habituellement cueillis individuellement, souvent en pleine nuit, et la cueillette est soigneusement pressée en petites quantités de jus pur, puisque tout autre liquide est éliminé avec la glace. Il en résulte un vin concentré très doux. Les réglementations sont strictes : la congélation artificielle est interdite et les taux minimaux de sucre sont fixés à un niveau très élevé.

Différents cépages sont utilisés pour produire le vin de glace au Canada, parmi lesquels le Riesling, le Vidal et le croisement allemand Ehrenfelser. Les vins de glace issus de Riesling sont d'une intensité unique, mais le Canada est probablement plus connu pour ses vins de glace issus de Vidal, puisque ce cépage n'existe presque nulle part ailleurs. Il s'agit d'un hybride français à la pellicule épaisse qui résiste au botrytis, un avantage ici car le botrytis peut altérer les saveurs pures et osées d'un bon vin de glace.

Le 2003 d'Okanagan Valley, vendangé en janvier 2004, offre des arômes complexes de pomme, d'abricot et de citron confit. À une acidité prévisible en bouche s'ajoutent une élégante texture onctueuse et une finale longue et piquante. Inniskillin produit également une version élevée en chêne ainsi qu'un vin de glace pétillant à la fois unique et étrange. **SBr**

La récolte de raisin Vidal dans un vignoble d'Inniskillin. ➜

Isabel
Sauvignon Blanc

Origine Nouvelle-Zélande, Marlborough
Type vin blanc sec, 13 % vol.
Cépage Sauvignon blanc
Millésime dégusté 2006, boire la cuvée actuelle
€€

Isabel Estate Vineyard fut fondé en 1982 par Michael Tiller, alors pilote de ligne, et sa femme Robyn. Avant 1994, Isabel Estate prospérait en tant que fournisseur de raisins de qualité fort recherchée, travaillant sous contrat pour certains des principaux producteurs de vin de Marlborough. La grande qualité du raisin encouragea les Tiller à produire et à vendre leur propre vin. Actuellement à son apogée, Isabel Estate produit sans doute le meilleur Sauvignon blanc de Nouvelle-Zélande, et le seul vin à se mesurer sérieusement à la domination de Cloudy Bay.

Environ 10 % de l'assemblage est fermenté en barrique et les Tiller ont également recours à la fermentation malolactique et aux levures indigènes. Le vin offre des flaveurs de poivron, typiques de Marlborough, mais est cependant dominé par des saveurs fruitées rondes et généreuses, qui se maintiennent jusqu'à la finale longue et précise. Ce Sauvignon de Marlborough est très sec comparé à d'autres vins semblables. L'Isabel est un vin élégant et chic qui peut vieillir agréablement pendant plusieurs années mais qui, comme la plupart des Sauvignons de cette région, est meilleur jeune et frais. **SG**

Itsasmendi
Txakolí

Origine Espagne, Pays basque, Bizkaiko Txakolina
Type vin blanc sec, 12 % vol.
Cépages Hondarrabi Zuri, Riesling, Sauv. bl.
Millésime dégusté 2006, boire la cuvée actuelle
€

Txakolí est le nom que porte le vin blanc du Pays basque (de Bilbao à Saint-Sébastien). Il existe deux DO – Bizkaiko Txakolina et Getariako Txakolina –, une pour chaque province, même si le vin en soi est semblable : un blanc floral, herbacé, pétillant, frais et faible en alcool, produit à partir du cépage Hondarrabi Zuri.

Bodegas Itsas Mendi (« Mer et Montagne » en basque) est une exploitation récente, fondée en 1995, et située à Guernica, village rendu célèbre par Picasso. Ana Martín, œnologue, a poussé Itsas Mendi à planter quelques ceps expérimentaux de Riesling et de Sauvignon blanc, dans le but d'allonger la durée de vie du vin et de créer un nouveau vin plus corpulent.

On y produit également 4 000 demi-bouteilles d'Itsas Mendi doux, vendangé entre un mois et un mois et demi plus tard que la normale, avec 13 % de taux d'alcool et 80 à 100 g/l de sucre résiduel. En 2006, la récolte est excellente et une plus grande quantité en est produite. Leur cuvée régulière, fabriquée à partir de Hondarrabi Zuri et d'un soupçon de Riesling et de Sauvignon, est délicieuse la plupart des années. D'une robe très claire, le vin offre des notes florales et herbacées au nez, et une acidité vibrante. **LG**

Jackson Estate
Sauvignon Blanc

Origine Nouvelle-Zélande, Marlborough
Type vin blanc sec, 13 % vol.
Cépage Sauvignon blanc
Millésime dégusté 2006, boire la cuvée actuelle
€€

Il n'existe presque aucun cépage pouvant se vanter de ses origines françaises qui se soit tant éloigné, et de façon si productive, de son modèle. On trouve bien sûr des Sancerres regorgeant de fruit, et des Sauvignons du Pays d'Oc qui offrent un authentique goût de melon vert, mais aucun ne possède le fruit juteux et abondant, mûr à souhait, des grands Sauvignons de Marlborough. S'il existe beaucoup de bons producteurs, Jackson sort du lot. Ce domaine représente l'union de deux familles – les Stichbury et les Jackson – qui travaillaient déjà toutes deux les terres de Wairau River depuis plus d'un siècle et demi.

Le millésime 2006 fait encore aujourd'hui parler de lui à Marlborough. Il s'agit de ce que l'on appelle un vin précoce – le climat sec et chaud a provoqué des vendanges la dernière semaine de mars, un bon mois avant la date normale. Dans le verre, le vin en ressort dominé par le fruit et offre un bouquet dévoilant des arômes de melon, de poivron rouge, de fruits de la passion et de cassis. En bouche, il scintille grâce à un fruit aussi pur que le diamant et le tout est très justement équilibré par les acides mûrs et douceâtres, qui se maintiennent jusqu'à une finale longue. **SW**

Jacob's Creek
Chardonnay

Origine Australie, Australie-Méridionale
Type vin blanc sec, 13 % vol.
Cépage Chardonnay
Millésime dégusté 2007, boire la cuvée actuelle
€

Lorsque William Jacob a parcouru la région de Barossa en 1839, il s'est installé avec son frère John sur les Hundred of Moorooroo, un terme dérivé d'un mot aborigène signifiant « rencontre des deux eaux». Une rivière appelée « Cowieaurita » (eaux jaunâtres) s'y jette dans la North Para River. L'endroit a ensuite été rebaptisé Jacob's Creek en hommage aux deux frères,. Johann Gramp, un Bavarois émigré en Australie-Méridionale en 1837, y aurait planté des vignes dès 1847. Le domaine est aujourd'hui la propriété d'Orlando Wyndham.

Le premier vin de Jacob's Creek était un assemblage de Shiraz-Cabernet-Malbec, un millésime 1973 commercialisé en 1976. Ce vin rouge juteux et gouleyant est la première étape du succès mondial que connaîtra le « soleil dans une bouteille » proposé par les Australiens. Mais c'est le Chardonnay qui vient en tête de la production de Jacob's Creek. Simple et très peu acide, avec une touche boisée, il est cohérent, facile à boire, agréablement parfumé et d'un prix tout à fait accessible. C'est un vin commercial, certes, mais irréprochable en matière de fabrication. **SG**

Domaine François Jobard
Meursault PC Les Poruzots

Origine France, Bourgogne, Meursault
Type vin blanc sec, 13 % vol.
Cépage Chardonnay
Millésime dégusté 1990, à boire jusqu'en 2012
€€€€

François Jobard, qui produit du vin dans le domaine familial de Meursault depuis 1957, est connu pour son approche méticuleuse de l'entretien de ses vignobles. Dans le chai, les raisins sont pressés et le moût envoyé en barrique sans aucune clarification, ce qui contribue grandement au goût et à la texture des vins de Jobard une fois mis en bouteilles. La fermentation se fait lentement mais sûrement, les vins étant égouttés à la fin de leur premier été et mis en bouteilles l'été suivant – un vieillissement en barrique plus long que pour tous les autres producteurs de Bourgogne blanc.

Le vignoble Les Poruzots compte 11 ha, dont 0,8 appartiennent à François Jobard. Cette parcelle est située sur un coteau escarpé d'orientation est, dans la partie supérieure du vignoble, qui est aussi la meilleure, avec très peu de terre arable. Le 1990 a désormais pris une pâle couleur dorée, et le bouquet offre un léger caractère de biscuit. En bouche, il offre un goût d'agrumes frais et délicat, qui évoque les citrons de bergamote, et rivalise avec la texture épaisse caractéristique de tous les vins Jobard. Ces deux tendances offrent un contraste fascinant. **JM**

Josmeyer
Grand Cru Hengst Riesling

Origine France, Alsace
Type vin blanc sec, 13 % vol.
Cépage Riesling
Millésime dégusté 1996, à boire jusqu'en 2015
€€€

Le domaine Josmeyer fut fondé en 1854 par Aloyse Meyer. Aujourd'hui c'est une agglomération de 25 ha de vignobles et cépages, principalement aux alentours de Wintzenheim et de Turckheim, tout en incluant un soupçon de grand cru Brand et une portion plus généreuse (2 ha) de Hengst. Ce dernier, l'un des grands crus les plus importants, jouit d'une exposition sud-sud-est, et d'un sol composé de marne et de calcaire.

Les conditions climatiques ont fait de 1996 une année extrêmement irrégulière. Cela a donné des raisins d'une acidité considérablement plus élevée que la normale, un avantage pour un cépage tel que le Riesling lorsqu'il est associé, comme ici, à une corpulence concentrée et à une grande intensité gustative.

Le vin, fermé au départ, s'ouvre ensuite graduellement sur des notes florales et des arômes de citron vert et de noyau de pêche. En bouche, il fait preuve d'une belle profondeur et est traversé d'acides croquants et cassants, qui contribuent à la sensation minérale pure qui devrait définir tout Riesling d'Alsace. Sa charpente acide est telle que le vin tient la route après plus de dix ans en bouteilles. **SW**

L'enseigne signale l'exploitation de Josmeyer à Wintzenheim. ➡

Kalin Cellars
Semillon

Origine États-Unis, Californie, Livermore Valley
Type vin blanc sec, 13,5 % vol.
Cépages Sémillon 75 %, Sauvignon blanc 25 %
Millésime dégusté 1994, à boire jusqu'en 2014+
€€

Microbiologues de profession, Terry et Frances Leighton fondent Kalin en 1977, entreprise dévouée à la production artisanale d'un nombre limité de vins, tous issus de vignobles spécifiques, tous soumis à de longues périodes de vieillissement en bouteilles. L'un des vins les plus singuliers des Leighton est invariablement le Sémillon, issu du vignoble du domaine de Wente, près de Livermore, et dont les vignes ont été plantées dans les années 1880 à partir de ceps originaires de Château d'Yquem.

Au fil des ans, les Leighton ont expérimenté des milliers de levures, recherchant celles qui développent des métabolites secondaires et donnent ainsi plus de texture aux vins, ainsi que celles qui ne contribuent pas à la formation de sulfure d'hydrogène. Les levures sélectionnées se reproduisent peu, permettant ainsi de longues fermentations – dix mois pour le Sémillon – qui donnent, selon les Leighton, des caractères plus intéressants.

Voici un vin riche, d'un fruité intense. Sa trame concentrée de fruits mûrs est amplifiée par des nuances d'épices et de miel qui la chevauchent, sous-tendues de notes minérales et de noix. **LGr**

Karthäuserhof *Eitelsbacher*
Karthäuserhofberg Riesling ALG

Origine Allemagne, Ruwer
Type vin blanc doux, 9 % vol.
Cépage Riesling
Millésime dégusté 2002, à boire jusqu'en 2025
€€€

Même s'ils ne poussent qu'à quelques centaines de mètres de l'embouchure de la Moselle, les vins du Karthäuserhofberg sont de bons exemples de la souveraineté de ce terroir particulier. Ce sont souvent ces arômes très exotiques du bouquet, évoquant le cassis, le fruit de la passion, la pêche et la framboise, qui caractérisent les Rieslings de cette région.

La haute teneur en fer de ce sol est l'une des caractéristiques les plus remarquables du vignoble de ce domaine. Ces sols très riches en minéraux rendent uniques les vins de Karthäuserhofberg. Mais le propriétaire actuel, Christoph Tyrell, attache autant d'importance à l'humus, qui doit être de très bonne qualité. La fertilisation se fait principalement avec du crottin de cheval et autres engrais naturels.

Grâce à tous ces efforts, les célèbres Auslese de ce domaine brillent pour leur bouquet fruité extrêmement complexe et leur richesse minérale. Les années comme 2002 – jouissant d'un équilibre superbe, qualité classique des meilleurs Rieslings allemands, qui façonne le caractère du millésime de manière plus prononcée que d'habitude – les Auslese de ce vignoble comptent parmi les meilleurs vins allemands. **FK**

Le Sémillon de Kalin Cellars est élevé en caves souterraines. ➔

Weingut Keller
Riesling Trocken G-Max

Origine Allemagne, Hesse rhénane
Type vin blanc sec, 13 % vol.
Cépage Riesling
Millésime dégusté 2001, à boire jusqu'en 2018
€€€€

En 2002, Klaus-Peter Keller reprit le domaine familial de son père à Dalsheim. Il a ajouté d'excellents sites aux possessions familiales et s'est donné du mal pour accorder à chacun son expression individuelle.

Quoique leurs vins nobles de vendanges tardives aient longtemps été sublimes, les Rieslings secs du domaine ont gagné en profondeur, en finesse et en stature ces dix dernières années. En 2004, le domaine produit ce que le Gault-Millau considère comme la meilleure collection de vins d'Allemagne. Bien que le trio de vins issus de vignobles individuels se trouve parmi les meilleurs douze Rieslings secs mis en bouteilles en Allemagne chaque année, G-Max est le vin qui reçoit la plus d'attention à l'échelle internationale, non seulement pour son prix, mais aussi pour son potentiel de garde. Quand ils sont jeunes, le Kirchspiel est le plus séduisant du trio, puis émerge lentement le Morstein, que surpasse par la suite le G-Max.

Lorsqu'il est créé en 2000, le G-Max contient un pourcentage élevé de Hubacker. Aujourd'hui, Klaus-Peter préfère ne pas dévoiler son origine. Il s'agit d'un assemblage issu de ses meilleurs vignobles anciens, au plus grand potentiel de garde. **JP**

Reichsgraf von Kesselstatt
Josephshöfer Riesling AG

Origine Allemagne, Moselle
Type vin blanc doux, 7,5 % vol.
Cépage Riesling
Millésime dégusté 2002, à boire jusqu'en 2025
€€€€

C'est grâce au domaine Josephshof que les vins doux de Moselle jouissent d'une renommée mondiale incontestée. En fait, c'est au sein de cette exploitation que débute en Moselle la production d'Auslese issus de raisins botrytisés (Ausbruch).

Situé entre Wehlener Sonnenuhr et Graacher Domprobst, le vignoble de Josephshöfer fait partie, d'un point de vue administratif, du village de Grach, même si ses vins ne portent jamais cette appellation sur l'étiquette. Le coteau au degré d'inclinaison de 60 % est orienté vers le sud et se compose d'un sol érodé d'ardoise grise du Dévonien avec une grande proportion de bonne terre. C'est pour cette raison que l'on peut produire ici des vins épicés et corpulents au très bon potentiel de garde.

Le superbe Auslese Goldkapsel 2002 illustre parfaitement le style de ce site. Le vin offre de riches arômes d'abricot et de groseille à maquereau, auxquels se joignent un soupçon de baume de citron. Il possède un ample goût fruité qui domine la langue et le palais. La douceur du fruit est en parfaite harmonie avec les acides brillants et la richesse minérale : ce vin a un goût « infini » et un énorme potentiel. **FK**

◄ Un pressoir allemand historique en exposition à Eberbach, près de Dalsheim.

Királyudvar
Furmint

Origine Hongrie, Tokaj
Type vin blanc demi-sec, 13 % vol.
Cépage Furmint
Millésime dégusté 2002, à boire jusqu'en 2015
€€

Királyudvar est le nom d'une entreprise commune lancée par le patriarche du Tokaj, István Szepsy, et le Philippin Anthony Hwang en 1998. Hwang est physicien et grand amateur de vins et possède également le domaine Huet, dans la vallée de la Loire. Les vins sont fabriqués à la «cour royale» ou *királyudvar*, ancien dépôt des vins destinés aux Habsbourg.

Le Furmint est l'élément de base des vins doux du Tokaj, bien que bon nombre d'entre eux contiennent du Harslévelü et certains un soupçon de Muscat jaune. Peu de viticulteurs en font usage pour produire des vins secs ou demi-secs comme Szepsy. De tels vins sont généralement utilisés comme des vins de base pour l'Aszú, la fierté de tout vigneron du Tokaj. C'est exactement ce que représente le Furmint pour Szepsy : les bonnes années, le vin peut s'avérer plutôt doux, reflétant une vendange ensoleillée. Lorsqu'il est réellement bon, le Furmint possède environ 25 g/l de sucre résiduel. Le problème du Furmint est son acidité cuisante, merveilleuse dans les vins doux mais qui peut déséquilibrer un vin sec.

Ce Furmint est issu d'une parcelle de 4 ha au cœur du vignoble d'Urágya à Mád, où le sol se compose d'argile rouge. Le vin est demi-sec, très généreux et mielleux. Il possède un aspect ludique et séduisant qui dissimule en fait une puissance considérable. Ce vin est un merveilleux apéritif et peut également se marier à des plats orientaux très épicés. **GM**

À un carrefour de Tarcal, un panneau indique la direction de Királyudvar. ➜

Kistler *Kistler Estate Vineyard Chardonnay*

Origine États-Unis, Californie, Sonoma Valley
Type vin blanc sec, 14 % vol.
Cépage Chardonnay
Millésime dégusté 2005, à boire jusqu'en 2014
€€€€

Les vins de Kistler ont converti plus d'un sceptique au Chardonnay de Californie. Steve Kistler et Mark Bixler produisent des vins qui sont la quintessence du Chardonnay californien : richesse aromatique, fruit mûr et concentré et caractère de chêne grillé.

Kistler est surtout connu pour les nombreuses cuvées qu'il produit à partir de raisins achetés, qui proviennent tous de sites frais de Napa et de Sonoma. Il possède cependant son propre vignoble Kistler, déniché en 1979 après de nombreuses années passées à rechercher un site frais. Les deux associés plantèrent alors des pieds de vignes non greffées issues des vignobles de Mount Eden/Martin Ray (montagnes de Santa Cruz) à 610 m au-dessus de la vallée.

Produisant désormais plusieurs cuvées de Chardonnay et de Pinot noir, Kistler n'est plus une petite exploitation, tout en ayant gardé son statut d'entreprise culte. En dépit d'une production accrue, les vins restent difficiles à dénicher si l'on ne figure pas sur leur fichier d'adresses. L'année 2005, fraîche et sans pics de chaleur, a donné des vins d'une vitalité, d'une concentration et d'une longueur extraordinaires, même selon les critères élevés de Kistler. **LGr**

Klein Constantia *Vin de Constance*

Origine Afrique du Sud, Constance
Type vin blanc doux, 13,7 % vol.
Cépage Muscat de Frontignan
Millésime dégusté 1986, à boire jusqu'en 2020
€€€€

Austen, Dickens et Baudelaire ont tous fait référence au vin de Constance dans leurs écrits. Ce vin resta un mythe perdu depuis longtemps jusqu'en 1986, lorsqu'un nouveau vin de Constance fut fabriqué et présenté dans la bouteille d'origine d'un demi-litre avec sa charmante étiquette. Lorsque le propriétaire actuel, Duggie Jooste, acheta la ferme en 1980, celle-ci était à l'abandon. Bien que les comptes-rendus de la colonie hollandaise aient offert quelques détails, il recourut à des hypothèses éclairées pour déterminer les techniques de plantation et de vinification les plus appropriées à ce vin.

Comme le botrytis ne fit son apparition au Cap qu'au début du XXe siècle, il est évident que le vin de Constance devait alors ressembler plus aux vins doux naturels du Tokaj qu'aux vins nobles de Sauternes et d'Allemagne. (Aucun botrytis n'est utilisé dans la fabrication du vin de Constance moderne.) Les exemplaires du XXe siècle avoisinent les 100 g/l de sucre et les niveaux d'alcool atteignent les 14 % vol. Des échantillons du XVIIIe siècle analysés à plus de 15 % d'alcool suggèrent que les vins étaient indubitablement « vinés ». **SG**

Staatsweingüter Kloster Eberbach *Steinberger Riesling*

Knoll
Kellerberg Riesling Smaragd

Origine Allemagne, Rheingau
Type vin blanc sec
Cépage Riesling
Millésime dégusté 1920, à boire jusqu'en 2020
€€€€€

Origine Autriche, Wachau
Type vin blanc sec, 14,5 % vol.
Cépage Riesling
Millésime dégusté 2001, à boire jusqu'en 2013+
€€€

En 1136, douze moines cisterciens de Clairvaux, en Bourgogne, fondèrent le désormais célèbre monastère d'Eberbach, dans le Rheingau. Un ancien registre de propriété démontre que les seize vignobles de Morgen appartenaient déjà aux moines en 1178. L'impressionnant mur d'environ 3 km de long qui entoure Steinberg (et qui évoque le clos bourguignon) est unique en Allemagne.

L'un des meilleurs vins secs jamais produits ici est le Riesling. Les raisins utilisés ont été vendangés très mûrs, à 112 °Oesmle, tout en jouissant d'une grande acidité (15 %). Le Suédois Andreas Larsson (meilleur sommelier du monde en 2007) écrit dans *The World of Fine Wine* en 2006 : « La couleur est cristalline avec une nuance ambrée ; le nez est très net et donne l'eau à la bouche, avec une touche de miel, de mandarine, de cassis et de minéraux. En bouche, il est sec et possède une charmante profondeur et une acidité très particulière incrustée dans de belles saveurs de mandarine et de miel. L'arrière-goût révèle des touches de minéraux et de fruits sucrés, et la longueur est presque éternelle. Transcendantal, le vin le plus parfait que j'aie jamais dégusté ! » **FK**

Cela fait deux cents ans que la famille Knoll produit du vin dans la Wachau. Le domaine est dirigé par Emmerich, qui reprit le domaine de son père en 1975. Les vins de Knoll ont été une balise de la qualité des vins de la Wachau depuis les temps obscurs des années 1970. À cette époque, cette belle région autrichienne était surtout connue des touristes allemands qui s'y rendaient pour y passer des vacances à bicyclette. Knoll est un vigneron naturel qui n'est pas séduit par le folklore, le tapage et la magie de la technique. Il élève soigneusement ses raisins sur la vigne et interfère aussi peu que possible une fois le vin en cuve. Il utilise du vieux bois et un peu d'acier inoxydable pour élever les vins issus de son domaine de 11 ha.

Le Kellerberg Smaragd est l'un des deux ou trois meilleurs vins de Knoll. Knoll se distingue des vignerons autrichiens car il refuse de boire ses vins jeunes, et pense que ceux-ci ne peuvent exprimer leur qualité avant leur sixième année. Les vins peuvent être austères jeunes, mais valent la peine d'attendre. Le 2001 est dense et raffiné et possède un caractère minéral marqué. Il se caractérise par un parfum qui évoque les fleurs blanches et les pêches blanches. **GM**

Koehler-Ruprecht *Kallstadter Saumagen Riesling AT « R »*

Origine Allemagne, Palatinat
Type vin blanc sec, 13,5 % vol.
Cépage Riesling
Millésime dégusté 2001, à boire entre 15-20 ans d'âge
€€€€

Plus de cinq ans après les vendanges, ce vin n'avait toujours pas été mis en vente mais était déjà épuisé. La série « R » de Bernd Philippi est devenu l'objet d'un culte depuis le premier lancement du millésime 1990 en 1996.

Au début des années 1960, le vin allemand de qualité vécut une révolution, conduite par Hans-Günter Schwarz, caviste à Müller-Catoir. Schwarz pensait ne devoir ménager aucun effort dans le vignoble, après quoi le mieux que pouvait faire un maître de cave était de savoir «quand ne rien faire», et ce dans le but de préserver le fruit primaire et sa vitalité explosive. C'est ainsi que les vins finissaient par manifester l'acier inoxydable, le pressurage par grappes entières et les fermentations à température contrôlée.

Si Philippi respecte ce style, ce n'est cependant pas le vin comme il l'entend. Il ne s'agit pas que des fruits, mais de l'importance des saveurs du vin, qui n'émergeront qu'en présence d'oxygène. Bernd croit qu'une oxygénation contrôlée dans l'enfance d'un vin le protège d'une oxydation négative par la suite.

La série «R» comprend les meilleurs Rieslings secs de Philippi. Ce sont des Rieslings du Palatinat exubérants avec des épices exotiques, tout en restant ancrés dans la finesse innée du Riesling. Malgré toute son extravagance, Philippi reste un classique : ses Rieslings sont moins Mahler que Beethoven. Ce sont des Rieslings à déguster en hiver, singuliers, grands et chaleureux. **TT**

La jolie cour de Weingut Koehler-Ruprecht à Kallstadt. ➔

Kogl Estate
Traminic

Origine Slovénie, Podravje
Type vin blanc demi-sec, 12,5% vol.
Cépage Traminer
Millésime dégusté 2006, à boire dans l'année
€€

La Slovénie se situe au sud de l'Autriche et à l'est de l'Italie ou, comme le disent les Slovènes, «du côté ensoleillé des Alpes». Le domaine de Kogl se trouve à l'est du pays. Ici, le terroir est parfait pour cultiver des vignes. Les plaines qui entourent la rivière Drave cèdent graduellement la place aux collines, qui jouissent d'une excellente exposition sud. Les hivers sont suffisamment froids pour laisser reposer les vignes entre les floraisons, et les sols de marne et de sable et sous-sols calcaires s'ajoutent aux dons parfaits de la nature.

Comme le prouvent certains documents, la production de vin sur les terres qu'occupe désormais le domaine Kogl remonte à la moitié du XVIᵉ siècle. Au vignoble on recherche la plus haute qualité de viticulture, tandis que dans le chai la tradition et les techniques modernes s'unissent pour produire des vins qui représentent le meilleur de la Slovénie.

Le Traminer de Kogl est le parfait exemple des aspirations de ce domaine. Le vin est demi-sec et merveilleusement équilibré en bouche grâce à l'acidité du vin, qui permet de déguster les arômes parfumés et la pureté du fruit. Voici un vin qui peut parfaitement être bu seul ou en guise d'apéritif. **GL**

Kracher *TBA No. 11*
Nouvelle Vague Welschriesling

Origine Autriche, Burgenland, Neusiedlersee
Type vin blanc doux, 7% vol.
Cépage Welschriesling
Millésime dégusté 2002, à boire jusqu'en 2025+
€€€€

Alois «Luis» Kracher est devenu une légende de son temps. Son rêve de produire des vins de rang mondial à partir du vignoble traditionnellement appauvri de Seewinkel, situé au bord de Neusiedlersee, s'était pratiquement réalisé lorsque la mort le faucha prématurément en 2007.

Pour Kracher, les vins de Burgenland se trouvent à mi-chemin entre le Sauternes et le noble Riesling doux allemand. Ses Trockenbeerenauslese numérotés se divisent en deux groupes. D'une part ceux qui portent l'étiquette Zwischen den Seen («Entre les lacs»), produits en cuves sans jamais sacrifier entièrement les essences de fruit frais, et ceux de la collection Nouvelle Vague, vinifiés en fûts et qui manifestent l'opulence d'un Sauternes.

Le Welschriesling n'a rien à voir avec le Riesling classique du Bas-Rhin. Il s'agit, bien qu'il porte différents noms, d'un raisin prosaïque que l'on trouve partout en Europe centrale. La pourriture noble peut cependant l'élever à une extraordinaire richesse, et Kracher l'a démontré. Le No. 11 est le summum de cette collection 2002. Rétrospectivement, Kracher sait «avoir vendangé au moment idéal». **DS**

Alois Kracher utilisant une pipette pour extraire le vin d'un fût. ➜

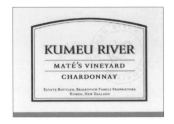

Marc Kreydenweiss
Gewurztraminer Kritt Les Charmes

Origine France, Alsace
Type vin blanc sec, 13 % vol.
Cépage Gewurztraminer
Millésime dégusté 2002, à boire jusqu'en 2012
€€€

Il est malheureux que le Bas-Rhin, partie septentrionale du vignoble alsacien, vive dans l'ombre du Haut-Rhin, surtout si l'on apprécie le vin d'Alsace sec et subtil. Marc Kreydenweiss reprit les vignobles du domaine familial en 1971. Dix ans plus tard, il décisa de produire les meilleurs vins possibles en fonction du terroir, dans le but de préserver la finesse traditionnelle des vins tout en augmentant leur concentration. En 1989, Marc se convertit à l'agriculture bio.

On trouve de splendides sites de grand cru, tels que Kastelberg et Moenchberg, célèbres pour leurs Rieslings, sur les 12 ha du domaine Kreydenweiss. Le vignoble le plus étrange d'Andlau reste cependant celui de Kritt Les Charmes. Situé sur un coteau vallonné, Kritt n'est pas un grand cru, mais Marc pense qu'il mérite une mise en bouteilles à lui seul car ses sols sont extrêmement rocailleux et complexes.

Ce Kritt Gewurztraminer 2002 a la classe du terroir, sans la chair trop pesante caractéristique de nombreux exemplaires de ce raisin. Les parfums de rose, de cire, d'épices et de miel sont indubitablement Gewurz, mais le vin est *sui generis* en bouche, subtil, délicat mais mûr, ample et expressif. **ME**

Kumeu River
Maté vineyard Chardonnay

Origine Nouvelle-Zélande, Auckland
Type vin blanc sec, 13,5 % vol.
Cépage Chardonnay
Millésime dégusté 2006, à boire jusqu'en 2014
€€€

Cet extraordinaire Chardonnay est sans doute le vin néo-zélandais le plus acclamé par la critique internationale. Jancis Robinson s'est même laissé berner par le millésime 1996, croyant qu'il s'agissait d'un Bourgogne blanc mûr, et James Halliday a classé ce vin comme « un remarquable exemplaire du genre ».

Le vignoble de Maté, ainsi baptisé d'après le nom de son fondateur Maté Brajkovich, a été créé en 1990. Les vignes de Mendoza, clone du Chardonnay, sont plantées sur un sol d'argile et de terreau relativement lourd selon un système de conduite en lyre qui aide à équilibrer ce site vigoureux. Le producteur et maître ès vins Michael Brajkovich utilise des raisins cueillis manuellement et soumis à un tri rigoureux avant d'être pressés entiers et fermentées en pièces de chêne à l'aide de levures indigènes.

Le 2006 a été élevé onze mois, mais le régime de vieillissement en chêne peut varier d'année en année. Selon Brajkovich, l'influence du chêne doit aider à rehausser les saveurs du fruit, non leur faire concurrence. Chardonnay puissant, sophistiqué et complexe, ce vin possède un séduisant mélange de saveurs minérales, citriques, de biscuit complet et de noix grillées. **BC**

La maison de Michael Brajkovich domine les vignobles de Maté. ➜

Franz Künstler *Hochheimer Kirchenstück Riesling Spätlese*

Origine Allemagne, Rheingau
Type vin blanc doux, 7 % vol.
Cépage Riesling
Millésime dégusté 2002, à boire jusqu'en 2017
€€

À l'extrémité orientale du Rheingau, Hochheim est célèbre pour ses trois vignobles : Domdechaney, Hölle et Kirchenstück. Les sols d'argile et de lœss de ce triumvirat se caractérisent par un pourcentage élevé de calcaire. Lorsqu'il s'agit de Riesling, ces caractéristiques mènent toujours à une acidité si bien intégrée qu'elle en ressort légèrement adoucie. Les vins sont d'un équilibre splendide. D'autre part, la bonne capacité de conservation de l'eau du sol de Hochheim permet une maturation lente et régulière lors des années particulièrement chaudes et sèches.

Gunter Künstler comprend cependant mieux que quiconque comment interpréter le potentiel de ce site. Künstler aime surnommer le Riesling de Kirchenstück « le Lafite de Hochheim », et ce à cause de son élégance et de sa finesse sublimes. Son Spätlese 2002 fait preuve d'un charme exquis dès son plus jeune âge, tout en ayant un excellent potentiel de garde. Tous les composants du vin – délicieux arôme fruité, corps féminin, acidité excellente, alcool léger comme une plume et richesse minérale – s'unissent ici en une danse harmonieuse. Un vin qui dompte les sens de manière presque imperceptible. **FK**

Château La Louvière

Origine France, Bordeaux, Pessac-Léognan
Type vin blanc sec, 13 % vol.
Cépages Sauvignon blanc 85 %, Sémillon 15 %
Millésime dégusté 2004, à boire jusqu'en 2020
€€

André Lurton a acheté cette propriété en 1965. La plupart du vignoble est planté de raisins rouges, mais on y trouve une production significative de vin blanc excellent. Il est étrange que La Louvière soit adjacent à Haut-Bailly, qui ne produit que du rouge à cause de la particularité de son terroir, alors que La Louvière est plus connu pour son vin blanc. Lurton est un aficionado de Sauvignon blanc et cela se voit ; ici, le Sémillon est en minorité. Le vin a été élevé en barrique depuis 1984 et la proportion de jeune chêne avoisine les 45 %. Le vin blanc vieillit bien, et cela s'applique également aux vins qui n'ont été élevés qu'en cuve.

Le millésime 2004 offre des arômes francs mais complexes d'épices, de poire et de chêne, tandis qu'en bouche il est étoffé mais vif, et jouit d'une acidité piquante et d'une longue finale solide. C'est caractéristique dans les millésimes récents de La Louvière, qui font également preuve d'une plus grande concentration grâce à des vendanges plus sélectives, tandis que le pressurage des grappes entières a apporté une texture plus suave et rendu le vin immédiatement abordable. Il n'y a aucune raison de penser que ces millésimes vieilliront moins bien que par le passé. **SBr**

Le manoir de La Louvière est classé monument historique. ➜

La Monacesca *Verdicchio di Matelica Riserva Mirum*

Château La Rame
Réserve

Origine Italie, Les Marches
Type vin blanc sec, 14 % vol.
Cépage Verdicchio
Millésime dégusté 2004, à boire jusqu'en 2014+
€€€

Origine France, Bordeaux, Sainte-Croix-du-Mont
Type vin blanc sec, 14,5 % vol.
Cépages Sémillon 80 %, Sauvignon blanc 20 %
Millésime dégusté 1990, à boire jusqu'en 2015
€€

Peu de vins blancs italiens sont dignes d'être mis en cave, mais le Mirum de La Monacesca possède ce qu'il faut pour tenir la distance.

Le fruit du Mirum provient d'un vignoble de 3 ha au sol à prédominance argileuse situé à plus de 400 m au-dessus du niveau de la mer. Les vendanges se déroulent habituellement pendant les deux dernières semaines d'octobre, afin que les raisins soient légèrement trop mûrs. Le vin passe dix-huit mois en cuve d'acier et six en bouteille avant d'être mis en vente le 1er décembre, deux ans après les vendanges.

Pour le Mirum 2004, les vendanges ont débuté le 25 octobre, le même jour que pour le célèbre 1993. Chose incroyable, il arbore déjà une robe plus profonde que le 1993. Le nez frais et très juvénile doit encore définir son identité et n'offre rien d'évident, à l'exception du caractère du Verdicchio, toujours difficile à définir. L'expert en vins italiens Michael Palij estime que l'on y décèle du fruit confit, ainsi que de la poudre acidulée de citron. À 14 %, la teneur en alcool est élevée mais tient bien la route. Voici un vin brillant et concentré, très prometteur dans le futur. **SG**

La Rame fut acheté en 1956 par les parents du propriétaire actuel, Yves Armand, qui reprit le domaine en 1985, et est aidé aujourd'hui par son beau-fils Olivier Allo. Dès le départ, Armand s'attacha à produire des vins de grande qualité. Dans les années 1980, cette appellation donnait des vins médiocres, insipides et légèrement doux, qui ne pouvaient que se vendre à très petits prix.

Armand, sûr du manque d'avenir de ce vin au bénéfice trop réduit, adopta des rendements inférieurs, introduisit peu à peu le vieillissement en fûts et, dès 1998, la fermentation en barrique. Il commença alors à produire un vin bien meilleur que celui de la plupart de ses voisins et parvint alors à obtenir de bons prix, en particulier pour son Réserve élevé en barriques. Son utilisation de chêne neuf excède rarement les 40 %.

En 1990, le vin s'est avéré très étoffé et a passé deux ans en fûts de chêne, parfaitement intégré. Ses somptueux arômes évoquent la pêche, ainsi qu'un caractère botrytisé évident. Puissant et concentré en bouche, il est cependant rafraîchi par une acidité vive et une finale remarquablement longue. **SBr**

Monacesca occupe l'ancien emplacement d'un monastère du Xe siècle.

Vins blancs | 263

Domaine Labet
Côtes du Jura Vin de Paille

Origine France, Jura, côtes du Jura
Type vin blanc doux, 14,5 % vol.
Cépages Savagnin, Chardonnay, Poulsard
Millésime dégusté 2000, à boire jusqu'en 2030
€€€

La famille Labet est célèbre sur le marché international pour ses Chardonnays très spécifiques au terroir, et au niveau local pour ses vins jaunes et ses vins de paille au style plus doux. Alain Labet ne suit aucune recette particulière pour produire ce vin, préférant sélectionner différentes parcelles très mûres, certaines avant les vendanges, d'autres pendant et d'autres encore après. Le mélange de raisins peut grandement varier d'une année à l'autre et, en 2000, le vin comprenait 62 % de Savagnin.

Les Labet font sécher leurs raisins dans des boîtes contenant de la paille, système quasiment abandonné en faveur des boîtes plastique. Les raisins doivent être très propres, aucune trace de pourriture n'étant permise. En 2000, ils furent séchés de la mi-septembre à la nouvelle année et pressés le 25 janvier 2001. Après une lente fermentation, le vin fut élevé en vieilles barriques pendant au moins trois ans.

La robe de ce Vin de Paille est ambrée, avec un soupçon de rouge dû à ses 7 % de Poulsard. Le nez est épicé et mielleux, avec des notes d'écorce d'orange. Plus doux que maints vins de paille du Jura, tout en ayant une belle veine d'acidité citrique, il offre un long goût épicé d'une profondeur magnifique. Marié traditionnellement à du foie gras ou à du fromage bleu en guise d'apéritif, il fonctionne aussi très bien en compagnie de tarte à l'abricot ou, plus âgé, avec des desserts à base de chocolat noir. **WL**

On sèche les raisins sur de la paille pour concentrer leur jus. ➜

Château Lafaurie-Peyraguey

Origine France, Bordeaux, Sauternes, Bommes
Type vin blanc doux, 14 % vol.
Cépages Sém. 90 %, Sauv. bl. 8 %, Muscadelle 2 %
Millésime dégusté 1983, à boire jusqu'en 2018
€€€

Cette magnifique propriété de 40 ha appartenait au XVIIᵉ siècle au même propriétaire que Château Lafite, avant d'être rachetée en 1917 par le négociant Cordier. En 1996, Cordier vendit la propriété à la Compagnie Suez, qui y ajouta des bâtiments destinés à faciliter la vinification. Michel Laporte a dirigé le domaine entre 1963 et 2000, avant de céder la place à son fils Yannick.

Les vignes ont en moyenne 40 ans et les Laporte sélectionnent les clones et les pieds de vigne les moins productifs lorsqu'il faut replanter. Les vignobles sont dispersés et offrent ainsi toute une palette de vins différents à travailler et à assembler ; peut-être est-ce pour cela que Lafaurie produit un vin exceptionnel même lors d'années difficiles. L'objectif est de ne cueillir que les fruits mûrs et botrytisés, avec un poids moyen du moût d'au moins 21 %, qui donne un vin d'environ 14 % d'alcool et d'au moins 100 g de sucre résiduel. Depuis 2003, une table de tri installée dans le chai inspecte l'intérieur de chaque grappe à la recherche d'une quelconque trace de pourriture noire. Le vin est fermenté en barriques et élevé environ 18 mois dans un tiers de chêne neuf.

Le millésime 1983 était délicieux jeune et le reste aujourd'hui. Jadis citrique, le nez évoque désormais la marmelade, signe évident de son évolution, mais le vin reste ample, onctueux et très fin en bouche, avec une séduisante acidité et une longue finale orangée. Il garde la vigueur qui a toujours fait la particularité de ce domaine excellent et régulier. **SBr**

AUTRES SUGGESTIONS
Autres grands millésimes
1986 • 1988 • 1989 • 1990 • 1996 • 1997 • 2001 • 2007
Autres producteurs de Sauternes
Château Filhot • Château Guiraud
Château Rieussec • Château Suduiraut

Un Lafaurie-Peyraguey rescapé de la Seconde Guerre mondiale. ➡

Héritiers du Comte Lafon
Mâcon-Milly-Lamartine

Origine France, Bourgogne, Mâconnais
Type vin blanc sec, 13 % vol.
Cépage Chardonnay
Millésime dégusté 2005, à boire jusqu'en 2012
€€

Moult collectionneurs de vins furent surpris d'apprendre que Dominique Lafon s'était aventuré au-delà du domaine familial de Meursault vers la région plus humble de Mâcon où il acheta, en août 1999, le domaine Janine Emanuel. La propriété possède 8 ha de vignobles, dont la moitié s'étend en deux parcelles de sol d'argile crayeux près de Milly-Lamartine, village d'enfance d'Alphonse de Lamartine.

Planté exclusivement de Chardonnay, le cépage blanc utilisé à Meursault, ce domaine semble fait pour le savoir-faire de Lafon qui, avant de revenir vers le domaine familial comme vinificateur en 1984, a travaillé à Mâcon aux côtés de Becky Wasserman, un agent vinicole. « Je pense qu'il y a ici un grand potentiel à exploiter. Dans la Côte d'Or, il ne reste plus grand-chose à développer », déclare-t-il.

Comme à Meursault, il cultive ses vignes selon des principes biodynamiques et cueille manuellement. Ici, il suit cependant la tradition locale et utilise des barriques plus grandes pour la fermentation, afin d'obtenir des vins plus fruités. Comme dit Lafon : « Ce ne sont pas de petits Meursaults, mais de grands Mâcons. » **JP**

Domaine des Comtes Lafon
Meursault PC Genevrières

Origine France, Bourgogne, Meursault
Type vin blanc sec, 13,5 % vol.
Cépage Chardonnay
Millésime dégusté 1990, à boire jusqu'en 2012+
€€€€€

Jules Lafon a investi dans les meilleurs crus, Meursault-Charmes, Genevrières, Perrières, Le Montrachet, mais a aussi eu l'intelligence d'acheter d'excellents sites dans chacun des crus. C'est ainsi que les Genevrières se situent dans la partie supérieure du vignoble, très près de leur parcelle de Perrières. Les Lafon en possèdent 1,7 ha, entièrement composé de vieilles vignes à l'époque des vendanges de 1990, les plus jeunes ayant été plantées en 1946. Les Genevrières, dont le nom dérive des genévriers jadis très communs, comprendnent en tout 16,5 ha et se caractérisent par leur minéralité : la fine couche supérieure du sol est parsemée de petites pierres provenant de la roche en place.

Dominique Lafon était seul à la barre pour le millésime 1990. Il est resté fidèle au traditionnel long élevage en barrique de son père, mais a réduit la proportion de chêne neuf : les vins sont désormais égouttés dans du vieux chêne pour leur seconde année en barrique. D'une robe dorée suave, le 1990 offre un léger nez de biscuit qui s'évapore rapidement. En bouche, il fait preuve d'un goût d'une profondeur magnifique et d'une minéralité fraîche. **JM**

Domaine des Comtes Lafon
Montrachet Grand Cru

Origine France, Bourgogne, côte de Beaune
Type vin blanc sec, 13 % vol
Cépage Chardonnay
Millésime dégusté 1966, à boire jusqu'en 2016
€€€€€

Ce grand vin, fabriqué par René Lafon, le père du gérant actuel du domaine, a une histoire. Je fouillais fréquemment parmi les cartons de la cave de mon parrain Christopher Lloyd, lorsqu'un jour, en 1996, mon épouse me demande ce qu'il y a dans une vieille boîte en bois. «Rien», lui répondis-je. Elle y jeta un œil et ce «rien» s'avéra être trois bouteilles du Montrachet de Lafon 1966 enveloppées dans du tissu, en parfaite condition! Cela faisait plus de vingt-cinq ans qu'elles reposaient tranquillement dans cette cave.

C'est un vin d'une couleur vieil or, avec un intense mais subtil bouquet de miel, de noix rôties et de porridge, d'une extraordinaire intensité, d'une grande finesse et d'une harmonie absolue. Profond, sec mais gorgé de sucre, il offre un léger goût de noix, tout en jouissant d'une acidité parfaitement intégrée et d'un délicat arôme minéral envahissant. En bouche, il fait preuve d'une longue ampleur osée et maîtrisée sans effort et d'une persistance magnifiquement parfumée. Maturité parfaite à 30 ans d'âge, pas du tout déplacée : une performance plutôt étonnante. **MS**

Alois Lageder
Löwengang Chardonnay

Origine Italie, Haut-Adige
Type vin blanc sec, 13 % vol.
Cépage Chardonnay
Millésime dégusté 2003, à boire jusqu'en 2012
€€

La famille d'Alois Lageder produit du vin depuis 1855, année où l'arrière-grand-père ouvrit une cave à Bolzano. Le nouveau chai reflète les sensibilités aux problèmes écologiques d'Alois Lageder et de son vinificateur. La manipulation des raisins et moûts a été conçue pour économiser de l'énergie et repose sur la force de la gravité, d'où les quelque 15 m de hauteur de la tour de vinification.

Le Chardonnay de Löwengang est fabriqué à partir de raisins de vignobles situés entre 244 m et 457 m, à cause des grands écarts de température entre le jour et la nuit, qui permettent de préserver les arômes et l'acidité. Le sol se compose principalement de sable et de galets, tout en étant riche en calcaire.

Le vin arbore une robe jaune or aux subtiles touches verdâtres. Le nez offre une complexité naissante, plutôt ferme au départ et qui tire avantage de trente minutes de décantation. Il offre de douces notes de fruits tropicaux et de vanille, ainsi que de saveurs délicates de noix et de grillé provenant du vieillissement en chêne. Sa texture est riche mais très élégante et vive en bouche. **AS**

Lake's Folly
Chardonnay

Château Laville Haut-Brion

Origine Australie, N^elle^ Galles du Sud, Hunter Valley
Type vin blanc sec, 14 % vol.
Cépage Chardonnay
Millésime dégusté 2005, à boire jusqu'en 2012+
€€€

Origine France, Bordeaux, Pessac-Léognan
Type vin blanc sec, 13,5 % vol.
Cépages Sém. 81 %, Sauv. bl. 16 %, Muscadelle 3 %
Millésime dégusté 2004, à boire jusqu'en 2025
€€€€€

Max Lake fonda Lake's Folly dans la Hunter Valley en 1963, lançant la mode des boutiques de vins et de la «viniculture de week-end». Il planta d'abord du Cabernet Sauvignon et du Chardonnay au cœur d'une région plus connue pour le Shiraz et le Sémillon. Sur l'étiquette se trouve un hommage au chai d'origine, en forme de A, où l'on continue à ne produire que deux vins, un assemblage de Cabernet et un Chardonnay, avec les seuls fruits du domaine.

Après une carrière chirurgicale, Lake passa dans le monde du vin et de la gastronomie. Appliquant sa formation médicale à la science des arômes et des saveurs, il étudia sans répit les sens, dont il fait la chronique dans des ouvrages divinement érudits et excentriques.

Vers la moitié des années 1990, le Chardonnay fabriqué était d'une acidité cuisante et souvent bouchonné, mais depuis le rachat du domaine par Peter Fogarty en 2000 et le recrutement de l'ancien vinificateur de McGuigan, Rodney Kempe, la qualité des vins est revenue. Le style du Chardonnay Lake's Folly se trouve désormais juste entre le gras et le maigre et plaît ainsi en quelque sorte à tout le monde. **SG**

La Mission Haut-Brion possède une minuscule enclave en plein cœur des vignobles produisant le légendaire vin blanc de Laville Haut-Brion. Les cépages sont mélangés et le vigneron doit signaler les vignes individuellement aux vendangeurs. La moyenne d'âge des vignes est d'environ 50 ans, les plus anciennes datant de 1934.

La propriété fut rachetée par les Dillons de Haut-Brion en 1983 ; l'équipe a maintenu la singularité du vin, qui se distingue toujours du Haut-Brion Blanc. À partir de 1990, le vin a été fermenté en barriques et élevé en fûts de chêne pendant environ quinze mois. Auparavant, il contenait une grande proportion de soufre et était imbuvable dans sa jeunesse. Aujourd'hui, les producteurs ont la main bien plus légère, mais cela reste un vin qui s'embellit avec l'âge.

2004 a été une très bonne année et le nez regorge de fruit extrêmement mûr ainsi que de ce caractère épicé et boisé si souvent présent dans ce vin. La texture est parfaite, le fruit mûr mais pur, le chêne bien intégré dans le vin et la longueur exceptionnelle. Un Laville Haut-Brion au sommet de sa puissance et de son potentiel. **SBr**

Le Soula *Vin de Pays des Côtes Catalanes Blanc*

Origine France, Roussillon
Type vin blanc sec, 13 % vol.
Cépages Sauv. bl. 35 %, Grenache bl. 35 %, autres 30 %
Millésime dégusté 2001, à boire dès sa sortie
€€€€€

Coentreprise de Richards Walford, d'Éric Laguerre et de Gérard Gauby, toutes les terres du Soula sont cultivées de manière organique. Lors d'une visite à un autre vigneron sur les hauteurs de la vallée d'Agly, Gauby découvrit deux éléments qui manquaient à Calce : l'altitude et un sol de granit décomposé recouvert de calcaire, conférant au vin une note minérale particulière. Cette association exerce une forte influence sur le style du vin : les nuits plus fraîches ralentissent le processus de maturation, permettant aux saveurs de se développer plus amplement, et les sols calcaires aident à garder l'acidité et la fraîcheur du vin.

Le Soula est un assemblage de Marsanne, de Roussanne, de Grenache blanc, de Chenin blanc et de Vermentino et le sens du terroir y est plus fort que le caractère de l'un ou l'autre cépage. Maturité et concentration sont très impressionnantes ; on y décèle une bonne dose de chêne neuf, équilibrée cependant par l'intensité du fruit exotique. La charpente acide rafraîchissante et la puissante finale étoffée suggèrent qu'il s'agit d'un vin qui peut vieillir agréablement pendant quelques années. **SG**

Leeuwin Estate *Art Series Chardonnay*

Origine Australie, Australie-Occidentale, Margaret River
Type vin blanc sec, 14,5 % vol.
Cépage Chardonnay
Millésime dégusté 2002, à boire jusqu'en 2012+
€€€€

En 1972, après de nombreuses recherches, le vinificateur américain Robert Mondavi repéra le futur site de Leeuwin ; le chai ouvrit ses portes en 1978 et son premier vin sortit en 1979.

Leeuwin Estate se compose de 40 ha de vignobles divisés en dix ensembles de vignes isolées en petites parcelles lors des vendanges. Le Block 20 forme toujours la base de Art Series. Cette gamme présente les vins les plus opulents et de meilleur garde de Leeuwin, et se caractérise par les peintures qui ornent les bouteilles, commandées aux meilleurs artistes australiens contemporains.

Art Series Chardonnay est généralement considéré comme le meilleur vin blanc d'Australie et est l'un des deux seuls vins blancs classés « Exceptionnel » au classement de Langton (l'autre étant le Chardonnay Giaconda). Le 2002 est d'une couleur dorée aux reflets vert pâle et offre des arômes de noix de coco et de pêche provenant du chêne. Le fruit intense et profond évoque les pêches et la crème. Le style frise le gras, mais l'acidité est suffisante pour garder fraîcheur et équilibre pendant une bonne dizaine d'années. La finale est extrêmement riche. **SG**

Domaine Leflaive *Puligny-Montrachet PC Les Pucelles*

Origine France, Bourgogne, côte de Beaune
Type vin blanc sec, 13,5 % vol.
Cépage Chardonnay
Millésime dégusté 2005, à boire entre 2011 et 2020
€€€€€

Les Leflaive sont dans la région depuis 1580 et à Puligny depuis 1717. Il s'agit là du meilleur domaine de Puligny, avec des parts dans les premiers crus de Clavoillon, Combettes, Folatières, Pucelles, et dans les grands crus que sont Bâtard-Montrachet, Bienvenues-Bâtard-Montrachet, Chevalier-Montrachet et une minuscule part, Le Montrachet.

Les Pucelles se classe avec Les Caillerets et Les Demoiselles parmi les meilleurs vignobles de premier cru de Puligny. Voisin de Bâtard-Montrachet, il produit un vin d'une concentration presque égale mais un peu plus franc, plus floral et plus vif. Les Leflaive possèdent 3 ha des 6,8 ha de ce vignoble et en produisent certainement le meilleur exemplaire.

En 2005, l'équipe dirigée par Pierre Morey, bénéficie d'une belle saison sèche, ensoleillée et pourtant pas trop chaude, qui va se poursuivre durant septembre et permettre de produire quelques très bons vins. Le Puligny-Montrachet Les Pucelles 2005 possède un magnifique nez floral d'une énergie inépuisable ; c'est un vin ferme de la plus haute classe et d'une merveilleuse persistance, qui ne peut que s'améliorer en cave. **JM**

Lenz
Gewurztraminer

Origine États-Unis, New York, Long Island
Type vin blanc sec, 13 % vol.
Cépage Gewurztraminer
Millésime dégusté 2004, à boire jusqu'en 2012+
€

Lenz, dont le Gewurztraminer sec a toujours fait preuve d'une pureté du fruit et d'une acidité souple qui le distinguent des autres Gewurztraminers cultivés ailleurs, a toujours eu une longueur d'avance à Long Island, qui commence depuis peu à émerger en tant que région viticole.

Fondée en 1978, Lenz est l'une des plus vieilles exploitations, qui n'était cependant pas entièrement professionnelle jusqu'à ce que le propriétaire, Peter Carroll, persuade Eric Fry, microbiologiste devenu vinificateur, de quitter Finger Lakes. Les Merlots de Fry révèlent les arômes aguichants de framboise et de tabac qui caractérisent Long Island pour ce cépage.

Afin d'atteindre une pleine maturité aromatique, Fry retarde la cueillette, ce qui exige une certaine acidification lors du pressurage : il y parvient si habilement que le vin en ressort harmonieux et intégré. Il utilise différentes levures pour rehausser la complexité aromatique. Cette technique, à laquelle s'ajoutent les origines froides de Long Island, donne un vin floral et croquant au caractère typique de litchis et d'épices, l'un des meilleurs de l'île. **LGr**

◀ Le portail de la parcelle Montrachet Domaine Leflaive.

Llano Estacado *Cellar Reserve Chardonnay*

Origine États-Unis, Texas
Type vin blanc sec, 13 % vol.
Cépages Chardonnay 90 %, Viognier 10 %
Millésime dégusté 2004, à boire jusqu'en 2012
€€

Les vignes de cette exploitation, fondée sur les Hautes Plaines du Panhandle en 1976 par des horticulteurs de l'université du Texas, entre autres, furent plantées en 1978. Trente ans plus tard, l'entreprise appartient à quelque 40 actionnaires. Produisant déjà des vins bons mais simples au début des années 1980, l'objectif de Llano Estacado est d'associer innovation et production. C'est sans doute la première exploitation texane à produire des variétés du Rhône, utilisant des techniques modernes de vinification telles que la micro-oxygénation.

La plupart de la production est bon marché et commerciale, mais Llano Estacado produit quelques vins sérieux et convaincants, tel le Viviano, un assemblage composé de 70 % de Cabernet Sauvignon et de 30 % de Sangiovese, élevé pendant presque trois ans en petites barriques de chêne. Hormis quelques vignobles situés à proximité de Lubbock, la plupart des raisins proviennent d'autres endroits de l'État, ainsi que d'autres États, tels le Nouveau-Mexique et la Californie.

Le Chardonnay de Llano Estacado est issu de vignobles situés dans le Hill Country, à l'ouest du Texas ; le meilleur Chardonnay Reserve est quant à lui issu du vignoble Mont Sec, dans l'ouest aussi. Ce vin est fermenté en barriques et élevé pendant au moins huit mois en fûts de chêne. Le millésime 2004 offre des arômes de beurre et de pêches cuites. En bouche, il fait preuve d'une agréable texture soyeuse et d'une acidité rafraîchissante, mais il s'agit d'un vin destiné à un plaisir immédiat. **SBr**

AUTRES SUGGESTIONS
Autres grands millésimes
2003 • 2005
Autres vins du même producteur
Cellar Reserve Cabernet Sauvignon • Cellar Reserve Merlot Cellar Reserve Port • Viviano

Irrigation automatisée dans le Panhandle texan. ➡

Loimer
Steinmassl Riesling

Origine Autriche, Kamptal
Type vin blanc sec, 13 % vol.
Cépage Riesling
Millésime dégusté 2004, à boire jusqu'en 2015
€€

Les environs de Langenlois jouissent de terroirs remarquables et très diversifiés géologiquement, mais d'autres bons vignobles se trouvent à l'ouest, dont Loiser Berg et Steinmassl, près de la minuscule rivière de Loisbach. Steinmassl était autrefois une carrière. Cette masse de micaschiste abritée du vent offre un milieu propice aux vendanges tardives d'un Riesling étonnamment raffiné, qui a besoin de reposer longtemps sur lies puis en bouteilles pour s'épanouir. Pendant les vendanges difficiles et prolongées de 2004, Loimer se demandait si son millésime donnerait quelque chose, ou mériterait même d'être mis en bouteilles. Les vins 2004 ont pourtant fleuri de manière impressionnante, arborant les petits détails typiques des vins élaborés avec patience lors de cette année délicate et botrytisée.

Le Steinmassl 2004 de Loimer étonne par sa combinaison d'une texture onctueuse, d'une clarté rafraîchissante et de subtiles touches minérales, ainsi que par ses notes de fraises et de framboises presque dignes d'un vin rouge. Dans les mains de Loimer, le Riesling réserve des surprises, comme c'est le cas pour le millésime 2004. **DS**

Domaine Long-Depaquit
Chablis GC La Moutonne

Origine France, Bourgogne, Chablis
Type vin blanc sec, 13 % vol.
Cépage Chardonnay
Millésime dégusté 2002, à boire entre 2009 et 2019
€€€€

La Moutonne est un vignoble étrange. C'est un grand cru doublé d'un monopole, à cheval sur deux grands crus officiels, au cœur de Vaudésir et voisin des Preuses ; au total, les vignes recouvrent 2,35 ha.

En 1791, le vignoble fut acheté par Simon Depaquay (c'est ainsi qu'il écrivait son nom à l'époque), frère de l'ancien père supérieur. Il resta aux mains de ses successeurs jusqu'à ce que la société de Long-Depaquit et ses vignobles fussent rachetés en 1970 par Albert Bichot, marchand de Beaune.

Récemment restaurés, le château, les caves, les bureaux et les salles de réception sont élégants et se situent au cœur d'un grand parc au centre de Chablis. Le domaine est très vaste et compte désormais 62 ha.

Le Chablis se doit d'être intense, vraiment métallique et minéral même si, dans le cas des grands crus, il doit aussi faire preuve d'une ampleur inhérente. En voici le parfait exemple. Le vin est ferme, frais et posé, élégant, pur et équilibré. Malgré la concurrence des quatre autres grands crus figurant au portfolio du domaine, il s'agit là sans aucun doute du meilleur vin. **CC**

La cave à vin de Loimer, conçue par l'architecte Andreas Burghardt.

Dr. Loosen *Ürziger Würzgarten*
Riesling Auslese Goldkapsel

Origine Allemagne, Moselle-Sarre-Ruwer
Type vin blanc doux, 8 % vol.
Cépage Riesling
Millésime dégusté 2003, à boire jusqu'en 2025
€€€

« Opulent, cet Auslese offre une dimension supplémentaire d'ampleur, de piquant et de longueur. Bien que concentré, il est très léger et ses saveurs d'abricot, de citron vert et de miel font preuve d'intensité », écrit un critique à propos de ce vin issu du vignoble d'Ürziger Würzgarten. Vendangé le 24 octobre de cette année extrêmement chaude, l' Auslese possède un moût de forte densité et une acidité relativement légère (pour la Moselle) de 7,8 g/l.

Malgré la particularité des vendanges 2003, ce vin arbore la signature enchanteresse de son vinificateur tout comme il affiche avec fierté la typicité du vignoble. Cette consistance est due en partie au fait que c'est ici que l'on trouve les plus vieilles vignes non greffées du domaine.

La pente escarpée de ce site (inclinaison allant jusqu'à 65 %) offre un terroir unique en Moselle grâce à son sol composé de grès rouge et d'ardoise. Les vins de Würzgarten se distinguent ainsi très nettement des autres grands sites de la région par la richesse minérale très particulière de leur parfum. Quant à Loosen, il parvient à faire résonner les accords de ce terroir comme personne. **FK**

López de Heredia
Viña Tondonia

Origine Espagne, Rioja, Haro
Type vin blanc sec, 12 % vol.
Cépages Viura, Malvasía
Millésime dégusté 1964, à boire jusqu'en 2025
€€€€

Les *grandes reservas* des Bodegas López de Heredia ont indiscutablement leur place parmi les plus grands vins blancs d'Espagne. Ils ne sont pas d'accès facile, j'en conviens, car la période très longue de leur élevage en fûts de chêne américain (neuf ans, dans le cas du Gran Reserva 1964) leur donne des notes oxydées élégantes qui risquent de déconcerter le consommateur novice.

Mais ce processus très long, précédé d'un premier séjour de deux ans en cuves de chêne et suivi de plusieurs années de vieillissement en bouteilles, donne au vin un profil immédiatement reconnaissable. D'autres millésimes plus récents – certains plus tranchants, d'autres plus charnus – pourraient bien acquérir avec le temps une structure aussi parfaite, mais ce 1964 reste pour le moment le plus grand vin blanc de López de Heredia.

Une fois aéré, ce vin est riche, puissant, généreux et frais avec quelques notes oxydées en mineur, mais véritablement impressionnant et odorant, avec ses arômes d'orange et toute une gamme d'épices (cannelle, clou de girofle, vanille), formant un tout séduisant et parfaitement harmonieux. **JB**

La cave à vins de López de Heredia est surnommée « le cimetière ». ➜

Lusco do Miño
Pazo Piñeiro Albariño

Origine Espagne, Galice, Rías Baixas
Type vin blanc sec, 13 % vol.
Cépage Albariño
Millésime dégusté 2005, à boire jusqu'en 2010
€€

Le domaine Lusco do Miño a été fondé par le vinificateur José Antonio Lopez Dominguez, en partenariat avec ses importateurs américains Stephen Medler et Almudena de Llaguno. En 2007, une restructuration a été entreprise, et l'actionnaire majoritaire est aujourd'hui la dynamique société Dominio de Tares.

Les meilleurs vins issus d'Albariño ne se contentent pas de survivre une fois en bouteilles, ils acquièrent une personnalité et une structure inimitables. Lusco do Miño a su placer ses deux vins parmi cette élite. On remarque d'abord la cuvée de base – appelée Lusco depuis le millésime 1996 –, l'un des vins qui s'est retrouvé en tête de la révolution qualitative de la DO Rias Baixas au milieu des années 1990. La société produit aussi ce Pazo Piñeiro, qui porte le nom du domaine de Salvaterra do Miño, dont les 5 ha plantés d'Albariño en 1970 constituent le fleuron.

D'autres bouteilles d'Albariño souffrent d'une jeunesse excessive, d'un rendement trop intensif, ou d'un abus de levures. Bien au contraire, Le Pazo Piñeiro est sec, minéral, frais et fruité, structuré et long, et ses vertus n'ont fait qu'embellir pendant ces trois dernières années de vie. **JB**

Jean Macle
Château-Chalon

Origine France, Jura, Château-Chalon
Type vin blanc sec, 14 % vol.
Cépage Savagnin
Millésime dégusté 1999, à boire entre 2016 et 2050+
€€€

L'appellation de vin jaune Château-Chalon est légendaire et le vin de Jean Macle en fut l'exemplaire le plus recherché cette dernière décennie. Âgé de plus de 70 ans, Jean Macle est convaincu que son vin ne doit être bu que dix ans après sa mise en bouteilles (soit dix-sept ans après avoir été vendangé).

Les 4 ha de Jean Macle sont cultivés selon des méthodes durables sur un coteau escarpé de marne bleue, orienté vers le sud et vers le sud-est. Macle soutient que le voile de levure sur les barriques non pleines égalise les différences de terroir. L'endroit où sont entreposés les fûts est essentiel au processus de vieillissement et la chaleur de l'été est nécessaire au bon fonctionnement de la levure.

Le millésime 1999 possède l'équilibre requis entre l'ampleur, la finesse et l'acidité élevée, assurant une belle évolution du vin. Comme toujours pour ce vin, la robe est d'un jaune or pâle surprenant. Le nez est délicat et révèle des pommes vertes et des noix (mouillées). Extrêmement astringente, l'acidité se développe en bouche, avec une rondeur et un caractère épicé sous-jacents, qui lui donnent du corps. **WL**

Château-Chalon surplombe la vallée de Baume-les-Messieurs. ➜

Maculan
Torcolato

Origine Italie, Vénétie, Breganze
Type vin blanc doux, 13 % vol.
Cépages Vespaiolo, Tocai Friulano, Garganega
Millésime dégusté 2003, à boire jusqu'en 2025+
€€€

Fausto Maculan travaille au sein de la nouvelle DOC Breganze. Torcolato est le produit de trois procédés essentiels. Au préalable, il peut y avoir différents niveaux de botrytis sur les raisins selon l'année. Une fois cueillis, les raisins sont suspendus à des chevrons pour sécher à l'air libre pendant quatre à cinq mois ; puis, flétris, ils sont lentement pressés et vinifiés. Ensuite débute la période cruciale de vieillissement de dix-huit mois en fûts de chêne français Allier, et le vin est gardé six mois de plus avant sa mise en vente.

Torcolato est d'un fauve profond aux reflets dorés, et ce dès sa jeunesse. Très fruité, il offre une explosion de saveurs tropicales, mangue, papaye, fruit de la passion, accompagnées de pêche, d'abricot et de miel typiques, avec aussi de la vanille, provenant du chêne, et d'une touche d'agrumes suggérant les mandarines d'Italie. Des notes de caramel le différencient lors de son vieillissement en bouteilles et la finale évolue peu à peu des fruits frais aux raisins secs, aux noisettes et au caramel. Ce magnifique Torcolato 2003 va certainement évoluer majestueusement. **SW**

McWilliam's *Mount*
Pleasant Lovedale Semillon

Origine Australie, N^{elle} Galles du Sud, Hunter Valley
Type vin blanc sec, 11,5 % vol.
Cépage Sémillon
Millésime dégusté 2001, à boire jusqu'en 2021
€€

Ce Sémillon est unique, bien adapté aux sols alluviaux pauvres de Hunter Valley. Les 6 ha du vignoble de Lovedale, plantés en 1946 par Maurice O'Shea, se sont aujourd'hui agrandis d'autres cépages, mais c'est ce noyau de vieilles vignes, sur du sable graveleux très pauvre et du limon, qui donne le Lovedale, grand classique d'Australie.

Les raisins sont cueillis à la main, immédiatement foulés et drainés sans aucun contact avec les pellicules, puis le jus est stabilisé à froid pendant environ deux semaines, afin d'être clarifié avant la fermentation. Philip Ryan estime que le Semillon de Hunter est au top, grâce à une viticulture et une vinification meilleures. « Il y a presque une douceur du fruit, même si les vins sont très secs, grâce au corps fruité du milieu en bouche. Il n'y a pas de raison que les gens ne dégustent pas le Semillon jeune », affirme-t-il. Il lance donc désormais une petite portion de Lovedale jeune. Ce vin est remarquablement frais à 6 ans d'âge, avec des arômes de citron, d'agrumes et d'herbes subtiles, et un soupçon de beurré-grillé dû au vieillissement en bouteilles commençant tout juste à émerger. **HH**

Lovedale est l'une des trois parcelles du vignoble de Mount Pleasant. ➜

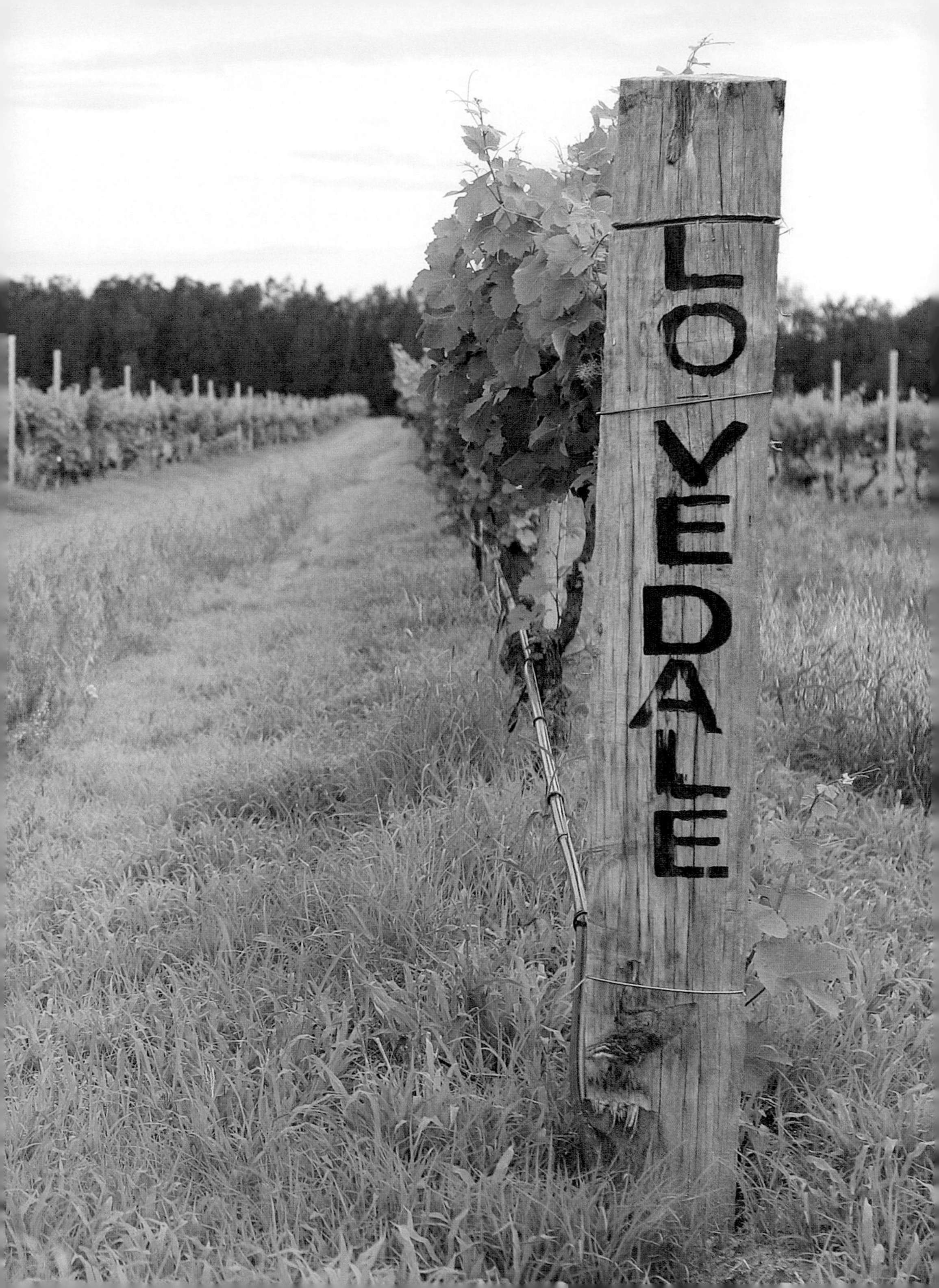
LOVEDALE

Château Malartic-Lagravière

Origine France, Bordeaux, Pessac-Léognan
Type vin blanc sec, 13 % vol.
Cépages Sauvignon blanc 80 %, Sémillon 20 %
Millésime dégusté 2004, à boire jusqu'en 2020
€€€

La présence d'un navire sur l'étiquette vient d'un propriétaire amiral du XVIIIe siècle. Malartic-Lagravière passa aux mains de la famille Marly et fut dirigé par Jacques Marly de 1947 à 1990. La qualité était alors moyenne.

En 1990, Malartic fut acheté par la maison Laurent-Perrier, qui le revendit sept ans plus tard à Alfred-Alexandre Bonnie, entrepreneur belge qui y investit beaucoup d'argent rénovation et agrandissement des vignobles et du château, création d'un superbe chai aux technologies de pointe.

Les vignes sont plantées sur du gravier profond bien drainé, sur un sous-sol d'argile. Sous l'égide des Marly, le Malartic blanc n'était issu que de Sauvignon blanc, mais les Bonnie ont planté un peu de Sémillon pour renforcer le corps et la complexité. Après les vendanges, les raisins sont soigneusement triés, puis le moût est fermenté en fûts de chêne dont environ 50 % est jeune. Dans les années 1980, le vin blanc était souvent plutôt dur et sans charme, mais en 2000 il est devenu l'un des meilleurs de l'appellation. Le 2004 en particulier est une belle réussite, offrant des arômes d'orties et de fruits de la passion, avec un souffle sophistiqué de chêne. En bouche, il est charnu et concentré, d'une belle profondeur, avec un caractère épicé, une excellente acidité croquante et une belle longueur. Délicieux jeune, il possède l'équilibre nécessaire à une belle évolution. **SBr**

Château de Malle

Origine France, Bordeaux, Sauternes
Type vin blanc doux, 13,5 % vol.
Cépages Sém. 67 %, Sauv. bl. 30 %, Muscadelle 3 %
Millésime dégusté 1996, à boire jusqu'en 2018
€€€

Ce charmant château et son parc sont dans la famille Lur-Saluces depuis 1702 et furent légués à un jeune neveu, Pierre de Bournazel, en 1956. Ce dernier, devant les vignobles en proie au gel et les bâtiments en ruine, entreprit des réparations avec ténacité et déménagea de Paris en 1980 avec sa famille pour s'installer dans le château restauré.

Réputés au XIXe siècle, les Sauternes étaient plutôt médiocres dans les années 1960 et 1970. Mme de Bournazel, après la mort prématurée de son époux en 1985, améliora les vignobles. La sélection est rigoureuse et aucun de Malle ne fut embouteillé en 1992 et 1993.

De Malle n'est pas un Sauternes particulièrement corpulent, mais il a tendance à être luxuriant et plutôt franc, même si les bons millésimes vieillissent bien. Par le passé, les vins étaient excessivement légers, élégants mais pâles. À présent, de Malle a pris de l'ampleur, tout en mettant l'accent sur l'accessibilité et la succulence plutôt que sur la puissance. Le millésime 1996 est éclipsé par l'exceptionnel 1997, mais a produit lui aussi bon nombre de vins splendides. On y décèle des arômes de pêche et de mangue. Le vin est élevé dans environ 50 % de chêne neuf et le goût de bois est relativement prononcé. Une bonne acidité vient équilibrer la concentration du fruit et le vin jouit d'une longue finale. Même s'il est certain que ce vin vieillira bien, il procure déjà beaucoup de plaisir. **SBr**

Le château, construit par Jacques de Malle au XVIIe siècle. ➜

Malvirà
Roero Arneis Saglietto

Origine Italie, Piémont, Roero
Type vin blanc sec, 13 % vol.
Cépage Arneis
Millésime dégusté 2004, à boire jusqu'en 2012
€€

Les frères Damonte peuvent être fiers d'avoir trois vins cités dans cet ouvrage, un bel exploit pour une petite exploitation fondée en 1974. L'élégance retenue et la complexité des vins démontrent que le Roero est très proche du Langhe plus célèbre.

Le cépage blanc local est l'Arneis, capable de produire des vins différents et croquants, qui ne sont pas reconnus à leur juste valeur car priorité est donnée au Nebbiolo. Depuis plus de 200 ans, Saglietto est le vignoble historique de la famille Damonte.

Les raisins utilisés pour l'Arneis de Saglietto sont pressés immédiatement après la cueillette. La moitié du moût est fermentée et élevée pendant environ dix mois en tonneaux de chêne français de 450 litres, tandis que l'autre moitié fermente dans des cuves d'acier inoxydable. L'assemblage et la mise en bouteilles ont lieu au mois d'août et le vin est vieilli encore quelques mois avant sa sortie.

C'est un vin très harmonieux, d'une brillante robe jaune paille. Il est joliment rond mais croquant, avec des notes bien définies de pomme et de poire. Le bel équilibre entre le corps et l'acidité lui permet de vieillir gracieusement dans le moyen terme. **AS**

Marcassin
Chardonnay

Origine États-Unis, Californie, Sonoma Valley
Type vin blanc sec, 14,9 % vol.
Cépage Chardonnay
Millésime dégusté 2002, à boire jusqu'en 2010
€€€

Helen Turley a poursuivi sans bruit et sans heurt sa carrière de vinificatrice en Californie depuis la fin des années 1970, mais ce n'est qu'avec les années 1990 que sa réputation l'a amenée à devenir l'œnologue la plus sollicitée de la région. Son nom est à jamais attaché aux premiers Chardonnays de Peter Michael et aux premiers Zinfandels.

Le Marcassin est la première étiquette personnelle de Helen et de son mari, John Wetlaufer. C'est une production limitée, issue de Chardonnay et de Pinot noir d'un seul vignoble. Helen Turley a appris à apprécier la finesse du Bourgogne. Elle apporte à chaque détail un soin méticuleux, aussi bien dans les vignes que dans les caves. Le vignoble Marcassin a été planté selon ses instructions, avec des espacements très denses. Les sols bénéficient d'un drainage idéal, dans la mesure où les graviers reposent sur des roches fracturées volcaniques d'origine sous-marine. Elle estime que des rendements faibles sont une garantie de qualité, et les raisins sont vendangés très mûrs, au mieux de leur acidité. Robert Parker, qui ne tarit pas d'éloges à son sujet, trouve le millésime 2002 « virtuellement parfait ». **LGr**

Château Margaux
Pavillon Blanc

Origine France, Bordeaux
Type vin blanc sec, 14,8 % vol.
Cépage Sauvignon blanc
Millésime dégusté 2001, à boire jusqu'en 2012+
€€€€

Surtout célèbre pour son vin rouge, Château Margaux produit aussi un blanc très estimé, Pavillon Blanc. Un vignoble de 12 ha n'est planté que de Sauvignon blanc. Lorsque l'appellation Margaux fut officiellement reconnue en 1955, ce vignoble en fut exclu à cause du risque élevé de gel printanier et donc mis en bouteilles comme un simple Bordeaux blanc.

Pavillon Blanc est fermenté en barrique, procédé inhabituel pour le Sauvignon, puis élevé en fûts de chêne pendant sept à huit mois supplémentaires. La production annuelle avoisine généralement les 35 000 bouteilles. Le 2001, millésime extraordinaire, arbore de hauts niveaux de concentration, de complexité et de profondeur, à ce jour toujours inégalés. Long et onctueux, d'une incroyable persistance, son fruit généreux et son acidité croquante masquent la forte teneur en alcool de 14,8 %. Tendant à se fermer et à devenir maussade à 2 ans d'âge, il s'épanouit après sept ou huit ans. Un tel vin mérite d'être dégusté en compagnie de grands mets, tels homard, coquilles Saint-Jacques, ou bien certains fromages. **SG**

Henry Marionnet
Provignage Romorantin

Origine France, vallée de la Loire, Touraine
Type vin blanc sec, 14 % vol.
Cépage Romorantin
Millésime dégusté 2006, à boire jusqu'en 2011
€€€€

«Vous me prenez pour qui ? Pour un Parisien ? » s'indigne Henry Marionnet. Il raconte comment, en 1998, il s'est vu proposer par un vieux paysan de ses voisins une parcelle de vignes de 4 ha prétendument antérieures à l'épidémie de phylloxéra. On imagine sans peine ses espoirs, mais aussi son scepticisme. Si ces plants étaient authentiques, c'était un trésor, peut-être difficile à évaluer en termes financiers, mais aussi inestimables que l'or. Marionnet fit venir des experts, qui déclarèrent qu'il s'agissait de Romorantin. Ils ajoutèrent qu'il était « probablement vrai » que ces vignes avaient été plantées en 1850 et qu'elles avaient été épargnées par la maladie en 1970. C'est ainsi que Marionnet acheta la parcelle et commença à produire son Provignage.

On pourrait craindre que tout le charme de ces vignes ne réside dans cette histoire poétique. Il n'en est rien. Le Provignage est un vin de caractère, ce qui ne l'empêche pas d'offrir des arômes de fleurs et de miel, et un palais onctueux de nougat, relevé d'une pointe minérale ténue – autant de vertus qui donnent un vin infiniment agréable et pour tout dire, unique. **KA**

Château Margaux est souvent appelé le « Versailles du Médoc ».

Marqués de Murietta *Castillo Ygay Blanco Gran Reserva*

Origine Espagne, Rioja
Type vin blanc sec, 12,8 % vol.
Cépages Viura 93 %, Malvasía 7 %
Millésime dégusté 1962, à boire jusqu'en 2012
€€€€€

Marqués de Murietta a contribué à établir la norme du grand rouge classique Rioja, mais aussi du blanc. Cette maison produit plusieurs vins blancs, mais le Castillo Ygay a toujours été limité aux meilleurs millésimes. Depuis sa fondation en 1852, la société élabore et commercialise des blancs traditionnels, élevés dans le chêne. Et elle reste fidèle à son style, résistant à la mode des vins jeunes, frais et légers, née il y a une ou deux décennies, à une époque où la technologie était devenue plus accessible. Les propriétaires considèrent leurs vins de réserve comme entièrement différents de ceux qui parviennent sur le marché très peu de temps après les vendanges.

Le 1962 est un millésime très particulier, et la qualité des raisins, parfaitement mûrs, a donné au vin, traité avec des méthodes respectueuses de la tradition, une remarquable longévité. Il a passé plus de dix-huit ans dans les meilleurs vieux fûts de chêne américain de la maison, avant de rester cinq ans de plus en bouteilles. L'intérieur des fûts est tapissé de cristaux de tartrate, ce qui aide à protéger le vin de l'oxydation et à préserver sa couleur. Il a finalement été mis en bouteilles en 1982.

Aux yeux des connaisseurs, qui recherchent un peu plus de profondeur, la mode des vins frais et fruités a rapidement perdu la cote. Lassés de blancs tous identiques, ils exigent des vins élevés dans le chêne une personnalité plus marquée et plus complexe, comme celle des blancs Castillo Ygay. **LG**

Les vignobles encerclent Logroño, la capitale de la région de Rioja. ➡

Domaine Matassa *Blanc*
Vin de pays des Côtes catalanes

Origine France, Roussillon
Type vin blanc sec, 13 % vol.
Cépages Grenache gris 85 %, Maccabeu 15 %
Millésime dégusté 2004, à boire jusqu'en 2015
€€

En 2001, les Néo-Zélandais Sam Harrop et Tom Lubbe achètent le Matassa, petit vignoble haut perché dans les collines des Coteaux de Fenouillèdes (depuis reclassé comme Côtes catalanes).

Lubbe possède le savoir-faire local, il travaillait au célèbre Domaine Gauby, et fabrique également les vins de l'Observatoire en Afrique du Sud. Harrop est consultant en vinification. En 2003, ils achetèrent douze parcelles supplémentaires, dont quelques vignobles de blanc. Ces vignobles sont cultivés selon des principes biodynamiques et les vins élaborés aussi naturellement que possible.

Malgré des rouges impressionnants, c'est le vin blanc de ce jeune domaine qui a réellement attiré l'attention de la critique. Le millésime 2004 est un exploit exceptionnel. Assemblage de cépages de vieilles vignes, ce vin est fermenté à l'aide de levures indigènes dans des demi-muids de 500 litres, puis élevé sur fines lies en fûts pendant onze mois. Il s'agit d'un vin étoffé mais frais, aux saveurs complexes et à la minéralité caractéristique. Il continue à se développer en bouteilles de nombreuses années. **JG**

Maximin Grünhauser
Abtsberg Riesling Auslese

Origine Allemagne, Moselle-Sarre-Ruwer
Type vin blanc doux, 8 % vol.
Cépage Riesling
Millésime dégusté 2005, à boire jusqu'en 2020
€€€

Les premiers documents sur Grünhaus datent de février 966, lorsque l'empereur Otto Ier offrit bâtisses, vignobles et domaines au monastère bénédictin de Saint-Maximim, à Trier. Cependant, des travaux d'excavation suggèrent l'existence d'un vignoble à l'époque romaine.

Lors de la sécularisation, la propriété fut mise aux enchères en 1810 et est aux mains de la famille von Schubert depuis 1822. Parmi les trois vignobles de l'exploitation, l'Abtsberg a une position centrale. Le sol d'ardoise bleue en décomposition datant du Dévonien crée des Rieslings corpulents et épicés, au bouquet riche et à l'acidité très élégante.

L'Auslese 2005 a poussé en plein cœur de ce vignoble, juste au-dessus de la résidence. Exigeant et séduisant à la fois, il offre des arômes intimement mêlés de mangue, de fruit de la passion et de compote de pêche. Initialement dense et juteux en bouche, il est toutefois frais et équilibré grâce à son acidité riche en minéraux. Les fruits exotiques créent un arrière-goût de citron vert et de papaye confits. Voici un Auslese qui ressuscite 2 000 ans d'histoire de la viticulture et de son terroir. **FK**

◄ Vignes taillées en gobelet ou en buisson au domaine Matassa.

Viña Meín

Origine Espagne, Galice, Ribeiro
Type vin blanc sec, 12,5 % vol.
Cépages Treixadura 85 %, autres 15 %
Millésime dégusté 2004, à boire jusqu'en 2010
€

Leiro, près d'Orense, au nord-est de l'Espagne, revendique à juste titre une longue tradition vinicole, implantée dans la région sous l'impulsion de l'abbaye cistercienne de San Clodio. Les moines sont à l'origine de l'atmosphère particulière qui imprègne la vallée, couverte de vignobles le long des rives de l'Avia.

Bien qu'il existe dans cette région une longue tradition, Viña Meín est une maison récente, fondée à la fin des années 1980 dans la mouvance d'une politique de meilleure qualité des vins espagnols. Les vignes de l'exploitation ont été plantées sur plusieurs parcelles, 14 ha au total. La variété la plus courante, à près de 80 %, est le cépage local Treixadura, les 20 % restants étant constitués de Godello, de Loureira, de Torrontés, d'Albariño et de Lado.

Le vin éponyme est le porte-drapeau de la maison, et sa version non boisée aspire à traduire l'expression la plus pure du fruit, au cœur d'une structure retenue. Les meilleurs millésimes de Viña Meín, le 2001 ou le 2004, par exemple, combinent une grande intensité aromatique (feuilles de laurier et fruits à chair blanche) à la fraîcheur de leur jeunesse, mais quelques années en cave lui donneront une noble maturité. **JB**

Alphonse Mellot
Sancerre Cuvée Edmond

Origine France, vallée de la Loire, Sancerre
Type vin blanc sec, 13 % vol.
Cépage Sauvignon blanc
Millésime dégusté 2002, à boire jusqu'à dix ans d'âge
€€€

Les vignobles Alphonse Mellot se situent en majorité autour du domaine de La Moussière, vignoble individuel de 35 ha de Sauvignon blanc au sud de Sancerre. Situé en plein cœur de l'appellation sur un sol kimméridgien, La Moussière se compose du calcaire typique de Sancerre ainsi que des marnes de Saint-Doulchard et du sol crayeux de Buzançais, le domaine est cultivé selon des principes organiques depuis le début du siècle, et s'est désormais mis à la viticulture biodynamique.

La Cuvée Edmond est produite à partir d'une parcelle de vieilles vignes, plantées entre les années 1920 et 1960, avec un rendement moyen de 41 hl/ha. La fermentation a lieu dans les caves familiales datant du XVe siècle, à Sancerre même, dans de nouvelles barriques pour 60 % du vin, bien que le chêne reste très rarement utilisé dans la région. La Cuvée Edmond est ensuite élevée sur de fines lies pendant une période variable selon l'année, 10 à 14 mois étant la norme. Malgré une ampleur et une concentration rares pour un Sancerre, certains le préfèrent jeune et frais et il se marie à merveille avec les fruits de mer ou le Chavignol local. **SG**

Le prestigieux domaine La Moussière d'Alphonse Mellot. ➜

Miani
Tocai

Origine Italie, Frioul-Vénétie-Julienne
Type vin blanc sec, 12,5 % vol.
Cépage Tocai Friulano
Millésime dégusté 1999, à boire jusqu'en 2012
€€€€

Le millésime 1999 de ce vin est l'un de ceux pour lesquels on peut encore utiliser légalement le nom Tocai. Après la loi votée par l'Union européenne, on ne sait toujours pas si le cépage va être renommé Friulano, Tocai, ou autrement.

Le Tocai Friulano a représenté l'industrie viticole du Frioul pendant des siècles. Le cépage n'est autre que le Sauvignonasse ou Sauvignon vert. Le lien de parenté entre le Sauvignon blanc et le Sauvignon vert ne fait pas l'unanimité, mais respirer le jus de raisin Tocai Friulano récemment fermenté convaincrait n'importe qui. Après quelques semaines, le Tocai perd cet arôme caractéristique de feuille de tomate et adopte des notes plus douces, plus mielleuses.

Le Tocai Miani 1999 est le parfait exemple d'un grand Tocai Friulano mais est aussi atypique, car, à la différence de la plupart des Tocai Friulano, il va vieillir avec grâce sur le moyen et le long terme. Parfait exemple parce qu'il possède toute la profondeur et la complexité que l'on peut espérer dans un tel vin. Sa robe est d'un jaune profond avec des reflets dorés. Le nez est vaste et captivant, avec de douces notes de pomme dorée, de miel, d'amandes, de foin, de poivre blanc et autres épices, et même du safran. Le palais est inondé par sa sensualité beurrée, mais non pour le goût du beurre, plutôt pour sa texture onctueuse. La très longue finale est difficile à oublier. **AS**

Peter Michael
L'Après-Midi Sauvignon Blanc

Origine États-Unis, Californie, Sonoma Valley
Type vin blanc sec, 14,2 % vol.
Cépage Sauvignon blanc
Millésime dégusté 2003, à boire jusqu'en 2011+
€€€

Peter Michael, peut-être bien plus célèbre en Grande-Bretagne qu'aux États-Unis, après avoir géré une entreprise dans l'électronique et fondé la station de radio Classic FM, devient producteur de vins. Il s'établit dans la méconnue Knights Valley, qui relie le nord de Napa à Sonoma, où il achète un vaste ranch en 1981 et lance son premier millésime en 1987.

Dès le départ, il se concentre sur un Cabernet, un Chardonnay et un Sauvignon blanc très raffinés ; sa gamme s'est étendue depuis. Son équipe achète des raisins mais développe également les vignobles du domaine, dont bon nombre sont plantés sur des sols volcaniques rocheux dans les montagnes juste derrière le chai. Les rendements sont très bas, et de fait la production aussi. Les millésimes initiaux de Sauvignon blanc, au nom français, comme la plupart des vins de Michael, sont issus de fruits de Howell Mountain mais, depuis la fin des années 1990, plutôt de raisins du domaine qui poussent à 366 m d'altitude. Le vin est fermenté en barrique à l'aide de levures naturelles, mais avec peu de chêne neuf.

Le millésime 2003 est typique, avec des arômes mûrs de pomme, égayé par un discret caractère épicé, tout comme le palais. Il y a une touche de douceur dans la finale, qui dérive probablement de la teneur en alcool, puisque le vin ne contient pas de sucre résiduel. L'acidité vive lui donne une belle persistance et lui permet de vieillir sur le moyen terme. **SBr**

Des vignes caressées par le soleil couchant sur le domaine de Peter Michael. ➡

Millton Vineyard *Te Arai Vineyard Chenin Blanc*

Origine Nouvelle-Zélande, Gisborne
Type vin blanc sec, 12,5 % vol.
Cépage Chenin blanc
Millésime dégusté 2002, à boire jusqu'en 2015+
€

Jusqu'aux années 1980, le cépage le plus répandu en Nouvelle-Zélande était le Müller-Thurgau, la révolution du Sauvignon blanc venait à peine de commencer et l'industrie était dérisoire. Aujourd'hui, le vin blanc néo-zélandais est florissant et dominé par le Sauvignon blanc, suivi de loin par le Chardonnay, les Riesling, Pinot gris et Gewurztraminer complétant la liste des cépages blancs les plus communs. Ce Chenin blanc variétal est en quelque sorte une rareté, et vu son goût, on se demande pourquoi ce cépage de la Loire n'est pas plus planté.

Milton Vineyard, domaine de 30 ha situé sur les rives de la Te Arai, fut le premier à obtenir le certificat organique et suit les principes d'agriculture biodynamique de Steiner depuis le début, soit depuis vingt-cinq ans.

Malgré les résultats satisfaisants obtenus avec d'autres cépages, c'est le Chenin blanc qui a fait la réputation de Milton. Les Chenins de ce domaine arborent normalement un fruit croquant dans leur jeunesse et prennent une rondeur moelleuse avec l'âge. Le 2002 est un beau millésime et fait preuve de notes crémeuses de paille caractéristiques de ce cépage. La texture est ronde et ample, et le vin jouit d'une bonne concentration et d'une acidité minérale. Avec les années, ce vin devrait commencer à montrer un peu plus de miel. Les Milton pensent que leur Chenin a un potentiel de garde de quinze ans à compter de sa mise en vente. **JG**

AUTRES SUGGESTIONS

Autres grands millésimes

2000 • 2001 • 2004 • 2005 • 2007

Autres vins du même producteur

Opou Vineyard Chardonnay and Riesling • Growers Series Gisborne Gewürztraminer and Briant Vineyard Viognier

Des vignobles de Chenin blanc à Gisborne. ➜

Mission Hill
S.L.C. Riesling Icewine

Origine Canada, Colombie-Brit., Okanagan Valley
Type vin blanc doux, 10,5 % vol.
Cépage Riesling
Millésime dégusté 2004, à boire jusqu'en 2015+
€€€€

À 400 km à l'est de Vancouver, Mission Hill a été fondé en 1981 par Anthony von Mandl. Vinificateur de Montana, John Simes a rejoint le domaine en 1992 et est toujours à la barre. L'incroyable chai, achevé en 2006, a été conçu par l'architecte Tom Kundig.

On produit moins de vin de glace dans l'Okanagan que dans l'Ontario (où l'on trouve le célèbre Inniskillin) et le S.L.C. de Mission Hill, produit phare du vin canadien, est issu de Riesling et non du Vidal, cépage généralement utilisé. Les raisins ont été vendangés en janvier 2005 au Ranch Naramata et dans les vignobles de Mission Hill Road, à une température de -11 °C, et seules 476 caisses de vin ont été produites.

S.L.C. Riesling est d'une douceur intense, son exorbitante teneur en sucre résiduel s'élevant à 255 g/l, relativement bien équilibrée par 12 g/l d'acidité totale. Le vin semble presque écœurant au départ, mais l'acidité est particulièrement prononcée dans la finale, laissant un arrière-goût net et rafraîchissant. D'une belle longueur et d'un fruit intense mais élégant, le 2004 est sans doute le meilleur vin de glace que John Simes ait jamais produit. **SG**

Mitchelton *Airstrip Marsanne*
Roussanne Viognier

Origine Australie, Victoria, lacs Nagambie
Type vin blanc sec, 14 % vol.
Cépages Marsanne 40 %, Rous. 30 %, Viognier 30 %
Millésime dégusté 2005, à boire dès sa sortie
€€€

En 1967, l'entrepreneur Ross Shelmerdine demanda à Colin Preece de trouver le meilleur site dans tout le sud-est de l'Australie pour planter des raisins de qualité. Preece choisit un vieux domaine de pâturages au sein du district de Nagambie, dans la zone de Central Victoria.

Le premier encépagement fut fait en 1969. Don Lewis rejoignit Preece pour le premier millésime du domaine en 1973 et lui succéda lorsqu'il prit sa retraite en 1974. La même année, l'incroyable complexe de vinification de Mitchelton, élaboré par Ted Ashton, fut officiellement inauguré.

Mitchelton se concentre sur les cépages du Rhône. La Marsanne est une spécialité de Central Victoria : la région peut se vanter d'avoir les plus grands encépagements de cette variété après la France. Élaborées dans un style opulent et légèrement boisé, la Marsanne et la Roussanne d'Airstrip sont fermentées en barriques dans 20 % de chêne neuf français, tandis que le Viognier l'est en barriques de chêne français âgé de 4 ans afin de garder une plus grande expression du fruit. Il est rare de trouver un assemblage de ces trois variétés originaires de la vallée du Rhône. **SG**

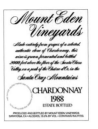

Robert Mondavi
Fumé Blanc I Block Reserve

Origine États-Unis, Californie, Napa Valley
Type vin blanc sec, 13,5 % vol.
Cépage Sauvignon blanc
Millésime dégusté 1999, à boire jusqu'en 2020
€€€

Le Sauvignon blanc de la Napa Valley étant médiocre, Robert Mondavi, créant son exploitation en 1966, décida de faire des expériences pour produire un vin tel que les grands Pouilly-Fumé et Blanc Fumé. Il fit fermenter le moût en cuves d'acier inoxydable après macération sur les peaux, puis vieillit le vin en fûts de chêne neuf.

Mondavi parvint à produire un vin différent, que d'aucuns n'identifiaient pas comme du Sauvignon blanc, alors il décida de lui attribuer un nom qui le distinguerait du vin de pichet associé à cette variété. Ainsi naquit, en inversant le nom français, le Fumé Blanc. Le meilleur Fumé Blanc de Mondavi est le I Block Reserve, issu exclusivement du vignoble de To-Kalon, dans le domaine d'Oakville. Ce vignoble, planté en 1945 sur des souches racinaires résistantes au phylloxéra, est peut-être le plus ancien encépagement de Sauvignon blanc d'Amérique du Nord.

Le 1999 est toujours brillant, net et déterminé. Au nez, l'attaque est intense. Les notes fraîches de citrus se renouvellent en bouche, acquérant au passage des saveurs tropicales, minérales et herbacées présentes dans la finale, très longue et intense. **LGr**

Mount Eden
Chardonnay

Origine États-Unis, Californie, Santa Cruz Mountains
Type vin blanc sec, 13 % vol.
Cépage Chardonnay
Millésime dégusté 1988, à boire jusqu'en 2012+
€€€€

Martin Ray planta son premier vignoble sur le Mount Eden en 1942, y cultivant du Pinot noir, du Chardonnay puis du Cabernet Sauvignon. Pendant les années 1960, il fit appel à des investisseurs pour développer de nouveaux vignobles. Le partenariat tourna à l'aigre et 1970 fut le dernier millésime de Ray issu des vignes qu'il avait plantées.

Les nouveaux propriétaires rebaptisèrent le domaine Mount Eden Vineyards et produisirent leur premier millésime en 1972. En 1981, Jeffery Patterson fut engagé comme assistant, puis devint le principal vinificateur un an après et dirige la production depuis.

Le Chardonnay de Mount Eden est l'un des rares Chardonnays californiens à bien vieillir. Claude Kolm trouve qu'il est proche d'un Bourgogne blanc, qu'il ressemble à un excellent Puligny-Montrachet dans sa minéralité et acquiert l'austérité d'un Chablis en vieillissant. Lors d'une dégustation verticale de 28 millésimes remontant jusqu'en 1976, Kolm élut le 1988 meilleur vin, louant sa « belle acidité en bouche, sa minéralité, son caractère de pierre et ses saveurs de pomme, son électricité dans l'ensemble, presque digne d'un grand Riesling ». **SG**

Mount Horrocks *Cordon Cut Riesling*

Origine Australie, Aust.-Méridionale, Clare Valley
Type vin blanc doux, 12 % vol.
Cépage Riesling
Millésime dégusté 2006, à boire jusqu'en 2016
€€

Mount Horrocks se trouve dans la vieille gare d'Auburn, minuscule ville située à l'extrémité sud de Clare Valley. Les frères Ackland fondèrent le label Mount Horrocks en 1981 pour écouler le fruit issu de vignobles encépagés en 1967 et Jeffrey Grosset fut leur consultant pendant de nombreuses années. Même s'il possède désormais son propre label, Grosset reste très impliqué dans Mount Horrocks puisqu'il est le compagnon de Stephanie Toole, qui a acheté le domaine en 1993.

Mount Horrocks produit une gamme de vins de Clare Valley, dont le plus remarquable est le Cordon Cut Riesling. «Cordon Cut» fait référence à un procédé risqué qui consiste à tailler les rameaux lorsque les raisins sont mûrs, permettant à ceux qui restent de se concentrer et de mûrir sur pied. Il en résulte un vin étoffé aux saveurs intenses.

Le Cordon Cut Riesling 2006 de Mount Horrocks est d'une couleur jaune citron pâle. Les arômes floraux du Riesling jaillissent du verre. En bouche, le vin est extrêmement doux, sans être écœurant pour autant. Il possède des saveurs fruitées délicates mais intenses de mandarine et d'orange, qui se mêlent au miel et aux épices, ainsi que des arômes minéraux. Sa belle et vigoureuse acidité équilibre l'intensité du fruit. Ce vin peut être dégusté immédiatement ou mis en cave pendant une dizaine d'années. Le Cordon Cut n'a pas été fabriqué en 2007, car une gelée a dévasté les vignobles du sud de Clare Valley en 2006. **SG**

AUTRES SUGGESTIONS
Autres grands millésimes
1996 • 2000 • 2001 • 2002
Autres vins du même producteur
Watervale Chardonnay • Mount Horrocks Riesling
Mount Horrocks Semillon • Mount Horrocks Shiraz

Mount Horrocks se trouve dans la vieille gare d'Auburn. ➡

Mountadam
Chardonnay

Origine Australie, Aust.-Méridionale, Eden Ridge
Type vin blanc sec, 14 % vol.
Cépage Chardonnay
Millésime dégusté 2006, à boire jusqu'en 2012
€€€

Le Chardonay australien possédait un extrait qui emplit la bouche, des saveurs de fruits tropicaux et une épaisseur de chêne épicé et doux, différents de ce que l'on produisait en Europe. Mais le Chardonnay des antipodes arbore désormais un boisé moins prononcé et les vignobles sont en train d'être plantés à plus grande altitude, ce qui leur donne un caractère acide et fruité de style plus européen.

On peut retracer ce développement en détail au chai de Mountadam, fondé par l'un des géants de la viticulture australienne, feu David Wynn. Le Chardonnay destiné à sa cuvée élevée en barrique provient des plus anciens encépagements d'Australie-Méridionale, plantés sur les hauteurs d'Eden Ridge, où des températures diurnes plus fraîches et des rendements moins élevés s'associent pour donner des conditions propices.

Con Moshos, autrefois aide de camp de Brian Croser à l'époque de Petaluma, est actuellement le vinificateur de Mountadam. En 2006, il a produit le meilleur Chardonnay du domaine des dernières années, issu d'un ensemble de clones plantés à l'origine par David Wynn. Même si le vin possède la densité texturale du moût de faible rendement, il est aussi extrêmement gracieux. On y décèle arômes et saveurs prononcés de nectarine, de melon Galia et de poire, tandis que le traitement au bois apporte une note subtile de noix de muscade. La finale substantielle de noisettes en dit long. **SW**

◄ Des vipérines poussent au milieu des vignes de Mountadam.

Egon Müller
Scharzhofberger Riesling Auslese

Origine Allemagne, Moselle-Sarre-Ruwer
Type vin blanc doux, 8 % vol.
Cépage Riesling
Millésime dégusté 1976, à boire jusqu'en 2040+
€€€€€

Scharzhof, dans la vallée de la Sarre, dirigée par la famille Müller depuis cinq générations, est la seule exploitation qui peut indiscutablement être considérée comme «l'Élysée des Rieslings». Les vins issus du vignoble de Scharzhofberg comptent parmi les vins les plus chers et les plus recherchés au monde.

Dans le grand millésime 1976, on trouve une gamme d'Auslese difficilement distinguables grâce à leur qualité presque transcendantale, bien que chacun fasse preuve d'une remarquable personnalité due au cuvage individuel. En 2006, l'auteur hambourgeois Stephan Reinhardt a dégusté l'Auslese n° 32 pour *The World of Wine*: «Bouquet piquant et aux couches multiples, avec des touches de thé à l'orange, de cigare, de tabac et d'abricots séchés. Une charpente moelleuse et très stylée, combinée à un fruité superbement précis et sucré, mêlé à des arômes de miel et tranché par une belle acidité brillante. Faisant preuve à la fois d'une concentration et d'une finesse merveilleuses, voici un Auslese intense, parfaitement équilibré et totalement irrésistible.» Selon Reinhardt, ces vins éclaircissent plus les idées qu'ils ne les troublent. **FK**

Müller-Catoir *Mussbacher*
Eselshaut Rieslaner TBA

Origine Allemagne, Palatinat
Type vin blanc doux, 9 % vol.
Cépage Rieslaner
Millésime dégusté 2001, à boire jusqu'en 2030+
€€€€€

Comme son nom le suggère, le Rieslaner est un croisement entre le Silvaner et le Riesling. Ce cépage créé en 1921 se place aujourd'hui parmi les cépages les plus rares d'Allemagne: il n'est cultivé que sur environ 85 ha du territoire. Pour les Beerenauslese ou les Trockenbeerenauslese (TBA), le Rieslaner compte parmi les meilleurs vins de dessert du monde.

Le Rieslaner a été particulièrement bien cultivé depuis des décennies dans le domaine traditionnel du Palatinat, Müller-Catoir. Les vins doux nobles de cette variété sont d'authentiques élixirs qui arborent une incroyable intensité et des saveurs fruitées explosives combinées à une complexité enivrante. On peut littéralement plonger dans les vagues successives de fruits exotiques et d'arômes de citrus frais.

Le TBA 1990 était le premier vin allemand à recevoir le score parfait de 100 points de Robert Parker. Le TBA 2001 a cependant atteint de nouveaux sommets. Il est célébré par le *Gault-Millau* comme «l'un des meilleurs vins jamais produits en Allemagne». Seuls 325 litres ont été produits – une minuscule goutte par rapport à la demande internationale. **FK**

Salvatore Murana *Passito di Pantelleria Martingana*

Origine Italie, Sicile, Pantelleria
Type vin blanc doux, 15 % vol.
Cépage Zibibbo
Millésime dégusté 2000, à boire jusqu'en 2028+
€€€€

Sur les terrasses rocheuses d'origine volcanique, baignées de soleil et balayées par le vent, Murana cultive le Zibibbo, un clone de Muscat également appelé Muscat d'Alexandrie. Chaque vigne a dû être plantée dans la terre et abritée par un petit muret de pierre sèche pour être protégée des vents violents. Elles doivent être élaguées court et leur croissance est presque horizontale, à tel point qu'elles touchent le sol. La partie supérieure est taillée en corbeille, le fruit étant à l'abri à l'intérieur.

Murana possède des vignobles dans différentes parties de l'île, Costa, Gadir, Mueggen, Khamma, et Martingana, dans le sud, avec des vignes datant de 1932. Vu leur âge, le sol aride et les conditions climatiques particulières, ces pieds produisent une très petite récolte, vendangée en deux temps. Certains raisins sont passerillés sur des dalles de pierre, et le reste est utilisé juste après la cueillette dans le but d'équilibrer opulence et fraîcheur. Ce vin exhale les arômes de l'île : fruits secs, dattes, épices et café. En bouche, il est étoffé et rond, et l'équilibre entre la douceur et l'acidité frise la perfection. **AS**

René Muré *Riesling Vorbourg Grand Cru Clos Saint-Landelin*

Origine France, Alsace
Type vin blanc sec, 13,5 % vol.
Cépage Riesling
Millésime dégusté 2003, à boire jusqu'en 2012
€€€€

En 2003, en Alsace, après un mois de mars précoce, doux et ensoleillé, la nuit glaciale du 10 avril annonçait un gel dévastateur. Le soleil intense de l'été a entraîné un desséchement excessif. Les 15 ha de Clos Saint-Landelin de Muré, situés dans le grand cru Vorbourg, ont pâti de cette chaleur, en particulier les sols pierreux orientés vers le sud, au sommet du clos ; la maturation a été interrompue ; les vendanges ont été tardives, en octobre, sous les premières neiges.

Mais grâce à la pluie de septembre, les vignes et les parcelles du clos au sol d'argile, qui retient plus l'eau, s'en sont mieux sorties dans des conditions automnales plus fraîches. Vendangés plus tard que d'habitude, les raisins étaient à la fois riches en sucres naturels et en polyphénols. Ils furent alors fermentés jusqu'à devenir totalement secs et atteindre un niveau d'alcool de 13,5 %.

La robe est d'un doré scintillant et le nez complexe développe un soupçon de goût de pétrole au contact de l'air (il faut donc décanter ce vin), caractère typique du Riesling en maturation. En bouche, il s'avère gras et puissant, le genre de vin à garder en cave sur le moyen terme. **ME**

Château Nairac

Daniele Nardello
Recioto di Soave Suavissimus

Origine France, Bordeaux, Sauternes, Barsac
Type vin blanc doux, 13,5 % vol.
Cépages Sém. 90 %, Sauv. bl. 6 %, Muscadelle 4 %
Millésime dégusté 2001, à boire jusqu'en 2030
€€€

Origine Italie, Vénétie, Soave
Type vin blanc doux, 14 % vol.
Cépage Garganega
Millésime dégusté 2003, à boire jusqu'en 2020
€€€

Suite au phylloxéra, le vignoble de Nairac fut planté de cépages noirs. Dans les années 1960, le vin se vendait uniquement en gros. Tom Heeter et Nicole Tari (fille du propriétaire de Château Giscours) achetèrent la propriété en 1971 et Tom, originaire de l'Ohio, s'attela à restaurer les vignobles et les chais et à améliorer la qualité grâce à une sélection très stricte. Il gardait également des douzaines de lots séparés du reste, tous fermentés en barrique, afin de contrôler leur évolution avant la décision de l'assemblage final.

En 1993, leur fils Nicolas reprit l'affaire. Encore plus perfectionniste que son père, il rechercha un fruit totalement botrytisé et façonna les vins essentiellement à la main. Seules les barriques donnant entière satisfaction sont assemblées et mises en bouteilles ; la production des 16 ha est donc très réduite. Le vin est élevé dans environ 65 % de chêne neuf et en général bien plus étoffé que la plupart des Barsacs. Le 2001 offre de puissants arômes de noyau de fruits, est somptueux, onctueux, corpulent, et fait preuve de finesse malgré sa puissance, avec une longue finale orangée. **SBr**

Daniele et Federica Nardello, deux frères dont les 14 ha de vignobles occupent l'extrémité sud du Soave Classico, ont recours au système de pergola traditionnel de Vérone pour les vieilles vignes, et pour les plus récentes au système Guyot, qui permet une plus grande densité et une meilleure exposition au soleil.

Recioto di Soave Suavissimus est issu des plus vieilles vignes, vendangées sur six semaines afin d'assurer différents niveaux de maturité. Les raisins, séchés à l'intérieur jusqu'au mois de mars suivant, sont ensuite pressés. Chaque lot est vinifié séparément en barriques, avant d'être assemblé et élevé plusieurs mois en cuves d'acier inoxydable. Le vin est ensuite mis en bouteilles et vieilli une année supplémentaire avant sa mise en vente.

Le vin arbore une robe doré profond et offre un bouquet allant des fleurs jaunes fraîchement cueillies aux abricots séchés en passant par les amandes et le miel. Quelques notes d'agrumes (mandarine) rafraîchissent le tout. Intense en bouche, l'acidité équilibre la teneur élevée en sucre et lui permet de garder sa vitalité jusqu'à la longue finale bien ajustée. **AS**

Nederburg
Edelkeur Noble Late Harvest

Origine Afrique du Sud, Paarl
Type vin blanc doux, 11 % vol.
Cépage Chenin blanc
Millésime dégusté 2004, à boire jusqu'en 2024
€€€

L'Allemand Günter Brözel, maître caviste de Nederburg, démontra le potentiel d'un vin doux naturel fait dans la tradition européenne à partir de raisins botrytisés. Vers la fin des années 1960, la loi interdisait de tels vins et seul un lobbying déterminé parvint à en obtenir la reconnaissance. La victoire de l'Edelkeur 1969 lors d'une compétition à Budapest en 1972 renforça la conviction de Brözel qu'un vin de dessert issu de Chenin pouvait devenir un vin phare du Cap ; depuis, l'Edelkeur a gagné de nombreux prix.

La vente aux enchères annuelle de Nederburg, aujourd'hui agrandie, fut fondée en 1975 pour faire connaître l'Edelkeur, toujours vendu exclusivement à cette vente vers le marché détailliste. Même si le leader Edelkeur n'est désormais plus seul dans sa catégorie au Cap, de beaux exemplaires émergent encore, tel ce 2004 (fabriqué en plus petites quantités que d'habitude). Ce dernier est très botrytisé et l'un des plus doux jamais fabriqués, même si son acidité lui donne de l'équilibre et soutient la complexité émergente des saveurs d'agrumes et de miel. **TJ**

Neudorf
Moutere Chardonnay

Origine Nouvelle-Zélande, Nelson
Type vin blanc sec, 14 % vol.
Cépage Chardonnay
Millésime dégusté 2000, à boire jusqu'en 2012+
€€€

Fondé en 1978 par Tim Finn et son épouse, Neudorf est le leader de la région viticole de Nelson. Les plants de Chardonnay descendent le long d'un coteau en pente douce orienté vers le nord. C'est une des régions les plus ensoleillées du pays. Le ciel dégagé permet un rafraîchissement rapide la nuit, entraînant le lent développement de saveurs dû aux variations de température de la journée. Les raisins des vieilles vignes sont cueillis manuellement, avec une petite partie du vignoble voisin de Beuke présente dans l'assemblage final.

Neudorf a tendance à produire des vins blancs concentrés. Selon Finn, le Chardonnay possède une forte minéralité et une opulence de fleur de citron vert prononcée. On ne pense guère à faire vieillir le Chardonnay de Nouvelle-Zélande en cave, mais depuis 2005 ce vin est devenu un bel exemple de vin vieilli en bouteille : rond, souple et élégant. Le chêne de sa jeunesse s'est transformé en saveur prononcée de chèvrefeuille. On y trouve encore une belle acidité et un fruité charnu qui suggèrent que ce vin pourrait vieillir quelques années supplémentaires pour plus de complexité. **SG**

Newton Vineyards
Unfiltered Chardonnay

Origine États-Unis, Californie, Napa Valley
Type vin blanc sec, 15,5 % vol.
Cépage Chardonnay
Millésime dégusté 2005, à boire jusqu'en 2017
€€

Su Hua Newton dut affronter la résistance de ses assistants et de bon nombre de ses distributeurs lorsqu'elle décida de produire un Chardonnay non filtré (*unfiltered*). Son mari Peter et elle furent les premiers à s'établir sur Spring Mountain en 1977. Newton prit en charge la vinification à la fin des années 1990.

Les raisins sont vendangés de l'aube à 11 heures du matin et arrivent donc frais au chai. Le jus est rapidement mis en barriques pour fermenter sur des levures de Carneros. La cave étant construite dans les profondeurs de Spring Mountain, les températures fraîches favorisent de lentes fermentations d'environ huit mois. On évite le bâtonnage pour ne pas obscurcir l'expression du terroir et la pureté naturelle du fruit. Le vin est ensuite assemblé et laissé en barriques environ douze mois, selon sa concentration et sa charpente. Il n'est jamais raffiné ni filtré, afin de préserver chaque nuance d'arôme et de goût. Il fait preuve d'une texture et d'une densité incroyables en milieu de bouche, ainsi que de la persistance et des saveurs dignes d'un grand Bourgogne blanc, avec lequel il partage la capacité à vieillir une décennie. **LGr**

Niepoort
Redoma Branco Reserva

Origine Portugal, vallée du Douro
Type vin blanc sec, 14 % vol.
Cépages Rabigato, Codega, Donzelinho, Viosinho, Arinto
Millésime dégusté 2003, à boire jusqu'en 2012
€€€

La société a été fondée en 1842 et Dirk Niepoort représente la cinquième génération de la famille à diriger l'entreprise.

Niepoort recherche de petites parcelles, souvent inhabituelles, de vieilles vignes pour fabriquer ses meilleurs vins. Au besoin, il achète les raisins d'autres producteurs même à un prix élevé pour un projet en particulier. C'est le cas du Redoma Branco, qui provient de vignobles situés entre 396 m et 701 m, où le climat plus frais est plus adapté aux cépages blancs.

Bien que plus frais, ce sont néanmoins des vignobles relativement chauds pour des raisins blancs et une sélection manuelle rigoureuse s'impose avant le pressurage, afin d'éliminer à la fois les baies pourries et les grappes où l'excès de sucre et les niveaux peu élevés d'acidité donneraient un vin déséquilibré. La fermentation et le vieillissement en chêne français confèrent au vin un charmant caractère épicé et grillé. La fermentation malolactique est évitée, afin de préserver autant que possible l'acidité naturelle des vins. Le résultat est un vin portugais qui ressemble beaucoup à un bon Côte-de-Beaune blanc. **GS**

Nigl
Riesling Privat

Origine Autriche, Kremstal
Type vin blanc sec, 13 % vol.
Cépage Riesling
Millésime dégusté 2005, à boire jusqu'en 2015
€€€

À partir du vignoble de Piri, le meilleur site de Senftenberg et aussi le plus escarpé, Martin Nigl façonne deux lots de Riesling et deux de Grüner Veltliner. Ceux qui proviennent de ses plus vieilles vignes et de ses sites préférés sont étiquetés Privat. Nigl fut le premier vigneron de la région de Krems, en dehors de la Wachau, à connaître la reconnaissance internationale, en premier lieu pour son Riesling 1990.

Pour la vendange 2005, très mûre et marquée par le botrytis, la grande altitude, la ventilation et la roche presque imperméable à l'eau ont été bénéfiques au Piri. Mais Nigl a dû sélectionner rigoureusement, expédiant les grappes botrytisées de Riesling vers un autre vin moins typique du domaine. Le Riesling Privat 2005 illustre la minéralité et la complexité que l'on attend ici plus que tout autre 2005 de Nigl.

Dans ce vin d'une beauté durable, ample mais raffiné, on distingue le buddleia et la verveine, de la menthe fraîche et un mélange minéral fascinant, qui évoque les coquilles Saint-Jacques, les carapaces de crevettes et les gouttelettes de l'océan. **DS**

Nikolaihof
Vom Stein Riesling Smaragd

Origine Autriche, Wachau
Type vin blanc sec, 12,5 % vol.
Cépage Riesling
Millésime dégusté 2004, à boire entre 2010 et 2025
€€€

Nikolaihof fut le premier domaine biodynamique d'Europe. Les Saahs travaillent avec de vieilles vignes (40 à 50 ans), cultivent six cépages différents, mais les stars sont le Riesling et le Grüner Veltliner. L'association de la viticulture bio, adepte de l'enracinement profond, et des vieilles vignes fait que leurs vignobles se portent bien, même les années difficiles. « 2002 s'est avérée une excellente année. Nos voisins ont eu des problèmes de pourriture, mais pas nous. En 2003, lorsqu'il faisait très chaud, nous n'avons eu aucun problème avec l'alcool et l'acidité. Grâce au système racinaire, nos vignes ne sont jamais stressées », déclare Christine Saahs.

Dans leur jeunesse, les vins sont fermes, réticents, et offrent de brillantes saveurs minérales et une bonne acidité. Le Vom Stein est caractéristique de 2004 : un fruit brillant et précis avec une touche d'herbes. En bouche, il offre une belle acidité, une minéralité et un fruité citronné, ainsi qu'une belle longueur. L'habitude de Nikolaihof de lancer de petites quantités de vins mûrs sous l'étiquette Vinothek prouve que ces vins bénéficient d'une période en cave et le Vom Stein 2004 est sans aucun doute un vin à garder. **JG**

Oak Valley *Mountain Reserve Sauvignon Blanc*

Origine Afrique du Sud, Elgin
Type vin blanc sec, 13,4 % vol.
Cépage Sauvignon blanc
Millésime dégusté 2005, à boire jusqu'en 2010
€€

L'énorme domaine d'Oak Valley, qui cultive également des fruits et fleurs et élève du bétail, fut fondé à la fin du XIXᵉ siècle. Des vignobles furent plantés et le premier chai fut créé en 1908, puis finit par tomber dans l'oubli une génération plus tard. La production de vin reprit au début du XXIᵉ siècle.

Le vignoble individuel qui fournit les raisins utilisés pour faire ce vin (seulement les bonnes années) se situe à environ 518 m d'altitude, sur des coteaux non irrigués d'orientation sud, au-dessus de la vallée d'Elgin. Le Mountain Reserve 2005 a émergé de ce grand vignoble, en cette bonne année pour le Sauvignon. Le juvénile et prometteur 2007 a suivi. La puissance subtile du Mountain Reserve, son ampleur élégante et sa minéralité d'acier et de silex s'associent pour confirmer que le Sauvignon peut en effet offrir de la complexité. Si les Sauvignons du Cap semblent être à mi-chemin entre le classicisme de la Loire et la puissance brillante de la Nouvelle-Zélande, Oak Valley penche plutôt vers le classique, se délectant de l'extrémisme de ses propres origines. **TJ**

Jorge Ordoñez & Co
Nᵒ 3 Old Vines

Origine Espagne, Malaga
Type vin blanc liquoreux, 13 % vol.
Cépage Moscatel de Alejandría
Millésime dégusté 2005, à boire jusqu'en 2020+
€€€

Le vinificateur, Telmo Rodriguez, et son importateur américain, Jorge Ordóñez, ont décidé de redonner vie à ce type très particulier de vin de Malaga. Aidés de Pepe Ávila, des Bodegas Almijara, ils ont exploré les collines inaccessibles de schiste et d'ardoise de la région, et ont fait l'acquisition de vignes de Moscatel aux racines longues, résistantes aux vents frais. Ordóñez a fait appel, pour la vinification, à l'expert autrichien Alois Kracher (mort en 2007).

Pour le premier millésime, 2004, cinq vins ont été produits. Ils portent tous un numéro, comme c'était l'habitude pour Kracher. Le Nᵒ 1, Selección Especial, est issu de raisin surmûri laissé sur pied ; le Nᵒ 2, Victoria, de baies séchées dans une chambre à température contrôlée ; le Nᵒ 3, Old Vines, le meilleur de ce raisin séché, a macéré avec la pulpe et une *crianza* de l'année précédente et le Nᵒ 4 est Essencia.

Le Nᵒ 3 est un vin corpulent et intensément riche, qui possède une bonne acidité, une incroyable douceur et de merveilleuses flaveurs de noisette, de marmelade, de café et de pêche confite. Dégustez-le dans un accès d'hédonisme pur, après un repas, comme s'il s'agissait d'un dessert en soi. **JMB**

◀ Vignobles orientés en fonction du soleil à Elgin.

Oremus
Tokaji Aszú 6 Puttonyos

Origine Hongrie, Tokaj
Type vin blanc doux, 11 % vol.
Cépages Furmint, Harslévelü, Muskalkoly
Millésime dégusté 1999, à boire jusqu'en 2014+
€€€€

Le directeur actuel d'Oremus offre une certaine continuité puisque András Bacsó dirigeait auparavant le Borkombinát, l'ancienne exploitation communiste, et qu'Oremus a l'avantage de posséder de vieilles souches (dont la fabuleuse 1972) et de vieilles vignes.

Le quartier général d'Oremus se situe dans le village viticole de Tolcsva où l'Aszú fut créé en 1631. 1999 fut le premier millésime après 1989, alors que tous les domaines produisaient de l'Aszú à partir de fruits de leurs propres terres, plutôt que d'autres exploitations. C'est pour cela que 1999 est en fait la première année où l'Aszú jouit d'un caractère reflétant le terroir. À Oremus, les vins sont élevés en barriques pendant trois ans, puis deux années supplémentaires en bouteilles avant d'être mis en vente.

Ce 6 Puttonyos 1999 est plus pâle que la plupart et évoque les pêches et la crème caramel. En bouche, la pêche et l'abricot dominent, ainsi qu'une touche de miel. Avec l'âge, il révèle une puissante acidité. Ce vin se marie merveilleusement bien au foie gras, au fromage bleu ou à des desserts à base de fruits. **GM**

Ossian

Origine Espagne, Rueda
Type vin blanc sec, 14,5 % vol.
Cépage Verdejo
Millésime dégusté 2006, à boire jusqu'en 2011
€€

Ossian naît en 2005 d'une coentreprise entre Javier Zaccagnini de Bodegas Aalto et le producteur Samuel Gozalo. Ces 9 ha de vignobles sont ce que la région offre de plus particulier, car ils sont tous cultivés de manière organique, sur leurs propres racines et datent d'avant le phylloxéra. Certaines vignes sont âgées de 180 ans! C'est possible car Nieva, le village où sont les vignes et le chai, est une zone spéciale de la DO Rueda, éloignée du Douro et située à 854 m d'altitude. Le climat continental est donc très extrême, avec gel et neige.

Le premier millésime d'Ossian fut le 2005. Le vin arbore une robe dorée brillante et limpide, aux reflets verts. Le nez complexe mais précis révèle un mélange de chêne et de notes lactiques (vanille, fumée, café au lait et caramel), de lies et de fleurs, ainsi que des fruits blancs et jaunes et des touches médicinales et citriques. Il est onctueux en bouche et le chêne omniprésent va avoir besoin de passer du temps en bouteilles pour bien s'intégrer. Regorgeant de saveurs aux notes de poire, de pêche et d'écorce d'orange, l'alcool est bien équilibré par l'acidité et la finale est très persistante. **LG**

André Ostertag *Muenchberg Grand Cru Riesling*

Palacio de Bornos *Verdejo Fermentado en Barrica Rueda*

Origine France, Alsace
Type vin blanc sec, 12,5 % vol.
Cépage Riesling
Millésime dégusté 2005, à boire jusqu'en 2025
€€€

Origine Espagne, Rueda
Type vin blanc sec, 13,5 % vol.
Cépage Verdejo
Millésime dégusté 2004, à boire jusqu'en 2009
€

André Ostertag attache de l'importance à la qualité de ce que produit l'Alsace avec autant d'affection paternelle que s'il en possédait chaque mètre carré.

Le domaine familial, fondé à Epfig en 1966, s'est petit à petit converti à l'agriculture bio. Le Riesling produit à partir du grand cru de Muenchberg, dont Ostertag possède 1,3 ha, est cultivé sur un sol sablonneux et graveleux, qui donne des vins à l'acidité ferme typique des Rieslings alsaciens, avec des niveaux de concentration qui mettent plusieurs années à se développer.

En 2005, l'été précoce et chaud, suivi de conditions plus froides de la seconde moitié du mois d'août, a apporté un bel équilibre entre maturité et acidité fraîche. Cela se sent dès la première impression aromatique laissée par le Riesling de Muenchberg, où les arômes floraux presque violents du vin se mêlent à la veine minérale d'acier typique de ce raisin. Pendant ses premières années, sa texture aussi dure que le diamant a commencé à se développer en un fruité intense évoquant la pomme et le citron vert, sans renoncer à un seul pétale de sa ravissante floralité. **SW**

Rueda est une appellation de vin blanc concentrée autour de Rueda, dans la province de Valladolid. L'exploitation a été fondée il y a plus de 130 ans, et Antonio Sanz, le propriétaire actuel, est le vinificateur le plus influent de la région.

Le Verdejo local, qui n'a de commun avec les versions portugaises que le nom, partage le devant de la scène avec le Sauvignon blanc d'importation. Palacio de Bornos est la marque principale, englobant le Verdejo, le Sauvignon et des assemblages des deux, fermentés en barriques et en cuves, toutes les combinaisons étant possibles. Le Verdejo Fermentado, issu de vignobles de 45 ans d'âge au moins, est le vin le plus représentatif du style de la maison.

Le vin est d'une couleur jaune paille et plutôt pâle pour un blanc fermenté en barriques. Au nez, on décèle des notes de fût bien intégrées au fruité de la pomme verte et de la poire, ainsi que du laurier. Le caractère herbacé du raisin, les notes d'herbe fraîchement coupée et la touche amère de la finale se marient harmonieusement avec le chêne. Profondeur, élégance et complexité à un prix incroyable, voici un blanc des plus sûrs. **LG**

Bodega del Palacio de Fefiñanes
Rías Baixas Albariño

Origine Espagne, Galice, Rías Baixas
Type vin blanc sec, 12,5 % vol.
Cépage Albariño
Millésime dégusté 2005, à boire jusqu'en 2010+
€

Cette bodega, la plus ancienne exploitation de cette région galicienne, fondée en 1904, possède ses installations dans les caves du Palacio de Fefiñanes. Les propriétaires d'origine furent les premiers à mettre en bouteilles un vin issu d'Albariño, et enregistrèrent leur marque en 1928. Ils possèdent 2 ha de vignobles et achètent le reste des raisins à des producteurs locaux de la région de Cambados, dans la province de Pontevedra, où ils sont situés.

La cuvée standard, disponible aussi en magnums, est fermentée en cuves d'acier inoxydable et mise en bouteilles la première année. L'Albariño de Fefiñanes de l'année 2005, excellent millésime, est d'un doré moyen et révèle un nez élégant d'une belle intensité, un caractère de pomme, des notes florales, citriques et balsamiques, évoquant le laurier. De corpulence moyenne en bouche et d'une acidité mûre, le vin possède un fruit bien pesé, qui le rend long et souple, avec une touche amère caractéristique sur la finale.

Contrairement à la croyance populaire, les plus beaux exemplaires d'Albariño sont meilleurs dans leur deuxième ou troisième année que lors de leur mise en vente. **LG**

Rafa Palacios
As Sortes

Origine Espagne, Valdeorras
Type vin blanc sec, 13 % vol.
Cépage Godello
Millésime dégusté 2005, à boire jusqu'en 2010
€€

Les Palacios sont l'une des plus grandes familles viticoles d'Espagne. La deuxième génération, représentée par Álvaro Palacios, a mené la révolution Priorat à la fin des années 1980, puis joué un rôle majeur dans la renaissance de Bierzo. Entre-temps, le jeune Rafael Palacios a créé l'icône moderne des Rioja blancs, Plácet.

Rafael s'installa à Valdeorras. Ici, le cépage autochtone Godello a donné quelques-uns des meilleurs vins blancs du pays, généralement de très longue garde. Comme son frère, Rafael est un passionné des terroirs pauvres et vallonnés dans les régions viticoles oubliées ou peu développées d'Espagne. Ses vignes, entre 20 et 45 ans d'âge, sont plantées sur de petites parcelles dispersées. Le climat continental subit des influences atlantiques et le sol se compose de granit.

As Sortes 2005 est de couleur dorée et jouit d'une belle intensité aromatique, les belles notes grillées cédant la place à des fruits mûrs (pomme verte, ananas), de l'anis et un puissant cœur minéral de pierre à fusil. De corpulence moyenne en bouche, il a une bonne acidité, fraîche et onctueuse, qui mène vers une finale remarquable. **LG**

Pazo de Señorans
Albariño Selección de Añada

Dom. Henry Pellé *Menetou-Salon Clos des Blanchais*

Origine Espagne, Galice, Rías Baixas
Type vin blanc sec, 12,5 % vol.
Cépage Albariño
Millésime dégusté 1999, à boire jusqu'en 2009+
€€€

Origine France, vallée de la Loire, Sancerre
Type vin blanc sec, 12,5 % vol.
Cépage Sauvignon blanc
Millésime dégusté 2005, à boire jusqu'en 2010
€€€

Selección de Añada de Pazo de Señorans fut découvert par hasard. 1996 fut l'un des meilleurs millésimes modernes pour l'Albariño, mais un lot particulier issu de Pazo de Señorans ne séduisit pas vraiment la propriétaire, et présidente de la DO de Rías Baixas, Marisol Bueno. Le vin fut donc mis de côté, en attendant. Une année passa, puis une autre, Bueno fut surprise de constater que le vilain petit canard s'était transformé en un magnifique cygne. Après des années d'expérimentation avec la fermentation et l'élevage en barriques, il fut décidé d'utiliser des cuves en acier inoxydable. Le 1996 fut finalement élevé sur lies pendant 27 mois, mis en bouteilles, puis vendu sur le marché où il connut un joli succès.

Ce vin prend du corps grâce au contact prolongé avec les lies, comme le démontrent la densité et la sensation laissée en bouche. Sa robe est dorée aux reflets verts. Il offre un arôme intense et complexe, avec de belles notes d'olive noire, de fleurs et de coing. De corpulence moyenne en bouche, il est équilibré par une acidité très savoureuse, un fruité très vif et une finale très persistante. **LG**

Le beau-père d'Anne Pellé fut l'un des pionniers de l'AOC Menetou-Salon dans les années 1960, feu son mari continua le travail et son fils, Paul-Henri, est en train de reprendre le flambeau du vinificateur Julien Zernott. Le succès commercial de leurs 40 ha leur a permis d'expérimenter. L'apogée de leurs recherches est le Clos des Blanchais, issu d'un seul vignoble de 2,6 ha, orienté sud, planté dans les années 1960 et vinifié séparément depuis le début des années 1980.

Le sol se compose de calcaire argileux kimméridgien et de silex, incrusté de milliers de minuscules coquilles d'huîtres datant de la période jurassique. Il semble que cette note de sel marin et d'iode se soit infiltrée dans le vin. Le nez du 2005 joue délicieusement sur des arômes de miel et d'algues. En bouche, on décèle une note épicée, provenant entièrement du terroir et de l'élevage sur lies et non du bois, qui s'achève sur une note saline longue et franche. Le 2006 a un nez croquant, léger et frais comme un bourgeon, tandis que le palais est intense et ample avec cependant beaucoup d'acidité et une puissante note de raisin de Smyrne blanc. **KA**

Peregrine
Rastasburn Riesling

Origine Nouvelle-Zélande, Central Otago
Type vin blanc sec, 12 % vol.
Cépage Riesling
Millésime dégusté 2006, à boire jusqu'en 2014
€€

Central Otago, surtout connu pour son Pinot noir audacieux et fruité, ne compte que 4 % de vignobles de Riesling qui se classe derrière le Chardonnay et le Pinot gris. En termes de qualité, Central Otago est la capitale néo-zélandaise incontestée du Riesling.

Fraîche et alpine, c'est la seule région du pays à jouir d'un climat continental. Elle possède aussi des coteaux de schiste ressemblant à une version accidentée de la vallée de la Moselle allemande. Le Riesling de Central Otago est plus fin, plus ferme et plus métallique que le vin d'autres régions. Sa belle charpente acide et ses arômes minéraux prononcés en font un vin spécial et différent.

Peregrine, exploitation progressiste et expérimentale, a des vignobles dans beaucoup d'endroits, notamment dans le bassin de Cromwell ; Rastasburn Riesling a été créé à partir de six vignobles de Cromwell. 2006 a donné des vins au caractère plus floral et plus parfumé que d'habitude, même s'ils gardent de puissantes saveurs citriques et minérales. L'abricot mûr, le jasmin, le pamplemousse et l'ardoise mouillée créent une empreinte distinctive du terroir et du millésime. **BC**

André Perret
Condrieu Chéry

Origine France, Rhône septentrional, Condrieu
Type vin blanc sec, 13 % vol.
Cépage Viognier
Millésime dégusté 2004, à boire jusqu'en 2016
€€€

Les vieilles photos sépia de Condrieu, prises à l'époque de la Première Guerre mondiale, montrent des collines entièrement couvertes de vignobles. Dans les années 1970, en revanchve, les vignobles de la vallée se réduisaient à 74 ha à peine.

Le grand-père d'André Perret s'était installé dans la région en 1925, mais la première mise en bouteilles de ce coteau de Chéry, est intervenue précisément dans ces années 1970 difficiles, alors que Pierre, le père d'André, était à la tête de l'exploitation. Avec Vernon, Chéry est l'un des deux vignobles les plus nobles de Condrieu. André dispose désormais de vieilles vignes plantées en 1948 et de plus récentes, datant de 1988, ce qui lui permet de traiter ensemble des raisins de provenance différente.

Depuis 2000, André Perret s'efforce de garder davantage de fraîcheur à ses vins en évitant le raisin trop mûr, soucieux d'encourager les tonalités de pêche-abricot. Élevé dans des barriques de chêne neuf, auquel s'ajoute une petite proportion de cuves d'acier, le Condrieu est mis en bouteilles un an après les vendanges. 2004 est un millésime généreux et abondant, tempéré par une discrète élégance. **JL-L**

◄ Un vignoble de Peregrine au fond de la vallée, à Gibbston.

Vins blancs | 319

R & A Pfaffl
Grüner Veltliner Hundsleiten

Origine Autriche, Weinviertel
Type vin blanc sec, 13,5 % vol.
Cépage Grüner Veltliner
Millésime dégusté 2005, à boire jusqu'en 2015
€€

S'étendant du Danube aux frontières tchèque et slovaque, le Weinviertel s'est fait un nom. Roman et Adelheid Pfaffl figurent parmi les premiers vignerons de Weinviertel à se démarquer avec le Grüner Veltliner, cépage dominant ces dernières années.

Le Hundsleiten jouit du lœss, poussière glaciale ocre qui offre un excellent sol au Grüner Veltliner. Des veines d'argile capables de retenir l'eau et des roches gardant la chaleur aident à former un milieu idéal pour un vin d'une charpente et d'une complexité aux multiples niveaux. Le fait que ces vignes soient les plus anciennes que possèdent les Pfaffl ajoute aussi à la qualité. En accentuant ces qualités par des vendanges tardives, une fermentation spontanée en foudre de bois, ainsi qu'un long séjour sur lies, on obtient un vin qui associe une ampleur succulente exceptionnelle à une belle vigueur et une grande précision. L'orange sanguine, le zeste de pamplemousse, le petit pois, le cresson et le haricot vert sont évidents dans le Hundsleiten 2005, un ensemble de saveurs qui peut paraître incongru à ceux qui ne connaissent pas les artifices du Grüner Veltliner. **DS**

F. X. Pichler
Grüner Veltliner Smaragd M

Origine Autriche, Wachau
Type vin blanc sec, 14 % vol.
Cépage Grüner Veltliner
Millésime dégusté 2001, à boire jusqu'en 2020+
€€€

Le Grüner Veltliner domine les vins blancs autrichiens par sa grande production de vins frais, vifs et faciles à boire. Il peut néanmoins, entre de bonnes mains, donner des vins d'une puissance et d'une personnalité authentiques.

Franz Xaver Pichler, «F. X.», est de loin le plus grand producteur de la Wachau et sans doute d'Autriche. M, qui signifie Monumental, a été produit pour la première fois en 1991. Il provient d'une remarquable barrique de Grüner Veltliner, dotée d'un supplément de goût, recherché délibérément par la suite. Les raisins sont vendangés 2 ou 3 semaines après les vins issus de vignobles individuels.

La particularité de M, spécialement lors de grandes années, comme 2001, est le contraste entre la sécheresse et l'acidité d'une part et l'extrait et la complexité d'autre part. Plusieurs grammes de sucre résiduel (maximum permis 9 g/l) et une grande teneur en alcool contribuent à cette impression de demi-sec. Cela, allié à la densité du goût, suggère que le vin s'accommode avec des mets relativement riches, ou du moins au goût prononcé, tels que raviolis chinois ou crevettes piquantes. **SG**

Représentation de saint Urbain, patron des vignerons. ➜

PIEROPAN

VITICOLTORI IN SOAVE

2006

La Rocca

Pieropan
Vigneto La Rocca

Origine Italie, Vénétie, Soave
Type vin blanc sec, 13 % vol.
Cépage Garganega
Millésime dégusté 2006, à boire jusqu'en 2010+
€€€

Nino Pieropan et son épouse sont très traditionalistes et ont depuis longtemps défini le standard des vins de cette partie nord de l'Italie.

Leur Soave Classico de base est un assemblage de divers vignobles. Le domaine produit aussi deux vins issus de vignobles individuels, Calvarino et La Rocca. Calvarino, mis en bouteilles en 1971 pour la première fois, appartient au domaine d'origine et contient les cépages traditionnels (Soave, Garganega, Trebbiano di Soave) plantés sur un sol volcanique riche en basalte et en tuf.

La Rocca, qui tire son nom du château médiéval qui domine Soave, est produit à partir d'un seul vignoble. Le sol est plus argileux que celui de Calvarino et le vignoble ne contient que du Garganega. Les raisins sont vendangés plus tard, afin d'assurer un maximum d'extrait et de maturité. Après un an en fûts de chêne, le vin fini a plus de couleur, de charpente et de goût que tout autre Soave sec. Il vieillit bien en bouteilles (une grande flûte plutôt que la bouteille classique) pendant 5 ans ou plus. Jeune, il est vif, croquant et fruité, et devient plus complexe et rond avec l'âge. La Rocca est idéal pour accompagner des poissons, tel le saumon ou le crabe, excellent aussi avec des viandes blanches. **SG**

Château Pierre-Bise
Quarts-de-Chaume

Origine France, vallée de la Loire, Anjou
Type vin blanc doux, 11,5 % vol.
Cépage Chenin blanc
Millésime dégusté 2002, à boire jusqu'en 2050
€€

Claude Papin, qui utilise la méthode Unité terroir de base, attache une grande importance à la profondeur du sol et à l'interception des rayons du soleil, ainsi qu'à la vitesse du vent.

Comprendre ces facteurs, tout comme les sols carbonifères, de schiste et de spilite, lui permet de faire la différence entre les parcelles à maturation précoce et tardive vinifiées séparément. Il croit aux vins issus d'un seul vignoble et n'accorde ni harmonie ni race à ceux issus de terroirs différents. Les vins de Château Pierre-Bise sont des exemplaires emblématiques de leur appellation dont l'expression et la minéralité reflètent les méthodes méticuleuses et les faibles rendements employés.

L'appellation de Quarts-de-Chaume, avec ses 40 ha, est célèbre pour ses vins doux puissants mais subtils, de très bonne garde. Haut perchés sur le coteau, orientés sud et jouissant d'une bonne exposition au soleil et au vent, les 2,7 ha de Château Pierre-Bise donnent des vins élégants et d'une grande finesse. En 2002, l'été frais a été suivi d'un bel automne présentant de bonnes conditions pour le botrytis, et les vins sont particulièrement bien équilibrés. **SA**

◀ L'étiquette deu Vigneto La Rocca représente la forteresse dont il tire son nom.

Pierro
Chardonnay

Origine Australie, Aust.-Occidentale, Margaret River
Type vin blanc sec, 13,5 % vol.
Cépage Chardonnay
Millésime dégusté 2005, à boire jusqu'en 2010+
€€€

Après son diplôme en médecine en 1973, Mike Peterkin obtint celui en œnologie. Entre 1978 et 1981, il élabora des vins pour Enterprise à Clare, Cullen à Margaret River et Alkoomi dans la région du Grand Sud de l'Australie-Occidentale. Il fut le premier vinificateur professionnellement qualifié de Margaret River. Au début des années 1980, Peterkin travaillait encore en tant que médecin suppléant à Perth, mais voulait créer sa propre exploitation. Après maintes recherches, il trouva une propriété dans la localité de Willyabrup.

Mécontent des trois premiers millésimes ayant suivi l'inaugural 1983, Peterkin décida de faire quelques changements radicaux, et c'est ainsi que naquit le style moderne du Chardonnay Pierro avec le millésime 1986. Fermenté en barriques, comme le Bourgogne blanc, Pierro est peut-être le Chardonnay le plus puissant de Margaret River, bien qu'il se soit affiné ces dernières années. Pierro reste l'une des petites exploitations les plus acclamées d'Australie. **SG**

Vincent Pinard
Harmonie

Origine France, vallée de la Loire, Sancerre
Type vin blanc sec, 14 % vol.
Cépage Sauvignon blanc
Millésime dégusté 2006, à boire jusqu'en 2015
€€€

Harmonie est élaboré à partir des cépages de deux parcelles distinctes, près de Sancerre. Perchées en haut des collines qui dominent le village de Bué, elles bénéficient l'une et l'autre d'un sol argilo-calcaire.

Harmonie 2005 est un vin encore très jeune et très fermé. Élevé à 100 % dans le chêne neuf, il développe des flaveurs boisées évidentes. Mais il a besoin d'un peu de temps pour s'épanouir.

En 2006, Clément Pinard et son frère Florent, qui venaient tout juste de reprendre l'exploitation, ont décidé de changer de méthode. Ils n'ont élevé qu'un tiers du vin dans le chêne neuf, et les deux tiers restants dans des barriques plus anciennes. Les flaveurs boisées sont encore présentes, mais en arrière-plan.

Le 2006 est un Sauvignon blanc fin et élégant, avec des arômes de fruits et une bonne acidité, qui laisse présager un excellent potentiel de garde. Bon indicateur pour l'avenir, le 1996 est un vin superbe, avec un nez caractéristique de truffe blanche, d'algues, d'huîtres et de miel. Le palais est soyeux et subtil, avec des notes suaves de fruits et de fleurs. Le bois est omniprésent et c'est une bonne chose de l'avoir réduit pour le 2006. **KA**

La petite ville de Sancerre surplombe la vallée de la Loire et ses vignobles. ➜

Dom. Jo Pithon *Coteaux du Layon Les Bonnes Blanches*

Origine France, vallée de la Loire, Anjou
Type vin blanc doux, 12 % vol.
Cépage Chenin blanc
Millésime dégusté 2003, à boire jusqu'en 2018
€€

Avant l'arrivée de producteurs en quête de qualité tels que Jo Pithon, les vins doux des coteaux du Layon se caractérisaient trop souvent par de bonnes doses de betterave à sucre et de soufre. À l'avant-garde de ceux que l'on surnomme les « chasseurs de sucre », qui menèrent à la renaissance des Coteaux du Layon naturellement doux dans les années 1990, Pithon a captivé la critique avec des cuvées très riches et exubérantes, d'une douceur enivrante.

Pithon produit une gamme de vins de terroir à partir d'une large palette de minuscules parcelles de Chenin blanc cultivé de manière organique. Les Bonnes Blanches, dans la commune de Saint-Lambert-du-Lattay, est le terroir le plus important. En 2003, grand millésime, le vignoble d'un hectare de Pithon a donné deux superbes cuvées : Coteaux du Layon Les Bonnes Blanches 2003 et le flamboyant Coteaux du Layon Ambroisie.

Ce Bonnes Blanches est issu de raisins totalement botrytisés. Mis en bouteilles en octobre 2005, le 2003 est corpulent, mais possède une élégance caractéristique et une acidité sous-jacente. Sa finale dévoile des agrumes et des fruits du verger. **SA**

Robert & Bernard Plageoles *Gaillac Vin d'Autan*

Origine France, Sud-Ouest, Gaillac
Type vin blanc doux, 10,5 % vol.
Cépage Ondenc
Millésime dégusté 2005, à boire entre 2010 et 2030
€€€

Robert Plageoles a une mission : reconquérir l'héritage presque perdu de la région de Gaillac, non seulement les cépages locaux, menacés d'extinction sous l'assaut de cépages « internationaux » plus familiers, mais aussi la méthode utilisée pour produire toute une gamme de styles de vins. Andrew Jefford le décrit comme un « archéologue viticole ».

Le Vin d'Autan est issu du cépage local Ondenc (Plageoles réalise aussi une version en sec). Le vin est fait en permettant aux raisins de flétrir sur pied dans le vent chaud de l'automne, un procédé accéléré en épinçant les grappes pour supprimer la circulation de sève. Cette méthode produit de minuscules rendements, habituellement 0,2 t/ha. Les raisins sont ensuite encore séchés sur des nattes de paille, puis fermentés et élevés dans des cuves en béton pendant douze mois.

Ce vin ressemble, dans le style, au Tokay, avec des notes oxydées contrebalancées par une brillante acidité et une douceur intense sans être dominante. En bouche, on décèle des notes de pomme, de coing et de noix. La finale est mielleuse, mais l'acidité vive maintient le tout frais. **JW**

E & W Polz *Hochgrassnitzberg* *Sauvignon Blanc*

Origine Autriche, Styrie méridionale
Type vin blanc sec, 12,5 % vol.
Cépage Sauvignon blanc
Millésime dégusté 2001, à boire jusqu'en 2010
€€

Dans la région autrichienne de Südsteiermark (Styrie méridionale), le Sauvignon blanc excelle et, au lieu de la franchise herbacée pleine d'assurance que l'on attend d'habitude, il donne ici un style de vin plus complexe et plus étoffé. Erich et Walter Polz ont ouvert la voie de la production de qualité. Leur entreprise familiale remonte à 1912 et a introduit, dans les années 1980, la transition qui a vu les producteurs commencer à viser le marché haut de gamme, au lieu de se concentrer uniquement sur la quantité.

Dans l'ensemble, les frères ont accès à 51 ha de vignes. Cet exceptionnel Sauvignon est issu du vignoble de Hochgrassnitzberg, contigu à la frontière slovène. Ses sols chauds de sable et de calcaire sont propices au Sauvignon blanc et donnent des raisins savoureux qui sont fermentés et élevés dans de grands fûts de chêne, quelques millésimes étant même soumis à du chêne neuf, qui se marie de façon surprenante avec les saveurs herbacées audacieuses et complexes du Sauvignon de ce site. Le résultat est un vin blanc sérieux qui transmet un véritable sentiment de terroir et peut-être un bon potentiel de garde. **JG**

Domaine Ponsot *Morey St.-Denis Premier Cru*

Origine France, Bourgogne, côte de Nuits
Type vin blanc sec, 13 % vol.
Cépages Aligoté 50 %, Chardonnay 50 %
Millésime dégusté 1990, à boire jusqu'en 2020+
€€€

Dans la côte de Nuits, aucun vin n'est aussi spécial, ni crée autant de dissensions, que ce vin unique. Son austérité et sa personnalité sans concessions viennent de son terroir, mais aussi de son assemblage variétal inhabituel. Lorsqu'en 1911 William Ponsot encépagea une petite parcelle calcaire au cœur de ce premier cru Morey Saint-Denis, il utilisa plus d'Aligoté que de Chardonnay. Selon Laurent Ponsot, actuellement à la tête du domaine, l'Aligoté exprime au mieux le caractère du site et la plupart des très vieilles vignes sont encore de cette variété.

Le vin est simple et naturel, sans fermentation malolactique, ni chêne neuf, ni bâtonnage, ni raffinage, ni filtrage. Les arômes et saveurs vont du bourgeon aux agrumes, en passant par la pomme, la poire et le coing, la craie, le silex et la fumée, le miel, la noix et le nougat. Le vin vieillit très bien. Lors de la plus grande dégustation de ce vin, couvrant 31 millésimes de 1959 à 2003, le maître sommelier Frank Kämmer a attribué le score le plus élevé au 1990, qui « associe la pureté d'un Manzanilla, le soyeux d'un beau Bourgogne et l'élégance d'un Dom Pérignon ». **NB**

Prager
Achleiten Riesling Smaragd

Origine Autriche, Wachau
Type vin blanc sec, 14 % vol.
Cépage Riesling
Millésime dégusté 2001, à boire jusqu'en 2012
€€€

Franz Prager de Weissenkirchen créa, en 1983 avec d'autres viticulteurs, Vinea Wachau, qui classe les vins locaux selon trois types: Steinfeder, vin estival léger et non chaptalisé, Federspiel, un Kabinett de corpulence moyenne, et Smaragd, un puissant Kabinett ou Spätlese proche de l'Auslese sec allemand.

Depuis 1992, les vins de ce domaine de 13 ha sont élaborés par le beau-fils de Prager, Anton Bodenstein qui, tout comme sa femme, est diplômé de l'Institut d'agriculture de Vienne. Dès le départ, la proportion de Riesling fut élevée. La Wachau ne compte qu'environ 10 % de Riesling, mais les terres des Prager 63 %, et le chiffre est en augmentation. Le raisin est cultivé sur du gneiss dans le vignoble d'Achleiten, les vignes ont désormais plus de 50 ans d'âge, et les vins, dont le 2001, sont souvent marqués par des arômes de fruits exotiques, de fleur de mandarine, de pêches mûres et de feuilles de thé. Les notes dominantes sont l'abricot et la pêche. Ces puissants vins blancs secs, rudimentaires au départ mais qui vieillissent bien en bouteilles, sont excellents avec des plats riches à base de veau, et aussi avec du porc et du poulet. **GM**

J. J. Prüm *Wehlener Sonnenuhr*
Riesling Auslese Goldkapsel

Origine Allemagne, Moselle-Sarre-Ruwer
Type vin blanc doux, 7,5 % vol.
Cépage Riesling
Millésime dégusté 1976, à boire jusqu'en 2025
€€€€€

En Allemagne, 1976 est considéré comme l'un des «millésimes du siècle». Les températures élevées en mai et juin donnèrent une «floraison historique». La longue vague de chaleur fut suspendue plusieurs fois par des averses fortes mais de courte durée et la maturation ne fut donc jamais interrompue par les températures élevées. La maturation très précoce donna un moût déjà très lourd dès le début d'octobre. Environ 89 % des Rieslings vendangés cette année dans cette région furent des Spätlese ou des Auslese.

Vu le faible niveau d'acidité, bon nombre de ces vins purent être consommés extrèmement jeunes, d'où une certaine inquiétude sur leur évolution future, mais pas de souci pour l'exemplaire Auslese Goldkapsel créé par le Manfred Prüm cette année-là. Le vin se montra d'abord d'une beauté presque timide, qui ne révéla sa gloire qu'avec beaucoup de mal, mais qui brille aujourd'hui encore plus et a de belles années devant lui.

L'Auslese Goldkapsel 1976 de Prüm est marqué par une subtile tension interne entre les bons acides et l'ampleur minérale, tout en dévoilant des saveurs fruitées extrèmement complexes. **FK**

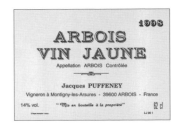

J. J. Prüm *Wehlener Sonnenuhr Riesling Spätlese N° 16*

Origine Allemagne, Moselle-Sarre-Ruwer
Type vin blanc doux, 7,5 % vol.
Cépage Riesling
Millésime dégusté 2001, à boire jusqu'en 2030
€€

Wehlener Sonnenuhr est sans aucun doute considéré comme l'un des meilleurs vignobles de vin blanc au monde. Bien que d'autres producteurs célèbres y possèdent également des terres, ce site est intrinsèquement lié au nom J. J. Prüm, dynastie de vignerons qui remonte au XIIᵉ siècle.

Peu de vignerons ont un sens inné du Prädikat Spätlese comme le Dr Manfred Prüm qui, assisté de sa fille Katharina, est responsable de la réputation mondiale de ce vin aujourd'hui. Avec leur harmonie parfaite entre la douceur tendre et envoûtante, le fruit délicat, l'acidité enivrante et l'alcool léger comme une plume, les vins de cette catégorie sont d'excellents exemples de Spätlese. Personne en Allemagne n'a reçu la distinction de meilleur Riesling Spätlese du *Gault-Millau* aussi souvent que Prüm. Un tel exploit a même eu lieu trois années consécutives avec ses millésimes 1999, 2000 et 2001.

Après cinq ans en bouteille, l'excellent N° 6 Spätlese 2001 atteint une maturité qu'il devrait garder pendant au moins vingt ans. C'est un vin qui, dans sa précision, son élégance et sa grâce, ressemble à une danseuse étoile. **FK**

Jacques Puffeney
Arbois Vin Jaune

Origine France, Jura, Arbois
Type vin blanc sec, 14 % vol.
Cépage Savagnin
Millésime dégusté 1998, à boire entre 2012 et 2040+
€€€

Montigny-les-Arsures est le plus grand village viticole de l'AOC Arbois. Jacques Puffeney est parvenu à combler le fossé entre tradition et viticulture moderne jurassienne. Ses 2,2 ha de Savagnin, orientés principalement ouest ou sud-ouest, sont cultivés sur le sol de marne bleu-gris typique de la région.

Pour un bon Vin Jaune, Puffeney prône la sélection constante pendant les six années obligatoires de maturation en barriques. Chaque barrique est testée deux fois par an. Puffeney déclasse toutes celles qui n'ont pas exactement les niveaux recherchés et, la plupart des années, seul un tiers est retenu. Ensuite, il assemble et garde le vin une année supplémentaire dans de grands foudres de chêne dans ses caves fraîches.

1998 a été mis en bouteilles à l'automne 2006. Ce vin aux reflets dorés fait déjà preuve de saveurs complexes de curry, de noix et de fruits confits. En bouche, un caractère de citron se mêle à une corpulence qui pourrait supporter, selon Puffeney, le homard grillé, et le mariage plus classique avec un jeune comté. Le décanter quelques heures à l'avance et le servir aux alentours de 15 °C. **WL**

André et Michel Quenard
Chignin-Bergeron Les Terrasses

Origine France, Savoie, Chignin
Type vin blanc sec, 13 % vol.
Cépage Bergeron (Roussanne)
Millésime dégusté 2005, à boire jusqu'en 2012
€

À 300 m d'altitude, les 3 ha de vignobles en terrasses de Michel Quenard, à l'extrémité est de la commune de Chignin, au lieu-dit Tormery, sont plantés presque exclusivement de Roussanne (appelé ici Bergeron), et dont la culture, en Savoie, n'est autorisée qu'à Chignin. Les terrasses, disposition rare dans la région, ont été créées à l'aide de machines de travaux publics «empruntées» aux ouvriers chargés de construire une autoroute au moment des Jeux olympiques d'hiver à Albertville. Le sol est très pierreux, mais la couche de graviers sous-jacente assure une bonne irrigation et permet aux pieds de vigne bien enracinés de résister au vent. Exposés au sud, les vignobles bénéficient de toute la chaleur du soleil.

On ne saurait imaginer plus parfait que ce millésime 2005, qui manifeste une fraîcheur brillante. Les raisins étaient exceptionnellement dorés, avec environ 5 % de pourriture noble. Le nez de miel a des arômes de noyau d'abricot et de fleurs exotiques, avec quelques notes épicées. Le palais révèle en outre une touche minérale bienvenue. Une acidité citronnée, typique des vins alpins, devrait lui assurer une longue garde. À consommer sur un foie gras poêlé. **WL**

Qupé
Marsanne Santa Ynez Valley

Origine États-Unis, Californie, Santa Ynez Valley
Type vin blanc sec, 12 % vol.
Cépages Marsanne 87 %, Roussanne 13 %
Millésime dégusté 2006, à boire dans les 10 ans
€€

Bob Lindquist, véritable pionnier de la viticulture californienne, lança son premier millésime, Qupé, en 1982, et cette Marsanne en faisait alors partie. Depuis, il est devenu plus célèbre pour son vin Syrah (la Syrah est maintenant emblématique de la région, aux côtés du Pinot noir et du Chardonnay) mais la Marsanne reste un important témoignage de la diversité du terroir.

Ayant commencé avec de la Marsanne issue d'un petit vignoble Los Olivos et de la Roussanne de celui de Stoltman, Lindquist a dû finalement acheter des raisins d'autres vignobles. Il vendange relativement tôt, recherchant la fraîcheur et l'acidité croquante. Le fruit est ensuite pressé par grappes entières et laissé en cuve sur lies 48 heures pour donner un arôme de «maïs en conserve». La fermentation en barrique de chêne français âgé de 3 ans se prolonge tout au long de l'hiver jusqu'au début du printemps, permettant ainsi la fermentation malolactique. Lindquist assure pouvoir toujours identifier ses vins lors de dégustations à l'aveugle grâce à «cette odeur de pierre dans une crique, ou de rue après la pluie». **DD**

Un des vignobles de Qupé, sous le soleil brûlant de Californie. ➔

Château Rabaud-Promis

Origine France, Bordeaux, Sauternes, Bommes
Type vin blanc doux, 13,5 % vol.
Cépages Sém. 80 %, Sauv. bl. 18 %, Muscadelle 2 %
Millésime dégusté 2003, à boire jusqu'en 2020
€€€

Pendant plus d'un siècle, l'histoire de Rabaud-Promis s'est confondue avec celle de son voisin Sigalas-Rabaud. Les deux formèrent un seul domaine jusqu'en 1903, lorsqu'une partie de la propriété fut vendue à Adrien Promis. Réunifié en 1930, jusqu'en 1952, le domaine fut à nouveau divisé. La qualité demeura médiocre pendant de nombreuses années, le vin était entreposé dans des cuves souterraines sans jamais connaître de fûts de chêne. En 1972, une des descendantes épousa Philippe Dejean, qui devint le gérant et, en 1981, racheta avec sa femme les parts des autres membres de la famille ; quelques investissements fort nécessaires furent entrepris.

Avec 32 ha sous vigne, le domaine est relativement grand, avec une maison modeste et des caves datant du XVIIIe siècle au sommet de la colline, entourées de vignes. La plupart des vignobles sont plantés sur un sol graveleux avec une bonne couche d'argile dessous. La propriété jouit également de nombreuses vieilles vignes. Tout en gardant les rendements à un niveau raisonnable, Dejean a introduit la fermentation en barriques vers la fin des années 1980, même si le vin montrait déjà des signes d'amélioration à partir du millésime 1983. À l'époque où le grand trio de millésimes de 1988 à 1990 fit son apparition, Rabaud-Promis était de nouveau en pleine forme.

Le millésime 2003 arbore des arômes d'abricots charnus, ainsi que la luxuriance que l'on attend de ce millésime extrêmement mûr. La texture est opulente et la finale épicée et fougueuse. **SBr**

AUTRES SUGGESTIONS
Autres grands millésimes
1983 • 1988 • 1989 • 1990 • 1998 • 1999 • 2001 • 2005
Autres vins de Bommes
Château Lafaurie-Peyraguey • Château Rayne-Vigneau   *Château Sigalas-Rabaud • Château La Tour Blanche*

Rabaud-Promis en bonne forme après une baisse de qualité. ➡

Ramey Hyde Vineyard
Carneros Chardonnay

Origine États-Unis, Californie, comté de Sonoma
Type vin blanc sec, 14,5 % vol.
Cépage Chardonnay
Millésime dégusté 2002, à boire jusqu'en 2012
€€€

David Ramey créa sa propre entreprise à Healdsburg en 2003. Il ne possède pas de vignobles mais sait où trouver les meilleurs fruits. Il reste un spécialiste du Chardonnay, même s'il produit également des vins rouges de Calistoga et Diamond Mountain, tous deux situés à Napa.

Ses Chardonnays proviennent des vignobles de Hyde et de Hudson, tous deux à Carneros. Ce sont d'excellents vins, le Hudson étant plus musclé et plus proche des goûts américains que le Hyde, plus raffiné. Les deux sont issus du clone surnommé vieux Wente, apprécié de Ramey pour son absence de saveurs de fruits tropicaux.

Le Hyde 2002 est très étoffé, avec des arômes de beurre, marqués par le chêne neuf. C'est un vin d'un poids et d'une maturité considérables, rafraîchi par une bonne acidité et une finale minérale. Même si David Ramey est un admirateur des Bourgognes, il sait que le climat californien donne des matières premières différentes de celles que l'on trouve dans un chai de Meursault. Si le Chardonnay de Hyde est raffiné, selon des standards californiens, il reste indubitablement un vin américain. **SBr**

Domaine Ramonet
Bâtard-Montrachet GC

Origine France, Bourgogne, côte de Beaune
Type vin blanc sec, 13 % vol.
Cépage Chardonnay
Millésime dégusté 1995, à boire jusqu'en 2018
€€€€€

Parmi les meilleures adresses de Chassagne, on trouve le domaine Ramonet qui fut le premier à vendre son vin en bouteilles, dans les années 1930. Le Ramonet de l'époque était le légendaire « père », dérivé de son nom de baptême, Pierre. Aujourd'hui, ses petits-fils Noël et Jean-Claude ont repris le flambeau. Ils offrent une vaste gamme, Le Montrachet étant au sommet de la liste. Le Bâtard-Montrachet est issu d'une parcelle de 0,45 ha située juste à côté de leur parcelle de Bienvenues, dans la section Puligny.

L'approche vinicole est d'un pragmatisme rafraîchissant. Les vins blancs sont fermentés sur de grossières lies et le sédiment n'est que très peu remué, afin qu'ils évoluent à leur rythme. Les grands crus sont mis en bouteilles après dix-huit mois. Ce procédé donne des Bourgognes blancs au meilleur potentiel de garde. Le 1995 est issu de vendanges courtes, mais excellentes. Il est brillant : corpulent, étoffé et concentré mais avec beaucoup de vigueur, et juste un soupçon de noix donné par le chêne neuf. Il est profond et multidimensionnel et, même après treize ans, est tout juste prêt à être dégusté. **CC**

Domaine Raveneau
Chablis PC Montée de Tonnerre

Château Rayne-Vigneau

Origine France, Bourgogne, Chablis
Type vin blanc sec, 13 % vol.
Cépage Chardonnay
Millésime dégusté 2002, à boire jusqu'en 2018
€€€€

Origine France, Bordeaux, Sauternes, Bommes
Type vin blanc doux, 14 % vol.
Cépages Sémillon 80 %, Sauvignon blanc 20 %
Millésime dégusté 2003, à boire jusqu'en 2030
€€€

Si la plupart des Chablis sont éphémères et dépourvus de caractère – le vignoble étant jeune, les rendements bien trop élevés et les vignes presque toutes vendangées mécaniquement –, un domaine sort du lot, Raveneau. Ici, les vignes sont anciennes, leur récolte est de 45 hl/ha au lieu de 60 ou plus, et le fruit est cueilli à la main. Le moût est vinifié et élevé principalement en cuves et environ 20 % en vieux fûts de chêne, afin que l'odeur du chêne ne soit pas gênante. Les vins eux-mêmes sont extrêmement purs et sont très attachés au terroir.

Montée de Tonnerre, sans doute le meilleur premier cru de Chablis, se trouve juste à l'est des grands crus Les Clos, Valmur et Blanchots, sur un coteau plus ou moins orienté vers le sud. C'est la plus grande exploitation des Raveneau, 2,7 ha. C'est le meilleur exemplaire de premier cru de Chablis et le 2002 est issu des très bonnes vendanges récentes de Chablis. C'est un vin délicieux, métallique, au fruit mûr mais austère et d'une grande profondeur. On ne trouve pas mieux à Chablis et l'on ne peut qu'espérer plus de vins de cette qualité. **CC**

Les vignobles de Rayne-Vigneau s'étendent sur plusieurs versants de l'une des collines de Sauternes. C'est un site remarquable grâce à la prolifération de pierres semi-précieuses éparpillées dans le sol. La propriété compte 80 ha sous vignes, mais le directeur de longue date, Patrick Eymery, avoue que seuls 50 ha produisent du vin de première qualité à cause des différents types de sol, d'exposition et d'altitude.

La propriété, auparavant connue sous le nom de Vigneau, remonte à la fin du XVIIᵉ siècle et reçut son nom actuel en 1892. Mais le chai est extrêmement moderne et la production du vin n'a rien d'artisanal. La qualité demeure néanmoins très élevée. Depuis 1986, Eymery élève le vin dans 50 % de chêne neuf, même si depuis 2001 toute la récolte est fermentée en barriques.

Rayne-Vigneau est un Sauternes brillant, frais et extrêmement équilibré, d'une réelle élégance. Millésime où de nombreux Sauternes sont lourds, ce 2003 possède une succulence séduisante, ainsi que des arômes et saveurs d'orange et de fruits tropicaux. D'une excellente longueur, il est l'un des meilleurs vins doux de cette année difficile. **SBr**

Rebholz *Birkweiler Kastanienbusch Riesling Spätlese Trocken GG*

Origine Allemagne, Palatinat
Type vin blanc sec, 12,5 % vol.
Cépage Riesling
Millésime dégusté 2001, à boire jusqu'en 2020
€€€

Pionnier de la qualité depuis trois générations dans le sud du Palatinat, Rebholz, à Siebeldingen, était encore méconnu lorsque Hansjörg le reprit suite à la mort prématurée de son père il y a vingt-cinq ans. Comme son grand-père, Hansjörg a continué à produire des vins secs très individualistes, un peu durs dans leur jeunesse, mais qui évoluent merveilleusement. Depuis la fin des années 1990, la qualité est montée en flèche.

Longtemps considéré comme le cousin pauvre du Mittelhaardt, le Palatinat méridional a vu sa réputation grandir avec celle de Rebholz. Le vignoble Kastanienbusch, dans le village voisin de Birk, a joué un rôle majeur dans cette renaissance. Le site s'étend sur 76 ha, mais seule une partie reçoit la classification de Grosses Gewächs – et juste un petit morceau possède le sol érodé d'ardoise rouge excellent pour le Riesling. Cette parcelle est la plus haute et l'une des plus escarpées du Palatinat.

Les herbes sauvages et le miel sont les marques de fabrique qui, malgré la densité du fruit, semblent virevolter en bouche. La charpente acide du remarquable 2001 a tendance à s'adoucir avec l'âge. Vendangé le 12 novembre, très tard pour un Riesling sec, le vin s'est stabilisé à seulement 12,5 % vol., mais est bien plus puissant qu'il n'en a l'air. Avec une production inférieure à 5 000 bouteilles, très peu auront la chance de le déguster à maturité. **JP**

Le Palatinat est la région d'Allemagne qui produit le plus de vin. ➜

Remelluri
Blanco

Origine Espagne, Rioja
Type vin blanc sec, 13 % vol.
Cépages Viognier, Roussanne, Marsanne, autres
Millésime dégusté 2005, à boire jusqu'en 2010
€€

Cet assemblage original de huit cépages blancs (Viognier, Roussanne, Marsanne, Grenache blanc, Sauvignon blanc, Chardonnay, Muscat et Petit Courbu) rappelle un Bourgogne expressif ou un Condrieu. Dans une dégustation à l'aveugle, personne ne pourrait l'identifier comme un vin de Rioja Alavesa, célèbre pour ses Tempranillo rouges.

Le *tinto reserva* de Remelluri, devenu un porte-étendard dans les années 1980, est maintenant un classique moderne. Son vin blanc fut d'abord produit vers le milieu des années 1990. Sous la direction du fils du propriétaire, Telmo Rodríguez, qui dirige aujourd'hui sa propre exploitation, plusieurs cépages blancs furent plantés à différentes altitudes, couvrant en tout 3 ha. Au départ, la production était si peu abondante que deux années furent assemblées à la fois, comme les millésimes 1994-1995, 1996-1997 et 1998-1999 exclusivement pour le marché américain.

« Le Remelluri blanc 1996 est le meilleur vin blanc d'Espagne que j'aie jamais dégusté, écrit Robert Parker. Un spectaculaire et complexe nez d'arômes de chèvrefeuille, de melon, de fleurs et de fruits tropicaux, suivi par un vin blanc sec d'une corpulence moyenne à étoffée, d'une concentration superbe, qui va certainement attirer l'attention. La mauvaise nouvelle est que seules 200 caisses furent produites. » La bonne nouvelle est que, sous la direction technique de l'œnologue Ana Barrón, la production de ce blanc fascinant s'est élevée à 12 000 bouteilles. **JMB**

Les installations de Remelluri, dans l'ancien monastère de Toloño. ➜.

Max Ferd. Richter *Mülheimer Helenenkloster Riesling Eiswein*

Origine Allemagne, Moselle-Sarre-Ruwer
Type vin blanc doux, 8 % vol.
Cépage Riesling
Millésime dégusté 2001, à boire jusqu'en 2040+
€€€€€

Le vignoble de Helenenkloster, d'environ 1 ha, a la réputation d'être l'un des meilleurs terroirs pour la production de bons vins de glace de Moselle depuis bientôt cinquante ans. Les vendanges des premières heures du 24 décembre 2001 ont cependant dépassé de loin les attentes de Max Ferd. Richter.

La production de vin de glace est souvent un jeu de hasard, qui demande beaucoup de courage. Dans l'après-midi du 23 décembre, les températures sur la Moselle s'effondrèrent à - 9 ºC. En dépit du jour férié qui s'annonçait, l'équipe se prépara pour une nuit très froide et des vendanges à 5 heures le matin suivant. Avec une densité de 223 ºOeschle, un record de poids du moût fut établi. Un tel niveau de sucre dans les raisins n'avait jamais été atteint auparavant dans ce domaine qui produit du vin de glace depuis 40 ans.

Les baies, gelées en billes dures comme de la pierre à -13 ºC, furent immédiatement pressées et fermentées en un vin de glace d'une concentration inédite. L'acidité de 13,6 % crée la charpente piquante pour les 336 g/l de sucre résiduel. En Allemagne, il reçut le score maximal de 100 points. **FK**

Château Rieussec

Origine France, Bordeaux, Sauternes, Fargues
Type vin blanc doux, 14 % vol.
Cépages Sém. 95 %, Sauv. bl. 3 %, Muscadelle 2 %
Millésime dégusté 2004, à boire jusqu'en 2030
€€€

Château Rieussec, seul premier cru de la commune de Fargues, est sans doute le meilleur vignoble de la région après Yquem ainsi que l'un des plus vastes, avec 80 ha sous vigne. Ancienne propriété ecclésiastique, il est passé de main en main depuis la Révolution. En 1984, le groupe Lafite-Rothschild s'en porte acquéreur. Charles Chevalier, actuellement directeur de Lafite, dirigea Rieussec pendant de nombreuses années et améliora constamment les vignobles et la cave.

Chevalier et ses successeurs redonnèrent à Rieussec un style plus classique, en partie en vendangeant le Sauvignon et la Muscadelle plus tôt, pour donner plus de fraîcheur au vin. Depuis 1997, toute la vendange est fermentée en fûts de chêne et les vignerons composent leur assemblage à partir de 45 lots. Le vin est élevé pendant environ deux ans, un peu plus de la moitié en barriques neuves.

Le botrytis et le chêne sont évidents dans le millésime 2004, qui est suave, concentré, et a un caractère exotique inhabituel d'ananas et d'orange, dérivé de l'excellente acidité. Ce ne fut pas une année facile, mais Rieussec s'en tire admirablement. **SBr**

◄ Les caves de Max Ferd. Richter à Mulheim sont spacieuses.

Telmo Rodríguez
Molino Real Mountain Wine

Origine Espagne, Andalousie, Málaga
Type vin blanc doux, 12 % vol.
Cépage Muscat
Millésime dégusté 1998, à boire jusqu'en 2013

€€€

Telmo Rodríguez, vinificateur le plus célèbre d'Espagne, né au sein de la famille qui possède Remelluri en Rioja, travailla dans l'exploitation jusqu'au jour où il fonda la Compañia de Vinos Telmo Rodríguez en 1994.

Sans cesse en quête de vins oubliés, il veut préserver les traditions et sauver de vieilles régions et des styles anciens. Il entendit un jour Hugh Johnson parler d'un vin doux magique de Málaga. Il se rendit donc à Málaga et en parla à tout le monde. Il sélectionna les meilleurs vignobles délaissés, puis multiplia les expériences. Ainsi naquit le premier Molino Real Mountain Wine, en 1998.

Le Muscat, cultivé sur les coteaux d'ardoise escarpés de Cómpeta, est séché au soleil afin de concentrer le sucre. Après vingt mois en fûts de chêne neuf français, le vin regorge de notes florales, de fruit et d'épices exotiques. Sa robe est d'une superbe couleur dorée. Il offre des arômes très élégants et fins, avec des notes lactiques et balsamiques. En bouche, il est d'une corpulence moyenne mais dense, épicée, ample et d'une bonne longueur. Le moelleux est bien équilibré par une belle acidité. **LG**

Emilio Rojo
Ribeiro

Origine Espagne, Galice, Ribeiro
Type vin blanc sec, 13 % vol.
Cépages Lado, Treixadura, Albariño, Loureiro, Torrontés
Millésime dégusté 2006, à boire jusqu'en 2012

€€

Le grand Albariño produit dans la zone côtière de Rias Baixas combine la complexité aromatique de la jeunesse avec un potentiel de garde modéré – et sans aucune intervention du chêne. Ce sont d'ailleurs les vertus caractéristiques des meilleurs vins blancs de Galice. Le Ribeiro d'Emilio Rojo se place indiscutablement dans cette prestigieuse catégorie. C'est un vin quasi mythique, issu annuellement d'un minuscule domaine de 2 ha.

Emilio, dans les années 1980, a abandonné ses études d'ingénieur pour devenir viticulteur. À l'entendre, son objectif n'est pas de cultiver un maximum de vignes, mais au contraire un minimum. Son but ultime serait un vignoble de la taille d'un ring de boxe – obtenir une infime quantité de raisin, mais d'une qualité irréprochable.

Ce 2006 est précis, généreux et onctueux, avec une excellente structure et un équilibre judicieux entre acidité, souplesse, alcool et puissance aromatique. Mieux encore, ce vin donne l'impression réconfortante qu'il ne demande qu'à vieillir quelques années en cave pour donner le meilleur de lui-même. **JB**

◀ C'est dans ces montagnes que Telmo Rodriguez pratique son art.

Rolly Gassmann
Muscat Moenchreben

Origine France, Alsace
Type vin blanc sec, 12,5 % vol.
Cépage Muscat
Millésime dégusté 2002, à boire jusqu'en 2010
€€€

Les Gassmann sont très respectés en Europe grâce à la constance de leurs vins d'Alsace au style étoffé et voluptueux. Cependant, on n'y trouve pas toujours la classe suprême d'un Faller, d'un Humbrecht ou d'un Trimbach, et ce parce que Gassmann ne possède pas de très bons vignobles, aucun grand cru, et certaines de ses parcelles de Rorschwihr sont marquées par un sol d'argile, donnant à ses Rieslings un goût de pétrole, apprécié ou non. Toutefois, Louis (désormais aidé de son fils Pierre) est l'un des meilleurs vignerons d'Alsace, très conscient du caractère marqué de ses terroirs. À partir de matières premières difficiles, il façonne quelques vins très agréables, souvent vendangés tardivement afin d'assurer la pleine maturité phénolique des raisins, éliminant ainsi les parties vertes et dures.

Ce 2002 est un vin séduisant. La douceur sensuelle du nez capture dans le verre l'émotion du soleil de fin de saison. En bouche, il offre une texture très grasse, le milieu du palais regorgeant de saveurs de pêche succulentes. Un vin estival à déguster sur une chaise longue seul ou en compagnie d'une part de tarte alsacienne. **ME**

Rolly Gassmann *Riesling*
de Rorschwihr Cuvée Yves

Origine France, Alsace
Type vin blanc sec, 14 % vol.
Cépage Riesling
Millésime dégusté 2002, à boire jusqu'en 2020+
€€€

Les meilleurs vins Gassmann étaient issus de Gewurztraminer, cépage le plus adapté aux sols riches en argile de Rorschwihr et au penchant de Louis Gassmann pour un style ample marqué par le sucre résiduel. Avec le Riesling, façonner un vin gracieux et équilibré s'avéra plus difficile. En se convertissant à la viticulture biodynamique il y a quelques années, Louis et son fils Pierre ont, fort heureusement, fait de grands progrès en termes de qualité et de caractère de leurs raisins, et produit des vins plus purs, plus harmonieux et plus élégants. La Cuvée Yves (baptisée en l'honneur du second fils de Louis, Yves, qui a embrassé la vie religieuse en 2002) illustre au mieux ces améliorations.

Les douces variations durant la floraison 2002, année caractérisée par des averses et des températures clémentes, ont bien sûr aidé. Le résultat est un Riesling arborant une charpente d'acidité indestructible en parfaite harmonie avec la maturité optimale. C'est à coup sûr un grand vin à la complexité infinie, qui suggère aux plus sages de ne jamais généraliser pour ce qui est d'un vin, d'un terroir ou d'un millésime, et encore moins, d'un producteur. **ME**

L'église de Rorschwihr et, sur la colline, le château du Haut-Kœnigsbourg. ➜

Dom. de la Romanée-Conti
Le Montrachet GC

Origine France, Bourgogne, côte de Beaune
Type vin blanc sec, 14 % vol.
Cépage Chardonnay
Millésime dégusté 2000, à boire entre 2010 et 2030
€€€€€

Quel meilleur exemple de l'excellence que peut atteindre un Bourgogne ? Les raisins de Montrachet du Domaine de la Romanée-Conti, 0,7 ha des 8 ha du Montrachet, sont vinifiés dans la cuverie, à Vosne-Romanée, par Bernard Noblet, et mis en bouteilles après un élevage en fût d'environ quinze mois.

Le Montrachet est vendangé le plus tard possible. Le copropriétaire Aubert de Villaine a noté que les raisins gardent leur acidité même s'ils restent longtemps sur les vignes. Ces vendanges tardives font que Le Montrachet est unique à l'ouverture de la bouteille, d'une extraordinaire opulence et d'une intensité presque monolithique. Après un certain temps dans le verre, l'incroyable caractère du vignoble commence à faire surface. En 1727, déjà, l'abbé Arnoux écrivait qu'il ne trouvait « aucun mot en français ni en latin pour décrire la douceur de ce vin ».

Vin frôlant la perfection, le 2000, récemment dégusté à Nashville, dans le Tennessee, dans le cadre d'une extraordinaire série de Montrachet, a été l'une des stars de la soirée. Un peu de temps en verre, et le nez fabuleux offre raffinement, énergie et puissance. Une multiplicité de couches de saveurs assaille la bouche en douces vagues, d'une persistance extraordinaire. **JM**

Dom. Guy Roulot *Meursault*
Tessons Le Clos de Mon Plaisir

Origine France, Bourgogne, côte de Beaune
Type vin blanc sec, 13 % vol.
Cépage Chardonnay
Millésime dégusté 2005, à boire entre 2010 et 2015+
€€€

L'un des bonheurs de Meursault est l'abondance de bouteilles de grande classe produites à partir de vignobles pourtant non classés premier cru si bien qu'elles sont abordables. Parmi les lieux-dits les plus intéressants, on trouve Le Tesson (ou Les Tessons), situé à mi-pente au-dessus du village, sur un sol léger et bien drainé.

Le Tesson est divisé en petites parcelles individuelles. Jean-Marc Roulot, qui a repris le domaine familial après une parenthèse dans l'industrie du cinéma, est l'un des vinificateurs les plus talentueux de Bourgogne. Il a compris toute l'importance de la texture des vins blancs, ainsi que de leur structure et de leur fruité. Son Tesson possède de séduisantes notes florales en même temps qu'une acidité rafraîchissante très agréable au palais.

2005 est un excellent millésime pour les Bourgognes blancs. Sa réputation a été notablement éclipsée par la gloire des vins rouges de cette même année, par ailleurs exceptionnelle, et par une tendance à préférer les blancs aux rouges pour les millésimes 2004 et 2006, mais il semble désormais assez évident, toutefois, que les plus grands vins blancs du lot seront les 2005. Certes, ils sont quelque peu dépourvus, dans leur jeunesse, de la complexité aromatique que l'on attend d'eux, ce qui, associé à une concentration assez musclée, les a privés des applaudissements qu'ils méritent. Mais si vous voulez m'en croire, c'est l'un des millésimes les plus complets de cette génération. **JM**

Royal Tokaji Wine Co. *Mézes Mály Tokaji Aszú 6 Puttonyos*

Origine Hongrie, Tokaj
Type vin blanc doux, 10,5 %.
Cépage Furmint
Millésime dégusté 1999, à boire jusqu'en 2020+
€€€€

Royal Tokaji fut fondée en septembre 1990 par un groupe de fanatiques du vin mené par Peter-Vinding-Diers et Hugh Johnson. Ils jouissent au départ de l'expertise considérable d'István Szepsy, mais ce dernier les quitte en 1993 pour se lancer en solo. En tout, les propriétaires rassemblaient une collection impressionnante de vignobles (110 ha) dans quelques-uns des sites classés dès la première moitié du XVIIIe siècle.

La société se différencie en ne produisant que des Aszú, principalement issus de grands vignobles, tels Szent Tamás, Nyulászó et Betsek. Royal Tokaji fut la première exploitation à mettre le nom des vignobles sur ses étiquettes. Mézes Mály, 19 ha, aux sols de loess, est leur site grand cru.

6 Puttonyos est élevé en fût pendant quatre ans. La longue macération des raisins implique des vins généralement plus sombres, mais celui-ci arbore une légère robe dorée et un fruit de pêche fabuleusement frais et succulent. Le vinificateur Karoly Ats y détecte aussi un nez de menthe poivrée, de coing et de miel, et « un bel équilibre en bouche, une charpente magnifique et un charmant arrière-goût très persistant de coing ». **GM**

Royal Tokaji Wine Co. *Szent Tamás Tokaji Aszú Esszencia*

Origine Hongrie, Tokaj
Type vin blanc doux, 7,5 %.
Cépages Furmint 50 %, Harslévelü 50 %
Millésime dégusté 1993, à boire jusqu'en 2050+
€€€€€

Esszencia (essence) est l'apogée du Tokaj. Il peut atteindre une teneur en alcool de 6 % vol. Le moût issu de fruits atteints de pourriture noble vieillit si lentement qu'il peut survivre un siècle s'il est conservé dans une bonne cave. Considéré comme un élixir de longue vie, ce vin était jadis destiné aux rois et aux princes.

Le vignoble de Szent Tamás est vaste et amorphe d'un point de vue géologique. Son sol est volcanique, contenant également du tuf et du quartz. Royal Tokaji possède ici 11 ha, soit environ un cinquième du cru.

Esszencia est fait de quantités égales de Furmint et de Harslévelü et contient 304 g/l de sucre résiduel, donc est relativement vineux. L'acidité est de 11,5 g/l. Même à 5 ans d'âge, il arbore une couleur ambrée, due à l'utilisation de très petites quantités de soufre. Le nez libère une bouffée d'orange de Séville. L'attaque est tout en douceur, et la finale a l'acidité cuisante d'une Granny Smith.

Les Hongrois affirment qu'il vaut mieux le boire en petite quantité et seul. En théorie, quiconque en consomme devrait vivre éternellement, mais la théorie n'a pas encore pu être vérifiée. **GM**

Des vins d'un rouge doré sombre vieillissent dans les caves de la Royal Tokaji Wine Company. ➜

Rudera Robusto
Chenin Blanc

Origine Afrique du Sud, Stellenbosch
Type vin blanc demi-sec, 14 % vol.
Cépage Chenin blanc
Millésime dégusté 2002, à boire jusqu'en 2012
€€

Les plantations d'Afrique du Sud sont plus vastes que celles de la Loire, région natale du Chenin. Longtemps utilisé abusivement au Cap, du Brandy aux occasionnels bons vins de dessert, il a commencé à fleurir dans les années 1990, lorsque d'ambitieux vignerons se tournèrent vers les vieux vignobles de Chenin, aux faibles rendements, et découvrirent une qualité remarquable.

Le vinificateur Teddy Hall est l'un des plus grands champions de ce cépage, tout d'abord à Kanu, puis dans son petit chai de Stellenbosch, Rudera. Il produit régulièrement des Chenins de divers styles, mais le Robusto, bien boisé, au sucre résiduel à peine perceptible, toujours exubérant et d'une robustesse élégante, est sans doute le plus célèbre.

Les raisins utilisés proviennent de vignobles mûrs taillés en buisson situés au pied de Helderberg. Le critique Michael Fridjhon a parlé « de fruit intense et somptueux qui se métamorphose en un style de vin opulent, presque tropical ». Et d'ajouter : « Le Rudera Robusto 2002 a une texture ample, tout en ayant l'acidité nécessaire pour réfréner le fruit et donner longueur et persistance en bouche. » **TJ**

Sadie Family
Palladius

Origine Afrique du Sud, Swartland
Type vin blanc sec, 13,5 %
Cépages Chenin, Grenache, Chard., Roussanne
Millésime dégusté 2005, à boire jusqu'en 2012+
€€€

Un nouveau genre d'assemblages blancs du Cap a fait surface ces dernières années, inspiré par les vignes de Chenin blanc non irriguées et à faible rendement, situées sur les coteaux granitiques de Perdeberg. Ces assemblages, auxquels s'ajoutent de nombreux cépages, révèlent une grande qualité et un caractère expressif.

Palladius fut le premier. On trouve désormais une ou deux douzaines de vins de ce genre, mais Palladius reste en tête. « On peut assembler pour atteindre le confort ou la complexité et c'est ce que j'essaie de faire, » explique le viniculteur Eben Sadie.

Tout en travaillant toujours sur la composition et le caractère du Palladius, Sadie dirige le gros de ses efforts vers ses vignobles (loués) de Perdeberg, qu'il cultive selon des principes biodynamiques. Il travaille également en cave, où il s'évertue à raffiner l'assemblage en ajoutant un peu de Clairette de vieilles vignes dans le 2006. C'est un vin puissant, ample et succulent, avec une belle acidité naturelle et une gracieuse veine de minéralité tannique, ainsi que des notes terreuses sous les fioritures florales et fruitées. **TJ**

Salomon-Undhof
Riesling Kögl

Origine Autriche, Weinviertel
Type vin blanc sec, 13 % vol.
Cépage Grüner Veltliner
Millésime dégusté 2005, à boire jusqu'en 2015
€€

Fritz Salomon, pionnier de la viticulture autrichienne, figure parmi les premiers champions du Riesling et de la mise en bouteilles au domaine. Ses fils, Erich et Berthold, dirigent désormais l'Undhof. Les terrasses escarpées de schiste et de poussière de loess situées au-dessus de Krems furent pendant des siècles la propriété de l'évêché de Passau, en Bavière, et une partie des vendanges continue d'être remise à l'église de cette ville.

Dans les années 1990, des raisons économiques forcèrent Erich Salomon à abandonner le bois pour l'acier inoxydable et à accélérer la vitesse d'évolution et de mise en vente. Dix ans plus tard, son frère à ses côtés, il peut enfin relâcher le contrôle des vignes naissantes et leur Kögl 2005 a fermenté tout le mois de janvier, une fermentation longue selon les critères récents, le temps passé sur lies a donné une texture onctueuse complétant la clarté du noyau de fruit et des agrumes, ainsi qu'une richesse de nuances.

Pour 2005, la qualité a dépendu de l'élimination sélective des fruits botrytisés. Le Riesling Kögl Réserve vendangé plus tard fait preuve de plus d'ampleur mais de moins de clarté. **DS**

Sauer *Escherndorfer Lump*
Silvaner Trockenbeerenauslese

Origine Allemagne, Franken
Type vin blanc doux, 8 % vol.
Cépage Sylvaner
Millésime dégusté 2003, à boire jusqu'en 2025
€€€

Escherndorfer Lump est un promontoire en forme de parabole orienté vers le sud, situé sur les rives du Main, célèbre pour son microclimat, mais aussi pour la difficulté d'y cultiver. En Allemagne, ce vignoble est considéré comme l'un des meilleurs sites pour les Silvaner secs, concentrés, mais Horst Sauer a prouvé que les vins doux de classe mondiale peuvent également être cultivés ici avec une régularité remarquable. Pratiquement aucun autre viticulteur n'est capable de tirer des Trockenbeerenauslese aussi imposants du Silvaner.

En 2003, les conditions s'avérèrent parfaites. Le 3 novembre, Sauer put vendanger un Trockenbeerenauslese très élégant, qui pourrait bien être le meilleur vin de Franken de cette année. En bouche, les imposants arômes exotiques d'ananas, de mangue, de miel et d'abricot semblent être enveloppés d'une douceur soyeuse, soutenus par une acidité ferme. Le vin a été mis en vente au chai pour environ 52 euros la bouteille d'un demi-litre. Au vu de sa qualité remarquable et des prix de Rieslings du Rhin et de Moselle semblables en qualité et en style, ce vin représente une valeur sûre. **FK**

Domaine Étienne Sauzet
Bâtard-Montrachet GC

Origine France, Bourgogne, côte de Beaune
Type vin blanc sec, 13,5 % vol.
Cépage Chardonnay
Millésime dégusté 1990, à boire jusqu'en 2015+
€€€€€

À Puligny-Montrachet, la taille du domaine Sauzet a varié au fil des ans, avec un pic vers la fin des années 1940. Après la mort du fondateur en 1975, la direction est passée aux mains de Gérard Boudot, arrivé dans la famille par le biais d'un mariage l'année précédente. Son intendance consciencieuse plaça le domaine dans la première division des producteurs de Chardonnay de la région.

Sauzet ne possède que 0,13 ha de Bâtard (un grand cru divisé entre Puligny et Chassagne-Montrachet) et doit acheter des raisins à l'extérieur pour sa production annuelle. Après un léger pressurage, le jus est transféré en barrique pour une fermentation alcoolique d'environ trois semaines. Le vin est ensuite élevé dans du chêne Allier et Tronçais.

1990 a donné des vins extrêmement gras et amples, presque trop pour certains puristes. Le Bâtard de Sauzet est un Chardonnay massif et huileux à l'impact éblouissant, qui rend justice aux vignes de 40 ans d'âge et aux faibles rendements. Le nez évoque les pommes cuites et la noix de muscade, tandis que le palais fort marie l'opulence du beurre et une longueur magnifique. **SW**

Willi Schaefer *Graacher*
Domprobst Riesling BA

Origine Allemagne, Moselle-Sarre-Ruwer
Type vin blanc doux, 7,5 % vol.
Cépage Riesling
Millésime dégusté 2003, à boire entre 2030 et 2040
€€€€€

Si Willi et Christoph Schaefer venaient de s'établir, on les surnommerait « garagistes ». Cette propriété de 3,5 ha produit du vin exclusivement de vignobles escarpés de Riesling à Graach et aux alentours. Schaefer n'a jamais fait de Trockenbeerenauslese et ne s'intéresse pas non plus au vin de glace. « Évidemment, nous aurions pu fabriquer du TBA de nombreuses fois, explique-t-il, mais les vins sont peut-être trop concentrés. Je les aime chez d'autres producteurs, mais je veux que nos vins soient élégants et légers. »

Lors des années plus «fraîches», les vins de Schaefer peuvent sembler distants. Sinon, ils sont chatoyants à chaque degré de maturité. La grandeur de ces vins est perceptible même dans les exemplaires les plus modestes, mais leur légèreté, même s'ils sont très concentrés et mûrs, est singulière et miraculeuse. Le 2003 en est un bon exemple. On pourrait s'attendre à un fruit doux et mièvre envahissant, mais on obtient plutôt un vin presque limpide, rebondissant et très ferme. Une énorme quantité de saveurs complexes est délivrée sur une charpente si légère que le vin en devient presque évanescent. **TT**

L'entrée de l'exploitation de Willi Schaefer. ➡

Mario Schiopetto
Pinot Grigio

Origine Italie, Frioul, Collio
Type vin blanc sec, 13 % vol.
Cépage Pinot gris
Millésime dégusté 2005, boire la cuvée actuelle
€€€

L'Azienda Agricola Mario Schiopetto est l'un des meilleurs domaines de la région du Collio, au nord-est de l'Italie. Les 30 ha de vignobles s'étendent de Capriva del Friuli à Podere dei Blumeri et sur le domaine autour de l'ancienne résidence de l'évêque de Gorizia. Feu Mario Schiopetto commença à produire du vin en 1965. Voyageant à travers les régions viticoles d'Europe, il fut un pionnier de la vinification moderne dans le Frioul. Le splendide chai, élaboré par Tobia Scarpa, fut achevé en 1992.

Le premier Pinot Grigio vit le jour en 1968, bien avant que ce cépage ne soit à la mode. D'une robe tirant plus sur le jaune or que sur ce vert limpide de beaucoup de vins sans consistance faits à partir de ce cépage, ce Pinot Grigio 2005 montre ce que peut donner cette variété entre de bonnes mains. Ample, savoureux et d'une acidité habituellement faible, il s'agit d'un vin persistant, élégant et pur, sans une trace de chêne pour gâcher le fruit si nettement défini. Même s'il est plutôt concentré, ce vin est meilleur jeune, car il perd sa fraîcheur et son acidité après trois ou quatre ans en bouteille. **SG**

Schloss Gobelsburg
Ried Lamm Grüner Veltliner

Origine Autriche, Kamptal
Type vin blanc sec, 14 % vol.
Cépage Grüner Veltliner
Millésime dégusté 2001, boire la cuvée actuelle
€€€€

Vu la puissance de ce Grüner Veltliner, il est difficile de croire que Michael Moosbrugger ne s'occupe de cette propriété que depuis 1996. Gobelsburg est un domaine monastique vieux de plusieurs siècles, ayant amassé une grande partie des meilleurs vignobles du Kamptal. Au début des années 1990, l'ordre voulut louer la propriété. Moosbrugger était impatient de devenir vigneron et l'accord fut passé avec Willi Bründlmayer, qui s'engagea comme partenaire et consultant sur un plan quinquennal. Dès la troisième année, il comprit que son aide n'était plus nécessaire : « Pourquoi Moosbrugger aurait-il encore besoin de moi ? Il dort sur ses fûts. »

Lamm, niché dans une combe entre Gaisberg et les collines de Heiligenstein, est abrité du vent, la chaleur y est insoutenable. Tous les Veltliner d'ici sont remarquables, mais depuis 2001 aucun n'est plus impressionnant que ceux de Schloss Gobelsburg. Ce vin dévoile un contraste entre force et délicatesse, intensité et précision, fait preuve d'une brillance pénétrante et offre des saveurs caractéristiques de romarin, de pain de seigle et de viande rôtie. **TT**

◀ Les vignobles de Mario Schiopetto à Capriva del Friuli.

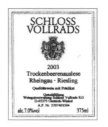

Schloss Lieser *Lieser Niederberg Helden Riesling AG*

Schloss Vollrads *Riesling Trockenbeerenauslese*

Origine Allemagne, Moselle-Sarre-Ruwer
Type vin blanc doux, 7 % vol.
Cépage Riesling
Millésime dégusté 2004, à boire jusqu'en 2025
€€€€

Origine Allemagne, Rheingau
Type vin blanc doux, 7 % vol.
Cépage Riesling
Millésime dégusté 2003, à boire jusqu'en 2050+
€€€€€

Wilhelm Haag est une figure paternelle dans la région et pour la profession. En 1992, Thomas, son fils, débuta comme maître caviste chez Schloss Lieser, jadis célèbre mais en baisse. Dès ses premières vendanges, il sembla avoir trouvé sa vocation, et cinq années plus tard il acheta le domaine.

Thomas Haag a démontré que son vin n'a pas à craindre la comparaison avec les meilleurs sites d'ardoise de Moselle. Avec le 2004, un nouveau degré d'excellence est atteint. L'approche de Thomas Haag est dominée par la patience. Peu sont prêts à vendanger plus tard ou à permettre une fermentation plus lente et plus froide de leur Riesling, et en conséquence ses vins émergent lentement du halo d'arômes fermentés et de levure.

Ce 2004 est un superbe exemple du Riesling en synergie avec la pourriture noble. Les noyaux de fruit, les agrumes, le melon et le miel envahissent la bouche et s'y attardent avec une intensité mémorable. Seuls les coteaux d'ardoise de la Moselle prouvent qu'il est possible de produire un vin noble d'une telle délicatesse et d'une telle légèreté, d'une ravissante clarté malgré toute cette opulence onctueuse. **DS**

Les vins de Schloss Vollrads ont très vite acquis une renommée mondiale et été considérés parmi les meilleurs vins allemands pendant des siècles. Le château appartint longtemps aux comtes de Greiffenclau, l'une des plus vieilles dynasties viticoles du monde.

Depuis la crise des années 1990, Rowald Hepp a restauré la grandeur passée du domaine. Le 23 septembre 2004, le premier lot de raisins destinés au Riesling Trockenbeerenauslese fut récolté et plusieurs autres TBA devaient suivre. Jamais auparavant le site n'avait connu de TBA si concentrés. Seules les vendanges de 1947 s'approchaient de celles-ci.

Ce vin a été vinifié à part, la fermentation a duré plus de quinze mois à cause du niveau de sucre élevé, et mis en bouteilles séparément, puis mis en vente que quatre ans plus tard, après un long repos dans les caves du château. Même le TBA « normal » de cette vendange fort inhabituelle met en évidence les dons du Schlossberg de Vollrads, paradis pour les passionnés des vins doux nobles. Avec 306 g/l de sucre résiduel, voilà un élixir concentré d'une immense ampleur et d'une grande distinction aristocratique. **FK**

Schloss Vollrads, au milieu du vignoble de Schlossberg. ➔

Schlumberger *Gewurztraminer SGN Cuvée Anne*

Heidi Schröck *Ruster Ausbruch Auf den Flügeln der Morgenröte*

Origine France, Alsace
Type vin blanc liquoreux, 14,7 %
Cépage Gewurztraminer
Millésime dégusté 2000, à boire jusqu'en 2040
€€€

Origine Autriche, Burgenland, Neusiedersee-Hügelland
Type vin blanc doux, 9,5 % vol.
Cépages Pinot bl., Welschriesling, Sauvignon, autres
Millésime dégusté 2004, à boire jusqu'en 2022+
€€€

Schlumberger, 140 ha, plus vaste domaine viticole de toute l'Alsace, a vu sa qualité croître sous la houlette de Serine Schlumberger (septième génération). Tous les vins du domaine sont issus de ses propres vignobles, s'étendant sur près de 6 km entre Guebwiller et Rouffach, sur des pentes abruptes, en terrasses. L'entretien des vignes se fait toujours avec des chevaux, et quatre maçons sont employés à plein temps pour entretenir près de 48 km de murs de terrassement. La moitié du domaine est constituée de quatre grands crus : Kessler, Kitterlé, Saering et Spiegel. La Cuvée Anne provient d'une parcelle de grand cru Kessler située sur un versant exposé est-sud-est, dont le sous-sol de grès est couvert d'un sol de sable et d'argile.

La Cuvée Anne porte le nom de la fille d'Ernest Schlumberger. C'est un vin extrêmement rare, car c'est une sélection de grains nobles (SGN) et il est produit avec parcimonie, en moyenne tous les sept ans. Doté d'une élégance et d'une finesse tout à fait extraordinaires pour un vin de cette ampleur, il offre un palais onctueux et persistant exceptionnel, avec une finale d'une surprenante fraîcheur. **TS**

Le Cercle Ruster Ausbruch, fondé en 1992, devait ressusciter le vin qui a fait la réputation et la richesse passée du minuscule Freistadt Rust. De manière inattendue, les producteurs nommèrent une jeune femme présidente. Depuis, le nom de Heidi Schröck est associé à ce genre botrytisé et aucun producteur du Burgenland ne peut se vanter d'une telle qualité ou d'une telle diversité de blancs secs.

En 2003, Schröck a commencé à assembler diverses parcelles et sa gamme de variétés possède un Ausbruch qui évoque les assemblages issus de divers types de sols, tels les vins produits ici il y a cinquante ans. Auf den Flügeln der Morgenröte (« sur les ailes de l'aube ») lui est venu à l'esprit à cause de la lumière du petit matin – authentique catalyseur lumineux pour la vraie pourriture noble – miroitant à travers le brouillard sur le lac Neusiedlersee, puis le dissipant.

Onctueux, mais éthéré et d'un poids plume, telle la brume, ce vin provoque l'extase dès qu'il touche le palais, avant de s'envoler vers une finale d'une complexité extraordinaire, pas du tout alourdie par une teneur de 200 g/l de sucre résiduel. **DS**

Les vignobles Schlumberger, à Guebwiller.

Selbach-Oster *Zeltinger Schlossberg Riesling Auslese Schmitt*

Origine Allemagne, Moselle-Sarre-Ruwer
Type vin blanc demi-sec, 8 % vol.
Cépage Riesling
Millésime dégusté 2003, à boire entre un an et
trois ans, ou garder pendant quinze à vingt ans
€€€€

En 2003, Johannes Selbach a produit au moins quatre Auslese différents issus de Schlossberg, un site escarpé et peu prometteur. Trois d'entre eux sont fabriqués de manière traditionnelle, avec différents passages dans le vignoble, les plus mûrs, et ceux arborant plus de botrytis, étant désignés par des étoiles : pas d'étoile, une étoile, deux étoiles.

2003 a cependant été l'année d'une révolution tranquille, qui a pris la forme d'une récolte en bloc de la parcelle la plus ancienne et la mieux située, appelée Schmitt. « Nous n'avons fait aucune sélection avant de vendanger, explique Johannes. La variété habituelle de baies jaune-vert et dorées, légèrement surmaturées, a été mélangée avec des baies botrytisées, ce qui crée une authentique expression du terroir sans influence humaine. » Les Selbach ont suivi le même programme chaque année par la suite, y ajoutant une seconde cuvée issue d'une microparcelle du vignoble voisin de Sonnenuhr, Rotlay.

Schlossberg de Zeltinger donne aux amateurs de vins de Moselle exactement ce qu'ils recherchent d'une manière remarquablement expressive, presque angulaire. Les sols d'ardoise dévonienne créent une minéralité ferme et tonifiante qui semble envahir le palais, peut-être l'un des seuls endroits où l'on peut réellement « goûter le sol », sous-tendu d'un milieu en bouche singulier d'herbes forestières et de zeste de citron vert. L'effet n'est peut-être pas aussi charmant et génial que les Sonnenuhr et les Himmelreich du monde, mais il est délicieusement différent. **TT**

AUTRES SUGGESTIONS

Autres vins du même producteur

Bernkasteler Badstube • Graacher Domprobst

Autres producteurs en Moselle-Sarre-Ruwer

Fritz Haag • Karthäuserhof • Dr. Loosen • Maximin Grünhaus • Egon Müller • J. J. Prüm • Willi Schaefer

Vendange de Riesling dans le vignoble de Bratenhöfchen de Selbach-Oster. ➡

Seresin
Marama Sauvignon Blanc

Origine Nouvelle-Zélande, Marlborough
Type vin blanc sec, 13 % vol.
Cépage Sauvignon blanc
Millésime dégusté 2006, à boire dans les cinq ans
€€

Seresin Estate a été fondé en 1992 sur les terrasses de la rivière Wairau, dans le Marlborough, par Michael Seresin, cinématographe de renom.

Comme Cloudy Bay, Seresin produit un Sauvignon blanc « de base », ainsi qu'une version plus sophistiquée. La sélection des parcelles utilisées pour Marama se base sur la saveur des fruits avant les vendanges, avec trois blocs en particulier qui donnent toujours une profondeur et un poids supplémentaires au vin fini. Au lieu d'ajouter des levures, la fermentation est provoquée par des levures indigènes qui sont naturellement présentes dans le vignoble et dans le chai. Ces différentes levures ajoutent éventuellement des couches supplémentaires de saveurs au vin.

Marama a souvent une robe plus profonde que bon nombre d'autres Sauvignons. Au départ, il offre l'arôme typique d'un vin blanc de Marlborough, de capsicum et d'asperge, mais on y décèle des notes de caramel et de levure, qui proviennent respectivement de l'élevage en barrique et de la fermentation. C'est un vin très atypique, mais si persistant et si ample que l'on peut presque tout lui pardonner. **SG**

Shaw and Smith
M3 Chardonnay

Origine Australie, Aust.-Méridionale, Adelaïde Hills
Type vin blanc sec, 13 % vol.
Cépage Chardonnay
Millésime dégusté 2006, à boire jusqu'en 2011+
€€€

Shaw and Smith vit le jour lors d'un long déjeuner en 1989, lorsque Martin Shaw et Michael Hill-Smith décidèrent de réaliser leur rêve, faire du vin ensemble. Juste avant, Michael était devenu le premier Australien à passer l'examen rigoureux de maître ès vins.

La viticulture existait dès 1839, mais ce ne fut qu'en 1979 qu'elle y fut ressuscitée. Grâce à leur altitude, les collines d'Adélaïde sont plus tempérées que les régions voisines McLaren Vale et Barossa Valley. Le Sauvignon blanc et le Chardonnay s'adaptent particulièrement bien à ces conditions.

Le vignoble M3 de Woodside, planté en 1994, se trouve à 420 m d'altitude. Les raisins de M3 sont cueillis manuellement et pressés entiers avant d'être fermentés et élevés dans 35 à 40 % de chêne neuf français et 60 à 65 % de chêne français âgé de 1 à 2 ans. Depuis son premier millésime en 2000, ce Chardonnay M3 s'est distingué par son harmonie de fruit, d'acidité naturelle et de chêne. Hill-Smith a décrit les millésimes précédents comme des « œuvres en devenir », mais en 2006 M3 a finalement trouvé sa vitesse de croisière. **SG**

Edi Simčič
Sauvignon Blanc

Origine Slovénie, Kozana, Goriška Brda
Type vin blanc sec, 14,5 % vol.
Cépage Sauvignon blanc
Millésime dégusté 1999, à boire entre 2009 et 2012
€€€

Les vins blancs de la Slovénie occidentale occupent une place prépondérante, en particulier les Sauvignons de Goriška Brda. Les Simčič cultivent ces vignobles haut perchés depuis plus d'un siècle, et les commercialisent depuis 1990, sous leur propre étiquette. La vinification est aujourd'hui entre les mains d'Aleks Simčič.

Ces Sauvignons élargissent la gamme gustative de ce cépage expressif. Aussi bien dans le vignoble de Kozana que dans les caves, l'approche est simple, naturelle et rigoureuse. Le rendement, très limité, est de l'ordre d'une bouteille par pied de vigne. Les raisins sont cueillis à la main et les vendanges tardives. Le jus est fermenté en barriques de chêne français, d'âges très divers, et le vin reste douze mois dans le bois. Les objectifs sont la richesse et la complexité, plutôt que le simple fruité. Du coup, ce Sauvignon atteint des sommets, bien loin de la verdeur et du goût de feuilles qui restent endémiques dans la vallée de la Loire.

Ce Sauvignon présente un nez complexe et opulent. Le palais est bien structuré, avec un cœur minéral et des saveurs de fruits à noyau et de baies sauvages. La finale est longue, avec plusieurs paliers. **ME**

Château Smith-Haut-Lafitte
Pessac-Léognan

Origine France, Bordeaux, Pessac-Léognan
Type vin blanc sec, 13 % vol.
Cépages Sauv. bl. 90 %, Sauv. gris 5 %, Sémillon 5 %
Millésime dégusté 2004, à boire jusqu'en 2015
€€€€

Plantée sur un plateau graveleux semblable au sol de Margaux, dans une zone viticole connue sous le nom de Lafitte, la propriété fut sous l'égide d'un marchand écossais en 1720, George Smith, qui ajouta son nom au château. En 1990, le domaine fut acquis par Daniel et Florence Cathiard, champions olympiques de ski.

Le vin blanc est fermenté à froid en acier inoxydable, puis transféré dans du chêne (à 50 % jeune) pour un élevage d'un an. Les barriques sont fournies par la tonnellerie du domaine.

En 2004, le domaine a produit, à force de vendanges tardives, le style de vin blanc sec qui offrirait un bel exemple du potentiel de garde des meilleurs blancs de Graves. Sa charpente est d'une fermeté austère et même tannique, sans masquer les arômes frénétiques de reine-claude et de nectarine, chevauchés par une volute de vapeur de café provenant de la barrique. Une bouche riche en miel offre plusieurs couches de fruits complexes et une intense minéralité. C'est un vin costaud et robuste qui doit être pris au sérieux et qui va vieillir gracieusement pour atteindre une maturité tout à fait satisfaisante. **SW**

Soalheiro
Alvarinho Primeiras Vinhas

Origine Portugal, Vinho Verde
Type vin blanc sec, 12,5 % vol.
Cépage Alvarinho
Millésime dégusté 2006, à boire jusqu'en 2011
€€

Monção, dans le Vinho Verde au nord du Portugal, est dominée par le cépage Alvarinho (Albariño en Espagne). Dans le village d'Alvaredo, la famille Esteves Ferreira fut la première à le mettre en bouteilles seul. Petits producteurs, pas plus de 40 000 bouteilles par an, ils ont cependant la réputation de fabriquer le meilleur Alvarinho du pays. Le Soalheiro (« ensoleillé ») fut lancé commercialement en 1982. La région de Melgaço jouit de l'équilibre entre les pluies, la température et l'ensoleillement nécessaire à la maturation parfaite de l'Alvarinho.

En 2006, les Ferreira s'unirent à Niepoort, célèbre pour son Porto, pour produire une cuvée limitée d'environ 3 000 bouteilles, appelée Soalheiro Primeiras Vinhas (« premières vignes »), issue de leurs plus vieilles vignes, de 25 ans. Le résultat est l'essence du Soalheiro avec une degré supplémentaire d'intensité, de concentration et de minéralité. D'une robe très légère, et fermé au départ, il révèle lentement des saveurs de zeste et d'huile de citron, quelques touches de pêche, de coquilles d'huîtres, d'eau de pluie, ainsi qu'une intense minéralité et une grande acidité. **LG**

Johann Stadlmann
Mandel-Höh Zierfandler

Origine Autriche, Thermenregion
Type vin blanc sec, 13,5 % vol.
Cépage Zierfandler
Millésime dégusté 2005, à boire jusqu'en 2012
€€

Traditionnellement le plus grand fournisseur de vin d'Autriche, quoique éclipsée par d'autres régions ces dernières décennies, cette région, et son centre Gumpoldskirchen, fut à l'origine d'une partie des recherches sur la typologie et la propagation des cépages pendant la fin de l'ère des Habsbourg. Le Zierfandler a besoin du long automne habituellement doux pour mûrir correctement et délivrer une profusion de fruit et d'épices, tout en gardant du tranchant et de la fraîcheur. Ce vin, issu de baies violettes, possède néanmoins une robe dorée.

Le vignoble au sol rocailleux et crayeux de Mandel-Höh était déjà réputé en 1840, lorsque son terroir fut épargné par le tracé du chemin de fer grâce au premier tunnel d'Autriche. Les Stadlmann travaillaient déjà depuis trois générations dans la viticulture avant l'arrivée du train.

Évoquant le coing, l'amande, la pomme et la mangue dans un bouquet appétissant, d'une texture ample, ce Mandel-Höh 2005 garde une subtilité citrique, une minéralité saline et une puissance épicée contribuant à la finale longue, vive et revigorante. **DS**

Des raisins à la peau noire cultivés près de Gumpoldskirchen. ➜

Steenberg
Sauvignon Blanc Reserve

Origine Afrique du Sud, Constance
Type vin blanc sec, 13,9 % vol.
Cépage Sauvignon blanc
Millésime dégusté 2005, à boire jusqu'en 2010
€€

La tradition viticole de Constance, jolie vallée proche du Cap, remonte à l'époque de la colonisation hollandaise. Bien que les vignobles de la maison Steenberg soient beaucoup plus récents, l'exploitation se situe sur les premières terres cultivées de la région, attribuées en 1682. Le nom moderne de la propriété signifie « montagne de pierre ».

Le Sauvignon blanc est le cépage le plus représenté dans cette zone, et les brises fraîches de l'Atlantique contribuent à un mûrissement lent et optimal qui lui donne une qualité exceptionnelle. L'océan n'étant distant que de 5 km à peine, le domaine est l'un des plus exposés à ces influences maritimes, et il n'est pas rare que les feuilles soient brûlées par l'air salin. Quant au Sauvignon, John Loubser, le maître de cave, est convaincu qu'il est susceptible, malgré sa réputation un peu galvaudée, de donner des vins complexes. « Une fois qu'on a appris à apprécier le palais d'un Sauvignon blanc, on ne peut plus revenir en arrière », dit-il. De fait, ses Sauvignons reflètent le climat frais de leurs origines à travers des flaveurs végétales de poivron et d'asperge. Frais, croquants et intenses, ils ont la texture de la soie. **TJ**

Stonier Estate
Reserve Chardonnay

Origine Australie, Victoria, Mornington Peninsula
Type vin blanc sec, 14 % vol.
Cépage Chardonnay
Millésime dégusté 2003, à boire jusqu'en 2015
€€

La péninsule de Mornington est l'une des zones viticoles les plus fraîches d'Australie. Les températures froides surviennent généralement dès l'automne, si bien que la région s'est spécialisée dans le Pinot noir, le Chardonnay et le Pinot gris.

Désormais intégré au groupe Lion Nathan, le domaine Stonier a été fondé en 1978, lorsque Brian Stonier et son épouse ont planté leurs premiers pieds de Chardonnay. Ces vignes de trente ans d'âge donnent aux vins équilibre et profondeur. Stonier fait venir ses raisins de cinq endroits différents.

Les Chardonnays du domaine figurent parmi les meilleurs vins d'Australie. Le Chardonnay courant est de très grande qualité, mais le Reserve est encore meilleur. Le 2003 développe un nez intense et complexe de pain grillé, avec des notes végétales. Comme on pouvait s'y attendre, il présente des flaveurs éclatantes, mais subtilement enrichies de notes minérales. La bouche est ample et riche, avec une texture plaisante et des notes d'herbe. Etoffé et construit, c'est un vin épanoui, qui n'en garde pas moins une grande fraîcheur, grâce à ses notes minérales agréablement citronnées. **JG**

◄ Les vignobles de Steenberg mûrissent au soleil du Cap.

Stony Hill
Chardonnay

Origine États-Unis, Californie, Napa Valley
Type vin blanc doux, 13 % vol.
Cépage Chardonnay
Millésime dégusté 1991, à boire jusqu'en 2021
€€€

Fred et Eleanor McCrea se sont installés dans la Napa Valley vers 1940. Ils n'avaient à l'origine aucune intention de planter des vignes ou de faire du vin mais, encouragés par leurs voisins, ils ont planté du Chardonnay et quelques plants de Pinot blanc et de Riesling. Il se trouve que l'altitude modérée (entre 120 et 350 m) et le climat frais des pentes orientées nord-est sont favorables au Chardonnay.

Peu de choses ont changé à Stony Hill depuis cette époque. Mis à part le remplacement du pressoir à vis par un pressoir pneumatique plus moderne, la méthode de vinification est restée la même. La philosophie de la maison est que la meilleure expression du fruit et du vignoble passe par l'utilisation d'un bois neutre. Cela implique aussi le refus de la fermentation malolactique, qui altère l'acidité et risque d'introduire des flaveurs artificielles.

Le millésime 1991 présente des flaveurs inhabituelles de levure et de pain grillé. Dans leur jeunesse, les Chardonnays de Stone Hill ont des flaveurs têtues de fleurs et de citron vert avec un cœur minéral. Ce n'est qu'après cinq ou dix ans qu'ils développent pleinement leur étonnante complexité. **LGr**

Château Suduiraut
S de Suduiraut

Origine France, Bordeaux, Sauternes
Type vin blanc doux, 14 % vol.
Cépages Sauvignon blanc 60 %, Sémillon 40 %
Millésime dégusté 2004, à boire jusqu'en 2012
€€

Le château Suduiraut produit l'un des meilleurs Sauternes de la région. Il ne propose en parallèle qu'un seul vin sec, le S. Contrairement à beaucoup d'autres, il a une histoire extrêmement courte, sachant que le 2004 a été son premier millésime.

Suduiraut, toutefois, élabore depuis longtemps un vin sec pour sa consommation domestique. Dans un domaine comme celui-ci (près de 90 ha), il arrive que la pourriture noble ne se développe pas aussi bien partout. Mais il n'était pas question, pour un domaine qui bénéficie de l'appellation de premier grand cru, de faire un Sauternes au rabais. La seule solution était donc d'élaborer un vin sec.

C'est d'ailleurs un vin très moderne. Les arômes de fleurs de sa jeunesse ont fait place aux noix et à la fumée, autour d'un cœur concentré. Ses concepteurs n'avaient pas d'idée préconçue au moment de sa création, et peu de modèles en tête. D'autres châteaux de la région se heurtent à la question de savoir comment moderniser des vins mineurs sans porter atteinte à la réputation de leur étiquette principale. Le S de Suduiraut, arrivé sans armes ni bagages, peut se contenter d'être lui-même. **MR**

Vendanges à la main dans les vignes du château Suidiraut. →

Château Suduiraut

Origine France, Bordeaux, Sauternes, Preignac
Type vin blanc doux, 14 % vol.
Cépages Sémillon 90 %, Sauvignon blanc 10 %
Millésime dégusté 1989, à boire jusqu'en 2020
€€€

La région de Sauternes regorge de beaux châteaux d'une grande variété de styles architecturaux, qui suggèrent la prospérité passée de Graves. Suduiraut est l'un des plus imposants. Il date de 1670 et est entouré de jardins dessinés par André Le Nôtre. Longtemps propriété de la famille Suduiraut, en 1992, Suduiraut fut acquis par AXA Millésimes, qui le convertit en hôtel privé et centre de conférences, tout en gardant la grande qualité du vin.

Il s'agit d'une énorme propriété, avec 89 ha sous vignes. Ses sols relativement plats d'argile sablonneuse encouragent les raisins à mûrir tôt. Les rendements sont maintenus faibles et les différents cépages et parcelles sont vinifiés séparément – depuis 1992, uniquement en barriques – donnant ainsi au vinificateur Pierre Montegut plus de 50 lots à travailler. La création d'un second vin en 1992 a également permis à l'équipe de vinification d'être plus sélective.

1989 fut un excellent millésime ici. La dernière vendange, le 9 novembre, fut rejetée car elle était gâtée par la pluie, mais le reste du vin a été élevé pendant au moins deux ans dans 30 % de chêne neuf. Le nez est puissant, avec des arômes d'oranges, de sucre d'orge et de crème brûlée. Malgré son indéniable ampleur, le vin n'est pas lourd et garde une bonne acidité et une belle longueur. Cette année 1989, Suduiraut a également produit 6 000 bouteilles d'un magnifique Crème de Tête, mais ce vin régulier s'en approche beaucoup en termes de qualité. **SBr**

AUTRES SUGGESTIONS
Autres grands millésimes
1959 • 1962 • 1967 • 1975 • 1982 • 1988 • 1990 1996 • 1997 • 1999 • 2001 • 2002 • 2005
Autres producteurs de Preignac
Bastor-Lamontagne • de Malle • Gillette • Les Justices

Le château Suduiraut date de la fin du XVIIe siècle. ➜

Szepsy
Tokaji Esszencia

Origine Hongrie, Tokaj
Type vin blanc doux, 2 % vol.
Cépages Furmint, Hárslevelü, Muscat bl. à petits grains
Millésime dégusté 1999, à boire jusqu'en 2050+
€€€€€

Peut-être le plus rare de tous les vins doux, le Tokaji Esszencia est un sirop légèrement alcoolisé issu de la petite quantité de jus qui s'écoule des raisins d'Aszú (affectés par le botrytis) avant qu'ils ne soient écrasés et transformés en pâte. Ce jus est si sucré qu'il fermente extrêmement lentement, prenant des dizaines d'années pour atteindre une teneur en alcool d'à peine 5 à 6 % vol. Il est habituellement destiné à être assemblé à d'autres vins mais, occasionnellement, les meilleures années, les producteurs le mettent en bouteilles seul.

Le maître reconnu du Tokaji contemporain est István Szepsy, qui s'est surpassé avec le millésime 1999. Dégusté en 2004, l'Esszencia 1999 de Szepsy s'est avéré onctueux et riche en raisin, tout en étant terriblement doux, il a une incroyable teneur en sucre résiduel de 500 g/l. Fait encore plus étonnant, 50 g de sucre ont été perdus lors du raffinement et du filtrage – l'Esszencia brut est si épais et onctueux qu'il bouche les pores des feuilles de filtrage. Malgré cette incroyable douceur, il n'est pas du tout écœurant et jouit d'une acidité perçante et de seulement 2 % d'alcool : ce n'est donc pas un vin au sens strict du terme.

Vin, ou plutôt jus de raisin, d'une douceur, d'une concentration et d'une longueur stupéfiantes, il corrobore la légende faisant du Tokaji un élixir capable de faire sortir les malades de leur lit. **SG**

La ville de Tokaj, à la confluence des rivières Tisza et Bodrog. ➔

Tahbilk *Marsanne*

Origine Australie, Victoria, Goulburn Valley
Type vin blanc sec, 12,5 % vol.
Cépage Marsanne
Millésime dégusté 2006, à boire jusqu'en 2016
€€

Fondé en 1860, Tahbilk est le domaine producteur de vins le plus ancien de Victoria et appartient à la famille Purbrick depuis 1925. Le nom du domaine dérive de l'aborigène *tabilk-tabilk*, qui signifie « lieu des nombreux trous d'eau ». Deux vins se distinguent tout particulièrement : Shiraz 1860, issu de vignes pré-phylloxéra non greffées plantées sur la propriété en 1860 et Marsanne, un vin remarquablement bon marché qui développe une complexité superbe en bouteille.

La Marsanne est un cépage rare et Tahbilk en possède la plus grande parcelle du monde. La patrie de ce cépage est la région d'Hermitage, dans le nord de la vallée du Rhône, où il donne des vins blancs secs d'une concentration magnifique. Il est également cultivé en minuscules quantités aux États-Unis et en Suisse. La Marsanne de Tahbilk remonte aux années 1860, lorsque des boutures du vignoble St Huberts, dans la Yarra Valley, se retrouvèrent à Goulburn. Le domaine continue de produire du vin Marsanne issu de vignes plantées en 1927.

Jeune, le vin apparaît totalement dénué de chêne au nez comme en bouche, simple, avec la fraîcheur du citron, du miel et de la pêche. Après environ cinq ans en bouteille, ces notes se transforment en ce parfum très particulier de chèvrefeuille que l'on associe traditionnellement à la Marsanne mûre. Même à dix ans d'âge, le vin reste remarquablement frais et croquant. **SG**

AUTRES SUGGESTIONS
Autres grands millésimes
1996 · 1997 · 1999 · 2000 · 2001 · 2002 · 2003 · 2004
Autres vins du même producteur
1927 Vines Marsanne · 1860 Vines Shiraz · Eric Stevens Purbrick Cabernet Sauvignon · Eric Stevens Purbrick Shiraz

L'enseigne de Tahbilk à l'entrée de l'exploitation. →

Domaine de la Taille aux Loups *Romulus Plus*

Tamellini *Soave Classico de Costiola Le Bine*

Origine France, vallée de la Loire, Touraine
Type vin blanc doux, 9 % vol.
Cépage Chenin blanc
Millésime dégusté 2003, à boire jusqu'en 2025
€€€

Origine Italie, Vénétie
Type vin blanc sec, 13 % vol.
Cépage Garganega
Millésime dégusté 2004, à boire jusqu'en 2014
€

L'ancien courtier en vins Jacky Blot créa la Taille aux Loups en 1989. Les vieilles vignes sont judicieusement situées sur un plateau surplombant le fleuve, orienté sud, aux sols d'argile et de calcaire. Le succès de Blot doit beaucoup à son régime draconien de taille et de sélection. Seuls les raisins de Chenin blanc les plus mûrs et les plus sains survivent à la trie de vendange, suivie d'une sélection finale rigoureuse sur la table, d'où une concentration et une pureté extrêmes du fruit, subtilement mises en valeur par la modernité de Blot, qui fermente et élève en fûts de chêne (10 % de chêne neuf chaque année).

La plupart du chêne neuf est réservé à la Cuvée Remus, un Montlouis sec ambitieux, tandis que la Cuvée Romulus, vin doux, doit sa puissance et sa majesté au botrytis. Produite uniquement les très bonnes années, la Cuvée Romulus est issue de la crème de la crème des raisins botrytisés. Avec 350 g/l de sucre résiduel, son fruit tropical mêlé de miel et d'épices, dans une opulence inhabituelle, trouve structure et équilibre grâce à une acidité lapidaire. Un digestif extraordinaire à déguster dans une humeur contemplative. **SA**

Après une phase de « réorganisation » qui a duré plusieurs années, la DOC de Soave produit désormais régulièrement des vins d'une grande qualité, année après année. Tamellini est l'un des domaines à avoir émergé de cette restructuration ; la famille Tamellini produit des vins depuis de nombreuses années, mais l'entreprise n'a été créée qu'en 1998.

Les frères Gaetano et Pio Francesco ont nommé Federico Curtaz viticulteur et Paolo Caciorgna vinificateur. La plupart de leurs vignobles ont été plantés au début des années 1970 et sont élevés selon le système Guyot ou la méthode traditionnelle de pergola de Vérone. Le seul cépage cultivé est le Garganega, le meilleur raisin de Soave.

Le Bine 2004 est un vin qui ne fait aucune concession au « palais international ». Pas de trace de chêne et ni d'arômes familiers de fruits doux, presque tropicaux, que l'on trouve dans de nombreux Soave issus de Chardonnay ou d'autres cépages internationaux. Le vin est intense en couleur et en arôme et détient ce charme rafraîchissant d'amande amère typique de cette DOC. **AS**

Manfred Tement
Sauvignon Blanc Zieregg

Origine Autriche, Styrie méridionale
Type vin blanc sec, 13 %
Cépage Sauvignon blanc
Millésime dégusté 2005, à boire entre 2009 et 2012
€€€

Le Zieregg s'étend jusqu'en Slovénie. Josef Tement fabriquait des vins pour le monastère carmélite situé au sommet de la colline, mais son fils Manfred, lui, a une vue internationale, construisant sa réputation et la célébrité de la Styrie méridionale en s'appuyant sur un Sauvignon blanc délicieusement différent.

Le sol de marne et de calcaire riche en fossiles est arrosé par des sources, à tel point qu'un coûteux système de drainage a dû être installé. Tement inonde ses meilleures cuvées de jeune bois, mais elles sont rarement « sous-vinées ». La construction d'une extraordinaire cave creusée dans les profondeurs du sommet de Zieregg s'est achevée en 2002. L'expansion de Tement ne s'est pas arrêtée à la frontière et il a acquis, en 2006, les parcelles voisines des carmélites.

Dans ce vin, la richesse de l'huile de noix grillée et l'onctuosité de la texture se marient au melon juteux et aux agrumes nets, le tout couronné par de puissantes herbes et fleurs musquées. Une dimension minérale salée et crayeuse des saveurs ajoute de l'intrigue et la finale offre une accroche nouvelle. **DS**

Cantina di Terlano
Chardonnay Rarità

Origine Italie, Trentin-Haut-Adige
Type vin blanc sec, 13 % vol.
Cépage Chardonnay
Millésime dégusté 1994, à boire jusqu'en 2018+
€€€€

La Cantina di Terlano, coopérative créée en 1893 par 24 producteurs, compte aujourd'hui plus de 100 membres, et 150 ha de vignes. Mais au-delà de ces nombres élevés, elle se place parmi les meilleurs producteurs d'Italie. La cave abrite 12 000 bouteilles de chaque millésime, de 1955 à aujourd'hui.

De temps en temps, l'exploitation sort une petite quantité d'un vin mûr spécialement traité. Le Chardonnay Rarità 1994 a été partiellement fermenté en barrique puis, après l'assemblage, élevé sur lies en cuves d'acier inoxydable pendant presque neuf ans. Le vin a vieilli en bouteille pendant dix-huit mois supplémentaires avant la vente.

Ce vin ressemble à un grand Champagne mature. La robe est d'une jeunesse inattendue pour un vin si vieux, jaune d'or brillant, guère plus sombre que des vins de 3 ans élevés en fûts. Le nez est enchanteur et offre des notes intenses de pâtisserie et d'herbes séchées. Le palais est d'un équilibre superbe, d'une texture ferme et d'une grande complexité. Il emplit la bouche sans jamais être lourd et jouit d'une acidité vive évoquant le silex, qui s'attarde pendant quelques minutes. **AS**

Cantina di Terlano
Sauvignon Blanc Quarz

Origine Italie, Trentin-Haut-Adige
Type vin blanc sec, 13,5 % vol.
Cépage Sauvignon blanc
Millésime dégusté 2004, à boire jusqu'en 2014
€€€

La Cantina di Terlano produit officiellement trois gammes de vins, les classiques, les grands crus et les sélections, plus une quatrième gamme dans de belles bouteilles d'un litre avec bouchon à vis, mais dégustée que localement.

Beaucoup de vignobles sont autour de Terlano. Le sol, principalement de grès, se caractérise par la présence de roches porphyriques, capables d'accumuler et de redistribuer la chaleur, contribuant ainsi à la maturation du fruit. Ce grès, également très poreux, absorbe aussi l'eau, caractéristique très utile pendant l'été souvent sec, tout en drainant tout excès.

Quarz est obtenu à partir de raisins cultivés sur ce type de sol, à une altitude de 299 m à 350 m. La fermentation se fait moitié en cuves d'acier inoxydable et moitié en barriques de chêne de 500 litres. Puis le vin est assemblé et élevé sur fines lies pendant 8 mois. Quarz est élégant et complexe, pourvu d'arômes d'abricot mûr et de fleurs blanches, accompagnés avec légèreté de discrètes notes grillées. Au palais, il est ample, envahit la bouche et fait preuve d'une remarquable complexité, d'une minéralité tonifiante et d'une longue finale. **AS**

Jean Thévenet *Domaine de la BonGran Cuvée EJ Thévenet*

Origine France, Bourgogne, Mâconnais
Type vin blanc sec, 14 % vol.
Cépage Chardonnay
Millésime dégusté 2002, à boire jusqu'en 2015
€€€

Jean Thévenet peut facilement être considéré comme le père de la viticulture de qualité dans le Mâcon-Villages. Il utilise une combinaison des vieux foudres de chêne de son père et des cuves modernes pour façonner ses vins, affirmant toujours qu'une température modérée lors des premiers jours est très importante. Il est aussi convaincu que la fermentation doit prendre son temps, ce qui peut aller jusqu'à six ou huit mois.

Cette approche tranquille est possible grâce à la qualité excellente des raisins. À La Bongran, située à mi-coteau à Quintaine, les vendanges se déroulent lorsque les raisins sont tout à fait mûrs, souvent vers la mi-octobre, et nombre de raisins ont une touche de pourriture noble créée par les brumes automnales s'élevant de la rivière. Les rendements sont minutieusement contrôlés. Bien que le 2005, issu d'une vendange très tendue, soit un vin mûr à la charpente solide qui a une bonne dizaine d'années devant lui, il sera intéressant de voir s'il pourra un jour égaler la grâce de la Cuvée E. J. Thévenet 2002, un grand vin solide, frais et doré à la fois, tout en citron et en miel. **ME**

Château Tirecul La Gravière
Cuvée Madame

Origine France, Sud-Ouest, Monbazillac
Type vin blanc doux, 12 % vol.
Cépages Muscadelle 50 %, Sém. 45 %, Sauv. bl. 5 %
Millésime dégusté 2001, à boire jusqu'en 2030
€€€

Monbazillac est resté à la traîne derrière Sauternes pour des raisons principalement économiques. Bruno Bilancini décida de tenter sa chance, loua cette propriété en 1992 et l'acheta cinq années plus tard. Une particularité de Tirecul La Gravière est que la moitié des vignes sont de la Muscadelle, un cépage habituellement secondaire par rapport au Sémillon et au Sauvignon.

En plus du vin de base, Bilancini produit une Cuvée Madame, sélection des meilleures et plus riches barriques, qui reçoivent un élevage en chêne plus long. Sa production n'est pas limitée et les quantités produites varient considérablement chaque année. C'est ainsi qu'en 1995 80 % de la vendange avait les conditions requises pour la Cuvée Madame. En 2001, cette Cuvée avait 210 g/l de sucre résiduel, environ 50 % de plus qu'un bon Sauternes (le vin normal avait 175 g/l). Le nez regorge de botrytis et offre des arômes de miel et de pêches, il est bien sûr très doux, tout en étant concentré et animé par une incroyable acidité. Un vin superbe à tous le niveaux, mais il faut dire que le vin régulier, qui se vend à un tiers du prix, est lui aussi remarquable. **SBr**

André & Mireille Tissot
Le Mailloche

Origine France, Jura
Type vin blanc sec, 13,5 % vol.
Cépage Chardonnay
Millésime dégusté 2005, à boire jusqu'en 2020
€€

Stéphane Tissot, au domaine depuis 1990, a lancé son premier Chardonnay d'un seul vignoble en 1997, choix radical pour la région. Parmi ses Chardonnays d'un seul vignoble, La Mailloche, 500 caisses, le plus réussi, exprime réellement le Jura. Orienté vers l'est, avec des vignes allant jusqu'à 50 ans, le vignoble possède un sol compact d'argile issu de marne du Lias. Aucun problème de maturité, et l'argile fraîche donne de bons niveaux d'acidité aux raisins, qui conviennent à la méthode réductrice de vinification employée, fermentation en barrique (un tiers de nouvelles) avec fermentation malolactique et remuage régulier des lies.

En 2005, le climat fut parfait à partir du 20 août, avec un vent du nord séchant les raisins après un temps humide précoce. D'un vert citron pâle, La Mailloche révèle une puissante minéralité au nez avec quelques notes d'écorce de citron, de coing et de fumée. Le fruit citronné émerge en bouche et des notes épicées et grillées l'envahissent, mais ni l'alcool ni le chêne ne dominent. La longueur est incroyable, donnant l'impression qu'il s'agit d'un vin frais et pierreux qui s'adoucira avec le temps. **WL**

Marimar Torres Estate
Dobles Lias Chardonnay

Origine États-Unis, Californie, comté de Sonoma
Type vin blanc sec, 14,1 % vol.
Cépage Chardonnay
Millésime dégusté 2004, à boire jusqu'en 2015
€€

Établie en Californie, Marimar Torres étendit les vignobles familiaux avec une propriété de 23 ha à l'ouest de Sonoma. On y planta du Chardonnay et du Pinot noir en 1986, désormais le vignoble Don Miguel, dans un style de viticulture européenne adaptée à la Californie.

La haute densité de plantation limite la vigueur et encourage une maturation saine et une meilleure concentration du fruit. Le vignoble, totalement organique depuis 2003, est une parcelle orientée nord-est/sud-ouest, à 16 km du Pacifique, où des sols plus légers favorisent des vins élégants. Torres a choisi d'y planter trois clones différents de Chardonnay.

Le millésime 2004 se compose de trois barriques du clone See, sept du clone Rued et trois du clone Spring Mountain. Le Dobles Lias est fait avec des grappes entières pressées et fermentées en barrique, avec remuage des lies tout au long de la fermentation malolactique. Au mois de juin suivant, Torres a sélectionné les barriques destinées à l'assemblage et y a ajouté des lies d'autres barriques mises en bouteilles à ce moment. Après dix-huit mois en chêne français, le vin et les lies furent transférés en cuves d'acier inoxydable, où ils restèrent jusqu'à la mise en bouteilles, sans filtrage, en juin 2006. D'un nez énergique et complexe, le 2004 s'ouvre de façon éblouissante en bouche, offrant une texture ample sans être grasse, avec un soupçon de minéralité qui persiste jusqu'à la longue finale. **LGr**

Des vignes de Marimar Torres sous le soleil californien. ➡

Château La Tour Blanche

Origine France, Bordeaux, Sauternes, Bommes
Type vin blanc doux, 14 % vol.
Cépages Sémillon 80 %, Sauvignon blanc 20 %
Millésime dégusté 2003, à boire jusqu'en 2025
€€€

Aujourd'hui, la propriété mène une double vie, étant à la fois domaine viticole et École de viticulture et d'œnologie. Lorsque son propriétaire, Daniel Iffla, un fabricant de parapluies, est décédé en 1907, il l'avait léguée à l'État à condition que soit créée une école gratuite. L'école fut construite et les vignes furent louées à la maison marchande de Cordier jusqu'en 1955. Le vin était alors inintéressant, jusqu'à l'arrivée du nouveau directeur de l'école, Jean-Pierre Jausserand, en 1983.

Sous Jausserand, différents secteurs du vignoble de 36 ha et différents cépages furent vinifiés et élevés séparément, afin de procurer environ 18 composants pour l'assemblage final. Les rendements furent radicalement réduits et Jausserand n'utilisa que des grappes au poids du moût élevé pour le grand vin. Des presses pneumatiques furent installées en 1987 et la chaptalisation abandonnée. Depuis 1989, le vin est fermenté et élevé entièrement en chêne neuf.

Le style est plutôt ample pour Bommes, surtout si on le compare à celui du Clos Haut-Peyraguey voisin, sans être lourd pour autant, mais l'intensité initiale signifie que le vin peut être revêche dans sa jeunesse mais bénéficier d'un vieillissement en bouteille. Le millésime 2003, typique pour cette année, est plus ample que d'habitude et offre des arômes de sirop de pêche et une luxuriance en bouche modérée par une acidité fraîche qui lui donne une belle longueur. **SBr**

AUTRES SUGGESTIONS
Autres grands millésimes
1990 · 1995 · 1996 · 1997 · 1998 · 1999 · 2001 · 2005
Autres producteurs de Bommes
Lafaurie-Peyraguey · Rabaud-Promis
Rayne-Vigneau · Sigalas-Rabaud

Une tour blanche sur le domaine de Château La Tour Blanche. ➔

David Traeger *Verdelho*

Origine Australie, Victoria, Nagambie Lakes
Type vin blanc sec, 12,5 %
Cépage Verdelho
Millésime dégusté 2002, à boire jusqu'en 2018+
€€€

David Traeger fonda son exploitation dans le Victoria en 1978, après avoir appris son métier chez Michelton. Ses vignobles se situent à Hughes Creek, au sud de Nagambie et contiennent Cabernet-Sauvignon, Shiraz, Merlot, Petit Verdot, Tempranillo, Viognier et Verdelho. Il existe également un autre vignoble de Shiraz et de Grenache à Graytown (Heathcote), planté en 1891, que Traeger utilise pour son rouge à succès, le Baptista.

C'est toutefois avec son Verdelho que se distingue Traeger. Plus connu comme l'un des cépages classiques du Madère, où il donne un vin ample et demi-doux d'une grande acidité, il n'est que très rarement vinifié en sec, bien qu'il soit de plus en plus à la mode en Australie depuis quelques années. Traeger a planté le Verdelho dans cette région en 1994 principalement parce qu'il voulait éviter l'omniprésent Chardonnay.

Le climat de Nagambie est très régulier et permet à Traeger de viser un style de blanc délicat et parfumé, au lieu de la typique puissance australienne. En septembre 2005, Traeger organisa une dégustation verticale de 15 millésimes de Verdelho allant de 1990 à 2004. La régularité du style et de la qualité s'est avérée très impressionnante, tout comme la longévité, les millésimes les plus anciens, tels que l'inaugural 1990, se buvant encore très bien. Jeune, le vin est aromatique et offre des saveurs particulières de chèvrefeuille et de fruits tropicaux, mais il prend des accents de biscuit et devient plus parfumé avec l'âge. De plus, il offre un excellent rapport qualité-prix. **SG**

AUTRES SUGGESTIONS

Autres grands millésimes

1991 • 1993 • 1994 • 1996 • 1998 • 1999 • 2001 • 2003

Autres vins du même producteur

David Traeger Cabernet / Merlot
David Traeger Shiraz • David Traeger Baptista Shiraz

Les grappes sont pressées mécaniquement après avoir été récoltées à Nagambie Lakes. →

Trimbach
Riesling Clos Sainte-Hune

Origine France, Alsace
Type vin blanc sec, 13 % vol.
Cépage Riesling
Millésime dégusté 1990, à boire jusqu'en 2015
€€€€

Le minuscule vignoble (1,3 ha) de Clos Sainte-Hune appartient aux Trimbach de Ribeauvillé depuis plus de 200 ans, mais ne fut vinifié sous son propre nom qu'à partir de 1919. En novembre 2005, John Kapon en a dégusté 13 millésimes, puis a déclaré : « Le 1990 s'est vite affirmé comme le vin de la soirée. Le nez est fabuleux, regorgeant de musc, d'eau de pluie, d'agrumes, de noix et d'une épice douce d'Asie. Ampleur, persistance et classe sont incomparables. Les saveurs de viande blanche tendre et juteuse, de poussière d'agrume et d'huile sont toutes délicieuses. Un vin ample, exotique et incroyable. »

En Alsace, le nom de tout vignoble n'appartenant qu'à un seul propriétaire ne peut être utilisé comme grand cru et les Trimbach auraient donc dû nommer leur vin Rosacker, grand cru où se situe Clos Sainte-Hune, plutôt que Clos Sainte-Hune. Mais ayant depuis longtemps rejeté ce raisonnement, ils continuent à le mettre en bouteilles comme un simple AOC Alsace. Malgré son statut « officiel » inférieur, c'est l'un des meilleurs vins blancs secs du monde, qui atteint un prix plus élevé que n'importe quel autre vin sec d'Alsace. **SG**

Trimbach *Gewurztraminer*
Cuvée des Seigneurs de Ribeaupierre

Origine France, Alsace
Type vin blanc sec, 13,5 % vol.
Cépage Gewurztraminer
Millésime dégusté 1973, à boire jusqu'en 2017
€€€

La source principale de ce grand vin est le grand cru Osterberg, à Ribeauvillé. On lui adjoint une petite quantité de raisins provenant des lieux-dits Trottacker, à Ribeauvillé, et Muehlforst, à Hunawihr. Le dénominateur commun de ces sites, c'est leur sol de marnes, formées d'argile et de calcaire. Sur l'Osterberg, vignobles exposés à l'est, on trouve des marnes calcaires et du grès. À Trottacker, au nord-est d'Osterberg, le sol est plus caillouteux à dominante argileuse, avec des plages de marnes, et à Muehlforst, le sol est fait d'argile calcaire fossilisée, autant de facteurs de plénitude et d'énergie.

Grâce à ces apports, la Cuvée des Seigneurs de Ribeaupierre est particulièrement puissante et infiniment complexe, méritant une bonne dizaine d'années de garde pour donner le meilleur d'elle-même. Le 1973 est l'un des deux millésimes exceptionnels de la décennie, avec le 1976. Il offre un somptueux bouquet de noix de coco mêlée d'épices (cannelle, vanille et muscade), qui garde au palais un fruité et une fraîcheur sans pareils et se termine en beauté par une finale interminable, chargée d'arômes épicés. **TS**

◄ Des comportes de Riesling arrivant à l'exploitation de Trimbach.

Tyrrell's
Vat 1 Semillon

Origine Australie, New South Wales, Hunter Valley
Type vin blanc sec, 10,5 % vol.
Cépage Sémillon
Millésime dégusté 1999, à boire jusqu'en 2020+
€€

L'entreprise Tyrrell produit sept différentes éti-quettes de bon Sémillon chaque année, dont trois vins issus de vignobles individuels. Le fleuron du domaine, Vat 1, vient de trois vignobles, tous de la même localité, dans la crique asséchée au pied de la colline, sur un peu moins de 6 ha. Les sols sont tous semblables, légers, sablonneux et alluviaux, certains avec une base de calcite.

Vat 1 a été mis en bouteilles pour la première fois en 1962 sous le nom de Vat 1 Hunter River Riesling, son nom traditionnel. En 1990 il fut rebaptisé Vat 1 Semillon. À la différence de Mount Pleasant, Tyrrell fait fermenter un jus moins clarifié, d'où un style légèrement plus ample et plus charnu. Le millé-sime 1999 fut l'un des plus importants, avec un rendement élevé de jus, et selon Bruce Tyrrell : « La qualité est cependant très bonne, avec une bonne composition chimique et qui vieillit bien. »

Le chêne est proscrit. La robe jaune or du 1999 a encore des reflets verts, tandis que le nez est déli-catement citronné et légèrement herbacé, avec un soupçon de grillé. En bouche, il est frais et net, fin et persistant, avec un bel équilibre. **HH**

Valentini
Trebbiano d'Abruzzo

Origine Italie, Abruzzes
Type vin blanc sec, 12,5 %
Cépage Trebbiano d'Abruzzo
Millésime dégusté 1992, à boire jusqu'en 2015
€€€€

Trebbiano d'Abruzzo est une exception parmi les vins à base de Trebbiano. Le nom Trebbiano d'Abruzzo identifie à la fois l'appellation légale du vin et l'un des deux cépages admis dans sa pro-duction par la DOC : le Trebbiano d'Abruzzo, ou Bombino Bianco, et le (malheureusement) plus célè-bre Trebbiano Toscano, auquel on doit récemment la dilution de nombreux vins traditionnels de DOC et DOCG, dont le Chianti. Le Bombino Bianco est relativement différent. Bombino est une distorsion moderne de Bonvino ou Buon Vino (« bon vin »).

Les Valentini interprètent le Trebbiano d'Abruzzo depuis de nombreuses générations. Depuis la mort d'Edoardo Valentini en avril 2006, l'entreprise est diri-gée par son fils, Francesco Paolo, mais ce qui importait à Edoardo Valentini, c'était qu'un vin soit capable de « parler le dialecte », et non la science de la vinification.

Le 1992 est un vin incroyable, avec des notes de feuilles sèches, de biscuit, d'épices, de café, fleurs de camomille. En bouche, il est superbe, offrant une fraîcheur et une vitalité que l'on n'attend pas d'un 1992, ainsi qu'une longueur et une corpulence enviables. **AS**

◄ Une éolienne emblématique dans Hunter Valley.

Van Volxem *Scharzhofberger Pergentsknopp Riesling*

Origine Allemagne, Moselle-Sarre-Ruwer
Type vin blanc demi-sec, 12 % vol.
Cépage Riesling
Millésime dégusté 2005, à boire jusqu'en 2035
€€€

Roman Niewodniczanski a mené Van Volxem vers les sommets depuis que sa famille l'a acheté en 1999. Il a également éveillé la colère de certains collègues de la vallée en respectant peu ou prou les termes classiques comme Kabinett, qu'il considère trop léger pour être pris au sérieux, ou Spätlese, préférant un style hédoniste que l'on pourrait appeler demi-sec, à la fois ample et dense et au caractère épicé. Non-conformisme aussi dans l'utilisation de sous-parcelles historiques, telles Pergentsknopp, située au cœur du mondialement célèbre Scharzhofberg, ou de termes comme Alte Reben, qui signifie vieilles vignes et qu'il utilise pour ses meilleurs vins ; celles de Pergentsknopp ont plus de 100 ans.

À ceux qui affirment que ses vins secs ne sont pas secs du tout, Niewo répond que les Spätlese et les Auslese produits aujourd'hui sont trop doux. « Si vous prenez un Spätlese des années 1950, il n'avait qu'un peu plus de sucre résiduel que ce que je produis actuellement. »

En 2005, les raisins ont fait preuve d'une maturité exceptionnelle, avec une belle structure acide. La robe est jaune d'or pâle avec des arômes de levures entrecoupés de pêche sauvage, d'herbes douces et d'huile de noix. En bouche le vin est piquant, avec des noyaux de fruit au goût d'abricot fumé, très vivace et doté de sels minéraux. L'effet reste néanmoins subtil, avec des notes d'amandes grillées qui accompagnent la longue finale, séduisante. Niewo préfère boire ses vins entre 3 et 8 ans après les vendanges. **JP**

AUTRES SUGGESTIONS

Autres grands millésimes

2001 • 2004

Autres vins de ce producteur

Kanzemer Altenberg Alte Reben Riesling • Scharzhofberger Riesling • Wiltinger Gottesfuß Alte Reben Riesling

---

Ici la vigne est taillée en forme de cœur, typique en Moselle. ➡

Vergelegen
White

Origine Afrique du Sud, Stellenbosch
Type vin blanc sec, 14 % vol.
Cépages Sémillon 67 %, Sauvignon blanc 33 %
Millésime dégusté 2005, à boire jusqu'en 2015
€€

L'équilibre assuré de ce vin dément que son développement n'ait pris que cinq ans. Le premier millésime, 2001, était bien plus boisé et les proportions des cépages étaient inversées, ses quelque 80 % de Sauvignon lui procurant ce « fruit franc » qui a au départ rassuré André Van Rensburg, inhabituellement inquiet. Désormais, le viticulteur aspire à obtenir un vin qui, croit-il, devrait mûrir pendant au moins dix ans. La confiance de Van Rensburg lui vient principalement de la qualité avérée de ses vignobles sur les coteaux de Helderberg.

En cave, un régime relativement oxydatif est mis à l'œuvre. Les deux cépages sont pressés séparément par grappes entières puis fermentés en chêne (principalement jeune pour le Sémillon et plus âgé pour le Sauvignon), où ils passent environ dix mois avant d'être assemblés. Le bois est évident dans le vin jeune, mais il est absorbé en quelques années et contribue à la complexité croissante de son ampleur discrète, de son intensité sereine de saveurs, de sa puissance subtile, influencée par une belle veine d'acidité. **TJ**

Verget
St.-Véran Les Terres Noires

Origine France, Bourgogne, Mâconnais
Type vin blanc sec, 13 % vol.
Cépage Chardonnay
Millésime dégusté 2005, à boire jusqu'en 2012+
€€

Au milieu des années 1980, la Bourgogne a vu les producteurs devenir négociants, achetant raisins, moût ou vin, et les négociants devenir en quelque sorte producteurs avec leurs propres vignobles. La maison Verget fut créée en 1990 par le Belge Jean-Marie Guffens, qui avait déjà fondé, une dizaine d'années plus tôt, le domaine Guffens-Heynen dans la région du Pouilly-Fuissé.

Guffens préfère acheter du raisin plutôt que du moût ou du vin, pour mieux contrôler la qualité, et propose à la vente des vins de Chablis, de Côte d'Or, et du Mâconnais. Bien que certaines de ses bouteilles les plus prestigieuses justifient pleinement leur statut de grand cru ou de premier cru, ce sont les vins d'appellations moins connues, venues de régions plus méridionales, qui valent le détour.

L'exemple typique est ce Saint-Véran Terres Noires. Issu de « terres noires », cet or blanc surprend et séduit par sa robe scintillante et pleine de promesses. Compact, dense et précis, ce vin presque croquant en bouche offre ses saveurs gourmandes de fruits à noyau, enrichies d'une note minérale exaltante. **NB**

Georges Vernay
Condrieu Coteau de Vernon

Origine France, Rhône septentrional, Condrieu
Type vin blanc sec, 14 % vol.
Cépage Viognier
Millésime dégusté 2001, à boire jusqu'en 2011
€€€

Peu de régions viticoles doivent autant à un vignoble emblématique que Condrieu au Coteau de Vernon de Georges Vernay. Perché au-dessus de la ville éponyme, ces 2 ha de vignes solitaires continuèrent d'illuminer tel un phare les jours sombres des années 1950, 1960 et 1970, époque où Condrieu (et le Viognier avec lui) a presque disparu.

L'âge moyen des vignes est de 60 ans, ce qui implique une structure racinaire d'une pénétration considérable. Les raisins sont parfois brièvement macérés avec les pellicules, mais pas toujours. Le moût est ensuite fermenté en barrique (20 % de chêne neuf) et élevé sur lies pendant douze à dix-huit mois avant d'être mis en bouteilles.

Que ce soit grâce à ces racines profondes ou à l'aptitude même du site, ce Condrieu vieillit très bien. Après huit à dix ans, le vin sera devenu un peu plus doré et les arômes floraux caractéristiques se seront approfondis pour donner quelque chose de plus onctueux, de plus fruité et même parfois de plus fumé. On sentira la poire et l'abricot qui s'effileront gracieusement en une poussière de roche. **AJ**

Vie di Romans
Chardonnay

Origine Italie, Frioul-Vénétie-Julienne
Type vin blanc sec, 14 % vol.
Cépage Chardonnay
Millésime dégusté 2004, à boire jusqu'en 2014
€€

Le nom Vie di Romans vient du dialecte local et signifie « ancienne route romaine ». La famille Gallo (sans relation avec les Gallo californiens) possède et travaille cette terre depuis plus d'un siècle. Gianfranco Gallo a repris l'entreprise en 1978 et adopté des méthodes révolutionnaires (pour cette région à l'époque) dans le vignoble comme dans le chai, qui lui valurent le surnom de « fou ». Si des vins tels que ses Sauvignon blancs ou ses Chardonnays sont le fruit de la folie, alors vive la folie !

Ce 2004 est flamboyant. La profonde robe jaune d'or que l'on perçoit dans le verre prépare à la suite. On sait d'ores et déjà que des vins d'une telle couleur sont divins ou infâmes, mais qu'ils ne laissent jamais indifférents. Celui-ci est divin. Il fait preuve d'une harmonie presque parfaite, avec des notes de pommes dorées, de cèdre et de poires mûres, ainsi que de fleurs jaunes et de feuilles de laurier. Dommage de n'avoir pas découvert un tel joyau plus tôt, lorsque le vin était encore facilement disponible. La charpente imposante et l'acidité heureusement fort élevée lui garantissent une vie moyenne à longue en cave. **AS**

Vigneti Massa
Timorasso Costa del Vento

Origine Italie, Piémont, Langhe
Type vin blanc sec, 13 % vol.
Cépage Timorasso
Millésime dégusté 2002, à boire jusqu'en 2015+
€€€

Walter Massa fut le premier producteur à y croire et à cultiver et fabriquer du vin à partir d'un ancien cépage en voie de disparition à la fin des années 1980. Le Timorasso est la variété traditionnelle des collines de Tortona, au sud du Piémont. S'il est actuellement cultivé par quelque vingt producteurs différents, en 1987 Walter était le seul.

Sans aucun repère, Walter dut progresser en tâtonnant jusqu'au tournant du millésime 1996. Là, le manque d'espace en cave l'obligea à garder un lot de vin en cuves sur ses lies. Ce 1996 expérimental fut le vin qui convainquit Walter de la nécessité de donner plus de temps sur lies au Timorasso pour développer tout son potentiel.

Le Costa del Vento 2002 de Walter est un peu comme l'homme : tout en retenue, caractérisé par une élégance et une complexité discrètes. De subtiles notes d'agrumes et de pommes vertes annoncent un nez plus complexe, aux notes minérales et de pétrole. En bouche, il fait étalage d'une variété inattendue d'épices, en particulier le poivre blanc, puis s'achève sur des saveurs plus proches du miel et de la cire. Il a encore une longue vie devant lui. **AS**

Domaine A. et P. de Villaine
Bouzeron

Origine France, Bourgogne, côte Chalonnaise
Type vin blanc sec, 12,5 % vol.
Cépage Aligoté
Millésime dégusté 2005, à boire jusqu'en 2012
€€€

Le nom Aubert de Villaine est inextricablement lié au Domaine de la Romanée-Conti (DRC). Heureusement, Aubert de Villaine a toujours aimé rechercher des vins et des terroirs de qualité à des prix plus raisonnables dans les recoins les plus calmes de Bourgogne.

En 1973, il acheta un domaine viticole délabré à Bouzeron. Bouzeron, connu pour l'Aligoté, ici, sur les coteaux calcaires, est capable de produire des vins profonds et charpentés. Les de Villaine replantèrent les vignobles et, pour l'Aligoté, choisirent la meilleure variété, appelée « dorée ». Le vin reçoit des soins sur mesure de la vigne au verre, rendements contrôlés, vendanges manuelles, fermentation en vieux foudres de DRC (80 %) et en cuves modernes, puis 6 à 8 mois d'élevage avant la mise en bouteilles.

Le vin est simplement étiqueté Bouzeron, en harmonie avec son statut AOC. Le 2005 est d'une robe dorée aux reflets verts, qui annoncent l'ampleur et la densité à venir. D'une fraîcheur croquante, il présente des notes de noix et de châtaigne. Un vin imposant et revigorant, parfait pour accompagner un époisses. **ME**

Aubert de Villaine, l'un des plus célèbres vinificateurs de Bourgogne. ➜

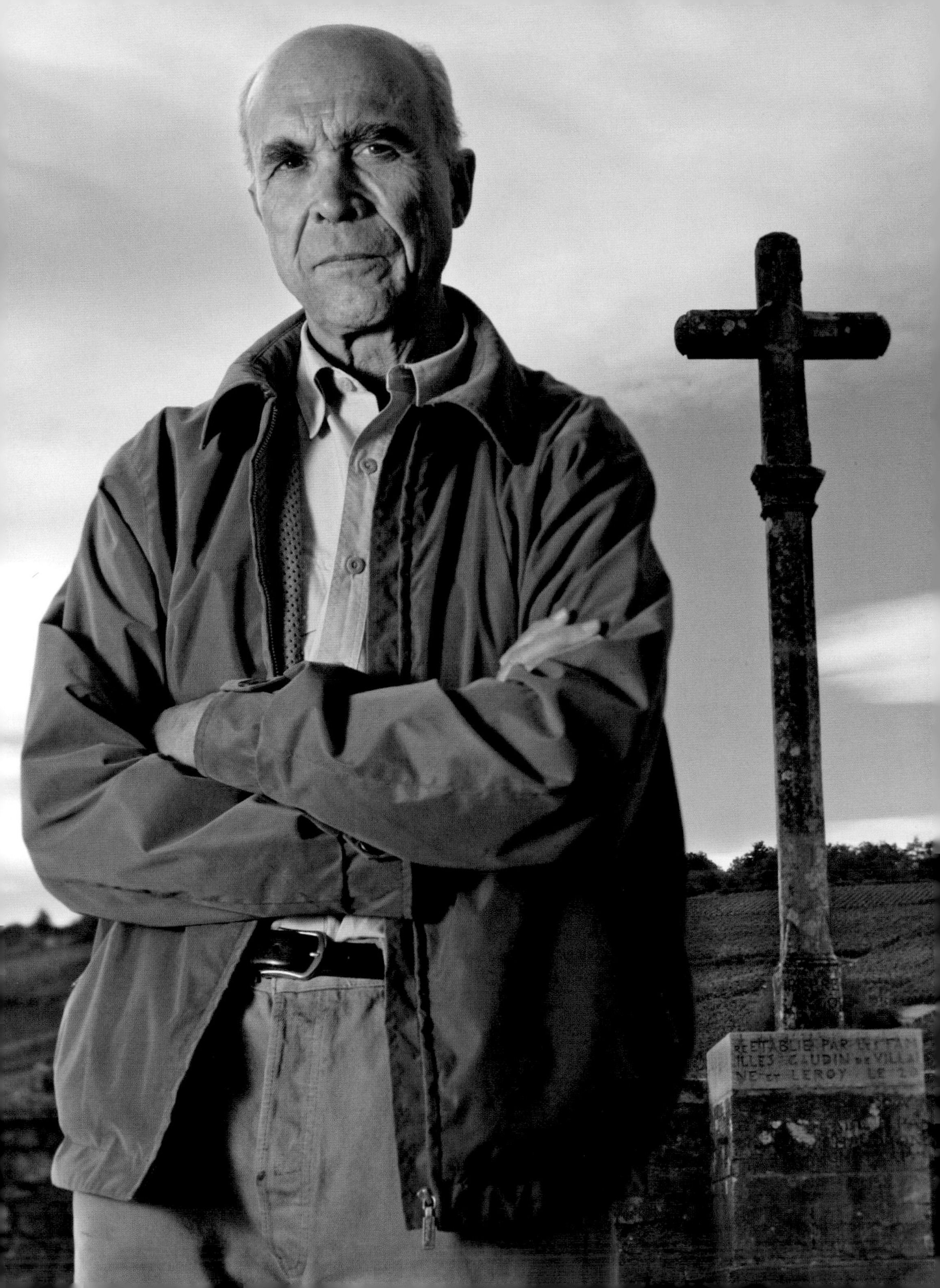
REETABLIE PAR
LEROY

Domaine Comte Georges de Vogüé *Bourgogne Blanc*

Origine France, Bourgogne, côte de Nuits
Type vin blanc sec, 12,5 % vol.
Cépage Chardonnay
Millésime dégusté 1996, à boire jusqu'en 2015+
€€

Ce domaine historique connut une période difficile vers la fin de la vie de Georges de Vogüé (décédé en 1987), mais sa fille Élisabeth de Ladoucette renversa la tendance à la fin des années 1980 jusqu'en 2002 en engageant François Millet comme vinificateur et Gérard Gaudeau comme viticulteur.

De Vogüé est le seul domaine de la côte de Nuits qui produit ce grand cru blanc. Aucune vigne ne fut replantée dans les années 1970 et le début des années 1980 et Millet et Gaudeau déracinèrent donc la plupart des vieilles vignes à leur arrivée en 1986. Il fut décidé que le Musigny blanc serait vendu sous le nom de Bourgogne blanc jusqu'à ce que les vignes atteignent l'âge et la qualité requis pour un grand cru. Celui-ci est issu de 0,4 ha de jeunes vignes au sommet de Musigny, plantées en 1986, 1987 et 1991. Un supplément de 0,2 ha fut planté en 1997.

Ce 1996 est brillant, avec un nez minéral complexe et ample, qui sent légèrement le chou. Le palais est salé mais frais et possède encore une belle acidité. Les flaveurs sont étoffées, avec une saveur de noix à la fraîcheur de citron. Le bouquet est très défini et très précis. **JG**

Vollenweider *Wolfer Goldgrube Riesling ALG*

Origine Allemagne, Moselle-Sarre-Ruwer
Type vin blanc doux, 7 % vol.
Cépage Riesling
Millésime dégusté 2005, à boire jusqu'en 2025
€€€€

Daniel Vollenweider, un passionné du vin, après des études dans sa Suisse natale, projetait une formation aux côtés d'Ernst Loosen en Moselle, puis de Dominique Lafon à Meursault. Il n'arriva jamais à Meursault. Ayant pris conscience que de nombreux vins de Moselle étaient sur le point de disparaître par négligence, Vollenweider se rendit un jour à bicyclette au Wolfer Goldgrube. Ce fut le coup de foudre.

Les parcelles escarpées constituées d'anciennes terrasses et de vignes, dont une grande partie non greffées, car Goldgrube a résisté au phylloxéra, se vendaient à petits prix. Vollenweider commença à en acheter, dénicha une cave en ruine et amorça sa quête de vins spontanés à fermentation lente d'une douceur élégante.

Ce Goldgrube 2005 à la longue capsule dorée de Vollenweider (on trouve aussi un Goldkapsel « normal ») dévoile le fabuleux potentiel du vignoble, mais aussi le fanatisme pur du vigneron. Ce petit miracle rafraîchissant et opulent, liquoreux et pourtant limpide et subtilement salin, regorge de miel, de pamplemousse grillé, de poire caramélisée, d'ananas confit, de raisin sec blanc et d'épices brunes. **DS**

◄ La cour du Domaine Comte Georges de Vogüé.

Robert Weil *Kiedricher Gräfenberg Riesling TBA G 316*

Origine Allemagne, Rheingau
Type vin blanc doux, 6 % vol.
Cépage Riesling
Millésime dégusté 2003, à boire jusqu'en 2100
€€€€€

Depuis 1990, le domaine de 70 ha de Robert Weil est à l'origine d'un changement de méthode dans la production de vins de dessert nobles en Allemagne. Malgré des Rieslings secs qui égalent en profondeur ceux de Leitz, son Spätlese et son Auslese sont depuis longtemps des vins emblématiques.

Le domaine fut fondé en 1875 par Robert Weil, professeur d'allemand à la Sorbonne qui fut forcé de quitter la France à l'approche de la guerre franco-prussienne. Il s'installa à Kiedrich et choisit des vignobles impeccables. Gräfenberg est un coteau escarpé d'orientation sud-ouest qui capte les derniers rayons du soleil couchant.

Si Weil a produit chaque année depuis 1989 un Trockenbeerenauslese issu de ce site, il n'y a eu que trois capsules dorées : 1995, 1999 et 2003. En fait, le millésime 2003, qui a donné une pléthore de Rieslings nobles, a produit deux vins, un issu d'un moût à 282 °Oeschle et celui-ci, de 316°, le niveau le plus élevé de l'histoire du domaine.

D'une robe jaune dorée étincelante, ce vin offre des arômes explosifs d'abricot caramélisé, de goyave et d'huile de citron. Incroyablement dense et onctueux, il a une acidité juteuse et presque salée. Superbement élégant malgré sa corpulence et sa profondeur extrêmes, il laisse en bouche, à l'arrière du palais, une vive note épicée avant une finale d'une persistance étonnante. **JP**

Le manoir historique de Robert Weil. ➔

Domaine Weinbach
Gewurztraminer Cuvée Théo

Origine France, Alsace
Type vin blanc sec, 13,5 % vol.
Cépage Gewurztraminer
Millésime dégusté 2002, à boire jusqu'en 2015
€€€€

Weinbach est l'un des plus anciens domaines d'Alsace. Les documents historiques locaux témoignent que la région produisait déjà du vin au temps des Carolingiens. Plus tard, au début du XVIIe siècle, une communauté religieuse reprit en main la culture de la vigne et donna son nom à une parcelle de 2 ha toujours florissante, le Clos des Capucins.

En 1894, la propriété est achetée par les frères Faller, Théo, fils de l'un et neveu de l'autre, porta les vins au premier rang, en réalisant tout le potentiel de ses vignobles, les grands crus Kayserberg, Furstentum et Altenbourg. Théo Faller fut pionnier dans l'usage des levures indigènes, des rendements faibles et d'une fermentation longue et lente dans des vieux fûts faits de matériaux neutres.

Les vins Weinbach portent généralement le nom d'un membre de la famille. Ce Gewurztraminer 2002 est issu de raisins cultivés dans le Clos des Capucins, où repose Théo. La cuvée a de délicieux arômes de rose, de jasmin, d'épices et d'écorce d'agrume confite. La bouche est veloutée, fine et élégante, aux caractéristiques de ce millésime raffiné. **ME**

Domaine Weinbach
Riesling GC Schlossberg

Origine France, Alsace
Type vin blanc sec, 13,5 % vol.
Cépage Riesling
Millésime dégusté 2002, à boire jusqu'en 2012+
€€€€

Les 23 ha du domaine Weinbach, à Kayserberg et à Kiensheim, sont l'une des trois meilleures sources naturelles de grand vin d'Alsace, les pentes du grand cru Schlossberg, en particulier.

Le sous-sol du Schlossberg est fait essentiellement de granit, et les sols sableux sont très riches en minéraux. À proximité du sommet, ils sont si minces que les racines des pieds de vigne doivent s'enraciner dans le roc, d'où la minéralité et le fruité caractéristiques – idéal pour ce grand cru, dont tous les sucres sont transformés en alcool au cours de la fermentation.

Ce style nerveux et généreux s'applique bien à ce millésime 2002 subtil et raffiné, une année chaude mais pas trop, qui demandait ce « feeling » intuitif qui a fait la réputation des Faller. Ce Schlossberg dense et parfumé, très pur, accompagne à ravir les huîtres ou le poisson grillé. La Cuvée Sainte-Catherine est un autre excellent Riesling du domaine, issu des vignobles de la vallée en contrebas. À servir avec un homard en sauce, ou avec l'une des spécialités alsaciennes comme le coq au Riesling. **ME**

Le nom de la famille Faller figure sur les murs de l'établissement. ➜

Weingut Wittmann *Westhofener Morstein Riesling Trocken*

Origine Allemagne, Rheinhessen
Type vin blanc sec, 13 % vol.
Cépage Riesling
Millésime dégusté 2001, à boire jusqu'en 2015
€€€

Aux côtés de son collègue Klaus Keller, dont le chai se situe à quelques kilomètres, Philipp Wittmann est parvenu à redorer le blason du sud de la Hesse rhénane à l'échelle internationale. Dès 2001, il prouva grâce à son fantastique vin de Morstein que les Rieslings pouvaient figurer parmi les meilleurs vins du genre, même lorsqu'ils sont issus de cette région relativement plate à environ 8 km du Rhin.

Ce vin, qui a reçu 94 points et qui a été élu meilleur Riesling sec allemand par le Gault-Millau, se distingue par son « inimitable combinaison d'élégance et de puissance […] une explosion de fruit ». Le site de Morstein est connu depuis 1282, époque où d'importants monastères de la vallée du Rhin, du Palatinat et d'Alsace possédaient des terres dans la région. Le vignoble est dominé par la roche calcaire. La fine couche de terre arable, profonde d'à peine 30 cm, se compose de marne argileuse lourde, alors que le sous-sol, tout aussi lourd, se caractérise par des couches de calcaire contenant de l'eau.

Philipp Wittmann et sa famille cultivent ce terroir selon des principes écologiques depuis de nombreuses années. Les raisins du Riesling de Morstein 2001 ont été vendangés la dernière semaine d'octobre après plusieurs présélections. C'est un grand cru authentique, à la personnalité particulière, qui marie l'ampleur minérale des vins du nord du Rhin aux saveurs succulentes et très fruitées des vins du Palatinat. **FK**

AUTRES SUGGESTIONS
Autres grands millésimes
2002 • 2004 • 2005
Autres vins du même producteur
Westhofener Aulerde Chardonnay und Riesling • Westhofener Steingrube Riesling

Cette tour offre une vue panoramique sur le vignoble de Morstein. ➡

Château d'Yquem

Origine France, Bordeaux, Sauternes
Type vin blanc doux, 13,5 % vol.
Cépages Sémillon 80 %, Sauvignon blanc 20 %
Millésime dégusté 2001, à boire jusqu'en 2050+
€€€€€

Château d'Yquem regarde de haut ses voisins sauternais dans tous les sens du terme. Perché au sommet d'une colline qui surplombe Lafaurie-Peyraguey, Guiraud et Rieussec, Yquem fut le seul vin classé premier cru supérieur en 1855.

En moyenne, seulement 110 000 bouteilles sont produites chaque année. Lors de vendanges pauvres, la cueillette entière est estimée indigne de porter le nom du château. Il faut compter au moins une demi-douzaine de tries lors de chaque vendange, afin de s'assurer que seuls les raisins botrytisés soient sélectionnés. La légende veut que chaque pied de vigne ne produise qu'un seul verre de vin.

Après un 1999 « peu cher », le moins cher de toute l'histoire d'Yquem (environ 95 euros la bouteille), 2001 a marqué le retour des prix exorbitants. Mis en vente le 29 septembre 2005 et tout de suite acclamé, il atteignit 670 euros la bouteille dès la mi-2007. Avec son parfait équilibre de fruit, de botrytis, de sucre et d'acidité, et ses saveurs somptueuses de crème brûlée, de pêches et d'abricots, ce vin peut se boire jeune avec un immense plaisir, mais il a sans doute devant lui au moins un siècle de vie. **SG**

Château d'Yquem « *Y* »

Origine France, Bordeaux, Sauternes
Type vin blanc sec
Cépages Sémillon 50 %, Sauvignon blanc 50 %
Millésime dégusté 1985, à boire jusqu'en 2015
€€€€

Si les conditions climatiques ne sont pas réunies pour la botrytisation, des grands domaines de Sauternes produisent un vin différent. Ils nomment alors leurs vins, vinifiés en blancs secs, avec l'initiale du château, comme s'ils faisaient partie d'une société secrète. Il existe un R (pour Rieussec) et un G (pour Guiraud) et, depuis 1959, un Y pour Château d'Yquem. Le vin sec d'Yquem n'a jamais été une solution de remplacement lors d'années décevantes. Même les meilleures années, tous les raisins ne sont pas atteints par la pourriture noble et ceux-ci se retrouvent dans Y. D'autre part, Y est lui-même soumis à de rigoureux critères de sélection et n'est produit environ qu'une année sur deux.

Après un léger pressurage, le vin est fermenté puis élevé sur lies en fûts de chêne, dont un tiers est jeune, pour une durée minimale de douze mois. Le millésime 1985 est un vin extrêmement complexe et concentré, aussi solide et pesant qu'un blanc du Rhône, qui prend des tonalités de noix et d'herbes en vieillissant, tout en ayant une veine d'acidité citronnée issue du Sauvignon, qui lui permet de garder sa fraîcheur. **SW**

◀ Le crépuscule tombe sur les vignoble de château d'Yquem.

Zilliken *Saarburger Rausch Riesling TBA A.P. #2*

Origine Allemagne, Moselle-Sarre-Ruwer
Type vin blanc doux, 7 % vol.
Cépage Riesling
Millésime dégusté 2005, à boire entre 2015 et 2055
€€€€€

Comme son nom l'indique (« intoxication »), Saarburger Rausch figure parmi les plus vertigineux vignobles d'Allemagne. Les vins de Hanno Zilliken sont connus pour leur complexité et leur équilibre malgré des niveaux de sucre incroyables. En 2005, entre le 10 et le 22 octobre, de chaudes brises desséchèrent presque tous les raisins de Zilliken, menant à une concentration d'acidité, de sucre, d'extrait et de saveurs semblable à celle d'un vin de glace. Les vendanges commencèrent par le Beerenauslese et le Trockenbeerenauslese et se poursuivirent avec une quantité d'Auslese jamais vue, à tel point qu'il ne resta plus grand-chose pour le Spätlese et le Kabinett.

Deux Trockenbeerenauslese différents ont été vendangés, un destiné à la vente aux enchères et l'autre (arborant un minuscule 2 sur l'étiquette en tant qu'avant-dernier numéro de série) au petit commerce et à des clients privés. Le musc, la viande fumée, les épices brunes, le caramel, l'huile de citron et la prune distillée sont quelques-uns des arômes de ce vin. En bouche s'ensuivent des couches de noyau de fruits frais et caramélisés, ainsi que du moka séduisant et de la crème de beurre. **DS**

Domaine Zind-Humbrecht *Clos Jebsal Pinot Gris*

Origine France, Alsace
Type vin blanc sec, 13,5 % vol.
Cépage Pinot gris
Millésime dégusté 2002, à boire jusqu'en 2015
€€€€

Les Zind-Humbrecht sont devenus des icônes de la vinification en blanc. La famille de Léonard Humbrecht produisait du vin à Gueberswihr depuis la moitié du XVIIe siècle, mais ce fut son mariage avec Geneviève Zind en 1959 et l'union des vignobles des deux familles qui créèrent un important domaine de 18 ha. Il offre désormais une fascinante gamme de vins issus de vignobles individuels sur certains des meilleurs sites d'Alsace, en particulier le Clos Jebsal.

Situé sur les hauteurs de Turckheim, le clos jouit d'une exposition idéale à la lumière et au soleil. Les raisins atteignent de très hauts niveaux de sucre naturel et c'est un site idéal pour le Pinot gris. Les sols sont cependant très complexes, en particulier la marne et le gypse qui donnent au vin une fine minéralité pour équilibrer toute tendance à la surmaturation. 2002 fut une année stylée, pas trop chaude, qui a exigé beaucoup de « feeling ». D'une robe jaune moyen, le vin offre un nez magique, mielleux tout en étant fumé. Le palais fait preuve de beaucoup de concentration et l'harmonie du fruit, de l'acidité audacieuse et du sucre résiduel en fait un vin presque parfait. **ME**

Des vignes de Pinot gris dans le vignoble Brand du domaine Zind-Humbrecht. →

Dom. Zind-Humbrecht *Riesling*
GC Rangen Clos Saint-Urbain

Origine France, Alsace
Type vin blanc sec, 12,5 % vol.
Cépage Riesling
Millésime dégusté 2002, à boire jusqu'en 2020
€€€€

Olivier Humbrecht est le vinificateur par excellence, versé dans les arcanes techniques de la profession et le premier Français à passer l'examen de l'Institut des maîtres du vin. Sous la tutelle sage de son père Léonard, il a aidé à propulser le Domaine Zind-Humbrecht en pole position parmi les producteurs d'Alsace.

Se basant sur des rendements atteignant à peine la moitié du maximum permis, Zind-Humbrecht dispose de parts dans quatre grands crus : Hengst, Brand, Goldert et Rangen, vignoble escarpé orienté vers le sud, planté sur un mélange de grès, de débris volcaniques et de cendres, qui surplombe la rivière Thur. Clos Saint-Urbain est une enclave au sein du cru avec une chapelle en plein cœur.

Les vignes sont entretenues selon des principes biodynamiques et Humbrecht considère donc que les phases de la lune sont aussi importantes que le climat. La minéralité est une référence de goût appréciée, particulièrement pour les Rieslings. Cette qualité apparaît dans le Clos Saint-Urbain sous l'aspect d'un léger caractère acerbe. Le vin du millésime alsacien 2002 possède une robe profonde et intense et de puissants arômes de citron vert et de pamplemousse. Au palais, il arbore une viscosité légère, alliée à une imposante concentration du fruit et un profil acide aussi luisant que les bottes d'un sergent. En quittant la bouche, il laisse une traînée de vapeur tenace de splendides notes florales et citriques. **SW**

Le Clos Saint-Urbain de Zind-Humbrecht, au-dessus de Thann. ➜

Château Gi

Grand Cru Cla

CLASSEMENT OFFICIEL DE

MARGAUX

1970

APPELLATION MARGAUX

NICOLAS TARI, PROPRIÉTAIRE A LABARDE

MIS EN BOUTEILLES AU

cours

é

NTROLÉE

MARGAUX - 33

HATEAU

BERTHON - LIBOURNE

vins rouges

Bodegas Aalto *PS*

Origine Espagne, Ribera del Duero
Type vin rouge sec, 14 % vol.
Cépage Tinto Fino (Tempranillo)
Millésime dégusté 2001, à boire entre 2010 et 2020
€€€€€

La société Bodegas Aalto fut fondée en 1999 par Javier Zaccagnini et Mariano García, premier maître de chai chez Vega Sicilia de 1968 à 1998. Les vins de l'Aalto proviennent de 100 ha de vignobles regroupant plus de 250 parcelles disséminées sur les divers terroirs de la DOC Ribera del Duero. Aucune parcelle ne fait plus de 3 ha et aucun pied de vigne n'a moins de 40 ans. La cuvée standard porte simplement le nom d'Aalto et le meilleur vin de cette cave est appelé Aalto PS-Pagos Seleccionados (parcelles sélectionnées). Le Tinto Fino (ou Tempranillo) est le seul cépage utilisé ; l'Aalto PS provient de vignobles plantés dans les années 1920 ou plus tôt.

Pour les millésimes 1999 et 2000, les raisins ont été achetés à des viticulteurs locaux. À partir du millésime 2001, Aalto s'est servi de ses propres 32 ha de vieux vignobles, dans les provinces de Valladolid, Burgos et La Horra. Jusqu'à 2005, les vins étaient élaborés dans un établissement viticole loué à Roa, mais l'Aalto provient désormais d'une cave spécialisée de Quintanilla de Ariva. Le vin de base subit une fermentation malolactique dans des cuves en acier mais le PS bénéficie de fûts traditionnels.

À partir d'un excellent millésime de la Ribera del Duero, l'Aalto PS 2001 a bien plus de caractère que le vin de base ; il lui faut probablement passer une dizaine d'années en bouteille pour se révéler pleinement. C'est un vin puissant et concentré plus qu'élégant qui accompagne au mieux les plats roboratifs. **SG**

AUTRES SUGGESTIONS
Autres grands millésimes
2000 • 2003 • 2004
Autres producteurs de la Ribera del Duero
Alión • Dominio de Atauta • Hacienda Monasterio
Hermanos Sastre • Pesquera • Pingus • Vega Sicilia

Les traces de fer donnent une teinte rougeâtre au sol de la Ribera del Duero. ➔

Accornero *Barbera del Monferrato Superiore Bricco Battista*

Origine Italie, Piémont, Langhe
Type vin rouge sec, 14,5 % vol.
Cépage Barbera
Millésime dégusté 2004, à boire jusqu'en 2019+
€€€

Situé au cœur des collines de Monferrato, entre les provinces d'Alessandria et d'Asti, la DOC Monferrato empiète largement sur cette dernière et de nombreux producteurs ont le choix entre faire du Barbera d'Asti à partir d'une zone plus restreinte ou du Barbera del Monferrato, nom de la zone viticole élargie. La famille Accornero a choisi cette dernière.

Achetée en 1897 par Bartolomeo Accornero et son fils Giuseppe, cette propriété de 20 ha se retrouve aujourd'hui entre les mains de Giulio Accornero, qui l'exploite avec ses fils, Ermanno et Massimo. Leur Barbera Superiore Bricco Battista provient de trois parcelles dont la superficie globale est de 3 ha ; elles sont situées à flanc de la colline de Barbera, 308 m au-dessus du niveau de la mer, là où les pieds de vigne ont plus de 40 ans. «Ces vieilles vignes font toute la différence et donnent à notre Barbera une concentration de fruit naturelle et une grande complexité», affirme Ermanno. Le Barbera manquant par essence de tanin, la fermentation malolactique et le vieillissement s'effectuent dans des fûts en bois, dont 80 % sont des tonneaux de 500 litres en chêne français, alors que le reste doit se contenter de barriques plus petites.

2004 est un cru classique du Piémont après le désastreux 2002 et le rude 2003. Avec des fruits noirs mûrs et un soupçon d'épice équilibré par une fraîche acidité et des tanins compacts, ce vin devrait connaître son summum à 15 ans d'âge. **KO**

Les collines de Monferrato s'étendent de Grazzano à Altavilla. ➜

Achaval Ferrer
Finca Altamira Malbec

Alión

Origine Argentine, Mendoza
Type vin rouge sec, 13,8 % vol.
Cépage Malbec
Millésime dégusté 2001, à boire jusqu'en 2012+
€€€

Origine Espagne, Ribera del Duero
Type vin rouge sec, 14 % vol.
Cépage Tinto Fino (Tempranillo)
Millésime dégusté 2001, à boire jusqu'en 2020
€€€

Achával Ferrer est le modeste producteur de toute une gamme de Malbecs encensés par la critique. « Ces trois Malbecs variétaux proviennent de vignobles très anciens et à bas rendement situés dans des zones bien délimitées de Mendoza », commente Santiago Achaval.

Le Finca Altamira est l'un de ces vins. Les 5,5 ha de Malbec longent la rivière Tunuyan, dans la partie sud-ouest de la vallée de l'Uco, à 1 050 m au-dessus du niveau de la mer. Le sol sablonneux est mêlé de gravier et de galets. Les pieds âgés de 80 ans ne donnent chacun que 350 g de raisins : il faut trois pieds pour une bouteille. « Cela confère une minéralité que ne connaissent pas les vignobles de haut rendement. » Les vignes d'Altamira ne sont pas greffées, et le sol pauvre et sablonneux contient beaucoup de sédiments alluviaux. La température diurne proche de 38 °C tombe la nuit à 12 °C. L'Altamira 2001 est un vin vraiment fascinant, rond et mature mais, en plus du fruit concentré – presque trop riche – il présente une structure, une minéralité et une bonne acidité. C'est un vin fier de ses Origines à l'instar d'un excellent Cahors. **JG**

À la fin des années 1980, Vega Sicilia, le plus célèbre producteur espagnol, chercha à remplacer son Valbuena Tercer Año. Le but était de produire un vin plus moderne à partir du cépage Tempranillo et vieilli dans du nouveau chêne français avec une plus grande présence de fruit. La société voulait lui donner une personnalité bien définie, entièrement différente du Type de ses vins traditionnels. En 1987, elle acheta à Padilla del Duero 25 ha de terres qu'elle planta de Tinto Fino, variété locale du Tempranillo. Les raisins furent mis à fermenter et le premier Alión vit le jour en 1991. Le nom fait référence à une région de la province du León, berceau de la famille Álvarez. Plus tard, elle planta davantage de vignes sur les terres en jachère du domaine Vega Sicilia.

Le cru 2001 fut excellent pour la Ribera del Duero ; l'Alión était déjà considéré comme un authentique Ribera del Duero dont la grande qualité s'alliait à un prix très raisonnable. Le nez de ce vin se définit ainsi : baies noires mûres et épicées, notes balsamiques et soupçons de cèdre et de menthol. Il est crémeux en bouche avec un corps modéré, une acidité équilibrée et des tanins à grain fin. **LG**

Allegrini
La Poja

Origine Italie, Vénétie
Type vin rouge sec, 14 % vol.
Cépage Corvina Veronese
Millésime dégusté 1997, à boire jusqu'en 2015
€€€

Depuis le XVIe siècle, la famille Allegrini s'enorgueillit de tirer la quintessence des cépages du Valpolicella. Giovanni Allegrini fut l'un des premiers de la région de Valpolicella à vouloir une production de qualité. Ses enfants ont le même objectif. La Poja est un vin produit exclusivement avec du Corvina Veronese, le cépage le plus renommé de la DOC Valpolicella. C'était une innovation car les vins issus d'un cépage unique étaient inconnus dans la région.

La robe du 1997 est d'un rouge rubis sombre avec un léger reflet grenat sur le contour. Son nez est dense et épicé, avec des tons fruités rappelant les baies noires d'été. Vu la chaleur qui caractérise ce millésime, on pourrait s'attendre à trouver des arômes de confiture, mais ce n'est heureusement pas le cas. Au lieu de mûrir pour donner un fruit cuit, le nez a des touches mentholées ou balsamiques donnant l'impression d'être la continuation d'arôme primaires toujours riches. Au palais, il est de grande classe, rond et velouté, révélant peu à peu une gamme changeante de parfums, une belle profondeur et une subsistance longue et épicée mais bien ciblée. **AS**

Allende
Aurus

Origine Espagne, Rioja
Type vin rouge sec, 14,5 % vol.
Cépages Tempranillo, Graciano
Millésime dégusté 2001, à boire jusqu'en 2020
€€€€

Une fois terminées ses études agricoles, Miguel Angel de Gregorio prit le poste de directeur technique des Bodegas Bretón, mais son désir d'aller de l'avant le poussa à créer la Finca Allende et à faire, en 1995, son propre vin, l'Allende (un vieux mot signifiant « plus loin »). En 1997, il démissionna pour se consacrer entièrement à son projet, auquel s'ajouta l'Aurus (« or » en latin) avec son équilibre parfait de Tempranillo et de Graciano.

En 2001, il construisit une nouvelle cave au cœur du village de Briones, tout près d'un bâtiment de pierre qui allait abriter le siège de Finca Allende. 2001 fut également un des meilleurs millésimes modernes de la Rioja. L'Aurus 2001 va plus loin en matière d'élégance et d'équilibre grâce aux vieilles vignes plantées sur un versant très argileux ainsi qu'à une sélection rigoureuse au niveau de la culture et de la vinification. De robe sombre, très aromatique, il combine en sa jeunesse parfums de baies mûres et notes florales (violettes), olives noires et chêne. Il a un corps plein, une acidité bien marquée, et beaucoup de fruit et de tanin ; il est néanmoins équilibré et élégant. **LG**

Alta Vista
Alto

Origine Argentine, Mendoza
Type vin rouge sec, 14,5 % vol.
Cépages Malbec 80 %, Cabernet Sauvignon 20 %
Millésime dégusté 2002, à boire jusqu'en 2012+
€€€

À Chacras de Coria, Mendoza, la Casa del Rey fut achetée en 1997 par Jean-Michel Arcaute (propriétaire de Château Clinet, un Pomerol) et Patrick d'Aulan (propriétaire de Château Sansonnet, un Saint-Émilion) : ils la rebaptisèrent Alta Vista. Ce qui attira le plus Arcaute, ce furent les caves qui, installées dans le sous-sol, procureraient des conditions de vieillissement idéales bien qu'un peu fraîches à des vins rouges de qualité supérieure comme l'Alto, qui passe 18 mois en fûts de chêne. Le potentiel du Malbec argentin était particulièrement intéressant.

Le cru 2002 fut de loin le meilleur pour le Mendoza en général et l'Alta Vista en particulier.

Les plus vieux pieds de Malbec datent des années 1920 et poussent dans la partie supérieure de la vallée de la rivière Mendoza, à Las Compuertas, 1 050 m au-dessus du niveau de la mer. Ces terres acides sont renommées pour leurs Malbecs très denses aux arômes de châtaigne si particuliers. Permettre au vin jeune de connaître dans des fûts français une fermentation secondaire (malolactique) destinée à réduire l'acidité, a donné à ses arômes de fruits rouges une discrète touche de chêne. **MW**

Elio Altare
Barolo

Origine Italie, Piémont, Langhe
Type vin rouge sec, 14 % vol.
Cépage Nebbiolo
Millésime dégusté 1989, à boire jusqu'en 2020+
€€€€

Fils de viticulteur, Elio Altare se désespérait de voir le Barolo stagner dans les années 1970. Il se rendit en Bourgogne en 1976, entreprit aussitôt de diminuer le nombre de grappes par pied pour réduire le rendement et augmenter la concentration, puis il évita les engrais chimiques – au grand désespoir de son père, les viticulteurs étant rémunérés à la quantité plutôt qu'à la qualité. Enfin, il coupa en deux à la tronçonneuse les grands fûts de chêne de son père, lequel le déshérita. Au décès de son père en 1985, Elio racheta l'entreprise vinicole à ses sœurs et commença à faire ses Barolo révolutionnaires.

Avec de petites barriques de chêne français et une réduction du temps de macération, ses Barolo élégants et plus souples suscitèrent un grand émoi. Gracieux plutôt que musclés, les Barolo d'Elio sont riches en fruit avec des soupçons d'épices et des tanins ronds. On peut les consommer plus jeunes que les Barolo d'antan, mais ils sont aussi capables de vieillir en cave. Le millésime 1989, excellente année pour le Piémont, est lisse et souple, avec des couches complexes de fruits noirs et d'épices, équilibrées par des tanins modérés et une acidité fraîche. **KO**

Altos Las Hormigas
Malbec Reserva Viña Hormigas

Origine Argentine, Mendoza
Type vin rouge sec, 14,3 % vol.
Cépage Malbec
Millésime dégusté 2002, à boire jusqu'en 2015
€€€

La maison Altos Las Hormigas fut fondée en 1995 par un groupe d'Italiens menés par le viticulteur Alberto Antonini et le chef d'entreprise Antonio Morescalchi. Un vignoble fut planté sur le sol riche en terreau de Luján de Cuyo, non loin de l'actuelle cave, mais les pieds furent aussitôt attaqués par des fourmis (*hormigas*), d'où le nom.

Les fondateurs décidèrent que leur Malbec de réserve y gagnerait, les premières années tout au moins, en provenant en partie de vignes plus anciennes (années 1920), situées dans une autre sous-région de Mendoza appelée La Consulta, à près 1 000 m d'altitude. Quelques dizaines de mètres au-dessus de Luján et une plus grande proximité avec la limite des neiges éternelles andines, voilà ce qui rend le raisin plus croquant et plus frais.

La fraîcheur engendre la profondeur aromatique et texturale nécessaire pour que des vins rouges comme la Viña Hormigas résistent à 18 mois passés dans des fûts neufs pour la plupart. 2002 est le plus grand millésime de Mendoza depuis 1997 et le vin a les caractéristiques denses, visqueuses et fruitées du Malbec de cette année. **MW**

Château Angélus

Origine France, Bordeaux, Saint-Émilion
Type vin rouge sec, 13 % vol.
Cépages Merlot 50 %, Cabernet franc 50 %
Millésime dégusté 2000, à boire entre 2010 et 2030+
€€€€€

Jusqu'au milieu des années 1980, L'Angélus (devenu Angélus en 1990) était une propriété respectée de Saint-Émilion qui produisait régulièrement du vin bon mais rarement exceptionnel. Depuis sa première récolte en 1985, Hubert de Boüard de Laforest, assisté de son cousin par alliance, Jean-Bernard Grenié, a connu une promotion bien méritée, passant en 1996 du grand cru classé au premier grand cru classé.

Angélus a connu plusieurs beaux millésimes dans les années 1990, parachevés par le superbe 2000. C'est un vin d'une grande structure, avec de la profondeur et du tanin. Dégusté jeune au sortir du fût, il semblait à son summum, avec un parfum et un goût proches de l'Amarone, puis il s'est assagi pour évoquer le savoureux terroir d'Angélus. Comme Cheval Blanc, Angélus marie le Merlot au Cabernet franc ; les millésimes récents accordent un léger avantage au Merlot, mais le cru 2000 est un 50/50. **SG**

Domaine Marquis d'Angerville
Volnay PC Clos des Ducs

Château d'Angludet

Origine France, Bourgogne, côte de Beaune
Type vin rouge sec, 13 % vol.
Cépage Pinot noir
Millésime dégusté 2002, à boire jusqu'en 2027
€€€€

Origine France, Bordeaux, Margaux
Type vin rouge sec, 13 % vol.
Cépages Cabernet Sauvignon, Merlot, Petit Verdot
Millésime dégusté 2001, à boire jusqu'en 2020
€€€

Complètement fermé par un mur de soutènement, le Clos des Ducs et son versant sud-est sont mentionnés pour la première fois au XVIᵉ siècle comme faisant partie des vignobles Cailleret, Taillepied et Champan qui l'entourent. Il fut acquis en 1804 par le baron du Mesnil et, en 1906, le grand-père du propriétaire actuel, Guillaume d'Angerville, reconstitua le vignoble ravagé par le phylloxéra en plantant de nobles marcottes. Ardent défenseur des vins authentiques, il fut l'un des premiers récoltants à mettre en bouteilles et à vendre son propre vin.

Jacques, père de Guillaume, fit comme son propre père pendant les 52 millésimes dont il s'occupa. 2002 fut son dernier et 2005, tout à fait remarquable, le premier de Guillaume, qui s'affirme de plus en plus comme chef de son clan. Le 2002, bien équilibré et d'une élégance soyeuse, provient des 2,1 ha Origineaux où fut planté un clone à bas rendement du Pinot noir, connu dans le milieu professionnel sous le nom de Pinot d'Angerville. Dégusté au sortir du fût, peu avant sa mise en bouteilles, il permet de croire que le millésime 2005 sera encore meilleur. **JP**

En apparence, Angludet, en retrait des grands vignobles du Margaux, près de l'estuaire, est un modeste corps de bâtiment que le négociant bordelais Peter Sichel, copropriétaire du Château Palmer, acheta en 1961. En 1989, Peter Sichel confia la gestion d'Angludet à l'un de ses fils, Benjamin. Le terroir d'Angludet ne donnera jamais un vin au raffinement et à l'intensité d'un Palmer ou d'un Château Margaux. Les Sichel préfèrent faire de l'Angludet un vin solide et bien structuré vendu à un prix raisonnable mais capable de procurer du plaisir pendant des années.

La cuvée 2001 présente plus d'opulence que de coutume, mais elle est aussi épicée, vigoureuse et mordante. Des millésimes plus anciens tels que le 1983 ont bien vieilli pendant des années et on ne voit pas pourquoi le 2001 bien équilibré ne ferait pas de même. C'est le modèle même de ce que l'on appelait un cru bourgeois et la surprise fut grande quand il n'accéda pas au titre de cru bourgeois exceptionnel en 2003. Cette classification appartient désormais à l'histoire, mais le vin est toujours un bon exemple du Bordeaux classique que l'on peut se permettre de boire. **SBr**

Angludet est situé sur un plateau graveleux appelé le Grand Poujeau. ➡

Ànima Negra
Vinyes de Son Negre

Origine Espagne, Majorque
Type vin rouge sec, 14 % vol.
Cépages Callet, Manto Negro, Fogoneu
Millésime dégusté 1999, à boire jusqu'en 2011
€€€

L'entreprise viticole fondée en 1994 par un groupe d'amis n'était au début qu'un passe-temps, voire une plaisanterie. Ils commencèrent par marier du Cabernet Sauvignon à d'autres cépages autochtones, mettant le vin à fermenter dans une citerne à lait et faisant tout le reste selon la tradition avec un matériel improvisé d'occasion. Ce vin avait toutefois de la personnalité et il ne manqua pas d'attirer l'attention des amateurs.

Ce vin, appelé Ànima Negra – devenu plus tard ÀN à cause d'une ressemblance de noms –, se caractérise par le premier recours sérieux à des cépages assez méconnus (du Callet, un peu de Fogoneu et de Manto Negro), pour lesquels un très bas rendement est nécessaire, de sorte que l'Ànima Negra recherca des pieds anciens cultivés à sec et taillés en forme de gobelets.

Le vin est intense et sauvage, épicé, méditerranéen, avec une abondance de notes balsamiques et de plantes sauvages. Il est concentré, dans le Type bourguignon plutôt que bordelais, harmonieux, exotique et très personnel. **LG**

Antinori
Guado al Tasso

Origine Italie, Toscane, Bolgheri
Type vin rouge sec, 13,5 % vol.
Cépages Cabernet Sauvignon, Merlot, Syrah, autres
Millésime dégusté 2003, à boire jusqu'en 2011+
€€€

Descendant d'une lignée de vignerons toscans, Piero Antinori fut dans les années 1970 l'un des premiers à redonner de la vigueur à la DOC Chianti Classico ; il créa aussi le Tignanello, l'un des meilleurs toscans. Après le succès de l'illustre Sassicaia de son oncle et de l'Ornellaia de son frère Lodovico, Piero rehaussa le niveau de sa propriété du Belvedere (vin rosé) à Bolgheri et lui donna le nom de Guado al Tasso. Les 900 ha descendent en pente douce jusqu'à la mer Tyrrhénienne, sur la portion de littoral toscan connue sous le nom de Maremme, également appelée Côte d'Or parce que l'on y produit les vins italiens les plus recherchés et les plus chers.

L'année 2003 fut certainement l'une des plus chaudes et des plus sèches que connut l'Italie. Près de Bolgheri, les raisins mûrirent tôt et, à la mi-août, les cépages présentaient déjà un taux de sucre très élevé. Avec sa robe rubis intense et ses arômes de cerises bien mûres accompagnés de soupçons de chêne, de café et de chocolat, le Guado al Tasso 2003 est étonnamment frais pour ce millésime, avec des tanins plutôt doux. **KO**

Antinori
Solaia

Origine Italie, Toscane
Type vin rouge sec, 13 % vol.
Cépages Cab. Sauvignon, Sangiovese, Cab. franc
Millésime dégusté 1985, à boire jusqu'en 2015+
€€€€

De 350 à 396 m au-dessus du niveau de la mer, Solaia (« l'ensoleillé » en italien) est un vignoble de 10 ha tourné plein sud-ouest ; le sol pierreux et calcaire renferme des marnes et de l'albâtre friable. Il est situé à Santa Cristina, juste à côté du vignoble renommé de Tignanello, dans la zone du Chianti Classico de Mercatale Val di Pesa.

En 1978, Antinori commença par produire sur ce site un vin à cépage unique à diffusion très limitée en Italie. À cause des cépages « non Chianti » utilisés, le Solaia fut classé comme un simple vin de table de Toscane plutôt qu'une DOCG (dénomination d'Origine contrôlée et garantie) Chianti Classico.

Le 8 novembre 2006, Christie's organisa à Londres une master class avec Albiera Antinori. On trouvait parmi les vins du Solaia 1985, meilleur millésime toscan de la décennie. Avec 10 % de Cabernet franc au lieu des habituels 5 %, il n'était pas arrivé à complète maturation mais se montrait très prometteur. Pour Albiera, le Solaia est à son apogée entre 15 et 25 ans d'âge, ce qui paraît raisonnable vu le niveau d'acidité et de tanin de ce vin. **SG**

Antinori
Tignanello

Origine Italie, Toscane
Type vin rouge sec, 12,5 % vol.
Cépages Sangiovese, Cab. Sauvignon, Cab. franc
Millésime dégusté 1985, à boire jusqu'en 2015+
€€€

Le Tignanello est produit exclusivement à partir du vignoble dont il porte le nom, une parcelle de 47 ha orientée sud-ouest, sur un sol cailouteux de calcaire et de marne, située entre 350 et 400 m d'altitude dans la propriété Santa Cristina des Antinori. À l'Origine, Tignanello était un Chianti Classico Riserva appelé Vigneto Tignanello, mais il a commencé à être vinifié comme provenant d'un seul vignoble à partir de 1970, alors qu'il contenait encore des raisins blancs toscans traditionnels comme le Canaiolo, l'Ugni blanc et le Malvasia. Depuis le millésime 1975, les raisins blancs ont été complètement éliminés.

Dégusté en novembre 2006, le 1985, sans doute le meilleur millésime de Tignanello à ce jour, avait un bouquet élégant, avec des notes végétales. Il était à maturité parfaite, un vin vraiment très agréable, plus léger que son frère Antinori, le Solaia. Bien que Tim Atkin ait trouvé que son caractère Cabernet était devenu plus manifeste en vieillissant, « le Tignanello est très toscan », déclare Albiera Antinori, « les arômes du 1985 sont tout à fait typiques d'un Sangiovese d'un certain âge ». Albiera pense que l'âge optimal pour le Tignanello est 10 à 15 ans. **SG**

Antiyal

Origine Chili, vallée de Maipo
Type vin rouge sec, 14,5 % vol.
Cépages Carmenère, Merlot, Cab. Sauvignon, Syrah
Millésime dégusté 2003, à boire jusqu'en 2018
€€

Premier vin de garage du Chili, Antiyal a été produit pour la première fois en 1998 par Alvaro Espinoza, qui s'était déjà fait une réputation à Carmen, une filiale de Santa Rita. Espinoza et sa femme, Marina, ont converti une petite grange en entreprise viticole. Le raisin de l'Antiyal vient de l'autre partie du jardin des Espinoza, et la mère d'Alvaro possède aussi des vignes dans la vallée de Maipo. Le Cabernet Sauvignon et le Carmenère chiliens gagnent à être mélangés avec une dose de Syrah qui donne au vin l'ampleur que son profil un peu linéaire exige, un profil accentué par l'approche non interventionniste et pas du tout orthodoxe d'Espinoza.

À part son vieillissement en fûts français, Antiyal, qui dans le dialecte local des Mapuche signifie « fils du soleil », ne fait pas dans la minauderie, comme le montre le millésime 2003, parfait d'équilibre et de maturité. Depuis 2007, avec ses nouveaux locaux, Antiyal est devenu la première entreprise viticole « verte » du Chili, faisant appel aux énergies solaire et éolienne. **MW**

L'éblouissante vallée de Maipo, au Chili, et les Andes en arrière-plan. ➔

Anwilka Estate/ Klein Constantia *Anwilka*

Araujo Estate Wines *Eisele Vineyard*

Origine Afrique du Sud, Stellenbosch
Type vin rouge sec, 14 % vol.
Cépages Cabernet Sauvignon 63 %, Syrah 37 %
Millésime dégusté 2005, à boire jusqu'en 2015+
€€€

Origine États-Unis, Californie, Napa Valley
Type vin rouge sec, 14,4 % vol.
Cépages Cab. Sauvignon 75 %, Cabernet franc 25 %
Millésime dégusté 2001, à boire jusqu'en 2025
€€€€€

Le domaine Anwilka est une entreprise commune entre Lowell Jooste de Klein Constantia, Bruno Prats et Hubert de Boüard de Laforest, de Château Angélus. L'assemblage Anwilka est produit par l'exploitation de Klein Constantia.

Les vignobles du domaine sont situés à Helderberg, au sud-ouest de Stellenbosch. Ce vin a été commercialisé en Afrique du Sud le 3 mars 2006, un mois avant sa distribution aux négociants bordelais pour la vente à l'international, à un prix très élevé pour un vin rouge sud-africain. Pour autant, les réserves d'Anwilka furent vite épuisées après que l'expert œnologue Robert Parker l'eut décrit comme « le meilleur vin rouge sud-africain [qu'il ait] eu à déguster ».

Intense, visqueux et pourpre, ce vin a l'apparence de l'encre. Son bouquet est légèrement volatil et poussiéreux, avec des arômes fruités et boisés. C'est un vin chaud et épicé, dense, puissant, à la texture veloutée. Deux années de garde lui conféreront plus de délicatesse et lui donneront un style « international » agréable. Le millésime 2006 comprend 5 % de Merlot et un taux d'alcool légèrement moindre, sinon il est très proche du millésime 2005. **SG**

Les 14 ha rocheux du vignoble Eisele, du nom de ses premiers propriétaires, est l'un des premiers de la Napa Valley à avoir été identifié sur une étiquette. Le Cabernet Sauvignon d'Origine fut replanté en 1964 et le vignoble acquit un grand renom dans les années 1970 quand Ridge puis Joseph Phelps achetèrent le raisin pour en faire des vins riches et complexes. En 1990, Bart et Daphne Araujo rachetèrent le vignoble, sis au sud-est de Calistoga, au pied des Palisades Mountains qui protègent les vignes au nord.

La splendide saison 2001 débuta par un hiver clément aux précipitations relativement peu importantes, puis vint un printemps chaud et sec. En juillet et en août, le temps plus frais équilibra la maturité du fruit et du tanin avec une acidité naturelle ferme et des parfums intenses, que conservèrent les vendanges nocturnes effectuées en septembre. Après un trempage à froid et une longue macération dans des cuves en acier inoxydable, le vin vieillit pendant vingt-deux mois dans des fûts en chêne français neufs. Avec un nez mentholé et un palais riche, ce vin est ferme, avec des tanins solides et souples. **LGr**

◄ Le domaine Anwilka tapisse les contreforts du mont Helderberg.

Argiano
Brunello di Montalcino

Origine Italie, Toscane, Montalcino
Type vin rouge sec, 13,5 % vol.
Cépage Sangiovese
Millésime dégusté 1995, à boire jusqu'en 2015+
€€€

Au sommet d'une colline de Sant'Angelo, Argiano tire son nom du latin Ara Jani (autel du dieu romain Janus). Des siècles plus tard, au cours de la Renaissance, une famille noble de Sienne y acheta une magnifique villa finalement transmise aux comtes de Lovatelli. En 1992, la propriétaire actuelle, Noemi Marone Cinzano, acquit la propriété et entreprit de moderniser les caves et la production de Brunello. La même année, elle engagea le grand œnologue Giacomo Tachis.

Les 100 ha sont protégés des orages et de la grêle par le mont Amiata ; les vents chauds venus de la Maremme créent un microclimat chaud et sec qui permet au raisin d'atteindre une belle maturité. En 1995, millésime cinq étoiles pour le Montalcino, Tachis décida de mettre tous les meilleurs raisins dans un seul Brunello et renonça à fabriquer une version Riserva. Le Brunello 1995, vieilli pendant deux ans dans le bois, tant en barriques que dans de grands fûts de chêne slavon, est riche en arômes de fruits mûrs et de fleurs. D'un équilibre impeccable, il présente des tanins fermes qui s'adouciront avec le temps. **KO**

Argiolas
Turriga

Origine Italie, Sardaigne
Type vin rouge sec, 14 % vol.
Cépages Cannonau 85 %, autres 15 %
Millésime dégusté 2001, à boire jusqu'en 2020
€€€

Quand à la fin des années 1970 nombre de cultivateurs de l'île arrachèrent leurs vignes pour toucher les subventions européennes, Antonio Argiolas prit la décision courageuse d'investir largement dans les cépages sardes. La famille transforma ses vignobles et modernisa ses chais pour maximiser la qualité : elle recourut aux services du légendaire œnologue Giacomo Tachis.

Produit phare de la société, le Turriga, est un assemblage de Cannonau et d'autres cépages rouges locaux ainsi que de Malvasia Nera. Ce rouge puissant fit preuve d'un Type qui servit de critère au reste de la région. Produit pour la première fois en 1988, ce vin provient du meilleur vignoble du domaine, Turriga, situé à 230 m d'altitude sur un sol crayeux légèrement pierreux et parfaitement ensoleillé. On remarque de vives sensations de fruits mûrs, d'épices ou de myrte. L'excellent millésime 2001 se caractérise par un début sec qui obligea l'entreprise vinicole à pratiquer une irrigation d'urgence en juin. Puissant avec beaucoup de corps, le 2001 vieillira merveilleusement grâce à sa structure impressionnante. **KO**

◀ Le Castello di Argiano domine les vignobles.

Domaine du Comte Armand
Pommard PC Clos des Épeneaux

Origine France, Bourgogne, côte de Beaune
Type vin rouge sec, 13,5 % vol.
Cépage Pinot noir
Millésime dégusté 2003, à boire jusqu'en 2020
€€€

Le Pommard n'a pas de grands crus mais chacun reconnaît que ses deux sites d'exception sont Rugiens et Les Épenots. Ce dernier occupe 30 ha entre le village et la limite de Beaune et est divisé en trois parcelles. La plus petite, de loin la meilleure, est le Clos des Épeneaux ceint de murs, monopole du biodynamique domaine Comte Armand.

Benjamin Leroux, maître de chai du Comte Armand depuis 1999, produit habituellement quatre vins à partir du Clos, élaborés selon l'âge de la vigne et l'emplacement ; par la suite ils sont coupés. Les vignes les plus jeunes donnent le Pommard Premier Cru de la propriété ; le reste revient au Clos des Épeneaux. Les plus vieux pieds de vigne du Clos ont 60 ans.

Les Épenots donnent des vins très tanniques qui ne se débarrassent de leur agressivité qu'au bout de plusieurs années. Le Clos peut être impénétrable quand il est jeune. La cuvée 2003 ne fait pas exception. Il y a pourtant une formidable richesse aromatique où le chêne se mêle à la framboise ; le fruit est indéniablement doux et épicé, mais l'alcool donne un après-goût poivré. **SBr**

Artadi
Viña El Pisón

Origine Espagne, Rioja
Type vin rouge sec, 14 % vol
Cépage Tempranillo
Millésime dégusté 2004, à boire jusqu'en 2025
€€€€

Artadi débuta en 1985 sous la forme d'une coopérative productrice de vins rouges simples et abordables mais, en moins d'une décennie, elle se retrouva au summum des vins de la Rioja. Cette incroyable réussite est due à la détermination de Juan Carlos López de Lacalle à produire des vins de renommée mondiale.

Le Viña El Pisón est l'un des premiers vins issus d'un vignoble à cépage unique de la Rioja, région où l'on assemble traditionnellement raisins et vins provenant de plusieurs vignobles. Le vignoble en question présente de très vieux pieds de Tempranillo avec probablement une petite proportion d'autres cépages (même blancs).

Artadi est d'une qualité égale de millésime en millésime mais peut-être le 2004, superbe année, fait-il preuve d'une élégance supérieure. D'une robe profonde et intense quand il est jeune, il présente des notes balsamiques mêlées à celles de baies rouges et noires, de graphite et de chêne merveilleusement intégré. En bouche, il est d'un corps moyen et d'une grande intensité, avec une belle acidité et une grande richesse en tanins. **LG**

Un dégustateur observe la couleur et la « jambe » du vin. ➡

Ata Rangi *Pinot Noir*

Origine Nouvelle-Zélande, Martinborough
Type vin rouge sec, 13,5 % vol.
Cépage Pinot noir
Millésime dégusté 2006, à boire jusqu'en 2012+
€€€

Ata Rangi – «renouveau» ou «lever du soleil» en maori – n'était qu'un enclos dénudé de 5 ha quand Clive Paton l'acheta en 1980. Comme d'autres pionniers en matière de vin, il avait été attiré dans la région de Martinborough par la terrasse de galets bien drainée de 20 m de haut, les précipitations les plus faibles de toute l'île du Nord et la proximité de la capitale, Wellington, à 80 km seulement.

Paton choisit surtout des cépages rouges : Pinot noir, Cabernet Sauvignon, Merlot et Syrah. Le potentiel du Pinot noir se manifesta tout de suite et, aujourd'hui, son Ata Rangi passe aux yeux de nombreux spécialistes pour le plus bel exemple de ce cépage délicat. Parmi les principaux clones de Pinot privilégiés et plantés ici, il faut citer l'Abel, que l'on dit importé illégalement de France à la fin des années 1970. Dans la petite cave, les cuves portent le nom de personnalités du monde sportif, telle la «Blowers» (en l'honneur du commentateur de cricket anglais, Henry Blofeld).

Le domaine appartient et est dirigé par Paton, sa femme Phyll (ancien maître de chai dans le Montana) et sa sœur Alison. L'affabilité de l'équipe d'Ata Rangi se reflète dans ses vins. Le Pinot Noir 2006 a le nez typique du «Pinot kiwi» mais une dégustation approfondie révèle qu'il est d'une profondeur supérieure à la plupart des rouges néo-zélandais. Le palais est savoureux bien que succulent, avec une longueur en bouche et une belle concentration de parfums. Ata Rangi produit aussi le Célèbre, assemblage de Syrah, de Cabernet et de Merlot. **SG**

AUTRES SUGGESTIONS
Autres grands millésimes
1999 • 2000 • 2001 • 2003
Autres producteurs de Martinborough
Craggy Range • Dry River
Martinborough Vineyard • Palliser

Signatures des délégués lors d'un congrès d'œnologues à Ata Rangi. ➡

Dominio de Atauta
Ribera del Duero

Origine Espagne, Ribera del Duero
Type vin rouge sec, 13,5 % vol.
Cépage Tinto Fino (Tempranillo)
Millésime dégusté 2001, à boire jusqu'en 2015
€€€

Miguel Sánchez est natif de la partie la plus orientale de la Ribera del Duero, dans la froide province de Soria. Il connaissait depuis longtemps les vignes non greffées qui entouraient le minuscule village d'Atauta et rêvait de produire avec elles des vins de renommée mondiale.

Le Dominio de Atauta est le produit phare mais on fait également des quantités très limitées de cuvées spéciales ou de vins issus d'un vignoble à cépage unique : Valdegatiles, Llanos del Almendro, El Panderón, La Mala, San Juan (vendu exclusivement à Porto Rico) ou encore La Roza. Le domaine recherche l'équilibre et l'élégance, la fraîcheur et l'acidité plutôt que la puissance. Le millésime 2000 fut le premier de tous, quasi expérimental, mais le 2001 fut le premier vin « sérieux » avec un authentique saut qualitatif. L'Atauta est d'une robe grenat très sombre. Avec un nez élégant, complexe et intense, il révèle des arômes de fruits rouges mûrs, d'épices et de zeste d'orange. De corps moyen, il a une belle acidité, un équilibre harmonieux, beaucoup de fruit et une grande persistance – autant d'éléments exigés pour évoluer favorablement en bouteille. **LG**

Au Bon Climat
Pinot Noir

Origine États-Unis, Californie
Type vin rouge sec, 13,5 % vol.
Cépages Pinot noir 82 %, Mondeuse 18 %
Millésime dégusté 2005, à boire jusqu'en 2020
€€€

Hormis le département de la Côte-d'Or, aucune autre région du monde n'est parvenue à produire un Pinot noir aussi exceptionnel que celui de Californie. Les efforts collectifs ont été largement récompensés depuis les années 1980 et l'on trouve au premier rang la cave Au Bon Climat (ABC), fondée en 1982 par Jim Clendenen.

Les conditions chaudes et sèches que connut le millésime 2005 en Californie ont donné des fruits d'une maturité et d'une concentration inimaginables. Ajoutons à cela la maturité des vignobles et l'on comprendra pourquoi Clendenen pense qu'il s'agit probablement du meilleur Pinot ABC jamais élaboré.

La robe est d'un rubis profond et le bouquet offre d'emblée le plus pur goût de framboise du Pinot, mais viennent très vite s'y ajouter des tons de chêne fumé, une note de violette fugace et une suggestion de coriandre. Le palais est solidement charpenté mais pourtant doux et complaisant en son centre. C'est exactement le genre de Pinot que l'on peut consommer jeune grâce à la maturité et à la souplesse de son acidité et de son fruité, mais qui s'épanouira en bouteille au bout de plusieurs années. **SW**

Bien Nacido est le vignoble principal d'Au Bon Climat. ➔

Château Ausone

Origine France, Bordeaux, Saint-Émilion
Type vin rouge sec, 14 % vol.
Cépages Cabernet franc 55 %, Merlot 45 %
Millésime dégusté 2003, à boire entre 2010 et 2030
€€€€€

Ausone est le plus petit des Bordeaux premiers crus. Rares pourtant sont les vins de la région qui jouissent d'une telle réputation. Perché sur un éperon calcaire dominant la petite ville de Saint-Émilion, Ausone doit son nom au poète latin Ausonius. Il existe encore des bouteilles datant des années 1840 et les privilégiés ayant pu déguster les millésimes du XIXe siècle témoignent de la pérennité de leur qualité.

Plus récemment, la propriété a été partagée entre deux familles en pleine hostilité. Cette situation qui a perduré une vingtaine d'années n'était pas propice à la qualité même si la nature a fait de son mieux pour que d'excellents vins naissent pendant cette période de discorde. Les escarmouches cessèrent en 1995 quand Alain Vauthier devint l'unique propriétaire. L'Ausone a atteint de nouveaux sommets grâce à son intelligence et à son ouverture d'esprit. Même avec une année aussi délicate que 2003, Ausone a donné un vin superbe. Le sol calcaire a protégé les vignes de la sécheresse et la grande proportion de Cabernet franc a donné un parfum et une complexité inhabituels pour le millésime 2003, mais très typique de l'Ausone.

Vauthier gère méticuleusement son vignoble et vise à amener les raisins à pleine maturité avant de les vendanger. Cela signifie que les vins sont au maximum de leur puissance et que leurs arômes invariablement concentrés sont le fait de vignes ayant en moyenne une cinquantaine d'années. Les vins ont malgré tout de la fraîcheur, même en 2003, et une structure qui leur garantit une très longue vie. **SBr**

AUTRES SUGGESTIONS		
Autres grands millésimes		
1929 • 1982 • 1995 • 1998 • 2000 • 2001 • 2005		
Autres producteurs de Saint-Émilion		
Belair • La Gaffelière • Magdelaine • La Mondotte • Pavie Pavie-Macquin • Tertre Roteboeuf • Troplong Mondot		

La belle porte d'Ausone témoigne de la réussite du château. ➜

Azelia
Barolo San Rocco

Origine Italie, Piémont, Langhe
Type vin rouge sec, 14 % vol.
Cépage Nebbiolo
Millésime dégusté 1999, à boire jusqu'en 2012+
€€€

Fondée en 1920 par son grand-père, la petite société Azelia de Luigo Scavino, à Castiglione Falletto, fait du Barolo depuis des décennies. Le Barolo San Rocco doit tout au petit vignoble éponyme de 1,8 ha situé dans la commune de Serralunga, renommée pour ses Barolo bien plus colorés et structurés, à la plus grande longévité. Adeptes des principes «modernistes» permettant au Barolo d'être tout de suite apprécié et non pas après dix années ou quand les tanins se sont adoucis, Luigi a réduit la macération et la fermentation à 10 ou 12 jours. Il utilise aussi des barriques tant nouvelles qu'anciennes pour vieillir son Barolo San Rocco, dompter les tanins agressifs et ajouter une touche de vanille et d'épices.

Le cru 1999, auquel le Consortium de Barolo et de Barbaresco a accordé cinq étoiles, fut excellent pour le Piémont et produisit des vins complexes et bien structurés capables d'un long vieillissement en cave. Le Barolo San Rocco 1999 d'Azelia a une robe dense et un nez riche en fleurs auxquels s'ajoutent des notes balsamiques. Au palais, fruits noirs et chêne discret sont équilibrés par de souples tanins. **KO**

Domaine Denis Bachelet
Charmes-Chambertin GC

Origine France, Bourgogne, côte de Nuits
Type vin rouge sec, 12,5 % vol.
Cépage Pinot noir
Millésime dégusté 1999, à boire jusqu'en 2020+
€€€€€

Denis Bachelet ne fréquente pas beaucoup les autres vignerons de Gevrey-Chambertin et ses vins ne se conforment pas à un Type ou à une école donnée. Le domaine est minuscule, à peine plus de 2 ha, avec des vignobles concentrés sur le village de Gevrey, dont le premier cru Les Corbeaux et le grand cru Charmes-Chambertin. La parcelle Bachelet de 0,4 ha dont est issu le Charmes-Chambertin se situe dans la partie supérieure, la meilleure, des vignobles. Certaines vignes ont été plantées immédiatement après la crise du phylloxéra mais la majorité date des années 1920, fruit des efforts de sa grand-tante et occasionnellement de la sœur cadette de celle-ci, grand-mère de Denis.

Son Charmes-Chambertin 1999 présente toujours une robe violet sombre très intense. Le fruit est d'une qualité envoûtante et d'un parfum enchanteur qui s'épanouit au nez. Le nouveau bois (50 % en tout) n'est pas perceptible, supplanté par l'opulence du fruit. Le palais est large et somptueux, posé et excitant, avec un panier complexe et merveilleux de fruits rouges bien mûrs et un après-goût long et parfait. **JM**

Balnaves *The Tally* Cabernet Sauvignon

Origine Australie, Coonawarra
Type vin rouge sec, 14,5 % vol.
Cépage Cabernet Sauvignon
Millésime dégusté 2005, à boire jusqu'en 2020
€€€

Balnaves est une petite société familiale sise au cœur de la bande de terra rossa de Coonawarra. Depuis la création des cinq premiers hectares de vignobles en 1976, le domaine ne cesse de s'accroître pour couvrir aujourd'hui 57 ha d'excellente terre.

Lors d'une vie antérieure, le patriarche familial Doug Balnaves exerçait la profession de tondeur de mérinos. Un tondeur est payé au nombre de bêtes tondues et ce chiffre est enregistré : c'est le pointage, tally en anglais. Plus celui-ci est élevé, plus grande est la rémunération venant récompenser un dur labeur. C'est en hommage à cette noble tradition australienne que la famille Balnaves a appelé son meilleur vin « The Tally ».

Fait de raisins provenant des meilleurs vignobles lors des meilleures années – même si, de façon assez perverse, Doug Balnaves déclare que les meilleurs pieds ne naissent pas de la terra rossa –, The Tally est un rouge bien structuré mais rond et digne de vieillir. Avec sa forte acidité et son ossature solide, c'est un exemple classique de Coonawarra dont les parfums de menthe et de feuilles se développent encore plus en bouteille. **SG**

Banfi *Brunello di Montalcino* Poggio all'Oro

Origine Italie, Toscane, Montalcino
Type vin rouge sec, 13 % vol.
Cépage Sangiovese
Millésime dégusté 1988, à boire jusqu'en 2012+
€€€€

1998 ne fut pas une grande année dans de nombreuses régions italiennes mais elle fut radieuse en Toscane avec une petite récolte de qualité exceptionnelle. Selon Michael Broadbent, « les meilleurs vins étaient Origineaires de Montalcino ». Issu d'un vignoble à cépage unique du nom de Poggio all'Oro (« Colline d'or »), le Brunello Riserva de Banfi est un bel exemple de ce millésime, avec son fruit mûr et sa profondeur. Le Poggio all'Oro Riserva de Banfi n'est produit que les excellentes années.

Le vignoble de Poggio all'Oro, à 250 m au-dessus du niveau de la mer, fut le premier à être replanté par Banfi avec dix clones différents choisis à partir des meilleurs Sangiovese de tout le territoire. Le premier millésime, 1985, plus traditionnel, avait passé quarante-deux mois dans de grands fûts de chêne slavon. Par la suite, la vinification adopta un profil plus international : aujourd'hui, le Poggio all'Oro vieillit deux ans et demi dans de petits fûts en chêne français avant de devenir un favori du marché de l'exportation, surtout aux États-Unis. Banfi a la réputation d'offrir le Brunello, jadis considéré comme une rareté, aux amateurs du monde entier. **KO**

Barca Velha

Jim Barry
The Armagh Shiraz

Origine Portugal, vallée du Douro
Type vin rouge sec, 12,5 % vol.
Cépages Tinta Roriz, Touriga Franca, T. Nacional
Millésime dégusté 1999, à boire jusqu'en 2020+
€€€€€

Origine Australie, Australie-Mérid., Clare Valley
Type vin rouge sec, 14,5 % vol.
Cépage Shiraz
Millésime dégusté 2001, à boire jusqu'en 2012+
€€€

Au nord du Portugal, la sauvage vallée du Douro est l'une des régions viticoles les plus riches du monde. Pourtant, depuis des décennies, jusqu'au début du XXIe siècle, un seul vin non fortifié présentait une stature internationale, le Barca Velha, né de l'imagination de Fernando Nicolau de Almeida, maître de chai de Ferreira dans les années 1950.

Les petites parcelles plus en altitude apportent fraîcheur et complexité à l'assemblage des trois cépages. Le vieillissement s'effectue dans de petits fûts de chêne nouveau et dure de douze à dix-huit mois, sans compter le temps passé en bouteille avant la mise en vente (normalement six ans après les vendanges). Les millésimes sont relativement rares et on n'en compte que quinze à ce jour.

Le cru 1999 présente des arômes de fruits noirs frais et concentrés, renforcés par le cèdre et la vanille dus à la maturation dans du bois, ainsi que par les notes florales et chocolatées. La belle concentration et la profondeur au palais sont équilibrées par une élégance rarement constatée dans un vin de cette puissance. **GS**

Jim Barry acheta des terres près de Clare en 1959 et y planta des vignes. Le complexe vinicole vit le jour en 1973 et les premiers vins Jim Barry firent leur apparition sur le marché en 1974. La propriété comprend aujourd'hui près de 250 ha de vieilles vignes dans le secteur inférieur de Clare.

En 1985, Barry produisit le premier Armagh Shiraz réalisé à partir des vignes plantées en 1968 sur un terrain incurvé peu ordinaire, et utilisé auparavant dans son assemblage Sentimental Bloke Port nommé d'après un poème d'un auteur local, C. J. Dennis. Chose peu commune, le clone Shiraz fut importé d'Israël.

Nommé d'après le village proche d'Armagh établi en 1859 par les Irlandais, ce vin représente sans doute la quintessence du Shiraz d'Australie-Méridionale, un vin massif, concentré et proportionné.

Lors d'une dégustation en 2004, le 2001 apparut plutôt fermé au nez et légèrement mentholé. Le palais était très structuré, avec une acidité juteuse le rendant plus abordable, en dépit de sa finale toujours tannique et puissante. Il n'en fallait pas davantage pour augurer un grand potentiel de garde. **SG**

Domaine Ghislaine Barthod
Chambolle-Musigny PC Les Cras

Origine France, Bourgogne, côte de Nuits
Type vin rouge sec, 13 % vol.
Cépage Pinot noir
Millésime dégusté 2002, à boire jusqu'en 2020
€€€

Chambolle-Musigny a la réputation d'être l'un des vins les plus «féminins» de Bourgogne, avec une note de charme et de finesse plutôt que de puissance. Ce vin est dans l'ensemble à la hauteur de sa réputation, même s'il serait une erreur de le considérer comme un vin au potentiel de garde restreint. En effet, le Chambolle vieillit extrêmement bien, spécialement lorsqu'il est issu de ses meilleurs terroirs. À proximité du village, Les Cras possèdent des sols blancs semblables à ceux que l'on trouve dans certains coins du grand cru Bonnes Mares et bénéficient d'une exposition à la fois au sud et à l'est.

Le père de Ghislaine Barthod, Gaston, rassembla les 7 ha du domaine qui porte aujourd'hui le nom de sa fille ; le premier millésime date de 1986. Avec 0,86 ha de vignes, Les Cras forment le plus grand des premiers crus Ghislaine Barthod. Jeune, le vin Les Cras peut révéler un caractère très dense ; pourtant, il est toujours marqué par un parfum délicat, parfois de cerise ou de framboise ; avec l'âge, le nez devient plus végétal et plus sensuel. Le 2002 est particulièrement élégant, bien que compact et robuste, mais le riche fruité et sa longueur lui promettent un bel avenir. **SBr**

Bass Phillip
Premium Pinot Noir

Origine Australie, Victoria, Gippsland
Type vin rouge sec, 13,5 % vol.
Cépage Pinot noir
Millésime dégusté 2004, à boire jusqu'en 2018
€€€€

Philip Jones est à la pointe de l'art de la viniculture à base de Pinot noir ; il dispose d'un ensemble de quatre vignobles presque entièrement dédiés au cépage. Il commença ses plantations en 1979, dans une partie fraîche et luxuriante du sud de Victoria. Parmi .les nombreux Pinots noirs qu'il élabore chaque année, les perles sont les labels Reserve et Premium.

Les deux vins proviennent des mêmes parcelles du même vignoble chaque année. À Leongatha, la pluviométrie est importante et le taux d'humidité est sans doute le plus élevé de toutes les régions viticoles australiennes. Le sol, d'une profondeur extrême et parfaitement drainé, sauve la mise. Il s'agit d'un terreau envasé, très vieux et riche en minéraux (en fer spécialement), à base de roche volcanique. Le temps d'élevage en fûts de chêne a été raccourci, passant de seize à dix-huit mois à treize à quinze mois. Le chêne le plus utilisé est légèrement teinté. Le Premium 2004 possède une robe pâle mais un parfum agréable et enivrant. Ses arômes entêtants de cerise et d'épices, ainsi que sa finesse soyeuse au palais, en font un vin mémorable. **HH**

Battle of Bosworth
White Boar

Origine Australie, Australie-Mérid., McLaren Vale
Type vin rouge sec, 15 % vol.
Cépage Shiraz
Millésime dégusté 2004, à boire jusqu'en 2012+
€€€

Edgehill Vineyard, au sud de McLaren Vale, a été fondé au début des années 1970 par Peter et Anthea Bosworth. Leur fils, Joch Bosworth, a repris la direction et la gestion au jour le jour des vignobles en 1995. Il a appelé sa marque «Battle of Bosworth» (Bataille de Bosworth) pour évoquer les difficultés présentées par ses pratiques de viticulture biologique.

Bien qu'inspiré par les vins d'Amarone en Italie du Nord, le White Boar de Joch Bosworth est très différent. En effet, il ne récolte pas son raisin pour le faire sécher sur des grilles (comme c'est le cas pour l'Amarone): les tiges sont coupées lorsque la gamme de flaveurs souhaitée est atteinte, puis les fruits sont laissés à sécher. Après deux semaines de ce processus, le raisin est cueilli à la main avant d'être délicatement dirigé vers une fermentation lente. Plus fruité et plus coloré qu'un Amarone typique, le nez et le palais du White Boar développent des nuances de goudron, de macis, de noix de muscade, de terre, de fruits secs, de soja, de roses, de chêne, de cèdre, de loukoums, de rhum, de raisin sec et de chocolat. **SG**

Château de Beaucastel
Hommage à Jacques Perrin

Origine France, vallée du Rhône, Châteauneuf-du-Pape
Type vin rouge sec, 13,5 % vol.
Cépage Mourvèdre
Millésime dégusté 1998, à boire jusqu'en 2020+
€€€€€

La famille Beaucastel vivait déjà à Courthézon au milieu du XVIe siècle. D'après les archives, en 1549, le noble Pierre de Beaucastel acheta «une grange avec son tènement de terre contenant 52 saumées assises à Coudoulet». En 1909, Pierre Tramier racheta la propriété. Le château passa ensuite entre les mains de son beau-fils, Pierre Perrin, puis de Jacques Perrin. Aujourd'hui, le château de Beaucastel est dirigé par Jean-Pierre et François, les fils de Jacques.

En 1989, les conditions étaient si bonnes que les Perrin décidèrent d'élaborer une cuvée spéciale en l'honneur de leur père, constitué de très vieilles vignes de Mourvèdre qui produisent d'infimes quantités de baies au fruit intense et concentré.

Ce vin se distingua lors d'une dégustation à l'aveugle de Châteauneuf-du-Pape en 2006, au cours de laquelle les quatre millésimes du Château de Beaucastel Hommage à Jacques Perrin remportèrent les quatre premiers prix, confirmant ainsi son statut de plus grand vin de la région sud du Rhône. Stephen Browett décrit le 1998 comme «un vin splendide, au fruit mûr et sucré, avec plus qu'une simple teinte de chocolat au lait». **SG**

Beaulieu Vineyards *Georges de Latour Cabernet Sauvignon*

Château Beauséjour

Origine États-Unis, Californie, Napa Valley
Type vin rouge sec, 14,5 % vol.
Cépage Cabernet Sauvignon
Millésime dégusté 1976, à boire jusqu'en 2015
€€€€

Origine France, Bordeaux, Saint-Émilion
Type vin rouge sec, 13 % vol.
Cépages Merlot 60 %, C. franc 25%, C. Sauv. 15 %
Millésime dégusté 1990, à boire jusqu'en 2020+
€€€€€

Si l'on regarde en arrière, on peut se demander si le millésime 1976 n'a pas été le premier à annoncer l'évolution d'un type de vin qui aboutit aujourd'hui, en ce début du XXIe siècle, au Cabernet Sauvignon typique de Napa Valley. Malgré quelques faibles chutes de pluie pendant les vendanges, 1976 a été le premier des deux grands millésimes frappés par la sécheresse, ce qui a conduit à un rendement diminué de moitié, et à l'élaboration de vins plus intenses, plus tanniques et plus puissants que jamais.

Le domaine Beaulieu a été fondé en 1900 par Georges de Latour, mais le premier millésime de la Réserve privée n'est sorti qu'en 1936, date à laquelle Latour avait engagé André Tchelistcheff comme chef de cave. Considéré par beaucoup comme l'œnologue le plus influent de toute l'histoire du vin aux États-Unis, Tchelistcheff est à l'origine de ce type de vins en particulier, et il a présidé à l'élaboration des vins du domaine jusqu'à sa retraite, en 1973.

La Réserve privée 1976, qui a été saluée par Parker en 1995, est un vin puissant et épicé, un peu trop alcoolisé, rendu plus intense encore par la sécheresse. **LGr**

Avant 1990, le domaine premier grand cru classé du Château Beauséjour Duffau-Lagarrosse était inconnu d'un grand nombre. C'était avant que le château n'éclipse les vins exceptionnels d'Ausone, d'Angélus et du Cheval Blanc.

Il existe une raison à ce succès : Robert Parker. Dans l'édition de février 1997 de sa lettre d'information bimensuelle *The Wine Advocate*, Parker accorda au Beauséjour 1990 un score admirable de 100 points, le décrivant comme « merveilleusement concentré, d'une pureté exceptionnelle, avec une combinaison presque inédite de richesse, de complexité, d'équilibre et d'harmonie en général ». Seuls trois autres vins de Bordeaux atteignirent ce score en 1990 : Margaux, Petrus et Montrose.

Commercialisé à environ 33 euros la bouteille, le Château Beauséjour Duffau-Lagarrosse 1990 atteignait 7 360 euros la caisse lors des ventes aux enchères en 2006. Le propriétaire Jean Duffau et le viticulteur Jean-Michel Dubos demeurent indifférents au culte qui entoure leur millésime 1990, même s'ils se doivent aujourd'hui de créer quelque chose de vaguement semblable en termes de qualité. **SG**

Château Beau-Séjour Bécot

Origine France, Bordeaux, Saint-Émilion
Type vin rouge sec, 13,5 % vol.
Cépages Merlot 70 %, Cab. franc 24 %, Cab. Sauv. 6 %
Millésime dégusté 2002, à boire jusqu'en 2015+
€€€€

Michel Bécot est né dans une famille de vigne-rons établie à Saint-Émilion depuis 1760 et pro-priétaire du château La Carte depuis 1929. Il acheta la propriété de Beau-Séjour en 1969. En 1979, la famille Bécot agrandit encore le domaine en rache-tant 4,5 ha sur le plateau des Trois-Moulins. La pro-priété, qui devint ensuite connue sous le nom de Château Beau-Séjour Bécot, est aujourd'hui une exploitation de 16 ha établie sur un terroir parfaite-ment uniforme.

Lorsque Michel prit sa retraite en 1985, ses fils Gérard et Dominique reprirent en main la gestion du domaine. Cette même année, Beau-Séjour Bécot perdit son statut de premier grand cru classé pour être relégué dans la catégorie inférieure du Saint-Émilion Grand Cru, car Michel Bécot avait incorporé plusieurs vignobles qui n'étaient pas de premier grand cru. Cette décision fut annulée en 1996 et Beau-Séjour Bécot est aujourd'hui l'un des premiers grands crus classés B majeurs.

Les 20 ha de vignobles du château sont établis sur un plateau au sol calcaire dans la partie nord-ouest de l'appellation. Le vin est élevé dans des barriques en chêne (neuf à 50-70 %) pendant 18 à 20 mois. Œnologue omniprésent, Michel Rolland est consultant, et le vin est élaboré à son image. Le 2002 est plein, concentré et riche, avec des notes de fruits de cassis et de chêne neuf. Lors d'une dégustation à l'aveugle du Grand Jury européen qui rassemblait plus de 200 vins de ce millésime sous-estimé, ce vin est arrivé à la première place. **SG**

AUTRES SUGGESTIONS
Autres grands millésimes
1982 • 1988 • 1990 • 1998 • 2000 • 2001 • 2003
Autres Saint-Émilion PGC classés B
Angélus • Beauséjour Duffau-Lagarrosse *Canon • Clos Fourtet*

Une cave de Beau-Séjour Bécot évoque le passé médiéval et religieux du lieu. ➜

Beaux Frères
Pinot Noir

Origine États-Unis, Oregon, Willamette Valley
Type vin rouge sec, 14,2 % vol.
Cépage Pinot noir
Millésime dégusté 2002, à boire jusqu'en 2015+
€€€

Les vins Beaux Frères se distingueraient par leur qualité intrinsèque même si Robert Parker Jr. ne comptait pas parmi leurs propriétaires. Le beau-frère de ce dernier et viticulteur, Michael Etzel, se consacre à la production de Pinot noir uniquement dans le but de refléter l'essence de ce cépage.

Le Ribbon Ridge est une petite sous-appellation de Willamette Valley, où le climat modéré est plus chaud et légèrement plus sec qu'au fond de la vallée. Il est formé de collines aux sols sédimentaires et argileux de la gamme des sols Willakenzie. Les sols d'une profondeur modeste ne sont pas particulièrement fertiles tout en étant plus riches et plus uniformes que les sols alluviaux et volcaniques des régions avoisinantes.

Ces sols, de type Willakenzie, produisent généralement des vins de fruits noirs, et les Pinots noirs Beaux Frères d'Etzel sont caractéristiques du genre avec leur palais intense de cassis et de mûres, enrichi de notes minérales et fumées. 2002 produisit des fruits profondément mûrs et donna le jour à un vin épicé à la structure affirmée, complétée par une acidité et une complexité développées. **LGr**

Château Belair

Origine France, Bordeaux, Saint-Émilion
Type vin rouge sec, 12,5 % vol.
Cépages Merlot 80 %, Cabernet franc 20 %
Millésime dégusté 1995, à boire jusqu'en 2020
€€€€

Les premières parcelles ont été achetées en 1916 par Édouard Dubois-Challon. À la fin des années 1970, madame Heylette Dubois-Challon décidait de confier la gestion de l'exploitation à un tout jeune œnologue, Pascal Delbeck, lequel a magnifiquement rempli son contrat, s'efforçant d'être toujours très attentif à l'environnement, même si le domaine ne respecte pas strictement les principes de la viticulture bio. La propriétaire est décédée en 2003 et a fait de Delbeck son héritier.

Les vignobles sont superbement situés, sur les versants des collines qui dominent la vallée de la Dordogne. Le style du Château Belair, toutefois, se démarque nettement de celui de ses illustres voisins. Plutôt que la puissance et la corpulence, Delbeck recherche avant tout la finesse.

Pour certains millésimes, le vin peut sembler austère, voire discret mais, en 1995, Delbeck a proposé un vin aux arômes de fumée, doté d'une texture soyeuse, d'une ample douceur fruitée et d'une longue finale. Au mieux de sa forme, Château Belair offre une alternative bienvenue aux meilleurs crus de Saint-Émilion, et ce encore dans vingt ans. **SBr**

Beringer *Private Reserve Cabernet Sauvignon*

Origine États-Unis, Californie, Napa Valley
Type vin rouge sec, 14,9 % vol.
Cépages Cab. Sauvignon 94 %, Cab. franc 6 %
Millésime dégusté 2001, à boire jusqu'en 2025+
€€€€

Beringer demeure la plus vieille entreprise vinicole en activité dans la Napa Valley. Lorsque le viticulteur en chef, Ed Sbragia, et son prédécesseur, Myron Nightingale, découvrirent une parcelle de vignes en 1977 qui promettait un éminent Cabernet, ils conservèrent cet extrait de côté pendant deux ans dans des fûts en chêne français pour les mettre en bouteilles en tant que premier millésime du Beringer Private Reserve (réserve privée).

Cette bouteille provient de ce qu'on appelle aujourd'hui le vignoble Chabot. Les baies du vignoble de St Helena, près du vignoble en question, fournissent des fruits riches, des tanins souples et une texture charnue ; le vignoble Bancroft Ranch, Rancho del Oso, et Steinhauer Ranch sur Howell Mountain, ainsi que Marsden sur Spring Mountain ajoutent encore l'intensité, la concentration et la structure propre au Cabernet.

Lors d'une dégustation en septembre 2004 des vins millésimés 2001 de la Napa Valley, le Private Reserve se distingua de ses concurrents : concentré, mais harmonieux ; mature, mais élégant et structuré ; complexe, viril et éclatant. **LGr**

Château Berliquet

Origine France, Bordeaux, Saint-Émilion
Type vin rouge sec, 13 % vol.
Cépages Merlot 75 %, Cab. franc 20 %, Cab. Sauv. 5 %
Millésime dégusté 2001, à boire jusqu'en 2020
€€€

Cette propriété est idéalement située sur le plateau et les collines non loin de Magdelaine, de Canon. Vers 1950, les vignobles diminuèrent et les vins furent produits par la coopérative. À la fin des années 1960, le propriétaire actuel, le vicomte Patrick de Lesquen, abandonna sa carrière de banquier à Paris pour diriger le domaine. Il convainquit la coopérative de construire une cave à Berliquet : le domaine passa au rang de grand cru classé en 1986.

Lesquen sait qu'il dispose d'un excellent terroir. Il quitte donc la coopérative en 1996 et engage Patrick Valette comme œnologue consultant en 1997. En dépit de ses 9 ha de vignes, Berliquet bénéficie de sols complexes et les talents de Valette servent à réaliser le meilleur assemblage qui soit. Lesquen recherche avant tout l'élégance avant la puissance, et le vin le prouve constamment depuis 1997. Même au cours des millésimes difficiles comme les 1997 et 1999, Berliquet a produit des vins raffinés. L'excellent 2000 est surclassé par le 2001, encore meilleur, dans lequel la richesse et le corps sont contrebalancés par une acidité vivace qui confère au vin longueur et équilibre. **SBr**

Biondi-Santi
Tenuta Greppo Brunello di Montalcino Riserva

Origine Italie, Toscane, Montalcino
Type vin rouge sec, 12,5 % vol.
Cépage Sangiovese
Millésime dégusté 1975, à boire jusqu'en 2015+
€€€€€

Biondi Santi est le nom qui se cache derrière le mythique Brunello, lui-même devenu l'un des trois principaux vins d'Italie. C'est Ferruccio, le grand-père du propriétaire actuel Franco Biondi Santi, qui « inventa » le nom Brunello en référence à ce clone de Sangiovese que l'on trouvait principalement dans les vignobles de Montalcino. Son fils, Tancredi, lança l'idée selon laquelle le Brunello di Montalcino était capable de durer cent ans.

Franco Biondi Santi se décrit lui-même comme un « conservateur et non comme un initiateur », bien que nul ne puisse nier la combativité qu'il manifesta face aux moqueries et aux résistances alors qu'il s'obstinait à préserver son style hautement traditionnel. Du haut de ses 80 et quelque années, il continue d'utiliser ses propres clones de ce qu'il nomme Sangiovese Grosso et d'exiger des cépages de Riserva issus de vignes d'au moins 25 ans ; il continue d'éviter le contrôle mécanique des températures lors de la fermentation et fait vieillir ses vins dans de larges fûts en chêne de Slavonie. Dans leur jeunesse, ces vins ont peu de charme et une structure telle en termes de tanins et d'acidité que l'on doute que le fruit arrivera à percer à travers cette austérité. Mais il y parvient, accompagné de toutes sortes d'arômes tertiaires subtils et brefs.

Le 1975 atteint sans doute son apogée dans sa 30e année passée, aussi extraordinaire et impressionnant que les vins élaborés par le père de Franco. **NBel**

AUTRES SUGGESTIONS
Autres grands millésimes
1925 • 1945 • 1955 • 1964 • 1982 • 1995 • 2001
Autres producteurs de Montalcino
Argiano • Case Basse • Costanti
Lisini • Pieve di Santa Restituta

Le domaine Biondi-Santi est la maison spirituelle du Brunello di Montalcino. ➡

Boekenhoutskloof
Syrah

Origine Afrique du Sud
Type vin rouge sec, 14,6 % vol.
Cépage Syrah
Millésime dégusté 2004, à boire jusqu'en 2014+
€€€

À l'international, le Boekenhoutskloof Syrah est sans doute le vin rouge le plus célèbre du Cap, depuis son lancement en 1997. Dans son pays, il fut déclaré « meilleur vin rouge » par plusieurs critiques et juges en 2006 ; quant au complexe vinicole, il fait partie des cinq plus importants du pays.

Les vignobles Somerset West, qui produisirent l'illustre premier millésime de Syrah, disparurent au profit d'un parc industriel. Contrecarré dans ses projets, le maître de cave, Marc Kent, se tourna vers d'autres terres. C'est un vignoble à bas rendement et à flanc de colline situé dans la région de Wellington qui produit les cépages depuis 1998, bien que la vinification et l'élevage soient effectués dans les caves Franschhoeck de Boekenhoutskloof.

Le nom hollandais du complexe signifie « ravin de hêtres du Cap », tandis que le nom français du cépage, communément appelé Shiraz en Afrique du Sud, a tendance a être utilisé là-bas pour les vins d'inspiration européenne – et comme le dit Jancis Robinson, celui-ci est une « Syrah délicieusement française ». Bien que sa demande et sa réputation le fassent accéder au rang de vin culte comme n'importe quel autre vin d'Afrique du Sud, il est le seul à utiliser de la levure indigène et du chêne qui ne soit pas neuf. Grand sans être audacieux (l'alcool substantiel étant magnifiquement équilibré et discret), mature quoique contenu et frais, il possède grâce et puissance et se révèle gorgé de fruits savoureux. **TJ**

L'entreprise vinicole se niche dans l'incroyable vallée Franschhoeck. ➔

Château Le Bon Pasteur

Origine France, Bordeaux, Pomerol
Type vin rouge sec, 13 % vol.
Cépages Merlot 80 %, Cabernet Sauvignon 20 %
Millésime dégusté 2005, à boire jusqu'en 2020
€€€€

Michel Rolland est si connu en tant que consultant international du vin qu'on oublie facilement que sa famille et lui possèdent plusieurs domaines établis sur la rive droite de Bordeaux. Le plus célèbre d'entre eux, Le Bon Pasteur, est situé à Pomerol et appartient à la famille depuis trois générations. Comme c'est l'usage à Pomerol, la propriété est très morcelée, bien que le château lui-même soit situé dans le hameau de Maillet, aux confins de l'appellation. Certaines des meilleures parcelles sont établies près de Gazin et de L'Évangile. Les autres terres sont plus sablonneuses. Les vignes sont vieilles et le style du vin des plus puissants.

Fait peu surprenant, M. Rolland applique ses techniques habituelles à son propre vin, soit des vendanges précoces et un égrappage sur le vignoble, ou des vendanges tardives au risque de récolter des baies trop mûres, un tri drastique une fois dans le complexe et des baies vinifiées en grains entiers. La technique bourguignonne du brassage des lies est utilisée pour le Merlot, et le complexe vinicole est équipé d'une presse verticale moderne. Au moins 80 % de chêne neuf sont utilisés pour l'élevage du vin, qui subit également sa fermentation malolactique dans des fûts en chêne neuf.

Il en résulte un vin riche et charnu, accessible et appréciable dans sa jeunesse, bien qu'il vieillisse convenablement à moyen terme. Le 2005 est particulièrement réussi, avec des arômes de cerises, de menthe et de chêne, tandis que le palais est à la fois voluptueux et très concentré. **SBr**

AUTRES SUGGESTIONS
Autres grands millésimes
1982 • 1985 • 1989 • 1990 • 1995 • 1998 • 2000 • 2001
Autres producteurs de Pomerol
La Conseillante • L'Eglise-Clinet • Lafleur
Petrus • Le Pin • Trotanoy • Vieux Château Certan

Le Bon Pasteur se situe à deux pas de la commune de Pomerol. →

Vous entrez
dans la C^{ne} de
POMEROL

POMEROL
et ses CHÂTEAUX

Ch Gazin

Ch Le Bon Pasteur

Ch Franc Maillet

Ch Thibeaud-Maillet

Henri Bonneau *Châteauneuf-du-Pape Réserve des Célestins*

Origine France, vallée du Rhône, Châteauneuf-du-Pape
Type vin rouge sec, 14,5 % vol.
Cépage Grenache
Millésime dégusté 1998, à boire jusqu'en 2013+
€€€€€

Décrit par Andrew Jefford comme «l'un des grands excentriques de droite du Rhône», Henri Bonneau est viticulteur depuis 1956, dans ses minuscules exploitations de la célèbre région La Crau de l'appellation Châteauneuf-du-Pape. Il réalise plusieurs cuvées différentes, sélectionnées selon leur qualité. Parmi ces dernières, l'on compte la cuvée classique Châteauneuf-du-Pape, la cuvée Marie Beurrier et enfin la cuvée Réserve des Célestins, que Bonneau nomme son «grand vin».

La Réserve des Célestins 1998 fut évaluée lors d'une dégustation mondiale de grands vins en 2006. Selon Stephen Browett de Farr Vintners: «Au nez, le vin ressemble exactement à du Banyuls. Très très mature et un Grenache doux qui laisse une impression d'alcool au nez. Sa bouche est semblable à son nez et si le titre est inférieur à 15 % je ne m'appelle plus Vintners.» Pour Franco Ziliani: «Le vin était déjà arrivé au bout de sa route.» Quant à Simon Field MW, il conclut par ces mots: «Une folie des grandeurs qui commence doucement à se fissurer…»

Comme le suggèrent ces commentaires de dégustateurs, les vins de Bonneau sont fortement idiosyncratiques et ne représentent pas forcément l'idée que chacun se fait d'un bon Châteauneuf-du-Pape. Mais la Réserve des Célestins, plus que tout autre vin de Bonneau, symbolise l'archétype d'un vin artisanal de petite production qui représente pour beaucoup l'idéal de la viniculture. **SG**

Récolte des grappes de Grenache à Châteauneuf-du-Pape. ➜

Bonny Doon
Le Cigare Volant

Origine États-Unis, Californie, Santa Cruz
Type vin rouge sec, 13,5 % vol.
Cépages Grenache, Syrah, Mourvèdre
Millésime dégusté 2005, à boire entre 2010 et 2020
€€€

Au milieu des années 1980, Randall Grahm, génial propriétaire du vignoble Bonny Doon, se dirigea vers un territoire français relativement méconnu. Si Grahm n'a pas inventé le goût de la Californie pour les assemblages du Rhône, il fut certainement l'un de ses artisans majeurs.

Son principal vin rouge Assemblage Rhône tire son nom d'une anecdote insolite française selon laquelle, en 1954, à l'apogée de l'hystérie des OVNI, les vignerons de Châteauneuf-du-Pape obtinrent le vote d'un arrêté municipal qui empêchait les « cigares volants » d'atterrir dans leurs vignobles.

La composition du vin change d'année en année, la Syrah et le Mourvèdre prenant parfois l'avantage sur le Grenache. Il en résulte généralement un vin au niveau extraordinairement élevé d'extrait et d'intensité épicée, comme c'est le cas avec le merveilleux millésime 2005. Ce dernier vous jette au nez une poignée de poivre noir avant d'exhaler des arômes de cassis et de prunes. Les tanins sont élégants quoique relativement austères, promettant ainsi un vieillissement agréable du vin, d'ici à 15 ans sans doute, voire davantage. **SW**

Bonny Doon
Vin Gris de Cigare

Origine États-Unis, Californie, Santa Cruz
Type vin rosé sec, 13 % vol
Cépages Grenache, Mourvèdre, Pinot n., Grenache bl.
Millésime dégusté 2006, boire le dernier millésime
€€

Le rosé sec de Bonny Doon est modelé sur ceux de Provence dont les petits rosés d'été portent le nom de vins gris. Rien de gris pourtant à la personnalité du Vin Gris de Bonny Doon. L'assemblage de cépages s'est altéré au fils des ans, mettant tantôt le Mourvèdre en exergue, tantôt le Grenache ; aujourd'hui, c'est le Grenache blanc qui ressort. Ce dernier ajoute une vigueur aromatique au vin qui confère aux arômes une note de pêche persistante.

Le vin est d'une sécheresse parfaite et dépourvu de la note flagrante de sucre résiduel souvent ajoutée pour favoriser le vieillissement des rosés. Il exhale de frais arômes de cynorhodon et de pastèque, et s'ouvre sur des notes plus substantielles de pêche et de framboise au palais. Il se distingue en outre davantage par une simple touche épicée, reflet des aromates poivrés de ces variétés de cépages du sud du Rhône telles que le clou de girofle, alliée à des senteurs généreuses d'herbes de Provence. Bien que destiné à être bu relativement jeune, le vin se maintient plusieurs années après le millésime. En raison de son prix plutôt honnête, il s'agit de l'un des rosés les plus prisés de Californie. **SW**

Borie de Maurel
Cuvée Sylla

Origine France, Minervois, La Lavinière
Type vin rouge sec, 14,5 % vol.
Cépage Syrah
Millésime dégusté 2001, à boire jusqu'en 2013+
€€

Farouche, extraverti et lyrique, Michel Escande est l'un de ces viticulteurs français tellement ivres de mots et d'idées qu'il semble parfois marcher sur les traces d'Arthur Rimbaud autant que sur celles de son maître déclaré, Jacques Reynaud de Château Rayas.

La gamme Borie de Maurel inclut deux assemblages composés de Grenache, de Syrah et de Carignan : Esprit d'Automne et Féline ; Belle de Nuit exclusivement composé de Grenache ; Maxime constitué de Mourvèdre à 100 % ; le blanc Cuvée Aude et enfin, un rosé issu pour moitié de Mourvèdre et de Syrah.

Composée exclusivement de Syrah, la Cuvée Sylla provient de parcelles établies à quelque 299 m. Les baies sont récoltées manuellement et soigneusement triées, puis fermentées en grains entiers. L'élevage se déroule sans adjonction de bois. Escande souhaite faire de ce vin l'une des plus pures et des plus aériennes grandes Syrahs du sud de la France, et c'est le cas : onctueux et léger, riche en fruits et aux arômes envoûtants, ses tanins sont comme des cumulus sur la langue. **AJ**

Borsao
Tres Picos

Origine Espagne, Aragón, Campo de Borja
Type vin rouge sec, 14,5 % vol.
Cépage Garnacha (Grenache)
Millésime dégusté 2005, à boire jusqu'en 2012
€

En Espagne, Aragón est le pays du Grenache, même si la France demeure le pays producteur des plus prestigieux et plus illustres vins de Grenache.

Pour tout Espagnol amateur de vin, le nom de Borsao évoque forcément quelque chose, même si l'entreprise vinicole était, dans les années 1980, appelée Cooperativa del Campo de Borja. Il est méritoire de maintenir des niveaux de qualité élevés, voire excellents, pendant plus de 20 ans, avec des volumes de production respectables et des prix bas. Les meilleurs vins de Borsao sont ceux dans lesquels le fruit peut s'exprimer pleinement : la marque Borsao et le récent Borsao Garnac ha Mítica sont passés maîtres du fruit onctueux.

Issue de vieilles vignes, l'extraordinaire cuvée Tres Picos marque une avancée qualitative phénoménale en matière de complexité et de concentration, sans renoncer à la subtilité et au caractère fruité. Il s'agit là d'un vin délicieux, savoureux, aux notes suggestives de sous-bois, long et frais grâce à sa saine acidité et à son alcool parfaitement intégré, qui exhale des arômes et des flaveurs croissant avec l'aération. **JB**

Boscarelli *Vino Nobile*
Nocio dei Boscarelli

Origine Italie, Toscane, Montepulciano
Type vin rouge sec, 14 % vol.
Cépages Sangiovese 80 %, Merlot 15 %, Mammolo 5 %
Millésime dégusté 2003, à boire jusqu'en 2018
€€€

Le domaine de Boscarelli fut fondé en 1962 et le premier Vino Nobile fut lancé en 1968.

La loi AOC concernant le Vino Nobile di Montepulciano fixe la proportion minimale de Sangiovese à 70 %, mais se montre davantage permissive avec les autres cépages. Avec une telle latitude laissée aux producteurs, il est difficile de savoir à quoi est censé ressembler un vrai Vino Nobile di Montepulciano : le Nocio dei Boscarelli peut servir de référence.

En dépit de la présence de Merlot, le terroir semble, dans le Nocio, primer sur l'expression variétale. Le millésime 2003 fut particulièrement chaud et sec, mais les désagréments de ce temps extrême ne sont pas détectables dans le vin. La robe peu profonde (caractéristique d'un vrai Sangiovese) revêt des teintes grenat sobres et introduit un nez de cerises aigres et de menthol, probablement dû au vieillissement en fûts de chêne. Buvez une gorgée et laissez-la conquérir votre palais ; la richesse veloutée parfaitement équilibrée n'est pas perturbée par les tanins secs qui ruinent de trop nombreux millésimes 2003, et soutient un palais agréablement complexe. **AS**

Bouchard Père & Fils
Clos-Vougeot Grand Cru

Origine France, Bourgogne, côte de Nuits
Type vin rouge sec, 13,5 % vol.
Cépage Pinot noir
Millésime dégusté 1999, à boire jusqu'en 2015
€€€€

Les Bouchard et la réputation de la maison vacillèrent au début des années 1990, et lorsque le producteur de champagne, Joseph Henriot, ancien président de Veuve Clicquot, sut que la maison était en vente, il sauta sur l'occasion. En 1995, le nouveau propriétaire de la maison s'attela immédiatement à rétablir la réputation de l'entreprise. Il investit lourdement dans les vignobles et fit construire à Savigny un nouveau complexe vinicole à écoulement par gravité.

Bouchard détient environ une parcelle de 0,4 ha de Clos-Vougeot, située dans la partie supérieure et rachetée par Henriot à Ropiteau-Mignon, ainsi qu'une parcelle plus en aval, près de la route nationale. La production se monte à quelque 2 000 bouteilles. Comme tous les grands vins Bouchard, le Clos-Vougeot est vieilli dans des fûts de chêne neufs à proportion maximale de 40 %. Le 1999 est exemplaire, avec ses arômes obscurs de cerises et de cire, et son palais somptueux, épicé, vigoureux et exempt de caractère râpeux. La finale longue et piquante laisse présager un vin au fort potentiel de garde. **SBr**

Le siège de Bouchard Père & Fils est établi dans le somptueux château de Beaune. ➜

Bouchard-Finlayson *Galpin Peak Tête de Cuvée Pinot Noir*

Braida *Bricco dell'Uccellone Barbera d'Asti*

Origine Afrique du Sud, Walker Bay
Type vin rouge sec, 14,2 % vol.
Cépage Pinot noir
Millésime dégusté 2005, à boire entre 2009 et 2015
€€€

Origine Italie, Piémont, Monferrato
Type vin rouge sec, 14 % vol.
Cépage Barbera
Millésime dégusté 1997, à boire jusqu'en 2015
€€€

Non loin de la pointe la plus au sud de l'Afrique, à quelques kilomètres de la mer, s'étend la vallée Hemel-en-Aarde, l'une des régions viticoles les plus fraîches du Cap.

La vallée a été étroitement associée aux variétés bourguignonnes pendant la période relativement courte de son existence dans le secteur de la viniculture moderne, tout comme Peter Finlayson, un viticulteur pionnier qui s'associa en 1990 avec Paul Bouchard, de la célèbre famille bourguignonne Bouchard Aîné & Fils. Finlayson possédait son expérience de la Bourgogne, mais le savoir-faire de Bouchard se révéla essentiel.

Les vins visent davantage le classicisme que l'exubérance fruitée. L'habituel Pinot noir Galpin Peak tient son nom de la montagne surplombant les vignobles; Tête de Cuvée est une sélection de fûts produits lors des meilleures années. L'année 2005 assura d'excellentes conditions de mûrissement, conférant ainsi un fruité concentré au vin. La jeunesse du chêne ne voile pas les notes de framboises et de cerises et la structure du cadre tannique et acide mène à une finale durable et sensuelle. **TJ**

Jusqu'à ce que Giacomo Bologna surprenne les critiques et les connaisseurs avec son Bricco dell'Uccellone, le Barbera d'Asti était considéré comme le vulgaire compagnon quotidien des dîners de nombreux Italiens du Nord-Ouest.

En étudiant les techniques des meilleurs viticulteurs français à la fin des années 1970, Bologna apprit comment la fermentation malolactique dans des cuves en bois pouvait adoucir l'acidité mordante du Barbera et ajouter les tanins dont est privé le cépage. Lors de l'édition 1985 de Vinitaly, la plus grande manifestation viticole annuelle du pays, Bologna présenta son Bricco dell'Uccellone 1982 et, en l'espace de cinq jours, la totalité des 9 800 bouteilles furent réservées. D'autres producteurs prirent acte de l'extraordinaire succès de ce vin et une révolution œnologique se mit bientôt en marche.

Bien que la plupart des Barbera d'Asti se consomment entre 3 à 5 ans, Bricco dell'Uccellone possède un fort potentiel de garde. Le millésime 1997, l'un des plus grands du siècle dernier, conserve toujours une remarquable fraîcheur, avec des tanins doux et soyeux et un fruité aux notes de réglisse. **KO**

Bricco dell'Uccellone compte sans doute parmi les Barbera d'Asti les plus raffinés. →

Château Branaire-Ducru

Origine France, Bordeaux, Saint-Julien
Type vin rouge sec, 13 % vol.
Cépages Cab. Sauv. 70 %, Merlot 22 %, autres 8 %
Millésime dégusté 2005, à boire entre 2012 et 2030
€€€€

Sur la route traversant Saint-Julien, il est aisé de manquer Branaire-Ducru situé en face du château Beychevelle, plus imposant. Le manoir de Branaire est plus modeste mais possède une prestance non moins engageante. Au XVIIᵉ siècle, les vignobles de Branaire faisaient partie du domaine de Beychevelle. Depuis sa séparation avec la maison mère, Branaire est passé entre de nombreuses mains, y compris celle des deux familles qui donnèrent leurs noms à la propriété. En 1988, le domaine fut racheté par Patrick Maroteaux qui investit lourdement dans cette entreprise, rénovant les bâtiments et les 48 ha de vignobles. Aidé du talentueux viticulteur et directeur Philippe Dhalluin, il limita les rendements et procéda à une sélection plus stricte en créant un second vin.

Sous Dhalluin et son successeur, Jean-Dominique Videau, le vin de Branaire ne cessa de gagner en puissance. En dépit de sa richesse et de sa force toujours croissantes depuis les années 1980, il a toujours conservé sa spécificité de Saint-Julien raffiné et équilibré. Branaire préserve une proportion importante de Cabernet Sauvignon à une époque où de nombreuses propriétés de Médoc augmentent leurs plantations de Merlot. Malgré sa structure tannique affirmée, le vin n'est jamais austère. Une caractéristique particulièrement perceptible dans un millésime tel que le 2005, où la richesse et le gras sont magnifiquement équilibrés par le tanin et l'acidité. **SBr**

Château Brane-Cantenac

Origine France, Bordeaux, Margaux
Type vin rouge sec, 13 % vol.
Cépages Merlot 55 %, Cab. Sauv. 42 %, Cab. franc 3 %
Millésime dégusté 2000, à boire jusqu'en 2030+
€€€

Cette élégante propriété de Margaux tient son nom du baron Hector de Brane, surnommé le « Napoléon des Vignes », qui l'a achetée en 1833. La propriété de 90 ha est maintenant la plus grande des cinq seconds crus de Margaux, mais c'est certainement les parcelles originales devant le château, sur la magnifique croupe de Cantenac, qui contribuent le plus à la classe, au charme, à la délicatesse et à la finesse du vin.

Ici, sur 30 ha, les vignes bénéficient d'une bonne circulation de l'air, d'un bon drainage et de la chaleur réfléchie par des sols riches sablo-graveleux, sur une profondeur pouvant aller jusqu'à 12 m. La propriété est dans la famille Lurton, une des plus grandes dynasties terriennes bordelaises, depuis 1925. Depuis qu'Henri Lurton a succédé à son père à la tête de l'exploitation, dans les années 1990, il est décidé à prouver qu'il mérite complètement sa cotation de second cru.

La plus grande dégustation de Brane-Cantenac jamais organisée (plus de 50 millésimes, certains de plus de 100 ans) a montré que ces vins ont une identité qui leur est propre et une qualité qui souvent surprennent dans le cas d'années moins bonnes. Ils sont cependant toujours dignes de la propriété et du millésime des grandes années, comme ce 2000, bien que seuls 27 % de la production soit passée dans le grand vin. Racé, clair, avec un bouquet vif, c'est un vin à la fois dense et élégant, souple au palais, avec des tanins fins et mûrs, une excellente transparence des flaveurs et une longueur raffinée. **NB**

Depuis le millésime 1964, Henri Lurton a augmenté la proportion de Merlot dans le vin. ➔

GRAND CR[U] [CL]ASSÉ EN [...]

CHÂTEAU

BRANE-CANTE[NAC]

MARGAUX

1964

APPELLATION MARGAUX CONT[...]

L. LURTON, PROPRIÉTAIRE A CANTENAC [...]

MIS EN BOUTEILLES AU CH[...]

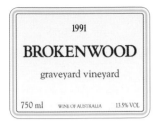

Brokenwood
Graveyard Shiraz

Origine Australie, Hunter Valley
Type vin rouge sec, 13 % vol.
Cépage Shiraz
Millésime dégusté 1991, à boire jusqu'en 2016+

€€€

Brokenwood fut fondée en 1970 quand trois avocats, James Halliday, Tony Albert et John Beeston achetèrent à Pobolkin une parcelle de 4 ha. Pendant plusieurs années, ils se salirent les mains avant de faire leur premier vin en 1973.

En 1978, Brokenwood acquit le vignoble voisin de Graveyard – 14 ha orientés vers l'est, avec un sol argileux rouge et lourd planté à l'origine en 1969. Il s'agit principalement de Shiraz et la première production sous la dénomination Graveyard date de 1983. La même année, Halliday se retirait de l'entreprise viticole.

Le Graveyard Shiraz n'impressionne pas par sa puissance ou sa concentration ; ce qu'il a de spécial, c'est sa manière de faire connaître ses origines en présentant invariablement les caractéristiques de la Hunter Valley, épices et cuir mêlés à une authentique longévité. 1991 fut une année de sécheresse et les vignes souffrirent du manque d'eau, ce qui explique peut-être la teneur en alcool relativement basse de ce vin. C'est une interprétation structurée et musclée du Graveyard qui continuera à évoluer pendant encore de nombreuses années. **JG**

Château
Brown

Origine France, Bordeaux, Pessac-Léognan
Type vin rouge sec, 13 % vol.
Cépage Cab. Sauv. 55 %, Merlot 43 %, P. Verdot 2 %
Millésime dégusté 2004, à boire jusqu'en 2014

Cette belle propriété doit son nom à John Lewis Brown, négociant écossais du XVIIIe siècle. En 1939, André Bonnel acquit Brown mais la viticulture fut abandonnée dans les années 1950 et le domaine ne put entrer dans la Classification des Graves de 1953 et 1959 ; on a donc affaire à un Pessac-Léognan ordinaire, sans le statut de Cru Classé.

La cuvée 2004 fut le premier vin produit sous les auspices de la famille Mau, négociants de Bordeaux qui, en partenariat avec la société hollandaise de vins et spiritueux, Dirkzwager, reprirent le domaine au mois de décembre de la même année. La vinification des vins rouges est supervisée par Stéphane Derenoncourt, qui travaille aussi aux Châteaux Pavie-Macquin, Canon-la-Gaffelière et La Mondotte.

L'influence de ce nouveau régime transparaît avec la cuvée 2004, mieux équilibrée et manifestant plus de profondeur que dans le passé. C'est un poids moyen plutôt qu'un poids lourd, dans un style subtilement terrien qui n'est pas dépourvu d'élégance.

Dégusté en janvier 2009, il se révélait plutôt tannique, suggérant ainsi que ce vin nécessite un vieillissement accru pour donner son maximum. **SG**

◄ Pompage dans une cuve de Brokenwood.

David Bruce *Santa Cruz Mountains Pinot Noir*

Origine États-Unis, Californie
Type vin rouge sec, 14,2 % vol.
Cépage Pinot noir
Millésime dégusté 2004, à boire jusqu'en 2012+
€€€

Le massif de Santa Cruz est une région de la Californie peu connue dont le vin est pourtant de grande qualité ; elle s'étire entre la ville de San Jose, au sud de la baie de San Francisco, et la ville côtière de Santa Cruz. Matins brumeux et chauds après-midi caractérisent cet ensemble très boisé et curieusement assez isolé de crêtes rocheuses et de vallées : la période de croissance est longue et sans à-coups.

Le cœur du domaine de David Bruce est une parcelle de 6 ha située à 640 m d'altitude et rarement enveloppée de brouillard. La réputation locale de Bruce tient à ce qu'il comprit bien avant tout le monde le potentiel du terroir de Santa Cruz Montains en matière de Pinot noir et de Chardonnay, principalement. Résultat, son Pinot Noir passe aux yeux de beaucoup pour le vin le plus accompli de la région.

Alliance de raisins de son domaine et de vignobles voisins, ce vin qui a passé quinze mois dans des barriques de nouveau chêne français est très parfumé, avec une concentration de fruits rouges et une discrète odeur de brûlé à laquelle s'ajoutent la noix de muscade et des soupçons de vanille. **DD**

Grant Burge *Meshach Shiraz*

Origine Australie, Australie-Mérid., Barossa Valley
Type vin rouge sec, 14 % vol.
Cépage Shiraz
Millésime dégusté 2002, à boire jusqu'en 2014+
€€€€

Grant Burge, viticulteur de la cinquième génération, possède les plus grands vignobles de Barossa. Il fonda sa célèbre société éponyme en 1988. Tous les rouges sont produits dans la cave d'Illaparra, à Tanunda, achetée par Burge en 1993.

Le Meshach Shiraz est fait en partie de raisins cueillis à la main dans le vignoble de Filsell, où les pieds de vigne furent plantés au début des années 1990. Burge produit aussi un vin issu de la vigne à cépage unique de Filsell, mais le Meshach est constitué en petite partie de fruits sélectionnés dans d'autres vieux vignobles de Barossa Valley. L'âge de ces vins est tel que le Meshach est fait de fruits d'une intensité et d'une puissance stupéfiantes, surtout quand Burge effectue des vendanges tardives pour assurer un maximum de maturité aux fruits.

Le Meshach 2002 est très bien coté. Avec une robe violet sombre, opaque, ce vin est puissamment structuré et offre une agréable fraîcheur. Hardi et exubérant par son style et d'une forte teneur en alcool, c'est un grand vin – riche, capiteux, au parfum de chêne. Il accompagne à merveille un filet de kangourou saignant. **SG**

Tommaso Bussola *Recioto della Valpolicella Classico*

Origine Italie, Vénétie, Valpolicella
Type vin rouge doux, 12 % vol.
Cépages Corvina/Corvinone 70 %, autres 30 %
Millésime dégusté 2003, à boire jusqu'en 2030+
€€€€€

L'origine de ce vin est très ancienne. Le Recioto est fait de raisins mis à sécher en petits tas sous les avant-toits de la cave parfois pendant 6 mois. Quand le processus d'appassimento est achevé, les grains ne pèsent plus que la moitié de leur poids d'origine. Ils sont alors si concentrés que le vin, lentement vinifié pendant plusieurs années, peut former une matière solide qui, sous forme de sucres, de phénols et de flavonoïdes, peut aller jusqu'à 30 % du poids total.

Tommaso Bussola est un des grands viticulteurs individualistes de Recioto. Il doit sa passion à son oncle, le viticulteur Giuseppe Bussola, ainsi qu'à son expertise dans la façon dont les raisins mûrissent sur les belles collines et terrasses du Valpolicella Classico. Il est aussi redevable envers le maître ès Valpolicella, Giuseppe Quintarelli, dont la propriété est visible depuis la nouvelle cave de Tommaso, à San Peretto. Le style de Tommaso est moins oxydant, moins éthéré que celui de Quintarelli, au fruit riche en cerises douces amères et en canneberges. Il comporte également de remarquables touches : herbes, fleurs, cèdre et, avec l'âge, viande, épices et même goudron. **NBel**

Ca' Marcanda *IGT Toscana*

Origine Italie, Toscane, Bolgheri
Type vin rouge sec, 14 % vol.
Cépages Merlot 50 %, Cab. Sauv. 25 %, Cab. franc 25 %
Millésime dégusté 2004, à boire jusqu'en 2012+
€€€

Angelo Gaja est sans conteste l'un des viticulteurs italiens les plus dynamiques et les plus controversés. En 1961, les viticulteurs et producteurs des environs le virent, à la fois choqués et amusés, reprendre la société familiale de Barbaresco et diminuer le rendement, puis, plus tard, utiliser des barriques pour faire vieillir ses vins rouges. Mais grâce à l'intérêt international suscité par les vins de Gaja, d'autres viticulteurs se mirent à l'imiter en reprenant ses techniques à but qualitatif.

En 1996, Gaja achèta 101 ha à Castagneto di Carducci, près de Bolgheri. Les cépages internationaux de rouge excellent dans cette région grâce aux conditions littorales favorables et à une terre que n'ont pas appauvrie des siècles de culture.

Le produit phare de Ca'Marcanda, le Magari (« si seulement »), est ainsi nommé pour refléter la coutume piémontaise de minimiser l'importance de ses propres actions. Le Magari est un assemblage de Bordeaux qui reflète la chaleur du soleil toscan. Le millésime 2004 est terrien, avec des fruits mûrs mais contenus, une acidité fraîche et des tanins assez doux. **KO**

Ca'Viola
Bric du Luv

Origine Italie, Piémont, Langhe
Type vin rouge sec, 14,5 % vol.
Cépages Barbera 85 % , Pinot noir 15 %
Millésime dégusté 2001, à boire jusqu'en 2015
€€€

Giuseppe Caviola est un jeune et talentueux vinificateur piémontais qui, en plus de sa propre production, conseille des producteurs dans toute l'Italie.

Son Bric du Luv 2001 est époustouflant, et ne risque guère d'être répliqué, car l'assemblage n'est plus le même. Le Barbera était majoritaire dans l'assemblage 2001, le reste étant du Pinot noir. En 2002, la production du Bric du Luv a été annulée suite à de mauvaises conditions climatiques, et à partir de 2003 le Pinot noir a été remplacé par une proportion encore plus petite de Nebbiolo (le Pinot noir destiné au Luv ayant été détourné pour un projet de charité sponsorisé par neuf producteurs de Langhe).

Bric du Luv 2001 est d'un rouge rubis profond avec quelques légères nuances violettes. Le nez bien articulé et complexe marie agréablement les arômes primaires de cerises, de framboises et de fraises, ainsi que des notes plus évoluées et joliment médicinales, proches de l'iode. Après un nez si séduisant, le palais risquait de décevoir et pourtant il n'en est rien. C'est un vin ample, puissant et délicieusement juteux jusqu'à la dernière goutte, sans jamais frôler le sirupeux. **AS**

Château
Calon-Ségur

Origine France, Bordeaux, Saint-Estèphe
Type vin rouge sec, 13 % vol.
Cépages Cabernet Sauvignon 60 %, Merlot 40 %
Millésime dégusté 2003, à boire entre 2012 et 2025
€€€€

Calon-Ségur se situe au nord de Saint-Estèphe et comprend 74 ha de vignobles ainsi qu'un superbe château et des jardins. Le cœur dessiné sur l'étiquette rend hommage à un propriétaire du XVIIIe siècle, Nicolas-Alexandre de Ségur, dont le cœur était à Calon même s'il possédait aussi Latour et Lafite. Après une période d'accalmie, les crus 1995 et 1996 virent leur changement de style très apprécié quand Mme Gasqueton prit la direction du domaine après la mort de son mari.

L'année 2003 laissa le souvenir d'un été exceptionnel : caniculaire en juin, il battit tous les records en août. Le temps chaud et ensoleillé plaît normalement au vin, mais pas à un tel degré, en ce qui concerne la plupart des Bordeaux. Le sol frais et profond de gravier sur argile de Saint-Estèphe permit à la vigne de résister à la chaleur torride et donna naissance à des vins d'un grand millésime. Le Calon-Ségur 2003 présente une formidable concentration en fruit et un parfum de cassis très marqué pour un Saint-Estèphe. Les tanins sont couverts d'une richesse de fruit qui devrait s'épanouir au cours des 10 ou 15 prochaines années. **JM**

Candido
Cappello di Prete

Origine Italie, Pouilles, Salente
Type vin rouge sec, 13,5 % vol.
Cépage Negroamaro
Millésime dégusté 2001, à boire jusqu'en 2013
€€€

Le domaine Francesco Candido est l'un des grands celliers familiaux du Sud de l'Italie, géré par Alessandro et Giacomo, troisième génération de Candido.

La propriété s'étire entre les provinces de Lecce et de Brindisi, dans ce qu'on appelle la plaine de Salente où le sol est calcaire mais assez riche en argile. Pendant la période de croissance, le climat se caractérise par des journées chaudes et des nuits assez fraîches, ce qui aide les raisins à conserver leurs arômes primaires ainsi qu'un bon taux d'acidité. Le principal cépage de Salente est le Negroamaro : son nom lui vient de la couleur très sombre des raisins et de la fin de bouche un peu amère du vin produit.

Le Capello di Prete 2001 permet de comprendre pourquoi le sud de l'Italie est devenu si prisé des amateurs. La robe est d'un rouge rubis vif, modérément intense, avec une touche de grenat. Le nez est chic : large, doux, riche mais élégant et complexe, avec un soupçon d'épices, de tabac et de fruits doux mis à tremper dans l'alcool. Au palais, il est rond et profond ; ses tanins sont abondants mais acceptables. Le vin s'attarde plaisamment sur le palais pour évoluer vers la persistance un peu amère. **AS**

Château
Canon

Origine France, Bordeaux, Saint-Émilion
Type vin rouge sec, 13 % vol.
Cépages Merlot 75 %, Cabernet franc 25 %
Millésime dégusté 2000, à boire jusqu'en 2025
€€€

Ce grand domaine fut racheté au milieu des années 1990 par les Wertheimer de New York, qui firent venir John Kosala, responsable du Rauzan-Ségla à Margaux, pour régler les graves problèmes qu'il rencontrait.

De nombreux pieds furent attaqués par le virus et Kolasa décida d'un vaste programme de replantation. Même s'il acheta quelques hectares de pieds anciens qu'il incorpora au domaine Canon, l'âge moyen des vignes reste assez bas, et il faudra des années pour que les vins retrouvent leur splendeur d'antan. Malgré tout, le changement de propriétaire déclencha une amélioration immédiate et le cru 1995 est très bon. Le Canon vieillit dans 65 % de chêne nouveau et la moitié de la récolte seulement donne un grand vin.

Les millésimes actuels présentent un corps moyen et ferme dans leur jeune âge, mais avec assez de fruit et de souplesse sous-jacente pour laisser présager d'un bel avenir. Le 2000 a une grande puissance et une richesse en parfums de cerises noires et de chocolat ; il devrait vieillir sans effort même si des millésimes inférieurs tel le 2004 montrent plus de charme et de finesse. **SBr**

Château Canon-la-Gaffelière

Canopy
Malpaso

Origine France, Bordeaux, Saint-Émilion
Type vin rouge sec, 13 % vol.
Cépages Merlot 55 %, Cab. franc 40 %, Cab. Sauv. 5 %
Millésime dégusté 2005, à boire jusqu'en 2025
€€€

Origine Espagne, Castille-La Manche
Type vin rouge sec, 14,5 % vol.
Cépage Syrah
Millésime dégusté 2006, à boire jusqu'en 2012
€

Graf Stephan von Neipperg savait précisément ce qu'il voulait en prenant la succession de son père, en 1985. Il rénova la cave et engagea un maître de chai aujourd'hui renommé, Stéphane Derenoncourt.

Il a fallu un certain temps pour restaurer des vignobles régulièrement agressés par les pesticides dans les années 1990, mais des traitements essentiellement organiques leur ont rendu la santé. Le Cabernet franc qui donnait autant d'élégance au vin a été scrupuleusement préservé. Neipperg a conscience que certaines parties de son vignoble, celles situées le plus bas, où le sol est plus sablonneux, sont de moindre qualité ; elles rentrent rarement dans la composition de son grand vin.

Par son style, le Canon-la-Gaffelière est un vin charnu mais charmant, souvent marqué par la fraîcheur du Cabernet franc. En même temps, il fait preuve d'une séduction qui n'est pas sans rapport avec l'utilisation généreuse de chêne nouveau. C'est un vin qui se présente bien quand il est jeune mais est certainement capable de vieillir. Le cru 2005 a ce mélange de fraîcheur et de succulence qui est la marque de l'excellence. **SBr**

Canopy est l'une des plus extraordinaires réussites du vin espagnol au cours des dernières années. Il a obtenu le succès dès ses débuts, quand, en 2004, Belarmino Fernández a fait équipe avec des associés pour mettre en place son propre projet, sous l'influence de son frère Alberto F. Bombín, restaurateur de renom, œnologue, écrivain, distributeur, acteur et homme de télévision.

Ils ont commencé par sélectionner les terroirs et les variétés les plus propices, en fixant leur choix tout d'abord sur des vignes de Grenache d'une quarantaine d'années et de Syrah, plus jeunes, à Méntrida, une des régions viticoles les plus anciennes au centre de l'Espagne, près de Madrid. L'appellation Méntrida produisait jusqu'à tout récemment essentiellement des vins de consommation courante. La région a toutefois tout ce qu'il faut pour produire de bons vins : un terroir bien particulier et de vieux vignobles.

Après l'excellent millésime 2005, Belarmino et ses associés ont réussi à obtenir une bonne définition du fruit avec la Syrah en 2006, année plus difficile. Le chêne a été utilisé de façon judicieuse avec pour résultat un vin rouge savoureux et puissant. **JB**

Le Château Canon-la-Gaffelière est l'un des meilleurs Saint-Émilion.

Celler de Capçanes
Montsant Cabrida

Origine Espagne, Montsant
Type vin rouge sec, 14,5 % vol.
Cépage Garnacha
Millésime dégusté 2004, à boire entre 2010 et 2020
€€€

La Celler de Capçanes est une coopérative moderne de la province de Tarragone. Elle fut fondée en 1933, mais ne mit pas en bouteilles ses propres vins avant 1979. Elle compte aujourd'hui 125 membres dont les 222 ha de vignobles produisent 2 millions de litres chaque année.

Son catalogue est riche – Mas Colett, Lasendal, Vall de Calàs et Costers del Gravet – et les prix très divers. Le Cabrida vient en tête de liste : il tire son nom de l'époque où les vignobles, trop en altitude et loin des villages, avaient été abandonnés et laissés aux chèvres (*cabra* en espagnol). Ce vin constitué à 100 % de Garnacha provient de vignes très anciennes (de 60 à 100 ans) poussant sur des versants et des terrasses riches en argile, granit et ardoise.

2004 fut un superbe millésime pour la région et l'un des meilleurs pour le Cabrida. Ce n'est pas un vin timide, mais sombre et puissant, où la forte influence du chêne a besoin d'un vieillissement en bouteille pour se dissiper. Au nez, les notes de fruits noirs, de chocolat et d'expresso sont suivies d'un palais riche, d'une bonne acidité et d'une belle fin en bouche. Il suffit de lui laisser le temps. **LG**

Villa di Capezzana
Carmignano

Origine Italie, Toscane, Carmignano
Type vin rouge sec, 13 % vol.
Cépages Sangiovese 80 %, Cab. Sauvignon 20 %
Millésime dégusté 1997, à boire jusqu'en 2015
€€€

Inconnue de nombreux amateurs, la région centre-nord de l'Italie produit depuis des siècles des *denominazioni* autres que le Chianti.

C'est le cas de Carmignano, petit bastion situé à l'ouest de Florence, où le Cabernet Sauvignon eut l'honneur d'être associé au Sangiovese local avant de devenir officiellement le compagnon du Chianti. Une vraie recherche de qualité de la part des viticulteurs vit le statut de DOC élevé à celui de DOCG en 1990. La famille Contini Bonacossi s'est imposée et son domaine de Capezzana est depuis longtemps le premier sur le marché de l'exportation.

L'altitude peu élevée des vignobles se traduit par des journées de maturation plus chaudes, de sorte que les vendanges du Capezzana s'effectuent deux semaines avant celles des vignes toscanes situées plus haut. Le cru 1997 est devenu légendaire. Il a donné des vins caractérisés par une riche robe, une surprenante intensité et une grande longévité. Villa di Capezzana a fait un vin qui met au premier plan la prune et le cassis, possède une concentration musclée et un équilibre tripartite parfait d'acidité, de tanin et d'alcool. **SW**

Arnaldo Caprai *Sagrantino di Montefalco 25 Anni*

Origine Italie, Ombrie, Montefalco
Type vin rouge sec, 14 % vol.
Cépage Sagrantino
Millésime dégusté 1998, à boire jusqu'en 2020
€€€

Il y a encore 30 ans, le Sagrantino poussait moins dans des vignobles que dans les jardins – quelques pieds à la fois seulement – pour donner un vin doux fait de grappes mises à sécher, connu aujourd'hui sous le nom de Sagrantino Passito.

Le Sagrantino ne fait l'objet de recherches que depuis le début des années 1990 quand la société d'Arnaldo Caprai pratiqua des expériences tant dans les vignobles que dans la *cantina* (cave). Assisté de l'illustre œnologue Attilio Pagli, Marco avait, et a toujours, l'intention de démontrer que le Sagrantino est l'un des grands cépages italiens.

Le vin supérieur qu'est le 25 Anni apparut en 1996, 25 ans après qu'Arnaldo acheta le domaine, avec l'objectif de remplir cette fonction. Le problème du Sagrantino, c'est son taux élevé de tanins, mais le travail de Caprai sur des clones et la gestion par Pagli du vieillissement en fûts de bois ont donné naissance à un cru qui, sans perdre la puissance et la concentration propres à l'original, permet de le boire toute l'année : c'est un rouge riche et structuré, qui affiche un large spectre aromatique – fruits frais ou secs, goudron, café et chocolat noir. **NBel**

Château Les Carmes-Haut-Brion

Origine France, Bordeaux, Pessac-Léognan
Type vin rouge sec, 13 % vol.
Cépages Merlot 55 %, Cab. franc 30 %, Cab. Sauv. 15 %
Millésime dégusté 1998, à boire jusqu'en 2015
€€€

Des carmélites furent propriétaires des lieux de 1584 à 1789. Au XIXe siècle, la propriété fut achetée par Léon Colin, dont les descendants devenus négociants fondèrent la société Chantecaille. Didier Furt entra dans cette famille par le biais du mariage.

Jusqu'à ce Furt prît les choses en main, les vins étaient produits dans les chais de Chantecaille, et l'une de ses premières tâches fut de construire une entreprise de vinification. Ici, le terrain est en pente douce et le drainage excellent, comme dans le Haut-Brion. Il y a moins de gravier, mais une bonne épaisseur d'argile sur un socle calcaire. Cette argile explique peut-être pourquoi le Merlot occupe plus de la moitié du domaine. Son autre particularité est la grande proportion de Cabernet franc et ses pieds anciens dont Furt est particulièrement fier.

Furt pense que le vin, vieilli dans 50 % de barriques neuves, est buvable relativement jeune mais peut certainement bien vieillir, ainsi que le démontre le 1998 avec ses arômes de cassis, sa texture lisse et riche, ses parfums de fruits noirs et de chêne, et sa belle fin de bouche. La quantité est limitée, pas plus de 24 000 bouteilles par an. **SBr**

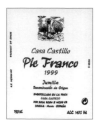

Bodegas Carrau
Amat

Origine Uruguay, Rivera
Type vin rouge sec, 14,5 % vol.
Cépage Tannat
Millésime dégusté 2002, à boire jusqu'en 2012
€€

Comparée à la cave traditionnelle de brique et de tuile installée à Las Violetas, au sud de l'Uruguay, celle de Cerro Chapeu est d'un modernisme étonnant et se dresse parmi des collines en forme de chapeau melon sur la verdoyante frontière nord-est avec le Brésil.

Les raisins proviennent d'une parcelle de 1,4 ha plantée en 1976 et tombent, après cueillette à la main et grâce à la gravité, dans un ensemble circulaire de petites cuves en acier inoxydable : cela permet un épluchage délicat des peaux afin d'extraire la couleur et le parfum sans ce tanin auquel pourrait aboutir un pompage mécanique. Toujours par gravité, le vin tombe dans des fûts neufs de chêne français ou américain ; il y passe une vingtaine de mois avant d'être mis en bouteilles sans filtration.

L'Amat est le produit riche et capiteux du premier cépage rouge uruguayen, le Tannat, avec des tanins adoucis par une croissance sur un sol sablonneux et un climat toujours chaud. Les tanins lisses inhérents au cépage sont renforcés par une vinification délicate qui allie une belle gamme de parfums de fruits rouges à un corps allant du moyen au plein. **MW**

Casa Castillo
Pie Franco

Origine Espagne, Murcie, Jumilla
Type vin rouge sec, 14,5 % vol.
Cépage Monastrell
Millésime dégusté 1999, à boire jusqu'en 2020
€€

Des vins comme le Pie Franco de la Casa Castillo nous ramènent des siècles en arrière, à cette époque où le Monastrell n'avait pas encore abandonné l'est de l'Espagne pour devenir, en terre étrangère, l'un des grands cépages de rouges sous les noms de Mourvèdre ou Mataró.

Permettre au raisin de s'exprimer, en le nourrissant avec un minimum d'intervention humaine, voilà ce qui caractérise le récent essor de l'industrie vinicole espagnole. De grands producteurs travaillent ainsi : c'est le cas de la famille Vicente, dont le produit le plus authentique et le plus exclusif est le Pie Franco. L'équilibre et l'harmonie du cru 1999 sont admirables et ce vin devrait atteindre son apogée vers 2015.

Les 174 ha détenus par Julia Roch e Hijos (nom de la société qui se cache derrière les vins de la Casa Castillo) se divisent en quatre parcelles. La plus ancienne est La Solana, plantée en 1941 avec du Monastrell non greffé (antérieur au phylloxéra), au rendement très bas et qui disparaîtra tôt ou tard car chaque année, un petit pourcentage meurt des conséquences du phylloxéra, même si le sol sablonneux ralentit le processus. **JB**

Casa Gualda
Selección C&J

Origine Espagne, Manche
Type vin rouge sec, 12,5 % vol.
Cépage Cencibel (Tempranillo)
Millésime dégusté 1999, à boire jusqu'en 2011
€

Au centre de l'Espagne, dans la province de la Manche, se situe le plus grand vignoble du monde avec 202 000 ha.

À Pozoamargo, la coopérative Nuestra Señora de la Cabeza fut fondée en 1958 par 135 membres assurant le contrôle global de 850 ha. C'est une entreprise moderne et dynamique, grâce au travail de son directeur, José Moiguel Jávega, et de son œnologue, Ana Martín Onzaín. Le choix des matières premières étant trop grand, ils décidèrent de sélectionner les meilleurs raisins, puis de faire fermenter, d'élever et de mettre en bouteilles les meilleurs vins sous le nom de Casa Gualda Selección C&J.

Il s'agit là d'un honnête Tempranillo, plus concentré que ce que l'on trouve habituellement dans la région, mais bien en accord avec les mets et d'une grande valeur. Le cru 1999 présente des arômes d'une belle intensité – fins, élégants et floraux, avec des fruits rouges, de la cannelle et du chêne légèrement fumé, facilement identifiables comme ceux du Tempranillo. Souple en bouche, où le fruit rouge réapparaît, il est à la fois ample et astringent avec des tanins légers et une bonne persistance. **LG**

Casa Lapostolle
Clos Apalta

Origine Chili, vallée de Colchagua, Apalta
Type vin rouge sec, 14,5 % vol.
Cépages Merlot et Carmenère 65 %, Cab. Sauv. 35 %
Millésime dégusté 2000, à boire jusqu'en 2015
€

Dès son arrivée au Chili au milieu des années 1990, Alexandra Marnier-Lapostolle passa un accord avec une famille de vignerons chiliens dont les vignes remontent aux années 1920. Leurs vignobles fournissent le fruit du Clos Apalta.

Les plus vieilles parcelles de Cabernet Sauvignon non greffé jouissent de leur propre amphithéâtre et retiennent ainsi la chaleur nécessaire à la maturation tardive du Carmenère et du Cabernet. Les raisins ne mûrissent pas trop tôt grâce à l'action des vents du soir plus frais, liés à la présence de la rivière Tinguiririca (Colchagua), et l'orientation plein sud des vignes. La nappe phréatique ne cesse de monter et de redescendre. Cela minimise le besoin d'irrigation tout en accentuant les efforts nécessaires en période chaude pour donner des raisins complexes et concentrés.

La température de fermentation légèrement inférieure à celle pratiquée dans le Bordelais empêche la richesse inhérente au raisin de prendre le dessus. En 2000, la maturation des tanins fut relativement lente, de sorte que les parfums dominants (cerise noire et cassis) sont contenus. **MW**

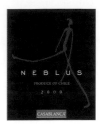

Viña Casablanca
Neblus

Origine Chili, Aconcagua
Type vin rouge sec, 13,2 % vol.
Cépages Cab. Sauvignon, Merlot, Carmenère
Millésime dégusté 2000, à boire jusqu'en 2012
€€

En 1996, pour son premier millésime, le Neblus était un vin blanc doux, à base de Chardonnay attaqué par la pourriture noble, visant à affirmer la réputation du Chili comme source idéale de tous les types de blanc. Mais dans la mesure où les principaux clients de Viña Casablanca, en particulier les Britanniques, réclamaient uniquement des blancs secs ou des rouges de type bordeaux que le Chili pouvait produire sans beaucoup d'efforts, le Neblus est devenu un rouge sec de première qualité.

Le Neblus possède les tanins rugueux, le croquant et la corpulence qui sont tout naturellement l'apanage des vins des régions fraîches dans un pays chaud. Les raisins, comme ceux de Casablanca Valley, ont fait l'objet de vendanges retardées de plusieurs semaines par rapport à la norme, alors que le climat doux et humide leur avait tout juste permis de prendre couleur. Cette pratique, qui serait vivement contestée dans le Bordelais, n'a rien d'extraordinaire au Chili surtout si, comme pour ce millésime 2000, elle permet aux meilleurs vignobles de bénéficier d'un mûrissement plus lent et de donner des vins plus complexes. **MW**

Cascina Corte *Dolcetto di Dogliani Vigna Pirochetta*

Origine Italie, Piémont, Langhe
Type vin rouge sec, 13,5 % vol.
Cépage Dolcetto
Millésime dégusté 2005, à boire jusqu'en 2012
€€€

La Cascina Corte fut construite vers 1700. Trois siècles plus tard, alors qu'elle était quasiment à l'abandon, Amalia Battiglia et Sandro Barosi la rachetèrent ainsi que les vieux vignobles qui l'entouraient. Ils firent appel à Beppe Caviola pour la vinification et à Giampiero Romana pour la viticulture.

Amalia et Sandro produisent également quelques bouteilles de Barbera et de Nebbiolo à partir d'un vignoble qu'ils ont planté en 2002, mais le village de Dogliani est renommé pour ses Dolcetto et c'est là-dessus qu'ils se concentrent. Ils fabriquent ainsi deux vins, un vin de base à partir d'un vignoble exposé au sud, et un cru, le Pirochetta, avec des pieds de 60 ans orientés à l'est.

Le Pirochetta 2005 est aussi savoureux qu'on pourrait le souhaiter. Sa robe d'un rubis profond présente de réelles nuances violettes. Au nez, il est sombre et fruité, avec une touche d'épices, alors qu'au palais l'impression de bouche pleine est équilibrée par une acidité plaisante qui réussit à persister de façon intéressante. **AS**

Castaño
Hécula Monastrell

Origine Espagne, Catalogne
Type vin rouge sec, 14,5 % vol.
Cépage Monastrell
Millésime dégusté 2004, à boire jusqu'en 2011+
€

Castaño et Yecla sont quasiment synonymes : en effet, depuis des années, les vins de la famille Castaño étaient les seuls à jouir d'une Denomicación de Origen de la province de Murcie, en Espagne. Elle cultive ses vignes depuis les années 1950 et c'est seulement dans les années 1970 qu'elle construisit une cave pour fabriquer ses propres vins.

La marque de fabrique des Castaño, c'est le Monastrell (Mourvèdre en France), qui donne des vins aussi réputés que le Bandol. En Espagne, ce cépage ne connut jamais la notoriété puisqu'il servait à fabriquer des vins de table, riches en couleur et en alcool. Le Monastrell représente 80 % de leurs 364 ha.

Hécula, leur vin « moderne » produit pour la première fois en 1995, peut être bu tout de suite ou garder cinq ou six ans en bouteille. 2004 fut une année exceptionnelle. Ce vin dense est d'un violet foncé et opaque. Le nez mêle fruits rouges et noirs (cerise, framboise, myrtille et mûre) et de nombreuses notes balsamiques aux arômes de sous-bois typiques de la Méditerranée, un peu d'écorce et un arrière-plan de chêne bien intégré. Il est souple, riche, dense, long et facile à boire. Son prix est imbattable. **LG**

Castello dei Rampolla
Vigna d'Alceo

Origine Italie, Toscane
Type vin rouge sec, 14 % vol.
Cépages Cab. Sauvignon 85 %, Petit Verdot 15 %
Millésime dégusté 1996, à boire jusqu'en 2030
€€€€€

Ce petit domaine produit des vins à partir de cépages élevés au cœur de la zone du Chianti Classico. La majeure partie des vignobles se situe dans le village de Panzano (Greve in Chianti). Ici, le sol est léger, assez calcaire, riche en pierres et assez pauvre en argile.

Le fondateur du domaine est le prince Alceo di Napoli Rampolla qui, en 1964, décida de transformer la vieille propriété familiale (1739) en une entreprise commerciale. Il fut l'un des premiers à promulguer le Cabernet Sauvignon dans la région de Panzano. Un peu bornés, ses voisins n'apprécièrent pas ses idées, mais durent finalement reconnaître qu'ils avaient tort. Son Sammarco (95 % de Cabernet Sauvignon, 5 % de Sangiovese) fut salué par les amateurs et les critiques dès sa sortie (1980). Le prince Alceo décéda en 1991 ; en 1996, ses enfants, Luca et Maurizia, honorèrent sa mémoire en produisant le premier cépage de ce qui est aujourd'hui le vin toscan le plus renommé.

Le 1996 est un classique qui vieillit superbement et présente au nez des arômes de cassis, de menthe et de crayon à mine de plomb. **AS**

Castello del Terriccio
Lupicaia

Origine Italie, Toscane, Bolgheri
Type vin rouge sec, 14,5 % vol.
Cépages Cab. Sauvignon 90 %, Merlot 10 %
Millésime dégusté 1997, à boire jusqu'en 2017
€€€€€

Castello del Terriccio, propriété de 43 ha du littoral toscan, à l'extrême sud de la province de Pise, est depuis 1922 dans la famille de l'actuel propriétaire, Gian Annibale Rossi di Medelana e Serafini Ferri. Il reprit l'affaire en 1975 et s'essaya à divers types de culture avant de décider dans les années 1980 de concentrer tous ses efforts sur la vigne et les olives.

En s'inspirant de ses voisins de Bolgheri et en engageant celui qui est peut-être le plus « international » des œnologues consultants de Toscane, Carlo Ferrini, le Dr Rossi choisit très vite de planter des cépages français. Sa première mission fut de faire un Cabernet Sauvignon susceptible de défier le Sassicaia et les crus classés du Bordelais, et ce fut vers le vignoble de Lupicaia qu'il se tourna pour produire les premières grappes. Par la suite, il opta pour un autre vignoble, à 800 m de là, mais le nom de Lupicaia (« le lieu des loups ») lui resta accolé.

Le Lupicaia est un vin de qualité supérieure, vieilli en fût et constitué de variétés d'importation. La mythique année 1997 fut chaude en Toscane mais, comme le dit Rossi, « le Seigneur nous a confié le maniement du robinet », ce qui signifie que la pluie est tombée au bon moment et pas pendant les vendanges. La robe est parfois élaborée mais le nez est expressif – framboise de Logan, cerise, eucalyptus et truffe. Au palais l'équilibre est excellent ; fruit, tanins, acidité et alcool forment un tout harmonieux. **NBel**

◄ Les vignes de Cabernet Sauvignon servent à l'élaboration du Lupicaia.

Castello di Ama *Chianti Classico Vigneto Bellavista*

Castelluccio *Ronco dei Ciliegi*

Origine Italie, Toscane, Chianti Classico
Type vin rouge sec, 14 % vol.
Cépages Sangiovese 80 %, Malvasia nera 20 %
Millésime dégusté 2001, à boire jusqu'en 2021
€€€€

Origine Italie, Émilie-Romagne
Type vin rouge sec, 13,5 % vol.
Cépage Sangiovese
Millésime dégusté 2003, à boire jusqu'en 2018
€€€

Depuis longtemps renommé pour ses vins, le hameau médiéval d'Ama tombé en ruine fut racheté par quatre familles romaines dans les années 1970. Elles transformèrent la propriété en un domaine viticole moderne qui, avec l'aide de Marco Pallanti, un des viticulteurs italiens les plus dynamiques, réussit très vite à produire des vins de renommée mondiale.

Pallanti choisit pour son Chianti Classico les meilleurs sites. Il expérimenta aussi des systèmes susceptibles d'améliorer encore la maturation. Ama fabrique aujourd'hui son produit phare, le Castello di Ama Chianti Classico, à partir de divers vignobles supérieurs, mais il donne aussi, les années exceptionnelles, un vin culte issu d'un vignoble à cépage unique, celui de Bellavista.

Rares sont les Chianti Classico à jouir d'une telle réputation. Apparu en 1978, le Vigneto Bellavista est une sélection des plus anciens pieds de la propriété. La maturation parfaite et l'âge du cépage engendrent une riche concentration de parfums alors que l'altitude, avec ses fortes différences de température entre le jour et la nuit, rehausse la complexité et les arômes exquis du vin. **KO**

Le domaine de Castellucio se situe à Modigliara, en Émilie-Romagne, où le sol est constitué d'épaisses couches de marnes calcaires, si denses et si lourdes qu'elles ne sont normalement pas appropriées à la culture de la vigne.

Pourtant, en 1975, quelques zones furent identifiées comme propres à la culture de cépages de haute qualité. Le propriétaire d'alors avait demandé à l'agronome Vittorio Fiore de lui prodiguer ses conseils. Ce dernier planta et géra les vignobles de Castelluccio en suivant des méthodes révolutionnaires pour l'époque.

Castelluccio produit des vins à partir de deux cépages seulement, le Sangiovese et le Sauvignon blanc. Le Ronco Dei Ciliegi est ainsi un 100 % Sangiovese. Son goût est en effet bien plus fruité. Le contour rude qui caractérise parfois les Chianti et les Brunello n'existe pas ici, mais l'élégance rustique du cépage est bien présente. Les tanins sont là lisses comme de la soie. Sa remarquable concentration et son équilibre parfait entre acidité et astringence subtile lui donnent de belles possibilités de vieillissement. **AS**

Castillo de Perelada
Gran Claustro

Origine Espagne, Catalogne, Costa Brava
Type vin rouge sec, 14 % vol.
Cépages Cab. Sauv., Merlot, Cariñena, Grenache
Millésime dégusté 1998, à boire jusqu'en 2012
€€€

Le château de Perelada a été racheté en 1923 par Miguel Mateu Plá, un industriel, dont le neveu, Arturo Suqué, a installé, dans les caves de l'ancien couvent des Carmes, son entreprise viticole qui dirige la DO Empordá-Costa Brava depuis sa fondation en 1975.

Une famille moins ambitieuse aurait pu se contenter des bénéfices produits par ses caves, son Blanc Pescador qui remporte un grand succès (5 millions de bouteilles par an) et d'autres vins bon marché produits en grands volumes. Mais dans les années 1990, ils ont racheté des parcelles privilégiées, amenant le vignoble à 150 ha, ont rénové les locaux et commencé à élever des vins expérimentaux, réussissant à créer une série de vins cultes appelés Ex Ex (Expériences Exceptionnelles).

Gran Claustro s'est montré sous son vrai jour dès le premier millésime en 1993. Avec un nom qui évoque le grand cloître du château, il est différent d'autres vins plus récents de ce producteur. Presque opaque, il présente un bouquet riche de notes balsamiques, de mûres, de cacao et d'humus. Au palais, il est très puissant, avec des fruits mûrs, des tanins riches et une finale prolongée. **JMB**

Catena Alta
Malbec

Origine Argentine, Mendoza
Type vin rouge sec, 14,1 % vol.
Cépage Malbec
Millésime dégusté 2002, à boire jusqu'en 2012+
€€

Les vignobles de Catena vont de 780 m dans l'Este Mendocino jusqu'à 1 500 m dans la vallée de l'Uco. L'altitude est importante : le Malbec élevé en hauteur mûrit plus lentement, préserve son acidité et présente des taux supérieurs d'anthocyanes et autres composés phénoliques suite à une plus forte exposition aux UV. Cela donne des vins plus intenses et plus colorés, à l'acidité plus fraîche.

Nicolás Catena a ouvert la voie en rehaussant le profil international du Malbec, cépage rouge le plus planté en Argentine. Il a initié un programme de recherches rigoureux pour tenter de comprendre les facteurs susceptibles de modifier les vins à base de Malbec. Le premier Catena Alta Malbec date de 1996. Il était issu à l'origine d'un vignoble à cépage unique du district de Lunlunta, Angelica, mais c'est maintenant un assemblage de cinq parcelles. L'association de différents sites aux caractéristiques bien précises donne son identité à l'Alta Malbec.

L'année 2002 fut plus chaude mais on y trouve toujours ce qui fait la qualité de ce vin, à savoir le raffinement et l'équilibre, mais aussi une grande personnalité. **JG**

Domaine Sylvain Cathiard
Vosne-Romanée PC Les Malconsorts

Origine France, Bourgogne, côte de Nuits
Type vin rouge sec, 13 % vol.
Cépage Pinot noir
Millésime dégusté 2000, à boire jusqu'en 2015+
€€€€

Les Malconsorts est un premier cru exceptionnel qui figure parmi les cinq ou six plus recherchés de ce niveau. N'importe où ailleurs qu'à Vosne-Romanée, il aurait été classé grand cru. Il se situe juste au sud de La Tâche, sur la même pente à mi-hauteur. Les vins ont une qualité constante dans tous les millésimes, avec une densité de fruit exceptionnelle dans un registre harmonieux. Les Cathiard sont propriétaires de 0,75 ha de la totalité (6 ha). Le grand-père de Sylvain, un enfant trouvé originaire de Savoie, était venu en Bourgogne et a travaillé aux domaines de la Romanée-Conti et de Lamarche, avant de s'acheter quelques parcelles de vignoble.

Sylvain Cathiard a remporté un succès exceptionnel en 2000. Lors d'une dégustation de plus de 200 vins de ce millésime deux ans après leur mise en bouteilles, Les Malconsorts de Cathiard a éclipsé tous les autres premiers crus et tous les grands crus sauf deux. Le vin est superbe, à boire quand il est jeune, il inonde le palais de fruits rouges mûrs. Il faudra plusieurs années avant que les arômes secondaires n'apportent un autre niveau de complexité, mais pour ceux qui sont patients, l'attente sera récompensée. **JM**

Cavallotto *Barolo Riserva Bricco Boschis Vigna San Giuseppe*

Origine Italie, Piémont, Langhe
Type vin rouge sec, 14,5 % vol.
Cépage Nebbiolo
Millésime dégusté 1999, à boire jusqu'en 2020+
€€€

Le petit village de Castiglione Falletto fait partie des trois communes dont la superficie globale est tout entière consacrée au Barolo (les 8 autres communes n'ont que quelques parcelles au sein de la DOCG). C'est également la zone de production la plus chaude, et le Barolo produit ici combine l'élégance de La Morra et la puissance de Serralunga.

Les Barolo de l'excellente propriété Cavallotto comptent parmi les premiers de la dénomination et le doivent à leur puissance, à leur grâce et à leur équilibre. Les caves et les vignobles sont installés sur la colline de Bricco Boschis. Avec 3,5 ha, au milieu de la colline, la Vigna San Giuseppe produit les meilleurs raisins ; le vin est mis en bouteilles séparément sous le nom de Riserva Vigna San Giuseppe. Des pieds vieux de 55 ans génèrent des parfums concentrés ; le sol donne au vin sa finesse et l'argile, sa longévité. Le microclimat quasi méditerranéen de ce cru renommé est propice aux plantes exotiques de la propriété (oliviers et bananiers).

La cuvée 1999, exceptionnelle, présente un bouquet ample, un équilibre impeccable et des parfums concentrés. Il continuera à bien vieillir longtemps. **KO**

Caymus *Cabernet Sauvignon Special Selection*

Origine États-Unis, Californie, Napa Valley
Type vin rouge sec, 13,5 % vol.
Cépage Cabernet Sauvignon
Millésime dégusté 1994, à boire jusqu'en 2014
€€€€€

Les vins de Caymus sont toujours sujets à controverse. Les amateurs en apprécient le fruit rond et mûr, la texture douce et veloutée. Les critiques perçoivent un excès de chêne et mettent le doigt sur un manque d'élégance et de finesse.

Les raisins destinés à ce grand vin poussent sur une banquette alluviale de 6 ha à l'est de Rutherford. Après la mort de son père, Chuck remit en question les pratiques vinicoles traditionnelles. Pendant tout le XXᵉ siècle, des lots sélectionnés, riches en fruit et en tanin, reçurent un traitement oxydatif avec un vieillissement en fût pouvant atteindre 4 ans. Pour la cuvée 2000, cependant, Chuck décida de prendre un fruit encore plus mûr, en dépit de la teneur en alcool plus élevée, et de réduire l'élevage à 18 mois pour ne pas masquer le fruité et rendre son produit accessible.

Le cru 1994 est un parfait exemple de son style premier. La période de croissance fut douce et longue, les vendanges tardives. Un exceptionnel mois d'octobre permit au raisin de connaître une pleine maturité. Au bout de 25 mois en fûts, le vin se révéla sombre, porté sur le fruit, épicé, d'une texture sensuelle – un classique pour les amateurs. **LGr**

Domaine du Cayron
Gigondas

Origine France, Rhône méridional, Gigondas
Type vin rouge sec, 14,5 % vol.
Cépages Grenache noir, Syrah, Cinsaut, Mourvèdre
Millésime dégusté 1998, à boire jusqu'en 2013+
€€€

Michel Faraud appartient à la quatrième génération de la famille qui cultive depuis 1840 cette propriété de 16 ha. Il travaille avec ses trois filles et ne produit qu'une seule cuvée avec 70 % de Grenache, le reste étant apporté par la Syrah et le Cinsaut, plus une touche de Mourvèdre. L'âge moyen des vignes est de 40 ans et le rendement volontairement peu élevé. Le vin passe de 6 mois à un an dans de vieux fûts et est mis en bouteilles sans filtration. La production annuelle avoisine les 600 000 bouteilles.

Le sol est très argileux de sorte que l'on voit souvent dans le Gigondas l'aspect plus masculin et moins subtil du Châteauneuf-du-Pape. Ce qui caractérise un bon Gigondas, c'est son arôme de sucre brun, à laquelle le Domaine du Cayron joint une note terreuse. Il faut ajouter à cela des odeurs de viande, de terre et d'herbes de Provence. Robert Parker, en particulier, admire cette «bombe fruitée, provençale et sensuelle» où il retrouve la réglisse, le kirsch, la fumée et l'encens.

C'est avant tout un vin destiné à accompagner un plat comme une daube parfumée à l'ail, au romarin et au thym. **GM**

Château du Cèdre
Le Cèdre

Origine France, Sud-Ouest, Cahors
Type vin rouge sec, 14 % vol.
Cépage Malbec
Millésime dégusté 2002, à boire jusqu'en 2016
€€€

En 1987, Pascal Verhaeghe et son frère Jean-Marc reprirent le domaine du Château du Cèdre fondé par leur père en 1956.

Cahors présente trois terroirs différents : graviers de rivière, terrasses argilo-calcaires et terres hautes de pur calcaire. Les vins du Cèdre réunissent toujours les deux premiers. « J'ai dû oublier mon a priori bourguignon, à savoir qu'un vin équivaut à un terroir. Ici, la notion bordelaise d'assemblage est mieux appropriée : la puissance vient des graviers, la finesse et le gras du calcaire argileux. » Le Cèdre est un pur Malbec et les vignes vieilles de 40 ans ont un rendement assez faible. Après triage et équeutage, le raisin est pressé en douceur. L'extraction est longue et lente, faite à la main, et la période de macération est de 40 jours. Le vin connaît une seconde fermentation (malolactique) dans le chêne et y séjourne 20 mois.

De couleur noire opaque, ce vin est surtout remarquable par la densité et la définition explosive de ses fruits fermes, presque amers sur le contour. C'est un Cahors dense, ambitieux, légendaire mais bien approprié au siècle nouveau. **AJ**

Domaine Chapoutier
Châteauneuf-du-Pape, Barbe Rac

Origine France, Rhône mérid., Châteauneuf-du-Pape
Type vin rouge sec, 15,2 % vol.
Cépage Grenache noir
Millésime dégusté 2001, à boire jusqu'en 2021
€€€€€

Michel Chapoutier admirait beaucoup le défunt Jacques Reynaud, du Château Rayas, dont les vins étaient prétendument constitués à 100 % de Grenache noir. Les Chapoutier détiennent à Châteauneuf 32 ha où ils produisent un vin durable à base de Grenache, La Bernardine. C'étaient des négociants du Rhône septentrional, mais leurs produits ne ressemblaient pas aux autres vins de marque de la région. Quand Michel et Marc Chapoutier héritèrent de leur père de l'affaire familiale, au début des années 1990, Michel s'employa à élaborer une cuvée de Barbe Rac 100 % Grenache en recourant aux plus vieux pieds de ce cépage, planté sur 4 ha de collines à l'ouest du village de Châteauneuf.

La première cuvée de Barbe Rac date de 1991. Depuis les Chapoutier sont passés à la biodynamie et bénéficient du soutien inconditionnel de Robert Parker. Le cru 2001 est accompli. Parker écrit qu'il sent « la garrigue, la réglisse, le kirsch, le cassis et le cuir de selle neuve » et lui accorde une durée de vie de 15 à 20 ans. Il accompagne à merveille une épaule d'agneau à la provençale. **GM**

Domaine Chapoutier
Ermitage Le Pavillon

Origine France, Rhône septentrional, Hermitage
Type vin rouge sec, 13 % vol.
Cépage Syrah
Millésime dégusté 1999, à boire entre 2010 et 2030
€€€€€

Michel Chapoutier est petit, dynamique et obstiné, et le terroir est son obsession.

Le terroir de l'Ermitage Le Pavillon occupe 4 ha aux Bessards et le socle granitique est recouvert de dépôts sédimentaires. On a ici affaire à un sol rougeâtre, décomposé et ferrugineux. Les pieds de Syrah ont en moyenne 65 ans et sont cultivés selon des méthodes biodynamiques ; avec les barriques venues remplacer les vieux fûts de châtaignier qui remplissaient la cave à l'époque du père, ce fut l'une des grandes innovations de Michel quand il prit les choses en main au début des années 1990.

Les viticulteurs ont plusieurs raisons pour passer à la biodynamie, entre autres exprimer plus clairement leur terroir, et Michel est allé jusqu'au bout de son raisonnement en produisant plusieurs cuvées personnalisées dont celle-ci est un exemple. Jeune, elle peut avoir un nez quasi floral, des parfums de sarriette, de café, de fumée ou encore de cerises noires, et une texture soyeuse. Le cru 1999 est dense et brillant, vigoureux et musclé, avec des parfums de goudron, d'herbes et d'olives noires, de la grâce et de l'équilibre, et une bonne fin de bouche. **MR**

Chappellet
Signature Cabernet Sauvignon

Origine États-Unis, Californie, Napa Valley
Type vin rouge sec, 15 % vol
Cépages Cab. Sauv. 80 %, Merlot 13 %, autres 7 %
Millésime dégusté 2004, à boire jusqu'en 2025
€€€

Des vignes furent plantées à Chappellet en 1963 et la propriété, une des plus anciennes de la région, fut rachetée en 1967 par Donn Chappellet. Les robustes Cabernets produits ici dans les années 1970 furent salués par la critique.

Le site est superbe. Le sol pierreux donne aux vins du concentré et l'altitude de 366 m préserve l'acidité. Le fils de Donn, Cyril, entreprit de ressusciter le domaine. Au début des années 2000, les vignobles étaient tous cultivés en biodynamie. Aujourd'hui, l'accent est mis sur le Cabernet Sauvignon, qui se comporte particulièrement bien dans cette partie de la vallée. Le Signature Selection est produit avec régularité mais il existe aussi une cuvée bien plus onéreuse appelée Pritchard Hill : les quantités sont très petites mais la qualité à peine supérieure à celle du Signature Selection.

Le cru 2004 est exceptionnel, avec des fruits noirs et une discrète odeur de fumée au nez. Plein de maturité, il présente un goût de mûres noires très ample sans pour autant être « poisseux ». Son juteux et sa vigueur excitent le palais. Là encore la belle persistance est marquée par le chêne fumé. **SBr**

Domaine Chave
Hermitage Cuvée Cathelin

Origine France, Rhône septentrional, Hermitage
Type vin rouge sec, 14 % vol.
Cépage Syrah
Millésime dégusté 1990, à boire jusqu'en 2025
€€€€€

Gérard Chave a pris sa retraite et confié les rênes à son fils Jean-Louis. La grandeur de son entreprise s'explique par de bonnes terres, des raisins mûrs et une construction méticuleuse. Dans les lieux-dits Diognères, Péléat, Beaumes, Les Bessards et Hermite, ses vignes jouèrent toutes leurs rôles dans l'élaboration du plus grand des Hermitage.

Chave voulait tirer le maximum d'un domaine petit mais gérable depuis une maison banale édifiée sur la route de Mauves, sur la rive gauche du Rhône. Les caves étaient recouvertes d'une vénérable moisissure pareille à de la barbe à papa qui ferait l'envie de bien des viticulteurs du Nouveau Monde. Après avoir racheté les terres à l'archéologue irlandais Terence Gray, il se retrouva à la tête de 16 ha sur la colline d'Hermitage, plus d'un autre à Saint-Joseph. Sa production annuelle avoisinait les 40 000 bouteilles.

Le critique américain Robert Parker déclara que la Cuvée Cathelin 1990 était la perfection même. Elle est décidément charnue : rôti de bœuf, petits cubes de lard fumé et poivre en abondance. Elle serait merveilleuse en accompagnement d'un bœuf braisé aux olives noires. **GM**

Château Cheval Blanc

Origine France, Bordeaux, Saint-Émilion
Type vin rouge sec, 13 % vol.
Cépages Merlot 55 %, Cabernet franc 45 %
Millésime dégusté 1998, à boire entre 2010 et 2030+
€€€€€

Le grand connaisseur qu'est Clive Coates dit du Cheval Blanc que c'est « le seul grand vin au monde fait en majeure partie de Cabernet franc ». L'encépagement de 1998 renverse la tendance avec plus de Merlot que de Cabernet franc.

Des vendanges précoces ont fait que le Merlot a été récolté avant les orages du 27 septembre. Le rendement global ne fut que de 32 hl/ha, ce qui donna un vin étonnamment riche et concentré. Comme on peut s'y attendre de la part d'un vin aussi exceptionnel, et même si l'on manque de recul, il suggère déjà une complexité épicée, proche du cèdre, avec ses notes de baies caractéristiques du Cheval Blanc.

Avec seulement deux ans de plus que le 2000, le millésime 1998 est déjà plus avancé et plus complexe. Le palais somptueux est empreint de retenue et d'élégance. S'il n'a pas la concentration du 2000, ses tanins plus fins se marient bien à sa texture veloutée et sa fin de bouche est merveilleuse. Comme le 2001 et le 2000, le Cheval Blanc 1998 voit sa teneur en alcool dépasser les 13 %. C'est un vin hors du commun qui, en se développant, devrait devenir aussi légendaire que le 1921 et le 1947. **SG**

Domaine de Chevalier

Origine France, Bordeaux, Pessac-Léognan
Type vin rouge sec, 13 % vol.
Cépages Cab. Sauv., Merlot, Cab. franc, Petit Verdot
Millésime dégusté 1995, à boire jusqu'en 2020+

€€€

Le vignoble est en bordure de forêt de pin des Landes. De fait, c'est l'un des vignobles les plus occidentaux, et donc les plus frais, de la région de Bordeaux. Ces conditions sont manifestement favorables pour le vin blanc de la propriété mais les raisins rouges, qui en constituent la plus grande partie, peuvent avoir du mal à mûrir. Mais ils finissent habituellement par arriver à maturité, encouragés par les soins diligents d'Olivier Bernard.

La fraîcheur relative de Chevalier signifie que le domaine ne produit pas de vins rouges lourds. Les meilleurs exemples de Chevalier rouge sont des miracles de finesse plutôt que de puissance. Leur délicatesse peut les amener à être sous-estimés dans leur jeunesse, mais souvent, en vieillissant en bouteille, ils prennent densité et poids. Curieusement, pour la vinification, Bernard utilise la méthode bourguignonne du pigeage (enfoncement du chapeau du moût en fermentation) plutôt que le procédé plus bordelais du remontage.

Le millésime 1995, très élégant, est particulièrement voluptueux, avec des arômes merveilleusement complexes de fumée de bois, de truffes, de tabac et de fruits rouges. Le fruité délicieux est équilibré par une acidité raffinée et bien que ce ne soit pas un vin charnu, il est retenu, complexe et magnifiquement charpenté. Il atteint sa parfaite splendeur au bout d'une douzaine d'années et se maintiendra beaucoup plus longtemps. **SBr**

Bouteilles du Domaine de Chevalier alignées pour une dégustation. ➜

DISTINCTI

Thin / Medium plus toast / Toasted he

CHIMNEY ROCK

Chimney Rock *Stags Leap*
Cabernet Sauvignon Reserve

Origine États-Unis, Napa Valley
Type vin rouge sec, 14,2 % vol
Cépages Cabernet Sauvignon, Merlot, Petit Verdot
Millésime dégusté 2003, à boire jusqu'en 2025+
€€€

En 1998, Sheldon «hack» Wilson et son épouse, Stella, achetèrent le golf de Chimney Rock sur la Silverado Trail, dans le district de Stags Leap, et transformèrent neuf trous en 30 ha plantés pour la plupart de Cabernet Sauvignon. La famille Terlato, associée puis unique propriétaire depuis 2004, a récemment converti les neuf derniers trous en vignobles.

Le fait de replanter après l'épidémie de phylloxéra qui frappa la Napa Valley dans les années 1990 a conduit Chimney Rock à se concentrer sur des vins rouges élaborés pour révéler un fruit doux et élégant. Les raisins sont égrappés mais pas écrasés et l'on ne se sert jamais de pressoir. En plus de l'élevage dans du chêne français (nouveau à raison de 50 %) destiné à mettre en valeur le fruit, cette méthode a permis à la texture des vins de devenir légendaire en leur accolant des adjectifs tels que «souples», «riches» ou «somptueux».

Le Cabernet Sauvignon 2003, issu d'une année plus fraîche, montre une structure soyeuse, élégamment fruitée et tannique, des parfums de cassis noir, de subtiles notes minérales et une acidité plus ferme que le 2002. **LGr**

Chryseia

Origine Portugal, vallée du Douro
Type vin rouge sec, 13 % vol.
Cépages Touriga Nacional, Touriga Franca, Tinta Roriz
Millésime dégusté 2005, à boire jusqu'en 2015
€€€

Chryseia est l'un des membres de la nouvelle vague de vins du Douro dont la teneur en alcool n'est pas augmentée et le premier d'une association avec un viticulteur intimement lié aux meilleurs Bordeaux – dans le cas présent Bruno Prats, ancien propriétaire du Clos d'Estournel

Seules les meilleures années sont commercialisées; le reste du temps, seul le second choix, Post-Scriptum, est élaboré. Les raisins sont originaires des vignobles escarpés de Quinta Vila Velha, Bomfim et Perdiz ainsi que de Vesuvio certaines années. Le vin est vinifié dans la cave ultramoderne de Quinta do Sol, en aval de Pinhão. Il est vendu par l'intermédiaire de négociants du Bordelais qui en assurent la disponibilité malgré des volumes peu importants.

Le cru 2005 est une version plus légère et plus élégante que le 2003 ou le 2004. Son parfum est nettement portugais, avec les arômes classiques du Touriga Nacional. Le cassis est supplanté par le cèdre et la vanille, et le parfum floral est caractéristique du Touriga Nacional. Ferme mais velouté, d'une structure tannique bien intégrée, il n'est qu'harmonie. **GS**

◧ Les vins de Chimney Rock vieillissent dans des barriques de chêne français.

Domaine Auguste Clape
Cornas

Origine France, Rhône septentrional, Cornas
Type vin rouge sec, 13 % vol.
Cépage Syrah
Millésime dégusté 1990, à boire jusqu'en 2015+
€€€€€

Parmi les grandes appellations de rouges du Rhône septentrional, Cornas est peut-être celle que l'on connaît le moins.

Les vignobles de cette propriété se situent sur des terrasses exposées plein sud, à l'abri du mistral. Le sol d'argile granitique est typique de la région. Tous ces facteurs contribuent à donner des raisins dont la maturation permet habituellement d'obtenir une teneur potentielle en alcool très élevée et une concentration quasi surnaturelle.

La vinification en cuves de fermentation en bois ouvertes est suivie de plusieurs opérations de pompage et de foulage destinées à maximiser la couleur et l'extraction phénolique ; le vin passe alors jusqu'à deux ans dans un mélange de gros foudres et de barriques plus petites. Dès la deuxième décennie, le superbe cru 1990 a acquis des arômes de fruits secs – figues et raisins – alliés aux forts accents de gibier que prennent les vins du Rhône arrivés à maturité. L'équilibre est parfait entre les tanins et le fruit ; il y a des soupçons de café et d'herbes, puis le vin conclut par une superbe fin de bouche. **SW**

Domenico Clerico
Barolo Percristina

Origine Italie, Piémont
Type vin rouge sec, 14 % vol.
Cépage Nebbiolo
Millésime dégusté 2000, à boire jusqu'en 2012
€€€€

Domenico Clerico mit son premier Barolo en bouteilles en 1979 et est l'un des membres fondateurs de l'école moderniste de Barolo. Ses amis et lui furent accusés par les producteurs plus traditionalistes de trahir la nature austère et aristocratique du Barolo, mais il ne prête pas attention aux critiques que suscitent ses vins riches en fruit et croit que l'usage modéré du chêne nouveau peut arrondir les bords rudes du Barolo et en rehausser le profil aromatique.

Le Percristina est originaire du vignoble du même nom, à 370 m d'altitude. Clerico l'acheta en 1995 ; certains pieds âgés de 56 ans contribuent à la riche concentration du vin.

Assez chaude, l'année 2000 fut très appréciée dans le Piémont, même si les vins présentent une acidité plus basse que la normale, équilibrée toutefois par des tanins veloutés. Les Barolo de ce millésime peuvent être appréciés plus jeunes mais ils continueront à se bonifier à moyen terme. Avec son parfum de cerises mûres et ses notes épicées, le Percristina a passé 25 mois dans des barriques neuves et continuera à vieillir pendant une décennie, même s'il est possible de le boire tout de suite avec plaisir. **KO**

Clonakilla
Shiraz/Viognier

Origine Australie, Nouvelle-Galles-du-Sud
Type vin rouge sec, 14,5 % vol.
Cépages Shiraz 94 %, Viognier 6 %
Millésime dégusté 2006, à boire jusqu'en 2016+
€€€

En 1971, l'Irlandais John Kirk acheta une exploitation de 18 ha proche du village de Murrumbateman, à 40 km au nord de Canberra, pour y planter 0,5 ha de Cabernet Sauvignon et autant de Riesling.

Pendant les années 1970 et 1980, le Cabernet et la Shiraz étaient assemblés selon la méthode traditionnelle australienne. Les vins du millésime 1990 furent mis en bouteilles séparément et Kirk comprit tout le potentiel de la Shiraz de Murrumbateman. Inspiré des vins de Marcel Guigal, assemblages de Shiraz et de Viognier, tous deux issus de vignobles à cépage unique, le Clonakilla intégra une petite proportion de Viognier à partir de 1992.

Mise en bouteilles seule, la Shiraz de Nouvelle-Galles-du-Sud se montre poivrée, avec de solides tanins, mais l'assemblage qu'est le Clonakilla profite de ce qu'il y a de meilleur dans les deux hémisphères et reflète ses origines climatiques assez fraîches. Qualifié d'«exceptionnel» dans la *Classification of Australian Wine* éditée par la société de vente aux enchères Langton, le millésime 2006 marque le 15ᵉ anniversaire de ce vin. Son seul rival en assemblage australien de Shiraz et Viognier est le Run Rig de Torbreck. **SG**

Comtes von Neipperg
Clos de l'Oratoire

Origine France, Bordeaux, Saint-Émilion
Type vin rouge sec, 13 % vol.
Cépages Merlot 90 %, Cab. Sauv. 5 %, Cab. franc 5 %
Millésime dégusté 1998, à boire jusqu'en 2015
€€

Après avoir remis sur pied le château Canon-la-Gaffelière, Stefan von Neipperg s'est tourné vers le Clos de l'Oratoire, que son père avait acheté en 1971. Les vignes sont plantées sur une pente argilo-calcaire recouvrant des sols plus sablonneux.

La viticulture est biologique, avec enherbement entre les rangs. La vinification est la même qu'à Canon-la-Gaffelière, avec fermentation en cuves de bois et pigeage. Neipperg et son conseiller, Stéphane Derenoncourt, augmentent le charme du vin en le faisant vieillir dans une grande proportion de fûts neufs.

Neipperg maintient des prix raisonnables car il sait que c'est un emplacement qui ne donne des résultats exceptionnels que les années chaudes, où le raisin peut arriver à maturité complète. Lorsque les années sont plus fraîches, ce qui est devenu rare, le Clos de l'Oratoire peut être moins réussi. 1998 a été une année magnifique et le vin a une richesse et une rondeur admirables, sans pour autant souffrir de lourdeur. Il a une bonne structure tannique et un merveilleux équilibre. C'était un plaisir de le boire dans sa jeunesse mais il a gardé ses fruits opulents et son élégance. **SBr**

Clos de Los Siete

Origine Argentine, Mendoza, vallée de l'Uco
Type vin rouge sec, 15 % vol.
Cépages Malbec 45 %, Merlot 35 %, autres 20 %
Millésime dégusté 2004, à boire jusqu'en 2020
€€

Michel Rolland a troqué sa technique de l'Ancien Monde contre un procédé consistant à filtrer le jus sur les peaux refroidies avant même le début de la fermentation. Cela permet d'extraire le parfum sans qu'il y ait trop de tanin. Laisser le vin rouge dans des barriques de chêne après fermentation peut étoffer les tanins et ajouter de la complexité aux parfums. Les raisins sont originaires des vignobles de Vistaflores, dans la vallée de l'Uco, non loin de Mendoza. Ils furent plantés par quelques-unes des plus grandes familles vinicoles.

Le travail de Rolland consiste à sélectionner les meilleures cuves pour parvenir à l'assemblage du Clos de Los Siete (« Club des sept »). Tout ce qui reste est utilisé par chaque investisseur pour faire sa propre marque. Le mariage du terroir de la vallée de l'Uco, qui favorise les vins présentant une acidité naturelle plus élevée que dans le reste de la région de Mendoza, et des contraintes œnologiques de Rolland donnent un résultat des plus alléchants. **MW**

Clos de Tart

Origine France, Bourgogne, côte de Nuits
Type vin rouge sec, 13,5 % vol.
Cépage Pinot noir
Millésime dégusté 2005, à boire jusqu'en 2030
€€€€

Le Clos de Tart (7 ha) a été créé au XIIᵉ siècle par l'abbaye de Tart et il est resté la propriété de l'Église jusqu'à la Révolution. Comme tant de propriétés de Bourgogne, le clos vivotait dans les années 1960 et 1970 mais depuis la nomination, en 1995, de Sylvain Pitiot comme régisseur, il connaît une renaissance.

Le Clos de Tart forme un carré de vignobles planté sur des sols argilo-calcaires qui jouissent d'un drainage exceptionnel. Pitiot a divisé les vignobles en plusieurs secteurs, d'où une large gamme de vins à partir desquels il forme son assemblage final.

Pitiot fait subir un éraflage mais n'écrase pas les grappes, il préfère une macération à froid d'une semaine, une fermentation avec levures naturelles ; les fûts sont conservés dans une cave très fraîche afin de retarder le plus possible la fermentation malolactique. Toute la récolte est vieillie en fûts de chêne neuf. Le millésime 2005 est typique du Clos de Tart dans ce qu'il a de mieux. On trouve dans son bouquet des cerises mais aussi un arôme de violettes, assez fréquent dans ce vin. La texture est veloutée, le fruit pur, mûr et concentré mais réservé, et une acidité fine, presque osée, maintient la finale très longue. **SBr**

Clos des Papes

Origine France, Rhône mérid., Châteauneuf-du-Pape
Type vin rouge sec, 13,5 % vol.
Cépages Grenache 65 %, Mourvèdre 20 %, autres 15 %
Millésime dégusté 2001, à boire jusqu'en 2020+
€€€

Dès 1896, le grand-père de l'actuel propriétaire, Paul Avril, a commencé à mettre en bouteilles du vin sous le nom de Clos des Papes. Aujourd'hui, Paul gère la propriété avec son fils Vincent. La propriété récolte son raisin dans 18 parcelles éparpillées sur 32 ha de Châteauneuf de premier ordre.

Le Châteauneuf rouge du Clos des Papes est un assemblage qui peut contenir jusqu'à 13 cépages différents, bien que l'accent soit mis sur le Grenache et le Mourvèdre. Le vin est vieilli dans des fûts dont 20 % seulement sont en chêne neuf, pour ne pas dominer le fruit. Avril a installé une «machine à brouillard» pour maintenir les vins en cours de maturation dans une atmosphère à haute humidité, même quand le mistral souffle dans la vallée du Rhône.

En raison de sa richesse, le Clos des Papes peut être consommé rapidement bien que les meilleures bouteilles soient à même de vieillir pendant une vingtaine d'années ou plus. Il commence à atteindre son apogée après environ 5 ans en cave, et il accompagnera agréablement l'agneau, le canard ou le gibier. **SG**

Clos Erasmus

Origine Espagne, Catalogne, Priorat
Type vin rouge sec, 14,5 % vol.
Cépages Grenache, Syrah, Cabernet Sauvignon
Millésime dégusté 1998, à boire jusqu'en 2025
€€€€

Dans les années 1980, Daphné Glorian travaillait dans le commerce du vin. Quand René Barbier et Alvaro Palacios décidèrent de s'installer à Priorat pour ressusciter cette région oubliée et invitèrent des amis à se joindre à eux, Glorian releva le défi.

Son Clos Erasmus est aujourd'hui l'un des vins cultes espagnols. Elle rechercha des terres où était pratiquée la culture sèche, de vieux pieds de Garnacha Tinta ayant poussé sur des pentes raides au sol ardoiseux, et planta aussi de la Syrah et du Cabernet Sauvignon. Ses barriques demeurèrent dans les caves de Barbier jusqu'en 2000, année où elle opta pour un espace qui lui était propre, le vieux théâtre de Gratallops qui avait abrité Palacios.

En 1989, premier millésime, tous les raisins furent mis à fermenter ensemble puis mis en bouteilles séparément, donnant ainsi naissance au nouveau Priorat. Près de dix ans plus tard, 1998 réunit tous les éléments à même de produire un Erasmus des plus impressionnants. La couleur est très profonde, proche du noir dans sa jeunesse, et l'arôme complexe: abondance de baies mûres, violette, herbe séchée et notes fumées dues au vieillissement en fûts. **LG**

Clos Mogador

Origine Espagne, Catalogne, Priorat
Type vin rouge sec, 14,5 % vol.
Cépages Grenache, Cab. Sauvignon, Syrah, autres
Millésime dégusté 2001, à boire jusqu'en 2016
€€€

René Barbier est, sans aucun doute, le père du Priorat moderne et, depuis 1989, le catalyseur de la renaissance des vins de cette région. Il fut le premier à croire vraiment à son potentiel et son enthousiasme contagieux convainquit d'autres viticulteurs de le rejoindre pour produire des vins de classe mondiale. Sa détermination rendit les choses bien réelles.

Barbier est le descendant de viticulteurs français établis dans la région de Penedès ; le nom René Barbier leur appartenait mais il fut vendu il y a longtemps de cela. Son vignoble, immense amphithéâtre d'ardoise surplombant la Siurana, accueille une diversité de cépages : ceux typiques du Priorat, mais aussi d'autres, inhabituels tels le Pinot noir et le Monastrell, qui donnent à son vin ce petit plus que n'ont pas les autres.

Parfois tannique, hésitant et réduit quand il est jeune, il ne se présente pas toujours très bien lors des dégustations à l'aveugle mais, avec le temps, ce n'est pas seulement un très bon vin pour le millésime, mais un très bon vin en général. Les grandes années comme 2001, il est encore plus resplendissant.

René junior travaille avec son père et a épousé une jeune femme du Clos Martinet (une des cinq appellations Clos d'origine). Et la tradition se poursuit puisqu'ils ont entrepris de faire du vin avec d'autres amis. **LG**

AUTRES SUGGESTIONS
Autres grands millésimes
1994 • 1998 • 1999 • 2004
Autres grands producteurs de Priorat
Clos Erasmus • Costers del Siurana
Mas Martinet • Alvaro Palacios

Le Clos Mogador est à l'origine du renouveau du vin de Priorat. ➜

Coldstream Hills *Reserve Pinot Noir*

Origine Australie, Victoria, Yarra Valley
Type vin rouge sec, 13,5 % vol.
Cépage Pinot noir
Millésime dégusté 2005, à boire jusqu'en 2012+
€€€

James Halliday et son épouse, Suzanne, créèrent en 1985 Coldstream Hills qui devint rapidement une des meilleures petites entreprises vinicoles australiennes. Bien que Coldstream Hills ait été vendue à Southcorp en 1996, Halliday en est toujours le consultant et continue d'habiter sur la propriété. Coldstream Hills est environ à une heure de route à l'est de Melbourne, dans la Yarra Valley. Elle est connue pour produire quelques-uns des meilleurs Pinots noirs et Chardonnays de toute l'Australie.

Constitué principalement de raisins provenant de la parcelle Amphitheatre A à bas rendement – versant escarpé faisant face au nord, planté en 1985 en contrebas de la cave et dont le vin est mis en bouteilles séparément depuis la cuvée 2006 –, le vin supérieur du domaine est le Reserve Pinot Noir et ses fruits méritent une attention toute particulière lors de la vinification. « Un pourcentage plus élevé de nouveau chêne français, un temps plus long passé en fûts et une sélection des meilleurs raisins placent au premier plan la structure de ce vin », explique Andrew Fleming, maître de chai de Coldstream Hills.

Le Reserve Pinot Noir n'est pas produit chaque année et ne dépasse jamais les 10 % de tout le Pinot noir de la propriété. Très apprécié, le Pinot noir australien présente de fortes caractéristiques variétales et jouit d'une durée en cave moyenne. Certains lui reprochent de caricaturer le Bourgogne mais, les meilleures années, c'est un parfait exemple de ce qu'un Pinot noir peut donner quand le climat est assez frais. **SG**

AUTRES SUGGESTIONS		
Autres grands millésimes		
1995 • 1996 • 1997 • 1998 • 2002 • 2004 • 2005		
Autres Pinots noirs de la Yarra Valley		
De Bortoli • Mount Mary		
Yarra Yering • Yering Station		

Coldstream Hills, une des plus belles entreprises vinicoles d'Australie. →

Colgin Cellars *Herb Lamb Vineyard Cabernet Sauvignon*

Origine États-Unis, Californie, Napa Valley
Type vin rouge sec, 15 % vol.
Cépage Cabernet Sauvignon
Millésime dégusté 2001, à boire jusqu'en 2025+
€€€€€

Une carrière dans les beaux-arts a permis à Ann Colgin d'apprendre ce que signifie l'expression « avoir du cachet »; il n'est donc pas surprenant qu'au moment de concevoir son vin éponyme elle fit le maximum pour obtenir le nec plus ultra en matière de vin.

La première production, en 1992, provenait exclusivement du vignoble Herb Lamb, parcelle de 3 ha que Herb et Jennifer Lamb avaient achetée en 1987. L'année suivante, ils plantèrent 2 ha de Cabernet Sauvignon sur un versant rocheux et escarpé. Les Lamb ont replanté plus de la moitié du vignoble, du Clone 7 greffé sur du 110R.

L'élaboration du vin est ultramoderne: ramassage très tôt le matin, double tri, trempage à froid, fermentation dans des cuves en acier inoxydable, pompage deux fois par jour, nouvelles fermentations et enfin de 30 à 40 jours de macération postfermentation. La fermentation malolactique s'effectue en fût. Les Colgin Cellars détiennent aujourd'hui deux autres vignobles, mais c'est toujours le Herb Lamb qui fixe les critères: il est homogène et d'une élégance exquise. **LGr**

Bodega Colomé
Colomé Tinto Reserva

Origine Argentine, vallée Calchaquíes
Type vin rouge sec, 14 % vol.
Cépages Malbec 80 %, Cabernet Sauvignon 20 %
Millésime dégusté 2003, à boire jusqu'en 2013
€€€

Établie en 1831 dans l'extrême nord de l'Argentine, la cave Colomé passe pour la plus ancienne du pays. Fondée probablement par le dernier gouverneur espagnol de la province de Salta, elle devint, suite à un mariage propriété de la famille Dávalos. À l'époque, les vins, particulièrement les rouges à base de Malbec, pouvaient être intenses mais d'un manque de consistance assez frustrant.

En juin 2001, les propriétaires de la Hess Collection Winery, en Californie, achetèrent cette propriété de 40 ha, dont 4 ha de pieds de Malbec et de Cabernet Sauvignon antérieurs au phylloxéra, plantés par la famille Dávalos au XIXe siècle et aujourd'hui composantes du Colomé Reserva.

Les précipitations sont extrêmement faibles de sorte que les vignes sont irriguées par des sillons. L'altitude, 2 743 m, fait de ce vignoble l'un des plus hauts du monde, avec une luminosité si vive que les raisins donnent des vins à la couleur intense, aux tanins ultra-doux, à l'acidité douce mais pas molle et aux parfums de fruits éclatants, pas seulement exotiques. Des fermentations relativement froides préservent l'envie de fraîcheur. **MW**

◄ Des rangées de vignes ininterrompues couvrent la Napa Valley.

Concha y Toro
Almaviva

Origine Chili, vallée de Maipo
Type vin rouge sec, 13,5 % vol.
Cépages Cabernet Sauv. 86 %, Carmenère 14 %
Millésime dégusté 2000, à boire jusqu'en 2012
€€€€

Philippine, fille du défunt baron Philippe de Rothschild, décida de suivre l'exemple paternel en combinant les ressources d'un pays viticole émergeant avec celui d'un autre, plus expérimenté. De cette union avec Concha y Toro, la plus grande cave chilienne, naquit Almaviva.

Avant que l'accord fut finalisé en 1996, les responsables de Concha y Toro en exploitaient déjà les meilleurs vignobles, ceux de la région privilégiée de Puente Alto, pour créer l'ossature de leur Don Melchor. La microvinification de petites parcelles leur laissait assez de raisin pour l'Almaviva et ils étaient certains de tirer le maximum de ce qui restait pour le Don Melchor.

La cuvée 2000 fut créée par le directeur technique de Mouton, Patrick Léon, et le Chilien de formation française, Enrique Tirado, maître de chai de Concha y Toro. Ce fut le premier millésime à fermenter et à vieillir dans les caves futuristes d'Almaviva, bien supérieur aux crus antérieurs. Le travail effectué les années précédentes dans les vignobles se sent bien en milieu de palais avec ses parfums de fruits juteux et ses tanins rappelant le chêne. **MW**

Château
La Conseillante

Origine France, Bordeaux, Pomerol
Type vin rouge sec, 13 % vol.
Cépages Merlot 80 %, Cabernet franc 20 %
Millésime dégusté 2004, à boire entre 2012 et 2030
€€€

Le Château La Conseillante se distingue des autres, à Pomerol tout au moins, en ce qu'il a depuis 1871 le même propriétaire, la famille Nicolas, originaire de Libourne. Depuis 2004, le directeur et maître de chai est l'énergique Jean-Michel Laporte, qui a su préserver, voire améliorer, des critères de qualité très anciens.

Même si La Bienveillante impressionne jeune, il lui faut 10 ans pour révéler tout son attrait sensuel, ses arômes de truffe et de réglisse, sa texture veloutée, son fruité, sa longueur en bouche et son équilibre parfait. Jeune, le 2004 a des arômes marqués de cerise noire et une forte emprise tannique sous une texture svelte mais, comme les autres millésimes, il évoluera merveilleusement bien pendant des années, voire des décennies. Pour certaines raisons, ce vin est sous-évalué par certains critiques, ce qui signifie que, même s'il n'est pas bon marché, les prix pratiqués sont loin d'être déraisonnables vu sa qualité et sa constance. **SBr**

Les vins de La Conseillante sont réputés pour leur grande stabilité. ➡

Contador

Origine Espagne, Rioja
Type vin rouge sec, 14 % vol.
Cépage Tempranillo
Millésime dégusté 2004, à boire jusqu'en 2020
€€€€€

Le projet personnel de Benjamin Romeo, le Contador, a pris son essor vers la fin des années 1990 dans une petite propriété d'une quinzaine d'hectares, avec une limitation auto-imposée de la production à 20 000 bouteilles. Les premières années de Romeo ici ont coïncidé avec ses dernières années à Artadi, où il a travaillé comme œnologue pendant quinze ans.

Bien qu'il n'y ait pas de documents permettant de soutenir la réputation des rouges de Contador (appelés Contador, Cueva del Contador et La Viña de Andrés), ils parlent pour eux-mêmes chaque fois qu'une bouteille est débouchée. Si l'on peut croire que certains vins jeunes peuvent vraiment valoir plusieurs centaines de dollars la bouteille, le Contador 2004 (mais ne passez pas à côté de l'excellent 2005) doit faire partie de cette catégorie. C'est un grand vin, avec des tanins fermes mais soyeux, une vivacité brillante, une excellente expression fruitée, une sensation voluptueuse au palais, le tout enveloppé d'une élégance suprême. **JB**

Giacomo Conterno
Barolo Monfortino Riserva

Origine Italie, Piémont, Langhe
Type vin rouge sec, 14 % vol.
Cépage Nebbiolo
Millésime dégusté 1990, à boire entre 2010 et 2040+
€€€€€

Le millésime 1990 fut parfait dans le Piémont grâce à un été chaud et sec, avec juste assez de pluie et un rendement naturellement bas. Le Barolo Monfortino de Giacomo Conterno de ce millésime est sans conteste l'un des plus grands vins italiens, renommé pour sa structure héroïque et son potentiel de vieillissement exceptionnel.

Les années 1990 furent plus que délicates pour les vignerons italiens en général et ceux de Barolo en particulier : les traditionalistes furent en effet critiqués pour leur attachement aux techniques d'antan. Cela n'empêcha pas Giovanni Conterno de faire vieillir son Monfortino 1990 pendant 7 ans dans de grands fûts de chêne. Il rejeta systématiquement les barriques françaises plus petites qui avaient tendance à adoucir le caractère complexe du Barolo.

Le Monfortino 1990 s'est imposé comme la quintessence de la puissance et de la classe ; il est plein de jeunesse avec ses tanins fermes mais soyeux et son acidité tonifiante. Caractéristiques de ce vin, les sensations de réglisse, de menthe et de nuances florales évoluent en verre, mais il lui faudra encore des années afin d'atteindre son apogée. **KO**

Conterno Fantino
Barolo Parussi

Origine Italie, Piémont, Langhe
Type vin rouge sec, 14 % vol.
Cépage Nebbiolo
Millésime dégusté 2001, à boire jusqu'en 2012+
€€€

Cousins par alliance, Guido Fantino et Claudio Conterno fondèrent en 1982 leur entreprise, Conterno Fantino, travaillant d'abord les biens paternels de Monforte avant d'acquérir des vignobles bien à eux.

Conterno est partisan d'une viticulture rationnelle : il ne recourt qu'aux apports biologiques et plante entre les rangées haricots et autres légumes pour préserver l'équilibre naturel. Fantino est responsable de la cave où, après plusieurs années d'expérimentation, il confia à des barriques neuves la fermentation malolactique et le vieillissement.

Le vignoble de Parussi constitue l'un des plus beaux sites de Castiglione Falletto et Conterno Fantino y loua des terres de 1997 à 2001. Grâce à son sol calcaire plus léger, Parussi fournit des Barolo élégants aux tanins plus doux par comparaison avec les Barolo plus musclés de Monforte. Le Parussi 2001, le dernier mis en bouteilles par Conterno Fantino avant que les propriétaires des vignes ne reprennent leurs terres, est bien structuré mais raffiné avec des fruits mûrs et des tanins doux. On peut l'apprécier jeune, mais il devrait bien se comporter avec 10 ans d'âge. **KO**

Contino
Viña del Olivo

Origine Espagne, Rioja
Type vin rouge sec, 13,5 % vol.
Cépages Tempranillo 95 %, Graciano 5 %
Millésime dégusté 1996, à boire jusqu'en 2020+
€€€€

Fondée en 1973, la maison Contino produit des vins issus de ses seules vignes : elle fut pionnière en ce domaine dans une région où l'assemblage était la norme.

Le style était assez révolutionnaire pour le milieu des années 1970 : couleur plus sombre, davantage de fruit, chêne français plutôt qu'américain, Tempranillo complété par un peu de Graciano (presque disparu à l'époque mais aujourd'hui ressuscité, en partie grâce à Contino).

Le Viña del Olivo fut élaboré pour la première fois en 1995. Contino voulait s'essayer à des techniques telles que la fermentation malolactique en fûts neufs. Il choisit un vignoble, planté une vingtaine d'années plus tôt sur un versant crayeux et donnant de tout petits fruits. Et après vingt-quatre mois en fûts, un Rioja nouveau et légendaire vit le jour.

En 2000, le cru 1996 fut élu meilleur vin d'Espagne par les plus grands œnologues espagnols. De couleur sombre, complexe, élégant au nez, aux parfums de fruits rouges mûrs et de cuir neuf, et aux notes épicées et balsamiques, ce vin est goûteux et riche en bouche. Il devrait vieillir superbement. **LG**

Coppo
Barbera d'Asti Pomorosso

Origine Italie, Piémont, Monferrato
Type vin rouge sec, 14 % vol.
Cépage Barbera
Millésime dégusté 2004, à boire jusqu'en 2015
€€€

La famille Coppo est dans le commerce du vin depuis le début du xxᵉ siècle, mais ce sont les petits-fils du fondateur qui s'orientèrent vers une production de Barbera de très haute qualité.

La sagacité des quatre jeunes frères leur permit de prédire ce que seraient les tendances de demain. 1984 vit la naissance du Barbera Pomorosso, qu'ils firent vieillir dans de petites barriques de chêne français. Jadis méprisé, le Barbera devint la fierté de toute la région pour bénéficier aujourd'hui de la reconnaissance qui lui est due.

Le Pomorosso, Barbera haut de gamme de Coppo, vieillit 15 mois en barrique et offre un bouquet complexe de cerises mûres et de mûres auquel s'ajoutent des notes subtiles de liqueur de cerise, de chocolat, d'expresso et de vanille. Après les curiosités des années 2002 et 2003, 2004 fut une cuvée classique pour le Piémont avec des Barbera débordant de fraîcheur et de structure. Le Pomorosso 2004 est un sublime Barbera d'Asti, somptueux mais élégant, avec une bonne acidité et des tanins veloutés, suffisamment structurés pour que le vin vieillisse encore de nombreuses années. **KO**

Coriole
Lloyd Reserve Shiraz

Origine Australie, Australie-Méridionale, McLaren Vale
Type vin rouge sec, 14 % vol.
Cépage Shiraz
Millésime dégusté 1994, à boire jusqu'en 2012
€€€

La maison Coriole fut fondée en 1967 par Hugh Lloyd et sa femme, Molly, et c'est toujours une affaire familiale que dirige aujourd'hui leur fils, Mark.

Le Lloyd Reserve est le fleuron de Coriole. Bien que gorgés et plus que mûrs, les raisins évitent le goût de Porto, l'excès d'alcool ou le caractère de fruits morts parce que les grappes ne sont jamais mises à mal ni cueillies trop tard. Ce vin provient d'un seul vignoble ; tout près de la cave, des vignes furent plantées en 1919 sur un sol pauvre, légèrement orienté à l'est et relativement frais, ce qui explique l'élégance du vin.

La fermentation avec chapeau, les remontages et la décision de presser se font à la dégustation. Le vin achève sa fermentation en cuve avant d'être transféré dans du chêne – 100 % français de nos jours. Le cru 1994, excellent millésime pour le vin rouge, a été élaboré pendant la période de transition du chêne français au chêne américain (50 % de chaque). Le viticulteur Simon White dit que le meilleur moment pour boire le Lloyd Reserve se situe entre 10 et 15 ans d'âge : le parfum d'algues et d'iode typique de la région de Seaview se sera alors bien affirmé. **HH**

Corison *Cabernet Sauvignon Kronos Vineyard*

Origine États-Unis, Californie, Napa Valley
Type vin rouge sec, 13,8 % vol.
Cépage Cabernet Sauvignon
Millésime dégusté 2001, à boire jusqu'en 2025
€€€€

Comme nombre de ses collaborateurs, Corison désirait concevoir un vin qui lui fût personnel, « à la fois puissants et élégants ».

C'est la banquette alluviale où poussent ses vignes qui donne à son vin ce caractère si particulier. Ce terreau graveleux de Bâle contient un faible pourcentage d'argile capable de stocker l'eau nécessaire à la croissance du Cabernet Sauvignon. Corison fait en sorte que ses vignes produisent « des fruits violets, rouges, bleus et noirs » riches en tanins. Élégants et sensuels, les Cabernets de Corison ne sont pas des vins « de gros calibre » : ils sont nerveux sans manquer de fruit frais et indiquent au palais leur provenance de cette subtile « poussière de Rutherford ».

Corison possède le vignoble de Kronos depuis 1996. Sur ce sol plus pierreux que celui des autres vignobles, les raisins conservent leur acidité naturelle, ce que Corison recherche pour donner structure et longévité à ses vins. Le Kronos 2001, vieilli dans du chêne français nouveau à raison de 50 %, est plus discret que les vins au style ou au millésime plus ou trop impressionnant, mais avec sa structure ferme, il respire l'élégance et l'énergie. **LGr**

Matteo Correggia *Roero Ròche d'Ampsèj*

Origine Italie, Piémont, Langhe
Type vin rouge sec 14,5 % vol.
Cépage Nebbiolo
Millésime dégusté 1996, à boire entre 2010 et 2025+
€€€€

Plus que tout autre vin peut-être, le Ròche d'Ampsèj de Matteo Correggia résume avec précision les rêves et la passion d'un homme. Les collines raides, sableuses de son Roero natal ont pendant longtemps été considérées comme inférieures au Barolo et au Barbaresco, et ses vins, à partir de Nebbiolo et d'Arneis n'étaient pas à la mode. Matteo a compris que la région ne manquait de rien, sauf d'investissements. Il n'y avait pas assez de cuves inox et de chêne neuf, et les rendements étaient beaucoup trop élevés.

Décidé à améliorer le profil de la région, et armé d'une parcelle de 3 ha de Nebbiolo de 25 ans, avec une densité de plantation importante, Matteo a réduit les rendements et introduit le chêne neuf. L'amélioration a été aussi rapide que spectaculaire et ce régime intransigeant a attiré l'attention de la presse ; en 1996, Ròche d'Ampsèj avait déjà remporté la médaille la plus recherchée d'Italie, celle du Tre Bicchiere. C'est en grande partie grâce aux efforts de ce seul homme, qui a trouvé la mort dans un tragique accident en 2001, que le Roero s'est fait un nom et a été promu au rang de DOCG en 2005. **MP**

Cortes de Cima
Incógnito

Origine Portugal, Alentejo
Type vin rouge sec, 14,5 % vol.
Cépage Syrah
Millésime dégusté 2003, à boire jusqu'en 2018
€€

COS
Cerasuolo di Vittoria

Origine Italie, Sicile, Vittoria
Type vin rouge sec, 14 % vol.
Cépages Nero d'Avola, Frappato
Millésime dégusté 1999, à boire jusqu'en 2012
€€

Cortes de Cima, l'un des plus grands domaines de la région ensoleillée de l'Alentejo, fut fondé vers la fin des années 1980 par Hans et Carrie Jorgensen.

La Syrah, un des principaux cépages de cette région, était illégale à l'époque où fut planté le vignoble, de sorte qu'ils donnèrent à leur vin le nom d'Incógnito. Depuis la première récolte, en 1998, c'est devenu une référence pour l'Alentejo, au point de devenir culte au Portugal.

L'Incógnito 2003 est le résultat d'une année où l'excès de chaleur dilua la maturité phénolique du raisin sans toutefois exercer d'effets négatifs sur le vin. Les vendanges eurent lieu sous un ciel immaculé, ce qui donna un vin dense et mûr, extrêmement séduisant, mais également empreint de sérieux. Même si ses origines climatiques chaudes se reflètent dans la maturité du fruit, c'est un vin qui se situe entre le Barossa et le Rhône septentrional, dirons-nous, bien que plus proche de l'italien que du français. Vieilli pendant 8 mois dans du chêne mi-français mi-américain, il devrait s'assagir au bout d'un an ou deux passés en bouteille et se boire agréablement pendant de nombreuses autres années. **JG**

En 1980, trois copains d'école de Vittoria, au sud-est de la Sicile – Gianbattista Cilia, Giusto Occhipinti et Giuseppina Strano –, décidèrent de faire un vin issu des vignobles de leurs parents pour tuer le temps avant d'aller à l'université. Avec un budget plus que serré, ils foulèrent au pied les raisins dans une ancienne cave et les mirent à fermenter dans une vieille cuve en béton. Ce faisant, ils ressuscitèrent la DOC Cerasuolo di Vittoria plutôt mal en point et s'inscrivirent au nombre des pionniers de la renaissance du vin sicilien.

Vers la fin des années 1980 et au début des années 1990, Occhipinti et Cilia visitèrent la Californie et furent un temps influencés par les méthodes de vinification qu'on y pratiquait, puis ils revinrent sur leurs positions, recyclant des barriques et utilisant des fûts de formats différents.

COS insiste sur le fait que la vinification doit être aussi naturelle que possible, évitant le traitement chimique des vignes et les levures cultivées en cave, avec un vin rouge mis en bouteilles sans filtration. Le Cerasuolo di Vittoria 1999 est terrien et riche, avec un fruit doux et une longue finale minérale. **KO**

Château Cos d'Estournel

Origine France, Bordeaux, Saint-Estèphe
Type vin rouge sec, 13 % vol.
Cépages Cab. Sauv. 58 %, Merlot 38 %, autres 4 %
Millésime dégusté 2002, à boire entre 2010 et 2025
€€€

Le domaine fut fondé au début du XIXe siècle. La famille Ginestet l'acquit en 1917 et, suite à un mariage, il échut à la famille Prats. En 1998, Bruno Prats revendit la propriété, mais son fils, Guillaume, en est toujours l'administrateur, et la continuité semble assurée.

En général, les vignobles de Saint-Estèphe sont bien plus argileux que ceux de Pauillac, mais Cos d'Estournel fait exception et son sol graveleux ressemble fortement à celui des grands crus de Pauillac. En revanche, on trouve beaucoup plus de Merlot à Cos d'Estournel qu'à Pauillac. Sans lui, le vin serait plus rugueux et tannique parce qu'il modère le Cabernet très structuré que produisent les sols. De par son style, le vin est somptueux et concentré, profond de couleur et de goût, plus élégant que de nombreux Saint-Estèphe. Enfin, il vieillit bien.

Le cru 2002 ne fut pas excellent dans tout le Médoc mais il l'est ici, avec des arômes chauds et chocolatés issus de l'importante proportion de chêne nouveau, une ample succulence et une fin de bouche longue et somptueuse. **SBr**

Andrea Costanti
Brunello di Montalcino

Origine Italie, Toscane, Montalcino
Type vin rouge sec, 14 % vol.
Cépage Sangiovese
Millésime dégusté 2001, à boire jusqu'en 2020
€€€

Si le Brunello 2001 mérite quatre étoiles, c'est que cette année fut exceptionnelle pour les sites les plus élevés de la dénomination. Là, dans sa zone de production d'origine, le Sangiovese peut connaître une élégance et un raffinement sans précédent : c'est le cas du domaine des comtes de Costanti, installé à Colle al Matrichese. Ce cru fut si exceptionnel que Costanti parvint même à fabriquer une petite quantité de Riserva, la première depuis la grande année 1997.

Tito Costanti fut l'un des premiers à vinifier le Sangiovese in purezza à la fin du XIXe siècle : il donna à son vin le nom de Brunello. Le comte Emilio développa les réalisations de son ancêtre et mit pour la première fois en bouteilles son Brunello dans les années 1960.

Andrea Costanti reprit l'affaire en 1983 ainsi que la tradition familiale d'un Brunello de qualité exceptionnelle. Costanti a engagé l'œnologue consultant Vittorio Fiore et, en mariant tradition et innovation ou en recourant à des barriques d'âge et de dimensions diverses, les deux hommes produisent des vins à la fois parfumés et gracieux. **KO**

Costers del Siurana
Clos de l'Obac

Origine Espagne, Priorat
Type vin rouge sec, 13,5 % vol.
Cépages Garnacha, Cariñena, Syrah, autres
Millésime dégusté 1995, à boire jusqu'en 2015
€€€€

Il s'agit là de la propriété de Carlos Pastrana et de son épouse, Mariona Jarque, enfants du pays. Le nom de la cave, Costers del Siurana («rives de la Siurana»), fait référence à la rivière qui traverse la région.

La famille s'est mise au travail vers la fin des années 1970, récupérant des vignobles pratiquement abandonnés, plantant de nouveaux cépages et restaurant des bâtisses historiques comme le Mas d'en Bruno. Ils n'utilisent que des cépages issus de leurs propriétés, avec des vignobles où l'on a pratiqué la culture sèche, ni pesticides ni produits chimiques et vinifient toujours les mêmes variétés de cépages propres à chaque vignoble pour différencier les vins – Kyrie blanc, Miserere rouge, Dolç de l'Obac doux et, surtout, Clos de l'Obac rouge.

Le Clos de l'Obac diffère quelque peu des autres Priorat en ce qu'il a tendance à présenter davantage de finesse mais moins de couleur ou de concentration – un Priorat élégant. Le 1995 en est certainement le meilleur exemple. Avec une abondance de notes balsamiques, minérales ou de garrigue, il a un corps plein mais bien équilibré et élégant. **LG**

Couly-Dutheil
Chinon Clos de l'Écho

Origine France, vallée de la Loire, Touraine
Type vin rouge sec, 13,5 % vol.
Cépage Cabernet franc
Millésime dégusté 2005, à boire jusqu'en 2020+
€€€

Dans cette région où la plupart des viticulteurs ne possèdent qu'une poignée d'hectares, Couly-Dutheil s'impose avec ses 91 ha, sans compter son service «négociant» qui en détient 30 autres. La masse de la production de Couly-Dutheil est somme toute banale: c'est un vin de table de bonne qualité, qui n'a rien d'exceptionnel. Heureusement, il y a le Clos de l'Écho, beau lieu-dit de 16 ha orienté plein sud sur un sol argilo-calcaire, non loin du château de Chinon. Les vins vieillissent dans des cuves en acier inoxydable au sein de tunnels creusés dans la falaise.

Jeunes, des vins tels que le 2005 sont charnus, riches en parfums de fruits noirs, forts en tanins et marqués d'une pointe d'acidité de sorte qu'il leur faut au moins 5 ans pour s'exprimer pleinement. Les parfums charnus s'adoucissent, le fruit noir se fait plus aromatique, le tanin s'affine et l'acidité favorise la fraîcheur. À titre d'exemple, un Clos de l'Écho 1952 a un nez élégant avec de discrètes touches de foin, de champignons et de plantes des sous-bois. Le palais est doux, avec une note de cuir et de framboise. La fin de bouche est un peu courte mais c'est encore un vin très alerte au bout de 50 ans. **KA**

Viña Cousiño Macul *Antiguas Reservas Cabernet Sauvignon*

Origine Chili, vallée de Maipo
Type vin rouge sec, 13,5 % vol.
Cépage Cabernet Sauvignon
Millésime dégusté 2003, à boire jusqu'en 2018
€€

L'Antiguas Reservas de Cousiño Macul fut produit pour la première fois en 1927. À la limite sud-est de la ville, les vignobles d'origine sont parmi les meilleurs de la vallée de Maipo. Le développement de la ville et le manque d'eau poussèrent la famille Cousiño à quitter les lieux et à s'installer près de Buín en 1996.

Ce déménagement ne sonna pas le glas, bien au contraire. L'ajout de nouveaux vignobles et la création d'une cave où les cuves de fermentation sont soumises à un strict contrôle de la température donnèrent des vins plus propres, plus mûrs, mieux équilibrés: l'environnement de la cave de Santiago n'était propice ni à des vendanges effectuées au bon moment ni à un stockage hygiénique.

Depuis 2002, l'Antiguas Reservas s'est imposé comme le meilleur Cabernet Sauvignon chilien grâce à son fruit noir expressif, son tanin fin mais généreux et sa teneur en alcool raisonnable. C'est peut-être parce que la cave demeura toujours une affaire de famille que les Cousiño améliorèrent leur vinification, préférant la méthode française consistant à exagérer l'extraction, le vieillissement en chêne et la tarification. **MW**

Craggy Range *Syrah Block 14 Gimblett Gravels Vineyard*

Origine Nouvelle-Zélande, Hawke's Bay
Type vin rouge sec, 13 % vol.
Cépage Syrah
Millésime dégusté 2005, à boire jusqu'en 2013+
€€€

À la fin des années 1980, l'industriel australien Terry Peabody décida de s'intéresser à la production vinicole. Steve Smith lui conseilla d'acheter la dernière parcelle disponible de Gimblett Road, à même de produire des vins de grande qualité. L'appellation Gimblett Gravels couvre 810 ha plantés de vignobles à raison de 95 %; elle est strictement délimitée par le sol graveleux déposé par la Ngaruroro River après les inondations de 1860.

Craggy Range investit énormément et produisit ses premiers vins en 1999 à partir des vignes de Marlborough et de Hawke's Bay. La vinification est assurée par deux unités situées dans la région de Hawke's Bay, la Giant's Winery, dominé par le mont Te Mata, et la magnifique cave SH501.

Même si Craggy Range produit du Merlot et du Pinot noir de grande qualité, c'est la Syrah qui l'emporte haut la main. Le cru 2005 est d'un violet profond et visqueux qui évoque un vin de grande consommation, cependant Craggy Range donne à ses vins une touche de légèreté qui les maîtrise remarquablement. Le nez, ténébreux, évoque le caractère parfumé et épicé de la Syrah. **SG**

Cullen *Diana Madeline Cabernet Sauvignon Merlot*

Origine Australie, Australie-Occidentale, Margaret River
Type vin rouge sec, 14 % vol.
Cépages Cabernet Sauvignon 75 %, Merlot 25 %
Millésime dégusté 2001, à boire jusqu'en 2025
€€

Le Dr Kevin et Di Cullen plantèrent en 1966 les premières vignes expérimentales de Margaret River. En 1981, une décennie après avoir fixé les vignobles actuels à Wilyabrup, Di planta les premiers pieds de Merlot et de Cabernet franc d'Australie-Occidentale, ouvrant ainsi la voie à l'assemblage à la bordelaise qui constitue le produit phare de Cullen.

Un autre maître de chai dynamique lui succéda en 1989 : sa fille Vanya. Sous sa direction, les vignobles furent certifiés biologiques en 2003 et biodynamiques en 2004. En 2000, Vanya remporta le prix Qantas du meilleur viticulteur de l'année. Le jury dit de son assemblage de Cabernet Sauvignon et de Merlot que c'était «simplement le plus grand vin de ce style jamais conçu en Australie».

Ce vin doit son imposante structure et son intense concentration de fruits noirs, de mûres et de prunes à des vignes à faible rendement, cultivées à sec sur un sol pauvre, de la terre de fer graveleuse mais bien drainé. La méthode originale de treillage qu'est le Scott-Henry et une manipulation minimum en cave expliquent la finesse typique de ses tanins.

Le millésime 2001, le plus sec depuis 126 ans, a offert des vins superbes, surtout le Cabernet Sauvignon ; il n'y eut cette année-là aucun ajout de Cabernet franc, de Malbec ni de Petit Verdot. Quand Di Cullen mourut en 2003, le vin fut, depuis le cru 2001, rebaptisé en son honneur Diana Madeline Cabernet Sauvignon Merlot. **SA**

La viticulture biodynamique est pratiquée dans les vignobles de Cullen. ➔

CVNE *Real de Asúa Rioja Reserva*

Origine Espagne, Rioja
Type vin rouge sec, 13 % vol.
Cépages Tempranillo 95%, Graciano 5%
Millésime dégusté 1994, à boire jusqu'en 2014+
€€€

Fondée en 1879, la CVNE (Compagnie Vinicole du nord de l'Espagne, aussi appelée Cuné) comprend entre autres les étiquettes Viña Real et Contino. Le Real de Asúa est un concept issu de l'excellent millésime 1944, mais l'idée trottait depuis quelque temps déjà dans la tête des directeurs de l'entreprise Cuné. L'un des premiers vignobles qu'ils acquirent se situe à Villalba, à 5 km au nord-ouest de Haro, au cœur de la Rioja Alevesa. Le nouveau vin ainsi produit était en majeure partie issu de ce vieux vignoble qui, à 540 m d'altitude, contribue habituellement à l'assemblage du Imperial Rioja.

La cave Cuné est constituée pour la plupart de bâtisses XIXe siècle disposées autour d'une cour et abritant la production de vin, la maturation et la mise en bouteilles. Le Real de Asúa est vinifié dans une cave qui lui est propre. Cueillis à la main, les raisins sont placés dans une salle de réfrigération avant d'être triés, à la main cette fois encore. Le jus qui s'en écoule est mis à fermenter dans de petites cuves en chêne. Après fermentation, il tombe par gravité dans des fûts en chêne français nouveau.

Le Real de Asúa se situe à l'avant-garde du Rioja. Son corps est plein et sa couleur profonde ; il est aussi très ferme, avec des tanins pouvant mettre 10 ans ou plus pour s'assagir. Les millésimes les plus récents évoluent vers davantage de maturité et de rondeur, une utilisation accrue du chêne français aussi. Ce vin est très prisé sur le marché américain. **SG**

AUTRES SUGGESTIONS		
Autres grands millésimes		
1995 • 1996 • 1999 • 2000 • 2001		
Autres vins rouges de la CVNE		
CVNE Crianza • CVNE Reserva • Contino Reserva		
Viña del Olivo • Viña Real Gran Reserva		

Les caves XIXe siècle de la CVNE abritent de très anciens millésimes. →

Romano Dal Forno
Amarone della Valpolicella

Origine Italie, Vénétie, Illasi
Type vin rouge sec, 16,5 % vol.
Cépages Corvina, Rondinella, Oseleta
Millésime dégusté 1985, à boire jusqu'en 2015+
€€€€€

La vallée de l'Illasi s'étend à 25 km à l'est de Vérone et forme la limite orientale des DOC de Valpolicella et de Soave. Elle n'a jamais été considérée comme faisant partie de la zone Classico.

Romano Dal Forno est né en 1957 dans une famille cumulant plus de trois générations d'expérience de viticulture coopérative. Le destin de Romano aurait été identique à celui de milliers de viticulteurs s'il n'avait pas un jour de 1979 fait la rencontre de Giuseppe Quintarelli, le maître du Valpolicella. Menant une croisade pour soutenir la région, Quintarelli a fait partie du petit nombre qui travaillait avec son propre raisin et qui vinifiait et mettait en bouteilles toute sa production lui-même. Pour Romano, la rencontre a démontré qu'il était possible de produire du Valpolicella de qualité.

Le résultat de la combinaison de vignobles à haute densité de plantation, de petits rendements et d'un séchage long, est un vin de proportions herculéennes, avec une acidité naturelle remarquable qui assure cohérence et équilibre. L'Amarone 1985 de Romano Dal Forno reste un point de référence par sa complexité, sa structure et sa longévité. **MP**

Dalla Valle
Maya

Origine États-Unis, Californie, Napa Valley
Type vin rouge sec, 14 % vol.
Cépages Cab. Sauvignon 65 %, Cab. franc 35 %
Millésime dégusté 2000, à boire jusqu'en 2022
€€€€€

Quand le fabricant de matériel de plongée Gustav Dalla Valle prit sa retraite, Naoko, son épouse, et lui allèrent s'installer dans la Napa Valley. En 1982, ils prirent possession d'une petite propriété à flanc de colline, à l'est immédiat d'Oakville.

Deux vins sont produits : un Cabernet Sauvignon, avec quelque 10 % de Cabernet franc, et le Maya, bien plus riche en Cabernet franc. Le Maya a assuré la réputation des Della Valle par la profondeur de ses saveurs et une grande harmonie. Jeune, le Maya peut être un peu austère, mais cela le distingue des autres vins. Malheureusement les vignobles furent touchés dans les années 1990 par le virus de l'enroulement foliaire ; la replantation s'est achevée en 2007 et le rendement augmente régulièrement.

Le Maya 2000 a des arômes chocolatés, mais les 75 % de chêne français nouveau sont parfaitement intégrés au vin. Il est riche et succulent, avec une solide structure tannique et un arrière-goût de fraîcheur auquel contribuent certainement les 35 % de Cabernet franc. Bien équilibré et stylé, il vieillira sans effort. **SBr**

D'Angelo *Aglianico del Vulture Riserva Vigna Caselle*

Origine Italie, Basilicate
Type vin rouge sec, 13 % vol.
Cépage Aglianico
Millésime dégusté 2001, à boire jusqu'en 2012
€€

La Casa Vinicola D'Angelo est installée à Rionero, dans la partie vallonnée de la DOC, et fut fondée en 1950 par le grand-père de l'actuel propriétaire, Donato D'Angelo.

L'Aglianico est certainement le cépage rouge le plus ambitieux et le plus gratifiant du Sud de l'Italie. Il semble être au mieux de sa forme en Campanie (surtout aux environs d'Irpinia) et sur le mont Vulture, en Basilicate. Ces vignobles se situent en moyenne à 350 m au-dessus du niveau de la mer, mais les versants ne sont pas pour autant escarpés. Les environs de Venosa (DOC Vulture) sont des plateaux: l'Aglianico qui y pousse est lui aussi de bonne qualité même s'il donne des vins plus amples et plus riches.

Le Riserva Vigna Caselle est un parfait exemple d'Aglianico del Vulture traditionnel. La robe est d'un rouge rubis d'intensité moyenne. Le nez montre de plaisantes notes de cerise aigre et d'épices renforcées par des touches de bon tabac. Au palais, il n'a rien d'un poids lourd, mais sa complexité, son développement et sa fin de bouche sont tout simplement mémorables. **AS**

D'Arenberg *Dead Arm Shiraz*

Origine Australie, Australie-Méridionale, McLaren Vale
Type vin rouge sec, 14,5 % vol.
Cépage Shiraz
Millésime dégusté 2003, à boire jusqu'en 2013+
€€€€

En 1912, Joseph Osborne acheta le renommé vignoble Milton sur les collines situées au nord de ce que l'on appelle désormais la McLaren Vale. Le petit-fils de Joseph, Francis d'Arenberg, quitta l'école en 1943 à l'âge de 16 ans pour aider son père à diriger une entreprise relativement conservatrice et traditionnelle. De fréquents succès dans les foires aux vins australiennes, dont le trophée Jimmy Watson décerné à l'issue de la foire royale de Melbourne, en 1969, l'aidèrent à devenir un producteur important.

Le Dead Arm Shiraz, produit phare de la maison d'Arenberg, doit son nom étrange («le bras mort») à la maladie (*Œutypa lata*) qui frappe quelques-unes des plus anciennes vignes d'Arenberg. Elle réduit un des «bras» du pied de vigne pour en faire du bois mort, obligeant l'autre à produire de petits volumes de raisins concentrés et très riches en arôme, ce qui est l'idéal pour faire un vin rouge à succès.

Le Dead Arm Shiraz présente des arômes de cassis mûrs; il est très concentré avec des parfums de chêne américain. Il convient surtout aux mets hardis, riches et robustes, plus spécialement aux viandes rôties, aux ragoûts et aux légumes. **SG**

De Trafford
Elevation 393

Origine Afrique du Sud, Stellenbosch
Type vin rouge sec, 14,8 % vol.
Cépages Cab. Sauv. 42 %, Merlot 33 %, autres 25 %
Millésime dégusté 2003, à boire jusqu'en 2013+
€€€

Le nom fait référence à l'altitude en mètres du vignoble de l'exploitation agricole de Mont Fleur ; la petite cave familiale n'est entourée que de 4,8 ha de vignes. Elevation 393 fait aussi allusion à l'architecture : une lecture minutieuse de l'étiquette révèle qu'il s'agit des élévations nord et ouest de la cave.

David Trafford est effectivement architecte de formation, mais il est devenu viticulteur par conviction. C'est peut-être le plus important des nouveaux viticulteurs du Cap sans qualification formelle.

L'inclusion de Shiraz dans un assemblage de style bordelais fait de l'Elevation 393 un de ces vins ambitieux, originaires pour la plupart de la région de Helderberg, fidèles aux conditions et aux traditions locales. Ce vin, un des meilleurs millésimes de ces dernières années, a un fruit agréable et des tanins souples et denses, promettant un bon vieillissement. Sa force sans détour, sa riche texture et son généreux goût de chêne français en révèlent la modernité, mais il ne faut pas négliger l'aspect naturel et complémentaire de sa vinification. **TJ**

DeLille Cellars
Chaleur Estate

Origine États-Unis, État de Washington, Yakima Valley
Type vin rouge sec, 15,2 % vol.
Cépages Cab. Sauv., Merlot, Cab. franc, Petit Verdot
Millésime dégusté 2005, à boire jusqu'en 2017+
€€€

Depuis ses débuts en 1992, l'équipe de DeLille Cellars ne désire rien de plus que produire des vins d'exception comme les aime l'un des fondateurs, DeLille mise sur la synergie des assemblages. Bien que le Chaleur Estate soit essentiellement un vin du Red Mountain, au climat tempéré, Upchurch trouve un équilibre en mélangeant le Merlot de Boushey Vineyard, provenant d'un climat plus frais, pour adoucir le Cabernet-Sauvignon, mature mais tannique. Le Cabernet franc ajoute la complexité aromatique. Le Petit Verdot, selon Upchurch, élève le tout vers des sommets. Il en résulte un vin harmonieusement cohérent.

Généralement le Chaleur Estate vieillit en fûts de chêne français à 100 % pendant 18 mois, surtout pour une clarification naturelle et des notes épicées et fraîches. Le vin est clarifié mais il n'est jamais filtré. Le millésime 2005 est considéré comme le meilleur dans l'État de Washington pour au moins 10 ans. Même jeune, le Chaleur dont la structure est lisse, complexe et riche, affiche des notes fruitées magnifiques sur un noyau concentré d'herbes, de fruits sombres et de minéralité. **LGr**

Une porte d'aspect médiéval défend les vins de DeLille Cellars. ➜

Azienda Agricola Dettori
Cannonau Dettori Romangia

Origine Italie, Sardaigne
Type vin rouge sec, 17,5 % vol.
Cépage Cannonau (Grenache)
Millésime dégusté 2004, à boire jusqu'en 2009
€€€€

La zone intérieure de la Sardaigne, clairsemée et aride, est très agricole, et ses habitants toujours très attachés à leurs traditions. Alessandro Dettori est un ardent défenseur des méthodes traditionnelles. Il a décidé d'appeler son plus grand vin Dettori pour signifier le dévouement de sa famille à la viticulture.

Pour ce vin, des vignes vieilles de 100 ans, poussent sans irrigation sur les sols crayeux de l'extrémité nord-ouest de la Sardaigne. Le soleil brûlant et de faibles rendements garantissent un degré de maturité exceptionnel, à tel point que même les levures locales ont du mal à mener la fermentation jusqu'à le rendre sec. Vendangé à la main, le raisin fermente dans des cuves en ciment. Dettori n'utilise pas le bois qui aurait du mal ne serait-ce qu'à commencer de dompter ce colosse.

Comment les raisins peuvent-ils développer de tels niveaux de sucre sans perdre leur acidité ? Comment les levures peuvent-elle produire autant d'alcool sans l'ombre d'une acidité volatile ? Dettori est une énigme préhistorique, un rappel du fait que, malgré tous nos efforts pour la domestiquer, Dame Nature est toujours celle qui décide. **MP**

Diamond Creek Vineyards
Gravelly Meadow

Origine États-Unis, Californie, Napa Valley
Type vin rouge sec, 13,5 % vol.
Cépages Cab. Sauv. 88 %, Cab. franc 6 %, Merlot 6 %
Millésime dégusté 1978, à boire jusqu'en 2013+
€€€€

En 1968, Feu Al Brounstein entreprit de nettoyer ses 28 ha de vignobles de Diamond Mountain et ne tarda pas à remarquer que Diamond Creek comportait des zones différentes, au type de sol et à l'exposition diversifiés. Les terres relativement plates constituant les 2 ha de Gravelly Meadow trouvaient leur origine dans un lit de rivière préhistorique. C'est le deuxième vignoble le plus froid de Diamond Creek.

Les vignes de Diamond Creek ont toujours donné des vins puissamment structurés, extrêmement riches en tanins. Ce sont malgré tout des vins fermes, au pur fruit montagnard, qui ne chantent qu'après 10 ou 12 années passées en bouteille.

Après les inégaux millésimes 1976 et 1977, les averses hivernales et un printemps glacial débouchèrent sur un été chaud, parfois torride. Pour la première fois, le fruit de Lake ne participa pas à l'assemblage du Gravelly Meadow et son absence a peut-être contribué à donner une nature plus opulente, plus charnue, au vin de l'année 1978. Une fermentation en cuves en bois ouvertes suivie d'un vieillissement en barriques de chêne français a produit un vin singulier. **LGr**

Le vignoble de Gravelly Meadow occupe le site d'un lit de rivière préhistorique. ➔

Domaine A
Cabernet Sauvignon

Domaine de l'A

Origine Australie, Tasmanie, Coal River
Type vin rouge sec, 13,5 % vol.
Cépages Cab. Sauv., Merlot, Petit Verdot, Cab. franc
Millésime dégusté 2000, à boire jusqu'en 2015+
€€€

Origine France, Bordeaux, côtes de Castillon
Type vin rouge sec, 13 % vol.
Cépages Merlot, Cabernet franc, Cab. Sauvignon
Millésime dégusté 2001, à boire jusqu'en 2018
€€€

Le Domaine A, propriété de 20 ha située dans la charmante vallée de la Coal River, au sud de la Tasmanie, fut planté pour la première fois en 1973. Il appartient aujourd'hui à Peter et Ruth Althaus. Le climat froid ne les empêche pas de croire qu'une bonne maturation du raisin est possible grâce aux vents secs venus du nord qui s'engagent dans la vallée pendant la période de croissance.

Le Cabernet Sauvignon est le fleuron du Domaine A et certainement le meilleur Cabernet de Tasmanie. Second choix, le Stoney Vineyard est produit bon an mal an, mais on ne trouve le Domaine A que les années jugées supérieures.

Le Cabernet Sauvignon 2000 est fidèle à l'assemblage bordelais et a mûri pendant 24 mois dans des barriques faites à 100 % de chêne français nouveau. Pendant cette période, le vin a été débourbé à huit reprises avant d'être mis en bouteilles sans filtrage. Après 12 autres mois en cave, il fut commercialisé en septembre 2004. Avec une robe cramoisie rappelant la cerise noire sur le contour, il a les arômes prononcés du Cabernet Sauvignon (cassis et baies rouges). **SG**

Avec sa femme Christine, Stéphane Derenoncourt a fait l'acquisition du Domaine de l'A en 1999 et il a rapidement augmenté la densité des vignes à 6 000 plants par hectare afin de mieux équilibrer les rendements faibles sur un plus grand nombre de plants, réduisant ainsi la charge de chacun. L'âge moyen du vignoble aujourd'hui est de 35 ans environ.

La propriété est située sur les pentes qui dominent la Dordogne dans le village de Sainte-Colombe, à côté de Saint-Émilion. Bien que la plupart des sols soient argilo-crayeux, certains rappellent ceux de Fronsac. Tout ici, de la taille à la vendange, est fait à la main. Dans la cave, Stéphane a une approche minimaliste, son vin n'est jamais clarifié.

Ce dernier n'a jamais été un admirateur des vins qui semblent construits ou ampoulés, leur préférant la réserve discrète qui est emblématique de son caractère. Et, tout aussi peu étonnant, il apprécie des millésimes ignorés, plus classiques comme le 2001, qu'il préfère à la pompe du Nouveau Monde 2000, 2003, ou même 2005. Le Domaine de l'A 2001 est une illustration parfaite de ses préférences, une leçon de subtilité, d'équilibre et plaisir. **JP**

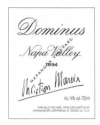

Dominus

Domaine Drouhin
Oregon Pinot Noir Cuvée Laurène

Origine États-Unis, Californie, Napa Valley
Type vin rouge sec, 14 % vol.
Cépage Cab. Sauv., Merlot, Cab. franc, Petit Verdot
Millésime dégusté 1994, à boire jusqu'en 2014+
€€€€

Origine États-Unis, Oregon, Willamette Valley
Type vin rouge sec, 13,5 % vol.
Cépage Pinot noir
Millésime dégusté 2002, à boire jusqu'en 2015
€€€

Christian Moueix, le propriétaire de Petrus et autres propriétés prestigieuses de Bordeaux, a entamé son histoire d'amour avec la Napa Valley et ses vins pendant qu'il faisait ses études à l'université de Californie (Davis) en 1968-1969. Après de nombreuses années durant lesquelles il a cherché l'emplacement idéal pour un vignoble, en 1982 il s'est engagé aux côtés de Robin Lail et de Marcia Smith, les filles de John Daniel, qui a créé l'Inglenook Cask Selection du fameux vignoble Napanook à Yountville, en Californie.

Le premier millésime de Dominus est 1983, 4 ans après la collaboration d'avant-garde Bordeaux/Napa à Opus One. Le Dominus 1994 est le premier millésime produit par Christian Moueix seul. Robert Parker lui a décerné 99 points.

Pour les débuts du Dominus, une série de portraits de Christian Moueix peints par des artistes avait été commandée pour les étiquettes, la plus remarquable étant sans doute celle de Peter Blake qui a fait la version 1988. Depuis 1991 cependant, une étiquette dans le style des Bordeaux a remplacé la série des artistes. **SG**

Dès le début, la Cuvée Laurène fut un assemblage en cave : il ne pouvait en aller autrement parce qu'il faut des années pour comprendre le caractère d'une parcelle et l'originalité de son vin.

Véronique Drouhin bénéficie d'une longue expérience familiale. Quand la propriété fut créée puis se développa, les pratiques agricoles se distinguèrent de celles connues en Oregon avant l'arrivée de la famille. Elle commença par ses propres clones de Pinot (pommard UCD5 et Wadenswil UCD 2A) et augmenta la densité. Elle opta ensuite pour des clones tels que le 115 et le 177, greffés sur des rhizomes résistants au phylloxéra.

Ces choix et une sélection sévère du fruit expliquent en partie la concentration et la complexité de la Cuvée Laurène. Le vin repose sur ses peaux 4 ou 5 jours avant le pressage ; on ne trouve que 2 % maximum de vin pressé dans l'assemblage final. Journées chaudes et nuits fraîches caractérisent le millésime 2002 relativement stable et produisent une Cuvée Laurène dynamique, à la texture élégante et à la structure bien assurée, riche en saveurs sylvestres et de réglisse. **LGr**

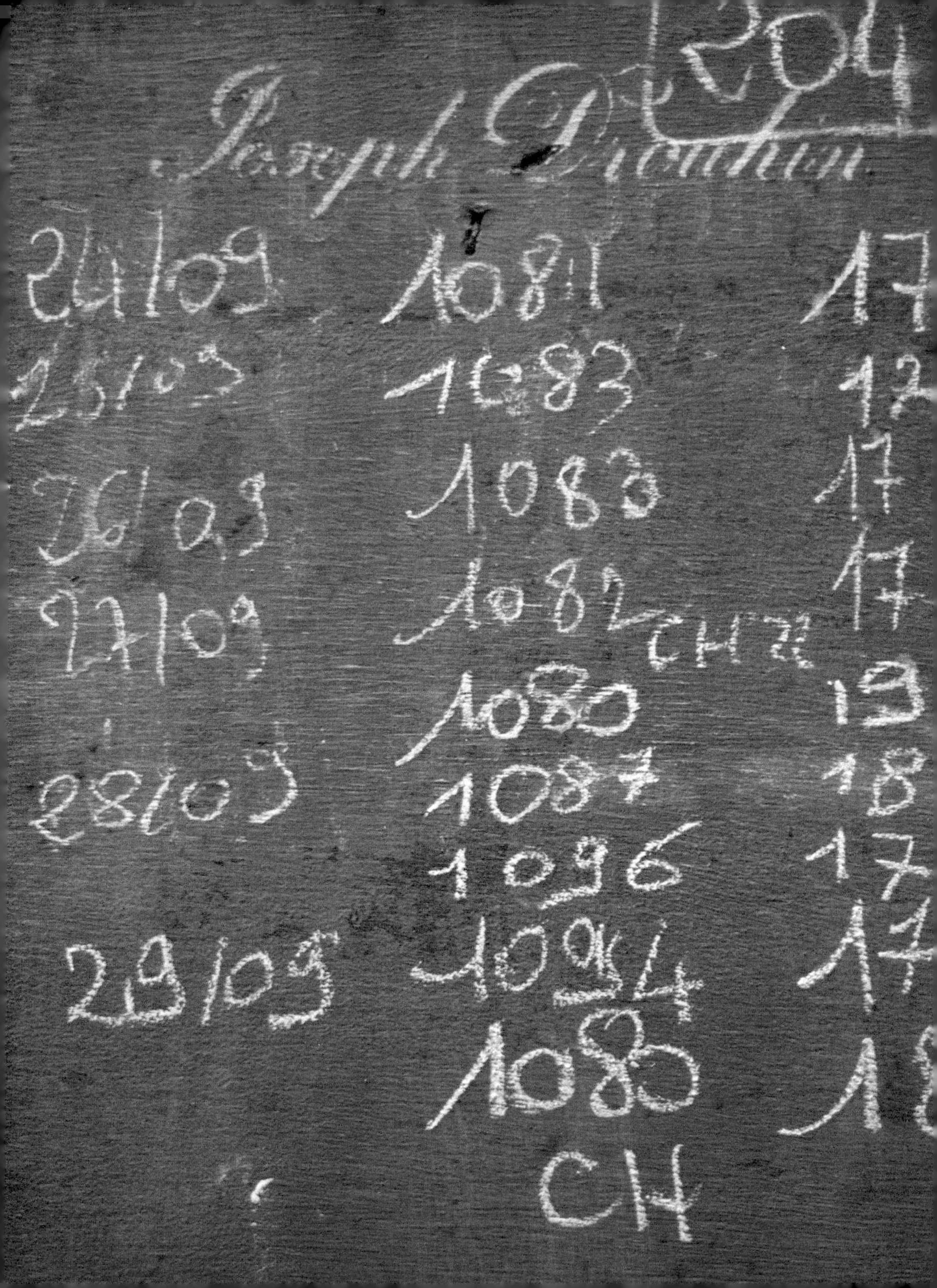

524

Joseph Drouhin

24/09	1081	17
25/03	1083	17
26/09	1083	17
27/09	1082 CH2	17
	1080	19
28/09	1087	18
	1096	17
29/09	1094	17
	1085	18
	CH	

Domaine Joseph Drouhin
Musigny Grand Cru

Origine France, Bourgogne, côte de Nuits
Type vin rouge sec, 12,5 % vol.
Cépage Pinot noir
Millésime dégusté 1978, à boire jusqu'en 2020
€€€€€

Même si l'entreprise Joseph Drouhin fait remonter son historique à son fondateur éponyme et à l'année 1880, c'est Robert Drouhin qui prit la barre en 1957 à l'âge de 24 ans et donna à la société son orientation actuelle. Son désir d'améliorer la qualité avait différentes facettes. Il limita les traitements chimiques, réduisit les engrais et abaissa les rendements, mais il acheta surtout des vignobles à Chambertin-Clos de Bèze, Bonnes Mares et Musigny.

En 1973, il engagea la première femme œnologue en Bourgogne, Laurence Jobard, laquelle conçut ce vin dans la magnifique cave voûtée gothique de l'ancien palais des ducs de Bourgogne.

Au nord de Beaune, après Grands-Échézeaux et Clos Vougeot mais peu avant le village de Chambolle, un petit promontoire offre une vue splendide sur la vallée en contrebas. Le sol léger est criblé de petits cailloux. Voici Musigny, qui produit un vin d'une exceptionnelle pureté. Quand il est jeune, les arômes de cerise et de violette prédominent mais ce n'est qu'avec l'âge qu'apparaissent les véritables parfums. Raffinés et complexes, ils prennent des nuances de feuilles mortes, de bois exotique, voire de soupçons de cuir. Au palais, c'est un vin incomparable en finesse, en élégance et en harmonie. Au mieux, c'est la plus belle expression du Pinot noir qui soit au monde, un poing de fer dans un gant de velours. 1978 fut une année mémorable pour toute la Bourgogne. En 1999, la production totale de Musigny ne fut que de 220 caisses, et ceux qui en détiennent une bouteille peuvent bénir le ciel. **JP**

Pierre-Jacques Druet
Bourgueil Vaumoreau

Origine France, vallée de la Loire, Touraine
Type vin rouge sec, 13 % vol.
Cépage Cabernet franc
Millésime dégusté 1989, à boire jusqu'en 2014
€€€€

Viticulteur de la première génération, Pierre-Jacques Druet fait des vins à partir de raisins originaires de Chinon et de Bourgueil, mais ce sont ces derniers qui forcent l'admiration et bien des amateurs trouvent que ce sont les meilleurs de leur appellation. Fils d'un négociant de Montrichard, petite ville située entre Blois et Tours, Druet fit ses études à Beaune ainsi qu'à Montpellier et Bordeaux. Avant de faire ses propres vins, il vendit du matériel vinicole puis géra une société d'exportation bordelaise. Il s'installa enfin à Benais, sur la rive gauche de la Loire juste à temps pour le millésime 1980.

En plus de ses Chinons, il fait quatre cuvées différentes de Bourgueil à partir de ses 13 ha. Les plus grandes ont pour nom Grand Mont et Vaumoreau, mais les autres, Les Cent Boiselées et Beauvais, sont également excellentes quoique d'un style plus léger. La cuvée vedette, Vaumoreau, est issue de pieds de Cabernet franc à bas rendements plantés dans les années 1910. Le Vaumoreau vieillit 2 ou 3 ans dans du bois avant d'être mis en bouteilles.

Attention, ce sont des vins sérieux qui exigent de la patience, mais celle-ci est récompensée, surtout les meilleures années, par leur complexité, leur intensité et leur finesse. En 1989, la période de croissance fut chaude et sèche dans la Loire, donnant un fruit suffisamment mûr et des tanins aptes à équilibrer l'acidité. Le Vaumoreau 1989 est un vin puissant, avec des arômes et des parfums de mûres, de violettes et des soupçons de terre. La fin de bouche est fraîche, avec des notes d'herbes et de chocolat. **JW**

L'évolution de la fermentation en cuve est inscrite au tableau noir.

Dry River *Pinot Noir*

Origine Nouvelle-Zélande, Martinborough
Type vin rouge sec, 13 % vol.
Cépage Pinot noir
Millésime dégusté 2001, à boire à partir de 2011
€€€

La petite région de Martinborough produit le plus bourguignon de tous les Pinots noirs néo-zélandais. Il y a de nombreux producteurs excellents ici, mais le plus connu de tous est Dry River dont le Pinot est souvent le plus concentré de Nouvelle-Zélande et celui qui a la plus grande longévité.

Comme avec ses autres vins, Neil McCallum est méticuleux à chaque stade du processus de vinification. La sélection du bon clone de Pinot noir est importante pour la qualité. Il utilise (entre autres) du Clone 5, le clone de « Pommard » qui produit des vins très fruités. Dans les vignobles, le revêtement réfléchissant placé sous les plants garantit une meilleure maturité. Et durant la vinification, c'est le procédé de macération en grappes entières qui est utilisé. C'est une méthode bourguignonne ultra-traditionnelle de fermentation du vin rouge qui peut créer un style plus généreux.

Avec sa couleur profonde, le Pinot Noir de Dry River semble atypique quand il est jeune. Il a un nez très retenu, avec un palais frais, très riche et souple qui développe des flaveurs de terre et d'eucalyptus en vieillissant. La structure acidité élevée/faibles tanins signifie que le vin se boit bien quand il est jeune mais qu'il peut aussi être gardé une dizaine d'années. Ce type de Pinot n'est pas pour tout le monde et McCallum a prévenu les buveurs de son millésime 1996 que « ce n'est pas un vin pour mauviettes mais il ne sacrifie pas non plus l'élégance essentielle pour un bon Pinot noir ». **SG**

AUTRES SUGGESTIONS
Autres grands millésimes
1996 • 1999 • 2002 • 2003
Autres producteurs de Martinborough
Ata Rangi • Craggy Range
Martinborough Vineyard • Palliser

Le portail du domaine Dry River à Martinborough. ➜

Duas Quintas *Reserva Especial*

Origine Portugal, vallée du Douro
Type vin rouge sec, 14,5 % vol.
Cépages Touriga Nacional, Tinta Barroca
Millésime dégusté 2003, à boire jusqu'en 2024
€€€

La maison Ramos Pinto fut fondée en 1880 par Adriano Ramos Pinto : ce n'était alors qu'une société vendant du Porto, comme tant d'autres, et elle n'achetait du vin non fortifié qu'en petites quantités pour un usage personnel.

Au XXᵉ siècle, c'est grâce à son président, José Ramos Pinto Rosas et son neveu, João Nicolau de Almeida, que Ramos Pinto mena la recherche sur les différents cépages du Douro pour établir la liste des types recommandés en usage aujourd'hui. Auparavant la plupart des vignobles accueillaient une myriade de cépages.

La société familiale fut vendue au Champagne Louis Roederer en 1990 mais elle est toujours dirigée par João Nicolau de Almeida. Son entreprise fut l'une des premières à envisager la possibilité de produire un bon vin de table, en grande partie sous l'influence de son père, Fernando Nicolau de Almeida. Les vins étaient vendus sous l'étiquette Duas Quintas (deux domaines), en référence aux Quintas Ervamoira et Bons Ares.

Le Reserva Especial est toutefois un retour à la tradition. Les raisins sont originaires de plantations anciennes de divers cépages dans les Quintas Bom Retiro et Urtiga, toutes deux situées dans la vallée du Rio Torto. Le foulage au pied et un égrappage réduit au minimum ramènent aux temps bibliques, et l'utilisation de bois nouveau fut limitée pour ce millésime. Le résultat est un vin riche, volumineux, avec une structure tannique grande et mûre, et surtout un bel avenir. **GS**

AUTRES SUGGESTIONS
Autres grands millésimes
2000 · 2004
Autres vins de table de la vallée du Douro
Chryseia · Niepoort Batuta · Niepoort Charme Quinta do Crasto · Quinta do Noval · Romaneira

Les vignobles de la vallée du Douro produisent de bons vins de table ainsi que du Porto. ➜

Georges Duboeuf *Fleurie La Madone*

Origine France, Beaujolais
Type vin rouge sec, 13,5 % vol.
Cépage Gamay
Millésime dégusté 2005, à boire jusqu'en 2012
€€

Parmi les dix crus de Beaujolais, le Fleurie est le plus cher au cœur des amateurs. Son nom fait penser aux fleurs qui ornent nombre d'étiquettes de Beaujolais de la maison Duboeuf et c'est souvent l'un des vins les plus sympathiques dans sa jeunesse.

Le vignoble La Madone, établi au début du XXᵉ siècle, est planté sur des sols granitiques, typiques de toute la région. Le vin de Dubœuf provient d'une propriété de 6 ha avec des vignes qui ont en moyenne une cinquantaine d'années. Le propriétaire est Roger Darroze, qui, à plus de 90 ans, est toujours en activité. Dubœuf achète et met en bouteilles la totalité de la production depuis plus de 30 ans.

Ce qu'il obtient (et nous avec) est une cuvée de Fleurie fin, structuré, dont 12,5 % sont élevés en fûts de chêne neuf. Le vin affiche le nez de fraises sauvages et de pétales de rose d'un Gamay classique, subtilement aiguisé grâce à l'apport boisé du cèdre. Au palais, des fruits rouges, mûrs et pulpeux s'épanouissent, maintenus par une structure tannique délicatement ferme. Trop de Beaujolais sont bus trop jeunes, et, bien qu'il n'ait pas la longévité d'un Pinot, un vin comme celui-là gagne à être gardé un certain temps. Cela permet à l'acidité nerveuse de s'atténuer. En 2005 toutefois, sa maturité et sa pureté furent si parfaites que la tentation de le boire avant l'heure devra être combattue avec une volonté de fer. **SW**

AUTRES SUGGESTIONS		
Autres grands millésimes		
1999 • 2000 • 2001 • 2003 • 2004		
Autres producteurs de Fleurie		
Pierre Chermette • Michel Chignard • Clos de la Roilette		
Andre Colonge • Guy Depardon • Domaine de la Presle		

La chapelle de La Madone s'élève au-dessus de Fleurie. ➡

Duckhorn Vineyards
Three Palms Merlot

Origine États-Unis, Californie, Napa Valley
Type vin rouge sec, 14,5 % vol.
Cépages Merlot 75 % , Cab. Sauv. 10 %, autres 15 %
Millésime dégusté 2003, à boire jusqu'en 2017
€€€€

La réputation du Merlot de Napa Valley, un vin intense aux flaveurs de fruit mûr dont la concentration est servie par une texture soyeuse, doit beaucoup à Dan et Margaret Duckhorn, qui se sont efforcés, depuis leur premier millésime en 1976, de produire un Merlot de toute première qualité. Leur vignoble de 33 ha porte le nom de tout ce qui est resté de la propriété de l'une des grandes dames de San Francisco, une fois sa maison tombée en ruines. Situé sur un sol riche en alluvions, le site est couvert de roches volcaniques. Plantées à l'origine par les frères Upton, les vignes, ravagées par le phylloxéra, ont été remplacées entre 1990 et 1999.

Porte-drapeau du domaine, le Three Palms diffère du Merlot de base par son intensité et sa concentration plus retenue. Il est moins directement accessible lors de sa commercialisation, et demande une maturation de 3 ou 4 ans pour atteindre un plateau de développement qui restera le sien pendant une quinzaine d'années. Bien que 2003 ait été une année difficile, le vin qui en résulte est d'une subtile complexité, la structure est clairement définie et les flaveurs de chêne grillé sont bien intégrées. **LGr**

Château Ducru-Beaucaillou

Origine France, Bordeaux, Saint-Julien
Type vin rouge sec, 13 % vol.
Cépages Cab. Sauv. 65 %, Merlot, 25 %, Cab. Franc 10 %
Millésime dégusté 2000, à boire entre 2010 et 2030+
€€€€

Plantés sur un sol caillouteux riche en argile, les vignobles de ce deuxième cru Saint-Julien (l'un des meilleurs de sa catégorie) produisent l'archétype du Bordeaux frais et léger, ample et doux, avec des flaveurs de mûre, mais néanmoins doté d'un remarquable potentiel de garde. Les vins sont élevés dix-huit mois dans des fûts de chêne, dont plus de la moitié est renouvelée chaque année.

L'un des aspects les plus fascinants des vins du domaine est leur couleur, superbe dès leur plus jeune âge, qui laisse présager une forte présence des tanins, alors qu'ils se distinguent au contraire par leur subtilité, leur élégance, voire une certaine délicatesse.

Le légendaire millésime 2000 a produit des vins d'une finesse et d'une concentration extraordinaires. Le Ducru-Beaucaillou 2000 s'ouvre sur un nez de mûre et de framboise, avec des arômes de viande rouge, de pain grillé et de thym. Le palais est ample et intense, les tanins sont majestueux mais parfaitement équilibrés par le raisin mûr et l'acidité mesurée, pour aboutir à une longue finale, avec des notes de chêne et d'extrait de vanille. **SW**

Le château a été construit au XIXe siècle, mais les vignobles sont beaucoup plus anciens. ➔

Domaine Claude Dugat
Griotte-Chambertin GC

Origine France, Bourgogne, côte de Nuits
Type vin rouge sec, 13 % vol.
Cépage Pinot noir
Millésime dégusté 1996, à boire jusqu'à 2026
€€€€€

Au nord-ouest du village de Gevrey-Chambertin se dresse le Cellier des Dîmes, un grand bâtiment où Claude Dugat conserve aujourd'hui les vins de son magnifique domaine. Les Dugat sont viticulteurs dans la région depuis la Révolution française. Maurice, Pierre et Thérèse se sont distingués au cours de la génération précédente. Claude est le fils du premier. Bernard Dugat-Py, fils du second, installé non loin de là, fait lui aussi de très bons vins. Thérèse est entrée par son mariage dans la famille Humbert, elle-même installée dans la région et réputée pour son excellente production.

Les conséquences des droits de succession ont abouti à la fragmentation du domaine familial. Claude ne possède plus que 4 ha de vignes. On compte parmi ses vins un Gevrey-Chambertin vieilles vignes, un premier cru Craipaillot-Perrières et un Lavaux-Saint-Jacques. En grand cru, on trouve trois vins, mais en quantités infimes : Chapelle-Chambertin, Charmes-Chambertin, et ce Griotte-Chambetin dont il n'est produit chaque année que quatre barriques.

Les critiques de vin décèlent habituellement dans ce dernier des flaveurs de cerise, mais cela n'a rien à voir avec le nom du vin (les griottes sont une variété de cerises dont on fait des fruits au sirop et des confitures). La griotte dont il est question ici, c'est le sol. Et le vin éponyme de Claude Dugat est sans doute le plus austère de la gamme, le plus lent à se développer, mais aussi le plus profond. Ce millésime 1996 est enfin rendu à lui-même, avec des saveurs de fruit décidément succulentes. **CC**

Domaine Dugat-Py
Mazis-Chambertin GC

Origine France, Bourgogne, côte de Nuits
Type vin rouge sec, 13 % vol.
Cépage Pinot noir
Millésime dégusté 1999, à boire jusqu'à 2050
€€€€€

Bernard Dugat ne possède peut-être pas les meilleurs vignobles, mais c'est certainement l'un des viticulteurs qui fait le travail le plus efficace à partir du matériau dont il dispose. Sans filtration, sans collage et en limitant au maximum les interventions en cours de vinification, il obtient des Bourgognes nets, racés et séduisants.

Déguster les vins du domaine dans ses caves voûtées, un ancien monastère perché sur les hauteurs de Gevrey, tient de l'expérience spirituelle – et de fait, ce millésime 1999 est à couper le souffle. Cette année-là, les vendanges ont été précoces et rapides. Elles ont pris fin le 22 septembre, veille du jour où le temps s'est irrémédiablement gâté. Cette même année, Dugat s'était tourné timidement vers la viticulture bio, une pratique désormais étendue à l'ensemble de ses vignobles. Fort de son succès, il a étendu la propriété, et cultive ses 10 ha avec sa femme Jocelyne et son fils Loïc. Ses vins à la belle robe foncée sont parmi les mieux structurés des vins de Bourgogne. Bien qu'étonnamment denses, ils n'ont rien d'artificiel ou de fabriqué. Ils sont élaborés à partir de raisins très mûrs, mais sans avoir la lourdeur des fruits surmûris. Ce Mazis-Chambertin 1999, produit à partir de vignes de 70 ans d'âge sur des parcelles labourées à cheval, manifeste une exceptionnelle profondeur, avec des flaveurs intenses de mûres et de noisettes. C'est sans doute l'un des vins les plus aboutis du millésime, concentré et bien structuré, avec une bouche veloutée aux tanins parfaitement intégrés et une finale extrêmement longue. **JP**

Domaine Dujac *Gevrey-Chambertin PC Aux Combottes*

Origine France, Bourgogne, côte de Nuits
Type vin rouge sec, 13 % vol.
Cépage Pinot noir
Millésime dégusté 1999, à boire jusqu'à 2030
€€€€€

Lorsque, dans les années 1960, Jacques Seysses commença son apprentissage avec Gérard Potel à Volnay, la fonction de vinificateur n'avait pas l'aura qu'elle a acquise aujourd'hui. Acheter un domaine viticole (ce qu'il fit en 1967) n'était pas non plus considéré comme un investissement très rentable. À dire le vrai, son premier millésime fut sans doute le pire de sa carrière. Le temps a passé depuis lors, des années mémorables ont suivi, et le domaine est passé de 5 à 13 ha.

Bien que le domaine possède cinq grands crus, ses premiers crus sont également de tout premier ordre : le site de Combottes, littéralement encerclé par les grands crus, est très certainement l'un des meilleurs pour le Gevrey-Chambertin. C'est en quelque sorte une synthèse de trois des vignobles environnants – Clos de la Roche, Latricières-Chambertin et Charmes-Chambertin. Sur les 3 ha de Combottes, un peu plus d'un tiers appartient au domaine Dujac.

Il est difficile d'affirmer que le 1999 sera le meilleur millésime de sa catégorie, mais c'est très certainement l'un des plus insolites. Riche, dense, il est parfaitement structuré. La seule façon de l'apprivoiser aujourd'hui serait sans doute de le servir avec du gibier. Jacques Seysses estime que le 2005 promet d'être le meilleur qu'il ait jamais produit, mais qu'il faut attendre 15 ou 20 ans pour qu'il atteigne son apogée. Parmi ceux qu'il conseille dès à présent, le 1997 arrive en bonne place « parce qu'il est si délicat, tout en gardant le fruité de sa jeunesse ». **JP**

Dunn Vineyards *Howell Mountain C. Sauvignon*

Origine États-Unis, Californie, Napa Valley
Type vin rouge sec, 13,5 % vol.
Cépage Cabernet Sauvignon
Millésime dégusté 1994, à boire jusqu'en 2030+
€€€€€

Randy Dunn était maître de chai de l'entreprise Caymus quand elle monta en puissance vers 1980, mais son propre vin est à bien des égards à l'opposé des siens. Purs fruits de la montagne, ses vins très concentrés pour la plupart, ont besoin d'au moins douze ans pour exprimer toute leur complexité.

Les conditions climatiques du domaine de Howell Mountain diffèrent du reste de la Napa Valley. Les vignobles se situent au-dessus de la ligne de formation des brouillards et se réchauffent plus rapidement. La nuit, c'est le contraire, de sorte que, même si la fraîcheur printanière retarde l'éclosion des bourgeons, la vigne rattrape son retard en automne et les vendanges se font comme dans le reste de la vallée.

Les vins de Dunn sont inaccessibles quand ils sont jeunes : après cueillette à la main, égrappage et broyage, Dunn introduit des levures pour provoquer la fermentation, mais évite la macération susceptible d'apporter de la douceur. La fermentation malolactique se fait en cuve, avant le transfert en barriques. La plupart des millésimes passent jusqu'à trente mois dans du chêne français nouveau à 50 %. Le vin est filtré, mais jamais raffiné. Le Howell Mountain 1994 est l'exemple même d'un vin de Dunn, « un monstre inégalable », disait Parker. Avec un corps plein et une étonnante intensité, il est dynamique et long au palais, avec des couches multiples de fruits noirs et de fleurs aromatiques ainsi qu'un noyau minéral. **LGr**

Château Durfort-Vivens

Origine France, Bordeaux, Margaux
Type vin rouge sec, 13 % vol.
Cépages Cab. Sauv. 65 %, Merl. 23 %, Cab. franc 12 %
Millésime dégusté 2004, à boire jusqu'en 2020
€€€

Classé deuxième cru, le Durfort-Vivens avait de toute évidence un énorme potentiel au début du XXe siècle, mais la propriété connut ensuite une période plus difficile, au point que le nom de Durfort disparût quasiment. En 1962, Lucien Burton racheta la propriété et entreprit de récupérer les vignes.

Lucien Burton transmit Durfort-Vivens à son fils Gonzague en 1992. Au lieu de pratiquer la vendange en vert, Gonzague taille très court pour obtenir un faible rendement et n'utilise jamais plus de 40 % de chêne nouveau. Il recherche la finesse et non la richesse excessive, et certains critiques reprochent à ses vins d'être trop légers pour des deuxièmes crus. Certaines années, le vin est effectivement léger, mais son parfum et son équilibre ont besoin de temps pour s'exprimer. C'est l'épicé et la succulence, inhabituels pour un Durfort, qui font du 2004 un vin exceptionnel pour cette propriété. Les vins de Gonzague Burton sont parfois sous-estimés, mais leur prix est raisonnable ; leur retenue et leur finesse sont appréciables à un moment où de nombreux domaines vont dans la direction opposée. **SBr**

Château L'Église-Clinet

Origine France, Bordeaux, Pomerol
Type vin rouge sec, 13,5 % vol.
Cépages Merlot 75 %, Cab. franc 20 %, Malbec 5 %
Millésime dégusté 2002, à boire jusqu'en 2020
€€€€

Même si ce domaine de 6 ha appartient à sa famille depuis 1882, Denis Durantou ne se laisse pas écraser par le poids de la tradition. Il possède de nombreuses vieilles vignes, mais en a replanté les deux tiers parce qu'il trouvait les rhizomes peu satisfaisants et incapables de lui donner la qualité qu'il recherchait. Il apprécie particulièrement le Cabernet franc pour les qualités florales qu'il donne à son vin. Les vignobles occupent des sols différents, ce qui contribue à la complexité du vin : l'argile lui apporte sa puissance et le gravier, sa finesse.

Au lieu d'effectuer une sélection en cave, Durantou préfère préparer soigneusement ses vignes avant la récolte, éliminant tout ce qui n'est pas assez mûr ou d'aspect satisfaisant.

Durantou dit qu'un amateur digne de ce nom doit accepter un bon niveau de tanin et d'acidité dans tout vin digne de vieillir. Il fait aussi un excellent vin lorsque le millésime est moins bon, en 2002 par exemple. Il est très concentré, mais pas aux dépens de la douceur du fruit mûr, et le grain de ses tanins est fin. **SBr**

Sous Durantou, L'Église-Clinet est devenu un grand Pomerol. ➜

CHÂTEAU
ÉGLISE-CLINET
1989
POMEROL

El Nido
Clio Jumilla

Origine Espagne, Murcie, Jumilla
Type vin rouge sec, 14 % vol.
Cépages Monastrell (Mourvèdre), Cab. Sauvignon
Millésime dégusté 2004, à boire jusqu'en 2012
€€

Ce vin est produit par El Nido, société apparte-nant à la famille Gil Vera et à l'importateur américain Jorge Ordóñez. C'est un projet parallèle à celui de Hijos de Juan Gil, dans lequel Miguel Gil est le per-sonnage-clé. À Finca Luzón, il avait été l'un des prin-cipaux protagonistes dans l'envolée des rouges de Jumilla au cours des années 1990, qui comptent des vins exceptionnels comme le Las Gravas et Valtosca Casa Castillo et le Petit Verdot de Casa de la Ermita. Ce Clio et l'impressionnant et (pour beaucoup) excessif El Nido, son grand frère en termes de concentration et de prix, sont produits sous la supervision techni-que de l'œnologue australien Chris Ringland, qui a établi sa grandiose réputation avec son Shiraz Three Rivers Barossa. Ringland travaille également dans une autre entreprise viticole espagnole d'Ordóñez.

El Nido se trouve dans le Paraje de la Aragona, à 10 kilomètres de Jumilla, la ville qui prête son nom à l'appellation. Les installations sont de taille modeste, comme il convient pour les ambitions de qualité de cette entreprise. De tels vins ne peuvent se faire qu'en contrôlant de façon stricte tant le raisin que toutes les étapes du processus de production.

Le Clio est une combinaison rare de puissance et de finesse qui exige des matières premières de qualité ainsi qu'une sensibilité spéciale pour les orchestrer. Robert Parker chante ses louanges en déclarant : « Un travail totalement hédoniste avec une longueur et un équilibre exceptionnels. C'est un vin d'une légèreté remarquable compte tenu de sa puissance. » **JB**

Viña El Principal *El Principal*
Cabernet Sauvignon

Origine Chili, vallée de Maipo
Type vin rouge sec, 14 % vol.
Cépages Cab. Sauv., Merlot/Carmenère, Cab. franc
Millésime dégusté 2001, à boire jusqu'en 2013+
€

Le père de Patrick Valette vendit le Château Pavie en 1998 pour revenir au Chili, son pays natal, et lan-cer El Principal. Il le fit en partenariat avec la famille Fontaine, ancienne détentrice de la Viña Santa Rita, devenue propriétaire de vignobles à Pirque, dans la vallée de Maipo, à 30 km au sud-est de Santiago. Les vents printaniers chauds de Pirque permettent au Merlot de fleurir assez tôt (mi-septembre) sans perdre trop de ses fleurs fragiles.

Pirque se caractérise par un sol profond, riche en cailloux apportés par la rivière Maipo quand elle descend des Andes. Cela permet aux jeunes vignes d'enterrer profondément et relativement rapide-ment leurs racines principales et leurs réseaux com-plexes de radicelles ; cela permet aussi un drainage rapide en cas de temps humide, ce qui peut arriver lorsque des cépages tardifs comme le Carmenère et le Cabernet Sauvignon ne sont pas encore cueillis.

Peu avant la mort de son père en 2002, Patrick Valette fit le El Principal 2001 et un rouge de seconde catégorie, le Memorias. Dans sa propriété bordelaise, il produisait un Saint-Émilion empreint de légèreté, le Château Franc Grâce de Dieu, mais avec les raisins plus hardis et plus riches en alcool de son El Principal, il obtint un vin intrinsèquement plus vigoureux, en dépit de la relative jeunesse des pieds (la plupart plantés depuis 1994). Ce vin se caractérise par sa maturité et sa maigreur, ainsi que par ses parfums de menthe, de poivre et de cassis renforcés par une note généreuse de chêne français. **MW**

Ernie Els

Origine Afrique du Sud, Stellenbosch
Type vin rouge sec, 14,5 % vol.
Cépages Cab. Sauv. 62 %, Merlot 24 %, autres 14 %
Millésime dégusté 2004, à boire jusqu'en 2012+
€€€€

Quand des golfeurs professionnels veulent faire du vin, cela pose souvent des problèmes : c'est le cas de Greg Norman, David Frost, Arnold Palmer, Mick Weir ou Nick Faldo, mais nullement d'Ernie Els. En 2005, le magazine *Golf Connoisseur* écrivait sans aménité que l'Afrique du Sud « était plus prompte à donner de grands joueurs que de grands vins ». Il qualifiait aussi le Ernie Els de « meilleur rouge dû à un pro », ajoutant ainsi au concert de louanges prodiguées par les Américains depuis la cuvée 2001.

Le golfeur s'associa avec son vieil ami Jean Engelbrecht, du domaine Rust en Vrede où furent produits les premiers millésimes (et où il rencontra sa femme). Comme le dit Els en présentant son projet : « C'est pareil quand je joue au golf, je fais appel aux professionnels. » En 2004, il acheta à Helderberg de bonnes parcelles (déjà fournisseuses de raisins destinés à l'assemblage) et une nouvelle cave fut construite pour accueillir la cuvée 2005, dont la responsabilité échut au maître de chai Louis Strydom.

Comme l'expliqua l'attaché de presse d'Els, ce vin se veut « à l'image de tout ce qu'est Ernie, grand par sa stature et doux de caractère ». Il confère aussi au golfeur une réputation d'excellence. Plus tourné vers la production de la Napa Valley que celle du Bordelais, d'où le choix de l'assemblage, le 2004 est d'une robe soutenue et d'un corps plein ; riche en parfum avec une touche de douceur apportée au fruit, sa structure tannique est parvenue à maturité et son emprise minérale, forte. **TJ**

Domaine René Engel
Clos de Vougeot Grand Cru

Origine France, Bourgogne, côte de Nuits
Type vin rouge sec, 13 % vol.
Cépage Pinot noir
Millésime dégusté 1992, à boire jusqu'en 2012
€€€€€

Le Clos de Vougeot grand cru est l'un des grands mystères de la Bourgogne. C'est en théorie un vignoble indivisible, ceint depuis le XIVe siècle par des murs en pierre sèche, mais les 50 ha sont répartis entre quatre-vingts producteurs et la quantité potentielle assez variable dépend de l'emplacement des pieds et de la compétence de l'éleveur. La parcelle Engel (1,4 ha) jouit d'un emplacement privilégié à mi-pente, au sud du château de Clos de Vougeot.

Le domaine est la création de René Engel (1896-1991). Il était détenteur de plusieurs crus – Échézeaux et Grands Échézeaux, Vosne-Romanée, Les Brûlées et Vosne-Romanée village –, mais après la mort soudaine en 2005 du petit-fils de René, Philippe Engel, il fut vendu à François Pinault (propriétaire du Château Latour) et prit le nom de Domaine d'Eugénie.

1992 n'est pas un grand millésime en matière de Bourgognes rouges. Les vins témoignaient des précipitations estivales et, bien que plaisants à boire jeunes, ils présentaient rarement beaucoup de concentration. Ce Clos de Vougeot fait exception et valut à Philippe le titre convoité de Jeune Vigneron de l'année. À 15 ans d'âge, il demeure intense et plein de jeunesse avec de petites touches de fruits noirs parmi les notes rouges plus douces et plus classiques du Pinot noir. La composante de chêne (70 % en barriques neuves) s'intègre parfaitement à ce vin qui comble à merveille le palais. **JM**

Viña Errázuriz/Mondavi
Seña

Origine Chili, vallée de l'Aconcagua
Type vin rouge sec, 14,5 % vol.
Cépages Cab. Sauv. 75 %, Merlot 15 %, autres 10 %
Millésime dégusté 2001, à boire jusqu'en 2015
€€€

Quand Eduardo Chadwick, patron de la renommée Viña Errázuriz, s'associa en 1996 avec l'honorable famille californienne Mondovi pour coproduire une gamme de rouges et de blancs variétaux «combatifs» sous la marque Caliterra, il parut évident d'y ajouter un rouge emblématique qui porterait le nom de Seña («signe», «signature» ou «signal» en espagnol). L'idée était de montrer au monde que le Chili pouvait produire des vins de luxe.

Des vignobles réservés au Seña furent plantés, mais dans un premier temps Seña fut constitué en partie des meilleures barriques issues des vignes d'Errázuriz, dans la vallée de l'Aconcagua. À Errázuriz, la vinification fut confiée à Ed Flaherty, un des meilleurs maîtres de chai du Chili : son style met en valeur l'intégration des parfums de fruits à ceux nés du vieillissement en chêne. Tim Mondavi posa son regard d'expert sur les assemblages terminés afin de mettre en valeur le caractère fruité naturellement exubérant de l'Aconcagua. Pour la spécialiste qu'est Jancis Robinson, ce vin représente une étape fondamentale dans l'élaboration de l'industrie viticole chilienne. **MW**

Château
L'Évangile

Origine France, Bordeaux, Pomerol
Type vin rouge sec, 13 % vol.
Cépages Merlot 70 %, Cabernet franc 30 %
Millésime dégusté 2004, à boire entre 2015 et 2030
€€€€

Disons-le d'emblée, L'Évangile est l'un des plus prestigieux Pomerol. Même si ce domaine de 13,7 ha est très voisin de Cheval Blanc, son terroir est très différent. De nombreuses parcelles proches du château reposent sur de l'argile lourde ; ailleurs, l'argile est recouverte de graviers. Des vignes sont aussi plantées sur un sol sablonneux, mais elles ne sont pas utilisées pour les grands vins.

Jusqu'en 1990, L'Évangile appartenait à Mme Ducasse. Cette année-là, Éric de Rothschild en acheta 70 % des parts mais la redoutable Mme Ducasse refusait d'abandonner le contrôle de son domaine. Elle refusa tout changement d'importance, et seule fut permise la création d'un second vin. Très âgée, elle disparut en 2000 et les Rothschild purent enfin prendre les rênes en main. Avec eux les vendanges se firent dans de petits récipients appelés cagettes ; ils construisirent une cave circulaire et firent passer à 100 % la proportion de chêne nouveau.

Le 2004 porte avec grâce son manteau de chêne nouveau et les arômes de fruits rouges et de prunes sont séduisants. Le palais a beaucoup de chair et la sévérité sous-jacente disparaîtra avec le temps. **SBr**

Le château L'Évangile derrière des rangées de vignes récemment plantées. ➡

Eyrie Vineyards *South Block Reserve Pinot Noir*

Origine États-Unis, Oregon, Willamette Valley
Type vin rouge sec, 12,5 % vol.
Cépage Pinot noir
Millésime dégusté 1975, à boire jusqu'en 2015
€€€€€

En 1979, Gault et Millau sponsorisèrent une compétition où les meilleurs vins français affrontaient une sélection internationale. La réussite du South Block Reserve Pinot Noir 1975, issu des Eyrie Vineyards de David Lett, fit tiquer quelques-uns, principalement Robert Drouhin qui décida d'organiser un concours semblable à Beaune, en 1980. Avec les mêmes vins mais un jury entièrement différent, le Eyrie Pinot arriva deuxième, dépassé par deux dixièmes de point seulement par le Chambolle-Musigny 1959 de Drouhin, mais reléguant à la troisième place le Chambertin-Clos de Bèze 1961. Les amateurs des vins de Côte d'Or découvrirent soudain les Dundee Hills, dans le nord de la Willamette Valley, dans l'Oregon.

Comme tous les autres vins de David Lett, le 1975 est un modèle de délicatesse et de retenue, de finesse parfumée plus que de surextraction et de puissance. Il représente parfaitement le style de Lett, toujours en usage aujourd'hui. On disait jadis qu'on ne pouvait faire de bon Pinot noir qu'en Bourgogne. Le Eyrie Vineyards 1975 oblige à changer d'avis. **SG**

Fairview *Caldera*

Origine Afrique du Sud, Swartland
Type vin rouge sec, 14,5 % vol.
Cépages Grenache 50 %, Mourvèdre 27 %, Shiraz 23 %
Millésime dégusté 2005, à boire jusqu'en 2014
€€

À la fin des années 1970, Charles Back acheva ses études d'œnologie et alla faire les vendanges pour une cave coopérative du Swartland. Quelques années plus tard, dans la cave (et fromagerie de chèvre) familiale de Paarl, il évoqua souvent «la facilité avec laquelle survenait la qualité» dans cette région. Depuis, il redécouvrit la capacité du Swartland à donner de superbes fruits, en particulier les cépages associés au Rhône méridional.

La cave de Back fait aujourd'hui des vins à partir de raisins du Swartland. Le dernier en date, le meilleur aussi, est un assemblage de vignes cultivées en gobelet, le Grenache provenant de vignes plantées dans les années 1940, ce qui est très ancien pour Le Cap. Il tire son nom du *calderata*, marmite catalane où se préparent «ces plats à l'arôme profond» qui l'accompagnent à merveille, selon Back.

Le Caldera a un élément rustique et sa générosité exprime le chaud paysage de ses origines, renforcé par un vieillissement en chêne intelligent et une vinification naturelle. Il montre aussi de la fraîcheur et une vraie finesse quand il est jeune, avec une pointe de minéralité. **TJ**

À Fairview, cet abri à chèvres étonnant révèle que la cave se double d'une fromagerie. ➜

Falesco
Montiano

Origine Italie, Latium
Type vin rouge sec, 13,5 % vol.
Cépage Merlot
Millésime dégusté 2001, à boire jusqu'en 2015
€€€

On crut longtemps le Latium, région du centre de l'Italie, incapable de produire des vins dignes de ce nom, mais tout changea du jour au lendemain quand apparut le premier vin de Falesco, le Montiano 1993. Le Merlot qui en est à l'origine pousse aux environs de Montefiascone. Le propriétaire de Falesco, Ricardo Cotarella, a démontré au cours de sa collaboration avec de nombreux domaines qu'il connaît parfaitement le potentiel de ce cépage, seul ou assemblé avec des cépages italiens traditionnels. En fait, on peut imputer en grande partie la renaissance du vin italien à Cotarella et à une poignée d'autres viticulteurs ayant su populariser des cépages jusqu'alors méconnus.

Ils livrent toute l'essence du fruit, des baies noires, abondantes et pulpeuses, que l'on avait tendance à « oublier en cave ». Le Montiano est le parfait exemple d'un vin contemporain privilégiant le fruit. Sa robe rubis dense et brillante se teinte de violet. Le nez est une accumulation de cassis caressants et de notes balsamiques. Au palais, les tanins soigneusement gérés et la longue finale apportent beaucoup de plaisir à l'amateur. **AS**

Château Falfas
Le Chevalier

Origine France, Bordeaux, côtes de Bourg
Type vin rouge sec, 13,5 % vol.
Cépages Merlot 55 %, Cab. Sauv. 30 %, autres 15 %
Millésime dégusté 2000, à boire jusqu'en 2015
€€

Dans la région vallonnée des côtes de Bourg, Falfas est un gros château Renaissance datant de 1612. En 1988, la propriété fut achetée par John Cochran, avocat américain travaillant alors à Paris. Son épouse, Véronique, est la fille d'un des meilleurs consultants français en matière de biodynamique, et l'une des premières décisions de Cochran fut d'appliquer cette méthode à ses vignes.

La propriété est vaste (22 ha) et les vignes plantées sur des sols différents. Les Cochran ne sont pas très favorables à la vendange en vert, mais ils privilégient tout de même un faible rendement. Les vins fermentent grâce à des levures indigènes et vieillissent dans un tiers de chêne nouveau. En 1990, ils créèrent une cuvée spéciale, Le Chevalier, à partir des plus vieux pieds, âgés parfois de 70 ans et ayant un rendement des plus faibles.

Le chêne est évident dans le Chevalier 2000, on pouvait s'y attendre, mais il n'est pas dominant. C'est un vin robuste et affirmé ; fait pour durer, il a une finale longue et intense. Un Falfas peut être bu jeune, mais un Chevalier mérite de vieillir. **SBr**

Les chais du château Falfas, derrière les vignes du domaine, à l'automne. ➡

Far Niente
Cabernet Sauvignon

Origine États-Unis, Californie, Napa Valley
Type vin rouge sec, 13,5 % vol.
Cépages Cab. Sauv. 93 %, Merlot 4 %, Petit Verdot 3 %
Millésime dégusté 2001, à boire jusqu'en 2020
€€€€

Dirk Hampson s'impliqua d'une manière ou d'une autre dans la vinification dès l'ouverture de l'entreprise Far Niente, en 1982, ce qui distingue la cave Far Niente des autres propriétés où travaillent des maîtres de chai intermittents.

Gil Nickel, pépiniériste de l'Oklahoma, acheta en 1979 la cave qui allait devenir Far Niente : il acheta des installations datant de 1895, mais abandonnées pendant la prohibition pour produire un vin ayant l'élégance et le parfum d'un Margaux. Nickel travailla ardemment jusqu'à sa mort, en 2003.

En 2001, pour la première fois, le Far Niente Cabernet Sauvignon fut produit à partir de fruits provenant à 100 % du domaine d'Oakville ; l'assemblage s'est fait à partir de lots sélectionnés issus des vignobles de Stelling (42 ha) et de Sullenger (17 ha). Le fruit de Stelling, au cœur du vin (90 % pour le 2001), pousse sur un terreau graveleux situé derrière la cave, en direction des collines d'Oakville. Les sols du cône de déjection d'Oakville contribuent à la rondeur de baies des tanins et au caractère sensuel du Far Niente Cabernet. Le millésime 2001, vendangé pendant la dernière semaine de septembre et la première d'octobre, a vieilli douze mois dans du chêne français (95 % de barriques neuves). Cette saison relativement modérée a produit un vin stylé, à l'élégance classique, dont le vieillissement s'accompagnera d'une belle évolution et d'un caractère harmonieux. **LGr**

Le brouillard de la baie de San Pablo recouvre les vignes d'Oakville. ➜

Fattoria La Massa *Chianti Classico Giorgio Primo*

Origine Italie, Toscane, Chianti Classico
Type vin rouge sec, 14 % vol.
Cépages Sangiovese 91 %, Merlot 9 %
Millésime dégusté 1997, à boire jusqu'en 2017
€€€€

Aux environs de Panzano, la Fattoria La Massa produit du vin depuis le XIIIe siècle. Son propriétaire, Giampaolo Motta, fit son apprentissage chez des producteurs toscans renommés (Fontodi, Castello dei Rampolla), avant d'acheter La Massa en 1992.

Motta engagea le consultant Carlo Ferrini, mais continua à prendre seul certaines décisions importantes. Conserver le vin sur lie et recourir à un bâtonnage fréquent n'étaient pas courant pour le Chianti, surtout quand il s'agissait de Sangiovese. Grâce à cette méthode peu orthodoxe, des vins tels que le Giorgio Primo 1997 réussirent à attirer l'attention des spécialistes.

Motta insiste sur le fait que s'il avait eu en 1997 les connaissances dont il dispose aujourd'hui, son vin aurait été bien meilleur parce que les raisins de cette année étaient d'une qualité exceptionnelle. C'est vrai, ce vin présente encore un certain caractère primaire, par sa robe ou au nez. Au palais, il est solide et bien en continuité avec le nez – très fruité, légèrement rôti, avec des nuances terriennes de cuir et de réglisse. **AS**

Fèlsina Berardenga *Chianti Classico Riserva Rancia*

Origine Italie, Toscane, Chianti Classico
Type vin rouge sec, 13 % vol.
Cépage Sangiovese
Millésime dégusté 1988, à boire jusqu'en 2012+
€€€€

La Grancia de Fèlsina, d'où le vignoble de Rancia tire son nom, était jadis un ensemble de bâtiments et de terres appartenant aux moines bénédictins. Elle faisait partie de Santa Maria della Scala, un des grands complexes hospitaliers de l'Europe médiévale. Le vignoble est à plus de 410 m d'altitude et ses 6 ha sont exposés plein sud. Les premières vignes furent plantées en 1958. Située dans la commune de Castelnuovo Berardenga, dans la partie sud-est de la région du Chianti Classico, Fèlsina fut achetée en 1961 par Domenico Poggiali. Sa fille Gloria épousa un instituteur vénitien du nom de Giuseppe Mazzocolin, lequel s'empressa d'abandonner l'enseignement pour le métier du vin. Il dirige aujourd'hui le domaine, avec pour consultant Franco Bernabei.

Mazzocolin et Bernabei s'étaient imposés en 1998 en créant l'un des meilleurs vins de ce millésime, inhabituel pour un Chianti Classico parce que fait à 10 % de Sangiovese. Très structuré quand il est jeune, le Rancia s'épanouit après cinq années de vieillissement en bouteille pour emplir la bouche de senteurs d'herbe, feuilles de thé et fruits mûrs. **SG**

Felton Road
Block 3 Pinot Noir

Origine Nouvelle-Zélande, Central Otago
Type vin rouge sec, 14 % vol.
Cépage Pinot noir
Millésime dégusté 2002, à boire jusqu'en 2012
€€€

Nigel Greening aimait tant les vins de la propriété Felton Road de Nouvelle-Zélande qu'il fit un jour le tour de tous les détaillants en vins de son quartier pour en acheter tout le stock disponible, avant d'acheter la propriété elle-même. Il possédait déjà son propre vignoble, à Cornish Point.

Bannockburn, dans Central Otago, est la région productrice de vin la plus méridionale au monde, et la seule de Nouvelle-Zélande dont le climat est continental plutôt que maritime. Ce qui implique des risques de gel, mais a l'avantage de donner de faibles précipitations et beaucoup d'heures d'ensoleillement. Ce genre de climat marginal est idéal pour la production de Pinot noir de haute qualité.

Le vignoble de Block 3 de Felton Road est orienté plein nord avec une couche arable épaisse de lœss apporté par le vent. L'exceptionnel millésime 2002 est riche en flaveurs, avec une bonne acidité, des tanins faibles, et une finale qui se prolonge en douceur. Les arômes rappellent les fruits rouges avec une pointe d'épices. Ce vin s'apprécie jeune, mais peut être gardé une dizaine d'années. Pour Nigel Greening, c'est l'un des meilleurs produits à ce jour. **SG**

Fiddlehead
Lollapalooza Pinot Noir

Origine États-Unis, Californie, Santa Barbara
Type vin rouge sec, 14 % vol.
Cépage Pinot noir
Millésime dégusté 2002, à boire jusqu'en 2012
€€€

Microbiologiste de formation, Kathy Joseph se passionna pour la vinification et travailla pour Pecota, dans la Napa Valley. En 1989, elle fonda sa propre société à Santa Barbara. Les deux cépages principaux étaient le Sauvignon blanc et le Pinot noir. Sa façon de faire est assez enjouée, voire fantaisiste, avec des cuvées de Sauvignon nommées Goosebury (*sic*) et Honeysuckle (groseillier et chèvrefeuille) et une de Merlot baptisée Lollapalooza.

En 1997, elle acheta des terres faisant face au célèbre vignoble Sanford & Benedict et planta de façon très dense 40 ha de Pinot noir. Le site est frais et bien drainé. Elle donna à son vignoble le nom de Fiddlestix et 2000 vit apparaître la première cuvée.

En plus du Pinot noir de Fiddlestix auquel est apposé le numéro 728, elle fait le Lollapalooza, sélectionné à partir de ses meilleures barriques. Comme son autre vin, il a vieilli dans près de 50 % de chêne nouveau. Le cru 2002 est particulièrement réussi et bien structuré, malgré des vignes encore jeunes, avec d'élégants arômes de cerise et de chêne bien intégré, une texture rebondie, un fruité ample et de doux tanins. **SBr**

Château Figeac

Finca Luzón
Altos de Luzón

Origine France, Bordeaux, Saint-Émilion
Type vin rouge sec, 13 % vol.
Cépages Cab. franc 35 %, Cab. Sauv. 35 %, Merlot 30 %
Millésime dégusté 2001, à boire entre 2012 et 2025
€€€

Origine Espagne, Murcie, Jumilla
Type vin rouge sec, 14,5 % vol.
Cépages Monastrell, Cab. Sauvignon, Tempranillo
Millésime dégusté 2002, à boire jusqu'en 2012+
€

Les nombreuses propriétés dont le nom inclut celui de Figeac sont la preuve que dans le passé ce domaine était bien plus vaste qu'il ne l'est aujourd'hui ; avec ses 40 ha de vignes, il est tout de même de dimensions respectables. Contrairement à bien des vignobles de Saint-Émilion, la terre est ici pauvre en argile et ce terroir a beaucoup de points communs avec le Médoc, ses vignes plantées sur des versants graveleux, par exemple. Le terrain influence également le choix des cépages cultivés : la proportion de Cabernet franc est élevée et celle de Cabernet Sauvignon assez importante.

Par contraste avec les Saint-Émilion plus riches et charnus, le Figeac est austère et contenu quand il est jeune. Ce faisant, il est parfois sous-estimé mais, une fois parvenu à maturité, c'est un modèle d'élégance et d'harmonie. Même s'il est raffiné, il n'est en aucun cas fragile et il a assez de corps pour supporter un vieillissement en barriques neuves à 100 %.

2001 fut une année exceptionnelle pour le Saint-Émilion. Le chêne nouveau est très apparent, au nez comme au palais, mais le vin est dominé par d'exquises saveurs de cerises et de fruits rouges. **SBr**

Après un changement de propriétaire en 2005, Finca Luzón est devenu plus simplement « Bodegas Luzón ». Son vignoble d'une superficie de 700 ha est planté essentiellement de traditionnel Monastrell (Mourvèdre), mais aussi de Tempranillo, de Cabernet, de Merlot, de Syrah et d'autres cépages.

C'est Miguel Gil, aidé par l'œnologue Joaquin Gálvez, qui a fait passer Finca Luzón du statut de producteur de vins de grande consommation à la position qu'il occupera plus tard dans l'Espagne du Sud-Est. Depuis 2005, ils ont suivi leur propre chemin qui les a conduits aux projets les plus intéressants de leur région : Gil dans sa propriété de Jumilla, Hijos de Juan Gil, et Gálvez à Beryna, à Alicante, à côté de Rafael Bernabé. Aucun de ces départs ne semble cependant avoir affecté le choix de qualité de Luzón.

Malgré ces changements, l'Altos de Luzón montre toujours, et particulièrement en 2002, le grand potentiel des vins espagnols à base de Monastrell. Ce cépage local, qui poussait dans l'Espagne du Sud-Est déjà au Moyen Âge, fournit maintenant des vins harmonieux dont la puissance est contrôlée grâce à un usage judicieux du chêne. **JB**

Finca Sandoval

Flowers *Camp Meeting Ridge Sonoma Coast Pinot Noir*

Origine Espagne, Castille-La Manche, Manchuela
Type vin rouge sec, 14,5 % vol.
Cépages Syrah, Monastrell, Bobal
Millésime dégusté 2005, à boire jusqu'en 2020
€€€

Origine États-Unis, Californie, Sonoma Coast
Type vin rouge sec, 14 % vol.
Cépage Pinot noir
Millésime dégusté 2001, à boire jusqu'en 2012
€€€

Certains amateurs de vin vivent leur passion avec tant d'intensité qu'ils finissent par se lancer eux-mêmes dans la vinification. Et quand l'amateur se double d'un écrivain de premier ordre comme Victor de la Serna, fondateur et propriétaire de la Finca Sandoval, on a affaire à quelqu'un qui sait tout sur les vignobles. Victor de la Serna bénéficie de l'aide d'un œnologue local, Rafael Orozco.

La Finca Sandoval est une propriété dont les 10 ha de Syrah occupent un sol argilo-crayeux à 770 m au-dessus du niveau de la mer. La Syrah fut choisie pour son potentiel sur un tel sol et sous un tel climat. La compagnie possède aussi, ou a des droits sur, plusieurs hectares de Mourvèdre, Bobal, Garnacha, Tintorera et Touriga nacional.

Le cru 2002 fut excellent dans les régions les plus chaudes de l'Espagne, Manchuela y compris, et le Finca Sandoval de cette année est un grand vin avec un équilibre inédit entre les nuances atlantiques et méditerranéennes. Un millésime témoigne de ce que seront la qualité et le style à venir de ce vin, 2005, déjà magnifique et ne pouvant que gagner en stature au cours des prochaines années. **JB**

Les deux vignobles de Flowers sont accrochés au flanc des collines de Sonoma, à 3 km seulement du littoral. Walt Flowers, pépiniériste de Pennsylvanie, planta ici ses premières vignes en 1991. Camp Meeting Ridge, son premier vignoble, va de 335 m à 427 m d'altitude. En 1988, il créa un autre vignoble, encore plus haut. Malgré les broussailles et la forêt, il discerna un sol rouge et volcanique avec des particules d'argile. L'analyse du sol et un survol du terrain en avion lui indiquèrent que son intuition ne l'avait pas trompé. 2004 fut l'année du premier vin. Dans un vignoble comme dans l'autre, le rendement est maintenu volontairement bas.

La finesse caractérise le Flowers Pinot Noir, mais cela ne signifie en rien qu'il manque de fruit ou que son ton est atténué. La cuvée variétale associe des raisins cueillis dans les vignobles de Flowers à d'autres issus de parcelles contrôlées mais pas détenues par son équipe, et son niveau de qualité est élevé. Le 2001 mêle framboise et brûlé discret ; en bouche, il est brillant, juteux et concentré avec une longue finale très pure. **SBr**

Fontodi
Flaccianello delle Pieve

Origine Italie, Toscane
Type vin rouge sec, 13,5 % vol.
Cépage Sangiovese
Millésime dégusté 1997, à boire jusqu'en 2020+
€€€€

Le Flaccianello, un des vins les plus réputés de l'IGT Sangiovese, doit son nom à un vignoble de 10 ha orienté sud-ouest; à 400 m d'altitude, il se situe à Panzano, dans la vallée de la Conca d'Oro. Le nom Fontodi est d'origine romaine (*fons odi*).

La famille Manetti est spécialisée dans les objets en céramique depuis plus de trois siècles. En 1968, elle acheta Fontodi; depuis elle ne cesse d'acquérir de nouveaux sites et d'améliorer la qualité de ses vins.

Le Flaccianello 1997 montre toute la richesse associée à ce grand millésime toscan. Jeune, il présente magnifiquement toutes les caractéristiques du Sangiovese, avec ses odeurs de feuilles de thé et d'herbes et celles plus discrètes de cerise et de prune. Avec un équilibre idéal entre acidité, fruit et tanins, il était tentant de le boire jeune mais, au bout de dix ans, les bouteilles conservées en cave sont toujours pleines de jeunesse quoique avec des parfums plus complexes et plus charnus. Ce vin a reçu de nombreux éloges dont un Tre Bicchieri («Trois Verres») de la part de la bible du vin qu'est le *Gambero Rosso*. **SG**

Foradori
Granato

Origine Italie, Trentin, Mezzolombardo
Type vin rouge sec, 14 % vol.
Cépage Teroldego
Millésime dégusté 2004, à boire jusqu'en 2020
€€€€

Granato signifie «grenade» en italien. Vignes et grenades ont les mêmes origines méditerranéennes, c'est pourquoi ce nom a été donné au Teroldego, concentré et dense, sans aucun doute le meilleur cépage rouge du Trentin. Ce vin de classe mondiale est construit de plusieurs éléments: sélection soigneuse des meilleurs phénotypes du cépage, biodiversité du vignoble et faibles rendements.

Le Granato 2004 a gagné la récompense convoitée de Tre Bicchieri dans le guide *Gambero Rosso 2007*. Le vin vient de vignes de Teroldego situées autour de Mezzolombardo, berceau de Foradori et de sites monovariétaux à Morei, à Sgarzon et à Cesura, où les sols alluviaux sont riches en galets.

Fermenté dans de grandes cuves ouvertes puis vieilli pendant dix-huit mois en petites barriques, le vin a une couleur spectaculaire, un rubis très profond. Le nez est fabuleux – opulent, herbeux, presque épais tant il est intense et cependant d'une élégance magique. Le vin est construit sur une solide base de tanins entremêlés, allégés par un mélange de baies et même, comme l'a fait remarquer un des dégustateurs, de graines de grenades mûres. **ME**

Château Fourcas-Hosten

Domaine Fourrier
Griotte-Chambertin GC

Origine France, Bordeaux, Listrac
Type vin rouge sec, 13 % vol.
Cépages Merlot 45 %, Cab. Sauv. 45 %, Cab. franc 10 %
Millésime dégusté 2005, à boire jusqu'en 2025
€€

Origine France, Bourgogne, côte de Nuits
Type vin rouge sec, 13 % vol
Cépage Pinot noir
Millésime dégusté 2005, à boire entre 2019 et 2035+
€€€€€

Listrac, à bonne distance des plus prestigieux vignobles du Médoc, a la réputation de donner des vins rustiques, voire rudes. C'est souvent justifié, mais en revanche les vins en question peuvent très bien vieillir. Plusieurs propriétés comportent le nom de Fourcas ; ce château, le plus charmant de tous, est une modeste gentilhommière aux belles proportions toute proche de l'église du village.

En 1983, le propriétaire d'alors, le marchand de vins new-yorkais Peter M. F. Sichel, demanda à Patrick Pagès, propriétaire du Château Fourcas-Dupré voisin, de gérer ses biens et de superviser sa vinification. Quelques vignobles sont vendangés mécaniquement et le vin vieillit douze mois dans un tiers de barriques neuves. Bien que familier de ces vignobles, Pagès est surpris de constater la différence entre ce vin et son propre Fourcas-Dupré. Très jeune, il peut avoir de la rusticité mais après une dizaine d'années en bouteille, des arômes plus complexes commencent à émerger. Par exemple, le 1971, qui n'avait rien d'exceptionnel, s'est montré plein de vie et de caractère à 30 ans. Le 2005 est riche en fruit au nez, et le palais est plus charnu que de coutume. **SBr**

Le Griotte-Chambertin, en dessous du Clos de Bèze, est, avec ses 2,73 ha, le plus petit grand cru de la commune et il n'a qu'une demi-douzaine de propriétaires. Le domaine Fourrier est parmi les plus estimés pour la qualité même s'il ne l'est pas pour la quantité, car il ne produit que quatre fûts par an.

Quand Jean-Marie Fourrier s'est associé à son père, peu avant 1990, la réputation de la propriété était au plus bas : de bons vins pour les années 1950-1960, mais très décevants au-delà. Jean-Marie avait effectué un stage chez feu le grand Henri Jayer et il avait travaillé avec le domaine Drouhin, en Oregon. Il a réussi à ajuster la production, à baisser le rendement, et à vinifier séparément les quatre premiers crus de Gevrey-Chambertin (le cinquième, le Clos Saint-Jacques, était déjà traité individuellement). Depuis 1993, les vins sont de nouveau excellents.

2005 est un grand millésime en Bourgogne. Le Griotte (en fait une déformation de craie, rien à voir avec les cerises bien que le vin ait des notes de cerise noire) est l'un des vins les plus raffinés de la commune ; un Gevrey avec une pointe de Musigny peut-être. Une très belle illustration. **CC**

Freemark Abbey
Sycamore Cabernet Sauvignon

Origine États-Unis, Californie, Napa Valley
Type vin rouge sec, 14 % vol.
Cépages Cab. Sauv. 85 %, Merlot 8 %, Cab. franc 7 %
Millésime dégusté 2003, à boire jusqu'en 2025
€€€

En 1886, une cave se dressait là, juste au nord de St Helena. Elle ferma ses portes en 1955, mais fut réaffectée en 1967. Les propriétaires se succédèrent. En 2001, la cave et la marque, mais pas les vignobles, furent vendues au Legacy Estates Group pour être rachetées en 2006 par Jess Jackson, grâce à qui survit le nom de Freemark.

Dès les années 1970, Freemark Abbey se fit connaître par un Cabernet issu du vignoble cultivé à sec de Bosché. Un deuxième Cabernet le rejoignit en 1984, issu du vignoble Sycamore, cette fois-ci. Superbement situé à Rutherford, il produit un vin plus dense et mieux structuré que Bosché. Une petite proportion de Cabernet franc et de Merlot des mêmes terres viennent ajouter de la complexité.

Le Sycamore Cabernet 2003 a une immense richesse aromatique, fruits noirs et trait de menthe, ainsi qu'une maturité confinant presque à l'écœurement. Le palais est immensément concentré et, même si les tanins sont formidables, il n'y a pas d'extraction excessive; l'après-goût est long et vigoureux. En un mot, c'est un Cabernet classique de la Napa Valley. **SBr**

Frog's Leap
Rutherford

Origine États-Unis, Californie, Napa Valley
Type vin rouge sec, 13,6 % vol.
Cépages Cab. Sauvignon 89 %, Cab. franc 11 %
Millésime dégusté 2002, à boire jusqu'en 2012+
€€€

La cuvée Rutherford Frog's Leap est un antidote aux vins californiens guindés. Mis au point en 1981 par Larry Turley et John Williams, Frog's Leap a servi de modèle aux vins souples, délicieux, tirés des fruits de la vallée, issus d'un terroir plus que d'un prix.

La cuvée vedette ne manque pas d'envergure. Elle est conçue pour exemplifier ce qu'André Tchelistcheff, œnologue de légende, croyait être l'essence de la Napa Valley : des arômes intenses, des fruits rouges sombres, allégés par une note subtile d'olive verte et une texture au palais, qu'il appelait «Rutherford Dust» (la poussière Rutherford), harmonieuse comme du velours sur des galets.

Pour faire ce vin plein de douceur et de souplesse intéressant, Williams évite les artifices de concentration et privilégie une macération longue pouvant aller jusqu'à trente jours ; il fuit le traitement au chêne neuf qui risquerait d'occulter la texture naturelle du terroir. L'été 2002, agréablement chaud, a fourni des conditions idéales pour une cuvée de Rutherford par excellence : des fruits mûrs et éclatants, un palais succulent avec des tanins fermes et structurés qui tirent délicatement sur l'arrière du palais. **LGr**

Fromm Winery
Pinot Noir

Origine Nouvelle-Zélande, Marlborough
Type vin rouge sec, 14 % vol.
Cépage Pinot noir
Millésime dégusté 2001, à boire jusqu'en 2012
€€€

Bien que Fromm Winery propose plusieurs bons vins de cépage, plus de la moitié de la production est maintenant du Pinot noir, car le propriétaire Georg Fromm croit que cela lui permettra « d'atteindre le niveau international de n'importe quel cépage de Nouvelle-Zélande ».

En plus du La Strada Pinot Noir, mélange de deux parcelles de la vallée de Brancott, Fromm met en bouteilles deux vignobles séparés: Fromm Vineyard et Clayvin Vineyard. Ce dernier est un site magnifique, bien exposé sur le versant d'une colline, également dans la vallée de Brancott, dans l'une des parties les plus hautes de Marlborough, et il doit son nom aux sols argileux complexes (*clay* signifie « argile »).

Georg décrit le millésime 2001 comme le meilleur depuis 1996. Il a représenté Marlborough à la Pinot noir Celebration de Nouvelle-Zélande en 2004 et reçu des compliments de Michel Bettane, journaliste du vin français. Son bouquet composé de fruits sombres est fumé et vif, tandis que le palais est harmonieux et d'une texture somptueuse, avec la minéralité et la personnalité de son terroir privilégié. **NB**

Elena Fucci
Aglianico del Vulture Titolo

Origine Italie, Basilicate, Vulture
Type vin rouge sec, 13,5 % vol.
Cépage Aglianico
Millésime dégusté 2004, à boire jusqu'en 2025+
€€€

Elena Fucci est un domaine né en 2000. La propriétaire, Elena en personne, est elle-même jeune et n'est que depuis peu viticultrice professionnelle. Elle étudiait encore à Pise quand le premier vin de sa propriété (2001) fut créé sous le contrôle de son père, Salvatore, et d'un œnologue consultant, Sergio Paternoster. L'Aglianico del Vulture Titolo est fait de raisins provenant du vignoble du même nom : si bien situé et si petit, on pourrait le prendre pour l'arrière-cour de la maison de Fucci, dans le village de Barile.

Le Titolo 2001 annonçait le potentiel du domaine. 2002 et 2003 furent deux millésimes très différents, très difficiles aussi, qui montrèrent bien que le producteur savait gérer les situations les plus extrêmes. La maturité arriva avec la cuvée 2004.

Le Titolo 2004 a une couleur profonde et vibrante, un nez étonnamment complexe où l'on distingue des baies noires mûres et juteuses ainsi que des notes évoquant le cuir ou la terre. Le bouquet se complète par des touches balsamiques et mentholées. Elena Fucci rêve de voir un jour Barile devenir le Montalcino de la Basilicate : son souhait n'est pas loin d'être exaucé. **AS**

Pago La Jara

Gaia
Agiorghitiko

Origine Espagne, Toro
Type vin rouge sec, 14,5 % vol.
Cépage Tinta de Toro (Tempranillo)
Millésime dégusté 2004, à boire entre 2009 et 2019
€€€

Origine Grèce, Péloponnèse, Némée
Type vin rouge sec, 13,5 % vol
Cépage Agiorghitiko
Millésime dégusté 1998, à boire jusqu'en 2012
€€€€

Après dix ans au service de la cave familiale de Remelluri, dans la Rioja, Telmo Rodríguez créa en 1964 sa propre société en compagnie d'autres viticulteurs espagnols formés comme lui à Bordeaux. Ensemble, ils redécouvrent de nombreuses appellations espagnoles. Le *modus operandi* de Telmo est le suivant : collaborer avec un éleveur local, fabriquer un vin simple et peu coûteux, comprendre le caractère des cépages, du sol et du climat de la région, enfin rechercher des vignobles exceptionnels à partir desquels créer une cuvée supérieure. Ce fut le cas à Toro, où il conçut le Dehesa Gago et le Gago avant de donner le Pago La Jara. Le fruit de cette cuvée est originaire de petites parcelles de vieilles vignes non greffées, plantées dans les années 1940 à 686 m d'altitude sur des versants argilo-calcaires recouverts de cailloux.

2004 fut un millésime classique. Au premier abord, il peut paraître dur et tannique que le 2003 et le 2005. Ce vin a des notes minérales de tourbe et de graphite, d'épices, de fumée, de fruits noirs (mûres et myrtilles) et une touche de violette. En bouche, il est puissant mais équilibré par la fraîcheur de son fruit. Sa finale est longue et persistante. **LG**

Le Péloponnèse est la partie la plus méridionale de la Grèce continentale. C'est ici, sur un sol calcaire, que se trouve le village de Koutis, foyer de Gaia, créé en 1997 dans le cadre de l'appellation Némée par Leon Karatsalos et Yannis Paraskevopoulos. Leur carrière débuta sur l'île de Santorin, où ils produisent encore l'un des vins blancs nationaux de renom.

Les vins de Némée sont souvent plaisants, faciles à boire : les vignobles occupent les plateaux d'altitude les plus plats et le rendement des vignes est le plus élevé de ce que permettent les règles de l'appellation. Ce n'est pas le cas pour Gaia. Leon et Yannis achetèrent des vignobles à flanc de collines et taillèrent leurs vignes pour réduire le rendement d'un fruit de qualité exceptionnelle à partir d'un cépage bon, mais méconnu, appelé Agiorghitiko.

Le 1998 est profond, presque opaque, avec des arômes et des parfums de fruits noirs bien mûrs (cerises noires et prunes de Damas), d'épices et de brûlé. Au palais, la maturité du fruit est bien équilibrée par l'acidité et les tanins veloutés. Le Domaine Gaia est assurément en tête des vins grecs de renommée mondiale. **GL**

Gaja *Barbaresco*

Origine Italie, Piémont, Langhe
Type vin rouge sec, 13,5 % vol.
Cépage Nebbiolo
Millésime dégusté 2001, à boire jusqu'en 2031+
€€€€€

La famille Gaja s'est installée au Piémont au milieu du XVIIᵉ siècle et Giovanni Gaja fonda la cave éponyme en 1859. Angelo entra dans l'affaire en 1961 et la famille détient aujourd'hui 101 ha d'excellents vignobles à Barbaresco et Barolo, plus deux autres propriétés en Toscane. Angelo s'occupe à merveille du marketing, mais le maître de chai a pour nom Guido Rivella.

Le catalogue de Gaja comporte plusieurs Barbaresco issus de vignobles à cépage unique – Sorí Tildin, Dorí San Lorenzo et Costa Russi – et deux crus de Barolo : Sperss et Conteisa Cerequio. Le Barbaresco « tout court » demeure le produit phare de Gaja, assemblé à partir de quatorze parcelles de vignes.

Les crus 2000 et 2001 furent les deux derniers d'une longue série de beaux millésimes que les vins d'Alba connurent à partir de 1995 et que l'on surnomma « les sept années grasses ». Aujourd'hui que les vins sont en bouteille depuis quelque temps déjà, le 2001 apparaît comme le meilleur de tous, car c'est lui qui a le plus de grâce et d'élégance, le plus de persistance aussi. Goûté en mars 2006, le Barbaresco de Gaja était un classique du genre, avec un nez de Nebbiolo d'une pureté absolue. Le palais était bien évidemment fermé et non développé, mais la concentration et la longueur en bouche magnifiques étaient déjà apparentes. Issu d'une bonne année comme 2001, le Barbaresco supérieur peut vieillir au moins trente ans, mais il lui en faudra au moins dix avant d'être d'un abord facile. **SG**

AUTRES SUGGESTIONS
Autres grands millésimes
1964 • 1971 • 1985 • 1989 • 1990 • 1996 • 1997 • 2004
Autres vins de Gaja
Barolo Sperss • Costa Russi • Gaja and Rey Chardonnay • Sorí San Lorenzo • Sorí Tildin

Domaine Gauby *Côtes du Roussillon-Villages Rouge Muntada*

Origine France, Roussillon
Type vin rouge sec, 13,5 % vol.
Cépages Syrah 45 %, Grenache 30 %, Carignan 25 %
Millésime dégusté 2003, à boire jusqu'en 2015
€€€€

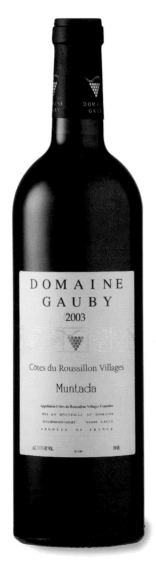

Fils d'un ancien international de rugby, Gérard Gauby est souvent décrit comme le «roi sans couronne du Roussillon». Quand il a hérité des vignes de son grand-père maternel en 1985, il avait en tout et pour tout 5 ha dont la récolte était portée à la coopérative locale. Depuis, il a systématiquement agrandi la propriété, si bien qu'aujourd'hui il cultive 45 ha dans la vallée de l'Agly, à l'ouest de Perpignan.

La plupart des vignes se trouvent dans le village de Calce, bien que Gauby ait acheté aussi des terres plus à l'intérieur, dans la région de Fenouillèdes. Les sols sont essentiellement crayeux, d'où le nom de Calce, de calcaire. C'est le Grenache qui prédomine; certains vins ont été plantés en 1947 et les rendements sont extrêmement faibles.

Le vin vedette est le Muntada, un Côtes-du-Roussillon-Villages. Auparavant, le Muntada contenait environ 15 % d'alcool, mais vers la fin des années 1990, Gauby a été convaincu que quelque chose n'allait pas bien dans les vignobles du Roussillon, car il fallait constamment les traiter avec des produits chimiques. Il a abandonné l'utilisation de produits chimiques et depuis 2000 il est complètement biodynamique. La physionomie de ses vins a changé et leur style aussi. Il utilise moins de chêne neuf et fait moins usage de techniques d'extraction. L'objectif est de produire des vins d'une plus grande finesse, un but qui s'explique par son amour des grands Bourgognes. Ce qui était un très bon vin à taux d'alcool élevé est maintenant un vin plus vif et plus mesuré qui a besoin de vieillir. **SG**

AUTRES SUGGESTIONS
Autres grands millésimes
1998 • 1999 • 2000 • 2001 • 2002 • 2007
Autres vins du même producteur
Les Calcinaires • La Coume Ginestre Vieilles Vignes

Château Gazin

Origine France, Bordeaux, Pomerol
Type vin rouge sec, 13 % vol.
Cépages Merlot 90 %, Cab. Sauv. 7 %, Cab. franc 3 %
Millésime dégusté 2004, à boire entre 2012 et 2025
€€€

Contrairement à son puissant voisin qu'est le Château Petrus, Gazin possède son propre château, élégante demeure campagnarde habitée depuis quatre-vingt-dix ans par la famille Bailliencourt. Gazin connut quelques problèmes dans les années 1970. La famille possédait aussi le Château La Dominique à Saint-Émilion mais, pour conserver Gazin, elle dut s'en défaire, ainsi que de près de 4,8 ha des vignobles propres à Gazin. L'acheteur fut Petrus, qui récupéra ainsi quelques-unes des meilleures parcelles de Gazin.

L'emplacement des vignes de Gazin n'est pas toujours idéal, mais près des deux tiers des 24 ha se situent sur le renommé plateau de Pomerol, qu'il partage avec Petrus et plusieurs autres domaines. Depuis 1988, le vin est très bon mais souvent sous-estimé, peut-être parce qu'il est fait en grande quantité pour un Pomerol et n'a pas ainsi le cachet de ses rivaux dont la production est inférieure. Le 2004 montre à quel point ce vin peut être bon lors d'une année sans grand éclat. Il est parfumé et intense au nez, pourtant le palais est riche, épicé et élégant. **SBr**

Jean-René Germanier
Cayas Syrah du Valais Réserve

Origine Suisse, Valais, Vétroz
Type vin rouge sec, 13 % vol.
Cépage Syrah
Millésime dégusté 2005, à boire entre 2009 et 2015
€€€

Le Valais n'est pas seulement le plus grand canton vinicole de Suisse, c'est aussi là que le Rhône prend sa source. Le vigneron Jean-René Germanier a toujours rêvé de produire un grand vin Syrah. L'histoire de sa cave remonte à 1896, quand Urbain Germanier créa le vignoble de Balavaud à Vétroz. La vinification est aujourd'hui confiée à Gilles Besse, neveu de Jean-René.

1995 vit la première cuvée de Cayas constitué à 100 % de Syrah. Le nom de Cayas fait référence au mot caillou et au sol d'ardoise de la région de Vétroz. Depuis ce premier cru, Cayas passe pour le meilleur vin Syrah de Suisse, marqué par l'élégance, la concentration, la puissance et la longueur en bouche. En 2004, la cave lança un second vin appelé tout simplement Syrah 2004, dans le but d'augmenter encore la qualité du Cayas.

Le Cayas 2005 a une robe sombre, presque violacée. Au nez, il y a des arômes de cassis, de sol de la forêt et de café. Le palais est très élégant et frais, avec un bel équilibre entre les fruits rouges mûrs et les notes minérales ou épicées. Les tanins sont denses et fermes et la finale assez longue. **CK**

Les raisins sont égrappés dès leur arrivée dans la cave de Gazin.

Gerovassiliou *Avaton*

Origine Grèce, Macédoine, Epanomi
Type vin rouge sec, 14 % vol
Cépages Limnio, Mavroudi, Mavrotragano
Millésime dégusté 2002, à boire jusqu'en 2020+
€€

Le domaine éponyme d'Evangelos Gerovassiliou, peut-être le meilleur de Grèce, est situé à Epanomi, à 24 km au sud-ouest de Thessalonique. La propriété actuelle a pour origine un vignoble familial de 6 ha, où Evangelos entreprit en 1981 de planter des cépages grecs et étrangers. Evangelos avait toutes les compétences pour faire du bon vin : il s'est en effet formé à Bordeaux, comptant parmi ses influences Émile Peynaud, et travailla de 1976 à 1999 comme œnologue en chef du Château Carras.

Le vignoble d'origine s'est développé pour atteindre aujourd'hui 45 ha, toujours planté d'un mélange de cépages grecs étrangers. Les stars internationales – Chardonnay, Sauvignon blanc, Viognier, Grenache, Syrah et Merlot – côtoient les variétés grecques – Assyrtiko, Malagousia, Limnio, Mavroudi et Mavrotragano. Le cépage Malagousia fait la fierté et le bonheur de Gerovassiliou parce que celui-ci en empêcha *in extremis* la disparition et fut le premier à en démontrer tout le potentiel en le vinifiant pour la première fois selon des techniques modernes.

Les blancs de Gerovassiliou sont impressionnants, mais ses rouges occupent la première place. Le vin Syrah est intéressant, mais l'Avaton est certainement son meilleur vin rouge, d'autant plus intéressant que c'est un assemblage de trois cépages grecs – Limnio, Mavroudi et Mavrotragano. C'est un substantiel où les fruits noirs sont couplés à une élégante structure épicée. Authentique vin de garde, il se bonifiera en cave au cours des vingt prochaines années. **JG**

AUTRES SUGGESTIONS
Autres grands millésimes
2001 • 2003 • 2004
Autres vins du même producteur
Ktima Gerovassiliou (rouge et blanc) • Ktima Gerovassiliou Fumé, Chardonnay, Viognier, Syrah

Les raisins du cépage Limnio arrivent à la cave de Gerovassiliou. ➜

Giaconda
Warner Vineyard Shiraz

Origine Australie, Victoria, Beechworth
Type vin rouge sec, 13,5 % vol.
Cépage Shiraz
Millésime dégusté 2002, à boire jusqu'en 2022
€€€

Homme discret mais gourou des viticulteurs australiens, Rick Kinzbrunner est un authentique vigneron qui a déployé autant d'effort pour faire pousser d'excellents cépages que pour créer un vin superbe. Giaconda produisit son premier vin en 1985 et devint vite célèbre pour son Chardonnay et, à un degré moindre, pour son Cabernet Sauvignon et son Pinot noir. Son Shiraz ne vit le jour qu'en 1999 et ce fut un enthousiasme immédiat. En quatre années, les critiques le placèrent parmi les tout premiers Shiraz d'Australie, pays qui en compte beaucoup.

Les pieds de Shiraz furent d'abord cultivés par un voisin nommé Werner, non loin du vignoble de Giaconda. À ces raisins s'ajouta bientôt le fruit du vignoble de la propriété, de plus petite taille (0,8 ha). Un Shiraz issu de ce seul domaine n'est pas à exclure. Le sol des deux vignobles est granitique.

Le 2002 est concentré avec une robe superbe et une abondance de fruit. Les arômes de prune, de mûre, de poivre et de trèfle prédominent. Le palais est dense et riche, mais élégant. Un tel vin a une espérance de vie d'au moins vingt ans. **HH**

Bruno Giacosa
Asili di Barbaresco

Origine Italie, Piémont, Langhe
Type vin rouge sec, 14 % vol.
Cépage Nebbiolo
Millésime dégusté 2001, à boire jusqu'en 2030+
€€€€€

L'Italie peut se vanter d'avoir de nombreux excellents producteurs de vin et quelques-uns assez exceptionnels mais, quand on parle de génie, un seul nom vient à l'esprit, celui de Bruno Giacosa. Il débuta comme négociant, achetant des raisins – comme son père avant lui – à des éleveurs avec qui ils avaient d'excellentes relations ; puis en tirant des crus très spéciaux. Il a depuis acheté de grands vignobles à Asili (Barbaresco) et Falletto (commune de Serralunga, Barolo). L'Asili est renommé pour son élégance et sa grâce et le Falletto pour son austérité et sa fermeté, sa tendance à mettre beaucoup de temps pour mûrir et sa capacité à très bien vieillir.

Les meilleurs vins de Giacosa, tels que l'Asili 2001 ou le 2000 Falletto Riserva, ont quelque chose de symphonique dans la gamme et la diversité de leurs arômes et de leurs parfums : le doux se mêle à l'amer, le fruit à l'acidité et au tanin, l'herbe aux fleurs, le cuir et le goudron au chêne (même s'ils n'utilisent que de grosses botti pour son Barolo et son Barbaresco) ; il ne faut pas non plus oublier les notes de champignons, parfois même de truffe, de viande et de gibier. **NBel**

À Barolo, le village de Neive où est installé Bruno Giacosa. ➡

Château Giscours

Origine France, Bordeaux, Margaux
Type vin rouge sec, 12,5 % vol.
Cépages Cab. Sauv. 53 %, Merlot 42 %, autres 5 %
Millésime dégusté 1970, à boire jusqu'en 2015+
€€€€€

Cette propriété était au XIXᵉ siècle une sorte de prison fortifiée d'allure sinistre. Le vignoble n'apparut qu'en 1552 lorsqu'il fut vendu et devint au XIXᵉ siècle l'un des plus vénérables crus classés. Pendant le Second Empire, la demeure fut reconstruite par son propriétaire d'alors, le comte de Pescatore, dans un style digne de recevoir l'impératrice Eugénie. Nicolas Tari et son fils Pierre le propulsèrent au premier rang après la Seconde Guerre mondiale ; ces dernières années, la famille de financiers hollandais francophiles Jelgersma confirma cette place de choix.

Le domaine comporte quatre parcelles distinctes, plantées sur le sol graveleux et sablonneux du Médoc ; la couche arable caillouteuse permet une excellente perméabilité. En 1970, il participa à la renaissance climatique que connut tout le Bordelais et la région put oublier les tristes millésimes des années 1960. Le Médoc en particulier offrit des vins concentrés d'une extraordinaire longévité, en partie grâce à des vendanges extrêmement tardives puisqu'elles ne commencèrent qu'en octobre.

Le Giscours 1970 est dense et sombre ; il propose les mêmes notes de réglisse et de mûres pulpeuses que lorsqu'il entama sa maturité au début des années 1990. Un développement secondaire ajouta figues séchées et notes végétales (origan peut-être), mais l'ample musculature de ce vin, soutenue par d'élégants tanins qui ont parfaitement vieilli, continue à lui donner corps. **SW**

Le château a été construit en 1847 à la demande du comte de Pescatore. ➔

Goldwater
Goldie

Origine Nouvelle-Zélande, Waiheke Island
Type vin rouge sec, 13,5 % vol.
Cépages Cabernet Sauvignon, Merlot
Millésime dégusté 2004, à boire jusqu'en 2015
€€€

Kim et Jeanette Goldwater furent les premiers à planter des vignes sur Waiheke Island en 1978 et à prouver que le site était adapté à la production de Cabernet Sauvignon et de Merlot de grande qualité.

La réussite de cet assemblage, baptisé Goldie à partir du millésime 2002, encouragea la venue d'autres aspirants viticulteurs. La plupart découvrirent que ce n'était pas très rentable de fabriquer du vin à partir de vignes à bas rendement poussant sur un terrain plus qu'onéreux. Goldwater fit exception à cette règle et augmenta ses revenus en faisant aussi du vin avec des raisins originaires de Marlborough.

Le choix de sites vinicoles nouveaux, de meilleurs clones de Cabernet Sauvignon et de Merlot a amélioré la qualité. Le vin est devenu plus dense, avec des parfums plus mûrs et une plus forte influence d'un chêne de meilleure qualité. En 2004, le vin fut fait sur de nombreuses parcelles, permettant aux caractéristiques de chacune d'elles et de chaque clone de s'exprimer pleinement avant l'assemblage. C'est un vin rouge intense quoique élégant avec des parfums de baies noires, anis, réglisse et une vague touche d'épices orientales. **BC**

Domaine Henri Gouges
Nuits-St-Georges PC Les St-Georges

Origine France, Bourgogne, côte de Nuits
Type vin rouge sec, 13 % vol.
Cépage Pinot noir
Millésime dégusté 2005, à boire jusqu'en 2030
€€€€

Le domaine Gouges se dissimule derrière un mur banal de Nuits-Saint-Georges. En 1929, quand les cultivateurs vendaient leurs raisins à des chargeurs, Henri Gouges mit en bouteilles ses premiers vins. Ses fils reprirent l'affaire en 1967 et agrandirent la propriété qui atteint aujourd'hui 15 ha. Depuis 1985, deux cousins sont à la tête de l'entreprise : Pierre s'occupe des vignobles et recourt à des procédés organiques, Christian est responsable des caves ultramodernes.

À la fin du XIXᵉ siècle, le village de Nuits se donna le nom qu'on lui connaît aujourd'hui en s'adjoignant celui de son plus célèbre vignoble. Planté depuis plus de mille ans, le site fait face au soleil levant, juste au sud du village. Les 7 ha se répartissent entre quinze éleveurs. Gouges, avec 1 ha de pieds de vigne cinquantenaires, est l'un des plus grands.

2005 fut marquée par la sécheresse. Mis en bouteilles début 2007, le millésime 2005 est un vin dense. Austère quand il est jeune, le goût d'un tel vin est généralement acquis. Le 2005 a toutefois plus de chair et de souplesse, avec des notes minérales ou de mûres. Ce pourrait être le meilleur Saint-Georges que le domaine ait jamais produit. **JP**

◄ Au large d'Auckland, Waiheke Island est couverte de vignobles.

Grace Family Vineyards
Cabernet Sauvignon

Origine États-Unis, Californie, Napa Valley
Type vin rouge sec, 13,5 % vol.
Cépages Cabernet Sauvignon
Millésime dégusté 1995, à boire jusqu'en 2015+
€€€€€

Les Grace Family Vineyards (Vignobles de la famille Grace) ont vu le jour en 1976, quand une parcelle de 0,4 ha a été plantée de Cabernet Sauvignon par Dick Grace avec des greffons du Bouché Vineyard à Rutherford.

Avec sa microproduction et sa politique de vente par correspondance seulement, Grace Family Vineyards a produit ce que l'on peut incontestablement appeler le premier Cabernet culte de Californie. La production annuelle est souvent inférieure à 200 caisses alors qu'il y a plus de 4 000 personnes sur la liste d'attente. Si les vins cultes sont définis par le pouvoir de vedettariat derrière l'étiquette, le Cabernet Grace Family peut être fier de son pedigree. Le fils de Dick Grace, Kirk, est maintenant responsable du vignoble qui a nécessité un important replantage au début des années 1990, suite à une épidémie de phylloxéra.

Rares sont les vins qui peuvent se comparer au Grace Family Cabernet en termes de réussite dans une vente aux enchères. Aux enchères de la Napa Valley en 1985, une collection de cinq bouteilles dans un emballage spécial s'est vendue pour 10 000 dollars. La demande pour les vins des Grace a continué sans fléchir, avec une bouteille gravée de 12 litres (millésime 2003) se vendant aux enchères de Naples pour 90 000 dollars. Le 1995, premier millésime de Heidi Peterson Barrett, est considéré comme la quintessence du Cabernet de la Napa Valley. **LGr**

La maison familiale des Grace se trouve dans le domaine. ➔

Alain Graillot
Crozes-Hermitage

Origine France, Rhône septentrional, Crozes-Hermitage
Type vin rouge sec, 13 % vol.
Cépage Syrah
Millésime dégusté 2001, à boire jusqu'en 2016
€€€

Les autodidactes sont relativement rares dans le monde du vin de sorte qu'Alain Graillot est une espèce de phénomène. Représentant en machines agricoles devenu récolteur-vigneron, son premier millésime sous le nom de son domaine date de 1985. Le Crozes-Hermitage pousse sur une parcelle au confluent du Rhône et de l'Isère, où le sol est un mélange alluvial de gravier, de sable et de rochers.

Les raisins sur tiges connaissent de deux à cinq jours de macération préfermentation. Après clarification, le vin connaît une macération mixte. 20 % demeurent en cuve tandis que le reste est divisé en un certain nombre de barriques de chêne vieilles d'un ou trois ans ; il y passe une année.

Le torride mois d'août 2001 fut suivi d'un mois de septembre relativement frais mais heureusement sec. Ces conditions climatiques produisirent de petits raisins à la peau épaisse, une bonne acidité et une maturité physiologique accomplie. Comme pour les autres appellations du Rhône septentrional, la cuvée 2001 donna des vins mieux équilibrés que la 2000, trop médiatisée.

Le Crozes 2001 de Graillot est, de façon caractéristique, un vin sombre et dense, noir comme de l'encre quand il est jeune, solide avec des tanins de fruit mûr et empreint de cette intensité charnue propre à la Syrah du Rhône. Au palais, la framboise et la mûre apparaissent lentement pour participer à l'équilibre au bout de trois ans. **SW**

◀ Un viticulteur du Rhône se prépare à goûter un vin déjà vieilli en fût.

Château Grand-Puy-Lacoste

Origine France, Bordeaux, Pauillac
Type vin rouge sec, 13 % vol.
Cépages Cab. Sauv. 70 %, Merlot 25 %, Cab. franc 5 %
Millésime dégusté 2000, à boire entre 2010 et 2030
€€€

Bien que moins connu que les autres vins de cette commune, le Grand-Puy-Lacoste a derrière lui un beau palmarès. Il fait partie des propriétés détenues par la famille de négociants Borie. François-Xavier Borie dirige le domaine ainsi qu'un autre cru classé, le Château Haut-Batailley, alors que son frère Bruno veille sur le Saint-Julien, second choix du Ducru-Beaucaillou.

Les vignobles occupent deux monticules graveleux et leur superficie a à peine changé depuis cent cinquante ans. L'âge moyen des pieds de vigne est de 40 ans, ce qui contribue à donner au vin concentration et cohérence. Le Grand-Puy-Lacoste est viril sans jamais être rustique ni disgracieux.

Les raisins sont bien triés avant la vinification et Borie prend soin de ne pas céder à la surextraction ; si un millésime manque de force, il lui rajoutera du vin pressé. L'équilibre du Grand-Puy-Lacoste est exemplaire : il présente la force naturelle propre à un Pauillac tout en conservant un haut degré de finesse et le premier plan accordé au fruit. Le cru 2000 est d'une somptuosité exceptionnelle et possède une qualité hédoniste à laquelle on résiste difficilement : il est en effet riche, velouté, chocolaté et d'une finale étonnante. Il vieillira bien, sans aucun doute, tout comme le 1982 au fruité irrésistible. **SBr**

AUTRES SUGGESTIONS		
Autres grands millésimes		
1961 • 1982 • 1988 • 1990 • 1995 • 1996 • 2005		
Cinq autres crus de Pauillac		
d'Armailhac • Batailley • Clerc-Milon		
Lynch-Bages • Pontet-Canet		

L'histoire de Grand-Puy-Lacoste remonte au XVᵉ siècle. ➜

Grange des Pères

Origine France, Languedoc
Type vin rouge sec, 13,5 % vol.
Cépages Syrah, Mourvèdre, Cab. Sauv., Counoise
Millésime dégusté 2000, à boire jusqu'en 2012+
€€€

Dans les années 1970, le Mas de Daumas Gassac situé à Aniane prouva au monde entier que le Languedoc était capable de produire un vin fin à partir d'un Cabernet Sauvignon parfumé d'une grande longévité, conçu sous la tutelle d'Émile Peynaud. Ce n'est donc peut-être pas une coïncidence si Aniane abrite aussi le domaine que de nombreux critiques considèrent comme le successeur de Daumas Gassac : il s'agit de Laurent Vaillé et de sa Grange des Pères. Vaillé, physiothérapeute de formation, créa son domaine de 11 ha au début des années 1990, et son premier millésime date de 1992.

La présence de Counoise fait que ce vin est qualifié de « vin de pays » et n'entre pas dans l'AOC Coteaux du Languedoc. Mais qu'importe l'appellation si le vin est bon ? Celui-ci est élevé pendant vingt mois en barriques de chêne.

Comme pour bien des vins de cette qualité, l'équilibre est la clé de la réussite de la Grange des Pères : on le voit bien avec la cuvée 2000. Ce n'est pas un vin lourd et sombre : il montre au contraire un nez expressif, vaguement animal, avec un caractère délicat de fruit mûr. Le palais est profond et le fruit, intense et savoureux, a sur le contour quelque chose de doux et de végétal. C'est un excellent Languedoc empreint d'une touche de Rhône septentrional. L'équilibre et l'élevage de longue durée indiquent qu'il peut se garder en cave pendant au moins une dizaine d'années, peut-être même plus. **JG**

Elio Grasso
Barolo Runcot

Origine Italie, Piémont, Langhe
Type vin rouge sec, 14 % vol.
Cépage Nebbiolo
Millésime dégusté 2001, à boire jusqu'en 2015
€€€€

Le viticulteur Elio Grasso est sans aucun doute devenu l'un des grands noms du Barolo, au point de faire partie de l'élite des Barolisti. Cet ancien banquier reprit l'entreprise familiale dans les années 1970, replanta les vignobles et mit son premier Barolo en bouteilles en 1978. Il ne se veut ni traditionaliste ni moderniste et évite de se voir appliquer l'un ou l'autre adjectif. Ce qui lui importe, c'est de mettre en bouteilles l'expression ultime de ses raisins, et il insiste sur le fait qu'il vaut mieux être encensé comme vigneron que comme producteur.

Les 14 ha de vignobles sont situés dans le hameau de Monforte d'Alba, sur la magnifique colline de Gavarini. Il fait trois Barolo différents appelés Gavarini Vigna Chiniera, Ginestra Vigna Casa Maté et Runcot (à partir d'un seul vignoble). Son fils, Gianluca, voulait créer une forme plus moderne de Runcot et il fait vieillir ce vin dans des barriques de chêne français neuves pour en dompter les puissants tanins. Le vignoble de 1,8 ha exposé plein sud est à une altitude moindre que les autres, et son sol argilo-calcaire fournit au vin sa structure. Le Runcot n'est mis en bouteilles que les meilleures années à partir du millésime 1995.

Même si le cru 2001 ne se vit attribuer que quatre étoiles par le Barolo et Barbaresco Consorzio, il en aurait bien mérité cinq selon la plupart des producteurs et il est certainement capable de vieillir longuement en cave. Le Runcot 2001 est lissé et policé, avec des couches complexes de fruit mûr, de chêne et d'épices ; il a une longue fin de bouche. **KO**

Silvio Grasso
Barolo Bricco Luciani

Origine Italie, Piémont, Langhe
Type vin rouge sec, 14 % vol.
Cépage Nebbiolo
Millésime dégusté 1997, à boire jusqu'en 2025
€€€€

La propriété Silvio Grasso fut fondée en 1927 et elle est aujourd'hui dirigée par Federico Grasso, qui y fait également office d'agronome et d'œnologue. Le domaine compte 14 ha plantés pour moitié de Nebbiolo. Il entoure le village de La Morra où le sol, plus léger et plus sablonneux que celui de Monforte ou de Serralunga d'Alba, permet l'élaboration de vins plus élégants, plus audacieux aussi.

Federico Grasso peut être considéré comme l'un des «modernistes» parmi les producteurs de Barolo, mais il fait aussi un vin de style très traditionnel appelé André – sans rapport avec le prénom, cela vient du mot piémontais pour «en arrière». Ce Barolo connaît une très longue macération (jusqu'à quarante jours) et vieillit dans les grosses barriques de chêne traditionnelles.

Le Bricco Luciani est issu de l'un des meilleurs crus de La Morra et produit selon des techniques plus modernes que le André. Une courte macération et un vieillissement en petites barriques rendent ce vin plaisant dès sa mise en bouteilles. Le 1997 en est un bel exemple. La robe est intense, violacée, même s'il n'y a aucun signe de jeunesse. Le nez est ouvert, intense, pénétrant et très élégant, avec des notes de fleurs séchées et de sous-bois mais aussi de baies rouges. Le palais est dense, plein et chaud, riche en tanins d'une grande douceur. Bien que très appréciable à 10 ans d'âge, ce vin récompensera quiconque aura la patience d'attendre encore quelques années avant d'ouvrir une bouteille. **AS**

Grattamacco

Origine Italie, Toscane, Bolgheri
Type vin rouge sec, 13,5 % vol.
Cépages Cabernet Sauvignon, Merlot, Sangiovese
Millésime dégusté 2003, à boire jusqu'en 2020+
€€€€

Le domaine Grattamacco est l'un des producteurs historiques de Bolgheri, dans la province de Livourne. Vendu sous le seul nom de Grattamacco, le millésime 1978 connut un succès instantané. L'entreprise fut cédée en 2002 et appartient aujourd'hui à M. Tippa, un Italien également propriétaire du superbe domaine Colle Massari rattaché à la DOC Montecucco.

Le domaine Grattamacco est situé sur une colline à 91 m au-dessus du niveau de la mer, entre les villages de Bolgheri et de Castagneto Carducci. Le climat y est doux et sec, avec d'appréciables différences de température entre le jour et la nuit, à la fin de l'été, quand le raisin a besoin des meilleures conditions pour mûrir. La propriété s'étend sur 30 ha, dont 11 de vignes et 5 d'oliviers. Le reste est uniquement boisé.

L'année 2003 fut exceptionnellement chaude et sèche dans la plupart des pays d'Europe et la Toscane ne fit pas exception à la règle, pourtant le Grattamacco ne présente pas les défauts de ce millésime «saharien». Le nez est frais et vibrant, avec des notes douces de fruit mûrs (myrtilles et mûres). Le chêne parfaitement intégré ne domine jamais le fruit. Le vin pénètre dans la bouche de façon sensuelle, charnelle, puis se déploie au maximum sans jamais exagérer. Sa profondeur est étonnante, tout comme sa finale qu'une acidité bienvenue (et peut-être inattendue) rend intéressante. Les tanins, ni secs ni rudes, laissent entrevoir un beau potentiel de vieillissement. **AS**

Greenock Creek
Roennfeldt Road Shiraz

Origine Australie, Australie-Méridionale, Barossa Valley
Type vin rouge sec, 15 % vol.
Cépage Shiraz
Millésime dégusté 1998, à boire entre 2010 et 2025
€€€€€

L'ascension de Greenock Creek eut quelque chose de fulgurant et reposa sur des pieds de vigne à culture à sec et de bas rendement de Shiraz, de Cabernet Sauvignon et de Grenache, tous plantés sur la propriété et dont l'âge variait entre 10 et 70 ans.

Les cuvées de Greenock Creek proviennent souvent des vignobles de Marananga et de Seppeltsfield, où le sol va du dépôt alluvial au terreau lourd en passant par des socles calcaires ou granitiques également recouverts de terreau. Les vins furent à l'origine faits par Chris Ringland de Rockford, qui conçoit aujourd'hui ses propres produits, prestigieux et très prisés. Michael Waugh est aujourd'hui l'unique responsable de la vinification.

Au moins cinq cuvées de Shiraz sont faites ici à partir des vignobles de Seven Acre, d'Alice's, d'Apricot Block et de Roennfeldt. 1998 fut une excellente cuvée pour la vallée de Barossa. Le vin présente une robe violette dense, avec une concentration massive au nez et au palais. Ce dernier donne une riche impression en bouche, dominé par la mûre et le cassis, avec des notes de fumé et de goudron pendant la longue finale. **JW**

Miljenko Grgić
Plavac Mali

Origine Croatie, Pelješac, Dingač
Type vin rouge sec, 13,5 % vol.
Cépage Plavac Mali
Millésime dégusté 2004, à boire jusqu'en 2015
€€€

La péninsule de Pelješac est à environ une heure de voiture au nord-ouest de Dubrovnik. Le cépage local est le Plavac Mali qui, comme le Zinfandel de Californie, est un descendant de l'ancien cépage croate Crljenac. L'appellation Dingač fait la fierté de cette région. Ici, les pentes qui plongent abruptement dans l'Adriatique inclinent une bande incroyablement étroite de vignes vers le soleil.

Miljenko Grgić est un Croate qui a quitté son pays pour l'Allemagne, le Canada puis les États-Unis, où il a travaillé pour plusieurs entreprises avant d'être cofondateur de Grgić Hills Cellars et de se faire une réputation pour les super Chardonnays. Il n'a jamais perdu l'amour de son pays et en 1995 il a créé sa propre entreprise, moderne et bien équipée, à Pelješac.

Le Plavac Mali de Grgić de Dingač est la fusion d'un vignoble ancien et de la technologie moderne. Tout ce qui fait ce vin est grand. Sa robe est profonde, son nez prononcé, avec des fruits noirs matures et une richesse qui rappelle le raisin sec et se prolonge au palais. Le niveau d'alcool et de tanins est élevé tout en restant parfaitement intégré. Un grand vin vraiment exceptionnel. **GL**

Domaine Jean Grivot
Richebourg Grand Cru

Origine France, Bourgogne, côte de Nuits
Type vin rouge sec, 13,5 % vol.
Cépage Pinot noir
Millésime dégusté 2002, à boire jusqu'en 2025+
€€€€€

La famille Grivot vit en Bourgogne depuis la fin du XVIIIe siècle. Au début cultivateurs et tonneliers, ils mirent en bouteilles leurs propres vins vers le milieu des années 1930. Jean Grivot acquit la parcelle de Richebourg en 1984 pour donner au domaine la superficie qu'on lui connaît actuellement, soit 16 ha. En même temps, son fils, Étienne, étudia l'œnologie, s'impliqua dans la vinification et transforma le vignoble.

Les Grivot ont une parcelle continue de 0,3 ha de vignes soixantenaires. Bien que le cru soit parfois associé à des Bourgognes d'une puissance extraordinaire, Grivot ne souhaite en rien concevoir un vin « brutal », comme il le dit lui-même ; en revanche il veut façonner un vin déployant une grande énergie tout en ayant quelque chose d'aérien. 2002 fut une belle année pour Grivot et Étienne la préfère de loin à 1999, pourtant louée de tous. Le nez est exquis, où l'on distingue parfaitement la cerise. Jouissant d'une bonne acidité et d'un splendide équilibre, c'est néanmoins un vin monumental par sa richesse et sa puissance que soutiennent des tanins mûrs et solides. **SBr**

Domaine Anne Gros
Richebourg Grand Cru

Origine France, Bourgogne, côte de Nuits
Type vin rouge sec, 13,5 % vol.
Cépage Pinot noir
Millésime dégusté 2000, à boire jusqu'en 2025
€€€€€

Autrefois, cette propriété faisait partie du domaine Louis Gros jusqu'à ce qu'elle en devienne indépendante en 1963, avec François Gros. Il a pris sa retraite en 1988, et depuis c'est sa fille Anne qui a le contrôle absolu du domaine, qui, jusqu'en 1994, s'appelait domaine Anne et François Gros.

La qualité ici était moyenne mais s'est brutalement améliorée sous les soins d'Anne. Bien que non certifié comme tel, depuis 2000 le domaine est bio. La vinification est simple, avec fermentation en cuves de bois ouvertes, levures naturelles et une part importante de chêne neuf, environ 80 %, pour les grands crus. Anne insiste sur le fait qu'elle déteste les tanins secs dans un vin et s'efforce d'obtenir une sensation d'onctuosité et avant tout de fruit.

Bien que parfois le Richebourg ait une réputation de vin lourd par rapport aux normes bourguignonnes, ce n'est pas le cas ici. Au contraire, on trouve une intensité, des tanins très fins, une puissance discrète, un boisé plus présent sur le nez qu'au palais et une longueur exceptionnelle. Le Richebourg d'Anne Gros est stylistiquement régulier tout en restant fidèle au millésime. **SBr**

Château Gruaud-Larose

Origine France, Bordeaux, St.-Julien
Type vin rouge sec, 13 % vol.
Cépages Cab. Sauv. 57 %, Merlot 31 %, autres 12 %
Millésime dégusté 2005, à boire entre 2012 et 2035
€€€

Cette propriété témoigne du Médoc dans ce qu'il a de plus grand, avec un château achevé en 1875 et une tour dominant un vignoble de 80 ha. Son vin fut très prisé au XVIIIe siècle mais la propriété se scinda au siècle suivant en deux marques différentes, toutefois le vin demeura le même. Le négociant Désiré Cordier en acheta une partie en 1917 et l'autre en 1935, restaurant ainsi l'intégrité de la propriété. Cette dernière appartient de nos jours à une autre grande famille de négociants, les Merlaut. Ils ont gardé avec eux le maître de chai vétéran de Cordier, Georges Pauli.

Du point de vue du style, il n'y a rien de dur ni d'obstiné dans le Gruaud-Larose et son aspect musclé est équilibré par sa fraîcheur et sa vigueur. Le 2005 révèle la propriété au mieux de sa forme. Les arômes séduisants sont mûrs, floraux et épicés tandis que le palais est étonnamment vibrant ; c'est un vin énergique, vigoureux, d'une excellente fin de bouche. Peut-être est-ce parce qu'il bénéficie d'une promotion moindre que celle des autres grands Saint-Julien que le Gruaud-Larose est parfois sous-estimé ; les grandes années, pourtant, il est réellement hors classe et harmonieux. **SBr**

GS
Cabernet

Origine Afrique du Sud, Durbanville
Type vin rouge sec, 12 % vol.
Cépage Cabernet Sauvignon
Millésime dégusté 1966, à boire jusqu'en 2016
€€€

On ne sait que peu de chose sur ce vin considéré comme l'un des meilleurs parmi les précurseurs en Afrique du Sud. Il n'a jamais été vendu officiellement, trouvant mystérieusement le chemin de caves dont les propriétaires ont de bons contacts entre eux.

Le vin a été mis en bouteilles par la Stellenbosch Farmers' Winery, avec les initiales de celui qui était alors directeur de la production, George Spie. Une partie de l'expérience, indiquée par le petit 100 % sur une étiquette minimaliste, était là pour prouver à ceux qui en doutaient que Le Cap pouvait faire des vins sérieux en n'utilisant que du Cabernet Sauvignon. La réglementation n'étant pas très exigeante, le terme de Cabernet cachait fréquemment du Cinsault.

Deux choses sont claires : la maturation ne se faisait que dans de vieilles cuves de grande taille et la vinification primaire se faisait à la ferme de Durbanville, qui produisait le raisin. Le vignoble a été remplacé par des constructions peu de temps après. Un seul autre vin a été produit avec ces raisins, sous cette étiquette en 1968. Personne ne sait ce qui s'est produit pour le millésime 1967. **TJ**

Le Gruaud-Larose est l'un des meilleurs seconds crus du Médoc.

Guelbenzu
Lautus

Origine Espagne, Navarre, Cascante
Type vin rouge sec, 13,5 % vol.
Cépages Tempranillo, Cab. Sauv., Merlot, Grenache
Millésime dégusté 1998, à boire jusqu'en 2012
€€€

En 1989, Ricardo Guelbenzu, un ancien juriste, s'est vu confier par ses sept frères la mission de ressusciter la vieille entreprise familiale, la Bodega del Jardin. Personne n'aurait imaginé qu'en tant que Bodega Guelbenzu, elle deviendrait un des leaders incontestés de la région, moins encore que Ricardo étendrait son activité à l'Aragon et au Chili.

Lautus, la fierté et la joie de la famille, vient des 2,5 ha des meilleurs terrains (en tout 37 ha) dans la vallée de Queiles, non loin du village de Cascante. Les sols en sable, craie, argile et calcaire, associés au climat continental, favorisent les quatre cépages du mélange. Lautus veut dire « magnifique » en latin, et le vin a été produit pour la première fois en 1996.

Depuis, seuls les millésimes 1999 et 2001 ont été mis en vente, car le vin passe douze mois dans des tonneaux neufs d'origine française puis trois ans en bouteilles avant d'être mis sur le marché. Malgré son intensité, il trouve l'équilibre parfait entre fruit et bois. Il a une robe cerise, avec des arômes balsamiques, de baies fines, d'épice et de pain grillé. Charpenté, lisse et rond en bouche, il possède des tanins mûrs et une finale élégante, qui se prolonge. **JMB**

Guigal
Côte-Rôtie La Mouline

Origine France, Rhône septentrional, Côte-Rôtie
Type vin rouge sec, 13 % vol.
Cépages Syrah 90 %, Viognier 10 %
Millésime dégusté 2003, à boire jusqu'en 2030+
€€€€€

Au cours de ces trente dernières années, Marcel Guigal n'a cessé de monter en puissance avec ses Côte-Rôtie : La Landonne, La Mouline et La Turque. Très admirés par John Livingstone-Learmonth et Melvyn Masters, ils furent dix ans plus tard encensés par Robert Parker et leurs prix montèrent en flèche.

La Syrah est ici dans son élément, sur les côtes de gneiss sablonneux au sud de Lyon. La Mouline est un Côte Blonde, avec des vignes ayant quelque 75 ans, et est plus bourguignon qu'un Côte Brune.

Le vin est doux et séduisant (Guigal réserve la rudesse à La Landonne), avec un arôme bien distinct de cassis et des notes de cuir trahissant la prédominance de la Syrah. Le cru 2003, vieilli quarante-deux mois dans des cuves de chêne nouveau à 100 %, devrait se boire pendant une trentaine d'années. Steve Tanzer trouve dans ces vins des parfums de « mûres noires, viande fumée et noix rôtie », plus un goût de chocolat au moment de l'après-goût. Ils accompagnent merveilleusement une bécasse des bois ou même une perdrix. **GM**

Hacienda Monasterio
Ribera del Duero Reserva

Origine Espagne, Ribera del Duero
Type vin rouge sec, 14 % vol.
Cépages Tempranillo, Cabernet Sauvignon, Merlot
Millésime dégusté 2003, à boire jusqu'en 2020
€€€

La Ribera del Duero explosa littéralement au début des années 1990. Un groupement d'investisseurs décida de créer une nouvelle cave entre deux des plus célèbres villages, Valbuena de Duero et Pesquera de Duero. Le jeune Danois Peter Sisseck arriva en Espagne pour prendre la direction technique de la société Bodegas Monasterio et se tailla rapidement une belle réputation.

Le Reserva est une sélection qui se conforme au plus long temps d'élevage nécessaire – un minimum de trente-six mois dont au moins douze dans des barriques en chêne –, mais le Crianza est aussi l'un des meilleurs de sa catégorie. L'année 2003 fut très chaude en Europe, pourtant Sisseck parvint à obtenir un vin très équilibré. Le Cabernet et le Merlot ajoutent de la fraîcheur au Tempranillo, parfois même une note mentholée. La robe est profonde, avec une bonne intensité au nez. Le palais est dominé par les fruits noirs bien mûrs et les épices ; son corps est moyen et il est élégant et long en bouche. Il est idéal avec l'agneau rôti, spécialité de la région. Il convient de le mettre à décanter longtemps à l'avance pour qu'il se révèle pleinement s'il est consommé jeune. **LG**

Viña Haras de Pirque
Haras Character Syrah

Origine Chili, vallée de Maipo
Type vin rouge sec, 14,8 % vol.
Cépages Syrah 85 %, Cabernet Sauvignon 15 %
Millésime dégusté 2004, à boire jusqu'en 2013
€

En 1991, l'homme d'affaires chilien Eduardo Matte Rosas et son fils achetèrent un haras, dans la vallée de Maipo. Comme la piste, les paddocks et le reste des installations occupaient moins de la moitié de la propriété, ils entreprirent immédiatement de planter un vignoble. Pour Alejandro Hernández, responsable des travaux, les collines offraient une alléchante diversité de microclimats et d'expositions.

La cave du Haras de Pirque fut construite à partir de 1979 et Hernández demanda à Alvaro Espinoza de venir se charger de la vinification. Les deux hommes avaient fait leurs études à Bordeaux et tous deux étaient convaincus que la Syrah pouvait prospérer dans la vallée de Maipo, même si l'habitude chilienne voulait qu'on n'en plantât que dans les régions plus chaudes du pays comme la vallée de l'Aconcagua, celle de la Colchagua et les collines proches du littoral. Leur foi dans la Syrah du Maipo est là tout entière dans le Haras Character Syrah, dont la structure tannique est linéaire plutôt qu'expansive, et dont les parfums de fruits rouges et de sous-bois se révèlent en douceur plutôt qu'en force. C'est un vin rassurant, qu'on pourrait qualifier de clarifiant. **MW**

Hardys *Eileen Hardy Shiraz*

Origine Australie, Australie-Méridionale
Type vin rouge sec, 14,5 % vol.
Cépage Shiraz
Millésime dégusté 2001, à boire jusqu'en 2013+
€€€

En 1850, à l'âge de 20 ans, l'Anglais Thomas Hardy quitta le Devon pour la nouvelle colonie d'Australie-Méridionale. En 1853, il fonda une cave à Adélaïde, au bord de la rivière Torrens. Vers le milieu des années 1970, cinq générations de Hardy avaient dirigé et modelé l'entreprise Thomas Hardy & Sons. Du nom de la matriarche, Eileen Hardy, 500 caisses du vin éponyme, un assemblage des meilleures cuvées, furent produites chaque année en guise de cadeau d'anniversaire. Commercialisé pour la première fois en 1973 à l'occasion du 85e anniversaire de «Tante Eileen», ce vin fut au début fait de Shiraz puis de Cabernet Sauvignon. Aujourd'hui, il n'est constitué que de Shiraz en provenance de Clare, de Padthaway et de McLaren Vale.

Pour le millésime 2001, le fruit vint des vignobles de Schobers, dans la Clare Valley, d'Upper Tintata dans la McLaren Vale, de Yeenunga et Frankland River et enfin, de Padthaway. Le raisin fut mis à fermenter dans des cuves en béton ouvertes avant d'être pressé dans des paniers de façon traditionnelle. Après fermentation malolactique, le vin vieillit dix-huit mois dans des barriques de chêne français neuves ou datant d'un an plutôt que dans le chêne australien servant aux grands vins rouges d'Australie-Méridionale. Bien que ce soit d'habitude un vin charpenté et d'une forte teneur en alcool, le Eileen Hardy 2001 est relativement élégant et contenu. Le célèbre critique australien James Halliday le décrit comme l'un des plus élégants en date sous cette étiquette. **SG**

AUTRES SUGGESTIONS		
Autres grands millésimes		
1987 • 1988 • 1993 • 1995 • 1997 • 1998 • 2000 • 2004		
Autres vins du même producteur		
Eileen Hardy Chardonnay		
Thomas Hardy Cabernet Sauvignon		

Eileen Hardy et des amis lors d'un match de cricket à Singapour, dans les années 1920. →

Harlan Estate *Proprietary Red Wine*

Origine États-Unis, Californie, Napa Valley
Type vin rouge sec, 14,5 % vol.
Cépages Cab. Sauv. 70 %, Merlot 20 %, autres 10 %
Millésime dégusté 1994, à boire jusqu'en 2015+
€€€€€

Après une première tentative dont l'objet fut une propriété trop froide, au sol trop fertile, pour donner un vin de qualité, Bill Harlan entreprit d'étudier les domaines producteurs de grands vins.

S'étant rendu compte que les plus grands sites français étaient bien souvent à flanc de colline, Harlan chercha des sites de ce genre dans les collines surplombant la Napa Valley. La propriété dénichée en 1983 se trouve dans la partie ouest d'Oakville, à la limite occidentale du Martha's Vineyard de la société Heitz, pas loin du vignoble de To-Kalon. Si ces vignobles occupent le fond de la vallée, ceux de Harlan sont plantés à une altitude allant de 92 m à 184 m, bien irrigués et bien orientés par rapport au soleil. Harlan fut l'un des premiers à reconnaître le talent de David Abreu, responsable de la plantation d'origine. À chaque phase, un soin méticuleux met la grandeur en exergue : sélection sévère grappe par grappe, fermentation en petite cuve (quelques-unes en acier inoxydable, les autres en bois) et vieillissement dans du chêne français.

Il ne faut pas s'étonner si le Proprietary Red, caractérisé par de multiples couches d'arômes et de parfums, une texture digne d'un vin de luxe et une grande concentration au palais, se voit fréquemment attribuer 100 points de la part de Robert Parker : il déclara d'ailleurs que le 1994 incarnait «l'immortalité dans un verre». Le cru 1994, le premier à être autant encensé par la critique, se comporte toujours très bien dans les ventes aux enchères puisqu'en 2007 une bouteille atteignit les 1 150 euros. **LGr**

AUTRES SUGGESTIONS		
Autres grands millésimes		
1995 · 1996 · 1997 · 1999 · 2001 · 2002 · 2003		
Autres producteurs de Napa		
Caymus · Colgin · Corison · Diamond Creek · Duckhorn Grace Family · Heitz · Quintessa · Rubicon Estate		

Les vignes du domaine Harlan recouvrent les collines d'Oakville. ➜

Château Haut-Bailly

Origine France, Bordeaux, Pessac-Léognan
Type vin rouge sec, 13 % vol.
Cépages Cab. Sauv. 65 %, Merlot 25 %, Cab. franc 10 %
Millésime dégusté 2005, à boire jusqu'en 2030
€€€

La plupart des domaines de Graves produisent des vins rouges et blancs, souvent d'égale qualité, surtout dans la partie nord. Le Haut-Bailly est inhabituel en ce que son terroir ne permet que la culture de cépages rouges. Il a retrouvé la grande réputation dont il jouissait à la fin du XIXᵉ siècle, après que des changements de propriétaire eurent terni son image entre les années 1920 et 1950. En 1955, le Château Haut-Bailly fut vendu au négociant belge Daniel Sanders; en 1979, son fils Jean lui succéda avant de restaurer et d'agrandir la propriété. Dans les années 1980, le Haut-Bailly était considéré comme l'un des meilleurs Graves qui soient.

En 1998, les sœurs de Jean Sanders choisirent de vendre leurs parts dans la propriété. L'acheteur fut un banquier new-yorkais du nom de Robert Wilmers. Il nomma la fille de Jean, Véronique, à la tête de l'exploitation et se choisit une équipe de conseillers. Les vieux pieds de vigne sont très nombreux; certains ne sont pas greffés et l'on trouve même du Carmenère. L'équipe de Haut-Bailly a commandité une analyse détaillée du sol.

Le Haut-Bailly est marqué par l'élégance. Il a de la chair et le chêne est bien présent, mais il ne manque pas d'intensité. Les tanins ne sont jamais trop apparents et les meilleurs millésimes présentent une texture très homogène. Lisse et stylé, le cru 2005 est l'exemple de ce que le Haut-Bailly peut faire de mieux. Comme les millésimes précédents, il dévoilera rapidement son caractère et son charme, mais sa distinction persistera pendant des décennies. **SBr**

AUTRES SUGGESTIONS
Autres grands millésimes
1945 • 1947 • 1959 • 1961 • 1970 • 1978 • 1983 • 1985 1986 • 1990 • 1995 • 2000 • 2001 • 2004
Autres producteurs de Pessac-Léognan
Dom. de Chevalier • Fieuzal • Haut-Brion • La Louvière

Jusqu'aux années 1940, le prix du Haut-Bailly rivalisait avec celui des premiers crus. ➜

Château Haut-Brion

Origine France, Bordeaux, Pessac-Léognan
Type vin rouge sec, 13 % vol.
Cépages Cab. Sauv. 45 %, Merlot 37 %, Cab. franc 18 %
Millésime dégusté 1989, à boire jusqu'en 2025
€€€€€

C'est l'une des caractéristiques remarquables de la classification de 1855 que d'avoir accordé au Haut-Brion le statut suprême de premier cru de Graves. L'histoire a confirmé ce jugement. Il était déjà renommé au XVIIe siècle quand la famille Pontac, propriétaire de l'époque, avait su en faire le commerce jusqu'à Londres.

Désormais entouré par la banlieue bordelaise, ce superbe vignoble a toujours été parfaitement entretenu. Le Haut-Brion jouit d'une certaine sérénité depuis 1935, année où le banquier américain Clarence Dillon acheta la propriété. Sa petite-fille, la duchesse de Mouchy, et son fils, le prince Robert de Luxembourg, veillent aujourd'hui sur le domaine. Il est géré depuis 1921 par trois générations de la famille Delmas. Jean-Bernard Delmas créa en 1961 la première cuve à fermentation en acier du Bordelais ; il mena aussi des recherches détaillées sur les clones et les rhizomes plantés ici. Les vignobles sont plus en altitude qu'il n'y paraît ; le sol est normalement épais et graveleux mais certaines parcelles sont très argileuses.

Le millésime 1989 est un classique : voluptueusement aromatique, avec des arômes de cèdre, de cassis et de chocolat ; même à près de 20 ans d'âge, il conserve une puissance marquée mais veloutée jamais grossière et des parfums d'une longueur extraordinaire. Ce vin légendaire vivra des décennies. **SBr**

Le château à tourelle de Haut-Brion remonte au XVIe siècle. ➔

Château Haut-Marbuzet

Heitz Wine Cellars *Martha's Vineyard Cabernet Sauvignon*

Origine France, Bordeaux, Saint-Estèphe
Type vin rouge sec, 13 % vol.
Cépages Merlot 50 %, Cab. Sauv. 40 %, C. franc 10 %
Millésime dégusté 1999, à boire jusqu'en 2020
€€€

Origine États-Unis, Californie, Napa Valley
Type vin rouge sec, 13,5 % vol.
Cépage Cabernet Sauvignon
Millésime dégusté 1974, à boire jusqu'en 2027
€€€€€

Henri Dubosq possède plusieurs propriétés dans la partie sud-est de l'appellation et celle de Haut-Marbuzet est la meilleure de toutes. Depuis 1952, date où le père d'Henri commença à acheter des vignes dans la région, les Dubosq s'appliquent à reconstituer le domaine du Marbuzet, fragmenté en 1945. Le processus ne s'acheva qu'en 1996.

Le sol de Haut-Marbuzet est très riche en argile, et la belle proportion de Merlot donne à l'assemblage toute sa sensualité. La popularité de ce vin tient aussi au fait que Dubosq le fait vieillir entièrement en chêne nouveau. Curieusement, il n'en a pas l'odeur, mais la présence de ce chêne contribue probablement à sa douceur, à son accessibilité et à sa texture svelte. Les Saint-Estèphe ont la réputation d'être des vins assez rudes mais le Haut-Marbuzet est toujours attirant dès l'instant où il est mis en bouteilles ; il connaît toutefois son apogée au bout d'une quinzaine d'années.

Le 1999, que Dubosq préfère au 2000, est l'exemple-type de Haut-Marbuzet : aromatique, concentré et épicé, avec des tanins bien intégrés et une bonne finale. Le Haut-Marbuzet déçoit rarement. **SBr**

Depuis l'apparition des célèbres Cabernet Sauvignon de la Napa Valley en 1974, le Martha's Vineyard de Heitz a été déclaré vin du millésime. Avec le millésime 1968 et celui de 1970, le millésime 1974 est considéré comme le meilleur vin que Joe Heitz ait jamais fait – sauf qu'il ne l'a pas fait. Joe Heitz était cloué au lit par un lumbago quand les vendanges ont commencé et c'est son fils David qui a vendangé et vinifié le vin, produisant de ce fait son premier millésime. Quels débuts pour un jeune qui commence sa carrière ! Ce vin reste l'un des premiers vins cultes de Californie et il est toujours l'un des plus recherchés.

Les vignobles sont adossés aux collines occidentales de la Napa Valley. Le terroir unique se manifeste dans l'arôme d'eucalyptus présent dans le vin.

Le millésime 1974, décrit par Robert Parker deux fois dans la même critique comme « monumental », a été loué pour sa concentration « prodigieuse ». Trente années après son millésime, ses flaveurs restent profondes et saturées, ses tanins sont complètement intégrés et le fruit est doux et riche. Un grand vin de légende. **LGr**

Henschke
Hill of Grace

Origine Australie, Australie-Méridionale, Eden Valley
Type vin rouge sec, 14 % vol.
Cépage Shiraz
Millésime dégusté 1998, à boire jusqu'en 2015+
€€€€€

Classé juste après le Penfolds Grange dans la hiérarchie des vins rouges australiens, le Hill of Grace de Henschke est très différent du Grange ; un vignoble unique plutôt qu'un mélange de plusieurs régions, et un vin plus élégant que puissant.

« Les Grands-Parents », comme est surnommée la partie la plus ancienne du vignoble, ont probablement été plantés au cours des années 1860. Ces vignes sont celles d'origine et leurs racines datent d'avant l'ère du phylloxéra. Le Shiraz prédomine mais on trouve aussi d'autres cépages comme le Riesling, le Sémillon et le Mataro (aussi appelé Mourvèdre).

Le vin lui-même a habituellement des notes de prune, de mûre et de chocolat, des tanins souples et crayeux et une énorme longueur. Il peut se garder en toute confiance pendant au moins dix ans. Les actuels propriétaires, Stephen et Prue Henschke, soutiennent que la non-irrigation, l'âge des vignes et les fluctuations de température sur vingt-quatre heures sont le secret de la qualité stupéfiante du Hill of Grace. Pour certains, cependant, l'autre vignoble purement Shiraz de Henschke, Mount Edelstone, est parfois au moins son égal. **SG**

Herdade de Cartuxa
Pera Manca

Origine Portugal, Alentejo
Type vin rouge sec, 14,6 % vol.
Cépages Trincadeira, Aragonez, Cabernet Sauvignon
Millésime dégusté 1995, à boire jusqu'en 2015+
€€€€€

Le Convento de Cartuza est un ancien monastère de chartreux, fondé en 1587, devenu une propriété privée en 1834. Il a été occupé par des ouvriers agricoles après la révolution des Œillets du Portugal, en 1974, et quand il a été rendu à ses propriétaires, dans un état d'abandon épouvantable, il a fallu faire de gros travaux dans le vignoble pour le remettre à niveau.

Le meilleur vin de la propriété est le Pera Manca, très connu avant l'épidémie de phylloxéra. Le terrain a été reboisé suite à l'épidémie, et ce n'est qu'en 1987 que le Pera Manca a été ramené à la vie.

Les vins ne sont mis en vente que les bonnes années et 1995 est l'un des millésimes les plus réussis, respirant puissance et richesse avec des notes douces-amères intenses qui rappellent le chocolat et font penser à un Porto millésimé. Le Cabernet pénètre à peine l'arôme et le cassis ponctue le fruit qui fait penser aux cerises noires et au raisin sec. Une note brûlée, sauvage, se développe dans le vin avec l'âge. Le Pera Manca, qui atteint des prix fantastiques, est devenu très rapidement un vin culte du Portugal méridional, comparable au Barca Velha au Nord. **RM**

Herdade de Mouchão

Herdade do Esporão
Esporão Reserva

Origine Portugal, Alentejo
Type vin rouge sec, 13 % vol.
Cépages Alicante Bouschet 70 %, Trincadeira 30 %
Millésime dégusté 2001, à boire jusqu'en 2015
€€€

Origine Portugal, Alentejo
Type vin rouge sec, 14,5 % vol.
Cépages Tempranillo, Cab. Sauv., Trincadeira
Millésime dégusté 2004, à boire jusqu'en 2020
€€

Mouchão appartenait à la famille Reynolds depuis le milieu du XIXᵉ siècle, quand Thomas Reynolds s'installa au sud de Porto pour y créer un élevage de chênes-lièges. La propriété donne toujours de tels arbres mais on la connaît surtout pour son vin.

La région d'Alentejo fut en proie à des soulèvements sociaux pendant la révolution de 1974 et le domaine Mouchão fut envahi par les paysans qui détruisirent les vignes et burent le vin entreposé. Il fut ensuite rendu à la famille et restauré en 1985. Les vignobles furent presque entièrement replantés mais les installations demeurèrent en l'état.

Le millésime 2001 est le centième produit par la propriété. Assemblage de 70 % d'Alicante et de 30 % de Trincadeira, il possède un nez sombre, savoureux, intensément épicé avec de fortes notes carnées. Le palais est savoureux et épicé avec une forte structure tannique et un contour marqué. Du point de vue du style, ce vin est en partie moderne et dominé par le fruit, mais sous sa surface se dissimule toute la complexité du Vieux Monde. Il se boit bien quand il est jeune mais mérite de vieillir en cave comme le fait croire le 1990. **JG**

Le domaine Esporão fut, à bien des égards, le premier à faire connaître la région d'Alentejo. Cela est dû en partie aux dimensions de la propriété, la plus vaste de tout le pays, en partie aussi à l'influence de l'œnologue australien David Baverstock, dont les talents de vinificateur et d'attaché de porte-parole ont attiré l'attention des amateurs du monde entier.

Esporão se trouve dans les terres, à 193 km au sud de Lisbonne. Le terrain est en total contraste avec celui du nord du pays : de vastes plaines doucement ondulées, brûlantes en été, avec très peu de précipitations et une menace de sécheresse constante. Mais un grand barrage permet aujourd'hui l'irrigation.

Seul un petit pourcentage des 9 000 tonnes de raisins pressés chaque année termine sous le nom d'Esporão. L'Esporão Reserva est le meilleur produit, constitué chaque millésime d'une sélection des meilleures grappes. Le résultat est un nez de baies noires, de cassis et de vanille évidente, et le palais rappelle plus le Vieux Monde que la plupart des rouges portugais. Plus doux et moins structuré, il est toutefois riche et parfumé. **GS**

Herzog
Montepulciano

Origine Nouvelle-Zélande, Marlborough
Type vin rouge sec, 14,6 % vol.
Cépage Montepulciano
Millésime dégusté 2005, à boire jusqu'en 2017
€€€

Hans et Therese Herzog possédaient une cave et un restaurant primé au Michelin dans leur Suisse natale avant de s'installer dans la circonscription de Marlborough. Pourquoi quitter une vie marquée par la sécurité et la réussite ? « Parce que je désirais faire un grand vin rouge d'un type impossible à concevoir ici », explique-t-il.

À première vue, le climat de Marlborough semble trop froid pour faire pousser du Montepulciano. Herzog choisit délibérément l'un des sites viticoles les plus chauds et il ne recueille qu'une petite partie de ses raisins pour assurer une pleine maturation. Un bas rendement permet aussi une impressionnante concentration de parfums. Une longue fermentation à base de levures sauvages met en valeur l'intensité du parfum et de la couleur.

Le Montepulciano n'est pas très connu en Nouvelle-Zélande ni dans les pays autres que l'Italie. Herzog réussit un vin qu'on pourrait qualifier de « limite ». 2005, intense et sombre, est la meilleure année depuis la première récolte, en 1998. Ses parfums évoquent la prune, les baies noires, la violette, le chocolat, l'anis et le mélange d'épices. **BC**

Hirsch Vineyards
Pinot Noir

Origine États-Unis, Californie, Sonoma
Type vin rouge sec, 14,3 % vol.
Cépage Pinot noir
Millésime dégusté 2004, à boire jusqu'en 2020
€€€

Les vignobles de David Hirsch occupent un promontoire rocheux à 5 km du Pacifique, à quelque 305 m au-dessus du niveau de la mer, assez haut pour échapper aux brumes marines. C'est la côte de Sonoma, étroite bande de terre au nord de la Russian River. Hirsch acheta de la terre ici en 1978 pour s'y retirer, mais un ami lui indiqua un jour que s'il plantait du Pinot noir, son vin connaîtrait la renommée mondiale.

Les vignobles sont plantés sur un assemblage de sédiments marins et de fragments de croûte océanique appelé « mélange franciscain ». Les failles géologiques abondent : des roches de caractère très différent se côtoient. La topographie est complexe et les méso-climats diversifiés, au même titre que les rhizomes et les clones. Les raisins de chaque parcelle ont chacun leur caractère propre. Hirsch a créé sa propre marque en 2002 : il se sert aujourd'hui de cette complexité pour séparer les vins originaires de trente-cinq parcelles, et ce jusqu'à l'assemblage final. La cuvée 2004 a les arômes intenses, l'acidité équilibré, les tanins bien intégrés et les notes de sous-bois caractéristiques du Pinot Noir de Hirsch. **JS**

Château Hosanna

Origine France, Bordeaux, Pomerol
Type vin rouge sec, 13,5 % vol.
Cépages Merlot 70 %, Cab. Franc 30 %
Millésime dégusté 2000, à boire jusqu'en 2020
€€€€€

Voici un nouveau venu dans le monde du Pomerol. Jusqu'en 1998, année où les Établissements Moueix achetèrent le domaine, cette propriété porta le nom de Certan-Giraud, 4,5 ha d'un seul tenant sur un sol graveleux et un socle argileux. Les vignobles se situent entre Petrus et le village de Pomerol ; parmi les voisins, on compte Lafleur, Lafleur-Petrus et Certan de May. Après acquisition, Christian Moueix sélectionna les meilleurs secteurs du vignoble, les plus élevés aussi, et leur donna le nom de Hosanna, allusion au Dominus de la Napa Valley.

Malgré la qualité de l'emplacement, Certan-Giraud ne jouissait pas d'une grande réputation avant l'arrivée de Moueix. Christian Moueix trouva la propriété mal drainée et s'empressa d'installer un système de pompes destiné à favoriser l'irrigation.

Le millésime 2000 témoigne de la rapidité des progrès effectués depuis l'achat, deux ans plus tôt seulement. Ses arômes de cassis ont une certaine retenue, mais au palais ce vin est riche ; le fruit est concentré, l'équilibre parfait, l'élégance omniprésente et la persistance sérieuse. La qualité est toujours élevée, de même que les prix. **SBr**

Isole e Olena
Cepparello Toscana IGT

Origine Italie, Toscane
Type vin rouge sec, 13,5 % vol.
Cépage Sangiovese
Millésime dégusté 1997, à boire jusqu'en 2010+
€€€€

Le Cepparello, vin de Paolo de Marchi, aurait été un Chianti Classico si, au début des années 1980, période où il vit le jour, la législation italienne avait autorisé la participation du Sangiovese variétal au sein du Chianti. Ce fut l'un des premiers vins du type super-toscan et c'est toujours l'un des meilleurs.

De Marchi, dont la famille piémontaise acheta la propriété vers 1960, prit en charge celle-ci dans les années 1970 et ne tarda pas à concevoir le style propre au Cepparello – Sangiovese à 100 % vieilli en barriques et provenant des meilleurs sites du domaine Isole e Olena. Il est l'un des très rares propriétaires de la zone du Chianti Classico, l'un de ceux aussi qui ne sont pas natifs de Toscane, à s'occuper à la fois des vignobles et de la vinification (aidé tout de même par ses amis, Donato Lanati et Giampaolo Chiatini).

Comme bien d'autres producteurs toscans, Isole e Olena excella avec le millésime 1997 même si 3 900 caisses seulement sortirent des caves. Considéré par le *Wine Spectator* comme « le meilleur vin jamais produit par Paolo de Marchi », le cru 1997 vit pour la première fois le Cepparello entrer dans le Top 100 établi par la revue. Le Cepparello est un vin céleste. **SG**

Viña Izadi
Rioja Expresión

Origine Espagne, Rioja
Type vin rouge sec, 14,5 % vol.
Cépage Tempranillo
Millésime dégusté 2001, à boire jusqu'en 2013+
€€€€

La Rioja a récemment connu une crise d'identité, avec d'un côté les vins traditionnels, de vénérables Grand Reserva pourvus de profondeur et de complexité. Et de l'autre ceux que l'on qualifie de *Alta Expresíon*, mettant en valeur le style « international » grand et puissant, au somptueux parfum de chêne.

Après avoir possédé pendant des années des vignobles à Villabuena de Alaba, la famille Anton fonda en 1987 la Viña Izadi. La philosophie de cette cave changea en 1997 quand don Gonzalo Anton engagea Mariano García, qui avait été pendant trente ans maître de chai chez Angel Ortega. Assistés de l'œnologue d'Izadi, Angel Ortega, Anton et García entreprirent de donner au vin le style *Alta Expresíon*.

L'excellent millésime 2001 a permis à Izadi de produire son meilleur Expresíon. Il eut cependant du mal à s'imposer dans le Top 20 de la dégustation, organisé en 2005 dans la Rioja par la revue *The World of Fine Wine*. Les dégustateurs reconnurent sa richesse mais furent troublés par son aspect *Alta Expresíon*. John Radford put ainsi écrire : « Il s'agit là d'un poids lourd à la formidable extraction, mais est-ce ce que l'on attend quand on achète un Rioja ? » **SG**

Paul Jaboulet Aîné
Hermitage La Chapelle

Origine France, Rhône septentrional, Hermitage
Type vin rouge sec, 13,4 % vol.
Cépages Syrah, autres
Millésime dégusté 1978, à boire jusqu'en 2012+
€€€€

Un des grands vins rouges du monde, L'Hermitage La Chapelle de Paul Jaboulet Aîné est un assemblage de plusieurs vignobles qui s'étendent sur les grandes collines de l'Hermitage dominant le Rhône et la petite ville de Tain-l'Hermitage.

Dans ce qui a été une grande année dans toute la partie septentrionale du Rhône, le vin de Jaboulet est toujours un étalon d'excellence. Mi-2007, une bouteille de La Chapelle 1978 dépassait les 700 €, même si c'était une bonne affaire à côté des 4 420 € que vaut le 1961, qui est sans doute le plus grand et le plus rare des millésimes de La Chapelle.

La production de La Chapelle a beaucoup augmenté ces dernières années, au détriment de la qualité. Après une dégustation verticale de 33 millésimes allant de 1950 à 1999, Jancis Robinson écrivait : « Il est arrivé quelque chose à ce vin légendaire dans les années 1990. Le millésime 1990 continue d'être un très grand vin [...] Mais le dernier des La Chapelle Hermitage qui suscite vraiment l'enthousiasme remonte à 1991. » Le 1978, lui, brille toujours ; maintenant, avec le changement de propriétaire, les nouveaux millésimes devraient en faire autant. **SG**

Jade Mountain
Paras Vineyard Syrah

Origine États-Unis, Californie, Napa Valley
Type vin rouge sec, 15 % vol.
Cépages Syrah 94 %, Viognier 3 %, Grenache 3 %
Millésime dégusté 2000, à boire jusqu'en 2012
€€€

La société Jade Mountain fut fondée en 1984 par Douglass Cartwright ; à la fin de la décennie, elle jouissait déjà d'une belle réputation. Aujourd'hui, la Syrah et le Viognier sont produits dans la majeure partie de la Californie mais ces cépages étaient rares il y a vingt ans et seules quelques propriétés s'intéressaient aux vins proches de ceux du Rhône. Les vins n'étaient pas tous produits avec les raisins des vignobles du domaine, mais beaucoup provenaient du vignoble de Paras, à 366 m d'altitude. Cultivées en terrasses sur un sol d'ardoise en pente raide, les vignes furent replantées par Cartwright.

Jade Mountain produit de nombreux vins. Le Paras Vineyard Syrah inclut normalement un peu de Viognier et de Grenache. Il vieillit pendant dix-huit mois environ dans 50 % de chêne français nouveau. Certaines années, le raisin de la parcelle P10 est vinifié et commercialisé séparément. Le Paras Vineyard Syrah 2000 a un nez dense de mûres et de poivre noir ; il a une formidable concentration et énormément de fruit au palais, mais l'alcool ne se manifeste pas trop et la vigueur est là pour lui assurer un bon vieillissement en cave. **SBr**

Jasper Hill
Emily's Paddock Shiraz

Origine Australie, Victoria, Heathcote
Type vin rouge sec, 14 % vol.
Cépages Shiraz 90-95 %, Cab. franc 5-10 %
Millésime dégusté 1997, à boire entre 2010 et 2030
€€€

Ron Laughton a planté son vignoble de Jasper Hill en 1975, donnant à chacune des deux parcelles le prénom de ses filles, Emily et Georgia. Les vignes ne sont pas greffées, pas irriguées et sont cultivées avec des techniques bio et biodynamiques.

Dans le cas d'Emily's Paddock, parcelle où sont mélangés Shiraz et Cabernet franc, les vignes sont plantées en alternance. Dans les deux parcelles, les vendanges se font à la main et la fermentation a lieu en même temps ; le vin d'Emily est élevé dans du chêne français et celui de Georgia dans du chêne français ainsi que dans du chêne américain. Le Shiraz de Heathcote est renommé pour ses flaveurs fruitées, mûres plutôt que mentholées ou poivrées.

Les deux parcelles sont connues pour produire des vins de terroir plus que des vins de cépage. La parcelle Emily est plus exposée que celle de Georgia. « Emily's Paddock donne des vins dont la couleur est plus légère et d'une grande minéralité et élégance si l'on compare avec Georgia's. » dit Ron. Les rendements plus faibles d'Emily's signifient moins de douceur fruitée évidente, une plus grande minéralité, un parfum et une structure tannique. **MW**

Domaine Henri Jayer *Vosne-Romanée PC Cros Parantoux*

Origine France, Bourgogne, côte de Nuits
Type vin rouge sec, 13 % vol.
Cépage Pinot noir
Millésime dégusté 1988, à boire jusqu'en 2038
€€€€€

Henri Jayer, décédé en 2006, occupe une place à part dans les annales de la Bourgogne. Pendant la Seconde Guerre mondiale, il se vit confier les vignobles du domaine Méo-Camuzet à condition d'en partager la récolte. La vigne l'intéressait moins que ce qui se passait en cave. Il insistait sur une propreté absolue, un remplissage régulier des barriques et une manipulation minimale. Son refus de la fermentation sans égrappage est aujourd'hui partagé par la plupart des domaines bourguignons.

Avec 1 ha, le vignoble de Parantoux, pris en tenailles entre Richebourg et Vosne-Romanée Les Brûlées était à l'abandon, mais la terre appartenait à la famille Méo-Camuzet. Henri le planta après la guerre. Depuis que les pieds ont l'âge de donner du raisin de qualité, le vin est invariablement l'un des plus grands premiers crus de la région.

1998 fut la dernière année où tout le vignoble ne servit qu'à un seul vin. Comme pour tous les vins de Jayer, le chêne nouveau est manifeste, mais on trouve en dessous des tanins mûrs, du poids et une richesse veloutée peu commune à ce millésime dont certains vins ont un caractère parfois austère. **CC**

K Vintners *Milbrandt Syrah*

Origine États-Unis, État de Washington
Type vin rouge sec, 13,9 % vol.
Cépage Syrah
Millésime dégusté 2005, à boire jusqu'en 2015
€€

La Columbia Valley, aux environs de Wahluke, est l'une des régions les plus chaudes de l'État de Washington. Les éleveurs ont beaucoup appris depuis les chaudes années 1990, modifiant légèrement la gestion du feuillage, le régime d'irrigation et le rendement pour mieux s'accommoder de la canicule.

Plantés en 1997, les 222 ha de vignobles de Butch et Jerry Milbrandt sont à l'origine du Milbrandt Syrah. L'année 2005 fut hors norme : un hiver doux, proche de la sécheresse, fut suivi de chutes de neige et de pluie printanières. La sécheresse revint heureusement pour permettre l'apparition des fleurs et des fruits et tout se passa bien jusqu'à la fin juillet, puis la chaleur fut à nouveau là, avec toute une série de jours où la température dépassa les 38 °C. La saison s'acheva par des mois de septembre et d'octobre parfaits – tempérés, chauds et ensoleillés –, ce qui permit une longue période de vendanges. Harmonie est le mot qui caractérise les vins supérieurs et ce Milbrandt Syrah en est le meilleur exemple, avec une savoureuse complexité de viandes fumées que complète un noyau tendre, rappelant les baies, ainsi qu'une structure vaste mais équilibrée. **LGr**

Kanonkop
Paul Sauer

Origine Afrique du Sud, Simonsberg-Stellenbosch
Type vin rouge sec, 13,5 % vol.
Cépages Cab. Sauv. 64 %, Cab. franc 30 %, Merlot 6 %
Millésime dégusté 2003, à boire jusqu'en 2018
€€€

Le premier millésime de ce vin, en 1981, a été l'un des premiers assemblages de rouges à l'image du Bordeaux et il a reçu le nom de l'homme politique éminent qui gérait la propriété dans les années 1930. Kanonkop, d'ailleurs, signifie « Colline du Canon » ; il renvoie à une tradition du XVIIe siècle qui consistait à informer les agriculteurs des régions voisines de l'arrivée d'un bateau dans la baie de Table avec un coup de canon tiré du sommet d'une colline.

Depuis 1981, époque à laquelle la simple idée d'un taux d'alcool de 14 % (que le vin Paul Sauer peut atteindre à l'occasion) aurait été déconcertante, et l'utilisation de fûts de chêne neufs un rêve fou, de grands changements ont eu lieu chez Kanonkop. Mais le vin est toujours fermenté dans les vieilles cuves ouvertes et la réputation du Paul Sauer comme l'un des meilleurs vins rouges du Cap reste fermement ancrée. Dans sa jeunesse, le 2003 est dominé par les notes de tabac et de cèdre du chêne, mais des fruits riches et sombres restent avec détermination dans le palais bien structuré, signalant leur présence avec des violettes, feuilles de thé et mûres. **TJ**

Kanonkop
Pinotage

Origine Afrique du Sud, Simonsberg-Stellenbosch
Type vin rouge sec, 13,5 % vol.
Cépage Pinotage
Millésime dégusté 1998, à boire jusqu'en 2012
€€

Pour certains, le Pinotage est la contribution de l'Afrique du Sud à la liste des cépages nobles ; pour d'autres, c'est un cépage qui a des problèmes de structure et de flaveur, mais peu nieront le fait que Kanonkop a produit de très grands vins de cépage avec du Pinotage.

Bien que le premier vin de Pinotage soit le Lanzera 1959, le cépage a été développé dès 1925. C'est à ce moment-là que les expériences d'Abraham Perold ont produit, ce qu'il a fallu des années pour faire accepter comme une nouvelle variété utile et ayant ses caractéristiques propres. Kanonkop a été l'une des premières propriétés à planter du Pinotage et son engagement envers ce cépage s'est renforcé avec la conviction passionnée de Beryers Truter, œnologue ici de 1980 à 2002.

Le jeune 1998 montre comment le Pinotage peut se développer en beauté, avec des flaveurs douces de prune qui gagnent en complexité avec des notes de tomates cocktail, de champignon et de terre, la note épicée du chêne presque neuf bien amortie et une structure tannique ferme et savoureuse. **TJ**

◀ Le musée du Vin de Kanonkop.

Katnook Estate *Odyssey Cabernet Sauvignon*

Origine Australie, Australie-Méridionale, Coonawarra
Type vin rouge sec, 14,5 % vol.
Cépage Cabernet Sauvignon
Millésime dégusté 2002, à boire jusqu'en 2025
€€€

Wayne Stehbens est viticulteur depuis la création de la marque Katnook, en 1980. L'Odyssey n'est produit que les meilleures années et il arriva bien plus tard, en 1991. Stehbens dit qu'il chercha avec l'Odyssey à faire un grand Cabernet, pas nécessairement un grand Coonawarra. Effectivement, le Cabernet Sauvignon du Katnook Estate serait plus typique de la région. Les trois vignobles qui forment l'ossature de ce vin ont un rendement bas; la vigne pousse sur les terres les plus hautes d'un promontoire rocheux, là où la couche arable est la plus mince. Les meilleurs vignobles de Katnook se situent sur la bande en forme de cigare du centre de Coonawarra, où la terra rossa vient recouvrir le calcaire.

L'Odyssey est une sélection en barrique des récoltes de Cabernet les plus puissantes, les mieux concentrées et les plus vénérables. La fermentation a lieu dans des cuves en acier inoxydable, entre 18 et 25 °C. Le vin mûrit dans des barriques neuves pendant trente-six mois, ce qui est long pour un Coonawarra, mais son extrême concentration le permet. Chose rare pour un Cabernet de cette région, il y a environ un tiers de chêne américain; le reste est français. Le résultat est un bouquet complexe rappelant le moka et une texture lisse et charnue. L'année 2002 fut fraîche et le rendement très bas de sorte que ce vin est un Odyssey typique. Il est chargé d'arômes de cèdre/coffret à cigares et de chocolat/moka entrecoupés de cassis; le palais est très profond et riche en tanins soyeux. **HH**

AUTRES SUGGESTIONS
Autres grands millésimes
1991 • 1992 • 1994 • 1996 • 1999 • 2001 • 2004 • 2005
Autres producteurs de Coonawarra
Balnaves • Bowen Estate • Majella • Parker Estate Penley Estate • Petaluma • Rymill • Wynns

Les caves sont nombreuses à Penola, dans le Coonawarra. ➜

Hungerford Hill

Katnook Estate

Leconfield WINES

BOWEN ESTATE

PENOWARRA WINES

Château Kefraya *Comte de M*

Origine Liban, vallée de la Bekaa
Type vin rouge sec, 14 % vol.
Cépages Cab. Sauv. 60 %, Syrah 20 %, Mourvèdre 20 %
Millésime dégusté 1996, à boire jusqu'en 2012+
€€€

Nul ne sait quand le vin apparut au Liban mais il est probable que les Phéniciens, ancêtres des Libanais d'aujourd'hui, furent les premiers vignerons. Plus tard, à l'époque gréco-romaine, le vin fut unanimement célébré comme le prouvent les ruines du temple de Bacchus, dans la vallée de la Bekaa.

En 1974, Michel de Bustros reprit la propriété familiale de Kefraya. Il dégagea le sol argilo-calcaire et planta 303 ha de cépages importés de France – Cinsaut, Carignan, Grenache, Mourvèdre et Cabernet Sauvignon, entre autres. Les vignobles de Kefraya sont à 1 000 m au-dessus du niveau de la mer, de sorte que la devise de la compagnie, *Semper Ultra* («toujours plus haut») est bien appropriée.

Avec l'aide d'une société française, Bustros construisit une cave en 1978 – en pleine guerre. En 1984, le maître de chai français de Kefraya, Yves Morard, fut capturé pendant un échange d'artillerie entre armées israélienne et syrienne avant de passer quelque temps dans une geôle de Tel-Aviv. Morard était originaire du Rhône et, le climat de la Bekaa rappelant celui de son département natal, il suggéra d'y planter les mêmes cépages. Impressionnés par la qualité des nouveaux vignobles, Bustros et son nouveau maître de chai, Jean-Michel Fernandez, conçurent en 1996 un vin qu'ils mirent à vieillir un an en barriques de chêne avant de le commercialiser au bout de trois ans. Avec un corps plein, le Comte de M 1996 est concentré et riche ; à Bristol, en 1977, il fut aussi bien accueilli que le Château Musar, vin rouge de la Bekaa dû à Serge Hochar. **SG**

AUTRES SUGGESTIONS
Autres grands millésimes
1997 • 1998 • 1999 • 2000 • 2001
Autres producteurs du Liban
Clos St.-Thomas • Kouroum • Château Ksara Massaya • Château Musar • Wardy

Un repos bien mérité pendant les vendanges au Château Kefraya. ➜

Staatsweingüter Kloster Eberbach Assmannshäuser
Höllenberg Spätburgunder Cabinet

Origine Allemagne, Rheingau
Type vin rouge sec, teneur en alcool inconnue
Cépage Pinot noir
Millésime dégusté 1947, à boire jusqu'en 2012+
€€€€€

Comparer un Spätburgunder avec un vin de Bourgogne peut sembler injuste. Mais lorsqu'il s'agit d'un vieux Assmannshäuser Höllenberg issu d'un bon millésime, la compétition est alors bien plus serrée. D'ailleurs, Jancis Robinson estime que ce vin allemand est dans une catégorie tout à fait à part: «La star incontestable […] était l'Assmannshäuser Höllenberg Spätburgunder Trocken Cabinet 1947, la plus remarquable variante d'un Bourgogne rouge qu'au fil des ans j'ai eu le plaisir de déguster.»

Ce vin est issu d'un endroit connu pour produire les meilleurs vins rouges d'Allemagne – un versant très escarpé à l'extrémité ouest de la Rheingau. Le Pinot noir est cultivé sur le Höllenberg (le mont de l'Enfer) depuis au moins 1470 et même Goethe, amateur de Riesling, apprécia ce vin rouge lorsqu'il visita la vallée du Rhin en 1814.

Le sol schisteux donne au vin un goût très subtil de baies ainsi qu'une note prononcée et typique d'amande verte en fin de bouche. Même après six décennies, ce vin possède un bouquet fruité enivrant et complexe et une fraîcheur remarquable. «Le Spätburgunder de 1947 revêtait encore sa couleur rouge grenat foncé et violacé, et en bouche il était incroyablement riche, vif et dramatique. Rappelant fortement la violette, la fumée de bois, la réglisse et la truffe, il a encore devant lui de belles années», conclut Jancis Robinson. **FK**

AUTRES SUGGESTIONS
Autres grands millésimes
1893 • 1921 • 1953 • 2003 • 2005
Autres producteurs allemands de Pinot noir
Dautel • Deutzerhof • Dr. Heger • Fürst • Huber Johner • Kesseler • Knipser • Meyer-Näkel

Le soleil se lève sur les murs des vignobles escarpés du Höllenberg. ➔

Château Ksara
Cuvée du Troisième Millénaire

Origine Liban, vallée de la Bekaa
Type vin rouge sec, 13,5 % vol.
Cépages Petit Verdot, Cab. franc, Cab. Sauv., Syrah
Millésime dégusté 2004, à boire jusqu'en 2012+
€€€

Le domaine de Ksara est le plus grand et le plus ancien producteur de vin du Liban ; il se situe au cœur de la Bekaa, non loin de Baalbek. Son nom vient de ce qu'il occupe le site d'un ancien ksar, ou forteresse, du temps des croisades. Des jésuites achetèrent la propriété en 1857. Un prêtre en résidence, le père Kirn, travailla à l'introduction au Liban de vignes de qualité supérieure (importées d'Algérie) et de nouvelles variétés furent cultivées. À 1 100 m d'altitude dans la Bekaa, Ksara détient l'un des vignobles les plus hauts du monde.

La cave de Ksara est en fait une grotte découverte par les Romains, qui consolidèrent une partie de la voûte et creusèrent plusieurs tunnels étroits dans la craie. En 1972, Ksara fut racheté par un consortium quand un décret du Vatican obligea les jésuites à vendre leurs biens. À l'époque, Ksara représentait 85 % de la production de vin libanaise et l'affaire était extrêmement prospère – trop, au goût de l'Église. Elle n'en représente plus aujourd'hui que 38 %.

Le plus grand vin, le plus représentatif aussi, du Château Ksara est sa Cuvée du Troisième Millénaire. Fait principalement d'un cépage du Bordelais assez méconnu, le Petit Verdot, il est moins extrait et plus élégant que d'autres vins de Ksara ; on peut en profiter tout de suite, mais il se développe bien après deux ou trois années de vieillissement. **SG**

AUTRES SUGGESTIONS

Autres grands millésimes

2001 · 2002 · 2003

Autres vins du même producteur

Blanc de l'Observatoire
Cuvée de Printemps · Réserve du Convent

L'altitude élevée a forgé les vins de la vallée libanaise de la Bekaa. ➡

Château
La Dominique

Origine France, Bordeaux, Saint-Émilion
Type vin rouge sec, 13 % vol.
Cépages Merlot 86 %, Cab. franc 12 %, Cab. Sauv. 2 %
Millésime dégusté 2001, à boire jusqu'en 2020
€€€

Au XVIIIe siècle, le fondateur de cette propriété avait fait fortune dans les Caraïbes et il lui donna le nom d'une des îles françaises de la région. Entre 1933 et 1969, elle eut pour propriétaires les Bailliencourt, qui avaient déjà le Château Gazin (Pomerol), avant d'être revendue au magnat de la construction, Clément Fayat, détenteur d'autres domaines à Pomerol et dans le Médoc. Sur les conseils de Michel Rolland, la propriété fut rénovée, mais Fayat changea de stratégie en 2006 en demandant à Jean-Luc Thuvenin, négociant et propriétaire du Château Valandraud, de gérer tous ses biens.

À 7 ans d'âge, le cru 2001, avec ses arômes de chêne et de prune et son palais doux et stylé, s'avère meilleur que le 2000. Même si La Dominique a connu d'excellents millésimes ces dernières années et si son vin fait habituellement preuve de beaucoup d'opulence et de richesse, quelque chose lui manque toujours. L'emplacement des vignobles fait croire que ce domaine est capable de donner un vin qu'on puisse réellement distinguer. Peut-être les changements apportés par Clément Fayat y parviendront-ils. **SB**

Château
La Fleur-Pétrus

Origine France, Bordeaux, Pomerol
Type vin rouge sec, 13 % vol.
Cépages Merlot 90 %, Cabernet franc 10 %
Millésime dégusté 1998, à boire entre 2010 et 2020+
€€€€€

Jean-Pierre Moueix est propriétaire du Château La Fleur-Pétrus depuis 1952. Quatre ans après leur acquisition, les vignobles furent détruits par le terrible gel qui ravagea Bordeaux, et la quasi-totalité des vignes a dû être replantée. Le domaine possède 9 ha de terres riches en gravillon, qui s'intercalent entre les grands domaines de Lafleur et de Petrus, ce dernier appartenant aussi à Moueix.

Comme beaucoup de vins de Pomerol, La Fleur-Pétrus se distingua par son millésime 1998. Dégusté en 2005, le vin arrivait à peine à maturité. Au début, le nez était parfumé et prononcé, mais après environ trente minutes, les arômes s'estompèrent complètement. En bouche, il se donnait plus mais restait toujours très ferme, avec des saveurs densément savoureuses, terreuses et épicées que venait appuyer du chêne vanillé. La charpente était quasiment parfaite; l'acidité picotait le palais, suggérant un vin de longue durée. Le milieu de bouche était incroyablement riche et élégant, mais en fin de bouche le vin restait toujours ferme. Merveilleux mélange de maturité et de saveur, ce vin est l'apothéose des excellents Bordeaux rouges modernes. **SG**

◀ Des nutriments sont intégrés au sol d'un vignoble de La Dominique.

Château
La Gomerie

Origine France, Bordeaux, Saint-Émilion
Type vin rouge sec, 13 % vol.
Cépage Merlot
Millésime dégusté 2003, à boire jusqu'en 2015
€€€€

Ce nouveau Saint-Émilion superstar a vu le jour pratiquement par accident. La modeste propriété avec ses 2,5 ha de vignobles se situe à environ 1 km de Saint-Émilion. Pour la famille Bécot, propriétaire de Beau-Séjour-Bécot et qui acheta La Gomerie en 1995, son charme résidait dans sa juxtaposition à leur Premier Grand Cru Classé. Une partie de ses vignobles pourrait peut-être intégrer le premier cru.

Vraisemblablement, les Bécot ignoraient la qualité du terroir lorsqu'ils achetèrent la propriété. Le sol est sablonneux en surface, mais en dessous il y a de l'argile et du minerai de fer. De plus, la terre et le microclimat étant précoces, la récolte peut avoir lieu avant celle du Premier Grand Cru.

La Gomerie, dont les vins se vendent plus chers que ceux de Beau-Séjour-Bécot, a été raillée comme « un autre vin de garage »; quolibet par ailleurs non justifié, puisque les vignes poussent sur un terroir émérite en bordure du plateau de Saint-Émilion. La qualité de son vin a était confirmée en 2005, lors d'une dégustation à l'aveugle de trois millésimes qui vit La Gomerie primée et recevoir la Coupe Saint-Émilion, attribuée tous les deux ans. **SB**

La Jota Vineyard Company
20th Anniversary

Origine États-Unis, Californie, Napa Valley
Type vin rouge sec, 14,9 % vol.
Cépage Cabernet Sauvignon
Millésime dégusté 2001, à boire jusqu'en 2020+
€€€€

L'entreprise La Jota a parcouru un bon bout de chemin depuis sa création en 1898 par Frederick Hess, lequel planta des vignes et bâtit dans la roche volcanique une cave donnant de la personnalité à ses vins. Très appréciée au début du XXe siècle, elle ferma ses portes pendant la prohibition. Abandonnée, elle fut rachetée en 1974 par Bill et Joan Smith, qui la restaurèrent et lui rendirent sa réputation avant de la revendre en 2004 à Jess Jackson et Barbara Banke.

Howell Mountain fut la première sous-appellation de la Napa Valley; à 472 m d'altitude, ses vignobles se situent au-dessus de la ligne de brouillard. Sur le flanc sud, les vignobles de La Jota poussent sur un sol pauvre fait de cendres volcaniques qui, naturellement, produit un fruit concentré.

Le 20th Anniversary 2001 est un vin intense et sombre, avec un caractère de fruit doux et d'herbe séchée ainsi qu'une minéralité à mi-palais conforme à son origine montagnarde. Les gros investissements de la part des nouveaux propriétaires laissent à penser que les prochains millésimes de La Jota mériteront une attention toute particulière. **LGr**

Des vignobles de taille modeste prospèrent entre les constructions à Saint-Émilion.

Château La Mission Haut-Brion

Origine France, Bordeaux, Pessac-Léognan
Type vin rouge sec, 13 % vol.
Cépages Cab. Sauv. 48 %, Merlot 45 %, Cab. franc 7 %
Millésime dégusté 1982, à boire jusqu'en 2040
€€€€€

Cette propriété était à ses débuts une partie du Château Haut-Brion voisin ; elle fut vendue en 1630 à des lazaristes, communauté religieuse fondée par saint Vincent de Paul. Le vin qu'ils produisaient était très réputé et l'argent rapporté leur permettait de secourir les déshérités.

La Révolution française trancha tout lien avec l'Église, mais le domaine ne perdit pas au change avec ses nouveaux propriétaires qui combinaient sens des affaires et connaissances en matière de viticulture. Après la Première Guerre mondiale, il fut repris par la famille Woltner. En 1984, il fut racheté par son voisin, Haut-Brion, et est aujourd'hui dirigé par Jean-Philippe Delmas.

En 1982, les conditions furent réunies pour produire un vin d'une intensité et d'une concentration extrême. Le cassis abonde dans le bouquet, vingt-cinq ans plus tard, mais il est désormais rejoint par des notes de truffe dues au vieillissement en bouteille. Comme tous les meilleurs vins de ce millésime, on observe une combinaison fascinante de structure tannique et de douceur veloutée, alors que la finale est d'un sostenuto triomphant. **SW**

La Mondotte

Origine France, Bordeaux, Saint-Émilion
Type vin rouge sec, 13,5 % vol.
Cépages Merlot, Cabernet franc
Millésime dégusté 2000, à boire jusqu'en 2025
€€€€€

La Mondotte fut achetée en 1971 par le père de l'actuel propriétaire, Stefan von Neipperg ; c'était au début une sorte de « second choix » du Canon-la-Gaffelière. Quand il voulut régulariser cet arrangement avec les autorités à l'époque de la classification de 1996, il se vit dans l'obligation de construire une nouvelle cave dédiée à ce vin. Pour rentabiliser ses investissements, il résolut de « faire quelque chose de spécial ». Le résultat fut La Mondotte, qui déferla sur le marché du Bordeaux avec le millésime 1996 et fut noté entre 95 et 98 par Robert Parker. Stéphane Derenoncourt a collaboré avec von Neipperg et les deux hommes ont créé un « centre d'expérimentation ».

Le résultat, pour ce qui est du 2000, est un vin d'une puissance aromatique envoûtante, avec des touches d'encens, de résine, de chocolat et de kirsch. La structure du vin se fait de plus en plus manifeste lors de son circuit en bouche. Derenoncourt et von Neipperg recherchent la précision et la finesse, sans pour autant renoncer à la grande sensualité qui fait le charme d'un Saint-Émilion. **AJ**

La Rioja Alta
Rioja Gran Reserva 890

Origine Espagne, Rioja
Type vin rouge sec, 12,5 % vol.
Cépages Tempranillo, Mazuelo
Millésime dégusté 1985, à boire jusqu'en 2015
€€€€

La Rioja Alta fut fondée en 1890 par cinq éleveurs de la Rioja et du Pays basque et elle appartient toujours à ces cinq familles. Elle est située près de Haro, non loin d'autres noms célèbres tels que Muga, López Heredia, Bodegas Bilbaínas et CVNE. Après une première fermentation dans des cuves en acier inoxydable, le vin passe dans une cuve en chêne centenaire en vue de la fermentation malolactique et de la clarification. Il passe ensuite huit années dans des barriques en chêne américain et est purifié quinze fois à la main à la lueur des bougies. Le petit maillage qui recouvre la bouteille avait, à l'origine, pour but d'empêcher les individus peu scrupuleux de la vider puis de la remplir pour la revendre avec du vin de qualité moindre. Il n'a plus qu'une raison esthétique et sentimentale.

La robe du vin est d'un orange transparent plutôt que rouge, les principes colorants ayant précipité pendant le long vieillissement en fût puis en bouteille. Le nez a surtout des arômes tertiaires : cuivre, champignons, épices, note de truffe. Au palais, il est lisse, avec des tanins suaves, et une longue persistance. **LG**

La Spinetta
Barbaresco Vigneto Starderi

Origine Italie, Piémont, Langhe
Type vin rouge sec, 14,5 % vol.
Cépage Nebbiolo
Millésime dégusté 1999, à boire jusqu'en 2025
€€€€

Giuseppe Rivetti acheta en 1977 le domaine de La Spinetta, dans une région renommée pour sa production de Moscato : c'est ainsi que Giuseppe débuta en 1978 avec le premier Moscato à cru unique italien. Son premier vin rouge, un Barbera, suivit en 1985 ; en 1989, ses fils créèrent le Pin, assemblage révolutionnaire de Nebbiolo et de Barbera qu'ils dédièrent à leur père. Gallina, le premier Barbaresco, fut conçu en 1995.

Le Barbaresco Vigneto Starderi est produit depuis 1996 à partir du vignoble de Starderi. Du point de vue technique, ce vin pourrait être qualifié de « moderne », mais les millésimes plus anciens montrent qu'à long terme le cépage prend le pas sur les techniques de vinification et de maturation.

1999 fut une année étonnante pour le Nebbiolo. Le Vigneto Starderi 1999 présente une robe d'un rubis intense avec de vagues teintes grenat sur le contour. Le nez est ample et expressif, et les notes balsamiques initiales sont complétées par des fruits doux, des épices et du chocolat noir. Au palais, une note anisée enrichit l'après-goût chaud, plaisamment tannique et de longue durée. **AS**

Domaine Michel Lafarge
Volnay PC Clos des Chênes

Origine France, Bourgogne, côte de Beaune
Type vin rouge sec, 13 % vol.
Cépage Pinot noir
Millésime dégusté 1990, à boire entre 2010 et 2020
€€€€

Sous le nom de Cloux des Chaignes, ce vignoble n'est mentionné pour la première fois qu'en 1476, ce qui est relativement tardif selon les critères du Volnay. Même si le Dr Lavalle ne lui accorda que le statut de troisième cru en 1855, le Clos des Chênes passe aujourd'hui pour l'une des plus belles expressions du Volnay. Cela tient peut-être à l'exceptionnelle qualité du vin de Michel Lafarge. Son hectare de vignes se situe dans la partie inférieure du vignoble, la mieux exposée au sud et à l'est sur un versant dont la partie arable repose sur un calcaire jurassique.

Depuis 1990, la fabrication du Bourgogne rouge classique est plus le fait du fils de Michel, Frédéric, qui suit la même voie que lui tout en effectuant une transition en douceur vers les méthodes de biodynamie. Il utilise peu de chêne nouveau et le processus de maturation s'effectue pendant dix-huit mois dans la cave de Lafarge, en plein centre de Volnay.

Le 1990 est un vin puissant et sombre, qui n'a pas encore eu l'occasion de révéler toutes ses complexités ni l'opulence gracieuse caractéristique d'un grand Lafarge. Le fruit et la structure s'imposeront sans doute avec le temps. **JM**

Château Lafite Rothschild

Origine France, Bordeaux, Pauillac
Type vin rouge sec, 13 % vol.
Cépages Cab. Sauv. 83 %, Merlot 7 %, autres 10 %
Millésime dégusté 1996, à boire entre 2010 et 2050+
€€€€€

Le véritable travail de vinification débuta à Lafite au XVIIe siècle quand le propriétaire d'alors, Jacques de Ségur, créa les premiers vignobles du domaine. Soixante ans plus tard, sa réputation était telle que le Premier ministre anglais, Robert Walpole, passa des commandes régulières tant qu'il exerça ses fonctions.

Lafite connut quelques difficultés au XXe siècle. Le château souffrit d'être transformé en garnison par les nazis et de nombreux amateurs ne trouvèrent pas le domaine à la hauteur des autres premiers crus pendant les années 1960 et 1970. Jean Crété remit les choses en ordre dès 1976 et Gilbert Rokvam lui succéda en 1983. Le Lafite 1996 est un vin imposant, pourvu du muscle, du parfum et de la finesse que l'on recherche dans les vins de ce calibre. Le bouquet s'ouvre sur des épices discrètes et des notes complexes de baies, tandis que le palais révèle un vin rond, sinueux et puissant, d'une impressionnante force tannique, mais également pourvu de vivacité. Il continuera à vieillir sereinement pendant plusieurs décennies. **SW**

Château Lafleur

Domaine des Comtes Lafon
Volnay PC Santenots-du-Milieu

Origine France, Bordeaux, Pomerol
Type vin rouge sec, 13,5 % vol
Cépages Merlot 50 %, Cabernet franc 50 %
Millésime dégusté 2004, à boire entre 2015 et 2035
€€€€€

Origine France, Bourgogne, côte de Beaune
Type vin rouge sec, 13 % vol.
Cépage Pinot noir
Millésime dégusté 2002, à boire jusqu'en 2027
€€€€

Non loin de Petrus et de La Fleur-Petrus, un corps de ferme sans grande allure produit l'un des plus grands et des plus coûteux Bordeaux. Comme le Château Le Gay, il appartenait aux sœurs Robin, des femmes que l'on qualifiera poliment d'«économes». À la mort de Thérèse Robin, en 1984, sa sœur Marie loua Lafleur à leur cousin, Jacques Guinaudeau. Marie mourut en 2001 et Guinaudeau réussit à éloigner ses rivaux pour mieux développer la propriété.

Le domaine est petit, mais on y dénombre tout de même quatre terroirs. Ils donnent aux vins leur complexité, mais d'autres facteurs contribuent à leur grandeur : vignes vénérables, très bas rendement, récolte sélective pour que seules les grappes les plus mûres connaissent la vinification. Le perfectionnisme de Guinaudeau est tel qu'il n'y a pas de Lafleur médiocre. Le cru 2004 est magnifique : avec son élégant parfum de cèdre et de menthe et son caractère floral bien prononcé, c'est un vin voluptueux, complexe mais équilibré, à la grande espérance de vie. L'offre est peu importante et la demande énorme, et rares sont ceux qui ont l'occasion de goûter un exemplaire accompli de ce Pomerol supérieur. **SBr**

Dominique Lafon devint maître de chai de ce domaine en 1984, à seulement 26 ans ; on le connaît surtout pour ses Chardonnays, séduisants par leur fruit et puissants par leurs épices. Il fait toutefois des Pinots noirs supérieurs à ce que s'imaginent la plupart des gens, en discernant de subtiles différences au niveau du sol et du climat. Certains, comme le Santenots-du-Milieu, sont originaires du village de Meursault, mais la législation leur permet de porter le nom de Volnay.

En prenant la succession de son père, René, Dominique mit un terme au partage des terres décidé par ses ancêtres et exploita les excellents vignobles familiaux. Depuis, il a la réputation de donner des vins riches, précis et équilibrés.

«Améliorer les rouges, qui manquaient à la fois de concentration et d'acidité, relevait du défi mais dès l'instant où l'on a des raisins plus sains, mieux équilibrés naturellement, le travail en cave devient mois agressif, dit-il. Aujourd'hui nous faisons moins d'extraction et les vins sont plus élégants.» Dominique pense que le 2002 n'est pas encore épanoui, comme le sont le 1992 et le 1997. **JP**

La toiture en tuile de la propriété est typique de l'architecture bourguignonne. ➔

Château Lagrézette
Cuvée Pigeonnier

Château Lagrange

Origine France, Bordeaux, Saint-Julien
Type vin rouge sec, 13 % vol.
Cépages Cab. Sauv. 65 %, Merlot 28 %, Petit Verdot 7 %
Millésime dégusté 2000, à boire jusqu'en 2020
€€€

Origine France, Sud-Ouest, Cahors
Type vin rouge sec, 14 % vol.
Cépage Malbec
Millésime dégusté 2001, à boire jusqu'en 2015+
€€€€€

En 1983, la société japonaise Suntory acheta Lagrange et restaura les bâtiments longtemps négligés, rachetant également les parcelles vendues par de précédents propriétaires. Elle eut l'intelligence de donner les postes de directeur et de maître de chai à Marcel Ducasse, qui s'occupa activement du domaine de 1983 à 2007, année où il prit sa retraite.

Les sols ne donnent jamais un vin massif et puissant. Le Lagrange est plus léger et plus élégant que le Léoville-Las Cases, par exemple, même si Ducasse admire la finesse du Léoville-Barton. Ici, on s'efforce d'éliminer l'excès de tanin et privilégient l'équilibre. Même si le Lagrange est un vin qui vieillit bien, sa structure ne lui permet pas un long séjour en cave.

Le 2000 est un excellent exemple de la qualité du Lagrange. Le nez tire vers la groseille noire et le fumé tient au chêne nouveau dans lequel vieillit le vin. La somptuosité le caractérise, mais la fraîcheur suffit à lui préserver longtemps sa vivacité. La retraite de Ducasse marque la fin de l'âge d'or du Lagrange, mais son successeur n'est autre que Bruno Eynard, son directeur technique pendant des années, de sorte que la continuité semble assurée. **SBr**

Cette propriété de 65 ha appartient à Alain Dominique, propriétaire de Cartier. Il l'acheta en 1980 et passa dix ans à la restaurer pour lui donner sa magnificence actuelle.

Du nom du pigeonnier installé au milieu des vignes, ce vin naquit du fruit du hasard en 1997 quand une gelée tardive donna une récolte si piètre qu'une seule cuve de chêne suffit à sa fermentation. Ce vin impressionna tant Perrin et son équipe qu'ils prirent la décision d'en produire un identique chaque année en taillant hardiment les vignes pour réduire le rendement. sept mille bouteilles en moyenne voient donc le jour annuellement, et c'est sans conteste le Cahors le plus coûteux.

La couleur opaque du 2001 est fidèle à la réputation du Cahors, ce « vin noir » dont la renommée remonte au Moyen Âge. De style ultramoderne, avec un fruit mûr et un soupçon de chêne nouveau, il est concentré, d'une riche texture et tannique, avec une finale puissante. Le Pigeonnier n'a pas le charme ou la souplesse de la Cuvée Dame Honneur de Lagrézette, mais c'est le meilleur de sa catégorie pour qui aime les vins de poids… et de prix. **SG**

La tour « italienne » fut ajoutée au château en 1820.

La Grande Rue

Domaine
François Lamarche

Domaine Lamarche
La Grande Rue GC

Origine France, Bourgogne, côte de Nuits
Type vin rouge sec, 13 % vol.
Cépage Pinot noir
Millésime dégusté 1962, à boire jusqu'en 2012+
€€€€€

Si l'on oublie la colline de Corton, les grands crus de rouges bourguignons commencent à La Tâche, à l'extrémité sud de la commune de Vosne-Romanée, et se poursuivent de façon quasi continue jusqu'aux portes du village de Gevrey-Chambertin. Il y a toutefois une interruption entre La Tâche et Romanée-Saint-Vivant au sud : c'est le vignoble de La Grande Rue qui, avec son 1,65 ha, est le monopole de la famille Lamarche. La légende veut qu'Henri Lamarche, prédécesseur de François, actuel responsable du domaine, ne demanda pas d'accéder au statut de grand cru en 1936, quand furent promulguées les lois actuellement en vigueur, de crainte de devoir payer plus d'impôts. La Grande Rue ne devint un grand cru qu'en 1992, de sorte que le millésime 1962 n'est qu'un premier cru, mais il date d'une époque où la qualité locale était très élevée. Les critères, moins contraignants par la suite, retrouvent leur niveau d'antan depuis une quinzaine d'années.

Le cru 1962 révèle toute la magie du Pinot noir : doux comme une soierie, sensuel et rappelant la terre ou le champignon. Même s'il a plus de 45 ans d'âge, ce vin est toujours empreint de cette fraîcheur qui donne dimension et longueur au palais. Il ne faut pas le boire en accompagnement d'un plat : la bouteille doit être ouverte une fois le repas achevé et les convives repus. Fermez les rideaux, éteignez la musique, abaissez la lumière. Dégustez-le lentement, délicatement, comme un Porto millésimé. **CC**

◄ Le vignoble du grand cru La Grande Rue.

Domaine des Lambrays
Clos des Lambrays GC

Origine France, Bourgogne, côte de Nuits
Type vin rouge sec, 13,5 % vol.
Cépage Pinot noir
Millésime dégusté 2005, à boire jusqu'en 2030
€€€€

À l'extrémité nord du Clos de Tart se trouve un autre grand cru, le Clos des Lambrays. Pratiquement tout le Clos des Lambrays appartient au domaine des Lambrays, qui n'a été classé comme grand cru qu'en 1981. Ironiquement, à cette époque le vignoble avait été délaissé depuis de nombreuses années et avait besoin d'être replanté extensivement, ce qui diminuerait la qualité du vin.

En 1996, la propriété fut vendue à un important homme d'affaires allemand, Gunther Freund. Depuis 1980, sa gestion est entre les mains de Thierry Brouin. Les vignobles sont relativement hauts, sur des sols en pente, pauvres et calcaires. Le vin, assez viril, n'est pourtant pas sans raffinement. Parfumé et élégant, il est bien structuré et charpenté. Ce n'est que depuis le milieu des années 1990 que le Clos des Lambrays a atteint la qualité absolue des grands crus.

Le 2005 est un vin exquis, très parfumé, aux arômes de fruits rouges avec une note florale prononcée ; richement fruité, il est aussi fluide et souple, mariant concentration et fraîcheur avec une grande persistance. C'est en somme un vin merveilleusement équilibré et complexe. **SBr**

Landmark *Kastania Vineyard*
Sonoma Pinot noir

Origine États-Unis, Californie, Sonoma Valley
Type vin rouge sec, 14,5 % vol.
Cépage Pinot noir
Millésime dégusté 2002, à boire jusqu'en 2012+
€€€

La cave de Landmark se trouve dans le hameau de Kenwood, le long de la route qui parcourt toute la Sonoma Valley. La famille Mabry est à l'origine du nom Landmark, mais en 1989, Damaris Deere Ethridge, un associé, racheta les parts des autres actionnaires avant de demander à son fils, Michael, et à sa belle-fille, Mary, de diriger la propriété. Descendante de John Deere – celui des tracteurs –, celle-ci ne manquait pas de moyens. La cave s'est longtemps spécialisée dans le Chardonnay et le Pinot noir, même s'il lui arrive de produire d'autres vins, à base de Syrah par exemple.

Landmark offre un excellent Pinot noir du nom de Grand Detour, assemblage de cinq sites dont l'un à Santa Barbara. Kastania provient d'un vignoble unique planté en 1994 de Pinot noir avec des clones venus de Dijon, mais aussi des clones californiens de longue date, tels ceux de Pommard.

Le cru 2002 a des arômes envoûtants de cerises, de tabac, de thé et de brûlé. C'est un vin riche, plein de corps et soyeux, où le chêne nouveau apparaît derrière l'opulence de la cerise noir ; la finale présente quelque acidité. **SBr**

Landmark, au pied de la Sugarloaf Mountain, dans la Sonoma Valley. ➔

Château Latour

Origine France, Bordeaux, Pauillac
Type vin rouge sec, 13,3 % vol.
Cépages Cab. Sauv. 81 %, Merlot 18 %, Petit Verdot 1 %
Millésime dégusté 2003, à boire entre 2020 et 2075+
€€€€€

La tour qui donne son nom à la propriété était en réalité une forteresse construite pendant la guerre de Cent Ans. Elle a depuis longtemps disparu, mais une nouvelle tour la remplaça au début du XVIIᵉ siècle et son toit en forme de dôme fait office de colombier.

La classification de 1855 accorda au Château Latour le statut de premier cru (pour certains, il n'arrive derrière le Lafite que pour des raisons d'ordre alphabétique) et il fait preuve depuis d'une grande constance, comme il sied à un vin de renom mondial. Des vignes bien enracinées dans un sol très graveleux produisent des vins dont la durée de vie est peut-être la plus longue de tous les premiers crus ; la grande proportion de Cabernet (plus de 80 % certaines années) fait qu'on ne doit pas envisager de les boire avant le début de leur troisième décennie. Cela dit, le 2003 est un vin inhabituellement précoce suite à l'intense maturité de cette année. Produit de la canicule dont souffrit l'Europe, ce vin est noir comme un démon et sera sans nul doute aussi tentateur. Il affiche un nez superbement floral de cassis, de prunes noires et de chêne fumé ; malgré la fermeté de ses tanins, il a au palais une acidité et un fruit si doux que certains amateurs ne pourront s'empêcher de le boire trop jeune. Avec une teneur en alcool de 13 %, c'est aussi un monument, mais la puissance qu'il dissimule s'intègre parfaitement à la concentration en fruits. **SW**

AUTRES SUGGESTIONS		
Autres grands millésimes		
1982 • 1986 • 1989 • 1990 • 1995 • 1998 • 2000		
Autres producteurs de Pauillac		
Lafite Rothschild • Mouton Rothschild • Pichon-Longueville Baron • Pichon-Longueville Comtesse de Lalande		

Un clocheton surmonte la tour du domaine Latour, édifiée vers 1630. ➔

Château Latour à Pomerol

Origine France, Bordeaux, Pomerol
Type vin rouge sec, 13 % vol.
Cépages Merlot, Cabernet franc
Millésime dégusté 1961, à boire jusqu'en 2012+
€€€€€

Le suffixe « à Pomerol » différencie normalement ce Château Latour des nombreux autres Latour à Bordeaux. Les premiers propriétaires étaient les Chambeaud. En 1875, leur unique fille épousait aux États-Unis Louis Garitey. La fille aînée de Garitey, héritière de Latour, était la redoutable Mme Édouard Loubat, qui agrandit Latour et consolida Petrus.

Château Latour, géré par les Établissements J.-P. Moueix depuis 1962 et propriété de Mme Lily Lacoste, fille de Mme Loubat, est indiscutablement l'un des meilleurs domaines de Pomerol. Le vignoble de 8 ha est constitué de deux grandes parcelles plantées à 90 % de Merlot et à 10 % de Cabernet franc. Il produit régulièrement un vin plus puissant mais moins raffiné que son alter ego dans l'écurie Moueix, le Château La Fleur-Petrus, qui se vend au même prix.

En 1961, l'âge moyen du vignoble était vénérable, car les jeunes vignes plantées après les gels de 1956 n'avaient pas encore été intégrées dans ce grand vin. D'où ce vin mémorable, très concentré, issu d'un millésime très court mais parfaitement équilibré : riche, crémeux, opulent, harmonieux et succulent. **CC**

Le Dôme

Origine France, Bordeaux, Saint-Émilion
Type vin rouge sec, 13 % vol.
Cépages Cabernet franc 75 %, Merlot 25 %
Millésime dégusté 1998, à boire jusqu'en 2030
€€€€€

L'Anglais Jonathan Maltus fut qualifié de « garagiste » quand il conçut Le Dôme, en 1996. Le style de ce vin est pourtant étonnamment classique, ce qui surprend quand on sait que Maltus, dans le Bordelais tout au moins, passe pour un franc-tireur ennemi des conventions. Presque comme si les millésimes antérieurs étaient devenus classiques à son insu.

Le principe de Maltus a toujours été le suivant : un vin issu d'un seul vignoble doit contenir tout ce que produit ledit vignoble. Les premiers millésimes eurent droit à 150 % de chêne nouveau – 100 % pour commencer avant de passer dans 50 % de chêne nouveau. (Il a depuis abandonné ces derniers 50 %.) Cela déboucha sur des vins à « mâcher à pleines dents » sans être pour autant surextraits, toujours équilibrés et pourvus de cette note indéfinissable qui fait chanter l'échantillon le plus maussade. La grande proportion de Cabernet franc apporte une merveilleuse fraîcheur aromatique – avec ce 1998, proche de la maturité, on trouve des notes de framboises et de fruits noirs, une structure ferme quoique discrète et une finale aussi longue qu'aromatique. Un vin qui a un goût de revenez-y, en un mot. **MR**

Le Due Terre
Sacrisassi

Origine Italie, Frioul
Type vin rouge sec, 13 % vol.
Cépages 50 % Refosco, 50 % Schioppettino
Millésime dégusté 1998, à boire jusqu'en 2012
€€€

La petite propriété des Due Terre fut créée en 1984 par Silvana et Flavio Basilicata. La cave est située dans les Colli Occidentali del Friuli, qui s'étirent le long de la frontière avec la Slovénie dans la partie montagneuse de l'Udine. Cette région donne traditionnellement du vin blanc, mais les vins rouges récents sont très prometteurs. Les plus importants cépages rouges locaux ont pour nom Refosco dal Peduncolo Rosso, plus connu sous celui de Mondeuse, et le Schioppettino, qui donne des vins intéressants, légèrement colorés, caractérisés par leur note poivrée. Le Sacrisassi Rosse de Due Terre réunit les caractères de ces deux cépages : l'élégance délicate quoique baroque du Schioppettino arrondit les contours plus rudes du Refosco, lequel ajoute chair et couleur à l'assemblage.

Le cru 1998 présente la verdeur rafraîchissante typique du nord-est de l'Italie que vient soutenir un fruit chaud, profond et sombre. Les tanins sont discrets, mais c'est l'acidité qui définit et soutient le fruit lors d'une finale agréable. On tombe amoureux d'un tel vin pour sa personnalité unique et son origine bien marquée. **AS**

Le Macchiole
Paleo Rosso 2001

Origine Italie, Toscane, Bolgheri
Type vin rouge sec, 14 % vol.
Cépage Cabernet franc
Millésime dégusté 2001, à boire jusqu'en 2018+
€€€

Le Macchiole est l'invention du défunt Eugenio Campolmi. Au début des années 1980, il décida de satisfaire sa grande passion pour le vin en investissant de fortes sommes dans la reconversion des vignobles familiaux. Il planta également des cépages internationaux comme du Cabernet franc, du Cabernet Sauvignon et du Merlot et en 1991 il embaucha un jeune œnologue, Luca D'Attoma. Quand Eugenio mourut prématurément en 2002, la gestion du domaine passa aux mains expertes de sa femme, Cinzia. Elle se montra rapidement aussi capable et méticuleuse qu'Eugenio dans sa recherche intransigeante de la qualité. Elle insistait notamment sur le fait qu'un grand vin se crée dans le vignoble.

Paleo Rosso est un vin dans lequel Eugenio s'était énormément investi. Ce vin intégra son caractère définitif en 2001 : habituellement issu d'un assemblage de Cabernet Sauvignon et de Cabernet franc, ce millésime fut produit uniquement à partir de Cabernet franc. Il affiche une vive couleur vermeille et son nez marie des notes élégamment végétales (mais jamais vertes) avec des fruits rouges et un léger arôme de beurre. **AS**

Le Pin

Origine France, Bordeaux, Pomerol
Type vin rouge sec, 13 % vol.
Cépages Merlot 92 %, Cabernet franc 8 %
Millésime dégusté 2001, à boire entre 2010 et 2020
€€€€€

Un des vins les plus recherchés au monde, Le Pin incarne les vins dits « de garage », car il est produit dans le sous-sol d'une ferme ordinaire à Pomerol.

La famille Thienpont, d'origine belge, est depuis longtemps dans le négoce des vins et possède le Château Labégorce-Zédé à Margaux, ainsi que d'autres propriétés dans les côtes de Francs. Elle acquit Le Pin en 1979 d'une veuve, Mme Laubie, qui avait toujours cultivé organiquement le vignoble d'un hectare, tout en vendant les raisins anonymement sous le générique du Pomerol. De ce vignoble minuscule, Le Pin produit entre 600 et 700 caisses par an quand Château Lafite-Rothschild en produit environ 29 000 par an et Petrus environ 4 000. La conjugaison d'une extrême rareté et d'une grande demande internationale explique les prix exaltés de ce vin.

À la fois iconoclaste et hédoniste, Le Pin est souvent dédaigné par ceux qui ont été élevés dans la tradition des Bordeaux « classiques » parce qu'il sape – au niveau du style comme sur le plan financier – la traditionnelle hiérarchie des vins de Bordeaux. L'affable Jacques Thienpont reste perplexe devant les prix que son vin atteint, mais il demeure philosophe : « Je ne suis pas banquier, dit-il, mais si vous achetez un vin et que sa valeur baisse, vous pouvez toujours le boire. Si vous achetez un titre et qu'il perd sa valeur, vous ne pouvez pas le manger. » **SG**

◀ La ferme Le Pin et son arbre éponyme.

Le Riche *Cabernet Sauvignon Reserve*

Origine Afrique du Sud, Stellenbosch
Type vin rouge sec, 14 % vol.
Cépage Cabernet Sauvignon
Millésime dégusté 2003, à boire jusqu'en 2013
€€

Étienne Le Riche est l'un des nombreux maîtres de chai de producteurs renommés à avoir éprouvé le besoin de se jeter à l'eau, mais aussi l'un des rares à être passé à l'acte. Vers le milieu des années 1990, après vingt-cinq ans passés au prestigieux domaine Rustenberg, il se lança dans une entreprise bien plus modeste, installée dans une petite ferme de la vallée de Jonkershoek, aux environs de Stellenbosch.

Cette ferme portait le nom de Leef op Hoop, expression afrikaans appropriée signifiant « vivre d'espoir ». Conforme à l'aspect « garagiste » de cette aventure, la vieille cave de la propriété avait pendant des décennies servi de remise aux tracteurs et aux outils ; elle avait grand besoin d'être restaurée, mais Le Riche fut heureux d'y trouver de vieilles cuves en béton ouvertes destinées à la fermentation. Les raisins servant à ce vin ne proviennent cependant pas tous des versants de la Jonkershoek ; un tiers environ est issu de zones voisines.

Il est très inhabituel au Cap que le produit phare d'un petit producteur soit un Cabernet variétal ; la plupart optent pour un assemblage à la bordelaise. Pourtant le Reserve de Le Riche, frais et harmonieux, a ce caractère complet et classique parfois absent des vins variétaux. Il a une douceur intense en fruit que renforcent acidité et tanins bien structurés. Le goût de chêne est limité (moins de la moitié des barriques sont neuves), bien dans la lignée de ce vin et de l'homme qui le produit. **TJ**

AUTRES SUGGESTIONS		
Autres grands millésimes		
1997 • 1998 • 2000 • 2001		
Autres producteurs de Stellenbosch		
Kanonkop • Meerlust • Morgenster		
Rustenberg • Rust en Vrede • Thelema		

Le domaine Le Riche est situé dans la vallée de Jonkershoek, proche de Stellenbosch. ➜

L'Ecole N° 41 *Walla Walla Seven Hills Vineyard Syrah*

Origine États-Unis, État de Washington, Columbia Valley
Type vin rouge sec, 14,5 % vol.
Cépage Syrah
Millésime dégusté 2005, à boire jusqu'en 2018
€€€

La production vinicole de l'État de Washington est récente, mais son expansion a été rapide. Même si la bande côtière des environs de Seattle est trop humide pour la viticulture, les vallées intérieures sont semi-arides et rendent l'irrigation obligatoire pour que les raisins parviennent à pleine maturité. Leur latitude septentrionale leur apporte plus d'heures de jour et d'ensoleillement que la Californie.

L'Ecole N° 41 fut fondée en 1983 et dirigée pendant de nombreuses années par Marty Clubb. Au début, la cave se fit connaître par son Chenin blanc et son Sémillon au goût de chêne prononcé, mais ses vins ultérieurs ont su faire leurs preuves. Les meilleurs sont des variétaux ou des assemblages à la bordelaise, issus principalement des vignobles renommés de Pepper Bridge et de Seven Hills, dans le comté de Walla Walla.

Les premiers millésimes des nouvelles régions viticoles peuvent sembler maladroits parce que les viticulteurs exploraient les possibilités du fruit. Ce fut le cas pour l'Ecole N° 41 mais, vers la fin des années 1990, le maître de chai Michael Sharon s'intéressa de près aux vignes de Walla Walla pour en rendre les vins plus constants. Le Seven Hills Syrah 2005, vieilli dans un tiers de barriques neuves, a une couleur dense, un nez de myrtilles doublé d'un charme considérable, et une belle intensité au palais. Il est peut-être moins riche que certains vins Syrahs originaires de zones plus chaudes telles que la Napa Valley, mais son piquant, sa vigueur et sa fraîcheur mentholée rétablissent l'équilibre. **SBr**

AUTRES SUGGESTIONS		
Autres grands millésimes		
2001 • 2002 • 2003 • 2004		
Autres producteurs de l'État de Washington		
Canoe Ridge • Château Sainte-Michelle		
Leonetti Cellars • Quilceda Creek		

Bâtie en 1915, cette école abrite aujourd'hui la cave de L'Ecole N° 41. ➔

Peter Lehmann
Stonewell Shiraz

Origine Australie, Australie-Méridionale, Barossa Valley
Type vin rouge sec, 14,5 % vol.
Cépage Shiraz
Millésime dégusté 1998, à boire jusqu'en 2015
€€

Issu d'une famille originaire de la vallée depuis cinq générations, Peter Lehmann fut vinificateur et exploitant de Saltram Wines jusqu'en 1980. C'est ici qu'il bâtit un réseau important de relations avec les viticulteurs des environs, scellant ses affaires par une poignée de main plutôt que par des contrats.

En 1979, il existait déjà un important excédent de raisin et de vin. Saltram ordonna à Lehmann de renier la promesse faite aux viticulteurs de leur acheter leur récolte. Lehmann refusa et décida de monter sa propre exploitation. Le premier millésime vit le jour en 1980 et, en 1982, l'exploitation prit le nom de Peter Lehmann Wines.

Après une mauvaise passe vers le milieu des années 1990, 1998 fut une année propice pour la région, produisant de nombreux excellents vins rouges. Ce vin est puissant avec des notes très fruitées, alcooliques et acidulées. Les saveurs sont typiques de Barossa – cuir, épices, cassis et chêne sucré. Mais malgré sa charpente très étoffée, le millésime 1998 est étonnamment fin et agréable à boire. Il a reçu la médaille d'or à la Foire nationale du vin à Adélaïde, à Brisbane, et à Hobart en 2000. **SG**

Leonetti Cellar
Merlot

Origine États-Unis, État de Washington, Columbia Valley
Type vin rouge sec, 14,3 % vol.
Cépages Merlot 85 %, Cab. Sauv. 8 %, Petit Verdot 7 %
Millésime dégusté 2005, à boire jusqu'en 2020+
€€€

Les premiers vins de Gary Figgins étaient riches et agréables à « mâcher » – relativement faciles à faire sous le climat quasi désertique de l'État de Washington. Son fils Chris et lui sont devenus de vrais viticulteurs et leur style s'est fait plus élégant, plus harmonieux aussi. Accessibles dès leur mise en bouteilles, leurs vins sont encore meilleurs après un vieillissement en cave.

Figgins assemble le Merlot de six vignobles disséminés dans la Columbia Valley. Le vin est conservé quatorze mois dans des barriques de chêne français et américain nouveau.

Le cru 2005 est passionnant car de nouvelles vignes furent ajoutées à l'assemblage. Après que les gelées de 2004 eurent réduit d'un tiers la production, les éleveurs connurent une belle période de croissance en 2005. Un été plus frais qu'en 2003, un temps d'automne stable et des vendanges non marquées par le gel ont permis la lente accumulation des parfums et la rétention de l'acidité pour produire des vins harmonieux, équilibrés, élégants et éclatants de fruit mûr. Le 2005 est un vin soyeux dont les purs parfums de fruit mènent à une finale minérale. **LGr**

◄ Les jeunes vignes de Peter Lehmann sont protégées des oiseaux.

Château Léoville-Barton

Origine France, Bordeaux, Saint-Julien
Type vin rouge sec, 12,5 % vol.
Cépages Cab. Sauv. 72 %, Merlot 20 %, Cab. franc 8 %
Millésime dégusté 2000, à boire entre 2010 et 2040+
€€€€

Les Irlandais furent très présents dans le Bordelais à partir de 1690, année où le protestant Guillaume d'Orange remporta la bataille de la Boyne et contraignit de nombreux Irlandais catholiques à émigrer. Ils n'avaient peut-être pas les mêmes droits de propriété que les Anglais, mais le nom de Bordeaux est encore gravé dans le cœur de bien des Irlandais. C'est le cas de la dynastie des Barton. Arrivés en 1821, ils aimèrent tant le vin et l'ambiance du Château Langoa qu'ils acquirent la propriété. Plus tard, ils l'accompagnèrent d'une petite parcelle du domaine Léoville et les deux vins évoluent en symbiose depuis cette époque. Avec près de deux siècles, une propriété du Bordelais n'a jamais appartenu aussi longtemps à une même famille.

Au cœur de l'appellation Saint-Julien et bénéficiant d'un sol argilo-graveleux, le domaine Léoville compte 49 ha. Les vins sont élaborés de manière traditionnelle : ils passent de dix-huit à vingt mois en barrique (renouvelées pour moitié chaque année) avant d'être assemblés et mis en bouteilles.

La magnifique année 2000 a produit d'innombrables miracles et c'est vraiment extraordinaire si une propriété donnée parvient à se détacher du lot. Le Léoville 2000 est un vin fait pour durer, d'un poids intense, riche et opulent, où une fine couche de chêne fumé recouvre d'autres couches de cassis douceureux, le tout soutenu par des tanins aussi élégants que des colonnes grecques. **SW**

AUTRES SUGGESTIONS
Autres grands millésimes
1989 • 1990 • 1995 • 1996 • 1998 • 2001 • 2003 • 2005
Autres producteurs de Saint-Julien
Ducru-Beaucaillou • Gruaud-Larose • Lagrange
Langoa-Barton • Léoville-Las Cases • Talbot

Anthony Barton, propriétaire du Château Léoville-Barton. ➔

Château
Léoville-Las Cases

Origine France, Bordeaux, Saint-Julien
Type vin rouge sec, 13 % vol.
Cépages Cab. Sauv. 65 %, Merlot 20 %, autres 15 %
Millésime dégusté 1996, à boire jusqu'en 2030
€€€€€

Depuis des décennies, la famille Delon accorde à sa propriété les qualités d'un premier cru et, les grandes années, leur vin mérite bien ce statut. La sélection est scrupuleuse et bien souvent pas plus de 40 % de la récolte sert à faire un vin de premier choix, le reste étant réservé pour le Clos du Marquis.

Le Léoville-Las Cases est masculin et musclé ; c'est un vin dense et sombre avec d'imposants tanins et une structure un peu rude quand il est jeune, mais est aussi prometteur d'une longue vie en bouteille. Certains lui reprochent d'être trop dépendant de techniques comme l'osmose inversée, destinée à concentrer le vin artificiellement et excessivement.

Le cru 1996 démontre parfaitement que le Léoville-Las Cases est un vin qui exige de la patience. Jeune, il était réellement agressif et le fruit était masqué par les tanins. Aujourd'hui, sa classe est manifeste, avec des arômes de cèdre et de groseille d'une grande élégance, même si au palais il paraît assez dense et serré. Il lui faudra attendre encore quelques années pour que les tanins s'assouplissent et qu'on voie émerger la richesse du fruit. **SBr**

Château
Léoville-Poyferré

Origine France, Bordeaux, Saint-Julien
Type vin rouge sec, 13 % vol.
Cépages Cab. Sauv. 65 %, Merlot 25 %, autres 10 %
Millésime dégusté 2004, à boire jusqu'en 2022
€€€

Le domaine Léoville, établi après la Révolution française, est principalement constitué de vignes plantées sur des sols graveleux le long de la route de Pauillac. Il appartient depuis 1920 à la famille Cuvelier, d'anciens négociants en vins du nord de la France, et est aujourd'hui géré par Didier Cuvelier.

Le style du Léoville-Poyferré diffère beaucoup de celui du Léoville-Barton, plus classique, parfois même austère, et du Léoville-Las Cases, puissant et super-concentré. Il est plus riche, plus hédoniste, plus attrayant quand il est jeune. Il est difficile de résister à sa sensualité. Cuvelier veut produire un vin digne de vieillir et il a réduit la proportion de Merlot dans ses vignobles alors que tant d'autres propriétés du Médoc l'ont augmentée.

Le cru 2004 est le reflet du domaine dans ce qu'il a de meilleur. Les arômes de groseille noire ne manquent pas de succulence et de charme, pourtant ce vin a énormément de vigueur, de puissance et d'équilibre, avec une abondance de parfums de fruits noirs et un bel après-goût. Fiable et constant, le Léoville-Poyferré est aussi, pour un second cru, d'un bon rapport qualité-prix. **SBr**

Le superbe grand chai du domaine Léoville-Poyferré. ➜

Domaine Leroy
Romanée-Saint-Vivant Grand Cru

Origine France, Bourgogne, côte de Nuits
Type vin rouge sec, 13 % vol.
Cépage Pinot noir
Millésime dégusté 2002, à boire entre 2015 et 2050
€€€€€

En 1998, Mme Lalou Bize-Leroy, à l'époque codirectrice du Domaine de la Romanée-Conti (DRC) et directrice de son exploitation familiale, la maison Leroy, fut invitée à visiter le domaine de Charles Nöellat en Vosne-Romanée, alors en vente. Seule une moitié du vignoble était cultivée et les vignes avaient été délaissées depuis des années. Malgré leur ancienneté, elles produisaient un Pinot d'excellente qualité, comme on le faisait dans le temps et qui aujourd'hui est pratiquement introuvable. Elles avaient le potentiel pour produire un vin superbe. Le contrat fut signé.

La parcelle Leroy de Romanée-Saint-Vivant couvre à peine 1 ha et Mme Bize y produit son vin avec les mêmes méthodes qu'au DRC, mais les deux Romanée-Saint-Vivant sont pourtant bien distincts. On ne devinerait jamais que les vins Leroy sont le produit d'une vinification à base de raisins intacts. Ces vins sont plus gras, plus riches, plus voluptueux plus que délicats. Le 2002, mis en bouteilles après moins d'un an, est ample et intensément concentré. Regorgeant de fruits mûrs, il affiche l'acidité suprême de ce millésime. Il va durer encore et encore. **CC**

L'Enclos
de Château Lezongars

Origine France, Bordeaux, Premières Côtes de Bordeaux
Type vin rouge sec, 13 % vol.
Cépages Merlot 70 %, Cab. franc 15 %, Cab. Sauv. 15 %
Millésime dégusté 2001, à boire jusqu'en 2012
€€

Cette belle propriété, située dans le village de Villenave-de-Rions, a été rachetée en 1998 par un couple anglais, Philip et Sarah Iles. Ils sont toujours maîtres des lieux, aidés par leur fils Russell et l'œnologue Marielle Cazeau.

Le Lezongars courant est vieilli en fûts, dont un tiers neuf, pendant neuf mois. Les meilleurs fûts sont réservés pour un élevage plus long avec mise en vente sous l'étiquette de L'Enclos du Château Lezongars. Depuis 2002, il existe aussi une Cuvée Spéciale. Issue des pentes les plus graveleuses du domaine, elle est uniquement à base de Merlot et vieillie en fûts.

Certes, la Cuvée Spéciale ressemble beaucoup à un exercice marketing, mais l'Enclos, leur vin de qualité supérieure, a fait preuve d'une grande consistance quant à la qualité et au style. Il affiche des arômes de cerises, douces et raffinées, une texture pulpeuse avec de la rondeur, une bonne concentration de fruit sans être excessive et une fin de bouche longue et épicée. De plus, le prix est tout à fait abordable pour un vin de Bordeaux élégant et moderne, qui peut être bu relativement jeune. **SBr**

L'élégant château Lezongars, maison familiale des Iles. →

Domaine du Viscomte Liger-Belair *La Romanée GC*

Origine France, Bourgogne, côte de Nuits
Type vin rouge sec, 13 % vol.
Cépage Pinot noir
Millésime dégusté 2005, à boire entre 2020 et 2040+
€€€€€

De tous les grands crus en Bourgogne, La Romanée, sur 0,83 ha, est le plus petit domaine. Chaque cru possédant sa propre appellation contrôlée, La Romanée est l'AOC la plus petite de France. Le vignoble est planté en pente selon une orientation nord-sud, au lieu de la traditionnelle orientation est-ouest, et surplombe la Romanée-Conti. Comme ce dernier, le domaine est un monopole de la famille Liger-Belair depuis 1827.

Avant 2001, viticulture et viniculture étaient gérées par Régis Forey, un vigneron de la Vosne-Romanée qui avait aussi son propre domaine, mais le vin était vieilli, mis en bouteilles et commercialisé par Bouchard Père et Fils, de Beaune, sous une étiquette différente. Ce système prit fin quand arriva sur scène le jeune viticulteur Louis-Michel Liger-Belair, alors que le contrat de Forey arrivait à terme. Les trois millésimes suivants de La Romanée furent divisés également entre Bouchard et Louis-Michel (il est d'ailleurs intéressant de comparer les 2002, car les vins de Louis-Michel s'avèrent un peu plus délicats et plus fins), mais à partir de 2005, tout le vin fut produit par Liger-Belair.

Comme le Romanée-Conti, La Romanée est un vin plus léger et plus féminin que La Tâche ou que le Richebourg. Jusqu'ici il était toujours un peu plus maigre que le Romanée-Conti et il manquait aussi un peu de classe. Ce n'est plus le cas. Ce 2005 est tout simplement exquis : complexe, profond, pur, harmonieux, vraiment superbe. C'est peut-être le meilleur vin de cet excellent millésime. Le temps le dira. **CC**

Lisini *Brunello di Montalcino Ugolaia*

Origine Italie, Toscane, Sant'Angelo in Colle
Type vin rouge sec, 14 % vol.
Cépage Sangiovese
Millésime dégusté 1990, à boire jusqu'en 2020+
€€€

Dans le petit hameau de Sant'Angelo in Colle, la propriété Lisini joue depuis les années 1960 un rôle majeur en matière de Montalcino. Toujours en activité, Elina Lisini fut en 1967 l'un des membres fondateurs du Consorzio, bien avant que le Brunello ne se fît connaître dans le monde entier. Dans les années 1970, la famille entreprit de restaurer entièrement la propriété et les caves ; son Riserva 1975 est l'un des meilleurs exemples de ce grand millésime.

En 1983, la compagnie engagea l'œnologue consultant et spécialiste du Sangiovese, Franco Bernabei, dont l'intérêt pour le terroir poussa le neveu d'Elina, Lorenzo Lisini, et sa famille à mettre en valeur leur vignoble le plus exceptionnel, Ugolaia, et à donner ce nom à leur meilleur vin. Situé entre Sant'Angelo in Colle, une des zones arables les plus chaudes de Montalcino, et Castelnuovo d'Abate, à 350 m d'altitude, cette parcelle de 1,5 ha, parfaitement exposée au sud-ouest, donne les meilleurs raisins pour faire des Brunello concentrés et complexes à la longue espérance de vie.

Le Ugolaia n'est produit que les années exceptionnelles ; élaboré de manière classique, il vieillit trente-six mois dans de grands fûts de chêne slavon. Replanté vers la fin des années 1970 avec les meilleurs pieds de la propriété, le vignoble d'Ugolaia a pour lui la puissance. Le Ugolaia 1990, fruit d'une des plus grandes années du siècle dernier, est un vin superbe et de grande classe qui, selon l'écrivain Franco Ziliani, « mérite d'être acclamé debout » pour sa complexité et la puissance de sa structure. **KO**

Cet appareil indique que le tonneau est plein et ne peut plus admettre d'air. ➦

Littorai Wines
The Haven Pinot noir

Origine États-Unis, Californie, Sonoma Coast
Type vin rouge sec, 13,8 % vol.
Cépage Pinot noir
Millésime dégusté 2005, à boire jusqu'en 2014+
€€€€

Ted Lemon fut le premier Américain à travailler en Bourgogne, chez Guy Rulot, à Meursault. De retour dans son pays dans les années 1990, il fonda Littorai pour produire des vins de terroir avec du Pinot noir et du Chardonnay, cépages les plus à même de refléter les qualités subtiles du site.

The Haven est son vignoble phare. À 366 m d'altitude, à quelques kilomètres de la côte, il jouit d'un microclimat exceptionnellement frais. Le sous-sol est varié et chaque type est planté, vendangé et vinifié indépendamment. Lemon préfère se passer d'irrigation, sauf au début pour enraciner la vigne.

Au printemps 2005, les pluies saccagèrent la floraison. Les raisins étaient minuscules, sans pour autant présenter les tanins agressifs et âpres accompagnant souvent un rendement faible. D'une robe intense, ce 2005 évoque merveilleusement les fruits noirs. Acidité finement dosée et tanins restent discrets. Hélas, seule une minuscule quantité fut produite. Comme le 2006, ce vin est le parfait exemple de la détermination de Lemon à canaliser son énergie sur le site, pour permettre au vin d'exprimer pleinement ses origines. **JS**

López de Heredia
Viña Tondonia Rioja GR

Origine Espagne, Rioja
Type vin rouge sec, 12,5 % vol.
Cépages Tempranillo 75 %, Garnacho 15 %, autres 10 %
Millésime dégusté 1964, à boire jusqu'en 2025
€€€€€

La maison a été fondée en 1877 par Don Rafael López de Heredia. En 1913 et 1914, le propriétaire a planté, sur la rive gauche de l'Ebre, le vignoble de Tondonia, qui allait devenir l'une des marques les plus célèbres de la région. Les générations successives ont fait de leur mieux pour maintenir la réputation du domaine. Les raisins sont vendangés à la main et fermentés dans soixante-douze cuves de chêne de différentes tailles. La fermentation malolactique a lieu dans ces mêmes cuves, ou en fûts. Seul le bois, et jamais du bois neuf, est utilisé pour l'élaboration de ces vins.

« Dans la région, on considère que c'est le millésime du siècle », explique Maria José López de Heredia à propos de 1964, « mais nous l'appelons le millésime miracle, car il semble insensible au temps qui passe. » Sa robe d'un beau rouge vif se teinte de rouge brique en lisière. Le bouquet, arrivé à maturation, est encore vibrant, avec des arômes de feuilles d'automne, de champignons, de cuir, de cerise mûre, de thé, de marasquin et de tabac. Le palais est lustré, avec des tanins parfaitement intégrés et une bonne acidité. Ce vin a encore toute sa vie devant lui. **LG**

Macari Vineyard
Merlot Reserve

Château Lynch-Bages

Origine France, Bordeaux, Pauillac
Type vin rouge sec, 12,5 % vol.
Cépages Cab. Sauv. 73 %, Merlot 15 %, Autres 12 %
Millésime dégusté 1989, à boire entre 2010 et 2030+
€€€€€

John Lynch émigra d'Irlande pour Bordeaux en 1691 et son fils Thomas, bien qu'il ait été négociant en textiles, laine et cuir, développa une aptitude pour la dégustation du vin. Au XVIIIᵉ siècle, la famille acquit deux propriétés à Pauillac, qu'elle nomma respectivement Lynch-Moussas et Lynch-Bages. Les deux domaines, aux destins différents, furent classés cinquième cru lors de la classification de 1855.

À la veille de la Seconde Guerre mondiale, la famille Cazes racheta Lynch-Bages, qui depuis continue à progresser. Les vins de deuxième qualité sont des chefs-d'œuvre d'intensité ; avec une immense aptitude au vieillissement, et pourtant une grâce et une accessibilité qui les rendent réellement charmants. L'année 1989 a produit des vins généralement séduisants, souples et délicieusement charnus, et Château Lynch-Bages en est un parfait exemple. La charpente est solide, tannique, et le vin regorge de parfums de fruits violacés. Chevauchés par la touche de menthe typique du Cabernet de Pauillac, ils s'estompent pour céder la place à une note d'eucalyptus envoûtante qui précède une finale puissante mais élégante. **SW**

Origine États-Unis, New York, Long Island
Type vin rouge sec, 13 % vol.
Cépage Merlot
Millésime dégusté 2001, à boire jusqu'en 2012+
€€

« Toute cette région est en soi une expérience », dit Joe Macari, arrivé presque par accident dans le monde du vin. Son père, qui possédait des terres à Long Island depuis 1963, eut un jour l'idée de se lancer dans la viticulture avec son fils. Ils ont planté leurs premières vignes en 1995 et ne cessent depuis de faire des expériences. La propriété s'étend au nord-ouest jusqu'aux falaises qui dominent Long Island Sound de 30 à 90 m, ce qui modère les températures. Les sols terreux et sablonneux permettent d'obtenir des vins légers à l'acidité équilibrée, dotés de flaveurs pures.

Il se livre depuis 1990 à des expériences de viticulture biologique et biodynamique. Long Island étant trop humide pour ce type de culture, Macari a choisi de démarrer chaque saison par des pratiques biodynamiques et de s'arrêter dès qu'il a le sentiment de mettre ses vendanges en danger.

Produit uniquement pour les millésimes les plus chauds, le Merlot Reserve représente la quintessence de la version Long Island du cépage – avec son explosion de framboises et ses notes de minéraux et de tabac, le tout porté par une vibrante acidité. **LGr**

Château Magdelaine

Origine France, Bordeaux, Saint-Émilion
Type vin rouge sec, 13 % vol.
Cépages Merlot 95 %, Cabernet franc 5 %
Millésime dégusté 1990, à boire jusqu'en 2015
€€€€

En 1952, la famille Moueix racheta cette propriété et peu après replanta presque la totalité du vignoble, en mauvais état lors du rachat. La densité de plantation – environ 9 000 vignes par hectare – est forte pour du Saint-Émilion. Le domaine jouit d'une situation exceptionnelle avec Belair à l'est et Canon tout près au nord.

Magdelaine se démarque des autres premiers crus de Saint-Émilion par la plus grande proportion de Merlot dans son vignoble, dont les sols sont un mélange de calcaire et d'argile. La vinification est faite selon la tradition de la famille Moueix, en prenant soin de ne pas trop pousser l'extraction.

Malgré la grande proportion de Merlot, le Magdelaine n'est pas particulièrement voluptueux au premier abord. Comparé aux bons Saint-Émilion plus denses et plus boisés, il peut sembler presque trop délicat lorsqu'il est jeune, mais au fil du temps il prend facilement de l'ampleur et gagne en complexité. Aujourd'hui, le 1990 exhibe des arômes purs et raffinés. En bouche il est soyeux et superbement harmonieux, alliant un corps ferme et tannique à une durée exceptionnelle. **SBr**

Majella
The Malleea Cabernet/Shiraz

Origine Australie, Australie-Mérid., Coonawarra
Type Vin rouge sec, 13,5 % vol.
Cépages Cabernet Sauvignon, Shiraz
Millésime dégusté 1998, à boire jusqu'en 2020
€€€

Majella occupe des terres jadis utilisées par les Lynn pour élever des moutons. En 1968, Brian Lynn s'initia à la viticulture. Il vendait son raisin à Eric Brand pour Hardys, et par la suite à Wynns pour le Coonawarra Estate. Le domaine produisit son propre vin en 1991, un Shiraz, fait par Bruce Gregory au chai Laira, dont Brand est propriétaire. Cet arrangement est toujours en vigueur, même si Majella a depuis mis en place ses propres installations de vinification.

En 1996, Majella produisit aussi The Malleea, terme aborigène signifiant « enclos vert ». La production du domaine est en hausse, car ses obligations contractuelles avec d'autres producteurs arrivent progressivement à terme. Aujourd'hui, 60 ha sont sous vigne, majoritairement du Cabernet-Sauvignon mais aussi du Merlot et du Riesling.

Le Malleea 1998 est puissant, typiquement australien, avec des arômes de menthe, de cannelle et des épices provenant du chêne. La bouche est dominée par de généreux parfums de fruits noirs et beaucoup de tanins. La finale est longue, complexe, et avec l'âge les tanins s'intègrent harmonieusement avec le fruité intense et l'acidité. **JW**

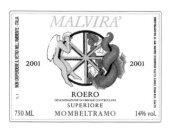

Malvirà
Roero Superiore Mombeltramo

Origine Italie, Piémont, Langhe
Type vin rouge sec, 14 % vol.
Cépage Nebbiolo
Millésime dégusté 2001, à boire jusqu'en 2012+
€€€

Malvirà, signifiant ironiquement « mal situé », fait référence à l'emplacement original de cette importante exploitation à Canale, qui avait une orientation nord. Malvirà produit une gamme impressionnante de vins rouges et blancs, témoins de la qualité de l'Arneis et du Nebbiolo cultivés sur la rive gauche de la rivière Tanaro. Le domaine, fondé dans les années 1950 par Giuseppe Damonte, est aux mains de ses fils, Massimo et Roberto, qui respectent l'engagement de leur père pour la viniculture classique, mais adoptent aussi les meilleures méthodes modernes.

Ce 2001 provient uniquement du Nebbiolo cultivé autour des nouvelles installations familiales de Canova. Le vin a été fermenté dans des barriques de chêne pendant environ vingt mois et mis en bouteilles deux ans après la récolte. Sa robe est rubis, brillante et nette, presque un bon Bourgogne, trait qui refait surface dans le sublime bouquet de framboises légèrement épicées. La texture est trompeuse; elle débute douce et veloutée, puis après quelques secondes elle développe les tanins secs mais épanouis et fins qui sous-tendent le bouquet final. Un vin très complet. **ME**

Marcarini
Barolo Brunate

Origine Italie, Piémont, Langhe
Type Vin rouge sec, 13,5 % vol.
Cépage Nebbiolo
Millésime dégusté 1978, à boire jusqu'en 2018
€€€

Haut perché, La Morra, village réputé pour ses Barolo parfumés, offre un panorama stupéfiant de collines plantées de vignes. L'explication de la qualité de ces Barolo viendrait de la richesse en magnésium des terres. Marcarini, un des producteurs reconnus, produit des Barolo d'une élégance exceptionnelle depuis les années 1950.

Sous la direction d'Anna Marcarini Bava, de sa fille Luisa et de son gendre Manuel Marchetti, l'exploitation produit des Barolo classiques. Marcarini a œuvré sans relâche pour baisser les rendements et améliorer le profil de chaque vignoble. Déjà en 1958, Marcarini commercialisait son premier Barolo issu d'un seul vignoble, Brunate, dont une grosse partie appartient aux Marcarini, qui sont fiers car Brunate a été une des zones les plus importantes de la région des Langhe depuis sa première classification en 1477.

Les Brunate de Marcarini offrent un bouquet séduisant avec des nuances de tabac, une grande complexité et beaucoup de finesse. Ils ont aussi une capacité de garde étonnante, comme le démontre si bien ce 1978 qui, au fil des ans, dévoile toute l'étendue de son potentiel. **KO**

Château Margaux

Origine France, Bordeaux, Margaux
Type vin rouge sec, 13 % vol.
Cépages Cab. Sauv. 78%, Merlot 18%, Petit Verdot 4%
Millésime dégusté 2004, à boire entre 2010 et 2030+
€€€€€

Le Margaux est le seul cru classé éponyme de tous les châteaux vinicoles rassemblés sous la classification de 1855. Il s'appelait jadis La Mothe de Margaux, car il est situé sur un monticule, avantage qui lui garantit une meilleure exposition.

En 1977, André Mentzelopoulos, un Grec, acheta Margaux. Les gens d'ailleurs ont toujours joué un rôle prééminent dans les crus classés, mais rarement dans un domaine d'une si grande classe. Mentzelopoulos est malheureusement décédé peu après, mais les améliorations mises en place avaient déjà fait beaucoup pour redorer le blason du domaine. Le 1978 a été un tournant important. Depuis, le vin évolue majestueusement.

Un aspect important de la performance de tout domaine concerne le sort des millésimes moins bons. Intercalé entre les deux excellents 2003 et 2005, le 2004 s'est inévitablement trouvé désavantagé. Il n'avait pourtant rien de médiocre, dans un contexte climatique normal, il se serait imposé sans problème. Les averses qui ont ponctué la récolte du Margaux 2004 ont donné un vin plus maigre et moins tannique, mais son bouquet est riche et opulent et sa complexité en bouche éblouissante. On apprécie l'équation subtile entre les notes florales et le cassis épicé. **SW**

◀ Le marquis de La Colonilla fit construire le château en 1810.

Marqués de Griñón
Dominio de Valdepusa Syrah

Origine Espagne, Montes de Toledo
Type vin rouge sec, 13,5 % vol.
Cépage Syrah
Millésime dégusté 1999, à boire jusqu'en 2014
€€

Carlos Falcó y Fernández de Córdova, aristocrate espagnol et personnage public, est aussi un des pionniers de la viticulture moderne en Espagne. En 1974, il planta un vignoble autour de sa maison familiale, le Dominio de Valdepusa à Malpica de Tajo.

La Syrah est très à la mode aujourd'hui en Espagne, mais Falcó fut probablement le premier à la planter, et à faire du vin commercialisable en 1991. Ses 42 ha de vignobles sont majoritairement voués au Cabernet Sauvignon, mais il y planta aussi de la Syrah, du Merlot, du Chardonnay et du Petit Verdot. Depuis 2002, son domaine possède la première appellation en Espagne pour un vin d'un seul vignoble : Dominio de Valdepusa est une *Denominación de Origen* de plein droit.

Valdepusa Syrah 1999 est particulièrement réussi. La robe couleur cerise est profonde et presque opaque. Au nez, on retrouve un bouquet d'une belle intensité, avec des notes sous-jacentes de confiture de fraises, d'olives noires, d'épices et de toast boisé. En bouche, le vin, très concentré et ample, plein de saveur et doté d'une acidité franche, offre une belle longueur. **LG**

Marqués de Murrieta
Castillo Ygay Rioja GR Especial

Origine Espagne, Rioja
Type vin rouge sec, 13,5 % vol.
Cépages Tempranillo, Mazuelo, Garnacha, Graciano
Millésime dégusté 1959, à boire jusqu'en 2015
€€€€

Les fondations de la plus ancienne cave de la Rioja ont été creusées en 1825, en même temps que les premières vignes étaient plantées sur le domaine d'Ygay. Elle a commencé son activité en 1852, avec à sa tête Luciano Francisco Ramon, futur Marqués de Murrieta. En 1878, il fit l'acquisition du domaine d'Ygay et de ses vignobles, pour en faire l'une des plus grandes bodegas de toute l'Espagne.

Cela représente aujourd'hui 180 ha de vignobles, 14 000 fûts de chêne américain et un stock de 3 millions de bouteilles dans ses caves. Ce vin s'appelait à l'origine Château Ygay, mais il a pris ensuite le nom plus local de Castillo Ygay. La Gran Reserva Especial n'est élaborée que pour les meilleurs millésimes.

Ces vins, dotés d'une belle robe et à la structure parfaite, ont un potentiel de garde élevé, grâce à un bon équilibre entre alcool et acidité. Le 1959 a été mis en bouteilles en mai 1986, après 6 mois en cuve et 26 ans dans le chêne américain. Il n'a été proposé à la vente qu'en 1991. Sa teinte orangée témoigne de son grand âge. Le nez reste net et frais, avec des notes de chêne vanillé et un cœur de cerise. Bien structuré, il offre des flaveurs pénétrantes. **LG**

Marqués de Riscal
Rioja RM (Reserva Médoc)

Origine Espagne, Rioja
Type vin rouge sec, 11,9 % vol.
Cépages Cab. Sauvignon 70 %, Tempranillo 30 %
Millésime dégusté 1945, à boire jusqu'en 2025
€€€€€

Ayant vécu à Bordeaux dès 1836, Camilo Hurtado de Amézaga, marquis de Riscal, décida d'expérimenter des cépages français sur son domaine d'Elciego à Rioja, fondé en 1858. Ses vins furent vite primés et la demande fut telle que, pour éviter les contrefaçons, il inventa un grillage métallique empêchant de retirer le bouchon sans le casser. Aujourd'hui, c'est un des chais les plus remarquables au monde. Conçu par Frank Gehry, il héberge chaque millésime depuis 1862, ainsi qu'un hôtel et un spa de vinothérapie.

Dans les années 1940, deux millions de bouteilles étaient produites. Lors de millésimes exceptionnels, comme 1945, le domaine gardait trente ou quarante barriques de Reserva Médoc, caractérisé par un haut pourcentage de Cabernet Sauvignon. Le directeur du chai, Francisco Hurtado, le présente lors de dégustations pour des occasions spéciales. Le vin semble toujours sombre et juvénile. En mars 2000, le nez montrait encore des baies avec des notes mentholées. Corpulent en bouche, le vin est modérément tannique et dense. Le bouquet très marqué offre une belle longueur. **LG**

Martínez-Bujanda
Finca Valpiedra Rioja Reserva

Origine Espagne, Rioja
Type vin rouge sec, 13,2 % vol
Cépages Tempranillo, Cabernet Sauvignon
Millésime dégusté 1994, à boire jusqu'en 2014+
€€€

Finca Valpiedra est parmi les Rioja traditionnels les plus modernes – ou les Rioja modernes les plus traditionnels. L'idée au départ était de créer un vin plus fruité, d'une couleur plus soutenue, plus frais et moins boisé que la norme, tout en préservant le profil intrinsèque du Rioja. Cette innovation est due à la famille Martínez-Bujanda, producteurs des vins très appréciés Conde de Valdemar et dont les activités vinicoles remontent à 1889. Les Martínez-Bujanda voulaient produire un vin de style château à partir du raisin de leur exploitation et ils finirent par construire une nouvelle exploitation pour produire ce vin d'un seul vignoble, exploitation opérationnelle pour le premier millésime en 1997.

1994 fut une très bonne année pour la région, et aussi le point de départ de Finca Valpiedra. Le 1994 est d'un vermeil intense et sa complexité aromatique révèle des mûres, des notes lactiques et balsamiques, de l'encre, du chocolat, du cuir, du sous-bois et de la badiane. Terreux et épicé en bouche, il est moyennement corsé avec une bonne dose de fruité, d'acidité, de finesse et une finale remarquable. **LG**

Mas de Daumas Gassac

Origine France, Languedoc
Type vin rouge sec, 14 % vol.
Cépages Cabernet Sauvignon 70 %, autres 30 %
Millésime dégusté 1990, à boire jusqu'en 2015+
€€€

À l'Italie ses grands vins de terroir, au Ribera del Douro le Vega Sicilia et au Languedoc le Mas de Daumas Gassac. Son étiquette l'identifie comme simple Vin de Pays de l'Hérault, mais ce vin rouge fait déjà partie des grands. Le domaine fut acheté par un gantier parisien, Aimé Guibert. Au départ, il n'avait nullement l'intention de produire du vin, jusqu'à ce qu'un professeur d'oenologie lui révèle le potentiel du sol (de type garrigue avec une sous-couche rouge de l'ère glaciaire) et des courants d'air frais dus à la haute altitude du vignoble.

Planté principalement avec des greffes de vieux Médoc Cabernet, le reste de l'assemblage change chaque année ; 30 ha sont désormais plantés. Le potentiel du premier cru en 1978 était évident. Mas de Daumas Gassac est non filtré d'une remarquable densité texturale et tannique, avec une longévité correspondante.

À 10 ans d'âge, le 1990 dégageait plein d'arômes secondaires, dont du goudron et du vieux cuir en plus de la mûre et de la framboise. Le profil tannique n'a guère changé mais les épices – réglisse, gingembre et poivre – ont intensifié et rehaussé la complexité pourtant déjà formidable et savoureuse du vin. **SW**

Mas Doix
Costers de Vinyes Velles

Origine Espagne, Catalogne, Priorat
Type vin rouge sec, 15 % vol.
Cépages Carignan, Grenache, Merlot
Millésime dégusté 2004, à boire jusqu'en 2019
€€€

Le vin de Mas Doix, produit et mis en bouteilles à la propriété, s'est d'emblée distingué dans sa région et on a chanté ses louanges partout dans le monde. L'exploitation est un projet des familles Doix et Llagostera, viticulteurs depuis cinq générations. Cela commença en 1998, lorsque Ramón Llagostera reprit l'exploitation. La société possède aujourd'hui 20 ha de vignes à Poboleda, dans le Priorat, plantées avec les cépages traditionnels, Carignan, Grenache, agrémentés de Syrah, de Cabernet-Sauvignon et de Merlot.

Costers de Vinyes Velles est issu des vignes les plus anciennes de l'exploitation, entre 70 et 100 ans d'âge, dont du Carignan et du Grenache en quantités égales, ainsi qu'une toute petite part de Merlot. Le 2004 a une robe très sombre. Le bouquet, d'une bonne intensité, regorge de fruits noirs très mûrs sous-tendus d'arômes de chêne toasté qui s'intègrent harmonieusement. En bouche, il est bien charpenté et révèle une bonne acidité et une bonne intensité fruitée. Jeune, il est relativement tannique, mais le haut taux d'alcool (15 %) reste très discret, enrobé par le fruit dense, la glycérine et l'acidité. **LG**

Mas Martinet
Clos Martinet Priorat

Origine Espagne, Catalogne, Priorat
Type vin rouge sec, 14,7 % vol.
Cépages Garnacha, Syrah, Cab. Sauv., Carignan
Millésime dégusté 2000, à boire jusqu'en 2020
€€€

Mas Martinet, de la famille Martinet i Ovejero, possède 17 ha de vignes en production, plus de nouvelles plantations.

Leur premier vin s'appelle Clos Martinet, premier millésime en 1989, et le 2000 est un des meilleurs jamais produits. L'année fut bonne pour le Priorat, bien que difficile. En juin, un vent sec arrêta le développement des vignes, annonçant un été chaud et sec. Chez Martinet, on aida les vignes en éliminant des grappes pour permettre aux autres d'atteindre leur pleine maturité. Cueillis entre le 12 septembre (pour la Syrah) et le 21 octobre (pour le Carignan), les cépages ont été vinifiés séparément dans de l'acier inoxydable, avec un mois de macération. Le vin a été mis en bouteilles sans collage en avril 2002, après dix-huit mois en barriques de chêne français. La robe est d'une couleur grenat intense. Le nez puissant mais élégant abonde de fruits rouges mûrs à souhait et de nuances minérales. En bouche, il est riche et savoureux, généreusement fruité et la finale est intéressante. À décanter bien à l'avance, ou, encore mieux, le laisser se bonifier en bouteille encore quelques années. **LG**

Más Que Vinos
La Plazuela

Origine Espagne, Castilla
Type vin rouge sec, 14 % vol.
Cépages Cencibel (Tempranillo) 85 %, Grenache 15 %
Millésime dégusté 2004, à boire jusqu'en 2015
€€€

Más Que Vinos («plus que du vin») est le nom d'une jeune société créée par trois œnologues éminents, Gonzalo Rodríguez, sa femme Mai Madrigal et l'Allemande Alexandra Schmedes, qui se sont associés pour produire leurs propres vins à Dosbarrios, dans la province de Tolède.

La Plazuela («petite place», clin d'œil au centre du village dans lequel le vin est produit) est leur meilleur vin. C'est un viño de la tierra de Castilla, soit un vin du pays. Certains spécialistes considèrent que c'est le meilleur vin du centre de l'Espagne et le surnomment le Pomerol castillan. On y retrouve certes l'opulence de certains des grands vins de Bordeaux, mais avec un accent local bien déterminé où l'on perçoit clairement la douceur de la noix de coco apportée par un petit pourcentage de chêne américain. La robe est très sombre, presque noire. Le nez est très expressif, avec des notes de graphite, de tourbe et de réglisse sur une trame de fruits noirs et mûrs. En bouche, le vin est joliment charpenté, l'acidité très bien équilibrée. Le bouquet est intense mais les tanins s'assoupliront après plus de temps en bouteille. **LG**

Bartolo Mascarello
Barolo

Origine Italie, Piémont, Langhe
Type vin rouge sec, 13,5 % vol.
Cépage Nebbiolo
Millésime dégusté 1989, à boire jusqu'en 2030+
€€€€€

Bartolo Mascarello, décédé en 2005, était l'incarnation même du Barolo traditionnel – le Barolo produit avec intérêt et passion, pas le vieux Barolo de mauvaise qualité, orange avec une touche brunâtre, empestant l'extrait de viande. Certes, un vin moderniste sera plus intense, plus rouge, moins volatile, plus somptueux et moins austère, avec une structure tannique acide qui ne découragera pas les natures délicates quand le vin est jeune. Mais il sera aussi moins magique et se gardera moins longtemps. Un Barolo Bartolo Mascarello a une âme. Ceux qui y sont sensibles la détecteront, pas les autres.

Un Barolo Bartolo est aussi traditionnel dans la mesure où il résulte d'un assemblage de crus plutôt que d'un seul vignoble. Quatre villages y contribuent – Canubbi, San Lorenzo et Ruè dans la commune de Barolo et Rocche di Torriglione à La Morra. En 1989, le deuxième, et le meilleur d'une suite de trois superbes millésimes, ne contenait pas de Ruè, car le vignoble avait été arraché en vue d'une replantation. Mais le concept est le même et continue de l'être avec Maria Teresa, la fille de Bartolo. Même par ces temps païens, l'âme n'est pas morte. **NBel**

Giuseppe Mascarello
Barolo Monprivato

Origine Italie, Piémont, Langhe
Type vin rouge sec, 14 % vol.
Cépage Nebbiolo
Millésime dégusté 1998, à boire jusqu'en 2015+
€€€

Mauro Mascarello gère cette exploitation fondée par son grand-père en 1881 et aime signaler que Monprivato est un vignoble historique, déjà enregistré dans les archives cadastrales de Castiglione Falletto en 1666, soit presque 200 ans avant la naissance du vin rouge sec nommé Barolo.

Même si les Mascarello ont été propriétaires d'une partie du vignoble depuis 1904, ce n'est qu'en 1970 que Mauro décide de vinifier le raisin de Monprivato séparément, et ce vin d'un seul vignoble n'est produit que si le millésime est excellent. Mauro est fidèle aux méthodes traditionnelles de vinification.

Le 1998, récompensé par cinq étoiles par le Barolo Consorzio, est moins prisé que les 1997 et 1999, millésimes flamboyants et fort médiatisés, à cause d'une austérité initiale. Mais le Monprivato 1998 est exquis et d'un grand raffinement, avec la marque de fabrique de ces vins : une délicate robe rubis-grenat, et un bouquet complexe de roses, de cerises et de fumée. On aimera l'équation subtile très réussie entre les arômes fruités nuancés de réglisse et de tabac et les tanins généreux mais superbement onctueux. **KO**

Des vignes en éventail autour du village de Castiglione Falletto. ➜

Mastroberardino
Taurasi Riserva Radici

Origine Italie, Campanie, Altripalda
Type vin rouge sec, 14 % vol.
Cépage Aglianico
Millésime dégusté 1997, à boire jusqu'en 2030
€€€

Malgré la renaissance récente du vin dans le sud de l'Italie, Mastroberardino demeure le producteur le plus admiré de la région, en place depuis le XVIIᵉ siècle. L'entreprise familiale, toujours sans égale dans la région, fut fondée en 1878 et rayonna largement.

L'engagement constant de l'entreprise envers les cépages locaux, et le vieux cépage Aglianico dont est issu le célèbre Taurasi, fut essentiel pour donner à ce vin une renommée internationale.

Le Taurasi Radici de Mastroberardino, sélection des meilleurs raisins de différentes parcelles, fut produit pour la première fois en 1986 afin de célébrer la renaissance de l'exploitation familiale après le tremblement de terre dévastateur de 1980. Le Radici Riserva 1997 est l'un des meilleurs vins jamais produits ici et offre un bouquet floral avec des soupçons de cuir et de truffe, des saveurs de cerises sauvages et une longue finale de réglisse. D'un équilibre impeccable, il est une expression magnifique de l'Aglianico, l'un des millésimes les plus célèbres d'Italie, «qui réjouit le cœur des Italiens», comme l'a justement remarqué Michael Broadbent. **KO**

Matetic
EQ Pinot Noir

Origine Chili, Aconcagua, San Antonio
Type vin rouge sec, 14,5 % vol.
Cépage Pinot noir
Millésime dégusté 2005, à boire jusqu'en 2013
€€

En 1900, les Matetic quittèrent leur Croatie natale pour le Chili, et développèrent toutes sortes d'affaires. La décision de convertir la ferme de 10 000 ha d'élevage de bétail en vignobles fut judicieuse dans un contexte où la demande pour la viande était en baisse et celle pour les bons vins en hausse.

Le vignoble est idéalement situé sur la côte Pacifique dans un coin particulièrement frais du sud-ouest de la Casablanca Valley, déjà réputée pour ses vins. Matetic y planta trois clones de Pinot noir non greffés pour équilibrer sa récolte: le 777 (50 %) qui mûrit tôt, pour ses arômes croustillants de cerise rouge; le 115 (30 %), qui mûrit en milieu de saison, pour sa texture veloutée; et le Valdivieso, mélange génétique qui mûrit tard, pour son ampleur tannique et sa couleur.

Les vignes Matetic, certifiées organiques, sont gérées biodynamiquement, taillées sévèrement et irriguées au compte-gouttes, donnant des rendements assez bas pour transmettre la notion de terroir. 2005 était une année très fraîche, imposant une vinification délicate qui produit un Pinot Noir aromatique d'une maturité et d'une attaque fermes. **MW**

◀ Mastroberardino, fresques de De Rosa, Micozzi et Botez.

Domaine Maume
Mazis-Chambertin GC

Origine France, Bourgogne, côte de Nuits
Type vin rouge sec, 13 % vol.
Cépage Pinot noir
Millésime dégusté 2002, à boire entre 2012 et 2027
€€€€

L'exploitation Maume est à Gevrey-Chambertin, sur la route principale qui rejoint Nuits à Dijon. L'exploitant Bernard Maume a mené une double vie : quand il n'était pas dans sa cave, il était professeur et chercheur dans le domaine des levures à l'université de Dijon. Maintenant comme il est pratiquement à la retraite, c'est son fils Bertrand qui le remplace.

Le domaine Maume couvre environ 4,5 ha à Gevrey. Deux grands crus, Mazis-Chambertin et Charmes-Chambertin, figurent en tête de sa liste de vins, le premier étant produit en plus grand volume que le deuxième. Comme le porte à croire l'apparence plutôt artisanale de la cave, les vins paraissent un peu désuets, même rustiques, mais dans un sens positif. Ils sont amples, tanniques, un brin musclés. Des vins qui s'affirment, plus que des vins élégants.

Le Mazis-Chambertin 2002 profite de la finesse du millésime. Actuellement il est un peu rude ; les tanins sont encore trop évidents. Mais dessous on détecte une généreuse nuance fruitée bien équilibrée et la promesse d'une explosion extravagante. À boire avec un civet de gibier. **CC**

Mauro
Terreus Pago de Cueva Baja

Origine Espagne, Castille
Type vin rouge sec, 14 % vol.
Cépage Tempranillo
Millésime dégusté 1996, à boire jusqu'en 2016
€€€€

Mariano García est le vinificateur le plus réputé d'Espagne. Il a travaillé trente ans pour Vega Sicilia (de 1968 à 1998). En 1984, il créa une petite exploitation familiale à Tudela de Douro, aux abords de l'appellation Ribera del Douro, et lui donna le nom de son père, Mauro. Le vin courant Mauro et plus tard, le Mauro Vendimia Seleccionada, le placèrent en haut de la hiérarchie de cette région. Il est aujourd'hui épaulé par ses deux fils.

Terreus (« provenant de la terre »), est né en 1996, d'un seul vignoble de 3 ha, Pago de la Cueva Baja. Planté avant 1950 avec du Tempranillo et un peu de Grenache, le vignoble donne des rendements très bas. Le vin n'est produit que si le millésime est très bon et une longue maturation en bouteille lui est réservée.

Le vin est vieilli trente mois dans des fûts de chêne français neufs ; jeune, il est très boisé avec des touches de pain grillé. C'est un vin foncé, avec un nez complexe de fruits rouges et mûrs. En bouche, la charpente impressionne par ses tanins veloutés, sa douceur fruitée, équilibrée par une certaine acidité donnent une sensation de fraîcheur. Le 1996 est le plus élégant des Terreus produits à ce jour. **LG**

Maurodos
San Román Toro

Origine Espagne, Toro
Type vin rouge sec, 14 % vol.
Cépage Tinta de Toro (Tempranillo)
Millésime dégusté 2001, à boire entre 2009 et 2020
€€€

Maurodos est le nom de l'exploitation Mauro à Toro, appartenant aux García – le père, Mariano et ses fils, Alberto et Eduardo. San Román fait partie de la « nouvelle génération » de vins de Toro. Son nom vient du village où se trouvent le chai moderne et la plus grande partie de leurs vignobles.

À Toro, le climat est extrême, très chaud en été et froid l'hiver. Le sol contient beaucoup d'argile et les vignobles, taillés en gobelet, sont recouverts de pierres. Les vins de cette région sont puissants, et le secret ici est donc de trouver équilibre et finesse.

Le premier millésime de San Román comprenait un peu de Garnacha, mais comme ce raisin ne se développe pas facilement à Toro, le 2001 se compose entièrement de Tinta de Toro, nom local du Tempranillo. Il est resté 22 mois dans du chêne américain et français avant d'être mis en bouteilles. Sa robe est très profonde, presque opaque. Le nez présente une belle intensité, quelques notes florales (violettes), une touche lactique et un arrière-goût grillé. De corpulence moyenne à étoffée et avec une acidité fraîche, il est dense et long, mais les tanins demandent encore quelques années en bouteille. **LG**

Mayacamas
Cabernet Sauvignon

Origine États-Unis, Californie, Napa Valley
Type vin rouge sec, 12,5 % vol.
Cépages Cab. Sauv. 90 %, Merlot 5 %, Cab. franc 5 %
Millésime dégusté 1979, à boire jusqu'en 2015
€€€€

Ce vieux chai de pierre est perché à plus de 610 m sur les montagnes Mayacamas. La famille allemande Fischer, qui a fondé le domaine, eut vite fait de remarquer les vertus de ce site montagneux si bien ventilé et drainé. En 1968, Bob Travers, courtier de San Francisco, acheta le domaine de 21 ha.

De nombreux vins furent fabriqués ici dans les années 1970, mais le meilleur a toujours été le Cabernet Sauvignon, de style Bordelais. La vinification est traditionnelle, et le Cabernet est élevé en grandes barriques pendant deux ans, puis une année de plus en fûts de chêne français, dont environ 20 % sont neufs. Travers ne vendange que si les niveaux de maturité sont très élevés, d'où un Cabernet invariablement tannique dans sa jeunesse.

Travers aime boire ses propres vins à environ 25 ans d'âge, et l'on comprend pourquoi. La robe de ce 1979 est très sombre, avec un soupçon d'évolution. Le nez est dense, bien que quelques notes de cuir suggèrent l'âge du vin. Le fruit est encore d'une douceur considérable, tout comme les tanins tonifiants et un léger caractère terreux. Pas pour tout le monde, indubitablement un classique de Napa. **SBr**

Josephus Mayr
Maso Unterganzner Lamarein

Origine Italie, Haut-Adige
Type vin rouge sec, 13 % vol.
Cépage Lagrein
Millésime dégusté 2004, à boire jusqu'en 2013
€€€

Goûtez ce vin de Maso Unterganzner et vous y succomberez certainement. La famille Mayr possède et dirige cette *maso* (ferme alpine) depuis 1629. Josephus et Barbara, les propriétaires actuels, représentent la dixième génération. La ferme produit non seulement des raisins et du vin, mais aussi des châtaignes, des pommes, des noix, des kiwis et des olives, qui témoignent tous du climat dont jouit cette région de Haut-Adige.

Maso Unterganzner est situé à l'extrémité est du vaste bassin de Bolzano, là où la rivière Ega se jette dans l'Isarco, à une altitude d'environ 290 m au-dessus du niveau de la mer. L'attachement de la famille Mayr à son héritage familial se reflète dans le système de conduite des vignes, bien qu'il ait été légèrement modifié pour limiter le rendement et permettre une plus grande densité. Le sol ici est chaud et riche en roches porphyriques, idéal pour le cépage Lagrein.

Le Lamarein 2004 est l'apothéose de ce fruit : l'incroyable concentration de cerises et de mûres très sombres et très parfumées s'ouvre sur des notes plus subtiles d'épices douces, de vanille et de menthe. En bouche, le vin est pur et offre un velouté épais, tout en restant éclatant grâce à des tanins très fins. L'acidité tranchante est si naturelle qu'elle évoque l'amertume rafraîchissante de baies d'été, et permet aux saveurs de persister, bien définies, pendant presque une minute. Tout simplement grandiose. **AS**

L'étiquette du Maso Unterganzner Lamarein 2004 de Josephus Mayr. ➜

d von Wolkenstein f Plaskin

Meerlust *Rubicon*

Origine Afrique du Sud, Stellenbosch
Type vin rouge sec, 13,5 % vol.
Cépages Cab. Sauv. 70 %, Merlot 20 %, Cab. franc 10 %
Millésime dégusté 1996, à boire jusqu'en 2012+
€€€

Cet élégant domaine sud-africain a été fondé en 1963, quand le gouverneur du Cap, Simon Van der Stel, donna la parcelle à Henning Hüsing. Il prit le nom de Meerlust («passion de la mer») en hommage aux brises marines provenant jusque là de False Bay. Johannes Albertus Myburgh le racheta en janvier 1757; le propriétaire actuel, Hannes Myburgh, représente la huitième génération.

Le Rubicon, vin phare de Meerlust, est un vin de Bordeaux issu d'un assemblage avec une prédominance de Cabernet-Sauvignon. Il fut créé en 1980, mais les années 1990 produisirent d'excellents millésimes, dont sans doute 1996 fut le meilleur. Bien que ce fût un millésime détrempé et critiqué au Cap, le maître de chai italien de Meerlust, Giorgio dalla Cia, aujourd'hui à la retraite, attendit plus longtemps que ses collègues pour récolter. Les fiches de cave témoignent d'un programme de vendanges prolongé et plutôt opportuniste, dont le coût fut contrecarré par l'attention et la rigueur investies.

À 10 ans d'âge, le Rubicon 1996 avait des nuances tirant sur le brun, avec un bouquet agréablement bonifié rappelant un vieux Pauillac: les arômes de bois de cèdre et de boîte de cigares se manifestent d'abord, suivi des arômes sous-jacents de baies épicées. En bouche, on retrouve des saveurs de fruits doux et juteux, mais les nuances de gibier sont plus marquées qu'au nez. Une bonne intensité et la concentration viennent équilibrer les tanins crayeux. Longtemps lourds et ternes, ces derniers sont aujourd'hui plus discrets. **SG**

AUTRES SUGGESTIONS
Autres grands millésimes
1984 • 1986 • 1992 • 1995 • 1998 • 2000 • 2001 • 2003
Autres producteurs de Stellenbosch
Kanonkop • Le Riche • Morgenster
Rustenberg • Rust en Vrede • Thelema

Meerlust et son architecture coloniale typique du Cap, devenu Monument national depuis 1998. ➔

Charles Melton *Nine Popes*

Origine Australie, Australie-Méridionale, Barossa Valley
Type vin rouge sec, 14,5 % vol.
Cépages Grenache 54 %, Shiraz 44 %, Mourvèdre 2 %
Millésime dégusté 2004, à boire jusqu'en 2014+
€€€

En 1973, Graeme Melton, originaire de Sydney, arriva dans la Barossa Valley. Cherchant du travail avec un ami afin de réparer leur Holden en panne et de continuer leur voyage, ils trouvèrent deux offres : l'une en tant qu'assistant en cave dans une exploitation locale appelée Krondorf, et l'autre pour tailler un vignoble un peu plus loin. Ils jouèrent à pile ou face et Melton se retrouva dans la cave.

À Krondorf, Melton rencontra le grand vinificateur de Barossa, Peter Lehmann, et le suivit lorsque celui-ci fonda son exploitation éponyme six années plus tard. Pendant les dix années suivantes, Melton aiguisa ses talents de vinification sous la direction de Lehmann et voyagea également en France, où il acquit sa passion pour les vins du Rhône, en particulier ceux du sud de la région, où sont assemblés le Grenache, le Shiraz et le Mourvèdre ainsi que onze autres cépages pour donner naissance à un Châteauneuf-du-Pape rouge.

À l'époque où Melton construisait son propre chai et sa cave, en 1984, le gouvernement australien payait les producteurs de raisins pour arracher leurs vieilles vignes de Shiraz et de Grenache de Barossa, devenues démodées. Mais Melton avait entrevu les possibilités offertes par ces variétés en France, et créa son assemblage Nine Popes (« Neuf Papes »), un jeu de mot sur le nom de Châteauneuf. Élevé 20 mois en barriques, le Nine Popes 2004 offre des arômes de framboise, de cerise et de prune, avec une touche de chêne épicé. Poivré, riche et long, il est le premier rouge australien fait dans le style du Rhône. **SG**

AUTRES SUGGESTIONS		
Autres grands millésimes		
1993 • 1996 • 1997 • 1998 • 2002 • 2006		
Autres vins de Charles Melton		
Barossa Valley Shiraz		
Rose of Virginia • Sotto di Ferro		

Vignes de Melton taillées en buisson à Tanunda, dans la Barossa Valley. ➔

Abel Mendoza
Selección Personal

Origine Espagne, Rioja
Type vin rouge sec, 13,5 % vol.
Cépage Tempranillo
Millésime dégusté 2004, à boire jusqu'en 2015
€€

Abel Mendoza, viticulteur, et sa femme, Maite Fernandez, chef œnologue, produisent des vins équilibrés, élégants et expressifs. La ferme date de 1988. Les vignobles occupent 18 ha sur la rive gauche de l'Èbre, sur des sols qui sont un mélange d'argile, de marne et de sable. Les vieilles vignes sont majoritairement du Tempranillo, avec un peu de Graciano, du Grenache et des variétés comme le Grenache blanc, la Malvasia Riojana, le Turruntés et le Viura.

Le Selección Personal, meilleur vin depuis 1998, est cultivé à El Sacramento sur un vignoble de 2 ha à partir de vignes vieilles de 40 ans. Le vin est fermenté dans de grandes cuves, et après la phase malolactique, est vieilli pendant un an dans des fûts français neufs (1 à 2 ans d'âge). Mendoza aime ajouter une petite quantité de vin blanc, comme pour un Côte-Rôtie, pour plus de finesse, d'acidité et de fraîcheur. D'où un vin intense d'un rouge cerise sombre, avec des arômes de mûres, de chocolat, d'épices et de laurier, et un soupçon de pain grillé. Son bouquet est d'une ampleur honnête, bien charpentée et acide, suavement tannique, avec une excellente persistance fruitée. **JMB**

E. Mendoza
Estrecho

Origine Espagne, Alicante
Type vin rouge sec, 14 % vol.
Cépage Monastrell (Mourvèdre)
Millésime dégusté 2004, à boire jusqu'en 2012
€€

L'appellation Alicante recouvre 51 villages au sein de la province du même nom, ainsi qu'une petite partie de Murcie. Les zones littorales, où le climat est méditerranéen et très humide, sont plus connues pour leurs Muscats doux, tandis que l'intérieur de la région, continental, du côté d'Almansa, de Yecla et de Jumilla, est célèbre pour ses rouges.

Dans les années 1960, Enrique Mendonza commença à planter des vignobles à Alfàs del Pi, juste à côté de Benidorm, où se trouve l'exploitation. En 1990, il produisit et mit en bouteilles ses propres vins et devint rapidement le leader indiscuté de la qualité à Alicante. Aujourd'hui, l'entreprise est dirigée par ses fils, Pepe, qui fait le vin, et Julián qui le vend.

Ils produisirent leur premier Estrecho en 2003. Issu d'une seule parcelle de vignes de Monastrell âgées de plus de 50 ans, il possède une robe intense, un nez fin de notes balsamiques et de fruits rouges. De corpulence moyenne et d'une texture très veloutée en bouche, le vin est élégant et fait dans un style bourguignon. Il ne possède pas le caractère rustique souvent présent dans le Monastrell, ni la surmaturité et l'oxydation d'Alicante. **LG**

Domaine Méo-Camuzet
Richebourg Grand Cru

Origine France, Bourgogne, côte de Nuits
Type vin rouge sec, 13 % vol.
Cépage Pinot noir
Millésime dégusté 2005, à boire entre 2020 et 2040
€€€€€

Si vous quittiez Vosne-Romanée avec Jean-Nicolas Méo et que vous vous arrêtiez un peu plus loin sur la route de Concoeur, vous pourriez alors gravir ensemble la pente parmi les vignes de premiers crus des Brulées et de Cros Parantoux, jusqu'à ses vignes à Richebourg. Ici, il est maître de 0,35 ha – soit 5 barriques ou 125 caisses de 12 bouteilles.

Les Méo comme les Camuzet étaient de la haute société, propriétaires absents, fonctionnaires ou politiciens ; pendant 45 ans, leur grand domaine de 15 ha a eu comme métayer Henri Jayer. Au début, la part de Méo et la part de Jayer étaient vendues en vrac aux négociants des environs. À partir des années 1970, Jayer prit à sa charge la mise en bouteilles, qu'il faisait déjà pour la production de son domaine familial. Ces vins établirent sa réputation. Il prit sa retraite en 1988. Jean-Nicolas Méo, alors âgé de 24 ans, prit la relève, Jayer servant de consultant avunculaire pour nombre de millésimes.

Le Richebourg est un vin ample. Ce Méo 2005 le représente bien : étoffé, relativement tannique, résolument boisé mais sans exagération, et surtout, incroyablement riche et intense. **CC**

Denis Mercier
Cornalin

Origine Suisse, Valais, Sierre
Type vin rouge sec, 13 % vol.
Cépage Cornalin
Millésime dégusté 2005, à boire jusqu'en 2012
€€€

Le cépage Cornalin connaît un boom dans le Valais. Vers 1950, on ne trouvait le Cornalin (aussi appelé Rouge du Valais et Rouge du Pays) que dans les villages de Granges et de Lens, mais il est actuellement répandu dans tout le Valais. En 1972, Jean Nicollier baptisa le Rouge du Valais «Cornalin du Valais», inspiré par un raisin semblable planté dans la vallée d'Aoste. Des recherches récentes sur l'ADN du raisin, faites par José Vouillamoz, ont montré que les deux Cornalins n'ont aucun lien. D'autre part, le Cornalin d'Aoste est aussi cultivé dans le Valais sous le nom d'Humagne Rouge.

Le couple de vignerons formé par Anne-Catherine et Denis Mercier cultive 6 ha de raisins dans le Valais depuis 1982. Le Cornalin représente environ 10 % des plantations, sur des terroirs appelés Goubing, Pradec et Corin, et est le meilleur vin de leur portfolio depuis son premier millésime en 1991.

Le 2005 possède une robe d'un rouge brillant, avec des notes de baies rouges mûres et de chocolat noir. En bouche, il est intense, offre une acidité fraîche, des saveurs de cassis et de cerise, de beaux tanins et une longue finale. **CK**

Meyer-Näkel *Dernau Pfarrwingert Spätburgunder ATG*

Miani
Merlot

Origine Allemagne, Ahr
Type vin rouge sec, 14,5 % vol.
Cépage Pinot noir
Millésime dégusté 2003, à boire jusqu'en 2015
€€€€

Origine Italie, Frioul
Type vin rouge sec, 14,5 % vol.
Cépage Merlot
Millésime dégusté 1998 à boire jusqu'en 2020+
€€€€€

Il est étonnant que la vallée de l'Ahr, l'une des régions viticoles les plus septentrionales de l'Allemagne, soit principalement productrice du vin rouge. Cette modeste Anbaugebiet, avec seulement 544 ha de vignobles, a le taux de production de vin rouge (88 %) le plus élevé du pays, dont des Spätburgunder qui figurent parmi les meilleurs du genre.

Cette vallée finement ciselée descend jusqu'au Rhin au sud de Bonn. Ses pentes d'ardoise, généralement très escarpées, et ses vignobles parfaitement orientés vers le sud produisent un Pinot noir qui atteint souvent un taux d'alcool de 14 % sans chaptalisation. Mis à part son taux d'alcool, le Ahr Spätburgunder affiche une remarquable finesse.

Cette qualité est manifeste dans les vins de Dernauer Pfarrwingert, où Werner Näkel a établi sa réputation comme l'un des meilleurs producteurs de vins rouges du pays. Les vins sont intensément parfumés, avec des arômes de fruit complexes, délicatement acidulés et onctueux. La grande richesse minérale du sol engendre un bouquet qui rappelle la groseille rouge, la cerise et la myrtille, avec des notes de chocolat et de violette. **FK**

La région du Colli Orientali del Friuli, dans le nord-est de l'Italie, abrite certains des meilleurs vins blancs du pays, mais offre aussi d'excellents vins rouges. Le sol est riche en marne et grès calcaires, et la région jouit d'une incroyable variété de microclimats. Le domaine Miani ne possède que 12 ha de terres et produit seulement 1 000 caisses par an. Le vin n'est pas bon marché, mais il vaut son prix.

Le Merlot 1988 est tout simplement l'un des meilleurs Merlots jamais produits. Le jus provenant de ces vignobles de 40 ans d'âge, qui ne donnent qu'environ 0,45 kg par pied, est si corpulent, si élégant et possède une telle personnalité qu'on ne comprend pas l'antipathie pour ce cépage dans le film Sideways. La robe est impénétrable et le nez d'une incroyable richesse, allant des fruits à la cannelle et au tabac, du chocolat à l'iode, de la menthe à la vanille, avant de finir sur une note plus terreuse. En bouche, la texture soyeuse, chaude, caressante et puissante est encore meilleure : l'alcool est équilibré par les tanins très fins, tandis que la sensation d'harmonie étoffée est rafraîchie par une acidité parfaite et une minéralité délicieusement salée. **AS**

Peter Michael Winery
Les Pavots

Origine États-Unis, Californie, Sonoma
Type vin rouge sec, 15,1 % vol.
Cépages Cab. Sauvignon, Cab. franc, Merlot
Millésime dégusté 2004, à boire jusqu'en 2015+
€€€€

Les Cabernet-Sauvignon, Cabernet franc et Merlot desquels ce vin est issu sont cultivés au-dessus de Knights Valley à l'est du Sonoma County, à 457 m d'altitude. Lady Michael nomma ce vignoble Les Pavots en hommage aux coquelicots qui prolifèrent sur les versants des montagnes voisines. Il est vrai que l'on est facilement enivré par la puissance de ce vin élégant qui marie une texture ferme et concentrée avec une complexité aromatique dynamique.

Le vignoble fut planté en 1989 sur des sols de rhyolite rocheux et bien drainés, dont le taux de potassium élevé encourage la photosynthèse et rehausse couleur et arômes du raisin. L'orientation sud facilite la pleine maturation du fruit, mais les brises du Pacifique la ralentissent, donnant au raisin le temps de développer son caractère minéral distinctif. Les vignes sont des clones classiques à petites grappes prisés pour la concentration et la structure des vins qu'ils produisent.

L'assemblage réalisé ici varie, mais le Cabernet-Sauvignon est toujours le cépage de base. Plus ce vin vieillit, plus il séduit, car au fil du temps il gagne en intensité, en complexité et en harmonie. **LGr**

Moccagatta
Barbaresco Basarin

Origine Italie, Piémont, Barbaresco
Type vin rouge sec, 14 % vol.
Cépage Nebbiolo
Millésime dégusté 1998, à boire jusqu'en 2025
€€€€

Sergio Minuto fonda ce domaine en 1912. Ses deux fils, Mario et Lorenzo, travaillèrent ensemble pour diriger le domaine jusqu'en 1952. Les deux fils de Mario, Sergio et Franco, sont les propriétaires actuels du domaine.

Le nom Moccagatta fut adopté en 1979 et vient de la zone où fut construit le chai. Aux côtés du Cru Cole, le Cru Basarin est le meilleur vin issu d'un seul vignoble du domaine et le plus ancien. Le Bric Balin est moins connu, mais représente une étape essentielle de l'évolution du domaine, car ce fut le premier vin pour lequel les Minuto essayèrent de nouvelles techniques de vinification et d'élevage.

Leurs expériences avec les raisins de Nebbiolo les incitèrent à élever leurs Barbaresco en barriques plutôt que dans les grands fûts de chêne traditionnels. Le Basarin 1998 a une belle robe d'intensité moyenne, aux élégants reflets grenat. Le nez est captivant, offrant des notes florales accompagnées d'arômes de terre, de cuir et balsamiques. En bouche, les tanins sont présents mais délicats, et permettent au goût du vin de se développer et de persister de manière plaisante sur la longue finale. **AS**

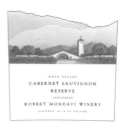

Salvatore Molettieri *Taurasi*
Riserva Vigna Cinque Querce

Origine Italie, Campanie, Irpinia
Type vin rouge sec, 15 % vol.
Cépage Aglianico
Millésime dégusté 2001, à boire jusqu'en 2015+
€€€

La DOCG Taurasi, antre spirituel de l'Aglianico, est située dans les montagnes qui encerclent Naples. De ses sous-sols pauvres et volcaniques, Salvatore Molettieri obtient un Aglianico d'une telle intensité que *Gambero Rosso*, le guide des vins le plus réputé en Italie, lui a attribué le prix Cave de l'année en 2005.

La lignée de l'Aglianico remonte directement à l'invasion des Pouilles par les Grecs au VIIe siècle av. J.-C. Connu comme le «Barolo du Sud», Taurasi partage avec Nebbiolo une synthèse de puissance et d'élégance digne des vins de Bourgogne. Vu sa petite taille, à peine 225 ha, Taurasi est tenu en très haute estime.

Issu d'une parcelle de vieilles vignes d'Aglianico plantées cette fois sur un sol très argileux, les minuscules rendements donnent un vin très capiteux, saturé de notes de framboise, de tabac et de violette qui caractérisent ce cépage. La maturation en barriques, dont 20 % sont en jeune chêne français, lui confère son raffinement distinctif, son parfum et sa densité se combinant pour livrer une rusticité sensuelle jusque-là jamais vue si loin au sud de Beaune. **MP**

Robert Mondavi
Cabernet Sauvignon Reserve

Origine États-Unis, Californie, Napa Valley
Type vin rouge sec, 13 % vol.
Cépages Cabernet Sauvignon, Cabernet franc
Millésime dégusté 1978, à boire jusqu'en 2015
€€€€€

Le vin le plus audacieux de Robert Mondavi, qui aspire à jouer dans la cour des plus grands vins du monde, est régulièrement éclipsé par le dernier vin en vogue. Mais, malgré les changements de mode, de propriétaires, ou les drames familiaux, ce vin est resté fidèle à lui-même, constant dans son style et dans sa qualité. Le Mondavi Reserve n'a jamais été un vin de gros calibre ; son style élégant reflète plutôt les variations de millésimes dans la Napa Valley. Les millésimes plus tardifs (donc plus frais) sont plus parfumés et élégamment charpentés, les millésimes plus précoces (donc plus chauds) ayant une structure et des notes fruitées plus prononcées.

En 1978, la saison de la maturation et de la vendange a été en général sèche et tempérée, avec plusieurs pics de chaleurs, produisant une abondante récolte de raisin extrêmement mûr. Certains millésimes (plus frais) ont peut-être plus de finesse, mais le Mondavi Cabernet Sauvignon 1978 a toujours été destiné à une longue vie d'au moins trente ans. Il est encore et toujours assez vif, dans le même moule que les autres grands millésimes qui ont fait la légende de ce vin et de son créateur visionnaire. **LGr**

Jeu de lumière crépusculaire sur les vignes de Mondavi. ➠

Château Montaiguillon

Origine France, Bordeaux, Montagne-Saint-Émilion
Type vin rouge sec, 13 % vol.
Cépages Merlot 60 %, Cab. franc 20 %, Cab. Sauv. 20 %
Millésime dégusté 2004, à boire jusqu'en 2012
€€

L'appellation Montagne-Saint-Émilion se situe juste au nord de Saint-Émilion, au-delà de la rivière Barbanne. Les sols, variés, sont essentiellement composés d'argile et de calcaire. Montaiguillon est l'une de ces propriétés réputées ; le grand-père de la propriétaire actuelle, Chantal Amart-Ternault, acheta le domaine en 1949. Le vignoble est conséquent, presque 30 ha sur une seule parcelle orientée sud et sud-ouest vers la vallée Barbanne.

Mme Amart-Ternault affirme que ses pratiques, (effeuillage, vendange en vert, minimum de traitements), seraient les mêmes si son vignoble se trouvait à Saint-Émilion. Selon elle, les Cabernets arrivent ici à maturité sans problème et la plupart du temps donnent de la fermeté au vin. La vendange se fait mécaniquement et à la main. Le vin est bonifié un an en fûts dont un tiers en chêne neuf, puis mis en bouteilles sans filtration. Ces vins ne sont pas destinés à une longue garde ; Mme Amart-Ternault considère qu'ils sont à leur apogée entre 7 et 10 ans d'âge. Le 2004 est assez boisé au nez ; fortement concentré, il est robuste mais pas dur de caractère, généreusement fruité en fin de bouche. **SBr**

Chateau Montelena
Cabernet Sauvignon

Origine États-Unis, Californie, Napa Valley
Type Dry red wine, 13.5% ABV
Cépages Cab. Sauv. 90 %, Merlot 5 %, Cab. franc 5 %
Millésime dégusté 2003, à boire jusqu'en 2030
€€€€

Montelena, fondée en 1882, se situe à Calistoga, dans l'extrémité nord de la Napa Valley. Cette zone chaude donne des Cabernets fermes et robustes, de longue garde.

Depuis 1981, le fils du propriétaire principal est aux commandes. Peu de choses ont changé. Environ 32 ha de Cabernet sont plantés, issus du système racinaire St George, et ont survécu au phylloxéra qui affligea la vallée il y a vingt ans. Les sols sont variés : certains sont des sols alluviaux de gravier, d'autres sont volcaniques, ce qui permet à Barrett de composer chaque année son assemblage en fonction du succès des différents secteurs. Un peu de Cabernet franc est ajouté au vin pour lui donner une attaque plus immédiate. L'élevage en barrique peut se prolonger pendant deux ans, mais seuls 25 % de jeune chêne sont utilisés.

Le 2003 est un Cabernet resplendissant, avec d'intenses touches de cassis et de mûre. En bouche, le vin est voluptueux, et même luxuriant, très concentré, tout en ayant beaucoup de punch et de contrôle. Impressionnant aujourd'hui, il va certainement bénéficier du vieillissement en bouteille. **SBr**

◄ Les vignobles et le château de Montaiguillon à Montagne-Saint-Émilion.

Montes *Folly*

Origine Chili, Santa Cruz, Colchagua
Type vin rouge sec, 15 % vol.
Cépage Syrah
Millésime dégusté 2005, à boire jusqu'en 2015
€€€€

Montes remonte à 1987, lorsque Aurelio Montes et Douglas Murray, experts dans l'industrie vinicole, unirent leurs forces. Une année plus tard, Alfredo Vidaurre et Pedro Grand rejoignirent l'équipe et Viña Montes vit officiellement le jour. Montes Folly fut taxé de « meilleur vin Syrah du Chili » lorsqu'il fut produit pour la première fois en 2000. L'étiquette noire arborant la phrase « Du Chili avec orgueil » en témoigne. Le chai, inspiré par les principes du Feng-Shui, fut achevé en février 2005.

Les raisins du Folly sont cultivés sur les coteaux les plus élevés et les plus escarpés du vignoble de Montes Finca de Apalta, dans la vallée d'Apalta. Le vin fut baptisé Folly car les autres producteurs considéraient que planter de la Syrah, variété relativement inconnue au Chili, était une folie. Une folie aussi de vendanger les raisins manuellement sur un coteau à 45° d'inclinaison à 300 m d'altitude – et pendant la nuit qui plus est!

Les rendements sont maintenus faibles, à moins de 35 hl/ha, et les grappes et raisins sont bien plus petits et plus concentrés que sur les coteaux plus bas. Ils donnent donc plus de couleur et de tanins, faisant de Montes Folly un vin très coloré, profond et puissant, qui atteint généralement plus de 14 % vol. Seules 9 000 bouteilles sont produites quelle que soit l'année. Après le grand succès du 2004, le 2005 est un retour vers un style plus abordable, que l'on avait déjà vu en 2003. Chaud, épicé, d'une maturité luxuriante et très accessible, il possède suffisamment de substance pour durer au moins dix ans. **SG**

AUTRES SUGGESTIONS
Autres grands millésimes
2000 • 2001 • 2002 • 2003 • 2004
Autres vins du même producteur
Alpha M
Angel • Cherub

L'étiquette Folly, créée par l'illustrateur anglais Ralph Steadman. ➡

MONTES Folly®

'Apalta Valley was where my dreams and instincts led, searching for the best terroir for red wines in Chile. My partners agreed and "La Finca de Apalta", a mountain Estate, was cleared as high as we could and Syrah —untested in this region— planted in the steeper slopes. Both were considered folly by the conventional wine trade. This wild wine, harvested by acrobats, is the result. Only the genius of Ralph Steadman could translate this emotional wine into a label, to him our gratitude'.

2005

Aurelio Montes

Montevertine
Le Pergole Torte Vino da Tavola

Montevetrano

Origine Italie, Toscane, Radda in Chianti
Type vin rouge sec, 13 % vol.
Cépage Sangiovese
Millésime dégusté 1990, à boire jusqu'en 2020
€€€€€

Origine Italie, Campanie
Type vin rouge sec, 13 % vol.
Cépages Cab. Sauv. 60 %, Merlot 30 %, Aglianico 10 %
Millésime dégusté 2004, à boire jusqu'en 2022+
€€€€

D'aucuns considéraient Sergio Manetti, décédé en l'an 2000, comme l'un des iconoclastes de la renaissance du vin italien. Mais sa contribution n'a été que positive, les vins qu'il a créés étant l'expression la plus noble de l'œnologie toscane. Industriel, Sergio acheta cette petite propriété en 1967, d'abord comme passe-temps avant que cela ne devienne sa passion ; il s'adonna à en faire un bercail de vins excellents, alors une denrée rare en Toscane. Pour l'épauler, il recruta le fameux Giulio Gambelli.

Comme Gambelli, Sergio veut faire du vin le plus naturellement possible : sans additifs, avec un minimum de manutention, sans filtration, se passant même de contrôler la température pendant la vinification, une pratique pourtant fort en vogue et généralement considérée comme essentielle à l'époque. Mais sa première passion était le Sangiovese et Sergio s'opposa jusqu'à la fin de ses jours à y mélanger des cépages français. Comme on peut s'y attendre, ces vins, aujourd'hui entre les mains de son fils Martino, ont un côté rustique, tout en démontrant toute la complexité et la personnalité dont le Sangiovese est capable entre les mains adéquates. **NBel**

Montevetrano débuta réellement en 1985, quand la propriétaire, Silvia Imparato, commença à travailler avec Riccardo Cotarella, devenu l'un des plus importants vinificateurs d'Italie. Ils lancèrent leur premier vin en 1991, et établirent de nouvelles techniques dans les vignobles comme au chai. Après la mise en place, l'Aglianico y jouait un rôle plus important, aussi fut-il décidé que le millésime 1993 contiendrait une plus grande proportion de Merlot.

Montevetrano est un vin unique. Le millésime 2004 fut le seul vin (ainsi qu'un vin de Toscane) à recevoir la note maximale dans l'édition 2007 des cinq principaux guides de vins italiens.

Au nez, la progression aromatique mémorable est amorcée par des notes d'herbe fraîchement coupée et de cassis mentholé, puis évolue vers des arômes de buissons méditerranéens, de musc, de mine de plomb et de poivre noir. En bouche, il incarne l'harmonie, avec une proportion parfaite de chêne bien intégré et une acidité qui lui permet de rester intéressant et vif sans jamais devenir aigre. Les tanins, présents en douceur, garantissent au vin une évolution gracieuse pour maintes années à venir. **AS**

◄ Perché en haut d'une colline, Montevertine était auparavant une villa de vacances.

Domaine Hubert de Montille *Volnay PC Les Taillepieds*

Origine France, Bourgogne, côte de Beaune
Type vin rouge sec, 12 % vol.
Cépage Pinot noir
Millésime dégusté 1985, à boire jusqu'en 2015
€€€

Une petite porte dans un mur de la rue de Combe à Volnay mène à une série de vieux bâtiments et à une belle maison d'époque, qui est la résidence d'été de maître Hubert de Montville, grand avocat de Dijon et l'un des meilleurs producteurs et vinificateurs de Bourgogne. Le domaine, désormais dirigé principalement par son fils Étienne, continue de produire quatre premiers crus emblématiques de Volnay et de Pommard, ainsi que des parcelles récemment acquises à Beaune et à Corton.

D'un point de vue historique, c'est avec le plus grand vin de maître Hubert, le Premier Cru Volnay Les Taillepieds, que l'on peut goûter l'essence de sa vinification rigoureusement classique. Montville pense que la chaptalisation ne doit jamais augmenter la puissance alcoolique d'un vin au-delà des 12 à 12,5 % vol. Cette approche a vu le jour par accident lors des vendanges 1959, lorsque Hubert commit une erreur dans la proportion de sucre à ajouter à son Taillepieds : le vin n'atteignit que 11,5 % vol., mais à son grand plaisir, ce vin devint le meilleur de l'année, arborant des nuances de saveurs et de fruit plus subtiles que les autres.

Malgré la chaleur de l'automne doré, la robe est d'un rubis clair et séduisant, tirant vers le grenat. Une fois légèrement aéré, l'arôme de l'intense fruit du Pinot est en parfait équilibre avec la tension audacieuse du lieu-dit. La sensation en bouche met en évidence le fruit charmant, très 1985, qui se mêle à une vinosité légèrement oxydante. La finale est longue, délicate et très complexe. **ME**

AUTRES SUGGESTIONS
Autres grands millésimes
1966 • 1971 • 1978 • 1987 • 1999 • 2002 • 2005
Autres vins du même producteur
Pommard PC Pézerolles • Pommard PC Rugiens   *Puligny-Montrachet PC Les Caillerets • Volnay PC Rugiens*

Un employé viticole traverse en tracteur le prestigieux village de Volnay. ➡

Château Montrose

Château Montus
Cuvée Prestige

Origine France, Bordeaux, Saint-Estèphe
Type vin rouge sec, 13 % vol.
Cépages Cab. Sauv.65 %, Merlot 25 %, Cab. franc10 %
Millésime dégusté 2003, à boire entre 2010 et 2040+
€€€€€

Origine France, Madiran
Type vin rouge sec, 14 % vol.
Cépage Tannat
Millésime dégusté 2001, à boire jusqu'en 2020+
€€€

L'histoire de Montrose ne débute qu'au début du XIXᵉ siècle, lorsque Étienne Théodore Dumoulin, qui avait hérité de ces terres – faisant partie du domaine du Château Calon – en jachère, décida de dégager une parcelle de landes broussailleuses pour y planter des vignes. Connu à l'époque sous le nom de La Lande de l'Escargeon, ce site s'avéra excellent pour la viticulture, à tel point que Dumoulin y construisit un château et rebaptisa le domaine Montrose. La propriété s'agrandit rapidement jusqu'à 50 ha et commença, en une génération, à produire des vins d'un tel renom qu'ils n'eurent pas de mal à se classer parmi les deuxièmes crus en 1855.

Aucun millésime n'est plus puissant que le 2003, dont la vague de chaleur de l'été a produit des raisins de Cabernet et de Merlot d'une concentration colossale. Le vin arbore une couleur dense, est intensément parfumé et possède une charpente imposante, avec des notes de cassis, de chêne grillé, de vanille, de roses et de sauge qui émergent de la structure tannique. Il est puissant sur la finale, presque chaud dans sa jeunesse, avec cependant tant de fruit succulent qu'il va vieillir une trentaine d'années. **SW**

Dans un monde débordant de vins «internationaux» qui ont tous un goût semblable, les rouges du sud-ouest de la France offrent souvent une bouffée d'air frais, notamment les vins Montus et Boucasse d'Alain Brumont. Ce dernier décida en 1979 de se lancer en solo et de planter ses premières vignes à Montus, le premier millésime étant celui de 1982.

L'une des difficultés perpétuelles du Madiran est de travailler avec le Tannat qui, laissé sans surveillance, peut donner des vins trop tanniques dans leur jeunesse, mais qui perdent leur fruit avant que ne se développe la charpente. Pour dompter le Tannat, Brumont érafle toute la vendange et utilise toujours du petit chêne, dont une partie est jeune.

La Cuvée Prestige 2001, sélection des meilleures parcelles du vignoble, est un vin imposant qui parvient à capturer le caractère sauvage des rouges de ce coin de France tout en évitant la rusticité. Il est puissant, dominé par les fruits sombres et audacieux, d'une grande densité et d'une belle charpente, mais raffiné et avec une touche de chêne. C'est un vin qui va continuer à évoluer pendant quelques années, mais qui se boit déjà très bien. **JG**

Domaine de la Mordorée
Cuvée de la Reine des Bois

Origine France, Rhône méridional, Châteauneuf-du-Pape
Type vin rouge sec, 15 % vol.
Cépage Grenache noir
Millésime dégusté 2001, à boire entre 2010 et 2025
€€€€€

Le millésime 2000 de Châteauneuf-du-Pape n'était pas du goût de tout le monde : un tantinet trop chaud, il était donc aussi puissant et capiteux et même de temps à autre, grossier. L'année suivante, en 2001, il était fait pour plaire aux connaisseurs : élégant et bien équilibré, il semble satisfaire tous les critères d'un bon vin de garde.

La Mordorée, assez récente, fut créée par Francis Delorme et son fils Christophe en 1986 et reçut le nom d'un oiseau qu'ils admirent : la bécasse des bois. Les Delorme produisirent leur premier cru en 1989, ont des domaines à Tavel et Lirac, et ont récemment acheté du terrain à Condrieu. Ils possèdent 53 ha répartis sur trente-huit parcelles individuelles.

Cuvée de la Reine des Bois est issu d'une parcelle de 3,5 ha. Le vin a reçu des distinctions, dont les « coups de cœur » dans le réputé *Guide Hachette*. Le 2001 s'est vu attribuer 100 points par Robert Parker. Avec une apparence d'encre et un bouquet qui rappelle la griotte, il est épicé en bouche. Il sera mis en valeur par de la bécassine, du sanglier ou quelque autre gibier au goût prononcé. **GM**

Morgenster

Origine Afrique du Sud, Stellenbosch
Type vin rouge sec, 13,5 % vol.
Cépages Cab. Sauvignon, Cabernet franc, Merlot
Millésime dégusté 2003, à boire jusqu'en 2015
€€€

Jusqu'à la scission en 1708, Morgenster fit partie de Vergelegen, le domaine appartenant au gouverneur du Cap, Willem Adriaan Van der Stel. La section connue désormais sous le nom de Morgenster (qui signifie « étoile du matin ») fut achetée par un réfugié huguenot français, Jacques Malan. La maison qu'il construisit est l'un des plus beaux exemplaires de l'architecture hollandaise du Cap.

En 1992, le magnat italien Guilio Bertrand acheta le domaine et décida de planter de nouveaux vignobles ainsi que des oliveraies qui lui rappelaiet son pays natal à Montemarcello. Puisque son intention était de produire un vin dans le style d'un Saint-Émilion, le coup suivant de Bertrand fut un triomphe : il persuada Pierre Lurton de Cheval Blanc (et plus tard d'Yquem) de travailler en tant que consultant afin d'aider la belle équipe locale.

Le 2003 n'est que le troisième millésime de cet assemblage emblématique (il n'y eut pas de 2002), ainsi que l'apogée de la qualité issue d'une année particulièrement bonne au Cap. Subtil et discret, sa charpente contrôle l'intensité du goût, offrant un bel équilibre chargé de minéraux. **TJ**

Moris Farms *Avvoltore*

Origine Italie, Massa Marittima
Type vin rouge sec, 14 % vol.
Cépages Sangiovese 75%, Cab. Sauv. 20%, Syrah 5%
Millésime dégusté 2004, à boire jusqu'en 2025
€€€

Il y a deux siècles, la famille Moris quitta l'Espagne et s'installa dans la Maremme toscane. Lors des dernières décennies, elle passa entièrement de l'agriculture à la viticulture. Le domaine comprend 475 ha en tout, divisés en deux propriétés : l'une sur 420 ha près de Massa Marittima au nord de la Maremme, et l'autre de 56 ha au sud de la rivière Ombrone. Le vignoble recouvre un total de 70 ha, divisés en parts relativement égales entre la propriété du Nord (dans la DOC Monteregio di Massa Marittima) et celle du Sud (dans la DOC Morellino di Scansano).

Avvoltore est le fleuron du domaine, produit à partir de raisins cultivés dans la propriété du Nord. Les vignobles sont situés entre 80 m et 100 m au-dessus du niveau de la mer. Le sol est riche en argile mais très bien drainé – conditions parfaites pour la production de vins rouges bien charpentés.

L'Avvoltore 2004 est d'un rouge rubis sombre aux nuances pourpres. L'assemblage des deux principaux cépages semble fonctionner à merveille, le Cabernet Sauvignon apportant profondeur, succulence et chair, tandis que le Sangiovese lui donne charpente et nervosité. Au nez, le Cabernet semble dominer, car le vin offre des notes de mûre et un soupçon léger mais caractéristique de poivron. L'ensemble aromatique est complété par l'agréable caractère mentholé du chêne. En bouche, le vin est élégant et un peu ferme (caractéristiques du Sangiovese), tout en évoquant les arômes et en y ajoutant un milieu en bouche suave mais plein d'assurance. **AS**

AUTRES SUGGESTIONS
Autres grands millésimes
1990 • 1997 • 2001 • 2003
Autres vins de Maremme
Ca'Marcanda • Grattamacco • Guado al Tasso • Lupicaia Ornellaia • Sassicaia • Michele Satta

Le chai recouvert de lierre de Moris Farms, à Poggio la Mozza ➔

Emilio Moro
Malleolus

Origine Espagne, Ribera del Duero
Type vin rouge sec, 14 % vol.
Cépage Tempranillo
Millésime dégusté 2004, à boire jusqu'en 2018
€€€

Vers la fin des années 1980, de nouvelles bodegas firent leur apparition dans la Ribera del Duero, fondées en grande partie par des autochtones qui vendaient auparavant des vins en gros ou fournissaient des raisins ou du moût. Les bodegas Emilio Moro remontent à trois générations et la majorité de leur production provient de leurs propres vignobles, désormais replantés en grande partie avec un clone sélectionné de leurs vignes les plus anciennes.

Emilio Moro produit des vins caractérisés par des arômes de fruit mûr et des notes grillées. Le style de la maison s'est affiné afin de parvenir à un plus grand équilibre et plus de finesse. Le Malleolus 2004 représente le niveau de qualité le plus élevé à un prix modéré tout en ayant un volume de production relativement élevé, à la différence des microcuvées exclusives et chères Malleolus de Sanchomartín et Malleolus de Valderramiro.

Malleolus est la racine latine du mot espagnol *majuelo*, désignant une «parcelle» dans la région et l'un des plus fréquemment utilisés dans les alentours de Pesquera de Duero. Les raisins qui donnent ce vin sont issus de vignes âgées de 25 à 75 ans. **JB**

Moss Wood
Cabernet Sauvignon

Origine Australie, Australie-Occidentale, Margaret River
Type vin rouge sec, 14,5 % vol.
Cépages Cab. Sauv., Cab. franc, Petit Verdot, Merlot
Millésime dégusté 2001, à boire jusqu'en 2016+
€€€

Moss Wood se classe dans les trois premiers du classement Langton des vins australiens et son Cabernet est l'un des meilleurs exemplaires australiens, offrant élégance, puissance en retenue et potentiel de garde. Avant 2001, les vins représentant au mieux le style du Cabernet Sauvignon de Moss Wood étaient ceux produits entre 1974 et 1977. Langton vendit une bouteille du 1973 (son premier millésime) à un prix record pour un millésime australien post-1970, 1 285 euros, lors d'une vente aux enchères en septembre 2007 ; une bouteille du 1974 atteignit 960 euros.

Parfumé et délicatement structuré, le Cabernet Sauvignon 2001 est sans doute le plus grand vin jamais produit par Moss Wood. Il offre des arômes de cassis et un soupçon de cèdre et de violettes. Depuis 1996, le vin possède une robe plus profonde, il est plus aromatique et a plus de texture, ainsi qu'un meilleur équilibre entre le chêne et le fruit. Seul le temps dira si le 2001 vieillira aussi bien que le 1973 et le 1974. **SG**

◄ Une peinture murale audacieuse montre le chai Emilio Moro.

Mount Difficulty
Long Gully Pinot Noir

Origine Nouvelle-Zélande, Central Otago
Type vin rouge sec, 14 % vol.
Cépage Pinot noir
Millésime dégusté 2005, à boire jusqu'en 2015
€€€

Mount Difficulty possède ou gère sept vignobles. Chacun est soigneusement reporté sur une carte afin d'identifier les types de sol, avec un maximum de six parcelles dans un seul vignoble. Différents clones de Pinot noir, adaptés à chaque type de sol, ont ensuite été plantés dans chaque parcelle.

Le vigneron Matt Dicey a identifié une section dans chaque vignoble susceptible de donner un vin d'un seul vignoble. Cette parcelle est ensuite taillée, ébourgeonnée et épamprée afin de limiter le rendement à 20 hl/ha. Si les conditions de vendanges sont bonnes, un vin d'un seul vignoble est alors fait, mais la production n'est pas régulière.

2005 fut modérément frais, ce qui favorisa le Bannockburn, zone chaude de la région. À 16 ans d'âge, Long Gully, l'un des sites les plus anciens de Mount Difficulty, jouit de sols d'un poids modéré réduisant ainsi le besoin d'irrigation. Le vignoble a mûri et pourra probablement donner un vin issu d'un seul vignoble de manière régulière à l'avenir. Le vin offre une merveilleuse pureté du fruit, avec un bouquet de cerise, de prune, de saveurs épicées et florales qui émergent sur la finale. **BC**

Mount Hurtle
Grenache Rosé

Origine Australie, Australie-Méridionale
Type vin rosé sec, 13,5 % vol.
Cépage Grenache
Millésime dégusté 2007, boire la cuvée actuelle
€€

Geoff Merrill, l'un des grands personnages de l'industrie viticole australienne, et un associé ont créé Stratmer Vineyards en 1980. Lors des premières années de l'entreprise, les vins étaient issus de divers lieux dans les districts viticoles d'Australie-Méridionale, dont Château Reynella, Pirramimma et Peter Lehmann Wines. Cinq ans plus tard, Stratmer acheta le chai à l'abandon de Mount Hurtle, situé à Woodcroft, dans la banlieue sud d'Adélaïde. Mount Hurtle avait été fondé au XIXe siècle par un jeune Anglais, Mostyn Owen, qui dirigea l'exploitation et les vignobles jusqu'à sa mort dans les années 1940. Le chai était innovateur pour son temps, et utilisait déjà la gravité pour alimenter les caves en vin. Cette approche est depuis lors devenue de rigueur dans certaines régions. Il fallut deux ans à Merrill pour transformer la bâtisse en ruine en un chai élégant : dès 1988, il avait créé sa propre marque.

Le style costaud et faible en acides des rosés de Mount Hurtle est obtenu en saignant une partie du jus de raisins de Grenache. Ce qui reste est utilisé pour la base du rouge Grenache de Mount Hurtle. **SG**

◄ Vignoble de Mount Difficulty, autrefois lieu de prospection de l'or.

Mount Langi Ghiran
Shiraz

Origine Australie, Victoria, Grampians
Type vin rouge sec, 15 % vol.
Cépage Shiraz
Millésime dégusté 2003, à boire jusqu'en 2013+
€€€

Trevor Mast produit du vin dans cette région depuis la moitié des années 1970. Inspiré par une cuve de Shiraz issu des vignobles des frères italiens Fratin, Mast chercha à travailler pour les Fratin comme vinificateur et acheta en 1987 la propriété de Mount Langi Ghiran. Les vignobles se situent à une altitude de 350 m, au pied du mont Langi Ghiran.

Les vignobles d'origine, plantés dans les années 1870 par des immigrants européens, furent remplacés par des moutons au tournant du siècle, mais le site fut rétabli en 1963 par les Fratin. Le Shiraz est issu du fruit de cette «Vieille Parcelle», avec une couche arable de sables granitiques et de vase, ainsi que du terreau d'argile rouge, ce qui donne un excellent drainage. Ce sol varié offre un certain contrôle de l'eau, permettant aux vignes de se tonifier naturellement lors de périodes de croissance importantes. Il en résulte une concentration des saveurs du fruit.

Mount Langi Ghiran est puissant mais élégant. La saison chaude de 2003 se reflète dans le verre et offre des saveurs de myrtilles mûres et de poivre. Vin robuste et pâteux dans sa jeunesse, il s'adoucit après cinq ans en bouteille. **SG**

Mount Mary
Quintet Cabernet

Origine Australie, Yarra Valley
Type vin rouge sec, 13 % vol.
Cépages Cab. Sauv. 50 %, Cab. franc 30 %, autres 20 %
Millésime dégusté 2003, à boire entre 2012 et 2025
€€€

Pour plusieurs raisons, dont la crise économique et le fait que l'Australie ait perdu son intérêt pour les vins de table, s'étant tournée vers la bière et les vins fortifiés, la production de vin dans la Yarra Valley connut une interruption de cinquante ans, qui débuta dans les années 1920. Puis, dans les années 1970, une petite bande de pionniers retournèrent à Yarra, tel le Dr John Middleton. En 1971, il planta 10 ha de différents types de vignes, dont du Cabernet et du Pinot noir.

Après quelque temps, Mount Mary fit un des vins cultes. Cependant, Robert Parker les critiqua. Comment réagit Middleton? La critique offensante de Robert Parker fut placardée sur le fond d'une barrique afin d'être visible par tous.

Le vin le plus célèbre de Mount Mary est sans doute le Quintet. Le cassis sucré et complexe domine le nez, qui révèle aussi un tranchant épicé, salé et presque terreux ou graveleux. En bouche, il fait preuve de concentration, avec des saveurs de cassis et de baies rouges d'une complexité graveleuse. Voici un vin à mettre en cave et à oublier pendant au moins une décennie voire plus. **JG**

Les vignes bien espacées de Mount Langi Ghiran, près d'Ararat.

Château Mouton-Rothschild

Origine France, Bordeaux, Pauillac
Type vin rouge sec, 13 % vol.
Cépages Cab. Sauv. 85 %, Merlot 8 %, Cab. franc7 %
Millésime dégusté 1945, à boire jusqu'en 2050
€€€€€

Produit à la fin de la Seconde Guerre mondiale, le «millésime de la Victoire» de 1945 était un merveilleux symbole de paix. Partout en France, des vignes non greffées et vieillissantes – aucune n'ayant été remplacée pendant la guerre – produisirent un excellent raisin. À Bordeaux, le Mouton-Rothschild, pourtant issu d'une maison de vin mal équipée, était particulièrement réussi et il est aujourd'hui considéré comme l'un des meilleurs vins de tous les temps. Pour commémorer la fin de la guerre, le Mouton 1945 fut le premier millésime de la maison à porter une étiquette faite sur mesure. Basée sur le «V for Victory» (V pour Victoire) de Churchill, elle fut réalisée par un jeune artiste français, Philippe Jullian. Depuis, Mouton recrute les services d'un artiste pour la création de chaque étiquette.

En juin 1993, la baronne Philippine de Rothschild servit le 1945 à plus de 200 invités à un dîner. L'intention était de servir des magnums, dont seulement 1 475 ont été produits. Mais à l'ouverture d'un magnum, le maître de chai décida que le vin n'était pas encore prêt à être bu et l'on ouvrit plutôt des bouteilles. Décidément un vin de très longue garde ! **SG**

Muga *Prado Enea* *Gran Reserva Rioja*

Origine Espagne, Rioja
Type vin rouge sec, 13,5 % vol.
Cépages Tempranillo, Mazuelo, Graciano
Millésime dégusté 1994, à boire jusqu'en 2020
€€€

Muga, fondé en 1932 par Issac Muga Martínez, se situe à Haro. L'entreprise est aux mains de la troisième génération, frères et cousins se répartissant la tâche entre vignobles, chai et marchés locaux et internationaux.

La marque de fabrique de Muga est l'utilisation exclusive de chêne pour sa vinification. Les raisins sont fermentés dans 160 barriques et le vin élevé dans 14 000 barriques. Tout le processus est traditionnel, de l'usage de levures sauvages au raffinage avec des blancs d'œufs. Les vins sont plutôt modernes, sans perdre pour autant leur identité, et séduisent les puristes comme les modernistes.

Le Prado Enea 1994, d'une robe rubis aux reflets orange, qui révèle un élevage prolongé en cuve, en barrique et en bouteille avant d'être mis en vente 6 ou 7 ans après la date des vendanges, possède un nez enivrant de baies rouges et de sol de forêt, avec des soupçons de champignons *porcini* et de truffe. Les épices, le cuir et les agrumes sont également caractéristiques ici. De corpulence moyenne, ce vin d'une belle acidité, aux tanins suaves et à la finale extrêmement longue, est un Rioja pour les amateurs de Bourgogne. **LG**

Des 1945 côtoient le 1924, la première étiquette illustrée.

Domaine Jacques-Frédéric Mugnier *Le Musigny GC*

Origine France, Bourgogne, côte de Nuits
Type vin rouge sec, 13 % vol.
Cépage Pinot noir
Millésime dégusté 1999, à boire entre 2009 et 2025+
€€€€€

Alors qu'aujourd'hui, Frédéric Mugnier est responsable du beau Château de Chambolle-Musigny, dans une autre vie, il fut ingénieur pétrolier offshore et pilote commercial avant de s'adonner à plein temps à la gestion du domaine en 1998.

Parmi ses vignobles à Chambolle, où figurent une parcelle du premier cru Les Fuées et une autre du séduisant Amoureuses, la meilleure parcelle est une portion généreuse (1,4 ha) de grand cru Le Musigny. Les vignes furent plantées entre 1947 et 1962 – des ressources naturelles inégalées pour ce qui est, dans l'opinion de maints collectionneurs, le meilleur vin de l'appellation.

1999 fut une année chaude en Bourgogne et les pratiques de Frédéric Mugnier furent récompensées. Selon lui : « Un grand vin est une création du sol et notre expertise consiste à respecter l'équilibre vivant du sol et du raisin. Nous ne sommes pas dogmatiques dans nos pratiques. Mais nous restons vigilants pour toute conséquence environnementale et nous évitons tout procédé qui puisse traumatiser le vin. » Ce vin possède cette qualité sublime et parfumée des plus grands Côte-de-Nuits. **ME**

René Muré *Pinot Noir Cuvée "V"*

Origine France, Alsace
Type vin rouge sec, 13,5 % vol.
Cépage Pinot noir
Millésime dégusté 2004, à boire jusqu'en 2012
€€€

Le «V» de cette cuvée est l'initiale de Vorbourg, nom du grand cru de la côte de Rouffach dans le sud de l'Alsace. Son excellent emplacement ainsi que celui des autres bons coteaux de la zone de Rouffach attirent les vinificateurs depuis l'époque romaine. Les vignes sont en effet situées dans le grand cru Vorbourg. Les seuls raisins permis pour l'appellation du grand cru étant le Riesling, le Pinot gris, le Gewurztraminer et le Muscat, ce vin ne peut s'appeler Vorbourg.

Ce Pinot noir 2004 possède une belle robe, un fruité vif et une maturité phénolique, puissant sans trop d'extrait. Il n'a été ni filtré ni raffiné. D'une robe aux teintes de rubis sombre, offre des premiers arômes où se mêlent de façon exotique les violettes, le poivre rose et les fruits noirs frais associés à des épices chaudes tels la cannelle et le clou de girofle. L'envergure en bouche est réelle et les tanins suaves se mêlent joyeusement aux saveurs luxuriantes de baies noires et de framboises. La finale est centrée et longue, avec une touche mûre d'acidité et de minéralité qui boucle ce Pinot impressionnant, à déguster avec une pintade rôtie ou du gibier à plume. **ME**

Château Musar

Origine Liban, Bekaa Valley
Type vin rouge sec, 14 % vol.
Cépages Cabernet Sauvignon, Cinsault, Carignan
Millésime dégusté 1999, à boire jusqu'en 2012+
€€€

Après un long séjour en France, Gaston Hochar retourna au Liban et créa en 1930 le Château Musar dans les caves du château Mzar à Ghazir. En 1959, après avoir passé son diplôme d'œnologie à Bordeaux, le fils aîné de Gaston, Serge, prit part aux affaires. Le frère cadet de Serge, Ronald, baptisé d'après Barton, reprit les départements commercial et marketing de Château Musar en 1962. Les frères reçurent le contrôle total du domaine en 1966.

Ce vin est célèbre pour son odeur de *Brettanomyces* (genre de levure qui produit des odeurs de « souris » et de « vieille chaussette ») et d'acidité volatile (acide acétique, avec une odeur de vinaigre). On pourrait les considérer comme des défauts, mais ils forment une partie du caractère unique du Musar.

La composition variétale diffère tous les ans, donnant une identité et un caractère différents chaque année. Le 1999 est d'une robe relativement pâle, le nez caractéristique de « vieille chaussette » équilibré par les saveurs fruitées riches et mûres. L'acidité est plutôt faible et il se buvait très bien en 2007, tout en pouvant encore vieillir cinq années de plus. **SG**

Bodega Mustiguillo
Quincha Corral

Origine Espagne, Valence, Utiel-Requena
Type vin rouge sec, 14,5 % vol.
Cépages Bobal 96 %, Syrah 4 %
Millésime dégusté 2004, à boire jusqu'en 2019
€€€

Bodega Mustiguillo est un projet de Toni Sarrión. Sa famille possédait des vignobles, mais vendait les raisins. Il étudia, voyagea et engagea l'un des meilleurs consultants. Il lança son projet en 2000, armé d'une table de tri, de cuves de fermentation en bois et des meilleures barriques qu'il put trouver. Il choisit le Bobal, principal raisin rouge d'Utiel-Requena, une appellation à l'intérieur des terres de la province de Valence. C'est un raisin non reconnu pour sa qualité, mais qui peut produire de la couleur et de l'alcool en abondance ainsi que d'énormes rendements, et Sarrión estimait qu'il méritait un statut plus digne.

L'assemblage du Quincha Corral a changé au fil des ans, et comprenait avant du Tempranillo et du Cabernet. En 2004, il atteignit 96 % de Bobal, l'équilibre étant donné par la Syrah. Le vin est d'une sombre couleur pourpre. Au nez, on décèle beaucoup de prunes, de mûres et de myrtilles mûres, ainsi que des notes onctueuses minérales et fumées et une touche florale. Il est étoffé en bouche, dense, intense et épicé, avec des fruits noirs et des tanins mûrs, tout en étant très frais et harmonieux. **LG**

◀ Une femme bédouine cueille des raisins à Château Musar.

Fiorenzo Nada
Barbaresco Rombone

Origine Italie, Piémont, Langhe
Type vin rouge sec, 14 % vol.
Cépage Nebbiolo
Millésime dégusté 2001, à boire entre 2013 et 2030+
€€€€

Bruno Nada, né en 1951 à Treiso, où son père Fiorenzo était propriétaire d'un petit domaine de Barbaresco, abandonna quelque temps la campagne pour la ville. Après des études au collège technique de Turin, il enseigna plus tard à l'école d'hôtellerie de Barolo. Et là, son amour pour Langhe resurgit, le poussant à donner des cours sur le vin et la gastronomie.

Finalement, au début des années 1980, Bruno Nada rejoignit son père, qui jusque-là avait vendu son vin en vrac, et ensemble, ils décidèrent de vendre le vin en direct. Depuis, ils se contentent de produire quelques vins avec d'infinies précautions et un grand respect pour les traditions locales.

Le Rombone est un vin majestueux, d'une grande austérité lorsqu'il est jeune, notamment l'excellent millésime 2001, très structuré. Les arômes généreux rappellent le Barbaresco avec des nuances de violette et de baies et une exubérance quasiment bourguignonne. En bouche, c'est un vin riche et fort – tannique mais mûr – d'une texture musclée et d'une excellente persistance. Un vin qui durera encore des décennies. **ME**

Château de la Négly
La Porte du Ciel

Origine France, coteaux du Languedoc, La Clape
Type vin rouge sec, 14,5 %
Cépage Syrah
Millésime dégusté 2001, à boire jusqu'en 2011
€€€

Dans ce domaine de 50 ha situé sur les coteaux est de La Clape, un peu de l'esprit des « garagistes » a fleuri pour donner naissance à des vins exubérants mais stimulants et clairement différents.

Le propriétaire Jean-Paul Rosset reprit le domaine en 1992 et, voulant sortir de la viticulture productiviste familiale, rénove depuis progressivement les vignobles et la cave. Claude Gros apporte désormais son conseil.

Parmi les rouges, La Falaise et l'Ancely (prépondérance de Mourvèdre) sont tous deux des vins sérieux et denses, d'une complexité satisfaisante. Les deux meilleurs vins sont cependant des Syrahs pures : le Clos des Truffiers, fait en collaboration avec Jeffrey Davies, est issu de vignobles à Saint-Pargoire, tandis que Le Clos du Ciel (il en existe au moins trois dans le monde du vin) provient du domaine Négly lui-même. La Porte du Ciel est luxuriant, somptueux et dense, et le tranchant salé caractéristique issu de l'emplacement marin s'intègre facilement dans l'architecture fruitée brillante (le sel est plus évident dans Brise Marine). Le père de Paul Rosset avait vu juste : ce fut lui le premier à planter de la Syrah à La Clape. **AJ**

Nino Negri
Sfursat 5 Stelle

Origine Italie, Lombardie, Valtellina
Type vin rouge sec, 14,5 % vol.
Cépage Chiavennasca (Nebbiolo)
Millésime dégusté 2003, à boire entre 2009 et 2018
€€€€

Valtellina est une petite région en dehors du Piémont où l'excellent Nebbiolo, connu ici sous le nom de Chiavennasca, est régulièrement couronné de succès. Nino Negri est le principal producteur. L'excellence régulière de Valtellina doit beaucoup à Casimiro Maule, l'œnologue et vinificateur, qui, depuis 1976, a contribué à la renaissance viticulturelle de la vallée. Son Sfursat 5 Stelle est son plus grand vin, et le 2003 figure parmi les meilleurs millésimes.

Le 2003 offre une intense robe grenat avec juste une touche de brique en bordure de verre. La chaleur de cette année lui donne initialement de riches arômes épicés de prunes et de raisins secs, presque balsamiques. Au contact de l'air, le bouquet développe des arômes élégants de vieilles roses mêlées à des notes grillées et torréfiées de noix et de café et une touche de vanille. La bouche possède un caractère aristocratique serré, qui réserve des surprises, où l'élégance et l'équilibre l'emportent tout juste sur la puissance. Une grande bouteille pour le long terme. La touche Casimiro Maule peut se déguster dans des vins moins chers de la gamme, tels que le Sfursat 2003, gorgé de cerises noires. **ME**

Niebaum-Coppola Estate
Rubicon

Origine États-Unis, Californie, Napa Valley
Type vin rouge sec, 14,5 % vol.
Cépages Cab. Sauv., Cab. franc, Merlot, Petit Verdot
Millésime dégusté 2003, à boire jusqu'en 2012+
€€€€€

En 1871, William C. Watson acheta 32 ha de terre agricole à Napa et y planta des vignes, appelant son domaine Inglenook. Le Finlandais Gustave Niebaum, qui avait amassé une fortune dans le commerce de fourrures en Alaska, racheta Inglenook en 1880. Les vins du domaine acquirent rapidement une solide réputation.

Le domaine fut divisé en 1964 lorsque la coopérative Allied Grape Growers acheta la marque Inglenook, le château et 38 ha de vignes. Plus tard, il fut racheté dans son ensemble par le réalisateur Francis Ford Coppola, quoiqu'il perdît pratiquement tout vers la fin des années 1970, l'ayant utilisé comme garantie pour financer *Apocalypse Now*.

Le premier Rubicon de Coppola date de 1978, mais il ne fut commercialisé qu'en 1985 après un vieillissement en fût de sept ans. Les premiers millésimes étaient très denses et tanniques, mais depuis les années 1990, le style est devenu plus accessible. Le 2003 surprend par sa souplesse inhabituelle pour un vin de la Napa Valley, mais il vieillira avec grâce. Le nom Niebaum-Coppola disparut en 2006 et le domaine est depuis connu sous le nom de Rubicon. **SG**

Ignaz Niedrist
Lagrein Berger Gei

Origine Italie, Haut-Adige
Type vin rouge sec, 13 % vol.
Cépage Lagrein
Millésime dégusté 2004, à boire jusqu'en 2014
€€

La famille Niedrist possède ce domaine depuis 1870. Elle vendit ses raisins à la cave coopérative locale de Cornaiano jusqu'au début des années 1990, où elle décida d'arracher les vignes de Schiava (Trollinger) afin de produire ses propres vins issus de Lagrein.

Cornaiano est situé juste au nord du lac Caldaro. Ici, le Lagrein prospère sur les sols chauds et bien drainés formés il y a des millions d'années lors de la fonte des glaciers. Le Lagrein ne pousse que dans cette partie du Haut-Adige. Même s'il est également utilisé pour produire des vins rosés fruités (Lagrein Kretzer), il est très riche en couleur et possède des tanins relativement faibles. Lorsqu'il est fermenté sur ses pellicules, il produit des rouges robustes et profonds mais suaves, appréciés pour leur pouvoir fruité.

Dans le verre, il semble presque noir, avec de vifs reflets pourpres. Au nez, il offre des arômes de mûres, d'airelles et de fruits mûrs et doux, ainsi qu'une finale épicée de cacao et de tabac. En bouche, sa texture est épaisse, avec la concentration d'une confiture de fruits et la vigueur de baies d'été fraîchement pressées. **AS**

Niepoort
Batuta

Origine Portugal, Douro
Type vin rouge sec, 14 % vol.
Cépages assemblage de divers cépages indigènes
Millésime dégusté 2004, à boire entre 2010 et 2030
€€€

Dirk Niepoort possède un chai et quelques-uns des meilleurs terroirs du monde, qui, surtout les coteaux schisteux en terrasses de la région de Cima Corgo, sont voués à la production de Porto. Pour ses bons rouges de table, Niepoort préfère les vignobles orientés vers le nord, pas directement sous la chaleur du soleil, jouissant d'une maturation plus égale. Il est convaincu que les meilleurs vignobles de Porto ne sont pas les plus adaptés aux vins de table.

Batuta vit le jour en 1999 et son style est celui d'un cru classé bordelais du Douro. Il macère 30 à 45 jours afin de parvenir à des tanins plus fins. Il est sauvage et intense, mais très raffiné, avec une très belle longueur et de la finesse.

Le 2004 est extraordinaire. Il est moins sauvage que le Redoma, mais il est puissant et pourtant élégant, intense mais toutefois raffiné. Le charmant nez étoffé et frais révèle des notes sucrées et sombres de chocolat et d'épices ainsi que de fruit ferme, le tout étant très bien défini. En bouche, il est concentré avec un fruit riche et doux, tout en ayant une énorme charpente. Un style frais et ferme au grand potentiel de garde. **JG**

Le vigneron Dirk Niepoort dans l'une de ses caves. ➡

Niepoort
Charme

Origine Portugal, Douro
Type vin rouge sec, 13 % vol.
Cépages assemblage de divers cépages indigènes
Millésime dégusté 2002, à boire jusqu'en 2025+
€€€

Dirk Niepoort, leader de la révolution des vins de table du Douro, est obsédé par le bon vin et, parmi toutes les régions viticoles du monde, séduit par la Bourgogne. À côté de la réussite des Redoma et Batuta, ainsi qu'un étonnant Redoma Branco Reserva bourguignon, il développe une expression plutôt différente du Douro : Charme.

«La différence entre un bon vin et un excellent vin repose sur cent petits détails», constate Niepoort. Les raisins sont foulés aux pieds avec les rafles dans les *lagares*, et la durée de la macération est essentielle. Beaucoup de moût doit être extrait très tôt dans le *lagar*, puis le reste de manière très délicate. Niepoort explique qu'en 2001 ils ratèrent le timing d'à peine quelques heures et aucun Charme ne fut donc produit cette année-là.

Le premier Charme fut le 2002. Le vin a un nez élégant, mûr et suave. On y décèle richesse et profondeur, avec un léger caractère épicé. En bouche, il est aussi suave et mûr, avec une belle élégance épicée et des tanins légèrement charpentés. Ce vin prouve que le Douro est capable d'élégance et de finesse tout comme de puissance et de folie. **JG**

Bodega Noemía de Patagonia
Noemía

Origine Argentine, Patagonie, vallée Río Negro
Type vin rouge sec, 14,5 % vol.
Cépage Malbec
Millésime dégusté 2004, à boire jusqu'en 2015
€€€€

Noemía est le vin phare de Noemi Marone Cinzano et du vinificateur Hans Vinding-Diers. En 2001, Vinding-Diers découvrit un vignoble d'une sélection génétiquement différente de Côt français, le Malbec «royal» (celui que l'on vendange plus tard). Il avait été planté dans les années 1930 par des immigrants italiens comme vignoble «mère» pour le sud de l'Argentine. Les premières vendanges de ce vignoble en 2001 donnèrent naissance au premier vin de garage du pays : Noemía.

Noemía a été fermenté sans pompes (ni autres aides mécaniques) par Vinding-Diers dans les chambres froides d'un entrepôt d'emballage de fruits, avant que n'entre en scène Cinzano, pour qui travaillait Vinding-Diers en Toscane. Ensemble, ils construisirent un beau chai, afin de produire le Noemía 2004.

Le vin est mis en bouteilles par gravité et sans filtrage et doit donc être décanté plus d'un jour avant la dégustation. Il offre un fruit très concentré et des tanins exotiques, tout en gardant son élégance malgré sa corpulence. Il arbore les meilleures caractéristiques du Malbec : une étendue tannique sans égale dans un vin qui n'a pas du tout un goût tannique. **MW**

Andrea Oberto
Barbera Giada

Origine Italie, Piémont
Type vin rouge sec, 14,5 % vol.
Cépage Barbera
Millésime dégusté 2004, à boire jusqu'en 2012+
€€€€

Ce domaine fut créé en 1978 par Andrea Oberto, qui voulait poursuivre la tradition familiale de viticulture. L'époque où il se lança dans son entreprise n'était pas idéale, avec beaucoup de producteurs qui offraient une caisse de Barolo pour chaque dizaine ou quinzaine de caisses de Barbera vendues. Le Barolo est sans doute le vin emblématique du Piémont, mais le Barbera est le cépage le plus apprécié des Piémontais. À cette époque, peu de consommateurs non piémontais appréciaient l'acidité typiquement féroce du Barbera.

Le Barbera Giada d'Oberto, produit pour la première fois en 1988, fut l'un des premiers exemples d'un Barbera pouvant être apprécié d'amateurs non piémontais. Les vignes utilisées pour le Giada furent plantées en 1951, et garantissent une très bonne qualité du fruit. Les rendements sont maintenus faibles.

Il s'agit d'un Barbera qui peut faire changer d'idée au sujet de ce cépage. Le 2004 est la personnification liquide de l'élégance et de la succulence du fruit. À essayer avec une cuisse d'agneau rôti avec des quantités généreuses de romarin et d'ail. **AS**

Ojai Vineyard
Thompson Syrah

Origine États-Unis, Californie, Santa Barbara
Type vin rouge sec, 13,5 % vol.
Cépage Syrah
Millésime dégusté 2003, à boire jusqu'en 2015+
€€€

Ojai et la Syrah américaine n'étaient pas très célèbres lorsque Adam et Helen Tolmach y plantèrent leur petit vignoble en 1981. La maladie de Pierce a récemment ravagé le vignoble, mais Tolmach a décidé de ne pas replanter, afin de pouvoir travailler plus intensément avec les producteurs rencontrés au fil des ans. Tolmach, qui s'est concentré exclusivement sur ses propres vins depuis 1991, a toujours essayé de comprendre les relations causales de chaque acte de la viticulture et de la vinification. Son but est de produire une variété de vins de vignobles individuels dans la région californienne de Santa Barbara.

Il se rendit compte que les niveaux de sucre élevés, et donc les hauts niveaux d'alcool, allaient contre l'expression complexe du goût et chercha des sites toujours plus frais, adaptés à des vins élégants et de longue garde. 2003 fut une année relativement facile, qui donna les faibles rendements recherchés par Tolmach. Le Thompson Syrah est puissant, dense et concentré, avec une complexité latente destinée à devenir harmonieuse et intégrée d'ici à une dizaine d'années après la date du millésime. **LGr**

Willi Opitz
Opitz One

Origine Autriche, Neusiedlersee/Seewinkel, Illmitz
Type vin rouge doux, 11 % vol.
Cépages Blauburger ou autres cépages noirs autrichiens
Millésime dégusté 1999, à boire jusqu'en 2015+
€€€€

Willi Opitz entretenait un minuscule vignoble le week-end, puis a quitté son emploi, acquis un peu plus de terres et reçoit régulièrement des parcelles de fruits atteints de pourriture noble de producteurs locaux qui ne les utilisent pas eux-mêmes. Tout est soigneusement classé et placé dans différentes cuvées afin de produire des vins de divers niveaux de douceur, allant du Spätlese au Trockenbeerenauslese. Les années dépourvues de botrytis, les raisins sont soit laissés sur pied jusqu'aux gelées (ce qui est risqué à Illmitz car le lieu se situe à proximité d'un parc, également réserve ornithologique), soit placés sur des roseaux séchés pour produire le Schilfwein, un style relancé par Opitz dans les années 1980 qu'il appelle Schilfmandl («petit homme de paille»).

Opitz One, excellent rouge «de roseau» (passerillé), est une innovation. Il est issu d'un croisement de Blauburger autrichien (Blauer Portugieser Blaufränkisch, l'une des créations de Zweigelt) ou d'un assemblage de cépages rouges. Ce 1999 se caractérise par une couleur rouge rosée et un goût de nougat, de Rumtopf et de mousse au chocolat très évidents. **GM**

Opus One

Origine États-Unis, Californie, Napa Valley
Type vin rouge sec, 13,5 % vol.
Cépages Cab. Sauv. 95%, Cab. franc 3%, Merlot 2%
Millésime dégusté 1987, à boire jusqu'en 2015
€€€€€

Opus One a été la première «boutique» vinicole de la Napa Valley. Robert Mondavi et le baron Philippe de Rothschild se rencontrèrent pour la première fois en 1970 à Hawaii, puis, huit ans plus tard, à Bordeaux. En une heure, ils s'étaient mis d'accord pour créer une entreprise commune en Californie. La réputation de leurs noms respectifs leur amènerait des acheteurs fortunés.

Il fallut plusieurs millésimes pour que Opus One trouve sa niche, après quoi il concrétisa un style distinctif qui marie des fruits cultivés «à la californienne» avec une viniculture à la bordelaise. On ne confondrait jamais Opus One avec un vin de Bordeaux – il est trop mûr et trop capiteux pour cela – mais il est bien plus savoureux et moins alcoolisé que les Cabernets californiens qui ont émergé depuis lors.

Toujours d'une robe intense en 2006, l'Opus One de 1987 affiche une première impression herbacée au nez qui n'est pas pour déplaire, puis, après aération, apparaît une note de tabac. Ce vin ample et concentré, avec une fin de bouche puissante et tannique, pourra se bonifier encore plusieurs années. **SG**

Le vaste grand chai en demi-lune à Opus One. →

Siro Pacenti
Brunello di Montalcino

Origine talie, Toscane, Montalcino
Type vin rouge sec, 14 % vol.
Cépage Sangiovese
Millésime dégusté 2001, à boire entre 2015 et 2025
€€€

Le père de Giancarlo Pacenti, Siro, acheta 20 ha de bonne terre arable en 1960; son grand-père avait travaillé ces terres en tant que fermier locataire une génération plus tôt. Les 7 ha de Sangiovese de la famille à l'extrême nord de la DOCG jouissent d'un climat frais et de sols sablonneux qui donnent lieu à des vins d'une complexité aromatique exceptionnelle. Leurs 13 ha dans le sud de l'appellation ont des sols riches et alluvionnaires avec une forte proportion de calcaire, des sols qui produisent des vins d'une puissance considérable et fort capiteux. C'est le mariage du raisin de ces deux sous-régions qui engendre la grande complexité et la longévité des vins Pacenti.

Selon Giancarlo, le 2001 est la meilleure expression du Sangiovese. Vinifié dans une merveilleuse cathédrale souterraine, ce vin a d'abord subi une macération de vingt jours sur les peaux du raisin avant de vieillir en fût de chêne français pendant deux ans, n'ayant connu ni collage ni filtration auparavant. Les Pacenti ont travaillé sans relâche pour préserver le mieux possible le terroir Montalcino pendant la vinification. Le 2001 en est le résultat convaincant. **MP**

Pago de los Capellanes
Parcela El Picón Ribera del Duero

Origine Espagne, Ribera del Duero
Type vin rouge sec, 14,5 % vol.
Cépages Tinto Fino (Tempranillo), Cab. Sauvignon
Millésime dégusté 2003, à boire jusqu'en 2018
€€€€

Pago de los Capellanes est une exploitation très récente. Son nom signifie «Vignoble des Aumôniers», car celui-ci appartenait jadis à l'Église et était entretenu par des aumôniers du village de Pedrosa.

La famille Rodero-Villa possède plus de 101 ha de vignobles, dont 80 % de Tempranillo, le reste étant du Cabernet Sauvignon et du Merlot. Parcela El Picón est un vin de vignoble individuel issu d'une parcelle de 2 ha d'un clone spécial de Tinto Fino (Tempranillo), jouissant d'un méso-climat qui donne une qualité supérieure aux tanins. L'un des rares vins de vignoble individuel de la Ribera del Duero, il n'est produit que lors d'années exceptionnelles, les trois premières étant 1998, 1999 et 2003.

La vendange de 2003 fut très petite et la production de Picón ne dépassa pas le quart de celle de 1999. La robe est d'un grenat très sombre, presque noire au centre. Le bouquet possède une belle intensité complexe et se compose de viande, d'épices, de fruits rouges très mûrs et de bois bien intégré. En bouche, il offre une corpulence moyenne avec une belle acidité, il est savoureux, frais et harmonieux, facile à boire et possède une très longue finale. **LG**

Pahlmeyer
Proprietary Red

Origine États-Unis, Californie, Napa Valley
Type vin rouge sec, 14,7 % vol.
Cépages Cab. Sauvignon, Merlot, Malbec, autres
Millésime dégusté 1997, à boire jusqu'en 2012+
€€€€€

Jason Pahlmeyer a développé d'excellents vignobles dans les districts de Coombsville et d'Atlas Peak. Il a également démontré que la Napa Valley peut produire des rouges de style Bordeaux éblouissants en cultivant uniquement des cépages traditionnels du Vieux Continent et en utilisant des techniques de vinification classiques. Il est parvenu à ses fins au sein d'une région où domine la technologie, où les vins variétaux sont encore la norme et où les vins portant simplement la mention «vin rouge» ont été si mauvais par le passé que les consommateurs ont commencé à s'en éloigner.

Le fruit du Proprietary Red, assemblage de Cabernet Sauvignon, de Merlot, de Malbec, de Cabernet franc et de Petit Verdot, provient en grande partie de vignobles escarpés à flanc de colline aux rendements faibles. Pahlmeyer vendange à maturité extrême, avec des niveaux de sucre très élevés. Le vin est élevé deux ans en barriques dans 80 % de jeune chêne et 20 % de chêne âgé d'un an, avant d'être mis en bouteilles sans raffinage ni filtrage. Année après année, le résultat est un vin rouge aux tanins suaves, au fruit infini et à la force imposante. **DD**

Paitin
Barbaresco Sorì Paitin

Origine Italie, Piémont, Langhe
Type vin rouge sec, 14 % vol.
Cépage Nebbiolo
Millésime dégusté 1999, à boire jusqu'en 2030
€€€€

La naissance officielle de cette prestigieuse DOCG remonte à 1894, mais le Nebbiolo di Barbaresco était déjà produit bien avant. Le Barbaresco du Sorì Paitin (*sorì* désigne un vignoble orienté vers le sud en piémontais) est mis en bouteilles depuis 1893. Le domaine original fut acheté en 1796 par Benedetto Elia de la famille Pelissero. Aujourd'hui, l'exploitation est dirigée par Secondo Pasquero Elia et ses deux fils Giovanni et Silvano.

Les raisins utilisés pour le Sorì Paitin passent par une courte macération de huit ou neuf jours à une température d'à peu près 32 °C. Environ 60 % du vin est ensuite élevé en barriques de chêne slovaque et le reste en chêne français; à peu près 20 % des barriques sont renouvelées chaque année.

Le vin possède une robe rouge rubis profonde et brillante, aux reflets grenat. Le nez est très élégant et complexe, avec des notes de violette et de fruits rouges (grenade, cerise) ainsi que des notes plus sombres de goudron. Il est ample, souple, chaud et caressant, tout en ayant une belle tension grâce à ses tanins et à l'acidité bien intégrée. **AS**

Alvaro Palacios
L'Ermita

Origine Espagne, Priorat
Type vin rouge sec, 14 % vol.
Cépages Grenache, Cabernet Sauvignon, Carignan
Millésime dégusté 2000, à boire jusqu'en 2020
€€€€€

Dans les années 1980, René Barbier était le directeur commercial de l'exploitation Palacios Remondo à Rioja. Le jeune Alvaro Palacios voyageait souvent avec lui, vendant les vins familiaux. Aspirant l'un comme l'autre à produire un vin de classe internationale, ils s'installèrent à Priorat, où ils créèrent respectivement Clos Mogador et Clos Dofí, plus tard Finca Dofí, car techniquement ce n'était pas un clos.

Mais Alvaro avait d'autres projets. Le vignoble de L'Ermita est planté majoritairement de vieilles vignes de Grenache taillées en buisson, avec un peu de Carignan et de Cabernet-Sauvignon. Il s'agit d'une pente en terrasses dont le sol d'ardoise décomposée, connu localement sous le nom de Llicorella, transmet une certaine minéralité au vin.

L'Ermita 2000 est superbement équilibré, d'une robe grenat intense et foncée, avec un bouquet complexe et puissant, des notes florales et minérales (notamment le graphite) et une abondance de fruits rouges bien mûrs. En bouche, le vin est riche et pulpeux, limpide et précis, souple et ample, avec une bonne persistance en fin de bouche. L'Ermitage mérite son prix, qui en fait le vin le plus cher d'Espagne. **LG**

Descendientes de J. Palacios
Corullón

Origine Espagne, Bierzo
Type vin rouge sec, 13,5 % vol.
Cépage Mencía
Millésime dégusté 2001, à boire jusqu'en 2013
€€€

Pratiquement personne ne s'intéressait au Mencía de Bierzo avant l'arrivée de Ricardo Pérez Palacios et de son oncle Alvaro Palacios. Ils étaient à la recherche de vieux vignobles haut perchés dans les montagnes, où les grains seraient petits et leur jus concentré et d'une bonne couleur. Le Mencía était alors considéré comme juste bon à faire du rosé et rien de plus.

Corullón, le petit hameau de montagne d'où provient le raisin, est composé de minuscules parcelles de vieilles vignes de Mencía cultivées sur des pentes d'ardoise si escarpées que le travail se fait avec un cheval. 2001 fut bien équilibré dans toute la région de Bierzo, produisant des vins élégants et harmonieux qui vieillissent bien et lentement, et qui prennent du temps pour se révéler pleinement.

Dans le 2001, au nez, la robe foncée est suivie d'une foison de notes balsamiques mélangées à de la fraise acidulée, de la groseille, de la myrtille et des fleurs, alors que dans le palais se manifestent une acidité vivante et des flaveurs caractéristiques. Ce 2001 persistant et très défini est un bon exemple de l'harmonie et de l'équilibre recherchés. **LG**

◀ Alvaro Palacios compléta son chai très stylisé en 1998.

Palari Faro

Origine Italie, Sicile
Type vin rouge sec, 14 % vol.
Cépages Nerello Mascalese, N. Cappuccio, autres
Millésime dégusté 2004, à boire jusqu'en 2013
€€€

Cela fait des siècles que le vin de Faro est produit sur les collines du détroit de Messine. Hormis la période de domination arabe, le vin fleurit en Sicile jusqu'à la première moitié du xxᵉ siècle, lorsque le phylloxéra ravagea les vignobles. De cette époque à la moitié des années 1980, la production de ce vin historique déclina et atteignit son niveau le plus bas en 1985.

Ce fut à cette période difficile que Salvatore Geraci, propriétaire du domaine Palari, se laissa convaincre de sauver la DOC Faro par Luigi Veronelli, le père indiscuté du journalisme gastronomique italien. Geraci demanda au vigneron piémontais Donato Lanati, de jeter un coup d'œil sur ses vignobles – 7 ha de terrasses très escarpées en face de la mer et plantés de très vieilles vignes de cépages locaux méconnus. Le résultat fut le Faro que l'on connaît aujourd'hui, summum de l'élégance et de la personnalité.

La robe est d'un rouge rubis d'une profondeur modérée, qui prend des teintes orangées avec l'âge. Le nez est ample, épicé et floral, avec des notes de fruits rouges et un soupçon d'épices orientales parfumées. En bouche il est sec et bien proportionné. **AS**

Château Palmer

Origine France, Bordeaux, Margaux
Type vin rouge sec, 13 % vol.
Cépages Cab. Sauv. 47 %, Merlot 47 %, Cab. franc 6 %
Millésime dégusté 1961, à boire jusqu'en 2015
€€€€€

Vin issu d'un millésime légendaire, le Château Palmer 1961 est un de ces vins parfaits qui est inoubliable. L'un des meilleurs millésimes de la période de l'après-guerre, le 1961 connut un début difficile ponctué de deux gels sévères, mais une petite récolte de raisins sains et mûrs en résulta. L'alliance de faibles rendements et d'une forte concentration produisit des vins d'une qualité exceptionnelle.

Le connaisseur de vin finlandais, Pekka Nuikki, dégusta une bouteille en juillet 2006. C'était sa septième dégustation de ce vin. « Le nez était incroyable : très expressif, avec un curieux mais séduisant mélange d'arômes – chocolat, truffe, cassis et caramel. Un vin ample, riche et doux avec une fin de bouche bien équilibrée et souple. Très agréable, mais malheureusement pas aussi bon que sa réputation légendaire me l'avait laissé espérer. Ce Palmer est excellent à boire maintenant et […] je vous incite à ne pas attendre plus longtemps – faites-vous plaisir en le buvant maintenant. »

Ce vin est capricieux aujourd'hui, Nuikki en a fait l'expérience ; plus tard il concéda : « Je n'ai toujours pas trouvé la bouteille parfaite de Palmer 1961. » **SG**

Le château Palmer, acheté en 1816 par l'Anglais John Palmer. ➜

Château Pape Clément

Origine France, Bordeaux, Pessac-Léognan
Type vin rouge sec, 13 % vol.
Cépages Cabernet Sauvignon 60 %, Merlot 40 %
Millésime dégusté 2000, à boire jusqu'en 2012
€€€€

La référence au pape Clément n'est pas une fantaisie des propriétaires. En 1305, Bertrand de Goth, important propriétaire terrien à Bordeaux et archevêque de la cité, fut élu pape sous le nom de Clément V et la ville donna ce nom à son domaine en son honneur. La famille Montagne l'acheta en 1939 et il passa par mariage aux mains d'un des plus puissants négociants de Bordeaux, Bernard Magrez.

Les vignobles sont moins précoces que ceux de Haut-Brion, mais les sols sont indubitablement exceptionnels. La vinification est faite selon la méthode moderne, avec un bain à froid, suivi du pigeage et d'un vieillissement prolongé en fûts majoritairement neufs. Les faibles rendements assurent une forte concentration. Depuis 1994, le domaine produit des excellents vins blancs en petites quantités. Les vignes de cépages blancs ont toujours existé ici, mais la récolte n'était jamais commercialisée. Puis Bernard Magrez planta 2 ha supplémentaires à côté du château, qui produisent un vin blanc raffiné, mais très boisé et cher.

Que le Pape-Clément soit aujourd'hui l'un des vins les plus somptueux et luxueux de Pessac-Léognan, personne n'en doute. Malgré son taux de concentration et son caractère boisé, il reste un vin plein de finesse. Le 2000 en est l'illustration parfaite, avec ses arômes qui sentent la fumée, la réglisse et les fruits noirs ; un vin ample et tannique, avec une bonne dose de puissance, d'élégance, d'épices et de persistance. **SBr**

AUTRES SUGGESTIONS
Autres grands millésimes
1986 • 1989 • 1990 • 1995 • 1996 • 1998 • 2002 • 2005
Autres producteurs de Pessac-Léognan
Haut-Bailly • Haut-Brion • La Louvière   *La Mission-Haut-Brion • Smith-Haut-Lafitte*

Le château Pape-Clément, à l'origine résidence du pape Clément V. ➜

Parker *Coonawarra Estate Terra Rossa First Growth*

Origine Australie, Coonawarra
Type vin rouge sec, 14,5 % vol.
Cépages Cabernet Sauvignon, Merlot
Millésime dégusté 1996, à boire jusqu'en 2016
€€€

Parker Estate fut fondé en 1985 par John Parker, aujourd'hui décédé, et vendu à la famille Rathbone, propriétaires de Yering Station, en 2004. Situé dans l'extrémité sud de Coonawarra, qui jouit d'un méso-climat relativement plus frais que l'extrémité nord, un grand soin est apporté au positionnement des pieds afin d'optimiser la maturation, tout comme à la suppression d'une partie des grappes afin de restreindre le volume de la cueillette.

Le First Growth (Premier Cru), dont le nom fait preuve d'une certaine insolence, est fait à partir d'une sélection des meilleurs lots de vin issus de la section arrière du vignoble Parker, planté en 1985, auxquels s'ajoutent quelques parcelles issues du vignoble proche de Balnaves. Les sols se composent de la terra rossa typique de Coonawarra : on trouve plus de gravier sous le Cabernet et une couche d'argile peu profonde sous le Merlot.

C'est Pete Bissell qui a élaboré tous les vins de Balnaves depuis le premier millésime en 1996. Le First Growth est le fleuron des trois rouges de Parker Estate et n'est pas produit chaque année. La proportion de Merlot varie entre 10 et 14 %. Les raisins sont vendangés mécaniquement et la fermentation s'effectue dans des cuves d'acier inoxydable, l'extraction étant obtenue par le biais de l'égouttage et du retournement. Environ 80 % du vin jouit d'une longue macération « afin d'obtenir la bonne structure », explique Bissell. Il passe 20 mois dans du chêne neuf français. Le First Growth a toujours été un vin ample largement boisé. **HH**

AUTRES SUGGESTIONS		
Autres grands millésimes		
1998 • 1999 • 2001 • 2004 • 2005		
Autres producteurs de Coonawarra		
Balnaves • Bowen Estate • Katnook		
Majella • Penley • Rymill • Wynns		

Le chai Parker a été construit au milieu des vignobles de Coonawarra. ➜

Parusso
Barolo Bussia

Origine Italie, Piémont, Langhe
Type vin rouge sec, 14 % vol.
Cépage Nebbiolo
Millésime dégusté 2001, à boire jusqu'en 2040
€€€€

Le Bussia 2001 est issu de trois très grands crus de la colline de Bussia, où l'âge des vignes va de 10 à 15 ans. La colline de Bussia se trouve à Monforte d'Alba, célèbre pour ses Barolo figurant parmi les plus puissants, charpentés et de longue garde.

Les frères Parusso dirigent le domaine familial ; Tiziana s'occupe de la partie administrative et Marco de la vinification. Ce dernier est toujours en quête de nouvelles méthodes pour améliorer ses vins, tout d'abord à un niveau expérimental avant de passer aux vins commercialisables. Malgré ce travail constant, les vins semblent néanmoins d'une élégance sans effort et d'une spontanéité remarquable.

Le Barolo Bussia 2001 est un vin d'une concentration et d'une profondeur incroyables avec des arômes allant de l'intensément fruité (cerise Bing, airelles, agrumes) au délicatement floral, à l'épicé (vanille, muscade) et au terreux (goudron, cuir). En bouche, il est si intense qu'il donne une impression de viscosité, dont la douceur riche est cependant compensée par les copieux tanins d'une belle finesse. L'équilibre parfait entre l'acidité et les tanins garantissent une longue vie à ce très grand vin. **AS**

Paternoster *Aglianico*
del Vulture Don Anselmo

Origine Italie, Basilicate
Type vin rouge sec, 13,5 % vol.
Cépage Aglianico
Millésime dégusté 1999, à boire jusqu'en 2025
€€€

Il est difficile d'expliquer l'Aglianico del Vulture en quelques mots. La DOC étant en cours d'élaboration, de très bons producteurs établis sont en compétition avec de bons nouveaux venus et des aspirants producteurs qui demandent des prix ridicules pour des vins impressionnants, mais sans pedigree.

La famille Paternoster est l'une des familles viticoles les plus anciennes de la région, dont le siège se trouve à Barile, l'un des villages de la DOC située juste à côté du mont Vulture. Ce dernier est un volcan éteint et la proximité des vignobles signifie que les vignes peuvent exploiter ce type spécial de sol. Il est riche en tuf, en particulier des silicates, capables de retenir l'eau et de soutenir les vignes pendant la longue saison de floraison, souvent très sèche.

Le Don Anselmo 1999 est un grand vin et a besoin de temps pour se développer. Il possède une robe grenat et un nez complexe, qui va des cerises amères aux truffes noires, des épices à la menthe et à des notes balsamiques. En bouche, les tanins sont saisissants tout en étant très fins et soutiennent le vin sans être lourds. La finale est longue, complexe, très définie et extrêmement satisfaisante. **AS**

Luís Pato *Quinto do Ribeirinho Pé Franco Bairrada*

Origine Portugal, Bairrada
Type vin rouge sec, 13 % vol.
Cépage Baga
Millésime dégusté 1999, à boire jusqu'en 2020
€€€

Luis Pato se définit lui-même comme « le défenseur du Baga, le cépage le plus original de Bairrada ». Le Baga est le cépage traditionnel de cette région, même s'il a souvent besoin des meilleurs vignobles et des meilleures années pour montrer sa vraie valeur.

Quinta do Ribeirinho Pé Franco est le résultat de l'ambition de toute une vie pour Pato – une tentative de créer un vin pré-phylloxéra dans l'ère moderne. Certains vignobles de Pato sont sablonneux et, fort heureusement, le phylloxéra n'aime pas le sable, ce qui a permis de planter en 1988 un petit vignoble de vignes de Baga non greffées.

Depuis, le vignoble est passé à 3,5 ha, mais les rendements des vignes non greffées restent faibles (un pied produit un seul verre de vin, soit l'équivalent de 1 800 bouteilles par an). Une longue macération donne au vin une charpente typique des vins de Bairrada, avec des tanins fermes, qui soutient cependant un style moderne plus orienté vers le fruit que dans la plupart des cas, avec des arômes sucrés de cerise et de prune auxquels se superposent les épices et la réglisse issus de l'année passée en chêne. **GS**

Domaine Paul Bruno *Viña Aquitania Cabernet Sauvignon*

Origine Chili, vallée de Maipo
Type vin rouge sec, 13,5 % vol.
Cépages Cabernet Sauvignon 90 %, Merlot 10 %
Millésime dégusté 2000, à boire jusqu'en 2010
€€€€

Le domaine Paul Bruno se situe dans le district de Santiago Quebrada de Macul. Son nom est inspiré de deux des plus importants personnages de Bordeaux : Paul Pontallier, dont le travail de vinification a fait de Château Margaux l'un des premiers crus les plus raffinés du Médoc, et Bruno Prats, sous la direction duquel (jusqu'en 1998) le Château Cos d'Estournel a atteint le statut d'« excellent second ». Leur partenariat chilien, fondé en 1990, inclut également le vinificateur Felipe de Solminihac.

Bien qu'il s'appelle Viña Aquitania, un détournement latin du vieux terme français pour Bordeaux, le vin rouge fabriqué ici ne doit pas grand-chose au Bordeaux, malgré la domination presque totale du Cabernet Sauvignon. Lors des six premiers millésimes (1993 est le premier), le vin dévoila un fruit d'une exubérance spectaculaire. À partir de 2000, des fruits du vignoble de Macul, au goût dense, alliés à l'utilisation d'une nouvelle cave pour l'élevage en barrique, ont donné des vins plus significatifs, complexes et discrètement rebelles. Le millésime 2000 est le plus représentatif de ces vins, avec un fruit souple et des tanins gracieux. **MW**

Paumanok *Cabernet Sauvignon Grand Vintage*

Château Pavie

Origine États-Unis, New York, Long Island, North Fork
Type vin rouge sec, 13 % vol.
Cépages Cab. Sauv. 97 %, Merlot 2 %, Cab. franc 1 %
Millésime dégusté 2000, à boire jusqu'en 2015+
€€€

Origine France, Bordeaux, Saint-Émilion
Type vin rouge sec, 14 % vol.
Cépages Merlot 70 %, Cab. franc 20 %, Cab. Sauv. 10 %
Millésime dégusté 2003, à boire jusqu'en 2020 +
€€€€€

La production des vins de Paumanok se caractérise par une sensibilité à l'équilibre très européenne. Les vins de Grand Vintage (Grand Millésime) ne sont produits que lorsque l'année est jugée digne. Lorsque c'est le cas, une cuvée est assemblée, qui se définit par la complexité subtile ainsi qu'une note sucrée de goudron et de tabac caractéristique de Long Island.

La saison de floraison très longue de l'an 2000 fut inhabituellement fraîche. Les raisins ont été foulés et éraflés afin de conserver un plus grand nombre de baies entières. Un bain froid de trois jours s'est ensuivi et la fermentation s'est effectuée dans des cuves d'acier inoxydable. Quatorze mois passés dans un assemblage de jeunes et vieilles barriques françaises et de barriques américaines plus vieilles encore adoucissent le vin et lui permettent d'intégrer une subtile note épicée et grillée aux fruits bleus et rouges. Les brises de Long Island et l'habileté du vinificateur garantissent au vin une acidité croquante et une élégance subtile.

Malgré la réputation de Long Island pour son Merlot, ses meilleurs vins sont souvent les Cabernet Sauvignon Grand Vintage de Paumanok. **LGr**

Il n'y a guère de vin plus controversé à Bordeaux que le Château Pavie de Gérard Perse et jamais un vin de Bordeaux n'a autant divisé les opinions que le millésime 2003. Après sa première dégustation de ce vin pendant la campagne des primeurs de 2003, Robert Parker écrivait : « Un effort phénoménal de la part de propriétaires perfectionnistes, Chantal et Gérard Perse […], un vin sublime par sa richesse, sa minéralité, son souci du détail et sa noblesse. »

Mais Jancis Robinson ne partageait pas cet enthousiasme : « Des arômes trop mûrs et peu appétissants […] Avec ses notes herbacées déplaisantes, il est plus proche d'un Zinfandel tardif que d'un Bordeaux rouge. » Et Michael Schuster, qui faisait un reportage sur la campagne 2003 de Bordeaux pour *The World of Fine Wine*, écrivait : « […] il a un nez très curieux pour un Clairet ; c'est un amalgame de Porto et d'amandes vertes d'Amarone della Valpolicella qui laisse une impression de trop mûr, de raisins secs, de médicament […] Pas de notation. » Et ainsi de suite. Une bataille entre experts britanniques et experts américains, Parker étiquetant les « classicistes » Britanniques de « réactionnaires ». **SG**

Le domaine de Château Pavie est à proximité du Château Ausone. ➜

Château Pavie-Macquin

Origine France, Bordeaux, Saint-Émilion
Type vin rouge sec, 13 % vol.
Cépages Merlot 70 %, Cab. franc 25 %, Cab. Sauv. 5 %
Millésime dégusté 1999, à boire entre 2008 et 2020
€€€

En 1990, cette propriété bordelaise fut l'une des premières à adopter les principes de la biodynamie, mais une épidémie catastrophique de mildiou en 1993 persuada Nicolas Thienpont, qui reprit la direction du domaine en 1994, d'abandonner ce système.

Les sols sont relativement uniformes et d'une profondeur non négligeable à certains endroits, donnant ainsi aux vins une puissance considérable. Jeunes, les vins de Pavie-Macquin peuvent être dominés par les tanins, mais le fruit finit par rejaillir après quelques années. La vinification est traditionnelle, bien que l'on y décèle un brin de fantaisie, car les cuves portent des noms qui rappellent les romans à l'eau de rose du XIXe siècle : Cunégonde, Berthe, Éliane.

Dans le nouveau classement 2006 de Saint-Émilion, Pavie-Macquin a été promu au rang de Premier Cru classé, pour être déclassé peu de temps après par un ordre du tribunal, saisi par des propriétaires mécontents d'avoir été rétrogradés. Cela ne perturba guère Nicolas Thienpont. Ses pairs, les critiques de vin et le marché en général avaient déjà reconnu la formidable qualité de Pavie-Macquin. Si 1999 ne fut pas une très bonne année pour Saint-Émilion, le terroir de Pavie-Macquin s'affirma toutefois : le vin est tannique, toujours aussi formidable et très concentré, tout en laissant transparaître le fruit. **SBr**

AUTRES SUGGESTIONS
Autres grands millésimes
1998 • 1999 • 2001 • 2004 • 2005
Autres producteurs de Saint-Émilion
L'Angélus • Beau-Séjour Bécot
Cheval Blanc • Magdelaine • Pavie

Vieilles vignes noueuses, héritage précieux de ce château de Saint-Émilion. ➜

Peay Vineyards
Pinot Noir

Origine États-Unis, Californie, Sonoma Coast
Type vin rouge sec, 13,9 % vol.
Cépage Pinot noir
Millésime dégusté 2004, à boire jusqu'en 2015+
€€€

Peay est l'un des rares producteurs à petite échelle dont les vins exceptionnels ont attiré l'attention sur cette terre aux collines accidentées, aux profonds canyons, au climat frais et au brouillard littoral.

Dans les années 1990, Nick et Andy Peay rêvaient de trouver un climat et un terrain où le Pinot noir pourrait développer le caractère complet du cépage dans le contexte d'une localisation géographique différente. Après avoir acheté cet ancien ranch d'élevage de moutons, ils y plantèrent principalement du Pinot noir et de la Syrah, ainsi qu'un peu de Chardonnay et de minuscules quantités de Viognier, de Roussanne et de Marsanne.

Les Peay cherchent à produire un Pinot noir qui ait « la corpulence sans la lourdeur ». Le soin méticuleux des vignobles et une touche de douceur dans le chai ont créé des vins d'une grande intégrité, équilibrés et charpentés. La profondeur et la concentration du 2004 sont pondérées par l'acidité et la minéralité fraîches qui semblent caractériser ce site. En 2005, ils ont produit deux Pinots noirs, ayant pris conscience que les vignes avaient mûri suffisamment pour refléter les différences de terroir. **JS**

Giorgio Pelissero
Barbaresco Vanotu

Origine Italie, Piémont, Langhe
Type vin rouge sec, 14 % vol.
Cépage Nebbiolo
Millésime dégusté 1999, à boire jusqu'en 2012+
€€€

Le domaine familial Pelissero se situe dans le district de Treiso, au cœur de la zone de production de Barbaresco. La famille a transformé l'entreprise de culture de raisins en l'une des exploitations vinicoles de Barbaresco les plus respectées. Les premières bouteilles remontent à 1960 et furent produites par Luigi, aujourd'hui remplacé par son fils œnologue, Giorgio.

Vanotu, surnom donné aux Giovanni dans le dialecte local, est le nom du vignoble ayant appartenu au grand-père de Giorgio, Giovanni, ainsi que celui du fleuron de l'exploitation, issu d'un seul vignoble. Grâce à son emplacement unique, au climat et au sol à prédominance calcaire, le vignoble Vanotu donne de très bons vins même lors d'années moins favorables.

Giorgio a doté le vin d'une philosophie à la modernité évidente et l'élève en barriques (à 80 % neuves) pendant 18 mois afin de créer un vin au fruit concentré et aux tanins doux que l'on peut apprécier relativement jeune. Malgré les pluies de la mi-septembre, 1999 fut une excellente année dans le Piémont. Le Vanotu 1999 offre de riches arômes de framboise et de cerise, des épices et de la vanille bien intégrées, et des tanins veloutés. **KO**

◀ Un verre de Pinot noir est remué face à la lumière pour qu'il révèle sa robe.

Penfolds *Bin 95 Grange*

Origine Australie, Australie-Méridionale
Type vin rouge sec, 12,5 % vol.
Cépages Shiraz 87 %, Cabernet Sauvignon 13 %
Millésime dégusté 1971, à boire jusqu'en 2016+
€€€€€

Le fleuron des vins rouges de Penfolds, créé par Max Schubert au début des années 1950, a été modelé sur les grands crus bordelais. Alors qu'à l'époque les exploitants australiens se concentraient sur la production de vins fortifiés, Schubert eut la vision de produire un vin aussi complexe et digne de garde que les meilleurs vins français.

Étonnament, les négociants ne s'intéressèrent pas aux premiers millésimes de Grange. Son moment de chance vint en 1960 lorsqu'un membre du conseil d'administration de Penfolds, en visite aux installations de Magill, demanda à déguster à nouveau les premiers millésimes. De retour au siège à Sydney, il ébruita la nouvelle. Le vin allait dès lors devenir une légende.

En 1993, Schubert disait : «Si vous deviez sélectionner un seul vin qui satisfasse les ambitions de Grange, ce serait le 1971.» Aux Olympiades du vin de Paris en 1979, ce vin reçut la médaille d'or et domina une classe où figuraient les meilleurs vins du Rhône septentrional. La récolte avait été exceptionnelle et la qualité du raisin est reflétée par ce vin qui tient la distance sans efforts. Vieilli 18 mois en fûts de chêne américain neufs, il déborde d'arômes de fruits, avec à l'appui les notes complexes du vin âgé qui sent la terre et la truffe. Sa structure tannique était encore intacte et malgré ses 35 ans d'âge il est merveilleusement souple et étonnamment persistant en fin de bouche. **SW**

AUTRES SUGGESTIONS
Autres grands millésimes
1966 • 1986 • 1991 • 1994 • 1996 • 1998 • 2004 • 2005
Autres vins australiens à base de Shiraz
Jim Barry The Armagh • Glaetzer Amon-Ra
Henschke's Hill of Grace • Wyndham Estate Black Cluster

Penfolds *Bin 707 Cabernet Sauvignon*

Origine Australie, Australie-Méridionale
Type vin rouge sec, 13,5 % vol.
Cépage Cabernet Sauvignon
Millésime dégusté 2004, à boire entre 2010 et 2020
€€€€€

Le Cabernet équivalent de Grange, Bin 707, hérita de son nom, qui évoque le célèbre avion Boeing, grâce à l'intervention d'un homme qui travaillait auparavant pour Quantas. Le millésime 1964 fut commercialisé sous ce nom. En fait, Max Schubert s'était essayé au Cabernet issu de Kalimna au début du projet Grange, mais concéda que le vignoble était trop inconstant et trop petit pour la production commerciale de vins de qualité en quantités valables. Cette inconstance dans les volumes de fruits et dans le style fit que la production de Bin 707 fut interrompue entre 1970 et 1975. Mais en 1976, des raisins du Coonawarra furent utilisés pour la première fois et, depuis lors, le vin s'est forgé une solide réputation comme l'incarnation du Cabernet Sauvignon australien.

Bin 707 est un vin extrêmement puissant, fortement vineux, avec des tanins mûrs et une abondance de fruits sucrés. Les raisins proviennent des meilleures régions de vin rouge de l'Australie-Méridionale, dont la Barossa Valley, Coonawarra et McLaren Vale. L'assemblage est normalement vieilli jusqu'à 18 mois dans des fûts de chêne américain neufs.

Dans les meilleures années, Block 42 est produit comme un vin individuel (comme récemment en 1996 et en 2004) – mais Bin 707 fut aussi produit ces mêmes années. Le 2004 utilisa 4 500 litres de Block 42 et cela contribua à produire l'un des meilleurs Bin 707 de ces dernières années. **SG**

AUTRES SUGGESTIONS
Autres grands millésimes
1991 • 1995 • 1996 • 1997 • 1998 • 2002 • 2004 • 2007
Autres vins rouges Penfolds
Kalimna Bin 28 • Magill Estate *RWT • St. Henri • Special Bins (42, 60A)*

Penley Estate *Phoenix* Cabernet Sauvignon

Origine Australie, Australie-Méridionale, Coonawarra
Type vin rouge sec, 15 % vol.
Cépage Cabernet Sauvignon
Millésime dégusté 2005, à boire jusqu'en 2012+
€€€

Lorsque Kym Tolley fonda le domaine Penley en 1988, son souhait était de perpétuer l'héritage vinicole des familles Penfold et Tolley, dont il est le descendant – d'où le nom de son domaine.

Le nom du vin, Phoenix, évoque la première exploitation viticole achetée par Douglas Austral Tolley en 1888 – fondée sous le nom de Phoenix Winemaking and Distilling Company. Un article de l'époque en parle : « Les vins de Coonawarra étaient tout à fait différents de ceux de Hope Valley (le vignoble de Tolley près d'Adélaïde). Ils avaient une robe d'un pourpre sombre et un arôme caractéristique durant la fermentation. » Un siècle plus tard, peu de choses ont changé.

Le Phoenix Cabernet Sauvignon 2005 possède le style classique des Cabernets de Coonawarra, avec des arômes de cassis et de cèdre. L'influence du chêne neuf est assez faible et varie à chaque millésime, mais les tanins de bois obtenus avec l'élevage en barrique aident à donner au vin une charpente ferme. Appréciable jeune, lorsque le caractère vif du Cabernet de Coonawarra est évident, ce vin bénéficie d'une mise en cave de 5 ans ou plus. **SG**

Tinto Pesquera *Janus Gran Reserva*

Origine Espagne, Ribera del Duero
Type vin rouge sec, 13 % vol.
Cépage Tinto Fino (Tempranillo)
Millésime dégusté 1995, à boire jusqu'en 2020
€€€€

Alejandro Fernández créa Pesquera, l'un des premiers vins de la région, en 1972. Trois étiquettes portent le nom Pesquera – toutes à base exclusivement de Tempranillo. En 1982, l'année de création de l'appellation Ribera del Douro, Alejandro décida d'expérimenter en démarrant avec un lot du même cépage. Il fermenta la moitié en grappes intactes dans des cuves de foulage médiévales en pierre et les pressa selon la méthode traditionnelle ; l'autre moitié fut égrappée et pressée dans des cuves en acier inoxydable. Ensuite les deux vins furent assemblés et vieillis 3 ans durant dans des vieux fûts de chêne américain. Ce même procédé fut adopté pour les années suivantes, mais seulement pour les meilleurs millésimes et en quantités limitées.

1995 fut un excellent millésime pour la région du Ribera. Fernández produisit donc un Janus de grande qualité, austère même à ses débuts, représentant bien l'élégante rusticité qui est la quintessence du Pesquera. Sa robe sombre présente la couleur d'un rubis, son bouquet intense marie des arômes de fruit rouge, des notes lactiques, et du chêne épicé. **LG**

Des vignes anciennes de Tinto Fino taillées en buisson, près de Pesquera del Douro. ➡

Château
Petit-Village

Origine France, Bordeaux, Pomerol
Type vin rouge sec, 13 % vol.
Cépages Merlot 75 %, Cab. Sauv. 17 %, Cab. franc 8 %
Millésime dégusté 2000, à boire entre 2010 et 2025
€€€

Les vignobles de Petit-Village se situent dans une parcelle triangulaire, sur un sol relativement pierreux et graveleux. La propriété appartenait à la famille Prats jusqu'à ce que Bruno Prats la vende à AXA Millésimes en 1989.

Par le passé, Petit-Village avait une réputation mitigée et les connaisseurs de Pomerol suggèrent que Prats tolérait des rendements trop élevés. L'équipe AXA a introduit un second vin en 1995, qui lui permit de sélectionner plus soigneusement le vin mis en vente en tant que «grand vin». Ils ont également restructuré le chai afin de permettre plus de sélections de parcelles dans le vignoble.

De nombreux millésimes des années 1990 ne furent pas satisfaisants mais Petit-Village trouva sa vitesse de croisière en 2000. Le chêne neuf est certainement évident au nez, mais on y décèle également un fruit ample et de l'élégance. Alors que le milieu en bouche est marqué par la concentration et un caractère pulpeux, avec des tanins mûrs et imposants qui donnent de la charpente, la finale est aussi somptueuse que ce que l'on attend d'un Pomerol de grande qualité. **SBr**

Petrolo
Galatrona

Origine Italie, Toscane
Type vin rouge sec, 14,5 % vol.
Cépage Merlot
Millésime dégusté 2004, à boire jusqu'en 2030
€€€€€

Galatrona est la trouvaille de Lucia Sanjust Bazzocchi et de son fils Luca, dont la famille possède ce domaine depuis les années 1940, mais ce n'est que depuis les années 1980 que la production de vin s'est orientée vers une qualité sans concessions, grâce aux conseils de deux personnages clés de la viniculture toscane, Carlo Ferrini et Giulio Gambelli.

Le Galatrona 2004 est un vin qui étonne dès que la première goutte glisse de la bouteille au verre. La robe est sombre avec des reflets bleus et pourpres. La vivacité de la couleur augmente l'attente de la maturité aigre-douce du fruit d'été sombre. Ces attentes sont largement dépassées lorsque l'on hume et que l'on déguste le vin.

En bouche, il laisse une sensation de caresse de glycérine avec d'immenses vagues de cassis, de cerises griottes et d'airelles aux formes parfaites, suivies de notes plus terreuses de truffes noires, et s'achève avec un punch balsamique réjouissant. Les tanins sont très fins et distribués de manière égale et, lorsqu'ils s'ajoutent à l'acidité superbement équilibrée, ils garantissent au vin un vieillissement harmonieux pendant de nombreuses années. **AS**

◄ Les bâtiments modestes du domaine Petit-Village à Pomerol.

Petrus

Origine France, Bordeaux, Pomerol
Type vin rouge sec, 13,5 % vol.
Cépages Merlot 95 %, Cabernet franc 5 %
Millésime dégusté 1989, à boire jusqu'en 2035
€€€€€

Petrus est devenu un vin légendaire. Sa renommée n'est certes pas récente et le vin atteignait des prix élevés il y a déjà un siècle. La famille Loubat en fut propriétaire à partir de 1925 mais la famille Moueix devint agent exclusif de Petrus en 1943, date qui marqua le début de sa longue association avec la propriété. Déjà en 1969, par des négociations qui restèrent secrètes pendant des décennies, Moueix devint actionnaire majoritaire.

C'est sur le plateau de Pomerol, avec la complexité des sols qui le caractérise, que se trouvent les meilleurs vignobles, parmi lesquels une petite enclave de 20 ha composée d'argile bleutée riche en fer. Petrus en occupe plus de la moitié. Seul 1 ha du vignoble Petrus est sur du sol graveleux.

Si Petrus est un vin puissant de très longue garde, il le doit plus aux vignes et aux sols dont il est issu qu'à la manière dont il est produit après récolte. Le vignoble a la chance de se trouver sur une parcelle extraordinaire et les propriétaires de Château Gazin dans le voisinage qui vendirent 4 ha de vignes à Petrus en 1969 s'en mordent les doigts. Aujourd'hui encore, la robe du 1989 a peu évolué et la grandeur de ce vin est évidente, avec ses arômes somptueux et boisés, et pourtant élégants et légers. En bouche, le vin est généreusement fruité et voluptueux et, malgré la présence soulignée de tanins, la fin de bouche est délicieuse, brillante, élégante, et en même temps majestueuse. **SBr**

AUTRES SUGGESTIONS		
Autres grands millésimes		
1929 · 1945 · 1947 · 1961 · 1964 · 1970 · 1975 · 1982 1990 · 1995 · 1998 · 2000 · 2001 · 2003 · 2005 · 2006		
Autres propriétés de Moueix		
Hosannah · La Fleur-Petrus · Magdelaine · Providence		

Petrus est l'un des vins les plus prisés au monde. ➔

1989

PETRVS

POMEROL

Grand Vin

Mme L.P. LACOSTE-LOUBAT
PROPRIÉTAIRE A POMEROL (GIRONDE) FRANCE

MIS en BOUTEILLES au CHATEAU

c. 13.5% vol.　　APPELLATION POMEROL CONTRÔLEE　　75 cl

www.authenticwine.com

LP98201

Château de Pez

Origine France, Bordeaux, Saint-Estèphe
Type vin rouge sec, 13 % vol.
Cépages Cab. Sauv. 45 %, Merlot 44 %, autres 11 %
Millésime dégusté 2001, à boire jusqu'en 2015
€€€

Cette propriété existe depuis environ 500 ans, mais les vignes ne furent plantées que vers la fin du XVIᵉ siècle. En 1970, Robert Dousson décida de faire un vin individuel à partir d'une barrique de chacun des cinq cépages traditionnels de Bordeaux. La monoculture étant presque inexistante dans le Médoc, cela offrit aux dégustateurs une occasion fascinante de voir comment chaque cépage mûrissait sans être assemblé.

Lorsque s'acheva l'ère Dousson, les nouveaux propriétaires firent de nombreux changements dans le vignoble, instaurant une sélection plus rigoureuse lors des vendanges et installant des thermostats dans les vieilles cuves de fermentation en bois. Les vins de Dousson étaient de corpulence moyenne tout en faisant preuve d'une austérité que l'on trouve souvent à Saint-Estèphe, et ce à cause de la proportion élevée de Cabernet Sauvignon. Sous la direction des Rouzaud, la proportion de Merlot a augmenté et l'extraction est probablement plus douce qu'à l'époque de Dousson.

Alors que l'ancien style de Pez demandait une décennie en bouteille pour se montrer sous son meilleur jour, le nouveau vin est bien plus souple et plus abordable, tout en ayant conservé un bon potentiel de garde. Le 2000 est robuste et ferme sans être dur et le 2002 est séduisant et stylé. Le 2001 a atteint la perfection : une charpente suffisante pour gagner en complexité, mais une texture souple et assez de fraîcheur pour donner au vin un pouvoir de séduction immédiat. **SBr**

AUTRES SUGGESTIONS
Autres grands millésimes
1982 • 1995 • 1998 • 2000 • 2002 • 2005
Autres châteaux de Saint-Estèphe
Calon-Ségur • Cos d'Estournel • Haut-Marbuzet • Lafon-Rochet • Montrose • Les Ormes-de-Pez • Phélan-Ségur

Une publicité pour Pez datant de 1899, qui représente une vue de la Gironde. ➜

Château de PEZ
saint - estèphe

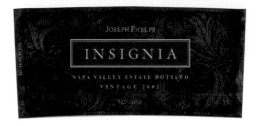

Joseph Phelps
Insignia

Origine États-Unis, Californie, Napa Valley
Type vin rouge sec, 14 % vol.
Cépages Cab. Sauv. 78 %, Merlot 14 %, autres 8 %
Millésime dégusté 2002, à boire jusqu'en 2030
€€€€

Insignia est né en 1974, mais ses premiers millésimes étaient soit du Cabernet soit du Merlot. Ce n'est qu'en 1977 qu'il devint officiellement un assemblage.

Le vin a changé dans les années 1990. La proportion de chêne neuf a augmenté et les viticulteurs choisirent des lots plus mûrs, ce qui donna des niveaux d'alcool à 14 % ou plus. L'élevage en barrique a été prolongé, et s'étend habituellement entre 24 et 28 mois. Vers la fin de la décennie, le Petit Verdot se fraya un chemin dans l'assemblage et en 2004 l'Insignia ne contenait pour la première fois que des raisins cultivés sur le domaine. Dans les années 2000, la production est devenue plus limitée.

Insignia a fait preuve d'une excellence constante sur les trois dernières décennies, malgré une production relativement importante. Avec sa robe opaque et ses arômes somptueux de fruits noirs, de pain grillé et de café, l'Insignia 2002 est caractéristique de ce vin majestueux. Il est charnu, très concentré et le poids du fruit est soutenu par les tanins puissants plutôt que par l'acidité énergique. Légèrement austère dans sa jeunesse, Insignia est conçu pour vieillir. **SBr**

Piaggia
Carmignano Riserva

Origine Italie, Toscane
Type vin rouge sec, 13 % vol.
Cépages Sangiovese 70 %, Cab. Sauv. 20 %, Merlot 10 %
Millésime dégusté 1999, à boire jusqu'en 2020
€€

Carmignano a une histoire ancienne et peut se vanter d'être dotée de la première loi relative aux appellations du monde, remontant à 1716.

En 1932, alors que l'Italie se trouvait sous le régime fasciste, la zone de Carmignano fut intégrée à la DOC Chianti – une mesure qui mit fin à des siècles de tradition. En 1960, quelques producteurs commencèrent à réclamer l'autonomie de Carmignano. La DOC fut accordée en 1975 et la DOCG en 1990.

Le Carmignano Riserva 1990 est un grand vin, qui arbore une brillante robe rubis avec un ménisque couleur de brique. Le nez offre des notes de myrtilles, d'airelles et de cerises avant d'exercer une séduction plus terreuse et de s'achever sur un arôme de chocolat amer qui équilibre le fruit mûr et sucré. En bouche, il est plutôt audacieux et charnu, agréablement minéral, avec une acidité et des tanins parfaitement équilibrés, dont la texture est très fine. L'impression générale est celle d'un vin sublime, très plaisant s'il est bu dans les dix premières années et qui réserve d'agréables surprises si on le laisse vieillir quelque temps supplémentaire. **AS**

Château Pichon-Longueville Baron

Origine France, Bordeaux, Pauillac
Type vin rouge sec, 13,5 % vol.
Cépages Cab. Sauv., Merlot, Cab. franc, Petit Verdot
Millésime dégusté 2004, à boire jusqu'en 2030+
€€€€

Jusqu'au milieu du XIXᵉ siècle, les domaines Pichon-Longueville et Pichon-Lalande ne faisaient qu'un. Des disputes familiales aboutirent à la division de la propriété et, en 1933, Pichon-Longueville fut racheté par la famille Bouteillier. Sous son intendance, le domaine et son élégant château furent délaissés jusqu'à son rachat, en 1987, par le propriétaire actuel, AXA Millésimes.

Dans les années 1960 et 1970, la qualité des vins était assez médiocre, surtout pour un deuxième cru, mais Jean-Michel Caze et son équipe compétente s'appliquèrent rapidement à rendre au vin et au château leur gloire d'autrefois. Certaines pratiques, comme la récolte mécanisée, furent immédiatement proscrites et davantage de soins furent accordés à la viticulture et aux rendements.

Les résultats ont été impressionnants. Le 2004 est un bel exemple du Pichon dans toute sa gloire, même s'il a été moins primé que le Pichon 2000 ou 2005. Le nez, avec ses notes de chocolat et de réglisse, mais aussi de cassis, est puissant et le vin est ample, très concentré et soyeux. Un vin puissant et charpenté, mais aussi remarquablement frais. **SBr**

Château Pichon-Longueville Comtesse de Lalande

Origine France, Bordeaux, Pauillac
Type vin rouge sec, 12,5 % vol.
Cépages Cab. Sauv. 45 %, Merlot 35 %, autres 20 %
Millésime dégusté 1982, à boire jusqu'en 2015+
€€€€€

Des anomalies dans l'histoire et l'emplacement de ce domaine ont abouti, pendant une période, à ce que deux vins d'appellations distinctes soient produits ici. Une série de contestations a finalement permis au domaine d'être intégré dans le Pauillac plutôt que dans le Saint-Julien. Le domaine est planté sur des sols de gravier à base d'argile. La vinification moderne traditionnelle comprend 18 mois d'élevage en barriques, dont la moitié est renouvelée chaque année. Le vin étant traditionnellement considéré comme plus doux et plus «féminin» que la majorité des Pauillac, la question se pose de savoir ce qui influence plus le style : le contenu relativement élevé de Merlot ou le facteur Saint-Julien.

Le 1982 est l'un des vins les plus singuliers d'un millésime généralement difficile. Dès le départ, le style était extrêmement mûr et évoquait un degré élevé de goût de prunes. Il possédait également une belle note florale dans sa jeunesse, qui a donné des arômes secondaires et tertiaires de champignons sauvages et de terre. Les tanins se sont fondus dans le vin, mais la cerise et la mûre très présentes sont restées intactes. **SW**

Pieve di Santa Restituta *Brunello di Montalcino Sugarille*

Origine Italie, Toscane, Montalcino
Type vin rouge sec, 13 % vol.
Cépage Sangiovese
Millésime dégusté 2000, à boire jusqu'en 2030
€€€€

Les origines de l'église de Santa Restituta sont très anciennes. Il existe des registres prouvant que du vin était produit à partir des vignobles de l'église dès le XIIᵉ siècle.

La propriété fut vendue en 1972 à Roberto Bellini qui, aux côtés de sa femme Franca, agrandit les vignobles, construisit un chai moderne et. restaura l'ancienne cave. Ils trouvèrent en Angelo Gaja un partenaire avisé, qui reprit la production de vin du domaine dans les années 1990.

Gaja produit trois vins à Santa Restitua : un IGT (Promis) et deux Brunello, le Rennina et le Sugarille. Tous deux sont des Brunello convaincants mais le Sugarille est sans doute le plus intéressant des deux, grâce à son pouvoir de séduction masculin, moins apprivoisé. Le Sugarille 2000 est un bel exemple de Brunello qui parvient à associer complexité et grande pureté du fruit. Les notes séduisantes de cerise amère et de cuir doux sont superbement égalées par des tanins puissants sans jamais être gênants, le tout quelque peu adouci par le chêne grillé. Même s'il se boit bien après 8 ans, il devrait s'améliorer encore pendant au moins une vingtaine d'année. **AS**

Dominio del Pingus

Origine Espagne, Ribera del Duero
Type vin rouge sec, 14 % vol.
Cépage Tempranillo
Millésime dégusté 2004, à boire jusqu'en 2035+
€€€€€

Peter Sisseck, d'origine danoise, fonda Pingus en 1995. Son but était de produire un « vin de terroir indubitablement espagnol… un vin de garage ». Sa célébrité grimpa en flèche lorsque Robert Parker lui donna le score inaugural de 96 points sur 100 en 1995.

Pingus était le surnom que donnait à Sisseck son oncle Peter Vinding-Diers, lorsqu'il l'envoya dans la Ribera del Duero pour s'embarquer dans un nouveau projet à Hacienda Monasterio. Sisseck identifia trois parcelles séparées, chacune plantée de très vieilles vignes de Tinto Fino (Tempranillo) et mit sur pied le chai Pingus. Sisseck utilise des méthodes « naturelles », vendanges rigoureuses des vieilles vignes, fermentation du moût dans des barriques de chêne neuf et égouttage du vin dans des barriques de chêne encore plus jeune, afin de produire un vin très imposant, ample et puissant atteignant jusqu'à 15 % d'alcool.

Sisseck qualifia les millésimes 1995 et 1996 de « brutaux et imposants », mais plusieurs millésimes ultérieurs ont fait preuve de plus de retenue et d'élégance. **SG**

Pintia
Toro

Origine Espagne, Toro
Type vin rouge sec, 15 % vol.
Cépage Tinta de Toro (Tempranillo)
Millésime dégusté 2003, à boire jusqu'en 2013+
€€

Pintia est le nom du vin de Toro de Vega Sicilia. Leur projet débuta par l'achat de vieilles vignes non greffées dans les villages de Toro et de San Román de Hornija. Ils plantèrent également quelques nouvelles vignes, elles aussi sur leurs propres racines et taillées en gobelet.

Le chai est presque identique à celui d'Alión. La différence réside en l'énorme chambre froide, où les raisins vendangés sont entreposés pendant la nuit afin de refroidir jusqu'à environ 5° C, ce qui permet une macération préfermentaire naturelle de 4 jours.

Lors du millésime particulièrement chaud de 2003, le défi consista à éviter que la chaleur du climat ne se reflète dans le vin. Le Pintia a une robe extrêmement sombre, presque noire et opaque. Intense, allant même jusqu'à être légèrement fermé au départ, il offre des arômes de fruits noirs, de fleurs, de minéraux (craie) et de bois bien intégré. Même si le vin est corpulent et d'une charpente généreuse, l'alcool est parfaitement intégré et équilibré par l'acidité, avec des fruits frais et une longue finale. Certains tanins seront plus raffinés après quelques années supplémentaires en bouteille. **LG**

Podere *Salicutti Brunello di Montalcino Piaggione*

Origine Italie, Toscane, Montalcino
Type vin rouge sec, 15 % vol.
Cépage Sangiovese
Millésime dégusté 2003, à boire jusqu'en 2020
€€€€

Francesco Leanza s'est adonné à la viniculture tard dans la vie, mais il ne perdit pas de temps pour se forger une formidable réputation à Montalcino. Humble travailleur, il confesse partager la surprise générale devant son succès. Chimiste analytique de formation, il acheta le domaine en 1990 et en 1994 il planta 4 ha de vignes cultivées biologiquement. Piaggione est l'unique vignoble fournissant du raisin pour le Brunello. Son orientation sud est idéale et la richesse calcaire du sol confère une puissance exceptionnelle aux vins de Montalcino.

Vers la fin du XXe siècle, Brunello di Montalcino connut un gain de popularité sans précédent. Les fonds affluèrent et la valeur du terrain et du raisin monta en flèche. Les investisseurs réclamant un retour sur investissement, les vins affichent des prix qu'ils ne méritent pas tous. Francesco Leanza s'escrime à renverser la situation. Vu l'acquisition récente du vignoble Piaggione, le 2003 est franchement miraculeux. Gras et soyeux en bouche, son acidité est judicieusement dosée et on y décèle des nuances superposées de fruits noirs, de cerise, de réglisse, d'épices douces et de goudron. **MP**

Poliziano *Vino Nobile di Montepulciano Asinone*

Origine Italie, Toscane, Montepulciano
Type vin rouge sec, 14 % vol.
Cépages Prugnolo Gentile 90 %, autres 10 %
Millésime dégusté 2001, à boire jusqu'en 2020 +
€€€

Federico Carletti dirige le domaine Poliziano depuis 1980, après un diplôme en agronomie et un court passage dans une cave du Nord de l'Italie. Il comprit vite que le succès de l'entreprise dépendait des connaissances des techniques de pointe de la viticulture et de la vinification internationales. Son amitié avec son ancien compagnon de classes Carlo Ferrini et avec Maurizio Castelli s'avéra essentielle.

Aujourd'hui, Carletti possède également une propriété dans la Maremme toscane, au sein de l'une des meilleures zones de la DOC Morellino di Scansano. Son vin le plus important à ce jour est toutefois l'Asinone, un Vino Nobile di Montepulciano qui marie les meilleures traditions locales aux méthodes de vinification internationales les plus modernes.

Les raisins de Prugnolo Gentile utilisés pour sa production sont le résultat d'une sélection de masse datant des années 1960. Les grappes sont plus petites et compactes que celles du Sangiovese classique. Le vin est d'apparence sombre et dense. En bouche, il est puissant tout en étant suave et complexe, avec des notes balsamiques issues du chêne pour rafraîchir son pouvoir de séduction mûr et doux. **AS**

Domaine Ponsot *Clos de la Roche Vieilles Vignes*

Origine France, Bourgogne, côte de Nuits
Type vin rouge sec, 13 % vol.
Cépage Pinot noir
Millésime dégusté 2001, à boire jusqu'en 2030
€€€€€

«Le meilleur Pinot noir est produit en dehors de la Bourgogne», déclare d'un ton malicieux Laurent Ponsot. L'un des meilleurs du domaine provient du Clos de la Roche, un vignoble clôturé planté de raisins depuis l'époque du Moyen Âge. Le clos est également une pépinière et c'est une tradition Ponsot de longue date de sélectionner des greffons de leurs propres vignobles.

Cela fait longtemps que le domaine est disposé à prendre des risques, vendangeant souvent extrêmement tard afin d'éviter la chaptalisation. Laurent s'est avéré plus régulier dans le développement d'un style ample, dense et incroyablement long en bouche. Il trouva l'équilibre idéal en 2001, une année qui bénéficia d'un nouveau chai naturellement refroidi, creusé dans une colline.

Très franc, Laurent élève tous ses vins dans de vieilles barriques, car «le jeune bois masque la véritable qualité du vin». Leurs arômes tamisés et charmants, avec un soupçon de prunes noires épicées, de framboises et de cacao, séduisent le palais éduqué, tout comme leur acidité vibrante. **JP**

Château Pontet-Canet

Origine France, Bordeaux, Pauillac
Type vin rouge sec, 13 % vol.
Cépages Cab. Sauv. 62 %, Merlot 32 %, autres 6 %
Millésime dégusté 2004, à boire jusqu'en 2035
€€€

Guy Tesseron, producteur de Cognac, acheta cette propriété en 1975. Lorsque son fils, Alfred, prit la relève, il instaura des changements qui améliorèrent rapidement la qualité du vin. Il est aujourd'hui épaulé par Jean-Michel Comme, excellent vinificateur, et le consultant Michel Rolland.

Jean-Michel Comme a la vinification dans le sang. Il n'a pas hésité à proscrire le matériel de contrôle de température, préférant garder un œil vigilant sur ses cuves, cajolant le jeune vin pour qu'il fermente très lentement. L'équipe pratique ici une extraction délicate, mais le Pontet-Canet, avec sa forte proportion de Cabernet et son vieillissement dans des fûts de chêne majoritairement jeunes, n'en reste pas moins un vin puissant et tannique qui gagne à vieillir longtemps pour se révéler dans toute sa gloire.

Les millésimes récents ont témoigné du parcours du Pontet-Canet pour entrer dans la cour des grands des vins de Pauillac. Les prix ont augmenté, mais le Pontet-Canet est sous-estimé, car les négociants et la clientèle n'ont pas encore pris conscience des progrès réalisés par Alfred Tesseron. **SBr**

Château Poujeaux

Origine France, Bordeaux, Moulis
Type vin rouge sec, 13 % vol.
Cépages Cab. Sauv. 50 %, Merlot 40 %, autres 10 %
Millésime dégusté 2005, à boire jusqu'en 2020
€€

Poujeaux appartenait à la famille Theil depuis 1921. À l'époque, la propriété était divisée en trois domaines, mais au fil des ans, les Theil réussirent à réunir l'ensemble de la propriété. La viticulture est soignée (labour de la terre et vendange verte au besoin) et la viniculture rigoureuse.

Par sa jeunesse séduisante, sa succulence, sa finesse et son potentiel de garde, le Poujeaux a longtemps été l'expression même d'un excellent Cru Bourgeois. En 2003, Poujeaux fut un des neuf domaines promus à la catégorie Cru Bourgeois Exceptionnel – catégorie depuis défunte, mais Poujeaux a gardé les caractéristiques qui l'ont rendu si admirable.

Le Château Poujeaux est un vin de qualité, généreusement tannique sans extraction ni trop d'intervention. Il ne passe jamais par des phases où il n'est pas extrêmement appétissant et les millésimes tels que le 1990 continuent à vieillir en beauté.

Le superbe milésime 2005 est du même moule. Le nez est plutôt boisé, mais le vin est suave et élégant ; parfaitement harmonieux, il impressionne sans artifices. Et au fil des ans, il a fait preuve d'une remarquable consistance. **SBr**

Le millésime 1922, produit peu après que les Theil se soient portés acquéreurs de Poujeaux. ➜

Grand Vin

Château Poujeaux

Moulis-Médoc

1922

F. Theil

Pride Mountain
Reserve Cabernet Sauvignon

Origine États-Unis, Californie, Napa/Sonoma Valleys
Type vin rouge sec, 14,1 % vol.
Cépage Cabernet Sauvignon
Millésime dégusté 1997, à boire jusqu'en 2015
€€€€

Le domaine Pride Mountain, également connu sous le nom de Summit Ranch, se trouve à cheval sur la frontière de Napa Valley et de Sonoma Valley, sur l'arête élevée de la chaîne Mayacamas.

Perché à 640 m au-dessus du niveau de la mer et jouissant de sols volcaniques rocheux et bien drainés, les vignobles du domaine Pride Mountain flottent bien au-delà des bacs de brouillard humide et froid en provenance de l'océan Pacifique et apporte de brusques changements de température sur les lits de Sonoma Valley et de Napa Valley. Pride Mountain jouit d'un certain effet de refroidissement de l'air qui accompagne ces bancs de brouillard – ainsi que du simple fait de l'altitude – mais il reçoit également plus de soleil pendant la saison de floraison que le lit des vallées. Ce soleil supplémentaire ne se traduit pas en une maturité excessive mais plutôt en une floraison plus longue et plus constante.

Même si les Cabernets Sauvignons du lit de Napa Valley ont tendance à avoir des tanins plus suaves et plus veloutés, ce vin – sans doute le meilleur en son genre – possède un caractère de fruit noir plus ample et plus dur. **DD**

Prieler
Blaufränkisch Goldberg

Origine Autriche, Burgenland, Neusiedlersee-Hügelland
Type vin rouge sec, 14 % vol.
Cépage Blaufränkisch
Millésime dégusté 2003, à boire entre 2010 et 2020
€€€€

Les affleurements de craie et de micaschiste riches en fer et en quartz du Burgenland – qui culminent sur la montagne Goldberg – ont résisté à une éternité d'érosion. La gamme de vignes des Prieler culmine également sur la Goldberg, dont un Blaufränkisch issu de ses sections plus rocheuses.

En 1993, les Prieler choisirent de discriminer le Blaufränkisch de Golberg. Un agent suisse s'en éprit et sauva les Prieler après qu'ils eurent vendu à peine 24 bouteilles. Avec le 1994, aujourd'hui très fumé et raffiné, avec des fruits noirs encore très frais, les ventes autrichiennes s'élevèrent à 60 bouteilles.

Ce ne fut qu'avec le 1997 que vint la reconnaissance, lorsque Ernst Triebaumer de la Rust voisine aida à faire passer le mot avec son Blaufränkisch Mariental. Dix ans plus tard, peu de vins autrichiens atteignent des prix aussi élevés que ces deux vins rouges. Huiles aigres-douces noix, cassis, violettes, cardamome et tourbe dominent ce Goldberg 2003, aux tanins fins qui envahissent la bouche. Les fruits noirs subtilement salés et d'une fraîcheur aigre démentent l'extrémité cuisante du millésime et les barriques neuves dans lesquelles le vin a été élevé. **DS**

Domaine Prieuré Saint-Christophe *Mondeuse Prestige*

Origine France, Savoie
Type vin rouge sec, 12 % vol.
Cépage Mondeuse
Millésime dégusté 2004, à boire jusqu'en 2030
€€€

Michel Grisard est un passionné de Mondeuse de qualité, ce cépage noir qui ne pousse pratiquement qu'en Savoie. Le Mondeuse Prestige, produit uniquement lors des meilleurs récoltes, est bien la preuve que cette variété peut donner des vins complexes qui se marient bien avec du gibier ou de la viande rouge, et dont la structure permet une longue garde.

Le domaine se situe dans le village de Fréterive, réputé pour ses pépinières de vignes, dont celles de la famille Grisard. Le Mondeuse Prestige 2004 est issu de vignes à Fréterive et à Arbin. Celles-ci ayant bien résisté à la canicule de 2003, en 2004 le domaine n'a pas connu de surproduction.

La robe est d'un pourpre vif, le nez témoigne de nuances de prune mélangées à de la cannelle épicée et du chêne avec un soupçon de confiture. C'est un vin frais, avec des tanins de rondeur moyenne. La prune et la griotte côtoient des notes épicées et grillées, avec une fin de bouche herbacée. Il est encore jeune et fermé, et le restera sans doute encore 12 mois avant de vieillir gracieusement. À la dégustation, il sera meilleur décanté. **WL**

Prieuré de Saint-Jean de Bébian

Origine France, coteaux du Languedoc
Type vin rouge sec, 14 % vol.
Cépages Grenache, Syrah, Mourvèdre
Millésime dégusté 2001, à boire jusqu'en 2012+
€€€

Après avoir abandonné leur carrière d'écrivains des vins à plein temps, Chantal Lecouty et Jean-Claude Lebrun se sont installés dans le Languedoc en 1994 et s'éprirent de cette ancienne propriété monastique du XIIe siècle. Elle avait appartenu ces dernières années à Alain Roux, qui avait commencé à y planter de la Syrah et du Mourvèdre. La propriété jouit de sols d'argile et de galets semblables à ceux de Châteauneuf-du-Pape, ce qui encouragea Chantal et Jean-Claude à y planter les treize cépages de Châteauneuf-du-Pape. Ils complétèrent le Grenache du domaine avec de la Syrah de Chave ramenée d'Hermitage, des variétés de Châteauneuf de Château Rayas et du Mourvèdre du Domaine Tempier à Bandol.

Le Prieuré est le meilleur rouge du domaine. Le Grenache compose la moitié de la cuvée, le reste étant de la Syrah et du Mourvèdre. Le vin est élevé en barriques, dont environ un tiers est renouvelé chaque année. Michel Bettane et Thierry Desseauve ont loué le Prieuré 2001 pour « sa dimension, sa race et son ampleur ». Meilleur lorsqu'il est servi en compagnie d'un plat de pigeonneau grillé. **GM**

Produttori del Barbaresco
Barbaresco Riserva Rabajà

Origine Italie, Piémont, Langhe
Type vin rouge sec, 13,5 %
Cépage Nebbiolo
Millésime dégusté 2001, à boire jusqu'en 2025
€€€

Château Providence

Origine France, Bordeaux, Pomerol
Type vin rouge sec, 13 % vol.
Cépages Merlot 95 %, Cabernet franc 5 %
Millésime dégusté 2005, à boire jusqu'en 2022
€€€

Ce site est universellement reconnu comme l'un des meilleurs vignobles de Barbaresco. L'une des qualités qui le définit est son méso-climat particulier, influencé par les brises rafraîchissantes qui s'élèvent du Tanaro. Les sols à prédominance calcaire et sablonneuse de Rabajà donnent des Barbaresco élégants et corpulents qui sont charmants jeunes tout en étant les vins de plus longue garde de la dénomination.

Produttori del Barbaresco fut fondé en 1958 sur le site des caves d'origine utilisées par le père fondateur du Barbaresco, Domizio Cavazza. Sous la direction d'Aldo Vacca, Produttori continue de produire des Barbaresco splendides. Traditionnellement façonnés à partir de raisins issus de quelques-uns des vignobles de Barbaresco les plus recherchés, les Riservas de vignobles individuels de la coopérative représentent quelques-unes des plus grandes valeurs du vin italien.

L'un des meilleurs vins récents mis en vente par Produttori del Barbaresco est son Riserva Rabajà 2001. Millésime superbe, il est corpulent et sa fraîcheur lui permettra de vieillir plusieurs décennies. **KO**

Le Pomerol a connu la gloire relativement récemment, et c'est pourquoi il reste encore des petites parcelles de vignes dans la région qui n'ont toujours pas été exploitées. C'était le cas de La Providence, une parcelle située près du Château Certan de May. Christian Moueix l'avait remarquée et, en 2002, il signa un accord avec le propriétaire de la parcelle, M. Dupuy, pour former une copropriété. En 2005, il racheta les parts de M. Dupuy. Pour marquer son acquisition de la pleine propriété, Christian Moueix simplifia le nom de La Providence qui devint simplement Providence.

Les vignobles, couvrant presque 3 ha, sont bien drainés, sur des sols de gravier et d'argile rougeâtre.

Providence est un vin assez rare, et il le restera, puisque seules 1 000 caisses ont été produites. Même si le 2000 est charnu et délicieux, il est surclassé par le 2005 qui est d'une pureté aromatique exceptionnelle. La texture est soyeuse et souple sans toutefois manquer de tanin ni d'intensité. L'empreinte Moueix se révèle dans l'harmonie et l'élégance de ce vin. **SBr**

Les feuilles des vignes de Nebbiolo deviennent rouges pendant l'automne à Barbaresco.

Agricola Querciabella
Chianti Classico

Origine Italie, Toscane, Chianti
Type vin rouge sec, 13 % vol.
Cépages Sangiovese 95 %, Cabernet Sauvignon 5 %
Millésime dégusté 1999, à boire jusqu'en 2014+
€€€

Le riche industriel Giuseppe Castiglioni, collectionneur avide de vins français et propriétaire de la plus grande collection de Cristal Louis Roederer en Italie, fonda Agricola Querciabella en 1974. Situé à Greve in Chianti, le domaine ne possédait au départ qu'un hectare de vignes et quelques vieilles bâtisses. Depuis lors, la zone sous vigne s'est agrandie à 26 ha, avec 12 ha supplémentaires d'oliveraies.

Agricola Querciabella produit quatre vins. Batàr est un assemblage de Chardonnay et de Pinot blanc; Camartina un assemblage de Sangiovese et de Cabernet Sauvignon et Palafreno un assemblage de Merlot et de Sangiovese. Ces bouteilles IGT sont les étoiles du vin italien, mais le meilleur vin de Querciabella – et son seul vin classé comme DOCG – est son Chianti Classico. Les raisins pour ce vin sont issus des vignobles de Faule, de Solatio et de Santa Lucia, respectivement orientés vers le sud, le sud-ouest et le sud-est, et situés entre 350 m et 500 m au-dessus du niveau de la mer. Le domaine est dirigé selon des principes biodynamiques et la production moyenne est de 144 000 bouteilles.

Décrit par Hugh Johnson comme le «leader du Chianti Classico», Querciabella est l'un des meilleurs exemples de ce célèbre vin toscan. De bons millésimes tels que 1999, avec une charpente ferme, peuvent être bus dès leur mise en vente, tout en étant capables de vieillir au moins dix ans. **SG**

◄ Collines toscanes entourant l'un des vignobles de Querciabella.

Quilceda Creek
Cabernet Sauvignon

Origine États-Unis, État de Washington
Type vin rouge sec, 15 % vol.
Cépages Cab. Sauv. 97 %, Merlot 2 %, Cab. franc 1 %
Millésime dégusté 2002, à boire jusqu'en 2025+
€€€€

André Golitzin produisit sa première barrique de Cabernet Sauvignon en 1974 dans son garage, avec des raisins de la Yakima Valley. Ces expériences menèrent à l'engagement de l'exploitation en 1978. Le premier millésime de Cabernet Quilceda Creek fut le 1979. Son fils, Paul, reprit la vinification en 1995, et père et fils construisirent finalement un chai en 2004.

Le 2002 est un assemblage issu de quatre vignobles différents. Les raisins ne sont vendangés que lorsqu'ils ont un goût totalement mûr. Après éraflage et un léger foulage, ils sont versés par gravité dans les cuves de fermentation. Des levures commerciales spécifiques initient la fermentation et poursuivent jusqu'à ce qu'il soit sec. Le vin est ensuite pompé dans du chêne neuf français pour la fermentation malolactique. Les vins sont généralement élevés en barriques pendant 22 mois, et vieillissent pendant 9 mois supplémentaires en bouteille avant d'être mis en vente. Le Quilceda Creek 2002 est un vin très impressionnant : intense mais élégant, il offre des arômes et saveurs complexes et dynamiques, une structure tannique souple mais ferme, et une belle longueur. **LGr**

Quinta do Côtto
Grande Escolha

Origine Portugal, vallée du Douro
Type vin rouge sec, 13 % vol.
Cépages Touriga Nacional, Tinta Roriz
Millésime dégusté 2001, à boire jusqu'en 2030
€€

Datant du XVIe siècle, Quinta do Côtto est l'une des plus anciennes propriétés de la vallée du Douro. Il existe des preuves affirmant que le domaine fut créé avant même la création du Portugal. Situé dans la partie inférieure du Douro, Côtto fut l'un des premiers domaines à figurer dans la première démarcation de la région, en 1756. Ce fut aussi l'une des premières quintas à profiter de l'assouplissement de la loi, qui permit au vin de Porto d'être exporté sans avoir à passer par des affréteurs à Vila Nova de Gaia.

Le domaine fabrique des vins non fortifiés depuis 1970. À l'époque, la plupart des autres maisons de Porto produisaient de petites quantités de vin de table destiné à la consommation personnelle, jamais à la vente. On fabrique actuellement ici deux vins non fortifiés : un issu de vignes plus jeunes et le Grande Escolha, produit uniquement lors d'années exceptionnelles. Les vieilles vignes, âgées de plus de 25 ans, sont utilisées pour ce dernier. Trois semaines de macération garantissent un vin intense et ample avec une grande structure tannique, adoucie légèrement par l'élevage en chêne portugais pendant 2 ans au maximum. **GS**

Quinta do Mouro
Alentejo

Origine Portugal, Alentejo
Type vin rouge sec, 14,5 % vol.
Cépages Tempranillo, Alicante Bouschet, autres
Millésime dégusté 2000, à boire jusqu'en 2012+
€€

Luis Louro, qui fut le premier à planter des vignes en 1989, figure parmi les pionniers dans la production de bons vins dans la chaude et sèche région de l'Alentejo, dans le Sud du Portugal. Le vignoble, composé de sol schisteux, s'étend désormais sur 22 ha, dont la plupart sont plantés de cépages portugais – Aragonês (que l'on connaît aussi sous le nom de Tinta Roriz ou Tempranillo), Alicante Bouschet, Touriga Nacional et Trincadeira, ainsi que quelques cépages français importés.

Quinta do Mouro, entièrement issu de fruits du domaine, fait un merveilleux usage du vieux et du nouveau. Les raisins sont foulés au pied pendant deux jours, puis a lieu la fermentation dans des cuves d'acier inoxydable à thermostat – essentiel si l'on veut produire un bon vin dans ce climat si chaud. L'élevage se fait dans un mélange de chêne français et portugais.

D'une robe à la profondeur modérée, Quinta do Mouro jouit d'un nez sucré et fumé de fruits noirs et de cèdre. L'attaque tannique équilibre le corps et l'alcool, cédant la place à une finale fruitée avec une certaine complexité florale. **GS**

Quinta do Vale Meão

Origine Portugal, vallée du Douro
Type vin rouge sec, 14,5 % vol.
Cépages T. Nacional, T. Franca, autres
Millésime dégusté 2000, à boire jusqu'en 2015 +
€€

Quinta do Vale Meão devint célèbre grâce au Barca Velha de Ferreira, vin issu de ce domaine pendant de longues années. Le domaine fut établi par Dona Antónia Ferreira, légendaire veuve du Douro, réponse de l'industrie du Porto à la Veuve Cliquot. Ce fut son dernier grand accomplissement, puisque la quinta fut achevée l'année de sa mort, en 1896.

Enfouie dans les profondeurs du Douro supérieur, Quinta do Vale do Meão appartient désormais à l'arrière-arrière-petit-fils de Dona Antónia Ferreira, Francisco Xavier de Olazabal. Ancien président de A. Ferreira, il démissionna en 1998 pour se concentrer sur la fabrication de son propre vin de quinta. Le premier fut mis en vente en 1999 mais Francisco de Olazabal considère que le 2000 est le millésime initial et l'un des meilleurs qu'il ait jamais produit.

Les vignobles varient des plantations basses aux sites de plus de 200 m d'altitude. Ils se composent du mélange habituel de cépages traditionnels – Touriga Nacional, Tinta Roriz, Touriga Franca, Tinta Amarela, Tinta Barroca et Tinto Cão – mais c'est le caractère sucré de fruit noir du Touriga Nacional qui domine le goût du Quinta do Vale Meão. **GS**

Quinta dos Roques *Dão Touriga Nacional*

Origine Portugal, Dão
Type vin rouge sec, 14 % vol.
Cépage Touriga Nacional
Millésime dégusté 2005, à boire jusqu'en 2020+
€€

Quinta dos Roques est l'un des meilleurs domaines viticoles de la région du Dão, au centre-nord du Portugal. Le Dão est dominé par le mouvement coopératif, les fermiers vendent leurs raisins à la coopérative où ils deviennent une partie anonyme d'un vaste assemblage. En 1978, Luis Lourenço, le propriétaire de Quinta dos Roques, prit la décision de replanter le vignoble avec les raisins les plus adaptés et de commencer à faire et à mettre en bouteilles un vin de domaine.

Les vignobles ont été agrandis et comptent environ 40 ha aujourd'hui, divisés en douze parcelles de vignobles. Les sols sont à prédominance de sable granitique et les vignobles se situent à des altitudes relativement élevées, ce qui leur procure fraîcheur et structure malgré des niveaux d'alcool naturel importants.

Les vins portant l'étiquette Quinta furent produits pour la première fois en 1990, d'abord sous la forme d'assemblages. La gamme variétale fut lancée en 1996. Ces vins, et en particulier le Touriga Nacional, furent vite acclamés par la critique internationale. Le vin Touriga Nacional pur est fait dans le nouveau chai, qui associe les *lagares* traditionnels de granit à un équipement moderne de pointe. Élevé 15 mois en barriques de chêne neuf français, le vin offre les arômes de cerise noire et de confiture de mûre sauvage typiques du Touriga, chevauchés par des notes herbacées de chocolat. Le corps ample et étoffé, d'un bel équilibre entre acides et tanins, donne une belle attaque en bouche. **GS**

AUTRES SUGGESTIONS
Autres grands millésimes
1996 • 2000
Autres vins du Dão
Duque de Viseu • Fonte do Ouro
Grão Vasco • Porta dos Cavalheiros

Une femme porte du maïs devant un vignoble de Mangualde, dans la région du Dão. ➔

Quintarelli
Amarone della Valpolicella

Origine Italie, Vénétie
Type vin rouge sec, 15,5 % vol.
Cépages Corvina, Rondinella, Molinara
Millésime dégusté 1995, à boire jusqu'en 2035+
€€€€€

« Je me souviens encore du vieux temps quand le Recioto fermentait jusqu'à consommer tous ses sucres et devenait sec : c'était la honte de toute la famille », dit Giuseppe Quintarelli en parlant de ses racines dans la tradition du Valpolicella. Un Recioto sec n'est autre évidemment que notre bien-aimé Amarone : le sens littéral de « Amaro » est amer, mais ici il signifie plutôt « sec ». À l'origine, le vin s'appelait Recioto Amaro, nom reçu alors qu'on le considérait comme un incident malencontreux. Le nom Amarone serait la création d'Adelino Lucchese, maître caviste très talentueux de la Cantina Sociale di Valpolicella. Alors qu'il dégustait un Recioto sec en cuve au printemps de 1936, il s'écria : « Ceci n'est pas un Recioto Amaro, c'est un Amarone ! »

Les arômes de l'Amarone 1995 envahissent littéralement la pièce. Les notes de cerise, de chocolat, de figue séchée, d'épices fraîchement moulues, et même de fines herbes sont aussi frappantes que le taux d'alcool. En bouche, le vin tient sa promesse aromatique : dès son abord, ce nectar opulent fera perdurer ces saveurs des minutes durant sans que le vin ne paraisse jamais surextrait ni musclé. **AS**

Quintessa

Origine États-Unis, Californie, Napa Valley
Type vin rouge sec, 14,5 % vol.
Cépages Cab. Sauv. 70 %, Merlot 20 %, Cab. franc 10 %
Millésime dégusté 2000, à boire jusqu'en 2020
€€€€

Le vignoble et le chai de Quintessa se situent en bordure de lac à Rutherford. Lorsqu'il fut acheté en 1990, il était considéré comme l'un des derniers sites non développés de la Napa Valley. Il fut développé par le domaine viticole franciscain pour produire un assemblage cher, où tous les coups sont permis, de type bordelais. Le premier millésime fut le 1993.

Les vignobles sinueux, environ 65 ha en tout, sont divisés en 26 blocs différents, ce qui permet aux vinificateurs de structurer avec soin leurs assemblages. Tous les vins qui ne sont pas satisfaisants sont bradés. Les sols sont principalement alluviaux avec maintes traces volcaniques et le domaine est passé à la viticulture biodynamique en 2004. Le vin est élevé dix-huit mois dans 60 % de chêne neuf français.

Le 2000 est caractéristique de Quintessa, dans le sens où le chêne neuf est très présent au nez. En bouche, il est luxuriant et très boisé, mais la texture somptueuse est joliment réduite par l'épice et une acidité suffisante à lui donner une grande persistance. C'est un vin très bien fait mais que l'on pourrait accuser de manquer quelque peu de personnalité, offrant de la volupté mais peu de minéralité. **SBr**

Qupé
20th Anniversary Syrah

Origine États-Unis, Californie, Santa Barbara
Type vin rouge sec, 13,5 % vol.
Cépage Syrah
Millésime dégusté 2001, à boire jusqu'en 2021+
€€€

Bob Lindquist fonda Qupé en 1982 et, depuis 1989, Jim Clendenen et lui partagent un chai sur le vignoble de Bien Nacido, dans la Santa Maria Valley. Au fil des ans, Lindquist a préféré produire un Syrah de climat frais, dans un style retenu et de longue garde.

L'Anniversary Syrah commémore le vingtième millésime de Qupé et doit durer vingt ans de plus. Tout le fruit est issu du Bloc « X » d'origine (2 ha) de Bien Nacido, le plus ancien bloc de Syrah du vignoble. Dans la cuve de fermentation, un tiers des raisins furent mis par grappes entières, avec rafles, afin d'ajouter un caractère épicé et des tanins plus fermes. La fermentation de quatorze jours dans une petite cuve ouverte, pendant laquelle le chapeau fut pigé deux fois par jour, fut suivie d'une macération post-fermentaire de cinq jours, du pressurage et de l'égouttage en chêne français pour l'élevage. Lindquist a utilisé des barriques neutres afin de mettre en valeur le terroir de Bien Nacido et l'élevage en barrique s'est poursuivi pendant vingt mois.

L'Anniversary Syrah 2001 est un vin sobre, avec une attaque ferme et des arômes francs de goudron, de cuir, de viandes fumées, de myrtilles et d'épices. **LGr**

Radio-Coteau
Cherry Camp Syrah

Origine États-Unis, Californie, Sonoma Coast
Type vin rouge sec, 15 % vol.
Cépage Syrah
Millésime dégusté 2004, à boire jusqu'en 2017
€€€

Jouissant d'une grande expérience en France, dans l'État de Washington et en Californie, Eric Sussman se lança en solo en 2002 pour produire des vins reflétant le cépage et le site, faisant honneur aux approches du Vieux Continent. Il s'intéresse à des emplacements au climat frais, près de la côte, qui peuvent être cultivés avec un apport minimal d'eau et de nutriments. Il travaille en proche collaboration avec les propriétaires des vignobles et poursuit son approche minimaliste dans le chai.

Le vignoble de Cherry Camp se situe sur une crête au-dessus de la ville de Freestone, au bord de la région de la Russian River Valley. Après avoir été une cerisaie, la propriété fut replantée de Syrah en 2002, et lança son premier millésime en 2004. Le 2004 était plutôt fermé à sa mise en vente mais l'on pouvait sentir la qualité inhérente dans la dense concentration d'arômes et de saveurs, les couches d'épices, de terre et de fruit équilibrées par de fins acides naturels. Le 2005 se montra d'un caractère semblable. Ce fut un début extraordinaire pour un vignoble et un vin destinés à devenir des références classiques du vin Syrah californien de climat tempéré. **JS**

Château Rauzan-Ségla

Origine France, Bordeaux, Margaux
Type vin rouge sec, 13 % vol.
Cépages Cab. Sauv. 54 %, Merlot 41 %, autres 5 %
Millésime dégusté 2000, à boire entre 2010 et 2025
€€€€

En 1855, cette propriété de Margaux fut classée comme l'un des meilleurs seconds crus. Ceux qui dégustèrent les vins entre les années 1960 et 1980 auraient été perplexes face à ce classement élevé, le vin étant tout simplement médiocre. Rauzan fut mis sur le marché au début des années 1990. En 1994, il fut acheté par les Wertheimer de New York, dont le négoce principal était la maison de couture Chanel. La famille avait espéré obtenir Latour mais n'y parvint pas et se contenta de Rauzan. Ce fut un bon choix : le prix était bien inférieur, et il y avait là un énorme potentiel. L'Écossais John Kolasa fut nommé directeur de la propriété.

Kolasa se mit à la tâche avec ardeur, soutenu, fort heureusement, par les ressources pécuniaires du groupe Chanel. Il replanta de nombreuses vignes, améliorant l'équilibre variétal et installant un nouveau système de drainage. Pour le chai, il acquit des cuves de fermentation plus petites afin de permettre une plus grande sélection des parcelles. La nouvelle équipe démarra bien avec un bon 1994 et les vins s'améliorent régulièrement depuis. Comme de nombreuses vignes sont encore jeunes, Kolasa prend soin de ne pas trop extraire.

Le 2000 est un vin formidable, avec un caractère boisé particulier (le Rauzan-Ségla est habituellement élevé dans 50 % de chêne neuf), et le fruit émerge clairement. Son bel équilibre devrait lui garantir un bel et long avenir. **SBr**

Le château fut construit au XXᵉ siècle par la famille Cruse. ➔

Ravenswood *Sonoma County Old Hill Vineyard Zinfandel*

Origine États-Unis, Californie, Sonoma Valley
Type vin rouge sec, 14,2 % vol.
Cépages Zinfandel 75 %, autres 25 %
Millésime dégusté 2002, à boire jusqu'en 2015
€€€

Fondé en 1976, Ravenswood commença comme un chai délabré. Son propriétaire et vinificateur, Joel Peterson, travaillait la journée comme immunologue, il le resta jusqu'en 1987. Il se rendit compte que faire du vin mariait parfaitement les côtés scientifique et artistique de sa nature.

Peterson utilisait des levures indigènes, bâtonnait fréquemment le chapeau et élevait son vin dans des proportions variables de chêne neuf Nevers ; il le filtrait rarement. Il développa un portfolio de vins de vignoble individuel, la plupart issus de vieilles vignes de Sonoma. Il lança également une gamme appelée Vintner's Blend, qui offrait du Zinfandel corpulent.

La devise de l'exploitation, « Pas de vins chétifs », est injuste envers le savoir-faire de Joel Peterson. Certains de ses Zinfandel sont certainement des vins imposants et puissants mais ils ont une élégance que l'on trouve rarement pour ce cépage. En 2001, le grand groupe Constellation acheta l'exploitation. Les volumes se sont accrus, entraînant d'inévitables compromis. Old Hill Ranch possède des vignes du XIXᵉ siècle à très faible rendement, dont certaines furent plantées en 1880. Le vignoble est cultivé selon des principes organiques et possède au moins quatorze cépages différents, bien que le Zinfandel domine. Le 2002 est exemplaire, avec d'élégants arômes de cerise et de vanille, une acidité vive, une belle concentration et de la persistance, ainsi qu'une très longue finale. **SBr**

Raisins de Zinfandel dans le vignoble Old Hill de Ravenswood. ➜

Château Rayas

Remírez de Ganuza
Rioja Reserva

Origine France, Rhône méridional, Châteauneuf-du-Pape
Type vin rouge sec, 14 % vol.
Cépage Grenache
Millésime dégusté 1990, à boire jusqu'en 2030
€€€€€

Origine Espagne, Rioja
Type vin rouge sec, 13 % vol.
Cépages Tempranillo, Graciano
Millésime dégusté 2003, à boire jusqu'en 2015
€€€

Très peu de changements ont été effectués dans le plus fameux domaine de Châteauneuf-du-Pape, Château Rayas, depuis le début des années 1970. La touche délicate des talents d'assemblage de la famille Reynaud a été transmise par le fondateur Louis à son fils Jacques, puis à son neveu Emmanuel. Voilà un domaine qui défie bien des conventions locales de Châteauneuf-du-Pape : un cépage presque unique, le Grenache, récolté avec de très faibles rendements ; l'élevage en vieux fûts grinçants, leurs faces déformées codées en lettres grecques anciennes, les chiffres des millésimes inversés ; l'étiquetage manuel, bouteille par bouteille ; le verre de dégustation au pied cassé pour les visiteurs indésirables, généralement imprévus.

Dans cette ère de gros calibres se profile le Château Rayas, avec sa robe d'un rouge pâle qui vire assez vite à un rouge fraise terne. Ce vin si paisible dans le verre laisse deviner qu'il deviendra plus épicé dans quelques années Le 1990 affiche un bouquet harmonieux et sucré avec des nuances de fruits cuits. En bouche, il a une bonne densité et une vigueur maîtrisée avec beaucoup de finesse. **JL-L**

Fernando Ramírez de Ganuza acquit son savoir-faire viticole pendant qu'il était agent immobilier. Il établit sa propre petite cave dans le village de Samaniego en 1989, dévoué à réhabiliter les vins de la Rioja grâce à deux principes fondamentaux : il ne travaillait qu'avec ses propres raisins cultivés sur les meilleures parcelles de la Rioja Alavesa et il entreprenait leur viniculture de manière originale et intuitive. Ses 47 ha de vignobles avec leur orientation sud sont sur des sols d'argile et de calcaire et ses vignes, plantées à 90 % de Tempranillo, ont entre 35 et 100 ans.

Ramírez de Ganuza est un des piliers de la renaissance du Rioja. Le Ramírez de Ganuza Reserva, son premier rouge, dont le premier millésime date de 1992, a été élevé en fût pendant deux ans puis bonifié en bouteille deux ans également. Il reste son vin le plus emblématique et le plus fiable. Sa robe cerise est intense et son arôme de feuilles masque des notes subtiles de pain grillé et de fruit mûr. Parfaitement harmonieux en bouche, c'est un vin délicieux et velouté qui garde toute sa vivacité. Un Reserva élégant avec une réelle présence qui gagne à vieillir encore quelques années en bouteilles. **JMB**

Domaine Louis Rémy
Latricières-Chambertin GC

Origine France, Bourgogne, côte de Nuits
Type vin rouge sec, 13 % vol.
Cépage Pinot noir
Millésime dégusté 2002, à boire entre 2015 et 2030
€€€€

Marie-Louise Rémy et sa fille Chantal Rémy-Rosier sont les seuls Rémy encore dans le négoce du vin, car le domaine du beau-frère de Mme Rémy, Philippe, situé à Gevrey, a été vendu à Lalou Bize-Leroy en 1989. C'est en haut du village de Morey-Saint-Denis, sous le Clos des Lambrays et devant la place du Monument, que Mme Rémy habite, en face d'une superbe cave voûtée sur deux niveaux, qui paraît trop grande pour leur domaine de 2,6 ha.

C'est ici que la qualité, excellente dans les années 1940, 1950 et 1960, se détériora ensuite. Louis Rémy décéda pendant la vendange de 1982, mais le déclin avait commencé bien avant. Mais Chantal Rémy est œnologue de formation, et sous sa direction la qualité a fait des progrès. La progression était évidente en 1999, et encore en 2002.

Latricières-Chambertin se situe au-dessus de la route des Grands Vins, un peu au sud de Chambertin même. Tous les vins Latricières ont un caractère épicé et le Rémy 2002 ne fait pas exception à la règle : étoffé et riche, il évoque la vieille vigne tout en étant assez musclé et puissant. Latricières-Chambertin est un vin qui se gardera longtemps. **CC**

Ridge
Monte Bello

Origine États-Unis, Californie, Santa Clara County
Type vin rouge sec, 14 % vol.
Cépages Cabernet Sauvignon, Merlot, Petit Verdot
Millésime dégusté 2001, à boire jusqu'en 2028
€€€€

En 1959, quelques scientifiques de l'université de Stanford achetèrent des terres dans les montagnes de Santa Cruz. Ils trouvèrent quelques vieilles vignes de Cabernet sur la propriété, les vinifièrent et furent surpris par l'intensité du vin. Vers la fin des années 1960, ils décidèrent de rouvrir l'exploitation qui avait existé ici à la fin du XIXᵉ siècle, et invitèrent Paul Draper pour la diriger. Il y est encore.

Draper commença par produire une variété de vins, mais se rendit vite compte que les vieilles vignes de Cabernet donnaient les fruits les plus exceptionnels. Le vignoble Monte Bello fut agrandi et quelques cépages bordelais autres que le Cabernet furent plantés. Situé à une altitude de 700 m, le vignoble est d'une fraîcheur exceptionnelle.

Draper a élevé le Monte Bello en grande partie dans du chêne américain séché à l'air. Le vin est issu d'un assemblage pouvant aller jusqu'à 34 lots différents et le processus d'assemblage est fait par dégustation à l'aveugle. Le millésime 2001 est particulièrement séduisant. C'est un vin spectaculaire, épicé et vigoureux, avec une belle structure acide qui devrait lui garantir une longue vie. **SBr**

Giuseppe Rinaldi
Barolo Brunate-Le Coste

Origine Italie, Piémont
Type vin rouge sec, 13 % vol.
Cépage Nebbiolo
Millésime dégusté 1993, à boire jusqu'en 2020+
€€€€

Jusqu'en 1992, la production de Giuseppe Rinaldi était partagée entre deux étiquettes : un Barolo (normale) et un Riserva issu des raisins du vignoble de Brunate. Depuis 1993, les deux étiquettes ont perduré, mais la première est aujourd'hui un assemblage des crus Brunate et Le Coste et la seconde, un assemblage de Ravera et de Cannubi San Lorenzo.

Il n'était pas dans les intentions de Rinaldi de rompre avec la tradition, mais il avait remarqué que le raisin de vignobles plus frais, comme Le Coste ou Ravera, se prêtait à l'équilibre du raisin issu de vignobles plus tempérés comme Brunate et Cannubi. La production est encore traditionnelle, englobant de longues macération et fermentation et un élevage strictement en grands fûts de chêne (*botti*).

Les vins de Giuseppe n'ont jamais été conçus pour être bus jeunes. La magie du temps se manifeste à deux niveaux : elle assouplit les aspérités de jeunesse et elle permet au vin de s'exprimer pleinement dans toute sa beauté baroque, avec ses notes de cerises à l'eau-de-vie, de réglisse, de poivre blanc, de tabac et même de truffe noire. Buvez ce 1993 pour récompenser Rinaldi de ses efforts. **AS**

Chris Ringland
Three Rivers Shiraz

Origine Australie, Aust.-Méridionale, Barossa Valley
Type vin rouge sec, 15 % vol.
Cépage Shiraz
Millésime dégusté 1999, à boire jusqu'en 2012+
€€€€€

Sans doute le plus vanté des prétendus « exploitants de hangars en tôle ondulée » de la Barossa Valley, Chris Ringland produit moins de 1 000 bouteilles de son Shiraz chaque année. En 1989, il le nomma « Three Rivers » d'après la chanson *Three Rivers Hotel* du chanteur country australien Slim Dusty. Les vins de Ringland eurent vite fait d'attirer l'attention du critique Robert Parker, qui accorda aux millésimes 1995, 1998 et 2001 une notation parfaite de 100 points. Cela lança Three Rivers sur le marché international, et en Australie ses prix grimpèrent de 400 % par an. La demande pour les « exploitants de hangars en tôle ondulée » et les vins cultes connurent une baisse dramatique en 2001, mais ce vin continue à afficher des prix extravagants.

À la différence des autres vinificateurs, Ringland ne remonte pas le niveau du vin dans ses fûts. Il les ferme avec des bondes en silicone et ne les rouvre que tous les six mois pour une dégustation. Il affirme qu'en ouvrant les fûts rarement l'oxygène n'y entre pas et que l'évaporation rehausse la concentration du vin. Son Shiraz a été comparé aux vins supérieurs de Screaming Eagle et de Guigal. **SG**

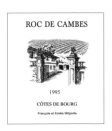

Rippon
Pinot Noir

Origine Nouvelle-Zélande, Central Otago, lac Wanaka
Type vin rouge sec, 13 % vol.
Cépage Pinot noir
Millésime dégusté 2005, à boire jusqu'en 2013+
€€€

Ayant grandi en Nouvelle-Zélande, Rolfe Mills rêvait de retourner un jour s'installer dans la ferme familiale, près du lac Wanaka, acheté par son grand-père Percy en 1912. En 1974, Rolfe et sa femme Lois réalisèrent finalement ce rêve. Inspirés par une visite dans la vallée du Douro, ils plantèrent quelques courtes rangées de vignes sur un remblai escarpé au-dessus de la ferme. En dépit des critiques des experts en viticulture, les Mills furent encouragés par les données climatiques à planter leur première parcelle de vignoble commercial en 1981.

Baptisé du nom de la grand-mère de Percy, Emma Rippon, qui avait émigré d'Angleterre en Australie, Rippon est le vignoble le plus au nord de Central Otago, tout en restant l'une des exploitations les plus au sud du monde. Il est situé à une altitude de 330 m sur les rives du splendide lac Wanaka. L'association d'une altitude relativement élevée avec l'effet rafraîchissant du lac produit un Pinot noir très fruité, d'une robe et d'une structure relativement légères. Rippon est cultivé biodynamiquement – après tout, qui voudrait asperger de produits chimiques un paysage si beau et si préservé ? **SG**

Château Roc de Cambes

Origine France, Bordeaux, côtes de Bourg
Type vin rouge sec, 13 % vol.
Cépages Merlot 70 %, Cab. Sauv. 25 %, Malbec 5 %
Millésime dégusté 1995, à boire entre 2008 et 2015
€€€

Il fallut l'œil avisé de François Mitjavile, le propriétaire de Château Tertre-Rotebœuf à Saint-Émilion, pour remarquer le potentiel de ces vignobles des côtes de Bourg, alors méconnus. Les vignobles se composent de deux parcelles près de l'estuaire. L'influence modératrice de la Gironde a aidé de nombreuses vignes à échapper à la gelée dévastatrice de 1956. Elles sont bien exposées, faisant face au sud. La vinification est la même que pour Tertre-Rotebœuf. Les vins sont fermentés en cuves de ciment à l'aide de levures naturelles et élevés dans 50 % de chêne neuf français.

Sous les soins de Mitjavile, Roc des Cambes est devenu le principal vin de l'appellation. Il est fait avec une telle attention portée à l'équilibre que les bonnes années se gardent très bien. C'est pourquoi le choix ici s'est porté sur un millésime aussi vieux que 1995. Le nez offre une opulence résiduelle ainsi que du charme, et la bouche est gorgée de fruits rouges purs. La texture est suave tout en étant épicée, avec une ampleur et une concentration modérées par des saveurs secondaires telles qu'un soupçon de tabac. **SBr**

J. Rochioli
West Block Pinot Noir

Origine États-Unis, Californie, Sonoma Valley
Type vin rouge sec, 14,5 % vol.
Cépage Pinot noir
Millésime dégusté 1992, à boire jusqu'en 2012
€€€

Incapables de rivaliser avec les producteurs de la Central Valley, les Rochioli ne gagnaient pas d'argent dans les années 1960, époque où Joe junior décida de planter du Pinot noir. Il contraria son père, qui voulait des raisins donnant de gros rendements, et les experts de l'université de Californie, qui recommandaient le Beaujolais Gamay. Le vignoble West Block de 1,6 ha qui en découla est désormais à l'origine de la réputation de la zone.

C'est le fils, Tom, qui produit le vin depuis le milieu des années 1980. Le premier millésime de West Block fut le 1992. Après sélection dans le vignoble puis dans le chai, les raisins subissent un bain à froid 3 à 5 jours. Ils fermentent dans des cuves ouvertes 8 à 10 jours. Le chapeau est pigé trois fois par jour. Les vins sont inoculés pour la fermentation malolactique dans les cuves de fermentation puis mis en barriques sans débourbage. Il n'y a pas de macération post-fermentaire. Pendant les 15 mois passés dans des barriques françaises neuves, Rochioli égoutte le vin une seule fois et le met en bouteilles sans filtrage afin de protéger le fruit fragile et de préserver tout son caractère. **LGr**

Rockford
Basket Press Shiraz

Origine Australie, Australie-Méridionale, Barossa Valley
Type vin rouge sec, 14,5 % vol.
Cépage Shiraz
Millésime dégusté 2004, à boire jusqu'en 2014+
€€€

Dans les années 1980, Robert «Rocky» O'Callaghan fit partie du petit groupe de vignerons prévoyants qui comprit le dommage causé à la Barossa Valley par la campagne d'arrachage de vignes menée par l'État. O'Callaghan emprunta alors de l'argent pour acheter les raisins à un prix qui dissuaderait les producteurs d'arracher leurs vignes. «Rocky» ressemble à un vigneron de Barossa de la vieille école et agit comme tel. Son cottage des années 1850 ressemble à un musée plutôt qu'à un chai en activité. Le Basket Press Shiraz est présenté dans une bouteille brune, style années 1950.

Même si sa réputation suggère autre chose, le Basket Press n'est pas produit dans le style gros calibre typique de Barossa. Il est généralement élevé en chêne, mais on y compte rarement plus de 15 % de chêne neuf, ce qui lui donne une qualité salée et minérale qui fait défaut à d'autres vins de la région. Contrairement à la plupart de ses contemporains, le Basket Press vieillit extrêmement bien. Le millésime 2004 est peut-être plus mûr et plus pulpeux que certaines autres années, mais le Basket Press Shiraz reste par excellence le vin fait à la main du pays. **SG**

Bodegas Roda
Rioja Cirsión

Origine Espagne, Rioja
Type vin rouge sec, 14,5 % vol.
Cépage Tempranillo
Millésime dégusté 2001, à boire jusqu'en 2020+
€€€€

Bodegas Roda fut fondé en 1987 par Mario Rottlant et Carmen Daurella. Leur objectif était de créer des vins rouges dans le style moderne Alta Expresión (Haute Expression), tout en reflétant le caractère classique de la Rioja. Maintenus séparés en tant que cuvées de vignobles individuels jusqu'à l'assemblage, les tonneaux destinés au Roda I Reserva sont sélectionnés à partir des vins les plus fermes et les plus structurés, tandis que ceux destinés à Roda II Reserva sont issus de vins plus francs et plus expressifs, chacun représentant différentes sélections de vignoble et différents assemblages variétaux.

Le fleuron du domaine, Cirsión, fut introduit en 1998. Il suit une recette typique d'Alta Expresión, la vinification des raisins de vieilles vignes de Tempranillo suivie par un élevage en fûts de chêne de 10 mois. Les intenses arômes de fruits sombres sont en accord avec sa robe pourpre brillante. Les saveurs de fruit et les tanins du bois sont équilibrés en bouche et la finale est longue, épicée et chaleureuse. Comme tant d'autres vins d'Alta Expresión, Cirsión reste controversé. C'est indubitablement un vin excellent – mais est-ce bien un Rioja ? **SG**

Dom. Rollin *Pernand-Vergelesses*
PC Ile-des-Vergelesses

Origine France, Bourgogne, côte de Beaune
Type vin rouge sec, 13 % vol.
Cépage Pinot noir
Millésime dégusté 1990, à boire jusqu'en 2012+
€€€

Pernand-Vergelesses est le seul village en Bourgogne autorisé à produire des vins rouges et blancs à tous les niveaux, de l'AOC régional au grand cru. Le Corton-Charlemagne du domaine Rollin mérite tellement de superlatifs qu'il éclipse parfois non seulement ses autres excellents vins blancs – de l'Aligoté au Pernand-Vergelesses Premier Cru Sous Frétille – mais aussi les vins rouges. Parmi ces derniers, le plus spécial est le Premier Cru Ile-des-Vergelesses, issu des meilleurs vignobles de rouge.

Pour celui-ci, les raisins sont trempés dans un bain froid, fermentés avec des levures indigènes dans de grandes cuves de ciment et pigés deux fois par jour. L'Ile-des-Vergelesses voit plus de bois neuf que les autres vins, mais la proportion n'est que de 20 à 25 % et la mise en bouteilles au bout de 16 mois se fait sans collage et sans filtration si possible. Le 1990 et d'autres millésimes récents plus chauds sont à la fois rassurants par leur rusticité et séduisants par leur élégance : couleur cerise foncé, au goût de terre, avec un bouquet floral qui annonce un vin moyennement étoffé, d'une minéralité délicate, d'une puissance désinvolte et d'un raffinement soyeux. **NB**

Domaine de la Romanée-Conti *La Tâche GC*

Origine France, Bourgogne, côte de Nuits
Type vin rouge sec, 13,5 % vol.
Cépage Pinot noir
Millésime dégusté 1999, à boire entre 2015 et 2040+
€€€€€

Quand la famille de Croonembourg décida de vendre ses parts dans les vignobles de Vosne et de La Tâche en 1760, les vins avaient déjà acquis une renommée sublime. Cela explique la férocité des enchères et le prix (une inconcevable et énorme somme de 8 000 livres) que Louis-François de Bourbon, prince de Conti, finit par payer pour évincer son ennemie jurée, Mme de Pompadour. Il ajouta son titre au nom du domaine, Romanée, mais il fut dépossédé de ce précieux bijou trente ans plus tard, à la Révolution.

Une des qualités les plus remarquables du vignoble de La Tâche est qu'il réussit à donner un excellent Pinot noir même lors d'un millésime en théorie « décevant ». Le vignoble ne couvre pas plus de 6 ha et produit à peine 1 900 caisses par an, même si cela représente la production la plus importante de tous les grands crus du domaine. Son prix stratosphérique est dû à sa rareté et à la renommée du domaine.

En 1999, la production fut moindre et le vin, comme on peut s'y attendre, fut encore plus concentré. Lors de sa mise en vente, il affichait un bouquet remarquablement complexe de viande faisandée, d'essence de fraise et de fumée. Au palais, la forte dominante tannique est contrecarrée par un afflux somptueux de fruits rouges et noirs, de chêne généreux et de pointes d'acidité nuancées de cerise. La finale, très belle, dévoile des notes de cerise noire, de santal et d'épices indiennes. **SW**

◄ Une croix, en bordure d'un des plus célèbres domaines au monde.

Domaine de la Romanée-Conti *Romanée-Conti GC*

René Rostaing
Côte-Rôtie La Landonne

Origine France, Bourgogne, côte de Nuits
Type vin rouge sec, 13 % vol.
Cépage Pinot noir
Millésime dégusté 2005, à boire entre 2020 et 2040
€€€€€

Origine France, Rhône septentrional
Type vin rouge sec, 13 % vol.
Cépage Syrah
Millésime dégusté 2003, à boire entre 2011 et 2025
€€€€

Vosne-Romanée est la plus grande commune viticole en Bourgogne – et même, selon certains, au monde. Quatre des six grands crus de Vosne sont des monopoles : La Tâche, La Grande Rue, La Romanée et Romanée-Conti. L'unique propriétaire de ce dernier est le Domaine de la Romanée-Conti. Parmi ses prédécesseurs figurent le prince de Conti, cousin lointain de Louis XV, et plus récemment la famille des Duvault-Blochet, ancêtres des Villaine, propriétaires aujourd'hui de la moitié du domaine. Aubert de Villaine se montre perfectionniste. Une seule personne a le droit de tailler le vignoble de 1,6 ha ; les nouvelles greffes proviennent de la pépinière du domaine ; pratique rare dans cette région, le jus du raisin est généralement fermenté avec toutes les rafles. Et la proportion de bois neuf est de 100 %.

Le Romanée-Conti est un vin féminin alors que La Tâche est masculin. Le Romanée-Conti n'est pas toujours le meilleur des deux, bien qu'aux enchères il affiche des prix bien plus élevés. Mais quand il est excellent, comme c'est le cas en 2005, il est sublime. C'est à se demander comment un vin pourrait montrer plus de finesse et de perfection. **CC**

René Rostaing se mit à la vinification en 1971 avec un peu de terre à La Landonne et quelques vignes sur la côte Blonde. Il épousa ensuite la fille d'Albert Dervieux-Thaize, qui lui donna 3,5 ha de terres à Fongent, La Garde et La Viaillière. Enfin, il hérita de 1,2 ha supplémentaires de son oncle, Marius Gentaz. Comme Dervieux, il vinifie ses Brunes et ses Blondes séparément, et le vin le moins distingué est mis en bouteilles comme un simple Côte-Rôtie.

Il a choisi la voie de la modération ; pas trop de chêne neuf, il laisse les vieilles vignes héritées de Dervieux parler pour elles-mêmes. Ses vignes les plus anciennes se trouvent sur la Côte Blonde. Certaines fêteront bientôt leur centenaire. Elles donnent un jus concentré et leurs racines profondes signifient qu'elles peuvent supporter le climat austère.

Ses vins ont cependant été critiqués pour leur pâleur et leur confiance en la magie moderne. Rostaing n'utilise pas de Viognier dans ses vins de La Landonne, qui sont 100 % Syrah. Le 2003, un classique, va avoir besoin de quelques années supplémentaires pour faire ressortir tous ses arômes de cerise, de terre, de cuir, de coriandre et de tabac. **GM**

Domaine Georges Roumier
Bonnes Mares Grand Cru

Celler del Roure
Maduresa Valencia

Origine France, Bourgogne, côte de Nuits
Type vin rouge sec, 13,5 % vol.
Cépage Pinot noir
Millésime dégusté 1999, à boire jusqu'en 2035
€€€€€

Origine Espagne, Valence
Type vin rouge sec, 14 % vol.
Cépages Cab. Sauv., Merlot, Tempranillo, autres
Millésime dégusté 2001, à boire jusqu'en 2012+
€€

En 1924, Georges Roumier épousa Geneviève Quanquin, qui apporta à son jeune domaine plusieurs vignobles de choix. À cette époque, les vignes ne possédaient pas de grande valeur intrinsèque et, pour survivre, Georges gagnait sa vie en dirigeant le domaine Comte Georges de Vogüé voisin, dont il fabriqua les vins jusqu'en 1955.

En 1952, lorsque son fils Jean-Marie fut prêt à rejoindre l'entreprise, Georges acheta plusieurs parcelles de Bonnes Mares, à la fois sur les sols blancs crayeux de la partie supérieure du site et sur les sols d'argile pierreux et rouge de la partie inférieure. Les Terres Blanches sont marqués par un caractère minéral épicé tandis que les Terres Rouges sont plus amples et plus succulents. Depuis que Christophe, troisième génération, a rejoint Jean-Marie en 1981, la production entière est mise en bouteilles au domaine.

Le 1999 est ample sans être lourd, offrant des arômes de chocolat noir, d'orange sanguine et de réglisse. C'est son équilibre hors du commun qui le rend si impressionnant. Moins dense, le 2002 est un peu plus élégant et le 2005, dégusté avant la mise en bouteilles, semble être le mariage des deux. **JP**

Celler del Roure est une petite exploitation familiale dans la province de Valence. Recherchant la qualité, elle est la création du jeune passionné de vin, Pablo Calatayud. Son ambition était de retrouver un ancien cépage de la région, le Mandó. Il n'en découvrit que quelques vieilles vignes délaissées et fut donc obligé de les utiliser comme greffes pour développer de nouveaux vignobles… un projet de plusieurs années, l'idée étant qu'au fur et à mesure que les nouvelles plantations deviennent productives, la proportion de Mandó augmente. Pablo a expérimenté d'autres variétés. Le 2001 n'est que le deuxième millésime à être commercialisé; l'assemblage est encore à l'essai et la Syrah et le Monastrell joueront sans doute un rôle plus important dans ses futurs vins.

Le Maduresa est un vin méditerranéen puissant, d'une robe foncée; au nez, une abondance de fruits noirs et de mûres chevauche des notes de fumée, de charbon, d'épice et de cuir. En bouche, il présente une bonne amplitude et un bon équilibre acide. C'est un vin souple marqué par un fruité dense et qui offre une bonne longueur, mais il gagnera à vieillir quelques années en bouteilles. **LG**

Domaine Armand Rousseau
Chambertin-Clos de Bèze GC

Origine France, Bourgogne, côte de Nuits
Type vin rouge sec, 13 % vol.
Cépage Pinot noir
Millésime dégusté 2005, à boire entre 2018 et 2040+
€€€€€

Le domaine Armand Rousseau n'est pas seulement le plus grand propriétaire foncier de Chambertin, il est aussi le deuxième plus important du Chambertin-Clos de Bèze voisin. Le domaine possède non moins de six grands crus recouvrant une surface totale de 8 ha, développée dans les années 1950 et 1960 par Charles Rousseau et son père. Le vin est produit dans des installations modernes aux abords de Gevrey-Chambertin. Le Chambertin et le Clos de Bèze sont vinifiés avec une partie des rafles, le vin étant ensuite mis en réserve dans une cave. Lorsque le millésime précédent est mis en bouteilles, le vin est transféré dans une cave plus fraîche et plus profonde où un seul soutirage est pratiqué (auparavant, on en faisait deux). Le vin est ensuite mis en bouteilles après un élevage d'environ vingt mois.

Chambertin et Chambertin-Clos de Bèze sont parmi les rares vins qui méritent une place auprès des tous les grands vins de Vosne-Romanée en haut de la hiérarchie bourguignonne. Quelle est la différence entre le Chambertin et le Clos de Bèze ? Pour citer Charles Rousseau : «Le Chambertin est viril et robuste. Il lui manque un peu de finesse dans sa jeunesse, mais par la suite il devient plus harmonieux. Le Clos de Bèze est plus complexe, plus raffiné et délicat.» Un choix qui est avant tout une question de goût. Ce Clos de Bèze est le produit d'un merveilleux millésime. Il est profond, multidimensionnel, riche, ample et sublimement équilibré. **CC**

AUTRES SUGGESTIONS
Autres grands millésimes
1988 · 1989 · 1990 · 1993 · 1995 · 1996 · 1999 · 2002
Autres grands crus Armand Rousseau
Chambertin · Charmes-Chambertin · Clos de la Roche Clos des Ruchottes · Mazi-Chambertin

Domaine Armand Rousseau
Gevrey-Chambertin Premier Cru Clos Saint-Jacques

Origine France, Bourgogne, côte de Nuits
Type vin rouge sec, 13 % vol.
Cépage Pinot noir
Millésime dégusté 1999, à boire jusqu'en 2020
€€€€€

Jusqu'en 1954, le Clos Saint-Jacques fut un monopole du comte de Moucheron, qui ne parvint pas à le faire inclure parmi les nombreux grands crus classés des premières années de l'appellation contrôlée. Lorsqu'il fut obligé de vendre, le vignoble fut divisé en cinq bandes, chacune allant de haut en bas du coteau. La bande la plus au sud appartient au domaine Armand Rousseau et jouit, comme les autres producteurs, de chacun des trois types de sol : la marne plus blanche au sommet du coteau donne la puissance, la section pierreuse intermédiaire procure de la finesse, tandis que l'argile au pied du coteau ajoute de la chair au vin.

Même si le Clos Saint-Jacques ne peut être appelé que premier cru, le domaine Rousseau le classe et lui donne un prix plus élevé que les quatre grands crus où il possède des terres (Charmes-Chambertin, Mazis-Chambertin, Ruchottes-Chambertin et Clos de la Roche) ; seuls Chambertin et Clos de Bèze se classent au-dessus. La raison de ce statut est l'aspect exceptionnel du Clos Saint-Jacques, exposé à la fois à l'est et au sud.

1999 s'approcha de la saison de floraison idéale en Bourgogne. Ce vin n'a pas la robe la plus profonde de Bourgogne, mais le bouquet évoque immédiatement le grand Pinot, avec son enchevêtrement complexe de fruits d'été doux, son milieu en bouche intense et une finale stylée et salée qui se prolonge comme par magie. **JM**

AUTRES SUGGESTIONS
Autres grands millésimes
1985 • 1988 • 1989 • 1990 • 1991 • 1996 • 2002 • 2005
Autres producteurs de Clos Saint-Jacques
Bruno Clair • Michel Esmonin
Jean-Claude Fourrier • Louis Jadot

Rust en Vrede
Estate Wine

Origine Afrique du Sud, Stellenbosch
Type vin rouge sec, 14 % vol.
Cépages Cab. Sauv. 53 %, Shiraz 35 %, Merlot 12 %
Millésime dégusté 2001, à boire jusqu'en 2013+
€€€

Ce beau domaine, dont le nom signifie « repos et paix », a une histoire de déclin et de renouveau en tant qui remonte à 1730, lorsque furent plantées les premières vignes au pied de la montagne Helderberg. L'histoire moderne de Rust en Vrede date de 1978, lorsque l'ancien joueur de rugby des Springboks Jannie Engelbrecht l'acheta et commença à le rénover. Chose inhabituelle pour Le Cap, il décida de se concentrer sur les vins rouges.

L'Estate Wine (vin de domaine) naquit en 1986 en tant qu'assemblage de Cabernet et de Merlot. Depuis 1998, il est sans doute devenu le premier grand vin du Cap à contenir une quantité non négligeable de Shiraz et l'un des premiers à être élevé en chêne neuf. L'innovation se fit à nouveau sentir sous l'influence croissante de la vinification du fils de Jannie, Jean, qui vécut aux États-Unis et subit l'influence des grands rouges californiens.

Depuis 1998, le vin s'avère un splendide exemple de l'approche moderne : les vignobles sans virus permettent une plus grande maturité ; tout en étant fermes, les tanins sont soyeux et veloutés ; les fins arômes et saveurs de baies sont plus évidents. **TJ**

Rustenberg
John X Merriman

Origine Afrique du Sud, Stellenbosch
Type vin rouge sec, 14,8 % vol.
Cépages Merlot 52 %, Cab. Sauv. 42 %, autres 6 %
Millésime dégusté 2003, à boire jusqu'en 2013+
€€

L'histoire viticole de Rustenberg, l'un des plus beaux domaines du Cap, remonte à 1682, lors des premières décennies de la colonisation. Du vin est produit ici de manière ininterrompue depuis 1892, lorsque John X. Merriman, futur Premier ministre de la colonie du Cap, participa à la reprise du domaine.

Le John X Merriman se vend moins que le Cabernet Sauvignon du domaine Peter Barlow. L'assemblage fait cependant preuve d'une plus grande régularité dans sa retenue et dans son élégance, avec les célèbres vieux Cabernet et Dry Red variétaux – le bon Cabernet 1982 se boit encore très bien. Même si l'assemblage varie chaque année, les raisins du 2003 furent, comme toujours depuis, issus des sols à prédominance de granit décomposé des coteaux sud-ouest de Simonsberg, la montagne qui s'élève au-dessus du domaine. Le vin se concentre de façon moderne sur le fruit mûr, tout en ayant une structure classique orientée vers l'acidité naturelle et des tanins fermes mais suaves. On y trouve, comme l'a dit l'écrivain anglais Jamie Goode, une « charmante concentration en bouche […] un style frais et bien défini avec un tranchant minéral subtil ». **TJ**

◄ Les vendangeurs réunissent leur cueillette sur le domaine Rust en Vrede.

Sadie Family
Columella

Origine Afrique du Sud, Swartland
Type vin rouge sec, 14,5 % vol.
Cépages Syrah 80 %, Mourvèdre 20 %
Millésime dégusté 2004, à boire jusqu'en 2014+
€€€

La décision d'utiliser le latin sur l'étiquette fut moins un geste de préciosité que de respect mêlé d'admiration de la part d'Eben Sadie, qui avait une immense ambition pour ce vin : ni l'anglais international ni l'afrikaans ne lui semblèrent suffisants. L'idée de ce vin (premier millésime en 2000) naquit de l'exploration de Sadie afin de découvrir les possibilités du terroir du Swartland.

Jusqu'à la fin du XXᵉ siècle, la région ne fournissait que des raisins moyens et en surproduction aux coopératives. La quête de Sadie de vins exprimant le Swartland est marquée par une attention méticuleuse portée au détail et des méthodes naturelles de vinification, invoquant des principes biodynamiques.

Columella est issu d'une demi-douzaine de vignobles dispersés, tous loués à long terme. Les sols vont de l'argile schisteuse rouge à l'ardoise en passant par le granit en décomposition. Chaque parcelle donne un vin différent, vinifié séparément « selon ses propres besoins » avant l'assemblage. Le vin est lisse, d'une ampleur soyeuse et fraîche, sophistiqué mais au caractère très soyeux, avec des tanins souples et une minéralité caractéristique du Swartland. **TJ**

St. Hallett
Old Block Shiraz

Origine Australie, Australie-Mérid., Barossa Valley
Type vin rouge sec, 14 % vol.
Cépage Shiraz
Millésime dégusté 2001, à boire jusqu'en 2013+
€€

Fondé en 1944 par la famille Lindner, St Hallett s'est concentré de nombreuses années sur la production de vins fortifiés. Pendant les années 1980, Bob McLean, l'un des grands personnages de Barossa, donna l'envie à St Hallett de s'essayer aux vins de table de qualité issus de vieux Shiraz. Stuart Blackwell, le principal vinificateur, s'exerça d'abord à la vinification de Barossa en 1973, lorsqu'il expérimenta une utilisation accrue de petites barriques de fermentation pour les rouges et de chêne neuf pour l'élevage. Plus tard, il eut pour collègue vinificateur l'Anglais Matt Gant, qui fut élu « jeune vinificateur de l'année » à peine quatre ans après s'être installé dans le pays.

L'Old Block est issu de huit vénérables vignobles de Shiraz ; six dans le Barossa et deux dans l'Eden Valley. Le nom provient du vignoble Old Block appartenant à St Hallett. 2001 fut une année chaude dans la Barossa, ce qui explique le taux d'alcool de 14 % et les tanins durs. Mais le vin offre de nombreuses qualités, avec différents niveaux d'arômes, une excellente profondeur du milieu en bouche et une belle finale moelleuse. Voilà une référence pour les Shiraz de Barossa, d'une relation qualité-prix exceptionnelle. **SG**

L'un des vignobles de St Hallett à Tanunda, dans la Barossa Valley. ➡

Salvioni
Brunello di Montalcino

Origine Italie, Toscane, Montalcino
Type vin rouge sec, 14 % vol.
Cépage Sangiovese
Millésime dégusté 1985, à boire jusqu'en 2015
€€€€

Depuis son premier millésime en 1985, la production minuscule mais haut de gamme de Giulio Salvioni s'est constituée une légion de loyaux adeptes dans le monde. Pendant des années, le père de Salvioni fabriqua des vins modestes destinés à la famille et aux amis dans les vignobles de la ferme Cerbaiola. Ayant compris que les vignobles orientés vers le sud-est et situés à 420 m d'altitude avaient un grand potentiel, Giulio décida dans les années 1980 de se consacrer aux vignobles.

Salvioni utilise des méthodes traditionnelles dans ses petites caves du centre de Montalcino, faisant fermenter ses vins sans équipement de contrôle de température et élevant son Brunello dans des fûts de chêne slavon. Il s'abstient des levures artificielles et ne filtre pas ses vins. Le résultat est un Brunello de longue garde au bouquet ample, avec des arômes de violette, de cerise et de tabac. Malgré le jeune âge de l'exploitation, les plus anciens millésimes s'avèrent excellents. Le 1985, dont seules 2 400 bouteilles furent produites, fit preuve d'une extrême jeunesse lors d'une dégustation en 2007, et devrait continuer ainsi pendant de nombreuses années. **KO**

San Alejandro *Baltasar*
Gracián Garnacha Viñas Viejas

Origine Espagne, Aragón, Calatayud
Type vin rouge sec, 14,5 % vol.
Cépage Grenache
Millésime dégusté 2001, à boire jusqu'en 2012
€

Calatayud est la DO la plus récente en Aragon, située dans un bassin géologique riche en argile, marne et craie. Les grandes différences de température entre le jour et la nuit ont une influence sur la maturation du raisin, le dernier à être récolté en Aragon.

San Alejandro fut établie comme coopérative en 1962, devenant une *bodega* en 1996. Elle a déjà 400 membres et presque 1 214 ha de vignes, plantées majoritairement avec du Grenache. L'importateur Eric Solomon se passionna pour ces Grenaches vénérables et créa Las Rocas de San Alejandro, une cuvée exclusive pour le marché américain. « Complexe et riche, avec une bonne texture et une finale qui s'étale sur quarante secondes. La robe opaque et pourpre est suivie par un vin remarquablement riche qui évoque un Kirsch frappant, allié à la mûre et à des notes minérales. Allons-nous jamais revoir un vin aussi bon à ce prix ? », écrivait Robert Parker sur le millésime 2001. L'œnologue de la maison produit un vin très semblable pour le marché européen. Avec 85 % des ventes à l'exportation, San Alejandro est une bonne illustration du dicton : « Nul n'est prophète en son pays. » **JMB**

Luciano Sandrone
Barolo Cannubi Boschis

San Vicente

Origine Espagne, Rioja
Type vin rouge sec, 13,5 % vol.
Cépage Tempranillo
Millésime dégusté 2000, à boire jusqu'en 2015
€€€

Origine Italie, Piémont, Langhe
Type vin rouge sec, 13 % vol.
Cépage Nebbiolo
Millésime dégusté 1998, à boire jusqu'en 2018+
€€€€

Marcus Eguren est l'une des stars de la production du Rioja qui a établi sa renommée dans les années 1980 et 1990. Solidement ancré dans les traditions de la région, il a toutefois eu le courage de mettre en œuvre des innovations. Cette formule a été la clé de la réussite de la famille Eguren en viniculture.

De tous les vins produits par Marcos, le San Vicente est son favori – depuis son tout premier millésime en 1991, c'est ce vin qui marqua la transition de la famille du traditionnel au moderne. Le San Vicente est issu de La Canoca, vignoble de 18 ha replanté dans les années 1980 avec une sélection de vignes à faible rendement. Il se trouve que toutes ces vignes partageaient certains traits qui les différenciaient des autres : la nuance du feuillage, la petite taille des grains, leurs grappes moins serrées et la texture veloutée des feuilles qui inspira le nom de cette sous-variété : Tempranillo peludo (Tempranillo velu).

Choisir un seul millésime de ce vin est difficile, car d'autres millésimes sont aussi de très haut niveau. Mais ce San Vicente 2000, si équilibré et si élégant, exhibe aussi une très belle et rare équation entre la complexité des arômes, l'acidité et le tanin. **JB**

Luciano Sandrone, apprit son art en travaillant comme œnologue chez Marchesi di Barolo. Il commença à produire du vin à partir de son propre raisin vers la fin des années 1970 et sa renommée grandissante l'incita à établir sa propre exploitation. Ses 22 ha produisent aujourd'hui 8 000 caisses de vin par an.

Ses meilleurs vins sont les Barolo issus d'un seul vignoble – les Le Vigne, opulents et parfumés, et les Cannubi Boschis, denses, sentant la terre, plus aptes pour une longue garde. Même si le Barolo est produit selon des pratiques plus modernes, Luciano n'est pas pour autant un moderniste. Les 10 % de chêne français neuf donnent des vins qui donnent du plaisir dans leur jeunesse, mais ils ont la puissance et la structure pour durer dans le temps.

Le négociant en vins écossais Zubair Mohamed dit du Barolo Le Vigne 1998, un excellent millésime : « Délicat, parfumé aux fruits rouges et à la réglisse au nez ; en bouche, abondant de fruits rouges frais sur une trame de tanins fermes ; équilibré et offrant une bonne longueur. » Le Cannubi Boschis 1998 rejoint son compagnon de stalle émérite comme l'incarnation même d'un excellent Barolo. **SG**

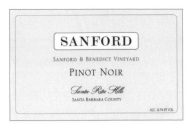 

Sanford *Sanford & Benedict Vineyard Pinot Noir*

Origine États-Unis, Californie, Santa Rita Hills
Type vin rouge sec, 14,8 % vol.
Cépage Pinot noir
Millésime dégusté 2002, à boire jusqu'en 2012
€€

Le vignoble Sanford & Benedict ne fut que le deuxième encépagement de Pinot noir des collines de Santa Rita et son premier vin fit sensation. Richard Sanford et Michael Benedict mirent cependant fin à leur partenariat en 1981, après seulement cinq millésimes. Sanford se lança ensuite dans sa propre entreprise, et ce ne fut que dans les années 1990 qu'il récupéra l'accès au vignoble d'origine.

Le vignoble est une parcelle bien drainée, sur un coteau d'orientation nord à quelques kilomètres du Pacifique. Les collines de Santa Rita forment un canal d'ouest en est, ouvert au brouillard matinal et aux vents forts, maintenant les températures fraîches. Ces conditions prolongent la saison de floraison et permettent aux raisins d'atteindre leur pleine maturité.

Les raisins sont vendangés lorsque les graines deviennent brunes. Une fermentation relativement froide, entre 29 et 32 °C, préserve les arômes délicats. Juste avant la fin de la fermentation, le vin est pressé. L'élevage a lieu dans 100 % de bois neuf. Il n'y a pas de filtrage mais les vins peuvent être affinés à l'ichtyocolle. Le 2002 est un classique, intense, structuré et long. **LGr**

Viña Santa Rita *Casa Real Cabernet Sauvignon*

Origine Chili, vallée de Maipo
Type vin rouge sec, 14 % vol.
Cépage Cabernet Sauvignon
Millésime dégusté 2003, à boire jusqu'en 2020
€€€€

Le fleuron rouge de Viña Santa Rita a été baptisé d'après le « maison royale » (aujourd'hui un hôtel) construit par le fondateur de l'entreprise, Domingo Fernández-Concha, en 1880 à Buín dans la vallée de Maipo, à 35 km au sud de Santiago. Le vignoble Casa Real de Buín, replanté dans les années 1950, forme la base de l'assemblage Casa Real, l'un des rares vins rouges chiliens emblématiques à être réellement chilien. Le fait que la marque ait été contrôlée depuis presque vingt ans par Cecilia Torres, la première vinificatrice féminine du Chili, signifie que l'évolution qualitative de Casa Real a été régulière, étant passée au niveau supérieur en termes d'élevage en chêne aux alentours de 1993, et étant devenue plus centrée en termes de l'expression du fruit depuis 1997.

Ce vin est l'essence du Cabernet Sauvignon chilien : mûr, à « mâcher », charpenté, gorgé de menthe, cassis, cèdre et de mine de crayon, des tanins robustes sans être agressifs et une élégance qui dément sa concentration. De nombreux vinificateurs chiliens admettent que le Casa Real est un rouge iconique sous-estimé, et que son prix modique en fait une occasion à ne pas manquer. **MW**

Santadi *Terre Brune* Carignano del Sulcis

Viña Sastre
Pesus

Origine Italie, Sardaigne, Santadi (Cagliari)
Type vin rouge sec, 13 % vol.
Cépages Carignano 95 %, Bovaleddu 5 %
Millésime dégusté 1990, à boire jusqu'en 2012
€€€

Origine Espagne, Ribera del Duero
Type vin rouge sec, 14,8 % vol.
Cépages Tinta del País, Cabernet Sauvignon, Merlot
Millésime dégusté 2004, à boire jusqu'en 2020
€€€€€

Très probablement importé en Sardaigne par les Espagnols à l'arrivée des conquistadors, le Carignano est florissant dans l'extrémité sud-ouest de l'île, près de Sulcis. Il fut longtemps considéré comme un simple vin d'assemblage offrant peu de possibilités.

La coopérative sarde Santadi a toutefois prouvé le grand potentiel du Carignano. Dans les années 1980, les producteurs de Santadi commencèrent à faire des essais avec le raisin en diminuant les rendements et en utilisant des pratiques plus raffinées en cave. Ils eurent également recours à Giacomo Tachis, l'un des plus grands œnologues de l'Italie.

En 1984, l'équipe Tachis-Santadi créa Terre Brune, baptisée ainsi en l'honneur de la terre sombre aux alentours de Sulcis, en ajoutant une touche du cépage local Bovaleddu au Carignano et en l'élevant en barriques françaises neuves. Les raisins sont sélectionnés à partir de vignes taillées en gobelet d'environ 50 ans d'âge, avec des rendements faibles. Lors des grands millésimes, Terre Brune possède aussi une persistance surprenante grâce à son acidité naturelle élevée et à sa structure tannique. C'est le cas du superbe 1990, millésime légendaire d'Italie. **KO**

La famille Sastre produit du vin à La Hora (Burgos) depuis trois générations. Rafael Sastre fonda la bodega Hermanos Sastre en 1992, aidé par son père et ses deux fils, Pedro et Jesús. La bodega est propriétaire de 47 ha de vieilles vignes de Tinta del País, sur des sols d'argile, de calcaire et de sable, abrités du vent par une dense forêt de pins.

Jesús travaille les vignes selon des pratiques traditionnelles respectueuses de l'environnement et Pedro utilise la technologie moderne pour permettre au raisin d'exprimer toute l'étendue de son potentiel. Le meilleur vin est le spectaculaire Pesus. Ce vin est issu d'une sélection de parcelles plantées de vignes presque centenaires.

Le 2004 est d'un beau pourpre profond et ses parfums évoquent le cassis, la prune, le café, l'ardoise, la fumée, la cannelle, la menthe et le santal. En bouche, il est dense, charpenté et mûr et sa très longue finale allie la compote de fruits, le cacao, les épices et les fines herbes. Dès son premier millésime en 1999, le Pesus s'est avéré être un de ces grands nouveaux vins de la Ribera, aussi méritoire et peut-être même meilleur que le légendaire Pingus. **JMB**

Michele Satta
Piastraia

Origine Italie, Toscane, Bolgheri
Type vin rouge sec, 13,5 % vol.
Cépages Sangiovese, Merlot, Cab. Sauv., Syrah
Millésime dégusté 2001, à boire jusqu'en 2020
€€€

Lorsque Michele Satta, alors en vacances pendant ses études d'agronomie à l'université de Milan, aperçut pour la première fois l'exploitation Tringali Casanuova, ce fut le coup de foudre. Michele demanda un transfert à l'université de Pise et, son diplôme en poche, décida de se consacrer à la viticulture et commença à travailler dans cette même exploitation. En 1984, Satta décida de devenir vinificateur et fonda sa propre exploitation, en commençant par louer des vignobles à Tringali Casanuova.

Depuis, Michele a acheté ses propres vignobles à Castagneto Carducci, où il produit quelques-uns des meilleurs vins de la région à partir de Cabernet et de Merlot, qui excellent ici. Le vin 100 % Sangiovese de Satta, Cavaliere, a démontré le grand potentiel du Sangiovese s'il est cultivé avec soin. Il utilise aussi ce vin local pour ses assemblages, dont le superbe Piastraia, qui expriment la plus haute qualité de Merlot et de Cabernet, avec le Sangiovese y ajoutant l'élégance et la Syrah, la rondeur. Son Piastraia 2001 est l'un des meilleurs jamais produits. Son mariage d'élégance et de souplesse, bien qu'agréable jeune, bénéficie également de quelques années en cave. **KO**

Paolo Scavino
Barolo Bric dël Fiasc

Origine Italie, Piémont, Langhe
Type vin rouge sec, 14,5 % vol.
Cépage Nebbiolo
Millésime dégusté 1989, à boire d'ici 10 à 20 ans
€€€€€

Situé au pied du vignoble Vignolo, la maison de vin Scavino est équidistante des villages de Barolo, de La Morra et de Castiglione. Ici, dans le fief natal et spirituel du Nebbiolo, la famille Scavino cultive 20 ha de vignobles depuis 1921. Elle adopta la mise en bouteilles en 1958 et en 1964 ne vendait plus de vins en vrac. Enrico Scavino reprit les rênes de son père Paolo vers la fin des années 1970 et décida de mettre en vente sans délai le premier cru familial issu du vignoble de Bric dël Fiasc.

Ce vignoble de 6 ha avec son célèbre sol de marne gris bleuté jouit d'une parfaite orientation sud-ouest. La parcelle de 1,6 ha des Scavino remonte à 1938 et les vieilles vignes confèrent au vin une bonne complexité aromatique et une minéralité prononcée. Les rendements sont exceptionnellement faibles et la récolte n'est que manuelle.

Le Bric dël Fiasc 1989 vient enfin de perdre les tanins disgracieux de sa jeunesse pour révéler l'incroyable complexité du Nebbiolo. Le Bric dël Fiasc a joué un rôle capital dans la réhabilitation de la réputation de Barolo et par la même occasion a assuré la superbe réputation mondiale d'Enrico Scavino. **MP**

Screaming Eagle

Seghesio
Home Ranch Zinfandel

Origine États-Unis, Californie, Napa Valley
Type vin rouge sec, 13,5 % vol.
Cépage Cabernet Sauvignon
Millésime dégusté 1992, à boire jusqu'en 2012+
€€€€€

Origine États-Unis, Californie, comté de Sonoma
Type vin rouge sec, 15,3 % vol.
Cépage Zinfandel
Millésime dégusté 2005, à boire jusqu'en 2017
€€€

Jean Phillips acquit la propriété The Screaming Eagle en 1986. Il remplaça les vignes de Riesling par du Cabernet Sauvignon. Le premier millésime 1992 produisit tout juste 225 caisses de vin. Lorsque Robert Parker attribua au vin 99 points, un phénomène naquit : Screaming Eagle est de loin le Cabernet californien le plus cher et le plus recherché. La production d'environ 500 caisses annuelles est toujours minuscule. Les clients sur liste d'envoi peuvent acquérir le vin pour le prix relativement modeste de 300 dollars la bouteille, mais le prix aux enchères est bien plus élevé. En 2005, il se vendit aux enchères une collection verticale de trente bouteilles pour 30 000 euros.

Phillips vendit Screaming Eagle à des entrepreneurs, Charles Banks et Stanley Kroenke, en mars 2006. La vente donna lieu postérieurement à des conjectures sur la possibilité d'agrandir la production de Screaming Eagle, les nouveaux propriétaires pouvant tirer meilleur parti du reste des 24 ha déjà plantés de vignes et planter plus de vignes ailleurs. Mais Banks déclara : « Il n'y a pas lieu d'en produire plus. Il s'agit de préserver sa spécificité. » **SG**

Eduardo Seghesio quitta Asti en 1886 et acquit une maison et un vignoble dans le comté de Sonoma en 1895. Pendant le XXᵉ siècle, les Seghesio vendirent leur vin en vrac, mais dans les années 1990, la production fut réduite et ils engagèrent le viticulteur Phil Freeze pour les aider à convertir le domaine à la production de vins supérieurs.

Le Home Ranch Zinfandel est cultivé à côté de la maison familiale, sur la propriété originelle plantée en 1895. Situé dans une partie d'Alexander Valley, qui ne subit aucune influence marine, le climat est chaud, produisant des fruits juteux et conférant une acidité discrète au vin. Les sols sont d'argile et de terreau sur du basalte, du grès et de la serpentine. La fine couche arable et la pauvreté de l'argile obligent les vignes à produire des fruits plus concentrés. Les Seghesio gèrent la vigne de façon à promouvoir une maturation égale.

La saison 2005 fut fraîche et longue, engendrant un vin bien charpenté, d'une grande complexité aromatique, ferme, évoquant les fruits mûrs mais pas le raisin sec, équilibrant parfaitement le généreux taux d'alcool typique du Zinfandel. **LGr**

Serafini e Vidotto
Rosso dell'Abazia -

Origine Italie, Vénétie
Type vin rouge sec, 13 % vol.
Cépages Cab. Sauvignon, Cab. franc, Merlot
Millésime dégusté 2003, à boire jusqu'en 2018
€€€

Francesco Serafini et Antonello Vidotto fondèrent leur entreprise en 1987 avec l'intention de produire des vins de classe mondiale – une aspiration peu habituelle dans cette région à l'époque. Serafini et Vidotto replantent les vignobles vieux de plusieurs siècles au rythme d'un hectare par an.

Les vignobles sont orientés sud et le sol est plutôt pauvre mais riche en galets et en pierres, idéal pour le drainage. Ici, le climat se caractérise par une brise fraîche qui s'élève de la mer et de la vallée de la Piave. Les variations de température qui en découlent permettent aux raisins de maintenir des arômes frais et de bons niveaux d'acidité.

Le Rosso dell'Abazia 2003 illustre l'énorme potentiel de la région. Ce vin garde une séduisante corpulence moyenne et des arômes subtils malgré la chaleur écrasante de cette année-là. La robe n'est pas particulièrement dense et le nez ravit par ses arômes de cassis et de mine de plomb, ainsi que par un doux caractère herbacé. L'attaque est douce et ronde, avec des notes végétales subtiles et des fruits mûrs. Le vin est chaleureux en bouche et la finale est centrée et longue : un vrai régal. **AS**

Shafer *Cabernet Sauvignon Hillside Select*

Origine États-Unis, Californie, Napa Valley
Type vin rouge sec, 14,9 % vol.
Cépage Cabernet Sauvignon
Millésime dégusté 2002, à boire jusqu'en 2025
€€€€€

En 1972, John Shafer quitta l'édition et emménagea dans la Napa Valley, où il avait acheté un domaine dans le district de Stag's Leap. Une partie de la propriété était recouverte de vignes des années 1920. Les Shafer les arrachèrent, construisirent des terrasses sur les coteaux rocheux et replantèrent. Ils cultivent désormais 85 ha de vignes. John Shafer passa de producteur à vinificateur en 1979. Doug Shafer, son fils, devint vinificateur en 1983, et son assistant Elias Fernandez lui succéda en 1994.

Le vignoble du domaine, 22 ha, dont sont issus les raisins de Hillside Select, se trouve au nord du district. Il atteint par endroits 90 m d'altitude et des inclinaisons de 45°. Planté sur de la roche, il n'y a souvent que 46 cm de terre volcanique pauvre et rocheuse au-dessus du soubassement érodé, offrant ainsi des conditions idéales pour un fruit mûr et concentré, marque de fabrique du style régulier de Shafer.

30 ans après les débuts du domaine, le Hillside Select 2002 est un brillant trophée du fruit de Napa : intense et puissant, élégamment galonné de tanins souples, une expression dynamique de fruits noirs, de violettes, d'épices, de tabac et de minéraux. **LGr**

La moutarde des champs (*Sinapis arvensis*) pousse entre les vignes de Napa. ▸

Cillar de Silos
Torresilo

Origine Espagne, Ribera del Duero
Type vin rouge sec, 14 % vol.
Cépage Tinto Fino (Tempranillo)
Millésime dégusté 2004, à boire jusqu'en 2015
€€

Cillar de Silos est une jeune entreprise de la Ribera del Duero, fondée en 1994 par les frères Aragón García. Ils sont situés à Quintana de Pidio, un petit village dans la froide province de Burgos, où ils possèdent 50 ha de vignobles. Cette région, hors des sentiers battus de la Ribera, recèle un véritable trésor, aujourd'hui rare, sous forme de très vieilles vignes.

Les frères commencèrent par une série traditionnelle de vins – Crianza et Reserva, sous l'étiquette Cillar de Silos – mais créèrent rapidement la marque Torresilo pour leur meilleur vin. Ils se concentrent sur la qualité de leurs vins, jamais vraiment satisfaits des résultats obtenus et toujours en quête d'améliorations. Ils prennent grand soin d'adapter la macération et le régime de bois à la qualité des matières premières pour chaque vendange.

Le 2004 est presque noir, avec un ménisque pourpre brillant. L'arôme est intense, quelques notes de chêne grillé se mêlant à des touches épicées de cuir, de réglisse, d'encre, d'herbes séchées et un noyau de fruits noirs mûrs. D'une corpulence étoffée en bouche, limpide et pur, il est équilibré par l'acidité, avec un fruit robuste et une longue finale. **LG**

Château Simone
Palette Rosé

Origine France, Provence
Type vin rosé sec, 12,5 % vol.
Cépages Grenache 45 %, Mourvèdre 30 %, autres 25 %
Millésime dégusté 2006, à boire dès que possible
€€

Ce minuscule domaine viticole immaculé situé juste à l'est d'Aix-en-Provence brise beaucoup de règles. Les parcelles de vignoble sont orientées vers le nord et entourées des hauts arbres d'une paisible forêt. La rivière Arc et la circulation de l'autoroute A8 passent à côté, sous un jardin parfaitement tenu. Le vignoble se compose d'une petite sélection de cépages ; en plus du Grenache et du Mourvèdre, ce vin contient aussi les cépages Cinsault, Syrah, Castet, Manosquin, Carignan et plusieurs Muscats. L'âge moyen des vignes pour ce rosé est de plus de 50 ans.

Le résultat, selon le très cultivé et accueillant René Rougier et son fils Jean-François, est un rosé de repas. D'un rose vif et brillant, ses fruits frais sont manifestes à la fois au nez et en bouche, et sont mis en évidence par la magnifique acidité du site et la vinosité qui provient de la maturation lente qu'il impose. L'assemblage symphonique donne au vin une complexité innée rare pour les rosés.

Palette est une petite appellation de 23 ha qui a vu le jour grâce à la ténacité du grand-père de René, Jean Rougier, en 1948, et qui appartient encore pour les deux tiers à la famille Rougier. **AJ**

Le Château Simone est la seule propriété de l'appellation de Palette. ➡

Château Sociando-Mallet

Origine France, Bordeaux
Type vin rouge sec, 13 % vol.
Cépages Cab. Sauv. 55 %, Merlot 40 %, Cab. franc 5 %
Millésime dégusté 2005, à boire entre 2012 et 2025
€€€

Jean Gautreau possède 74 ha sous vigne. Il a opté pour des vins puissants issus d'un assemblage avec du vin de presse et depuis le début des années 1990 le vin est vieilli uniquement dans des fûts de chêne neuf. La qualité surprend les négociants et la clientèle, d'autant plus que Gautreau s'oppose catégoriquement à la technique très à la mode de réduire le rendement par des vendanges vertes. Ses rendements sont élevés, mais il soutient qu'un vignoble dense mais en bonne santé est parfaitement en mesure de produire une récolte généreuse sans réduction préalable. Après la vinification, il déclassifie tout lot en dessous de la qualité requise.

Gautreau ne s'est pas intéressé à la classification Cru Bourgeois de 2003, le Sociando aurait sûrement été classé comme Exceptionnel. Les arômes du 2005 sont timides, mais le palais explose, regorgeant d'épices et de fruits noirs riches, presque juteux, avec une finale d'une longueur étonnante. Il promet une longue garde. Si Gautreau aime faire cavalier seul en enfreignant le savoir-faire conventionnel, l'excellence de ses vins et leur grande popularité en disent long sur son talent. **SBr**

Soldera *Case Basse*
Brunello di Montalcino

Origine Italie, Toscane, Montalcino
Type vin rouge sec, 14 % vol.
Cépage Sangiovese
Millésime dégusté 1990, à boire jusqu'en 2040+
€€€€€

Dans le jardin de son modeste domaine, qui comporte environ 8 ha de vignes, Gianfranco Soldera maintient, avec sa femme, un minisystème écologique dans lequel évoluent oiseaux, chauves-souris et grenouilles, car il est passionné de culture biodynamique.

Homme d'affaires sicilien, Soldera achète le domaine dans les années 1970 (bien avant l'essor du Montalcino). Grand traditionaliste, il produit son vin en favorisant une longue macération, sans contrôle de température, suivie de cinq ans et demi de vieillissement dans des vieux foudres de chêne slavon, le tout supervisé depuis plus de trente ans par Giulio Gambelli, maestro-assaggiatore, aujourd'hui octogénaire. Il en résulte un vin d'une robe claire, mais nuancé, remarquablement aérien, présentant des arômes fugitifs de fruits frais et secs, d'herbes et de fleurs qui viennent chatouiller le nez et le palais. Ce style, sans doute un peu léger au niveau de l'amplitude et de la puissance mais qui démontre énormément de subtilité et de grâce, n'a pas forcément plu aux spécialistes. Pourtant qui n'a goûté du Case Basse n'a goûté au Brunello di Montalcino. **NBel**

Du Sangiovese cultivé près de l'abbaye de Sant'Antimo, près de Montalcino. ➜

Solms-Delta
Solms-Hegewisch Africana

Origine Afrique du Sud, Cap-Ouest
Type vin rouge sec, 15 % vol.
Cépage Syrah
Millésime dégusté 2005, à boire jusqu'en 2013
€€

Mark Solms redécouvrit les anciennes traditions de viticulture après s'être tourné vers l'agriculture dans la charmante vallée de Franschhoek. En quête de la meilleure façon de faire du vin dans un climat chaud, il procède, avec le vinificateur Hilko Hegewisch, à des expériences couronnées de succès avec des raisins séchés sur pied en écrasant les rafles.

L'objectif de l'Africana, premier rouge du domaine entièrement issu de raisins passerillés, n'est pas la délicatesse et le caractère variétal. Il s'agit plutôt de l'émotion et de la puissance, ainsi que d'une certaine austérité grandiose qui compense le soupçon de douceur, et offre des arômes envoûtants et une complexité croissante de saveurs à mesure que le vin se développe. L'une des nouvelles exploitations du Cap les plus intéressantes et les plus prometteuses, Solms-Delta fait preuve d'un profond engagement humain envers le passé, le présent et le futur. Comme l'a dit Neil Beckett, tout en notant les connexions et en approuvant la tendance radicale conservatrice de Solms-Delta, «ce vin aux arômes puissants et très tanniques est unique en son genre». **TJ**

Marc Sorrel
Hermitage Le Gréal

Origine France, Rhône septentrional, Hermitage
Type vin rouge sec, 15 % vol.
Cépages Syrah 92 %, Marsanne 8 %
Millésime dégusté 2004, à boire jusqu'en 2025
€€€€€

Marc Sorrel, fils d'un notaire local, a toujours apprécié les vins plus que le droit et ce fut son frère qui reprit le cabinet de leur père. Ce dernier possédait un petit domaine précieux sur le grand rocher de l'Hermitage et Marc le rejoignit en 1982 en tant que vinificateur. Il trouva son créneau à partir de 1988 et devint en 1998 l'un des leaders de la région. Il produit désormais environ 8 000 bouteilles issues de ses 2 ha d'Hermitage.

Le Gréal est un assemblage de ses vignes dans les crus de Greffieux et de Méal. Exubérants, solides et tanniques, les vins étaient très unis au niveau du style. Avec l'âge, une note sauvage – qui n'est pas inhabituelle dans les Syrahs – se dévoile.

Les rendements sont remarquablement faibles. Vers la fin des années 1980, ils s'élevaient à environ 25 hl/ha. Le 2004 contient 8 % de Marsanne, qui lui donnent quelques arômes supplémentaires. Les raisins n'ont pas été éraflés. En général, les vins passent dix-huit à vingt-quatre mois en fûts avant d'être mis en bouteilles, et ne sont jamais filtrés. Le vin évoque les violettes, le cassis et le musc, et devrait facilement durer vingt ans à partir de la date du millésime. **GM**

Sot
Lefriec

Origine Espagne, Penedès
Type vin rouge sec, 13,5 % vol.
Cépages Cabernet Sauvignon, Merlot, Cariñena
Millésime dégusté 2004, à boire jusqu'en 2019
€€€

Irene Alemany est originaire de Vilafranca del Penedés, et sa famille possède depuis plusieurs générations des vignes dans la région. Laurent Corrio vient de Bretagne et a grandi dans le Jura. Ils se sont rencontrés en Bourgogne, et ont donné naissance au projet Sot Lefriec. 1999, le premier millésime, fut aussi le premier vin de garage de Penedès, littéralement fermenté et élevé dans un petit entrepôt de Vilafranca. Les fondateurs ont même construit leurs propres cuves de fermentation en acier inoxydable et continuent de tout faire manuellement. La production est minuscule. Ils possèdent 8 ha de vieilles vignes de Cariñena et de jeunes vignes de Merlot et de Cabernet Sauvignon.

2004 est sans doute le millésime le plus harmonieux de Sot Lefriec à ce jour. La robe est sombre et opaque. Initialement fermé au nez, il a besoin de tourner un peu dans le verre, ou même d'une décantation vigoureuse s'il est consommé jeune. C'est un vin sérieux, qui évoque fort le Bordeaux, avec des notes minérales de graphite, de fruits noirs, d'encre et de fumée. Étoffé en bouche, il est équilibré et frais, les tanins sont présents mais mûrs. Il est très persistant et long. Un vin qui évolura lentement en bouteilles. **LG**

Stag's Leap Wine Cellars
Cabernet Sauvignon

Origine États-Unis, Californie, Napa Valley
Type vin rouge sec, 13 % vol.
Cépages Cabernet Sauvignon 93 %, Merlot 7 %
Millésime dégusté 1973, à boire jusqu'en 2013+
€€€€€

Le Cabernet Sauvignon 1973 de Warren Winiarski est sans doute le vin le plus célèbre et le plus influent de l'histoire vinicole américaine. Issu de vignes n'ayant que 3 ans d'âge, le premier millésime de Winiarski vaincut en effet une poignée de grands crus de Bordeaux lors de la fameuse dégustation de Steven Spurrier en 1976 à Paris.

La vision de Winiarski et les philosophies de vinification varient d'une région à l'autre, ce qui peut expliquer pourquoi les vins sont si différents même s'ils viennent tous du même affleurement rocheux des palissades de Stags Leap. Winiarski se fonde sur des idéaux classiques, équilibrant les éléments opposés afin de créer des vins dynamiques, harmonieux et transcendants. La poursuite de cet idéal est un exercice de retenue, de nuance et de proportion.

Il soutient qu'il l'a entrevu en 1969, lors d'une dégustation du vin fait maison de Nathan Fay, l'invitant à acheter le verger de pruniers voisin pour le replanter avec du Cabernet Sauvignon et du Merlot. Winiarski acheta le vignoble de Fay en 1986 et dut replanter les deux vignobles vers la fin des années 1980 et 1990. **LGr**

Stonier Estate *Reserve Pinot Noir*

Origine Australie, péninsule de Mornington
Type vin rouge sec, 13,5 % vol.
Cépage Pinot noir
Millésime dégusté 2003, à boire jusqu'en 2018
€€

Les premières vignes furent plantées dans le climat frais de la péninsule de Mornington au début des années 1970. Les Stonier plantèrent le Pinot noir en 1978, mais ils ne s'attendaient pas à en faire du vin rouge – leur intention était de l'utiliser comme base pour un mousseux. Ils se rendirent vite compte qu'ils avaient là un excellent vin. Le Pinot Noir de base et le Reserve sont deux vins d'une remarquable qualité. « Le développement des vignobles a été une courbe d'apprentissage quelque peu raide, raconte la vinificatrice Geraldine McFaul. Le Pinot est tellement sensible au site. Nous avons désormais atteint une phase où nous sommes heureux qu'il soit planté là où il est. »

Depuis 2003, le Reserve contient environ 5 % de vin fermenté en grappes entières et une petite quantité a été mise en bouteilles séparément (50 caisses). Le Reserve Pinot Noir passe 10 à 14 jours sur les pellicules, perforées à la main, en petites cuves de fermentation ouvertes.

Le résultat est une interprétation australienne du Pinot noir, qui capture la complexité et l'élégance dont est capable un tel raisin, mais qui se perd si souvent. Le Reserve 2003 est particulièrement couronné de succès, et le Pinot Noir le plus qualifié d'Australie, ayant reçu 97 points sur 100 au classement Halliday. Le nez est brillant et complexe, avec des couches de cerise noire épicée et de fruits rouges. En bouche, il fait preuve de concentration, tout en étant élégant et fin. L'harmonie entre le fruit et la charpente épicée est impressionnante. **JG**

AUTRES SUGGESTIONS
Autres grands millésimes
1988 • 1989 • 1990 • 1995 • 1996 *1998 • 1999 • 2000 • 2004 • 2005*
Autres producteurs de la péninsule de Mornington
Main Ridge • Moorooduc • Ten Minutes by Tractor

Les vignobles de Stonier sont protégés des vents de la mer. ➜

Stonyridge
Larose

Origine Nouvelle-Zélande, Auckland, Waiheke Island
Type vin rouge sec, 13,5 % vol.
Cépages Cab. Sauv., Merlot, Cab. franc, autres
Millésime dégusté 2006, à boire jusqu'en 2020
€€€

Stonyridge est un vrai «garagiste»: le chai d'origine et le logement du propriétaire Stephen White étaient un grand garage d'aluminium. White a suivi les traces de Goldwater et est devenu le deuxième producteur, et sans doute le meilleur, de Waiheke Island.

Le premier millésime de Larose fut le 1985, bien que ce fût l'excellent 1987 qui a rendu célèbre ce producteur. En quelques années, Stonyridge est devenu culte, et ses millésimes très recherchés atteignent plusieurs fois leur coût de fabrication sur le marché secondaire. Lors de grandes années, comme 2006, l'enthousiasme des investisseurs et des collectionneurs est sans aucun doute justifié. Les conditions climatiques difficiles de Waiheke Island pendant la maturation peuvent cependant faire courir le risque de pourriture et accélérer les vendanges.

Larose est un assemblage, à dominance Cabernet Sauvignon, de cinq cépages rouges de Bordeaux. Le 2006 est un vin élégant plutôt qu'éblouissant, aux séduisants arômes parfumés qui évoquent les fruits rouges, les fleurs sauvages, le mélange d'épices et le cuir frais. C'est un vin puissant dont la force est cependant livrée avec une subtilité remarquable. **BC**

Joseph Swan
Stellwagen Vineyard Zinfandel

Origine États-Unis, Sonoma Valley
Type vin rouge sec, 15,2 % vol.
Cépage Zinfandel
Millésime dégusté 2001, à boire jusqu'en 2013+
€€€

Joseph Swan a produit quelques-uns des premiers vins cultes de Californie. Il planta ses vignobles sur un site de Laguna Road où il créa une sélection historique de Chardonnay, de Cabernet Sauvignon et de Pinot noir. En attendant que ses vignes mûrissent, il commença par élaborer le Zinfandel à partir de raisins achetés.

Ses premiers Zinfandel furent légendaires à une époque où les vieilles vignes de Zinfandel n'étaient pas vraiment respectées. Le dernier millésime de Joe fut le 1987. Il décéda en 1989 et son beau-fils, Rod Berglund, lui succéda. Les vins de Rod sont élevés en fûts de chêne français et leur style est atypique pour la Californie: caractères fruité et boisé avec une individualité et une retenue plus importantes.

Le vignoble de Stellwagen est remarquable pour ses très vieilles vignes datant des années 1880, plantées dans un sol volcanique profond et riche. Le 2001 est particulièrement élégant: très sec, avec une charpente ferme et tendue et une jeune acidité croquante. En bouche, il révèle des saveurs de groseille, de poivre blanc, de canapés et d'épices, et de raisins secs sur la finale. **SB**

◀ Vignoble de Stonyridge (au centre), au cœur du paysage vallonné de Waiheke.

Château Talbot

Origine France, Bordeaux, Saint-Julien
Type vin rouge sec, 13 % vol.
Cépages Cab. Sauv. 66 %, Merlot 26 %, autres 8 %
Millésime dégusté 2000, à boire entre 2010 et 2035
€€€

Avec 101 ha, Talbot est l'un des grands domaines du Médoc et possède un huitième de l'appellation Saint-Julien. Le château et le chai se cachent au cœur de l'appellation et les passants ne peuvent que les entrevoir. Talbot fut acheté par Désiré Cordier en 1917 et appartient désormais à deux sœurs, Nancy Bignon et Lorraine Rustmann, qui sont ses descendantes directes. Les vignobles sont d'une homogénéité étonnante vu leur étendue, avec des zones de gravier de différentes profondeurs. Les sœurs ont beaucoup investi dans les années 1990, construisant de nouveaux bâtiments, améliorant le drainage et introduisant une sélection plus stricte.

Des anciens millésimes (1934, 1945, 1949, 1955), firent preuve d'une endurance et d'une vivacité remarquables lors d'une dégustation dans les années 1990, suggérant que l'on ne doit pas sous-estimer le potentiel de Talbot. Dans sa jeunesse, le Talbot peut être élégant et discret. De nombreux vins des années 1960 et 1970 étaient quelque peu maigres, mais les réformes des dix dernières années ont révélé à nouveau la stature de Talbot. Il se vend à un prix modéré compte tenu de son statut.

Le 2000 est typique d'un grand Talbot. Le nez est dominé par les fruits noirs et un léger caractère boisé qui le relève un peu. En bouche, le vin est riche en tanins, comme l'on peut s'y attendre, mais le fruit, marqué par le cassis, est splendide, opulent et équilibré par une belle acidité qui donne au vin une excellente longueur. Ce vin associe énergie et élégance, ce qui en fait un très beau Saint-Julien typique. **SBr**

AUTRES SUGGESTIONS
Autres grands millésimes
1961 • 1982 • 1986 • 1990 • 1996 • 2004 • 2005
Autres producteurs de Saint-Julien
Ducru-Beaucaillou • Lagrange • Léoville-Barton Léoville-Las Cases • Léoville-Poyferré

L'assemblage concentré de Château Talbot vieillit bien pendant de longues années. ➡

Tapanappa Whalebone *Cabernet/Shiraz*

Origine Australie, Wrattonbully
Type vin rouge sec, 14,3 % vol.
Cépages Cab. Sauv., Merlot, Cab. franc
Millésime dégusté 2004, à boire jusqu'en 2020
€€€

Brian Croser s'éleva à la gloire vers le milieu des années 1970, lorsqu'il quitta son poste de vinificateur en chef de Hardys pour commencer la formation d'œnologie au Riverina College de Nouvelle-Galles-du-Sud. À la même époque, il fonda Petaluma, cabinet de conseil et exploitation influents. Puis il perdit le contrôle de Petaluma et se retrouva sans exploitation, du moins jusqu'à ce qu'il lance Tapanappa, label de qualité, en collaboration avec Bollinger et Jean-Michel Cazes. Le premier vin mis en vente fut le rouge de Whalebone Vineyard, issu d'un vignoble situé juste en dehors de l'appellation Coonawarra, à Wrattonbully. Croser avait élaboré un premier vin issu de ce vignoble en 1980 et fut si impressionné qu'il essaie depuis de l'acheter.

Le vignoble compte aujourd'hui des vignes de 30 ans d'âge, qui donnent environ 15 hl/ha. Le Whalebone Red 2004 est le deuxième millésime de ce vin. Il possède un nez doux parfumé de fruits rouges et noirs et une touche de minéralité typique de Coonawarra. On y décèle une belle harmonie, et le vin est suave et complexe. En bouche, le fruit doux et rond est contrebalancé par des tanins à la texture ferme mais soyeuse. Sa douceur est caractéristique du Nouveau Monde, mais il fait preuve de profondeur et de complexité. La marque de fabrique de ce vin est son équilibre superbe. À la différence de nombreux Cabernets de Coonawarra, on y trouve moins de cette verdeur minérale et graveleuse, et sa maturité extrême en fait un vin plus complet. **JG**

AUTRES SUGGESTIONS		
Autres grands millésimes		
2003 • 2005		
Autres vins de Tapanappa		
Tiers Chardonnay		
Whalebone Merlot		

Un os de baleine fossilisé orne le plafond d'une grotte située sur le domaine. ➔

Dominio de Tares
Cepas Viejas Bierzo

Origine Espagne, Bierzo
Type vin rouge sec, 13,5 % vol.
Cépage Mencía
Millésime dégusté 2000, à boire jusqu'en 2012+
€€

Dominio de Tares est une exploitation très récente de la DO de Bierzo, au nord-est de l'Espagne, fondée au tournant du siècle. Ici, sont associés tradition et technologie de pointe dans le but de produire des vins de haute qualité qui reflètent leur origine, et n'utilisent que des raisins locaux.

Le premier vin de Dominio de Tares est ce Cepas Viejas (Vieilles Vignes) de 2000. Il est issu des vignes de Mencía âgées de 60 ans et taillées en gobelet. Il s'agit du cépage local, cultivé sur des sols argilo-calcaires qui contiennent une grande quantité d'ardoise. Les caisses de raisins cueillis manuellement passent par une table de tri dès leur arrivée au chai afin que ne soient sélectionnées que les grappes parfaites. La fermentation alcoolique dure 15 jours et celle malolactique se fait en fûts de chêne américain. Le vin est ensuite élevé pendant 9 mois dans un mélange de barriques anciennes et nouvelles, d'origine américaine et française, et mis en bouteilles sans filtrage.

Le Cepas Viejas 2000 a une robe sombre, presque opaque. Ses arômes intenses évoquent la paille séchée, les feuilles d'automne et les fleurs sauvages, et recouvrent un noyau de fruits rouges mûrs. **LG**

Tasca d'Almerita
Rosso del Conte

Origine Italie, Sicile
Type vin rouge sec, 14 % vol.
Cépage Nero d'Avola
Millésime dégusté 2002, à boire jusqu'en 2028
€€€€

Tasca d'Almerita et une poignée d'autres producteurs de vin de l'île ont été le fer de lance de la révolution viticole sicilienne, élevant le Nero d'Avola à un niveau de qualité sans précédent.

Le domaine appartient encore à une seule famille et est dirigé par Luscio Tasca, fil du comte Giuseppe Tasca, qui fut le premier à introduire le système de conduite en espalier dans la région. Le Regaleali Riserva del Conte, son nom d'origine, était issu de raisins cultivés sur des vignes de Nero d'Avola taillées en buisson et vieilli en grands tonneaux de châtaignier. Ce fut le premier exemplaire d'un vin de cru, avec des raisins provenant tous du même vignoble, planté en partie en 1959 (système de buisson) et en partie en 1965 (cordon bas), et une densité élevée d'environ 5 000 pieds par hectare.

Le Rosso del Conte 2002 est un vin qui marque la fin d'un autre cycle. Le 2003 va bénéficier de l'ajout d'une sélection des meilleurs raisins rouges du domaine. C'est un vin superbement fait. La puissante charpente et les tanins fins mais fermes donnent naissance à une impressionnante dose de cassis sucré et succulent. **AS**

Vignobles du domaine Regaleali, plantés par le comte Giuseppe Tasca. ➡

Te Mata *Coleraine*

Origine Nouvelle-Zélande, Hawke's Bay
Type vin rouge sec, 13,5 % vol.
Cépages Cab. Sauv., Merlot, Cab. franc
Millésime dégusté 2005, à boire jusqu'en 2020
€€€

Le domaine Te Mata produisit son premier vin en 1896, ce qui en fait l'une des plus anciennes exploitations de Nouvelle-Zélande. Les propriétaires actuels ont acheté et revitalisé la propriété à l'abandon en 1978, à une époque où les vignes hybrides dominaient encore les vignobles nationaux et la plupart des vins produits étaient des Portos et Sherries bon marché. En 1981, Te Mata produisit une minuscule quantité d'un assemblage de Cabernet Sauvignon et Merlot fort supérieur à tout ce qui était alors produit dans le pays en termes de vin rouge. L'année suivante, un autre rouge dense, mûr et incroyablement stylé, a fait un nouveau bond en avant. Ce vin fut baptisé du nom du vignoble principal de l'exploitation, Coleraine.

Au départ, le vin était issu de raisins cultivés dans un seul vignoble, mais les caprices du temps donnèrent naissance à un parcours mouvementé en termes de qualité et de style. Coleraine n'a jamais raté un millésime depuis 1982. En 1989, la société prit la bonne décision de garder le nom du vin mais d'en faire un assemblage des meilleurs raisins issus de 9 vignobles de Hawke's Bay. Le vin non utilisé pour cet assemblage a pu l'être pour deux autres vins. 2005 fut un excellent millésime à Hawke's Bay, et la première fois que la région connut des vendanges réellement prospères lors d'une année impaire depuis 1991. Le vin est dense sans être lourd, et révèle des saveurs de baies sombres, de cèdre, de mûre et de bois épicé. **BC**

AUTRES SUGGESTIONS		
Autres grands millésimes		
1995 • 1998 • 2000 • 2002 • 2003 • 2004		
Autres producteurs de Hawke's Bay		
Craggy Range • CJ Pask		
Sacred Hill • Stonecroft • Trinity Hill		

La maison de John Buck, entourée du vignoble Coleraine de Te Mata. →

Te Motu
Cabernet / Merlot

Origine Nouvelle-Zélande, Waiheke Island
Type vin rouge sec, 13 % vol.
Cépages Cabernet Sauvignon 74 %, Merlot 26 %
Millésime dégusté 2000, à boire jusqu'en 2012+
€€€

Le premier millésime de Te Motu fut produit en 1993. L'assemblage Te Motu varie chaque année. Chaque cépage est élevé séparément et est dégusté après environ une année afin de déterminer ce qui sera destiné au deuxième vin Cabernet / Merlot de Dunleavy. Le meilleur de ce qui reste est élevé pendant 6 à 9 mois avant d'être mis en bouteilles sous le nom Te Motu.

Lorsqu'il fut lancé en 2007, le 2000 se développait bien. D'une robe de rubis pourpre, teintée de grenat, le caractère du Cabernet est fort au nez, et évoque les saveurs de boîte de cigares, de fumée et de cassis. Les arômes sous-jacents déjà apparents deviendront plus évidents avec l'âge – le Te Motu a toujours un caractère salé et terreux. De corpulence moyenne, et possédant encore beaucoup de tanin et d'acidité juteuse, le 2000 aura peut-être atteint son apogée en 2010, et y restera pendant plusieurs années. Même si le Te Motu peut être bu dès sa sortie, il bénéficie également d'une mise en cave patiente : Terry Dunleavy déclara en octobre 2007 que le 1993 était « absolument éblouissant, avec des baies sucrées et fraîches et des raisins secs ». **SG**

Domaine Tempier
Bandol Cuvée Cabassaou

Origine France, Provence, Bandol
Type vin rouge sec, 13 % vol.
Cépages Mourvèdre, Syrah
Millésime dégusté 1988, à boire jusqu'en 2015
€€€€

Les parcelles du domaine de 30 ha de Tempier, situées au nord du grand amphithéâtre de Bandol, sont localisés sur trois communes différentes. Le Cabassaou est la plus petite des trois parcelles de vignobles individuels dont les vins sont vinifiés.

Daniel Ravier, qui dirige le domaine depuis 2000, met l'accent sur son engagement pour un équilibre général. Les raisins sont éraflés, les extractions se font de manière très délicate et les vins passent 18 mois dans de grands fûts de bois anciens.

Le Cabassaou 1988 arbore une robe rouge sombre opaque. Le vin est extrêmement complexe, évoquant le terrier et la ruche, le pin, la tomate et le cynorhodon. Il gagne en douceur et en rondeur après un peu de temps passé dans un verre. Plus le temps passe, plus il libère de nouveaux arômes – mélasse, miel et malt. En bouche, il garde un poids, une présence, une intensité et une densité considérables. Les tanins ont la qualité de beau cuir, et l'acidité est mûre, vive et ronde. Le répertoire de saveurs révèle un caractère somptueux, presque chocolaté, qui se faufile derrière le cuir et la terre. Ce Bandol n'est pas que complexe, il est aussi singulier. **AJ**

Tenuta dell'Ornellaia
Masseto IGT Toscana

Origine Italie, Toscane, Bolgheri
Type vin rouge sec, 14 % vol.
Cépage Merlot
Millésime dégusté 2001, à boire jusqu'en 2020+
€€€€€

Après avoir acheté à sa mère des terres excellentes au sein de Bolgheri, Lodovico Antinori choisit de les transformer en un vignoble hors prix. Antinori reconnut que ce niveau de qualité pouvait être accompli en produisant des vins de style Bordeaux. Au début des années 1980, une grande partie de territoire vierge fut planté de vignes et un chai futuriste de style californien fut conçu pour abriter tout le nécessaire à la fabrication de vin de qualité. Le premier vin rouge produit fut l'Ornellaia 1985, un assemblage de Cabernet Sauvignon, de Cabernet franc et de Merlot.

Masseto est né en 1986, lorsque Tenuta dell'Ornellaia décida de mettre en bouteilles individuelles le Merlot issu de son vignoble de Masseto, vu sa qualité exceptionnelle. Le premier millésime fut simplement baptisé Merlot, mais à partir de 1987 il reçut le nom du vignoble de 7 ha dont il est issu.

Depuis le premier millésime, Masseto est tenu en haute estime et très recherché sur le plan international, mais avec les 100 points du score 2001 du magazine Wine Spectator, il a connu une véritable explosion. En septembre 2007, le Masseto 2001 atteignait le même prix que le révéré Sassicaia 1985. **SG**

Tenuta dell'Ornellaia

Origine Italie, Toscane, Bolgheri
Type vin rouge sec, 12,5 % vol.
Cépages Cab. Sauv. 80 %, Merlot 16 %, Cab. franc 4 %
Millésime dégusté 1988, à boire jusqu'en 2013+
€€€€€

Fondé en 1981 par Lodovico Antinori, le domaine est passé en 2005 aux mains de la famille Frescobaldi, qui a exprimé l'engagement ferme de maintenir les pratiques et les principes d'Ornellaia. Michel Rolland visite le domaine trois fois par an et est principalement impliqué dans l'assemblage.

Le Cabernet Sauvignon domine la composition variétale, mais le pourcentage de Merlot a augmenté significativement vers la fin des années 1990. La maturation se fait en barriques, dure 12 mois avant l'assemblage final, et le vin reste ensuite en barriques 6 mois supplémentaires. Il passe 12 mois de plus en bouteille avant d'être mis en vente.

Le premier Ornellaia fut élaboré en 1985 mais ce fut en 1988 que le domaine trouva sa vitesse de croisière. La puissance et la charpente sont évidentes dans le vin, la texture est plus solide et le vin fait preuve de complexité et de profondeur. Le nez offre une intensité aromatique pleine d'amandes, de Christmas Cake et de cèdre. Très ferme en bouche, la structure tannique est évidente, mais le fruit est suffisant pour la couvrir. Classique, il pourrait certainement être mis en cave pendant un certain temps. **SB**

Tenuta delle Terre Nere
Etna Rosso Feudo di Mezzo

Origine Italie, Sicile, mont Etna
Type vin rouge sec, 14 % vol.
Cépages Nerello Mascalese 95 %, Nerello Cappuccio 5 %
Millésime dégusté 2004, à boire jusqu'en 2014+
€€€

Si la DOC Etna fut la première dénomination contrôlée de Sicile, les vins demeurèrentt rustiques et fades jusqu'à ce qu'un petit groupe de vignerons et d'entrepreneurs investissent dans la région et dans ses raisins natifs au début des années 1990. Leurs premiers efforts éblouirent à la fois critiques et connaisseurs. Depuis, les vignobles escarpés du mont Etna ont été témoins de l'une des révolutions œnologiques les plus impressionnantes d'Italie.

Attiré par le potentiel éblouissant des vins, le courtier en vin italo-américain Marc de Grazia commença en 2002 à acquérir des vignobles sur les versants nord de l'Etna. Il baptisa son domaine Terre Nere en l'honneur du sol volcanique noir.

Issu de très vieilles vignes plantées en 1927 et 1947, le vin est à la fois ample et raffiné. Le millésime inaugural 2004 de Feudo di Mezzo est à la fois frais et complexe, avec d'amples arômes de fraise qui évoquent le Pinot noir, ainsi qu'une charpente gracieuse au bon potentiel de garde. **KO**

Tenuta di Valgiano
Rosso Colline Lucchesi

Origine Italie, Toscane
Type vin rouge sec, 14 % vol.
Cépages Sangiovese 60 %, Syrah 30 %, Merlot 10 %
Millésime dégusté 2003, à boire jusqu'en 2025+
€€€

Lorsque Moreno Petrini acheta ce domaine, son intention était de faire assez d'argent pour lui permettre de le garder une année de plus. Collectionneur et connaisseur passionné de vins, il se rendit bientôt compte qu'il avait sérieusement sous-estimé le potentiel de ses raisins. Tout en étant sûr de pouvoir produire un vin original et expressif, il savait qu'il devrait d'abord comprendre parfaitement la façon dont ses vignes « fonctionnaient » avec le sol – une quête qui le mena à adopter la viticulture biodynamique.

Ce ne fut qu'en 1999 qu'il se sentit prêt pour lancer son premier Rosso Colline Lucchesi. Le vin du domaine était destiné à être important, et c'est le cas. Le Tenuta di Valgiano 2003 a un pouvoir de séduction sucré, épicé et dense. Le nez est à la fois puissant et élégant. Le chêne, très présent mais jamais écrasant, donne une première impression de douceur, qui disparaît vite grâce à des tanins très délicats et fermes, qui aident également le fruit à atteindre chaque recoin de la bouche et à s'attarder dans la longue finale. C'est incontestablement un vin qui récompense les aficionados les plus patients. **AS**

Tenuta Le Querce *Aglianico del Vulture Vigna della Corona*

Origine Italie, Basilicate, Vulture
Type vin rouge sec, 14 % vol.
Cépage Aglianico
Millésime dégusté 2001, à boire jusqu'en 2035
€€€€

Le domaine Tenuta Le Querce est situé à Barile, un village sur les pentes du mont Vulture, un volcan inactif dans la Basilicate, région enclavée entre les Pouilles et la Calabre, au sud de l'Italie.

La DO Vulture est assez petit. La majorité de ses vins provient de la commune de Venosa qui est assez distante de la fameuse montagne ; ces vins sont en général opulents et d'une élégance innée. Seule une minuscule proportion du vin est produite plus près de Vulture, là où le raisin est cultivé dans des vignobles qui jouissent d'une bonne exposition, de sols volcaniques, de variations de température modérées et de brises constantes, conditions qui favorisent la bonne santé de la vigne et des taux d'acidité plus élevés.

Vigna della Corona fait partie de ce vin-là. Le 2001 exhibe une robe profonde et vibrante ainsi que des notes fruitées et épicées très satisfaisantes : myrtilles, cerises Morello, vanille, café et un rappel plutôt agréable de terre et de basse-cour. Doté d'une corpulence massive, d'un équilibre parfait et d'une très longue finale, c'est un vin sublime. **AS**

Tenuta di San Guido *Sassicaia*

Origine Italie, Toscane, Bolgheri
Type vin rouge sec, 13 % vol.
Cépages Cab. Sauv. 85 %, Cab. franc 15 %
Millésime dégusté 1985, à boire jusqu'en 2025+
€€€€€

Sassicaia fut considéré comme une grande nouveauté quand le millésime 1968 fut mis en vente au début des années 1970, créé par Marchese Mario Incisa della Roccheta, un vigneron piémontais qui en 1943 avait aménagé le domaine toscan dont sa femme Gherardesca avait hérité. Au début, le vin était bu par des amis ou en famille, ou alors vendu en privé, mais en 1970, le fils de Mario, Nicolò, persuada son père de le commercialiser avec l'aide professionnelle de leurs cousins Antinori.

Sassicaia fut le premier vin en Italie à être élevé en barrique, le premier grand Cabernet italien, et le premier vin italien (le 1985) à se voir attribuer 100 points par Robert Parker. Récemment, Nicolas Belfrage écrivait que le 1985 était encore remarquablement jeune par sa robe et sa substance. «On retrouve l'arôme classique de cassis typique du Cabernet Sauvignon, ainsi que l'arôme – tout aussi classique – de mine de crayon qu'arbore le Cabernet vieilli en chêne français, avec une panoplie de fines herbes, d'épices et de cuir. La vivacité du vin en bouche est remarquable, il y a une abondance de riches fruits sucrés et les tanins sont denses mais souples.» **SG**

Tenuta Sette Ponti
Crognolo

Origine Italie, Toscane
Type vin rouge sec, 14 % vol.
Cépages Sangiovese 90 %, Merlot 10 %
Millésime dégusté 2004, à boire jusqu'en 2015
€€€

Terrazas/Cheval Blanc
Cheval des Andes

Origine Argentine, Mendoza
Type vin rouge sec, 13,5 % vol.
Cépages Cabernet Sauvignon 60 %, Malbec 40 %
Millésime dégusté 2002, à boire jusqu'en 2015
€€€

Alberto Moretti, le père du propriétaire actuel Antonio, acheta ce domaine en 1957. Son fils voulut réaliser son rêve de produire des vins de qualité dans son domaine à la fin des années 1990. Il engagea Carlo Ferrini en tant que consultant.

Le vignoble le plus ancien de la propriété est le splendide Vigna dell'Impero, planté en 1935 en commémoration de la fin de la campagne africaine et de la naissance de l'Empire italien. Ce vignoble est planté de Sangiovese et est sans doute l'un des vignobles commercialement productifs de ce cépage les plus anciens de la région.

Crognolo fut le premier vin de ce domaine à être mis en vente, suivi l'année d'après par Oreno. Crognolo est issu majoritairement de Sangiovese, avec un petit pourcentage de Merlot qui assouplit le côté rustique sans altérer son pouvoir de séduction. Le 2004 illustre particulièrement bien cette structure, associant des notes mûres et douces de cerise à des notes plus épicées et poivrées. Les tanins bien proportionnés et l'acidité rafraîchissante en font un vin idéal pour accompagner une vaste gamme de mets. **AS**

Ce domaine est géré par le Français Pierre Lurton du Château Cheval Blanc et l'Argentin Roberto de la Mota, l'homme responsable de Terrazas de los Andes, de Chandon. Ensemble, ils ont créé un vin issu des vignes les plus anciennes de Terrazas de los Andes, plantées en 1920 à Vistalba.

Lurton avait choisi cette région lorsqu'il était à la recherche de Malbec avant les ravages du phylloxéra et qui avait été délaissé ici à cause de ses piètres résultats comme greffon sur les porte-greffes américains résistants au phylloxéra. D'aucuns avancent que les vignes non greffées, telles celles qui servent dans l'assemblage du Cheval des Andes, produisent des vins plus fins.

Incontestablement, ce vin marie le caractère mûr, pulpeux, presque exotique mais séduisant, qui est le point fort du vin argentin, avec la délicatesse, la souplesse, la vivacité et la fraîcheur que l'on espère retrouver dans un vin supérieur bordelais. Il témoigne de l'efficacité de la retenue mise en œuvre par Lurton via la maturation prolongée des vignobles et du refus de Roberto de la Mota de trop pousser l'extraction ou de trop boiser le vin. **MW**

Le vignoble Caicayen de Terrazas à l'automne, dominé par les Andes. ➔

LE·TERTRE
ROTEBOEUF

Château Tertre-Roteboeuf

Origine France, Bordeaux, Saint-Émilion
Type vin rouge sec, 13,5 % vol.
Cépages Merlot 85 %, Cabernet franc 15 %
Millésime dégusté 2001, à boire entre 2010 et 2025
€€€€

François Mitjavile a transformé cette propriété négligée en l'un des principaux domaines de Saint-Émilion. Lorsqu'il en reprit la direction en 1978, il reconnut vite que les 5,6 ha de vignes de l'amphithéâtre derrière la maison, situés sur les coteaux en face de la vallée de la Dordogne, étaient un terroir prometteur. Dès le départ, son objectif fut de produire un seul vin de très grande qualité.

Mitjavile a développé un type de taille en cordon bas que l'on ne trouve pratiquement pas à Saint-Émilion, convaincu que c'est ce qui convient le mieux à ses vignes et à ses sols. Il vise une maturation égale, de hauts niveaux de maturité, mais pas de passerillage. Il méprise les pratiques courantes de vendanges en vert, car il considère que les vignes à haut rendement sont équilibrées par celles qui produisent peu de fruits à cause de leur âge ou de leur nature. Il fait fermenter le vin en cuves de ciment puis l'élève en jeune chêne au moins 18 mois.

Tertre-Roteboeuf est un vin sensuel, avec une bonne charpente tannique. Certains critiques ont affirmé qu'il vieillit mal, mais cela ne reflète pas notre expérience. Le 2001 est un millésime caractéristique. Aux fruits noirs s'ajoutent des arômes d'olives noires que l'on trouve souvent dans le Tertre-Roteboeuf. En bouche, il est d'une corpulence étoffée et très puissante, mais il a un caractère élégant et stylé qui empêche le vin de devenir suffocant, malgré une teneur en alcool relativement élevée. Il est difficile de contester la qualité du vin, même si certains remettent en question son prix exorbitant. **SBr**

Michel Tête
Cuvée Prestige

Origine France, Beaujolais, Juliénas
Type vin rouge sec, 13 % vol.
Cépages Gamay
Millésime dégusté 2005, à boire jusqu'en 2010+
€€€€

Juliénas est une charmante bourgade du Haut-Beaujolais. Situés à la pointe nord du Beaujolais, ses coteaux riches en granit donnent à ses vins une très grande vigueur et des arômes riches et fruités. Un autre cru septentrional, le Saint-Amour, est très différent. Il se situe de fait dans le Mâconnais, dont les sols plus calcaires donnent un vin beaucoup plus serein, de type Bourgogne.

Michel Tête, l'un des principaux exploitants de cette région, possède des vignobles dans les deux crus, mais son Juliénas est d'une catégorie à part. C'est l'un des Beaujolais les plus parfaits, dont les meilleurs millésimes restent au meilleur de leur forme pendant 4 ou 5 ans. Situées sur des coteaux échelonnés en amphithéâtre face au sud, ses vignes reçoivent toute la journée les rayons du soleil. Elles sont taillées très bas, ce qui donne du raisin très mûr. Sans prétendre être un viticulteur bio, Michel Tête se montre respectueux des sols et de ses vignobles.

Il propose deux cuvées distinctes. La cuvée ordinaire est vinifiée par macération semi-carbonique. La Cuvée Prestige est d'abord élaborée en cuves ouvertes, à la bourguignonne, avant d'être élevée dans le chêne. Le millésime 2005 est éblouissant : sa robe de rubis foncé révèle des arômes profonds de baies rouges, les flaveurs de cerise se teintant d'une note fumée. Le palais reste brillant, avec juste ce qu'il faut d'extraits vineux et une finale exceptionnellement longue. Un grand vin, idéal pour accompagner le poulet de Bresse à la crème ! **ME**

◀ Une borne en pierre marque la limite du domaine Tertre-Roteboeuf.

Thelema
Merlot Reserve

Origine Afrique du Sud, Stellenbosch
Type vin rouge sec, 14,1 % vol.
Cépage Merlot
Millésime dégusté 2003, à boire jusqu'en 2013
€€€

Maintenant que les vins de Thelema Mountain Vineyards semblent classiques dans leur approche, il est difficile de se rappeler que vers la fin des années 1980, lorsque cette exploitation familiale commençait à proposer ses premiers vins, le vinificateur Gyles Webb semblait presque un iconoclaste féroce.

Le domaine s'est développé à partir d'une vieille exploitation productrice de fruits, dont de nombreux vignobles étaient creusés à flanc de montagne. C'est l'une des propriétés les plus élevées de la région de Stellenbosch.

Thelema est surtout célèbre pour ses vins rouges, ce qui paraît ironique puisque c'est une bouteille de Puligny-Montrachet, dénichée à Kimberley, qui persuada Webb de suivre une formation d'œnologie. Son Merlot Reserve est produit en minuscules quantités lors des meilleures années, à partir d'une sélection de barriques de très bon Merlot. Ce n'est cependant pas un vin façonné dans le style luxuriant et doux du Merlot décrié par Miles dans le film *Sideways*. Mûr et généreux, tout en étant élégant, complexe, il fait preuve d'une concentration de cassis rehaussée par des notes de fenouil et une touche herbacée. **TJ**

Tilenus
Pagos de Posada Reserva

Origine Espagne, Bierzo
Type vin rouge sec, 13,5 % vol.
Cépage Mencía
Millésime dégusté 2001, à boire jusqu'en 2013+
€€€

Estefanía est une jeune entreprise de l'appellation émergente de Bierzo. Fondée en 1999, ses vins sont vendus sous le nom de Tilenus. Cette entreprise privée – qui appartient à la famille Frías de Burgos, un nom associé à l'industrie laitière – a transformé un centre de collecte de lait situé entre les villages de Dehesas et de Posadas del Bierzo, à 6,5 km de Ponferrada, en l'une des meilleurs exploitations viticoles de Bierzo. Le projet a commencé par l'acquisition de 34 ha de vieilles vignes de Mencía (cépage rouge local), plantées entre 1911 et 1947. Situé à Valtuille de Arriba, le vignoble Pagos de Posada est l'un des plus anciens et fournit les raisins pour ce vin, élevé dans de nouvelles barriques françaises pendant 13 mois et mis en bouteilles sans filtrage.

La robe du millésime 2001 est sombre et très intense. Le vin est marqué par des notes grillées de charbon, de fumée et de café torréfié dans sa jeunesse, avec des échos de cèdre, de poivre blanc, de fleurs et de framboise. Il offre une belle charpente en bouche, avec une acidité vive, tout en étant souple et riche en fruit et en tanins fondus, ainsi qu'une longue finale harmonieuse. **LG**

◁ Vignobles montagneux de Thelema, sur les flancs de Simonsberg.

Torbreck *RunRig Shiraz*

Origine Australie, Australie-Méridionale, Barossa Valley
Type vin rouge sec, 14,5 % vol.
Cépages Shiraz , Viognier
Millésime dégusté 1998, à boire jusqu'en 2015+
€€€€€

Après des études d'économie, David Powell travailla à Yalumba pour le millésime 1981, puis s'orienta vers une carrière dans l'industrie viticole d'Australie-Méridionale. Ayant acquis quelques vieux vignobles négligés dans la Barossa Valley, il entreprit dès 1994 la production de ses premiers vins, et en 1997 les Torbreck furent mis en vente.

Le nom du vin évoque le travail de Powell en tant que bûcheron dans les Highlands écossais. Torbreck est le nom de la forêt où il travaillait ; *runrig* est un terme utilisé pour décrire le système de distribution des terres utilisé entre les clans écossais. Ce système, qui met l'accent sur l'agriculture commune plutôt qu'individuelle, est en accord avec la technique de Powell qui consiste à assembler des raisins issus de sources très variées dans la Barossa Valley.

RunRig est issu de vieux vignobles de Shiraz, auquel est ajouté un petit peu de Viognier. Le meilleur vin Torbreck est très opulent, avec une expression de fruit mûr. Malgré son fruit si succulent, RunRig conserve une élégance surprenante, avec une texture veloutée lors des meilleures années. En 2007, le 1998 était en très bonne condition, avec un fruit noir intense et une texture suave, même s'il a besoin de décanter. RunRig semble s'être tourné vers un style plus riche en extrait ces dernières années – le 2004 était très intense, avec 60 % de jeune chêne, en comparaison aux 40 % des années précédentes – et seul le temps dira si ces vins mûriront aussi bien que ceux de la fin des années 1990 et de la première partie de ce siècle. **SG**

AUTRES SUGGESTIONS
Autres grands millésimes
1993 • 1994 • 1995 • 1996 • 1997 • 1998 • 1999
Autres vins de Torbreck
Les Amis • Descendant • The Factor • Juveniles *The Pict • The Steading • The Struie*

David Powell hume le dernier millésime de RunRig Shiraz. ➔

Torres
Gran Coronas Mas La Plana

Origine Espagne, Catalogne, Penedès
Type vin rouge sec, 13,5 % vol.
Cépages Cab. Sauv., Tempranillo, Monastrell
Millésime dégusté 1971, à boire jusqu'en 2015+
€€€€

Le révolutionnaire Gran Coronas Mas La Plana est l'invention de Miguel A. Torres. Président de l'entreprise familiale vieille de cinq générations. Il est aussi le meilleur ambassadeur du vin espagnol de par le monde. Dans les années 1960, Miguel expérimenta des plantations de Cabernet Sauvignon. Mais l'un des sujets qui tient le plus à cœur à Miguel est le mariage idéal du site et de la variété, et aujourd'hui peu de gens contesteraient que le Cabernet s'est bien adapté à Mas La Plana.

La justification de son projet est venue en 1979 : aux Olympiades du vin de Gault et Millau, lors d'une dégustation à l'aveugle, le Torres 1970 fut classé premier dans la catégorie Cabernet, devançant le Château Latour 1970 et d'autres illustres vins français. Le 1971 est encore plus sensationnel que son prédécesseur. Le nez est complexe, affichant la même harmonie fruitée et la même minéralité que le 1970, tout en étant un peu plus débridé. Le palais offre un ample parfum de cassis crémeux et des arômes superposés, riches et divinement soyeux, sur une trame puissante de tanins qui rappellent le cuir suédé. La finale est d'une excellente longueur. **NB**

Domaine La Tour Vieille
Cuvée Puig Oriol

Origine France, Roussillon, Collioure
Type vin rouge sec, 14 % vol.
Cépages Grenache noir, Syrah
Millésime dégusté 2005, à boire jusqu'en 2017+
€€€

Négociants de longue date, la famille de Vincent Cantié remplissait ses barriques avec les anchois salés typiques de Collioure. Mais lorsque Vincent revint de son tour du monde, il décida qu'il voulait désormais remplir ses barriques de vin. Il fut aidé par son épouse Christine, dont la famille était importante dans le monde du vin de Banyuls, et qui apporta en dot un vignoble du nom de La Salette.

Traditionnels dans tout ce qu'ils font, ils cultivent désormais plus de 76 ha de terres, sur des terrasses de schiste qui donnent sur la Méditerranée. Ils produisent des Collioures et quelques vins fortifiés fascinants en utilisant le système traditionnel de solera, ainsi que des vins millésimés de style moderne.

La Cuvée Puig Oriol 2005 est marquée par un puissant arôme de mûre et est très suave en bouche, ce qui a mené le philosophe anglais Roger Scruton à la comparer aux fesses d'une sculpture de femme nue d'Aristide Maillol, qui vécut et mourut à Banyuls, et dont l'art est très présent dans la région. Le négociant en vins Kermit Lynch l'a décrit comme « une petite touche de Bandol, un léger souvenir de Côte-Rôtie, sans oublier un accent catalan ». **GM**

◄ La maison familiale du vinificateur Miguel Torres à Penedès.

Domaine de Trévallon
Vin de Table des Bouches du Rhône

Origine France, Provence
Type vin rouge sec, 13,5 % vol.
Cépages Cabernet Sauvignon, Syrah
Millésime dégusté 2001, à boire jusqu'en 2020
€€€€

Réfugié de Champagne et de Bordeaux, Georges Brunet découvrit la formule d'un certain type de vin qui finit par donner naissance à l'AOC Coteaux des Baux-de-Provence – issu de Cabernet Sauvignon avec une goutte de Syrah. Jamais la France n'avait connu de vin si semblable à ceux du Nouveau Monde. Et certains pensent que c'est toujours le cas.

En 1973, un jeune architecte, Éloi Durrbach, dont les parents possédaient un domaine dans le village depuis les années 1960, se rendit aux Baux pour acquérir l'expérience de Brunet au Château Vignelaure. Durrbach lança son premier vin en 1978 et, dès le début des années 1980, il avait acquis une réputation grâce à ses vins. Il reçut ensuite les hommages de Robert Parker et il n'y eut plus moyen de faire machine arrière. Les autorités essayèrent de mettre fin à cela en changeant les règles de l'appellation en 1994. À partir de cette époque, seuls 20 % de Cabernet furent permis. Cependant, Durrbach n'eut aucune difficulté à vendre ses vins sous l'appellation moindre de Vin de Pays des Bouches-du-Rhône.

Le vin est actuellement issu à moitié de Cabernet et à moitié de Syrah. Le 2001 donna une petite vendange concentrée, où le mistral joua un rôle important dans le passerillage des raisins. Le vin qui en découle est superbe en termes de couleur et d'extrait. Il sent le cassis et les fraises, et dégage un léger arôme de tabac et d'herbes. Il s'achève sur une saveur piquante minérale. **GM**

Les vignes du domaine de Trévallon sur les flancs des Alpilles.

Trinity Hill *Homage Syrah*

Origine Nouvelle-Zélande, Hawke's Bay
Type vin rouge sec, 14 % vol.
Cépages Syrah, Viognier
Millésime dégusté 2006, à boire jusqu'en 2020
€€€

Homage doit beaucoup à feu Gérard Jaboulet qui fut, selon le propriétaire et vinificateur de Trinity Hill, John Hancock – qui travailla avec lui –, l'inspirateur de ce vin.

Trinity Hill fut l'une des premières exploitations de Nouvelle-Zélande à faire cofermenter une petite proportion de Viognier avec de la Syrah. Hancock croit que l'ajout d'environ 4 % de Viognier rend la Syrah plus féminine, en ajoutant une note florale aux arômes et en contribuant à une texture plus insaisissable. Les expériences de vinification commencèrent en 1999 afin de déterminer le rendement le plus approprié à une qualité supérieure de vins. Les raisins utilisés pour Homage sont cultivés dans une section spécifique du vignoble de Trinity Hill, où un régime de viticulture plus intensif est appliqué et une sélection plus rigoureuse est exercée durant les vendanges.

Les méthodes traditionnelles de vinification sont utilisées ici, dont la fermentation en cuves ouvertes remuées à la main quatre fois par jour. Après une courte période de macération post-fermentaire, les pellicules sont pressées et le vin égoutté dans de nouvelles barriques de chêne français pour un élevage de 18 mois. Homage est un vin ample et puissant, aux saveurs de baies sombres, de réglisse, d'anis et de chêne épicé ; il est dense, à la charpente ferme, qui est déjà accessible tout en faisant preuve d'un grand potentiel de garde. **BC**

AUTRES SUGGESTIONS
Autres grands millésimes
1993 • 1994 • 1995 • 1996 • 1997 • 1998 • 1999
Autres vins du même producteur
Les Amis • Descendant • The Factor • Juveniles *The Pict • The Steading • The Struie*

Les vignes de Trinity Hill au cœur de l'appellation Gimblett Gravels, à Hawke's Bay. →

Château Troplong-Mondot

Origine France, Bordeaux, Saint-Émilion
Type vin rouge sec, 13 % vol.
Cépages Merlot 90 %, Cab. franc 5 %, Cab. Sauv. 5 %
Millésime dégusté 1998, à boire jusqu'en 2020
€€€

Depuis 1936, le domaine appartient aux Valette et est dirigé actuellement par Christine Valette et sa famille. Elle a été guidée pendant de nombreuses années par Michel Rolland, qui l'a encouragée à réduire les rendements et à vendanger tardivement. Même si le domaine a connu un passage à vide pendant les années 1960 et 1970, les efforts se sont révélés payants lorsque Troplong-Mondot a été promu au statut de Premier Cru Classé en 2006 (ce qui n'a surpris personne).

Grâce à son Merlot extrêmement mûr, son opulence et sa sensualité, Troplong est un Saint-Émilion par excellence, dont l'hédonisme prime sur la rigueur. Le luisant du jeune chêne assouplit le vin et contribue à la douceur du fruit. Troplong ne manque cependant pas d'élégance et est capable de bien vieillir. 1998 fut une année superbe à Saint-Émilion. Le Troplong de ce millésime était impressionnant dans sa jeunesse tout en étant très dense, mais son pouvoir de séduction sensuel devient irrésistible avec les années. En bouche, il demeure ferme, tannique et charpenté, tout en ayant une finale soyeuse et sucrée. Il devrait certainement évoluer de façon positive avec les années.

De nombreux amateurs de vins pourraient voir en ce Troplong-Mondot le meilleur vin de cette excellente appellation. **SBr**

Château Troplong-Mondot, au sommet de la colline de Mondot. ➔

Château Trotanoy

Origine France, Bordeaux, Pomerol
Type vin rouge sec, 13 % vol.
Cépages Merlot 90 %, Cabernet franc 10 %
Millésime dégusté 2005, à boire entre 2015 et 2050+
€€€€€

Ce domaine était autrefois connu sous le nom de «Trop Ennuie», car le travail du sol pauvre entraînait des tâches ingrates. Le nom fut changé au XIXe siècle pour Trotanoy. Le domaine se situe sur un haut plateau à moins de 1,5 km à l'ouest de Petrus, et appartient à l'illustre famille Moueix depuis 1953. Trotanoy, domaine jadis méconnu et produisant de modestes quantités de vin (le vignoble ne comprend que 8 ha), est aujourd'hui une référence dans le district non classé de Pomerol. Il se réjouit désormais d'être tenu pour le prochain grand Pomerol après Petrus, qui est aussi, après tout, une propriété Moueix.

Le vin est fermenté dans des cuves de béton avant d'être élevé pendant une vingtaine de mois en barriques, et la proportion de jeune chêne utilisée a augmenté régulièrement lors des dernières décennies. Son étiquette est d'une simplicité presque défiante, toute illustration se résume au nom du domaine et du district.

Les premières dégustations du millésime 2005 ont confirmé ce dont on pouvait facilement se douter : Trotanoy a produit un véritable bijou. Le vin possède une charpente imposante, très musclée, avec un parfum de pétale de rose, qui flotte comme une brume de chaleur sur les arômes de mûre et de cerise noire. En ce qui concerne la texture, le vin a ce caractère soyeux caractéristique d'un millésime très mûr avec de splendides notes épicées qui se réverbèrent sur la finale majestueuse, mais il va avoir besoin d'une longue maturation en bouteille pour montrer ce dont il est réellement capable. **SW**

AUTRES SUGGESTIONS
Autres grands millésimes
1982 • 1990 • 1993 • 1995 • 1998 • 2000 • 2001 • 2003
Autres vins Moueix
Hosannah • La Fleur-Petrus • Latour-à-Pomerol *Magdelaine • Petrus • Providence*

Des vignes taillées avec précision bordent le chai de Château Trotanoy.

Tua Rita
Redigaffi IGT Toscana

Origine Italie, Toscane, Maremme
Type vin rouge sec, 14,5 % vol.
Cépage Merlot
Millésime dégusté 2000, à boire jusqu'en 2015
€€€€€

Redigaffi ne fut pas le premier Merlot pur à attirer l'attention dans cette partie du monde, mais il a reçu le grand prix Tre Bicchieri de Gambero Rosso avec une régularité monotone et atteint l'apothéose des 100 points dans l'ouvrage de Robert Parker *Wine Advocate* pour le millésime 2000.

Tua Rita est actuellement dirigé para Rita Tua, son époux Virgilio Bisti, et leur gendre Stefano Frascolla. Depuis le succès obtenu par les premiers millésimes, ils ont planté plus de Merlot, ainsi que du Cabernet Sauvignon et de la Syrah. Ils produisent désormais un nombre appréciable de bouteilles de ce précieux liquide, qui sont cependant vendues comme si la pénurie extrême des années 1990 se poursuivait, et les acheteurs doivent se mettre à genoux pour obtenir leur part annuelle. Le vin reste toutefois égal à lui-même : ample et velouté, au fruit explosif, aussi somptueux et voluptueux qu'un jeune Merlot de Bordeaux peut être charpenté et sévère. Si obtenir et payer ce vin relève du pur masochisme, le boire relève de l'hédonisme pur – et pourquoi pas si vous pouvez vous le permettre, la vie est bien assez courte comme ça. **NBel**

Turkey Flat
Shiraz

Origine Australie, Australie-Méridionale, Barossa Valley
Type vin rouge sec, 14,5 % vol.
Cépage Shiraz
Millésime dégusté 2004, à boire jusqu'en 2012+
€€€

Turkey Flat peut revendiquer la possession des vignobles les plus vieux de Barossa Valley ; le plus ancien fut planté par Johann Fiedler en 1847.

Le vignoble fut acheté en 1865 par le boucher Gottlieb Ernst Schulz, qui vendait les raisins à des producteurs locaux. Aux côtés de sa femme Christie, Peter, quatrième génération de Schulz, fit la transition au début des années 1990 vers une mise en bouteilles des vins au domaine, et transforma finalement cette dynastie de viticulteurs de Barossa en producteurs de vin. L'artiste local Rod Schubert a été engagé pour créer l'étiquette de Turkey Flat : ses dessins donnent aux bouteilles de vin Turkey Flat cette élégance qui les caractérise.

Avec sa robe pourpre sombre, dense et opaque, ce Shiraz offre des saveurs de chocolat, de cacao et de tarte aux prunes. Voluptueux et très intense, jouissant d'une longue finale, ce style de Shiraz de Barossa est sensuel et relativement limité par les standards récents de la région. Ce qui est encore plus surprenant pour un vin issu en partie de vignobles de 150 ans d'âge, c'est que son prix demeure abordable. **SG**

Turley Wine Cellars
Dragon Vineyard Zinfandel

Origine États-Unis, Californie, Napa Valley
Type vin rouge sec, 16,1 % vol.
Cépage Zinfandel
Millésime dégusté 2005, à boire jusqu'en 2015+
€€€

Le Zinfandel de Turley, produit par Larry Turley et Ehren Jordan, éveille la controverse. Si certains tournent en dérision ces vins comme ayant trop d'extrait et étant trop exagérés, d'autres pensent qu'il s'agit là de la quintessence de ce cépage expansif, épicé et verni, avec une teneur en alcool dépassant 15 % vol.

Larry Turley a fondé son exploitation en 1993, après avoir mis fin à son partenariat avec Frog's Leap. Jusqu'en 1995, sa sœur Helen fut la vinificatrice. Lorsqu'elle quitta l'exploitation pour poursuivre ses propres projets, son assistant Ehren Jordan prit sa place. Hormis la production de vins, Jordan recherche de vieux vignobles de Zinfandel sur différents terroirs, des vignes maltraitées par une génération de viticulteurs dévoués à la quantité plus qu'à la qualité.

Le Zinfandel de Turley a une transparence qui permet à chaque cuvée de révéler sa provenance. Le Zin de Dragon Vineyard a un noyau concentré et pierreux et un caractère explosif de poivre noir. Le niveau élevé d'alcool et le fruit mûr saturé laissent une impression sucrée en bouche. Les vins ne sont ni filtrés ni raffinés. Ces Zinfandels offrent un argument en faveur du «grand vin américain». **LGr**

Umathum
Zweigelt Hallebühl

Origine Autriche, Burgenland, Neusidlersee
Type vin rouge sec, 13 % vol.
Cépages Zweigelt, Blaufränkisch, Cab. Sauv.
Millésime dégusté 2004, à boire jusqu'en 2015
€€€

Il n'existe pas en Autriche de vigneron plus inspiré et plus jovial que Joseph Umathum et son Zweigelt issu de ce même Hallebühl. Peu de vignerons pensent que le Zweigelt est capable d'une telle profondeur, mais tant qu'Umathum est de la partie, ce cépage méconnu ne manquera jamais de défenseurs éloquents.

Une essence sucrée et mûre de cerise, et un puissant zeste d'orange s'élèvent, suivis par le tabac, la résine, la mine de crayon et le chocolat fondant. Le pouvoir de séduction contradictoire de cette libation totalement irrésistible repose sur le fruit vigoureux et l'onctuosité caressante du vin. Umathum lui donne deux ans en barriques d'âges différents, et quelque temps supplémentaire en bouteille avant d'être mis en vente. La concentration inhabituelle de magnésium de ces sols agit-elle comme un catalyseur pour les différents niveaux qui composent le Zweigelt? Personne ne sait au juste. Il n'existe pas de vigneron plus déterminé que Josef Umathum lorsqu'il s'agit de laisser les vins qu'il met en bouteilles «parler terroir». **DS**

Azienda Agricola G. D. Vajra
Barolo Bricco delle Viole

Origine Italie, Piémont, La Morra
Type vin rouge sec, 14 % vol.
Cépage Nebbiolo
Millésime dégusté 2001, à boire entre 2010 et 2030
€€€€

Vergne est le village le plus haut de la commune de Barolo. Les vignes plantées ici sur les fameux sols de marne blanche sont toujours les dernières à mûrir et sont vulnérables aux pluies tardives à la fin de l'automne. Mais quand le millésime est exceptionnel, comme en 2001, ils offrent un Nebbiolo d'une élégance sans pareille.

Le Nebbiolo est d'emblée un cépage difficile. Aldo et Milena Vajra ont dédié leur vie à amadouer ce raisin récalcitrant pour qu'il dévoile toute sa complexité aromatique. Le raisin est cultivé sur 10 ha de vignobles sur les communes de Barolo et de La Morra, et Aldo préserve les traditions familiales, favorisant les rendements faibles.

La meilleure illustration de cette approche est le Barolo Bricco delle Viole 2001. Quoique officiellement dans le périmètre de la paroisse de Barolo, le Bricco delle Viole incarne l'élégance du raisin de La Morra. En 2001, le Nebbiolo atteignit sa pleine maturité, donnant une acidité et des tanins éloquents sous-jacents aux saveurs superposées qui séduisent le palais avec un parfum généreux de fruits rouges, de foin, de tabac et de réglisse. **MP**

Château Valandraud

Origine France, Bordeaux, Saint-Émilion
Type vin rouge sec, 14 % vol.
Cépages Merlot, Cab. franc, Cab. Sauv., Malbec
Millésime dégusté 2005, à boire jusqu'en 2025
€€€€€

Château Valandraud est un ensemble de vignobles qui s'est graduellement accru depuis sa fondation en 1989. C'est depuis l'achat en 1999 d'une parcelle proche de Fleur-Cardinale, sur le plateau de Saint-Émilion, que le vin a acquis l'autorité et le charme voluptueux dont il jouit actuellement.

Le propriétaire Jean-Luc Thuvenin possède désormais presque 9 ha, et la « famille » Valandraud comprend même une version kasher et un vin blanc, ainsi qu'un second vin Virginie et un Numéro 3.

Le secret de Valandraud, si secret il y a, réside dans la combinaison de la viticulture méticuleuse à un faible rendement de Murielle Andraud, l'épouse de Jean-Luc Thuvenin, et la vinification soignée et intelligente, bien que fondamentalement traditionnelle, de Thuvenin lui-même. Le sombre millésime 2005, au parfum frais (et qui ne contient que 10 % de raisins des vignobles d'origine), associe la douceur classique de Valandraud et la pureté du fruit, mais derrière ces charmes se cachent des niveaux presque sculpturaux d'extrait, d'acidité vive et de tanins parfumés, qui présagent une beauté bien plus durable que les premiers grands succès du domaine. **AJ**

Le panneau à l'entrée de Château Valandraud. ➡

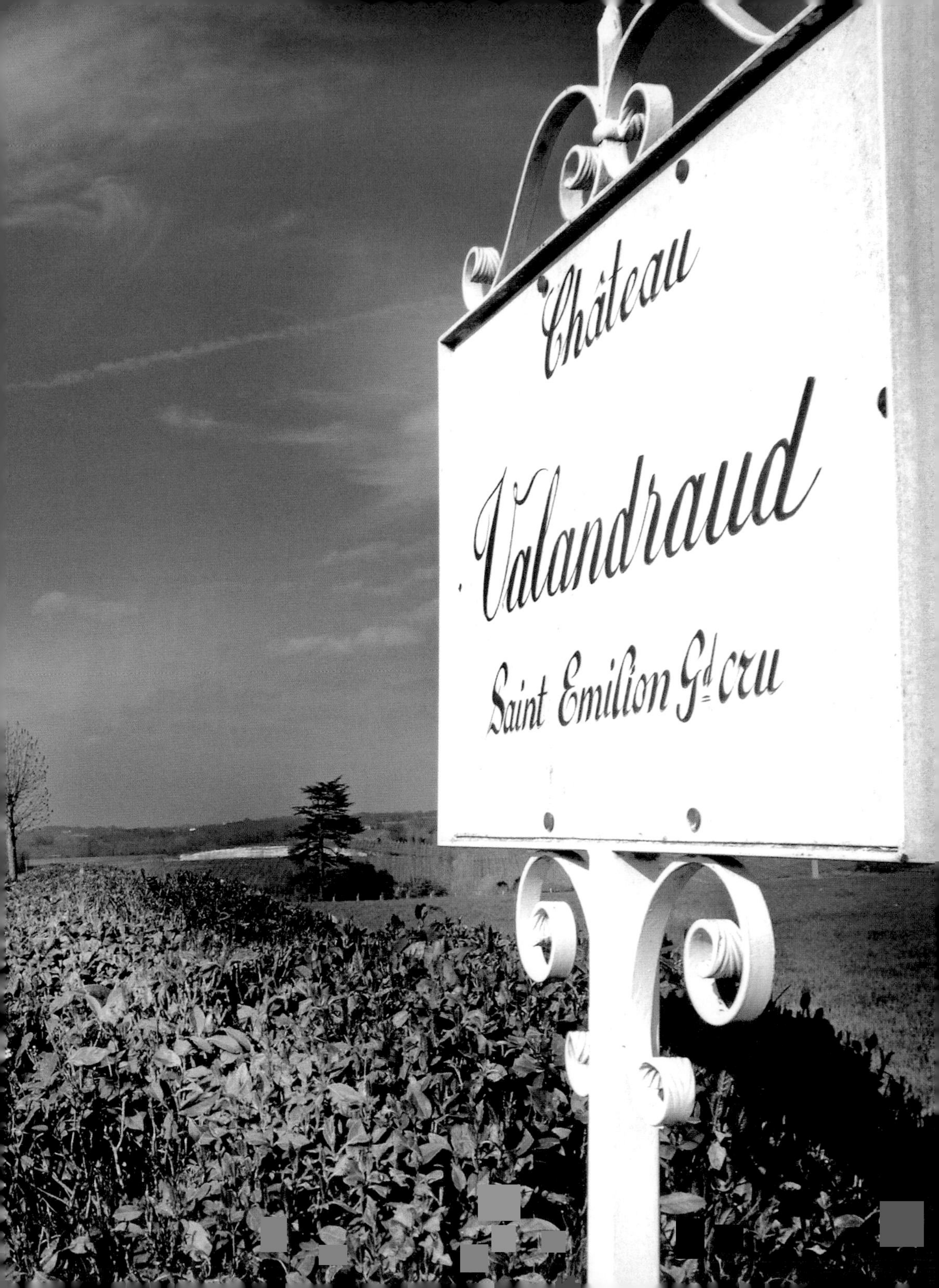
Château
Valandraud
Saint Emilion Gd cru

Valdipiatta *Vino Nobile di Montepulciano Vigna d'Alfiero*

Valentini *Montepulciano d'Abruzzo*

Origine Italie, Toscane, Montepulciano
Type vin rouge sec, 14 % vol.
Cépage Sangiovese
Millésime dégusté 1999, à boire jusqu'en 2020+
€€€

Origine Italie, Abruzzes
Type vin rouge sec, 12 % vol.
Cépage Montepulciano
Millésime dégusté 1990, à boire jusqu'en 2015+
€€€

Lorsque Giulio Caporali décida de reprendre ce domaine vers la fin des années 1980, son rêve était de produire un vin si bon qu'il serait présent sur les tables des plus grands restaurants du monde. Les résultats ont dépassé toutes ses ambitions.

Le domaine Valdipiatta, dirigé par la fille de Caporali, Miriam, englobe désormais non seulement la production de vin mais l'hôtellerie, grâce à l'ajout d'une belle ferme. Le vin reste cependant l'intérêt principal. Le Vino Nobile di Montepulciano Vigna d'Alfiero est issu d'un seul vignoble planté uniquement de Sangiovese. Ce n'est pas un Riserva et il est produit chaque année.

Le 1999 regorge de la classe et de l'élégance rustique du grand cépage toscan. Le nez offre des notes de cerise et épicées avec une touche florale et mentholée. En bouche, il semble plutôt ferme si l'on n'est pas habitué au Sangiovese authentique, mais les experts peuvent témoigner que celui-ci en est un. Il faut savourer la longue finale élégante et faire confiance à la capacité de ce vin à gagner en complexité, en expressivité et en séduction sur le moyen et le long terme. **AS**

En dehors des citadelles vinicoles du Piémont et de la Toscane, il existe de nombreuses vieilles dénominations qui sont généralement passées sous silence quand les vins supérieurs sont recensés. Le Montepulciano d'Abruzzo en est un exemple et Edoardo Valentini était l'un de ses champions.

Aujourd'hui géré par le fils d'Edoardo, Francesco Paolo, Valentini continue à être un nom avec de solides perspectives. Les vieilles vignes Montepulciano sont récoltées tardivement pour maximiser robe et saveur. Les faibles rendements et la mise en bouteilles sans filtration donnent un rouge foncé noir comme l'encre, d'une intensité fabuleuse. L'élevage se fait dans de grands et vieux fûts en bois de châtaignier.

En 1990, un millésime glorieux produisit un des meilleurs Montepulciano jamais mis en bouteilles par Valentini père. Le nez révèle un parfum de cèdre fort évocateur d'un Pauillac. Au palais, des saveurs secondaires de truffe noire se faufilent dans la confiture de prune sur une trame tannique encore relativement robuste. Tout cela aboutit sur une finale qui vous laissera rêveur des heures durant. **SW**

Le village natal d'Edoardo Valentini à Loreto Aprutino. →

Valtuille
Cepas Centenarias

Vall Llach

Origine Espagne, Catalogne, Priorat
Type vin rouge sec, 15,5 % vol.
Cépages Cariñena, Merlot, Cabernet Sauvignon
Millésime dégusté 2004, à boire jusqu'en 2015
€€€

Origine Espagne, Bierzo
Type vin rouge sec, 13,5 % vol.
Cépage Mencía
Millésime dégusté 2001, à boire jusqu'en 2015
€€€

Lluís Llach est un grand musicien folklorique catalan, un auteur politiquement engagé, et, depuis le milieu des années 1990, un producteur de vin à Porrera, où il passait ses vacances enfant. Après avoir aidé à revitaliser la coopérative locale grâce à la bodega Cims de Porrera, il fonda dans le même village, avec son ami d'enfance Enric Costa, sa propre petite exploitation, Celler Vall Llach.

Le cépage dominant utilisé par Cims de Porrera et par Vall Llach n'est pas le Grenache mais le Carignan, mieux adapté aux *costers* (collines non terrassées) de *licorella* (d'ardoise) aux alentours du village. Aujourd'hui, la bodega produit trois vins. Encore meilleur que Embruix et Idus, Vall Llach en est le fleuron : deux tiers de Carignan issu de vignes centenaires et un tiers de Merlot et de Cabernet Sauvignon.

Le Vall Llach 2004, sans doute le vin le plus spectaculaire jusqu'à présent, provient d'un millésime Priorat d'exception. D'un rouge cerise très intense, il offre au nez la mûre, le graphite et le pain grillé. En bouche, il frôle la perfection avec une amplitude, une puissance, une élégance, une harmonie et une finale époustouflantes. **JMB**

Raúl Pérez Pereira, esprit libre et sauvage, façonne des vins idiosyncratiques, dont un incroyable Albariño appelé Sketch, élevé sous l'eau dans l'Atlantique. Raúl est un Berciano de souche, qui travaillait déjà dans les vignobles et le chai de sa famille, Bodegas y Viñedos Castro Ventosa, lorsque débuta la révolution de Bierzo vers la fin des années 1990. Il produit une vaste gamme de vins, au sein de la DO de Bierzo et en dehors, ce qui reflète son caractère insatiable.

Comme son nom l'implique, Valtuille Cepas Centenarias est issu de vignes de Mencía âgées de plus de 100 ans. Il possède la puissance d'un vin du nord du Rhône et la finesse d'un bon Côte-de-Nuits. Il est élevé pendant 14 mois en barriques de chêne français, dont 80 % de nouvelles. Le vin a une robe très sombre et intense, presque opaque, et violacée dans sa jeunesse. L'intensité du fruit de vieilles vignes est évidente dans ce vin concentré et terreux. On y décèle quelques notes grillées de chêne, qui se mêlent à des notes minérales (graphite), d'encre, et une profusion de fruits noirs (myrtilles). Très charpenté en bouche, il possède un fruité à la densité impressionnante, des tanins impeccables et une très longue finale. **LG**

Vasse Felix *Heytesbury* Cabernet Sauvignon

Origine Australie, Australie-Occidentale, Margaret River
Type vin rouge sec, 14,5 % vol.
Cépages Cabernet Sauvignon 95 %, Shiraz 5 %
Millésime dégusté 2004, à boire jusqu'en 2014+
€€€

Vasse Felix fut le premier vignoble établi dans la région de Margaret River. En 1965, le Dr John S. Gladstones confirma l'aptitude de Margaret River à la production de vins et, deux ans plus tard, le Dr Tom Cullity planta des vignes et donna ainsi naissance à Vasse Felix. Le domaine fut acheté en 1987 par l'entrepreneur Robert Holmes à Court et est désormais dirigé par la veuve de Robert, Janet Holmes, à Court.

Le Cabernet Heytesbury associe des parcelles de fruits issus de divers producteurs de toutes les sous-régions de Margaret River. Assembler ces sous-régions permet à Vasse Felix de créer un style de la maison qui reflète sa philosophie de vinification plutôt que les nuances d'un seul vignoble ou d'une région. Une petite portion de Cabernet Sauvignon de Franklin River et de Mount Barker ajoute de la complexité au vin, et l'on peut aussi trouver du Malbec, du Merlot et du Cabernet franc dans certains millésimes. Le Heytesbury Cabernet est somptueux, aux saveurs intenses et chocolatées, et l'on y décèle une utilisation généreuse du chêne. **SG**

Vecchie Terre di Montefili *Bruno di Rocca*

Origine Italie, Toscane
Type vin rouge sec, 13,5 % vol.
Cépages Cab. Sauv. 60 %, Sangiovese 40 %
Millésime dégusté 2002, à boire jusqu'en 2028
€€€€

Une importante famille florentine fit don de ce domaine en 1200 à un ancien ordre monastique. En 1979, il fut acheté par la famille Acuto dans l'intention de produire des vins de qualité. Ceux-ci, partis de zéro, durent affronter les problèmes de vignobles mal entretenus avant de moderniser le chai. Grâce aux conseils d'un agronome et d'un vinificateur très compétent, ils atteignirent rapidement leur objectif. Ils croyaient en l'énorme potentiel du Sangiovese dans cette partie du Chianti Classico, mais ils n'exclurent pas l'expérimentation d'autres cépages, ce qui a abouti à leur plus grand vin à ce jour, Bruno di Rocca.

Le Bruno di Rocca 2002 est un vin fantastique, d'autant plus agréable lorsqu'on se souvient que de nombreux experts rejetèrent le millésime. Ce qui signifie simplement qu'il y a donc plus de vin disponible pour ceux qui sont sensibles à ses charmes considérables. Il suffit de regarder avec insistance la couleur pourpre profonde, brillante et veloutée avant de respirer les parfums séduisants de cassis et de menthe. En bouche, il est divin : une liqueur intense et caressante de cassis, entrelacées de cuir suave et jeune, de poivre noir et de vanille. **AS**

Vega de Toro
Numanthia

Origine Espagne, Toro
Type vin rouge sec, 14,5 % vol.
Cépage Tinta de Toro (Tempranillo)
Millésime dégusté 1998, à boire jusqu'en 2020
€€€

Numanthia Thermes est le projet catalan des frères Eguren, qui choisirent ce nom parce que les vignes vieilles de 70 à 140 ans résistèrent au phylloxéra au moment où la ville historique de Numance engageait sa dernière bataille après le siège épuisant imposé par la légion romaine en 133 apr. J.-C.

Les vieux vignobles de Tinta de Toro sont plantés à 701 m d'altitude. Les sols sont riches en argile et en craie, mais une importante proportion de sable fait que le phylloxéra n'a aucune chance de survie.

Le premier millésime de Numanthia en 1998 eut un succès immédiat. Le vin avait fermenté une semaine avant de macérer avec les lies et les peaux pendant encore 21 jours. Élevé en fûts de chêne français neufs pendant 18 mois, avec une fermentation malolactique en barrique, il fut mis en bouteilles sans collage ni filtration. La robe d'un rouge cerise foncé est complètement opaque et les arômes intenses ont une dominante de chêne de qualité avec des notes de graphite et de fruits noirs (mûre et myrtille). Au palais, il est riche et fruité, ample et puissant, avec des tanins qui gagneront à vieillir pour s'harmoniser complètement avec ce vin qui sera de longue garde. **LG**

Vega Sicilia
Único

Origine Espagne, Ribera del Duero
Type vin rouge sec, 13 % vol.
Cépages Tinto Fino (Tempranillo), Merlot, autres
Millésime dégusté 1970, à boire jusqu'en 2020
€€€€€

Vega Sicilia est sans aucun doute l'exploitation viticole la plus prestigieuse d'Espagne. Quelle que fût la qualité d'un millésime 1970, les vins chers et de qualité ne se vendaient cependant pas bien en Espagne à l'époque. Ces vins étaient pratiquement mis en bouteilles sur commande.

Tout au long de sa vie, l'Único 1970 fut transféré maintes fois, dans du ciment, de grandes cuves de chêne ou des barriques, selon les besoins du chai ou des différents propriétaires de l'époque. Le jeune œnologue Mariano García prit cependant grand soin de garder les barriques remplies afin d'éviter autant que possible l'oxydation, de préserver le fruit et de minimiser l'acidité volatile et le style Porto qui était la marque de fabrique des vieux Único.

Le vin fut mis sur le marché 25 ans après le millésime, et les magnums ne furent vendus qu'en 2001. Il est impossible de déterminer son âge à partir de sa couleur, de son odeur ou de son goût, car il est resté extrêmement jeune. Le vin a une robe profonde, un parfum enivrant, une texture veloutée. Ce vin est considéré par beaucoup comme le meilleur vin jamais produit en Espagne. **LG**

Fondée en 1864, Vega Sicilia est considérée comme le « Château Latour d'Espagne ». ➡

Venus
La Universal

Origine Espagne, Montsant
Type vin rouge sec, 13 % vol.
Cépages Cariñena 50 %, Syrah 50 %
Millésime dégusté 2004, à boire jusqu'en 2012+
€€€

Sara Pérez et René Barbier sont la deuxième génération dans deux des exploitations pionnières de Priorat. En 1999, Sara donna naissance à un projet personnel à Falset, Venus La Universal, à l'origine Tarragona et qui fait aujourd'hui partie de la DO Montsant. Lorsque Sara et René se rencontrèrent, cette exploitation devint leur projet commun.

La Universal est le nom d'un vignoble de 4 ha à Falset, planté de jeune Syrah sur un sol granitique acide et pauvre. Ils achètent également du Cariñena âgé de 50 à 80 ans issu de cinq vignobles locaux – un de granit, deux d'ardoise et deux autres de calcaire argileux. Tous sont cultivés biologiquement.

Le Venus 2004 a une robe sombre, un nez dominé par les fruits noirs (cassis, mûre et myrtille), des notes grillées sous la forme de pain grillé, d'olives noires et de violettes. De corpulence moyenne, bien équilibré et d'une belle acidité, ce vin est souple et offre beaucoup de fruit ainsi qu'une belle longueur. Sara a une image très claire de son vin : « Venus est le résultat de notre quête de beauté. Une tentative d'interpréter la féminité par le biais d'une bouteille de vin : mystère et séduction, éloquence et volupté. » **LG**

Vergelegen

Origine Afrique du Sud, Stellenbosch
Type vin rouge sec, 14 % vol.
Cépages Cab. Sauv. 80 %, Merlot 18 %, Cab. franc 2 %
Millésime dégusté 2003, à boire jusqu'en 2015
€€€

Les vignes furent plantées pour la première fois à Vergelegen en 1700, à la demande du propriétaire, Willem Adriaan Van der Stel, gouverneur du Cap de l'époque. La renaissance du vin sud-africain dans les années qui suivirent les premières élections démocratiques de 1995 a vu le domaine resurgir.

Les efforts du maître caviste André Van Rensburg pour produire un « vin culte » dans le style des célèbres vins californiens se concentrent principalement sur l'impressionnant et imposant Cabernet baptisé simplement V. L'assemblage Vergelegen est toutefois le fleuron rouge du domaine, ainsi que celui destiné à exprimer le terroir (bien que V ne voie le jour que lors des meilleures années, ce vin-là est toujours produit).

2003 fut une année particulièrement belle au Cap, et le Vergelegen était séduisant et d'une complexité naissante dans sa jeunesse, tout en promettant une longue maturité. Ample et totalement mûr, avec un fruit brillant et sombre soutenu par une bonne dose de chêne ayant besoin de plusieurs années pour s'intégrer, le vin dégage également une harmonie mesurée et élégante. **TJ**

La surprenante entrée des caves à Vergelegen. ➡

Noël Verset
Cornas

Origine France, Rhône septentrional, Cornas
Type vin rouge sec, 14 % vol.
Cépage Syrah
Millésime dégusté 1990, à boire jusqu'en 2015
€€€€€

Noël Verset s'inscrira dans nos mémoires comme un petit vieillard portant une casquette en étoffe. Il succéda à un père qui décéda plus que centenaire – plus ou moins l'âge de ses vignes, et commença à produire du vin en 1942, à partir de trois parcelles indépendantes (Sabrottes, Les Chaillots et Champelrose) dont il assembla toujours le produit pour en faire un seul vin.

Même juste après la vendange, le 1990 était merveilleusement séduisant, semblant exsuder un parfum de goudron et de mûres. Un critique mentionna du charbon qui couve ; un autre en fit ce commentaire mémorable : « Une bête sauvage traînée hors de sa tanière ». Robert Parker lui attribua 100 points.

Le charme des vins de Noël Verset réside dans leur caractère désuet. On n'enlevait pas les rafles. Le vin était fait dans des cuves en ciment et foulé au pied avant l'élevage en vieux chêne. Certains critiques désapprouvaient. Le 1990 a aussi été remis en question, d'aucuns annonçant qu'il se délayait. Dans les années 1990, certaines des vignes de Verset furent attribuées à la nouvelle cuvée, Thierry Allemand. **GM**

Vieux Château Certan

Origine France, Bordeaux, Pomerol
Type vin rouge sec, 13,5 % vol.
Cépages Merlot 70 %, Cab. franc 20 %, Cab. Sauv. 10 %
Millésime dégusté 2000, à boire entre 2010 et 2030+
€€€€

D'après les archives, le Château Certan daterait du début du XVIᵉ siècle, quand il fut établi par une famille écossaise, les Demay. En 1924, il fut vendu à un négociant en vins belge, Georges Thienpont. Les parcelles de Certan se situent sur un plateau dont la couche arable est composée d'un mélange d'argile sablonneux riche en fer, superposé de gravillon.

La récolte manuelle est suivie de la vinification dans des cuves en bois et d'une longue macération sur les peaux. Le vin est ensuite élevé en fûts de chêne pendant 18 à 24 mois, la moitié des fûts étant renouvelé à chaque millésime. Le collage au blanc d'œuf précède la mise en bouteilles sans filtration.

Soleil et harmonie régnèrent pendant août et le début du mois de septembre 2000. Le résultat est un vin d'une formidable complexité aromatique, la framboise, la prune noire et la réglisse jouent des coudes pour se faire remarquer. Au palais, le vin est massif, reposant sur d'éléganes tannins. Les clous de girofle, le santal et la cannelle font jaillir des saveurs fruitées denses et pourpres. La finale est majestueusement longue et intense, indiquant encore un Bordeaux 2000 avec un brillant avenir devant lui. **SW**

Domaine du Vieux Télégraphe
Châteauneuf-du-Pape

Origine France, Rhône méridional
Type vin rouge sec, 14,5 % vol.
Cépages Grenache 65 %, Syrah 15 %, autres 20 %
Millésime dégusté 1998, à boire jusqu'en 2025
€€€

Le village de Châteauneuf-du-Pape est un lieu magique. Les meilleurs vins sont issus d'une poignée de domaines familiaux qui entretiennent les vignes de la région depuis plusieurs générations. L'un des meilleurs est le Vieux Télégraphe, sur le plateau de La Crau, à la limite sud-est de l'appellation.

Les producteurs de Châteauneuf-du-Pape ont établi des réglementations draconiennes. Les rendements permis sont bien plus faibles qu'ailleurs, tous les raisins doivent être vendangés manuellement, avec une teneur en alcool de 12,5 % au minimum. Au moins 5 % de la vendange doit être éliminée afin d'assurer que les vins soient issus des raisins les plus sains.

Petit domaine à ses débuts, le Vieux Télégraphe regroupe désormais 70 ha sous vigne. Le Grenache compose deux tiers de la cueillette, ce qui assure au vin rouge du domaine sa chair onctueuse, tandis que les 15 % de Syrah et les 15 % de Mourvèdre y ajoutent chaleur, charpente et épices. Afin d'améliorer la qualité, un deuxième vin appelé Télégraphe fut introduit en 1994, et depuis 1998 un vin expérimental baptisé Hippolyte, du nom du fondateur du domaine, est produit sans jamais être mis en vente. **JP**

Viñas del Vero
Secastilla

Origine Espagne, Aragón, Somontano
Type vin rouge sec, 14 % vol.
Cépages Grenache 90 %, autres 10 %
Millésime dégusté 2005, à boire jusqu'en 2015
€€

Ce qui différencie les grands vins de ce monde des autres n'est pas leur individualisme ni leur caractère unique, mais plutôt des traits qu'ils partagent et qui se regroupent en trois ou quatre catégories selon le climat et le terroir. Secastilla est dans l'une de ces catégories grâce à ses collines escarpées et pierreuses, ses vignes de Grenache centenaires, son altitude de 750 m et ses vignobles baignés de soleil.

La vallée de Secastilla se situe au nord-est de Somontano avec des sols d'argile et de craie. C'est ici que Pedro Aibar de Viñas del Vero s'approvisionne en vin de Secastilla issu de parcelles de vignes de Grenache très anciennes.

Depuis son premier millésime en 2001, le Secastilla a été un vin au caractère profond, d'une grande complexité, qui se traduit par de la retenue quand il est jeune, mais d'une authenticité très séduisante, manifestant une belle rondeur au fil des ans. L'exposition du vin à l'air flattera le 2005 encore jeune ; un bon parfum fruité commence déjà à dominer le bois, le vin est frais et agréablement charnu, et la finale est prolongée et complexe. **JB**

Viñedos Organicos Emiliana *Coyam*

Origine Chili, Vallée centrale
Type vin rouge sec, 14 % vol.
Cépages Carmenère, Syrah, Cab. Sauv., autres
Millésime dégusté 2003, à boire jusqu'en 2018

€€€

Organicos Emiliana fut créé en tant qu'antenne de Santa Emiliana. Les propriétaires, la famille Guilisasti, l'utilisaient surtout pour faire de gros volumes jusqu'à ce que son directeur José Guilisasti se convertisse à la production biologique e vin vers la fin des années 1990. Il embaucha Alvaro Espinoza, muse du biodynamisme et vinificateur, et appliqua le biodynamisme à l'important vignoble Finca Los Robles. Espinoza résolut les problèmes du vignoble liés au climat chaud, comme celui des mites : « Les mites aiment s'attaquer aux vignes les plus poussiéreuses, nous avons donc recouvert les chemins autour du vignoble avec des galets de la rivière Colchagua pour empêcher que les tracteurs ne soulèvent la poussière à leur passage.»

La tendance du Merlot à produire un vin avec un milieu de bouche creux fut modifiée en rafraîchissant les vignes avec du compost étalé sur la terre aride. Mais la plus belle réussite de Coyam est son assemblage, épousant les variétés bordelaises telles le Cabernet, le Merlot et le Carménère avec des variétés méditerranéennes comme la Syrah et le Mourvèdre.

Le mariage entre l'élégance bordelaise et la richesse méditerranéenne entrepris par Coyam est gagnant. Il permet au vin de rester fidèle à ses racines chiliennes par son fruité appétissant, tout en laissant s'exprimer le biodynamisme, par exemple à travers son intense minéralité. **MW**

AUTRES SUGGESTIONS		
Autres grands millésimes		
2001 • 2002 • 2004 • 2005		
Autres vins du même producteur		
Novas Cabernet Sauvignon		
Novas Carmenère/Cabernet Sauvignon		

Les collines arides et le lit fertile de la Central Valley au Chili. ➡

Roberto Voerzio
Barolo Cerequio

Origine Italie, Piémont, La Morra
Type vin rouge sec, 14 % vol.
Cépage Nebbiolo
Millésime dégusté 1999, à boire jusqu'en 2020+
€€€€€

Roberto Voerzio observe un équilibre entre tradition et modernité. Sa priorité est le soin du vignoble. Chaque vigne ne porte que quatre grappes, ce qui engendre des saveurs intenses. La fermentation est réalisée en 15 à 30 jours, selon le sol, l'aspect et le microclimat du vignoble en question.

Mais le terroir est plus important que le vinificateur et même que le cépage, comme le démontre le Barbara d'Alba Riserva Pozzo dell'Annunziata de Roberto – il provient d'un des meilleurs sites de La Morra, mais il est produit à partir de Barbera issu de vieilles vignes et considéré comme un cépage de seconde catégorie. Le Nebbiolo est bien sûr de première catégorie et La Morra est acclamée comme le berceau des Barolo les plus succulents et les plus souples, dont le meilleur exemple est le millésime mûr et suave de Roberto de 1999, le cru Cerequio.

Ce vin superbe offre une grande complexité de parfums – un mélange de cuir et de viande avec des nuances de roses fanées et de truffe. Au palais, le goût de griotte se fond tout naturellement dans les saveurs de chêne, créant une texture somptueusement riche. **ME**

Wendouree
Shiraz

Origine Australie, Clare Valley
Type vin rouge sec, 13,5 % vol.
Cépage Shiraz
Millésime dégusté 2000, à boire jusqu'en 2030+
€€€

L'une des légendes du vin australien, les vins Wendouree ne peuvent être achetés que par le biais d'une liste d'adresses, complète depuis longtemps, même si l'on peut trouver une ou deux bouteilles sur le marché secondaire. Les vignes furent plantées ici en 1892. Tony Brady acheta la propriété en 1974.

Dans l'ensemble, Wendouree possède 11 ha de vignes, toutes cultivées à sec. Les raisins sont cueillis à pleine maturité, aux alentours de 13,5 % d'alcool. Les herbicides sont évités, tout comme le labourage des terres, ce qui économise environ 2,5 cm de pluie par saison. La vigueur est contrôlée naturellement par l'âge des vignes.

De la gamme, c'est le Shiraz qui attire le plus d'attention. Tous les vins sont cependant faits dans un style ferme et au bon potentiel de garde. Le Shiraz 2000, dégusté à 6 ans d'âge, offre un nez sombre, épicé et ferme. En bouche, il fait preuve d'une concentration magnifique et d'une fraîcheur charmante issue du fruit mûr et audacieux, tout en ayant une charpente épicée et une acidité splendides. C'est un vin massif au grand potentiel, qui devrait vieillir indéfiniment. **JG**

Le système de conduite en lyre est utilisé à Wendouree. ➜

Wild Duck Creek
Duck Muck

Origine Australie, Heathcote
Type vin rouge sec, 17 % vol.
Cépage Shiraz
Millésime dégusté 2004, à boire jusqu'en 2024
€€€€

Duck Muck est né lors du millésime 1994, lorsque quelques rangées de Shiraz du vignoble Springflat ne furent pas vendangées car la chambre de fermentation était pleine. Deux semaines plus tard, Anderson (dont le surnom est Duck) et son ami et covinificateur David McKee, tombèrent sur ces vignes : les raisins qu'ils testèrent présentaient 17,5 ° Baume et 8 g/l d'acide. McKee griffonna sur le fond de la barrique les mots « Duck Muck » (Muck signifie « ordures » ou « fumier »). Il fut offert à des amis mais ne tarda pas à atteindre un statut mythique.

Ce héros accidentel est aujourd'hui l'un des meilleurs vins d'Australie, et aussi l'un des plus étranges. Les niveaux élevés d'alcool surprennent souvent les amateurs – jusqu'à 17 % vol., sans perte apparente d'équilibre, tellement le fruit est concentré et ample. En fait, les niveaux d'alcool de Wild Duck Creek ont baissé dernièrement, et Anderson désire les modérer davantage. Le secret est que les raisins atteignent un niveau extrême de maturité sucrée sans aucun passerillage. L'acidité et la teneur en sucre élevées sont caractéristiques des raisins de Heathcote. **HH**

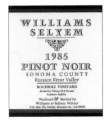

Williams Selyem
Rochioli Vineyard Pinot Noir

Origine États-Unis, Californie, comté de Sonoma
Type vin rouge sec, 13,5 % vol.
Cépage Pinot noir
Millésime dégusté 1985, à boire jusqu'en 2015
€€€

Vers la fin des années 1970, Burt Williams et Ed Selyem créèrent le premier Pinot noir américain culte. Williams finit par développer son propre modus operandi de vinification. La diminution sévère de la récolte était cruciale pour la concentration. Une pré-fermentation à froid s'ensuivait et les levures ambiantes déclenchaient la fermentation. La fermentation de cinq ou six jours était ponctuée par le pigeage deux à quatre fois par jour. Une fois sec, le moût était pressé, inoculé pour la malolactique, puis égoutté. Le jus de presse était utilisé pour remplir chaque barrique.

Williams Selyem n'eut accès aux fruits du Bloc ouest de Rochioli qu'entre 1985 et 1997. Ce fut ce premier millésime qui rendit Williams Selyem célèbre, lui valant le titre d'« Exploitation de l'année » à la foire de Californie. Chacun des douze millésimes suivants consolida la réputation du Bloc ouest en tant que l'un des meilleurs vignobles de Pinot noir de Californie. Le millésime 1985 fut l'un des derniers millésimes à être fait dans le vieux garage, dans un style qui devint la marque de fabrique du Pinot Noir de la Russian River Valley : concentré et aux saveurs amples, avec des saveurs sucrées de fruit et une texture veloutée. **LGr**

Wynn's *Coonawarra Estate John Riddoch Cabernet Sauvignon*

Origine Australie, Australie-Méridionale, Coonawarra
Type vin rouge sec, 14 % vol.
Cépage Cabernet Sauvignon
Millésime dégusté 2004, à boire entre 2009 et 2025
€€€

De toutes les régions vinicoles de l'Australie, la Coonawarra est la mieux placée pour prétendre avoir instigué le mouvement de la viniculture « à l'européenne » basée sur la notion de terroir. La Coonawarra, c'est une étroite parcelle de vignes sur un sol singulier : la couche supérieure est composée de terreau rouge connu sous le nom de terra rossa. Le cépage dominant de la région a toujours été le Cabernet Sauvignon, lequel produit des vins qui, dans le style bordelais, mettent en scène la pureté du cassis, mais aussi d'étranges composés aromatiques, parfois un peu volatiles et qui peuvent être soit épicés soit balsamiques.

Le John Riddoch de Wynns est un Cabernet Sauvignon supérieur produit pour la première fois en 1982. Seul 1 % du Cabernet pressé – la couche supérieure – est utilisé et ce seulement si le millésime semble offrir des conditions suffisamment bonnes. Vieilli en fûts de chêne français pendant 2 ans environ, c'est un vin d'encre conçu pour une longue garde.

Le 2004 résulte de fruits lentement mûris et récoltés tardivement. Le vin fut vieilli 20 mois en fûts neufs de 1 ou 2 ans d'âge. Dans un premier temps, la robe était aussi noire que l'encre du calmar et le nez suggérait timidement les riches arômes de prune, de mûre et de cassis à venir. Au palais la menthe domine, secondée par cette masse vivante de fruit pourpre et la finale laisse deviner l'opulence chocolatée qui s'accentuera quand le vin vieillira. **SW**

AUTRES SUGGESTIONS		
Autres grands millésimes		
1982 • 1990 • 1993 • 1997 • 1998 • 2005 • 2006		
Autres Cabernets de Coonawarra		
Hollick Ravenswood • Hungerford Hill • Katnook Estate Parker Estate • Penley Estate • Yalumba The Menzies		

Des fûts neufs et des cuves en acier inoxydable sur l'exploitation de Wynn's. ➜

Yalumba
The Octavius

Yacochuya de Michel Rolland

Origine Argentine, vallée de Calchaquiés, Cafayate
Type vin rouge sec, 16 % vol.
Cépages Malbec 90 %, Cabernet Sauvignon 10 %
Millésime dégusté 2000, à boire jusqu'en 2015
€€€

Origine Australie, Australie-Méridionale, Barossa Valley
Type vin rouge sec, 14,5 % vol.
Cépage Shiraz
Millésime dégusté 1998, à boire jusqu'en 2012+
€€€

En 1988, la décision prise par Arnaldo Etchart d'engager Michel Rolland marqua le début d'une longue amitié. Avant même que l'exploitation Etchart n'attire une offre lucrative de Pernod-Ricard en 1996, Rolland et Etchart s'étaient embarqués dans une entreprise commune, San Pedro de Yacochuya. Le millésime 2000 de Yacochuya et le deuxième vin à la texture plus légère, baptisé San Pedro de Yacochuya, furent les premières mises en bouteilles.

Les vignes de ce domaine sont partiellement en terrasses, ce qui permet l'irrigation par sillons. Leur localisation élevée, associée à des sols riches en mica, ont donné à Rolland la maturation régulière et la grande intensité du fruit nécessaires aux vins fermentés en utilisant les macérations d'un mois, des pellicules dans le vin fermenté, associées à 15 mois d'élevage dans des barriques de chêne neuf français.

Ce style de vinification « extractif » atteint son apothéose dans les vignobles d'altitude d'Argentine. Et ce, parce qu'ici, la chaleur et l'intensité légère offrent potentiellement des tanins à la vivacité et la malléabilité qui manquent à Bordeaux, une insuffisance défiée avec succès par Rolland. **MW**

Appartenant à la famille Hill-Smith, Yalumba est l'une des entreprises vinicoles indépendantes les plus prospères d'Australie, avec un portfolio qui va du mousseux Angas Brut aux vins variétaux Oxford Landing, et aux plus importants, tel l'Octavius.

Le premier millésime d'Octavius fut le 1990. Désormais exclusivement produit à partir des anciens vignobles de Barossa, dont certains ont plus de 100 ans, l'Octavius est élevé en octaves de chêne américain de 80 litres, avec un ratio supérieur à la normale entre la superficie et le vin. Ces barriques uniques sont fabriquées à Yalumba même, qui est l'une des rares exploitations à posséder encore sa propre tonnellerie. Le bois du Missouri est exposé aux éléments pendant 8 ans afin d'éliminer toutes les saveurs indésirables du chêne.

En 2005, la quatrième classification de Langton a vu l'entrée de l'Octavius pour la première fois, qualifié de « remarquable ». La chaleur de l'année 1998 se manifeste dans la générosité de l'Octavius de ce millésime. Il s'est révélé tout d'abord lors d'une dégustation de Shiraz de Barossa organisée par *The World of Fine Wine* en 2007. **SG**

Yarra Yering
Dry Red Wine No. 1 Shiraz

Origine Australie, Yarra Valley
Type vin rouge sec, 13,5 % vol.
Cépages Cab. Sauv., Merlot, Malbec, Petit Verdot
Millésime dégusté 1990, à boire jusqu'en 2018

€€€

Le Dr Bailey Carrodus, propriétaire, fondateur et vigneron, a mené sa barque en dehors de l'industrie vinicole australienne traditionnelle.

Carrodus planta Yarra Yering en 1969 et les vignes mûres atteignent aujourd'hui leur apogée. Les vins sont tous cultivés au domaine sur 30 ha de vignes, aux sols très profonds composés de limon et de terreau argileux, parcourus de bandes de gravier. Les vignes ont toujours été cultivées sans irrigation, étroitement espacées sur un treillis minimaliste composé d'un seul fil de fer, sur un coteau orienté vers le nord, avec des rendements très faibles.

Pourquoi Dry Red Wine No 1? (Son meilleur Shiraz est le Dry Red Wine No 2.) Carrodus a répondu: «Cela voulait dire que je ne devais pas changer les étiquettes au fur et à mesure que je développais le vin et que l'assemblage changeait.» Le No 1 1990 est un vin à base de Cabernet d'une élégance superbe, d'une texture fine et équilibrée. En bouche, il fait preuve d'une corpulence moyenne, il est élégant et offre une belle longueur et de la précision. Ce vin est meilleur aux alentours de 18 ans d'âge, tout en pouvant durer facilement dix années de plus. **HH**

Alonso del Yerro
María

Origine Espagne, Ribera del Duero
Type vin rouge sec, 14 % vol.
Cépage Tinta del país (Tempranillo)
Millésime dégusté 2004, à boire jusqu'en 2015

€€€

Alonso del Yerro incarne, aux côtés de Dominio de Atauta et d'une poignée d'autres producteurs, le concept de «bodega-boutique» – entreprise familiale offrant une production exquise et très limitée – qui s'est développée dans la Ribera del Duero. Pour Javier et María, qui ont abandonné leur carrière professionnelle pour faire du vin dans le village de Roa, il ne s'agit pas d'un investissement mais d'une manière de vivre. C'est pour cette raison qu'ils ont construit leur maison à côté du chai et que leur meilleur vin s'appelle María (nom d'un de leurs enfants).

L'exploitation produit deux vins depuis 2004: l'Alonso del Yerro de base et l'ambitieux María, cultivés sur deux parcelles qui correspondent à 5 ha au total, avec une production limitée, de 10 000 à 15 000 bouteilles. Le María 2004 est probablement leur meilleur vin à ce jour. C'est un Tinto puissant, aux arômes et saveurs intenses, avec une robe d'un rouge cerise profond. Le nez complexe offre des arômes de fruits noirs mûrs, de bois noble, de graphite, de tourbe, tandis que la bouche est équilibrée, étoffée, avec des tanins suaves et un arrière-goût persistant. **JMB**

Fattoria Zerbina *Sangiovese di Romagna Pietramora*

Origine Italie, Émilie-Romagne, Faenza
Type vin rouge sec, 15 % vol.
Cépages Sangiovese 97 %, Ancellotta 3 %
Millésime dégusté 2003, à boire entre 2010 et 2015

€€€€

Depuis 1987, Cristina Geminiani gère les 40 ha du domaine de son grand-père sur les contreforts des Apennins juste à l'est de Bologne. Armée d'une panoplie de diplômes en œnologie et arborant une saine indifférence pour la tradition locale, Cristina entreprit de produire du Sangiovese de qualité supérieure dans une région singulièrement dépourvue de légendes dans la viticulture. N'utilisant que les clones de Sangiovese les plus récents, certains issus des vignobles du domaine, Cristina replanta ces derniers dans le but d'en améliorer la concentration et de réduire leur rendement. Une mesure sévère, sans précédent dans la région, mais les décisions de Cristina furent vite récompensées.

Son premier millésime de Pietramora date de 1985. Il n'est produit qu'à partir des meilleurs millésimes et il est issu des vignobles les plus anciens, plantés sur une crête d'argile et de calcaire qui traverse le centre du domaine.

Pietramora est un rappel du potentiel de viticulture illimité de l'Italie. Même ici, dans une région plus connue pour son Prosciutto et son Parmigiano que pour le moindre exploit vineux, on peut créer un vin d'un raffinement exceptionnel. La vieille formule de hauts rendements, de systèmes de formation inappropriés et de viniculture peu rigoureuse avait empêché l'Émilie-Romagne de faire concurrence au Piémont et à la Toscane, mais cet excellent Sangiovese pourrait bien changer la donne. **MP**

Un vignoble d'Émilie-Romagne dominé par Castell'Arquato. ➜

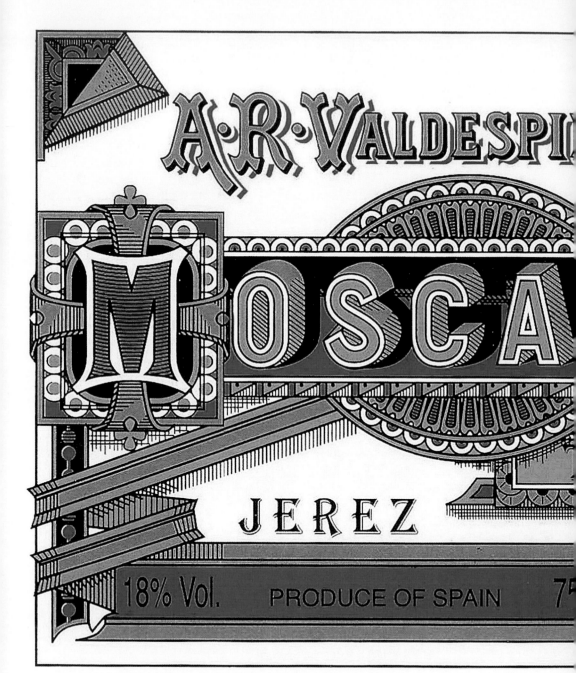

A·R·VALDESPI

MOSCA

JEREZ

18% Vol.   PRODUCE OF SPAIN   7⁵

221-CA

vins doux naturels
et vins de liqueur

Alvear *Pedro Ximénez*
Solera Montilla 1830

Origine Espagne, Montilla-Moriles, Montilla
Type vin muté doux, 11,5 % vol.
Cépage Pedro Ximénez
À boire dès sa sortie et pendant au moins 50 ans
€€€€

L'origine d'Alvear remonte au XVIIᵉ siècle, lorsque Diego de Alvear, dont la famille était venue de Cantabre, au nord de l'Espagne, s'établit à Montilla. Les documents les plus anciens évoquant les activités de viniculture sur le lieu remontent à 1729; la maison est depuis toujours restée entre les mains de la famille qui en est encore propriétaire à 100 %.

À l'instar des autres prestigieuses maisons andalouses, la clé de la qualité d'Alvear réside dans l'équilibre entre une tradition exemplaire et des procédés de viniculture performants.

Le Pedro Ximénez 1830 d'Alvear est un vin ancien et rare; les trois fûts qui constituent la solera contiennent à peine 1 500 litres. Ce vin noble bénéficia d'un succès sans précédent auprès des consommateurs et des critiques; à un point tel que les ventes durent être interrompues plusieurs mois afin de ne pas dissoudre la solera. Entre-temps, d'autres vieux vins PX (Pedro Ximénez) furent produits, comme le Solera 1910 et le Solera 1920, tous deux de grande qualité mais néanmoins dénués de la profondeur et de la complexité de leur doyen, le Solera 1830. **JB**

Argüeso *San León*
Reserva de Familia Manzanilla

Origine Espagne, Sanlúcar de Barrameda
Type vin muté sec, 15 % vol.
Cépage Palomino Fino
Boire la cuvée actuelle jusqu'à 3 ans après sa sortie
€

Le négociant León de Argüeso, natif, comme beaucoup de bodegueros, du nord de l'Espagne, fonda cette maison de vin en 1822. Il donna son propre nom à sa Manzanilla et entreprit la production de l'un des plus grands vins de Sanlúcar de Barrameda.

Mis en bouteilles traditionnellement comme une Manzanilla Pasada, le San León est fort apprécié des connaisseurs.

La Manzanilla San León Reserva de Familia provient d'un seul niveau de 44 grands tonneaux, mis en réserve à la Bodega de San Juan, un immeuble frais au centre de Sanlúcar. Seuls deux soutirages ont lieu chaque année – l'un au printemps, l'autre en automne. Après chaque soutirage, le tonneau est renfloué avec un volume équivalent tiré de la solera de Manzanilla San León Clásica, composée de 877 barriques sur sept niveaux. Avant la mise en bouteilles, on procède à une très légère clarification et filtration afin de préserver toute la personnalité de ce vin. Par son âge, son corps et son nez, le San León Reserva de Familia est une authentique Manzanilla Pasada. **JB**

◀ Exposé à l'air, le vin fermente dans des *tinajas* chez Alvear.

Barbadillo
VORS Sherry Palo Cortado

Origine Espagne, Sanlúcar de Barrameda
Type vin muté sec, 22 % vol.
Cépage Palomino Fino
À boire dès sa sortie pendant au moins 30 ans
€€€

Barbadillo fut fondé en 1821 par plusieurs hommes d'affaires issus des régions montagneuses du nord de l'Espagne, comme ce fut le cas pour la majorité des autres bodegas andalouses telles qu'Alvear, Hidalgo-La Gitana, Emilio Hidalgo, Argüeso, ou La Guita. Ses infrastructures vinicoles occupent une grande partie du Barrio Alto de Sanlúcar de Barrameda. Si le quartier historique autour de Castillo de San Diego est encore bien conservé aujourd'hui, c'est en partie grâce à ses propriétaires. De nombreuses bodegas ont disparu dans la ville au cours des dernières décennies, au profit de bâtiments flambant neufs. Pour les visiteurs, il semble inconcevable que de telles pertes soient apparemment tolérées par ces mêmes autorités qui devraient protéger le précieux héritage architectural des caves de vins locales.

Dans le portfolio Barbadillo, quatre vins sont officiellement classés VORS (Very Old and Rare Sherry, avec 30 ans d'âge minimum) : Amontillado, Oloroso Seco, Oloroso Dulce et Palo Cortado. Bien que les trois premiers méritent toute notre attention, le Palo Cortado surpasse tous les autres par son authenticité et sa force de caractère. Tout en lui évoque son lent et minutieux élevage, de sa bordure vert sombre à son nez classique de très vieux Palo Cortado, complexe, franc et intense, avec une note de pelure d'orange. La bouche est pleine et dotée d'une agréable acidité liée aux longues années de concentration, tandis que la finale impressionnante révèle l'importance de son âge. **JB**

Barbeito *Vieux Madère*
Malmsey de 20 ans d'âge

Origine Portugal, Madère
Type vin muté demi-doux, 20 % vol.
Cépage Malvoisie
À boire jusqu'en 2020+
€€€

Barbeito est le plus jeune des expéditeurs de Madère encore en activité et s'est récemment montré le plus innovant. Comme les cinq autres affréteurs de l'île, l'activité principale de Barbeito consistait à vendre du vin en gros, jusqu'à ce que Ricardo Diogo, petit-fils du fondateur, reprenne le flambeau en 1990. Le chiffre d'affaires de l'entreprise réduisit d'emblée de moitié mais Diogo reçut le soutien financier de la famille japonaise Kinoshita qui devint partenaire de Barbeito en 1991.

L'entreprise régit trois sites possédant chacun leurs propres caractéristiques. Leur complexe vinicole (adega) d'Estreito de Camara de Lobos produit les vins les plus élégants et doux. Au sommet des falaises, à proximité du Reids Hotel, à Funchal, il offre des vins plus forts et concentrés. Les vins les plus forts et les plus riches proviennent de la quinta familiale établie juste au-dessus du centre de Funchal.

Le Barbeito de 20 ans d'âge résulte d'un assemblage délicat parfaitement réalisé. Après un vieillissement en cuves pendant vingt ans, les vins issus d'une seule année obtiennent le statut de « millésime ». Mis en bouteilles en petites quantités, ce Barbeito de 20 ans d'âge est à la fois exceptionnel et unique. Doté d'une couleur ambrée, avec une teinte vert olive, il exhale des arômes balsamiques développés et une note de vanille ; il se révèle très riche et complexe bien que délicat. La douceur des arômes de coing est compensée par une acidité audacieuse menant à une finale raffinée et extrême. Élégance suprême et équilibre caractérisent ce vin. **RM**

◀ L'établissement vinicole de Barbadillo fut construit en 1821.

Barbeito
Madère Single Cask Colheita

Origine Portugal, Madère
Type vin muté demi-doux, 20 % vol.
Cépages Malvoisie et Boal
À boire jusqu'en 2025+
€€

Le Colheita a donné un nouveau souffle à Madère. Jusqu'en 1998, seuls les vins ayant vieilli au moins vingt ans en fûts pouvaient prétendre à l'appellation «millésime», avec la date figurant sur l'étiquette. De tels vins sont naturellement onéreux et fabriqués en très petites quantités. À ne pas confondre avec un Porto Colheita, un Madère Colheita est en effet un millésime embouteillé précocement, issu d'un seul cépage et mis en bouteilles après cinq ans au minimum de vieillissement en fûts.

Tous les affréteurs de l'île ont aujourd'hui repris ce procédé à leur compte, mais Barbeito maintient toujours la catégorie Colheita à une longueur d'avance en embouteillant un nombre précis de bouteilles issues d'un seul fût numéroté. .

Bien que chaque vin possède son caractère propre, les Colheita Barbeito issus d'un seul fût partagent de nombreux points communs. Dotés d'une robe à la pâleur inhabituelle (le viticulteur Ricardo Diogo évite d'utiliser le caramel comme colorant), coupés avec un bon Cognac, ces vins manifestent une magnifique expressivité, et une grande pureté et fraîcheur. Certains dégagent des arômes prononcés de vanille dus à leur vieillissement dans des nouveaux fûts de chêne français. Au dos, une étiquette détaille la provenance de chaque vin, dont certains sont issus d'un seul vignoble. Le Single Cask Colheita de Barbeito fait d'ores et déjà partie des vins cultes : partez vite en quête de la dernière production. **RM**

Barbeito
Madère Terrantez 1795

Origine Portugal, Madère
Type vin muté sec, 21 % vol.
Cépage Terrantez
À boire jusqu'en 2025+
€€€€€

Ce vin fabriqué à la fin du XVIIIe siècle continue d'affirmer sa puissance et, fait incroyable, quelques bouteilles sont encore en vente aujourd'hui. Il fait remonter la fondation de Barbeito à 151 ans, en tant que propriété initiale de la famille Hinton qui raffinait de la canne à sucre sur l'île. Le vin passa ensuite entre les mains du célèbre négociant et collectionneur de Madère, Oscar Acciaioly, puis entre celles de Mário Vasconcellos Barbeito, qui fonda sa propre entreprise de fret en 1946. À l'époque où il le racheta, le vin était stocké dans des dames-jeannes en verre, mais Barbeito décida de revenir aux fûts de bois avant de le mettre en bouteilles dans les années 1970.

La valeur du vin est d'autant plus grande qu'il est élaboré à partir de Terrantez, la variété de cépages de Madère la plus prisée de toutes. Dans les années 1920, le Terrantez fut déclaré comme étant presque disparu ; il a cependant récemment effectué un retour modeste mais fortuit. La production totale équivaut toujours à quelque 600 kg par an. Le Terrantez est capable de produire des vins éthérés, aromatiques, à la fois doux et astringents, avec un grand potentiel de vieillissement en fût.

La qualité du Terrantez 1795 de Barbeito est proportionnelle à son prix. De couleur ambre et bois d'acajou, il exhale de délicats arômes fumés, conserve une grande fraîcheur et dévoile des accents de thé vert et de jasmin mêlés à une note de lapsang. Vif, demi-sec, il se révèle pénétrant, d'une grande richesse et texture, avec une finale aux multiples facettes. **RM**

Trois millésimes de Madère Barbeito, le Terrantez 1795 inclus. ➜

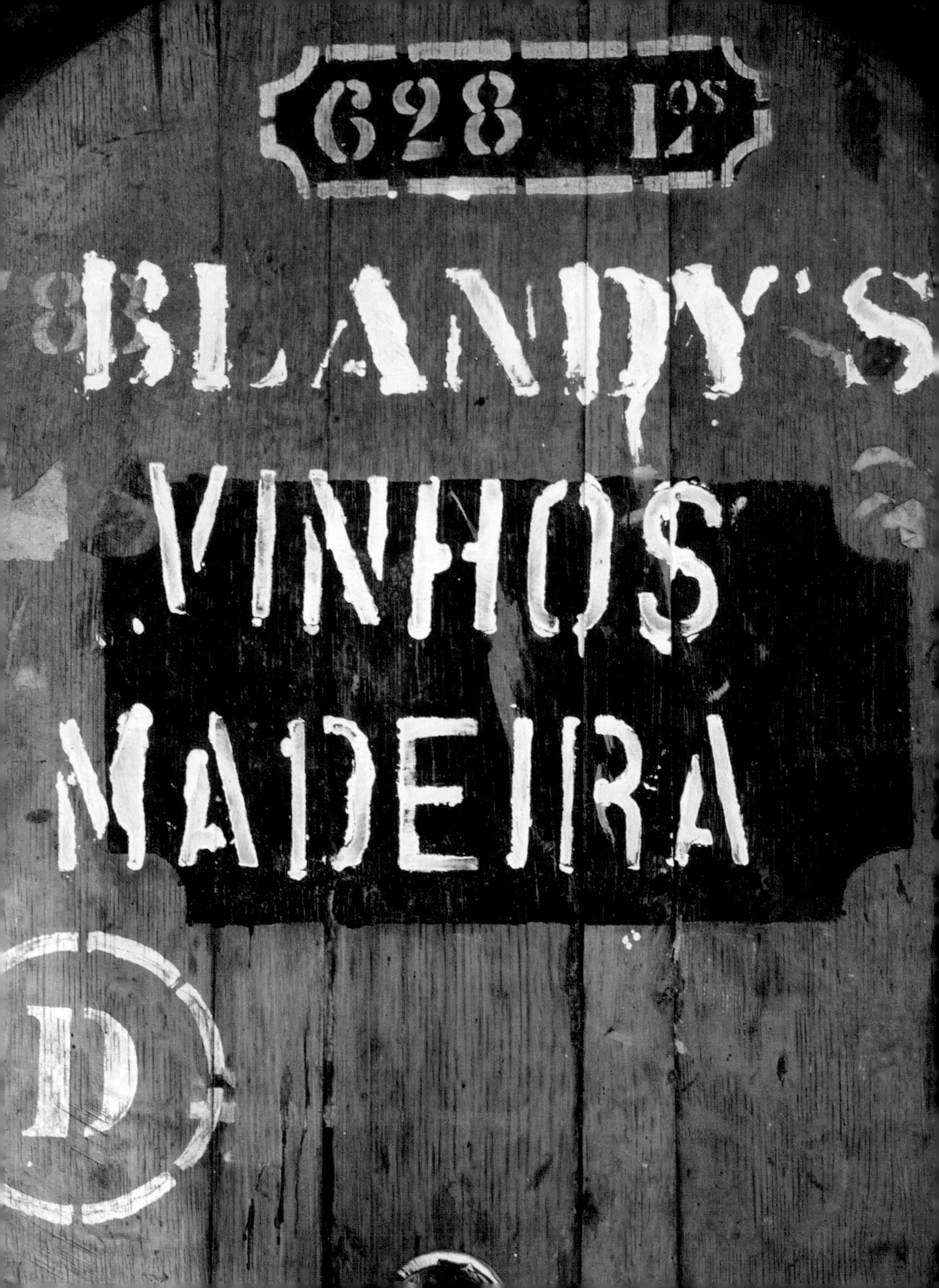
628
BLANDY'S
VINHOS
MADEIRA
D

Blandy's
Madère Bual 1863

Origine Portugal, Madère
Type vin muté demi-doux, 21 % vol.
Cépage Boal (Bual)
À boire jusqu'en 2020+
€€€€€

John Blandy, intendant de la British Army, découvrit Madère en 1807, lors des guerres napoléoniennes. Il revint sur l'île quatre ans plus tard pour créer l'entreprise qui porte toujours son nom. Au début du XIXᵉ siècle, l'entreprise élargit son activité à celle de la production de charbon, du fret et de la banque. Elle affermit sa position lors de la double épidémie d'oïdium et de phylloxéra dans les années 1850 et 1870 et le fils de John, Charles, fit preuve de clairvoyance en achetant des stocks de vins à une époque où beaucoup d'expéditeurs quittaient l'île.

Le Bual 1863 de Blandy's devança de peu la crise du phylloxéra qui se déclara en 1972. La récolte fut ténue mais référencée comme une excellente année, les cépages produisant les vins les plus doux de la région de Câmara de Lobos, sur le versant sud de l'île. Sa robe rouge acajou est égayée de teintes vert olive en bordure ; le vin exhale d'élégants arômes éthérés et fait preuve d'une vivacité et d'une fraîcheur remarquable près de 150 ans après. Doté de connotations aigres-douces, il dégage des accents de mélasse, de caramel salé, et révèle une longue et puissante finale. **RM**

Bodegas Tradición
VORS Sherry Oloroso

Origine Espagne, Jerez de la Frontera
Type vin muté sec, 20 % vol.
Cépage Palomino Fino
À boire dès sa sortie et pendant 15 ans+
€€€

Bodegas Tradición fut inventé par un homme d'affaires, Joaquin Rivero – descendant d'une famille spécialisée en viniculture et propriétaire de la célèbre marque CZ – il y a plus de deux siècles. Entre sa fondation en 1998 et la sortie de sa première bouteille en 2003, cette bodega acquit et assembla de précieuses soleras ainsi que des fûts d'âge et de qualité remarquables issus de différentes bodegas. Parmi ces derniers, certains étaient en voie de disparition tandis que d'autres possédaient plus de vins âgés qu'ils ne pouvaient en mettre sur le marché.

Bodegas Tradición ne vieillit et ne commercialise que de très vieux vins, tous reconnus et certifiés par le Consejo Regulador, qu'il s'agisse du VORS (plus de 30 ans d'âge) ou du VOS (plus de 20 ans d'âge). L'Oloroso VORS est l'archétype de sa catégorie, épicé, expressif, rond et puissant, et bien au-delà de l'âge minimal de 30 ans requis par le label VORS.

Restaurés, les celliers surplombent les quartiers nord de la ville de Jerez. Les infrastructures de la bodega abritent plus de 1 000 tonneaux de vins âgés ainsi que la Collection Joaquin Rivero de peinture espagnole du XVᵉ au XIXᵉ siècle. **JB**

Bredell's
Cape Vintage Reserve

Origine Afrique du Sud, Stellenbosch
Type vin muté rouge, 20 % vol.
Cépages Tinta Barroca 50 %, autres 50 %
Millésime dégusté 1998, à boire jusqu'en 2018+
€€€

Des négociations compliquées avec l'Union européenne ont conduit à l'effacement progressif du mot « Porto » sur les étiquettes des vins mutés d'Afrique du Sud. Le produit local continue cependant d'impressionner les visiteurs du Douro. Bruce Guimaraen affirma une fois : « Ce que j'aime, c'est la manière dont les vins jeunes d'ici expriment leur caractère fruité ». Encore faut-il s'assurer que les vins possèdent la puissance d'évolution durable caractéristique des Portos ; ce vin, toujours aussi agréable à boire et enjoué à l'approche de ses 10 ans d'âge, pourrait se révéler un test adéquat.

La ferme de JP Bredell Wines (située dans le bassin Helderberg de Stellenbosch plutôt qu'à Calizdorp, terroir habituel de ces vins-là) fut l'un des leaders de la remarquable évolution des vins de Porto du Cap amorcée au début des années 1990. Moins de sucre, plus d'alcool furent quelques-unes des leçons apprises des vignobles et complexes vinicoles du Portugal afin de produire des vins plus classiques.

Le millésime 1998 a remporté de nombreux prix en Afrique du Sud pour sa qualité. Avec ses notes de prune, de fruits secs, de cuir et de noisette, il dégage des arômes complexes et se révèle à la fois musclé, corsé et tannique, avec une longue finale sèche. **TJ**

Les vins de Bredell's proviennent du bassin côtier de Helderberg. ➜

Chambers *Rosewood Old Liqueur Tokay*

Origine Australie, Victoria, Rutherglen
Type vin muté doux, 18 % vol.
Cépage Muscadelle
À boire pendant au moins 20 ans après sa sortie
€€€€€

Rosewood s'est transmis à travers six généra-tions de la famille Chambers depuis sa fondation en 1858. À l'exportation, il était dénommé Chambers Rosewood Rare Muscadelle, ce qui prouve son carac-tère rarissime parmi les vins mutés d'Australie.

Chambers et Morris sont les deux principaux représentants de Rutherglen Tokay, mais affichent des différences notoires. Le premier site près de l'établissement est constitué d'argile et de quartz recouverts de terreau et le second, d'argile unique-ment ; tous deux donnent des vins très différents et d'importance égale dans l'assemblage. Le style Tokay de Chambers est ce qu'il nomme mistella : un moût non fermenté qui est viné et transvasé direc-tement dans des réceptacles en chêne, de larges cuves tout d'abord, puis dans des puncheons, des hogsheads et des quarter-casks au fur et à mesure que le vin vieillit. Toutes sont d'anciennes cuves, cer-taines datant de plus d'un siècle.

Le Old Tokay, qui n'est pas assemblé chaque année, provient d'une « solera modifiée ». La plus vieille date du début du xxᵉ siècle. D'après Stephen, le style Chambers serait plus fin et plus élégant que le style Morris en raison de l'absence de fermenta-tion et de macération pelliculaire. Le caractère des Tokays Old et Special est d'une complexité et d'une concentration incroyables, avec des arômes de ran-cio, de malt, de mélasse et de caramel salé. Avec davantage de composants jeunes dans son assem-blage, le Special Tokay possède un caractère légère-ment plus fruité. **HH**

AUTRES SUGGESTIONS
Autres grands vins du même producteur
Rare Muscat • Rare Muscadelle (Tokay)
Autres Rutherglen Tokays/Muscadelles
Campbells • Morris Wines
Rutherglen Estates • Stanton and Killeen

Les barriques de Chambers. ➥

Cossart Gordon
Madère Malmsey

Origine Portugal, Madère
Type vin muté doux, 21 % vol.
Cépage Malvoisie
Millésime dégusté 1920, à boire jusqu'en 2050+
€€€€€

Le plus connu des cépages de Madère, le Malvoisie (Malmsey en anglais) couvre en réalité un large éventail de variétés différentes. La plus prisée est de loin le Malvasia Cândida, très probablement originaire de Crète et importée à Madère au XVe siècle. En effet, ce cépage est particulièrement difficile à cultiver et nécessite un emplacement protégé et ensoleillé au niveau de la mer, ou du moins à proximité, pour que les grappes puissent flétrir et devenir des raisins secs avant les vendanges. Lors de la seconde moitié du XVIIIe siècle, Francis Newton (ancien partenaire de l'entreprise Cossart Gordon) écrivait fréquemment à ses partenaires de Londres pour se plaindre de la pénurie de vin de Malvoisie. Le Malvasia Cândida fut ensuite décimé par l'épidémie d'oïdium dans les années 1850 et peu replanté après celle de phylloxéra survenue trente ans plus tard. Au début du XXe siècle, le cépage avait disparu, à l'exception de quelques vignobles établis sur Fajã dos Padres, sur le versant sud de l'île.

D'après Noel Cossart (associé de l'entreprise familiale et auteur de *Madeira, the Island Vineyard*), le Malmsey 1920 serait le dernier millésime produit à partir de Malvasia Cândida.

Avec sa robe verte aux reflets fauves et son exubérance florale parfumée qui détermine le Malvoisie, ce vin affiche un équilibre presque parfait, sa richesse caramélisée étant compensée par une acidité caractéristique. **RM**

Cossart Gordon
Madère Verdelho

Origine Portugal, Madère
Type vin muté demi-sec, 21 % vol.
Cépage Verdelho
Millésime dégusté 1934, à boire jusqu'en 2030+
€€€€€

Fondé par deux Écossais (Francis Newton et William Gordon) en 1745, Cossart Gordon est le plus vieil affréteur de Madère encore en activité aujourd'hui. En 1808, William Cossart, un Irlandais issu d'une famille d'origine huguenote, rejoignit l'entreprise ; en 1861, son nom fut accolé à celui de William Gordon. Au milieu du XIXe siècle, Cossart Gordon avait déjà mis en place un énorme marché en Amérique du Nord et l'on disait alors de l'entreprise qu'elle exportait « la moitié de la richesse de l'île ». En dépit de ce fait, l'entreprise garda sa nationalité britannique et conserva une branche à Londres de 1748 à la fin des années 1980.

Cossart Gordon souffrit plus que les autres entreprises de Madère de la prohibition en 1920, mais conserva son indépendance d'affréteur jusqu'à ce qu'elle intègre la Madeira Wine Company en 1953. Cossart Gordon est aujourd'hui la deuxième plus grande marque de la Madeira Wine Company après Blandy. Ses vins sont plus secs que ceux de Blandy, et cette distinction s'est maintenue depuis le rattachement des deux entreprises sous le même toit.

Se remémorant l'époque où l'entreprise était encore dirigée par les membres de la famille Cossart, Noel Cossart qualifia l'année 1934 d'excellente, en particulier pour le Verdelho. C'est un vin atypique, au style relativement riche pour un Verdelho. De couleur ambrée, il dégage des arômes de kérosène et de fumée de bois, révèle une grande complexité aromatique salée et épicée équilibrée par une acidité vive, et une finale franche et éclatante. **RM**

Croft
Porto Vintage

Origine Portugal, vallée du Douro
Type vin rouge muté doux, 20,5 % vol.
Cépages Tinta Roriz, T. Franca, T. Nacional, autres
Millésime dégusté 2003, à boire jusqu'en 2050
€€€

Fondée par John Croft en 1678, Croft est l'une des dernières entreprises de Porto encore en activité. Entreprise familiale jusque dans les années 1920, elle fut ensuite rachetée par Gilbey, intégra la société IDV (International Distillers and Vintners) puis, plus tard, la multinationale Diageo. Par conséquent, l'entreprise souffrit d'un tel manque d'investissement lors de la dernière partie du XXe siècle que les Portos Croft des années 1970 et 1980 sont vraiment de piètres exemples de leur catégorie. À l'aube du XXIe siècle cependant, Croft entre de nouveau en lice : le millésime 2000 était bon, le 2003, excellent.

Les millésimes Croft sont traditionnellement issus des vins de Quinta da Roêda à Pinhão. Cette quinta, une sorte d'amphithéâtre de vignes, a été décrite comme le joyau du Douro. Elle devint la propriété de Croft en 1875 lorsqu'elle fut rachetée à John Fladgate de Taylor Fladgate & Yeatman. Naturellement, lorsque Diageo vendit Croft et Delforce en 1999, ces dernières furent rachetées par Taylor's. L'équipe de Taylor améliora les infrastructures vinicoles et fit reconstruire l'établissement. Les anciens autovinificateurs en béton furent détruits et remplacés par des pressoirs mécaniques. Pour les Portos de grande qualité, l'on fit construire un lagar en granit, réplique de celui que Croft avait décommandé en 1963. Le vin obtenu mérite largement son appellation de Porto millésimé ; de robe pourpre, il exhale des arômes vibrants de fruits noirs et révèle une forte concentration tannique. **GS**

De Bartoli *Vecchio*
Samperi Ventennale Marsala

Origine Italie, Sicile, Marsala
Type vin muté sec, 17,5 % vol.
Cépage Grillo
À boire dès sa sortie jusqu'à 30 ans d'âge
€€€

Atterré par la qualité industrielle de Marsala qui avait transformé ce vin autrefois prisé en un ingrédient basique tout juste bon pour cuisiner les escalopes de veau, Marco De Bartoli commença à produire d'exceptionnels vins de Sicile dans la seconde moitié des années 1970. Il reprit les rênes de l'ancienne *baglio* (ferme, en sicilien) familiale alors dirigée par sa mère et repensa l'idée même de « tradition locale », en conservant ce qui lui semblait valable et en faisant une croix sur la production de masse et les vastes opérations commerciales.

Sa manière de faire transparaît dans les variétés de cépages qu'il décida d'utiliser, comme celle du Grillo, probablement le meilleur dans l'assemblage des vins de Marsala. Le Grillo est une variété de cépage capable d'atteindre un taux élevé de sucre et un degré élevé d'alcool (souhaité pour la production de Marsala). Ses vignes basses ne se prêtent pas à la mécanisation ni à la production à grande échelle.

La qualité visée par De Bartoli se retrouve dans le Vecchio Samperi Ventennale. La couleur est ambrée, tandis que des arômes allant de la noisette au miel sombre marquent le nez, accentués par des notes mentholées, presque balsamiques, aux accents de safran et de cannelle. Le vin se révèle plein et riche mais jamais trop puissant ; la chaleur conférée par la forte teneur naturelle en alcool contribuant au maintien des flaveurs à la fois précises et persistantes. Un vin idéal pour la méditation, à boire seul ou accompagné d'un cigare de choix, de République dominicaine de préférence. **AS**

Delaforce *Porto Tawny de 20 ans d'âge « Curious and Ancient »*

Origine Portugal, vallée du Douro
Type vin muté doux, 20 % vol.
Cépages Tinta Roriz, T. Franca, T. Nacional, autres
À boire dès sa sortie
€€

Les liens de la famille Delaforce avec le commerce du Porto remontent à 1834, lorsque John Delaforce mit sur pied une entreprise de Porto pour Martinez Gassinot. Son fils, George Delaforce, fonda en 1868 l'entreprise de Porto qui porte son nom.

«Curious & Ancient», le Porto vieilli pendant vingt ans en fûts de bois, et son jumeau plus jeune, «His Eminence Choice», furent lancés dans les années 1930, ce qui fait d'eux sans doute les plus anciennes marques de leur catégorie encore existantes dans le commerce du Porto.

Delaforce ne possède pas ses propres vignobles dans la vallée du Douro, mais achète des raisins et du vin aux viticulteurs – principalement issus des spectaculaires vignobles en terrasses de Quinta da Corte.

Un long vieillissement en fûts de bois et une oxydation délibérée ont donné à ce vin sa robe fauve et ambre, relativement pâle comparée à certains. Le nez âgé est raffiné, chargé de notes caramélisées ; au vieux bois se mêlent des notes de figues et de raisins secs ; un vin sucré mais parfaitement équilibré par son acidité. Il ne s'agit pas d'un vin de garde, mais d'un élixir à apprécier dès sa sortie. **GS**

Delgado Zuleta
Sherry Amontillado Quo Vadis ?

Origine Espagne, Sanlúcar de Barrameda
Type vin muté sec, 20 % vol.
Cépage Palomino Fino
À boire dès sa sortie et jusqu'à 10 ans d'âge
€€€

Delgado Zuleta est l'une des plus anciennes maisons de Marco de Jerez. Fondée en 1744, ses vignobles sont situés dans le Pago de Miraflores et couvrent pratiquement la totalité de leur besoin en vin, soit 2 000 fûts par an. La célèbre Manzanilla La Goya est l'une de leurs bouteilles les plus réputées.

Bien que la majeure partie de leur production actuelle s'effectue dans des infrastructures modernes situées en périphérie de la ville, Delgado Zuleta possède plusieurs anciennes bodegas au cœur de Sanlúcar, dont l'avenir est menacé. Dans l'une d'entre elles reposent les 300 fûts d'Amontillado toujours détenus par la maison. Une infime partie abrite l'un des trésors de la viniculture locale, l'Amontillado Quo Vadis ?

À 40 ans d'âge, Quo Vadis ? est un vin de grande personnalité. Salé, doté d'une puissance qui rappelle son vieillissement sous flor, il exhale des notes de bois noble, de vanille, de menthe, de citron, de lavande et de réglisse à la fois au nez et en bouche. Il se révèle profond, moelleux et savoureux, avec une acidité et une longueur parfaites doublées d'un caractère tannique unique. **JB**

Ce *barcos rabelos* transportait des tonneaux de Porto sur le Douro.

Pedro Domecq *VORS Sherry*
Capuchino Palo Cortado

Origine Espagne, Jerez de la Frontera
Type vin muté sec, 20 % vol.
Cépage Palomino Fino
À boire jusqu'à 20 ans+ après sa sortie
€€€

Le niveau de qualité des Xérès très âgés (VORS) de Pedro Domecq est élevé. Sibarita Oloroso est un Oloroso équilibré, très peu sucré, avec une bouche pleine et concentrée. L'Amontillado offre une rare combinaison de finesse et de maturité. Mais les Olorosos « standard » de Domecq (Rio Viejo, La Raza) et l'Amontillado (Botaina) sont eux-mêmes des vins de qualité exceptionnelle.

Les Venerable Pedro Ximénez et Capuchino Palo Cortado témoignent quant à eux d'une évolution significative en matière de qualité et de concentration. Tous deux sont de grands vins, chacun dans son style. Capuchino est un vin évocateur et complexe, intense et doté d'un caractère typique du Palo Cortado : le nez est tout en finesse, avec des arômes de pelure d'orange et de bois fin ; le vin vieillira avec élégance. Le palais est quant à lui relativement audacieux, étoffé et puissant, mais conserve une grande fraîcheur en raison de son excellente acidité.

Pour les adeptes des vins (Carta Blanca, Carta Roja, Carta Azul) de la maison d'Agustín Blázquez avant son acquisition par Pedro Domecq, le Capuchino Palo Cortado VORS est un digne successeur. **JB**

Pedro Domecq
Sherry Fino La Ina

Origine Espagne, Jerez de la Frontera
Type vin muté sec, 15 % vol.
Cépage Palomino Fino
Boire la cuvée actuelle dans l'année
€

Les changements de direction connus par l'entreprise en 2006 ont contribué à la création d'un nouveau nom pour cette maison de Xérès séculaire. Pedro Domecq est aujourd'hui détenu par Beam Global, leader dans la distribution de la marque de Xérès la plus vendue au monde : Harveys' Bristol Cream. Mais dans le cas de La Ina, se référer à cette marque classique sous l'appellation Beam Global La Ina Fino serait aussi consternant que d'appeler le Champagne Krug Champagne LVMH. Fort heureusement, il semble que les vins classiques comme le Botaina Amontillado, La Ina Fino et Rio Viejo Oloroso conserveront la référence à Pedro Domecq sur leurs étiquettes.

Pendant de nombreuses décennies, La Ina n'a cessé de rivaliser avec Tío Pepe en termes de prestige et de popularité. Cette saine compétition fut particulièrement prononcée en Andalousie, mais les connaisseurs ont toujours prisé La Ina Fino pour son caractère classique, intransigeant et aldéhydique. La Ina fait l'objet, année après année, de mentions distinctives de la part de la majorité des guides de vins espagnols. **JB**

Dow's
Porto Quinta Senhora da Ribeira

Origine Portugal, vallée du Douro
Type vin muté doux, 20 % vol.
Cépages mélange de variétés traditionnelles
Millésime dégusté 1998, à boire jusqu'en 2040+
€€€

Ce vin incarne le succès rencontré par le Porto à la fin du xxᵉ siècle, en particulier celui du Porto Vintage. Senhora da Ribeira est l'une des trois propriétés achetées pour Silva et Cosens (producteur du Porto de Dow's) par George Acheson Warre ; elle demeura dans l'entreprise jusqu'à ce que la famille Symington la vende au milieu des années 1950.

Senhora da Ribeira conserva un rôle majeur dans la production des Portos Vintage de Dow's avant d'être rachetée par les Symington en 1998 (bicentenaire de Silva et Cosens). Bien qu'en sous-activité, la propriété était étrangement semblable à celle qu'ils avaient quittée. 1998 se révéla une année stimulante et généra de petites quantités d'excellent vin. La chaleur des premiers mois de l'année fut suivie d'un mois d'avril exceptionnellement humide ; les variations climatiques perdurèrent jusqu'à l'arrivée des grosses chaleurs et de la sécheresse en juillet, et jusqu'au début du mois de septembre.

Les rendements furent plus faibles que jamais et au milieu du mois se dessina la perspective d'une récolte limitée, mais exceptionnelle. Les vendanges commencèrent le 14 septembre dans le Douro supérieur, mais le beau temps prit fin une semaine après et une grande partie des vendanges s'effectua sous de fortes pluies. De potentiellement excellente, l'année devint simplement bonne. Vendangé avant les pluies, ce vin est le plus impressionnant du millésime : profond, sombre et dense, il révèle une merveilleuse douceur fruitée soutenue par une concentration tannique mature. **RM**

Dow's
Vintage Port

Origine Portugal, vallée du Douro
Type vin muté doux, 20 % vol.
Cépages divers, issus d'anciens vignobles mixtes
Millésime dégusté 1908, à boire jusqu'en 2020+
€€€€€

Dow était déjà renommé pour son Vintage Port quand James Ramsey se décida à fusionner son exploitation avec Silva et Cosens. À l'époque, cette dernière était la plus importante des deux, mais Dow fut le nom de marque adopté pour tous leurs vins. La perspicacité financière d'Edward Silva, le talent commercial de James Ramsey Dow et l'ambition du vinificateur George Warren allaient transformer Dow's en l'un des plus illustres Portos de l'époque.

La fusion s'est faite pendant une période de crise pour le négoce de Porto. Le phylloxéra ravageait les vignobles du Douro et les rendements étaient catastrophiques. Nombre de viticulteurs abandonnèrent et mirent leurs quintas en vente à des prix dérisoires. George Warren acheta trois propriétés dans une zone de premier choix pour la production de Porto, à une époque où peu de négociants possédaient des vignobles. Sa première acquisition fut la Quinta do Zimbro, suivie de la Quinta Senhora da Ribeira et de la Quinta do Bomfim. Il procéda à une replantation des trois domaines et fut l'un des premiers à greffer des cépages indigènes portugais sur des portegreffes américains résistants au phylloxéra.

Dix années passèrent avant que le négoce de Porto se remette à flot et 1908 est l'année qui marque la concrétisation de la « nouvelle ère ». Le Dow's 1908 est un point de repère dans l'histoire du Porto. Il a toujours une belle robe et une base fruitée mûre, souple et succulente. Légèrement caramélisé, avec la richesse et l'onctuosité d'un chocolat au lait supérieur, il est encore superbement équilibré et frais. **RM**

Les vignobles de Dow's face à un verger de citrus le long du Douro. ➦

Dow's
Porto Vintage

Origine Portugal, vallée du Douro
Type vin muté doux, 20 % vol.
Cépages mélange issu de vieux vignobles mixtes
Millésime dégusté 1955, à boire jusqu'en 2050
€€€€€

Dans les années 1955, le commerce du Porto luttait pour sa survie. La Seconde Guerre mondiale avait frappé le commerce de plein fouet et l'explosion des ventes qui avait suivi la Première Guerre mondiale n'eut jamais lieu. Dans les années 1950, les propriétaires de Dow's, la famille Symington, vendit ainsi deux propriétés, Quinta do Zimbro et Quinta Senhora da Ribeira.

Mais un magnifique millésime vint illuminer ce sombre tableau. Dès le 13 août, Ronal Symington écrivait : « Les grappes et les raisins sont bien plus gros que l'année dernière […]. Quelques pluies entre aujourd'hui et la récolte devraient produire un excellent 1955. » La pluie se manifesta au début de septembre et les vendanges démarrèrent le 19 septembre. Ronald Symington écrivit dans son rapport : « […] la couleur était en général plaisante et [les vins] étaient tous très agréables au nez et en bouche. »

Cinquante ans après, le commerce du Porto ayant prospéré, le 1955 de Dow's conserve sa couleur rubis sombre et sa fraîcheur mentholée extraordinaire. Le vin est plein, ferme et riche mais équilibré, franc et particulièrement tannique. **RM**

El Grifo
Canari

Origine Espagne, îles Canaries, Lanzarote
Type vin muté sec, 17 % vol.
Cépage Malvasie
Millésime dégusté 1997, à boire jusqu'en 2025
€€

La Malvasia, pour laquelle Falstaff, le personnage de Shakespeare, offrit son âme au diable, ne figure plus parmi les cépages les plus plantés sur les îles Canaries. Mais il en reste 1 490 ha sur Lanzarote, l'île la plus orientale, où elle apparut peu après l'éruption du volcan Timanfaya en 1730.

Établie en 1775, El Grifo est la plus ancienne bodega de l'île. Elle peut se vanter d'avoir modernisé la viniculture de l'île par l'introduction de cuves en acier inoxydable et par le remplacement du cépage local, l'Istán negro, par de la Malvasia et des cépages noirs. Mais les vins doux traditionnels de solera n'ont pas pour autant été abandonnés.

Mis à part le rare G Glas 1997 qui ressemble au Porto ou le Malvasia 1956, le vin qui correspond le plus aux vins doux si vénérés d'antan est El Grifo Canari, un assemblage des millésimes 1956, 1970 et 1997, dont la date de l'étiquette, comme le veut la loi, correspond à l'âge du millésime le plus jeune. Ce vin doux de solera est produit à partir de raisins très mûrs, partiellement passerillés et légèrement fortifiés. Une robe couleur d'ambre et un nez aux arômes d'amandes, de réglisse et de zeste d'orange. **JMB**

Le griffon d'El Grifo domine l'entrée de la bodega sur l'île de Lanzarote. ➡

El Maestro Sierra
VORS Sherry Amontillado 1830

Origine Espagne, Jerez de la Frontera
Type vin muté sec, 19 % vol.
Cépage Palomino Fino
À boire dès sa sortie et pendant 15 ans+
€€€

Parmi la myriade de styles différents, l'Amontillado est la vraie mesure, le vin où caractère, finesse et surtout complexité se mêlent dans une totale harmonie. Les vieux Amontillados sont des vins fondamentaux, difficiles et profonds et parmi l'élite se distingue celui d'El Maestro Sierra, une ancienne Almacenista bodega qui ne commença à mettre du Sherry en bouteilles qu'en 1992. Jusqu'alors, la maison d'Emilio Lustau avait basé avec succès une partie de son expansion vers le marché anglo-américain sur l'un des vins d'El Maestro Sierra, le mémorable Oloroso Almacenista VDA de Antonio Borrego.

El Maestro Sierra est une maison artisanale traditionnelle dans laquelle l'approvisionnement et le rafraîchissement des rangées sont effectués sous le contrôle personnel de son expert *capataz* (contremaître), Juan Clavijo, qui continue d'utiliser les ustensiles et contenants traditionnels du métier – *jarra, canoa, sifón* et *rociador*. Toujours à la tête de l'entreprise mais aidé par sa fille, l'historienne Carmen Borrego, Pilar Pla en est le propriétaire. **JB**

Florio
Terre Arse Marsala

Origine Italie, Sicile, Marsala
Type vin sec muté, 19 % vol.
Cépage Grillo
Millésime dégusté 1998, à boire jusqu'à 25 ans d'âge
€€

En 1773, Mr John Woodhouse, un riche entrepreneur de Liverpool, fut obligé de jeter l'ancre à Marsala lors d'une tempête subite. Là-bas, il goûta un vin local fort appelé Perpetuum qu'il apprécia tant qu'il décida d'en faire commerce. Il acheta le vin, y ajouta de l'alcool afin d'assurer sa conservation durant le voyage, et retourna dans son pays natal. Le vin de Marsala connut un succès immédat en Angleterre, et Woodhouse s'établit en Sicile. Ce n'est cependant qu'en 1832 que fut fondée la première cave italienne par Vincenzo Florio. La visite des caves Florio, avec leurs plaques commémoratives, offre aujourd'hui un vibrant témoignage du passé.

Terre Arse est l'exemple parfait de ce à quoi devrait ressembler un excellent vin de Marsala. Il est vergine, ce qui signifie qu'il n'a subi qu'un ajout d'alcool, laissant ainsi un vin final parfaitement sec. La robe est couleur or, tandis que des notes de miel caramélisé et de noisettes torréfiées marquent le nez. En bouche, sa richesse sèche et veloutée jumelée à sa grande complexité vous feront vous demander pourquoi vous ne pensez pas à ouvrir une bonne bouteille de Marsala plus souvent. **AS**

Les caves de Florio renferment nombre de vieux millésimes. ➡

José Maria da Fonseca
Setúbal Moscatel Roxo 20 Ans

Origine Portugal, Setúbal
Type vin doux muté, 18 % vol.
Cépage Moscatel Roxo
Boire la cuvée actuelle
€€€

La péninsule Ibérique possède une part plus qu'équitable de bons vins doux. Le Porto, le Sherry et le Madère sont les principaux, mais il en existe d'autres moins connus, comme le Setúbal. Parmi les producteurs, le plus grand et le plus important est JM da Fonseca, une entreprise familiale vieille de presque 200 ans.

Le Moscatel de Setúbal est en grande partie réalisé comme les vins doux naturels du sud de la France, en fortifiant les moûts de Moscatel partiellement fermentés avec un alcool fort neutre. Le climat chaud de la région est tempéré par l'influence de l'Atlantique, mais les vins peuvent souffrir de la chaleur et manquer d'acidité. C'est pour cette raison que la plupart des Moscatels de Setúbal sont aujourd'hui des assemblages rebaptisés simplement « Setúbal ». Il existe néanmoins quelque Moscatels purs, comme les vins haut de gamme de Fonseca.

Le Moscatel Roxo 20 Ans a un nez marqué par des arômes de raisins secs agrémentés de touches de caramel. Doux en bouche, il maintient cependant une fraîcheur due à son acidité équilibrée. Ce vin peut être apprécié lors de l'apéritif ou au dessert. **GS**

Fonseca
Porto Vintage

Origine Portugal, vallée du Douro
Type vin muté doux, 21 % vol.
Cépages mélange issu de vieux vignobles mixtes
Millésime dégusté 1963, à boire jusqu'en 2050
€€€€

1963 est l'une des rares années où presque chaque expéditeur de Porto produisit un vin d'excellente qualité. Cet exemple exceptionnel provient de Fonseca, une entreprise dont les origines remontent à la fin du XVIIIe siècle, lorsque Manuel Pedro Guimaraens commença à exporter des produits textiles et alimentaires du Portugal vers le Brésil. En dépit des divers changements de direction, les générations successives de la famille Guimaraens continuèrent à diriger l'entreprise. L'on doit à Franck Guimaraens, suivi au milieu des années 1950 de Dorothy Guimaraens et de Bruce Guimaraens, les remarquables millésimes Fonseca de 1896 à 1991.

Élaboré par Bruce Guimaraens, le Fonseca 1963 compte parmi les grands Portos du XXe siècle. Toujours jeune après avoir passé 40 ans en bouteilles, il a développé un arôme floral des plus purs (pétales de roses écrasés). Sec et délicat au premier abord, il révèle une grande pureté fruitée et allie la finesse à une longue finale puissante mais élégante. Voilà un vin qui accompagnera certainement chaque personne née en 1963 toute sa vie durant. **RM**

Garvey
Sherry Fino San Patricio

Origine Espagne, Jerez de la Frontera
Type vin muté sec, 15 % vol.
Cépage Palomino Fino
Boire la cuvée actuelle dans l'année
€

William Garvey partit pour l'Espagne au cours de la seconde moitié du XVIIIᵉ siècle afin d'y acheter des moutons pour les croiser avec ceux que sa famille possédait dans les verts pâturages d'Irlande. Mais les jolis yeux d'une fille (fille d'un capitaine espagnol qui le sauva d'un naufrage) eurent raison des souvenirs du pays natal et il s'établit comme négociant en vin, un métier dont il ne connaissait rien.

Il n'est donc pas anodin que le San Patricio (équivalent espagnol de Saint-Patrick) soit la marque dominante de Garvey (propriété de la famille Ruiz Mateos au cours des dernières décennies) ou que San Patricio ait été le nom donné à sa cave principale, l'un des sanctuaires les plus illustres du Sherry. Contrairement aux autres bâtiments historiques aujourd'hui disparus en raison de l'urbanisation galopante, San Patricio, au cœur de Jerez de la Frontera, est toujours debout, même si Garvey a déménagé ses infrastructures dans le Complejo Bellavista.

Sous la supervision de l'œnologue Luis Arroyo, le Fino San Patricio subit, juste avant la mise en bouteilles, une seconde phase, brève mais intense, de maturation biologique sous flor afin d'intensifier ses qualités aromatiques. À l'instar de quelques autres Sherrys Fino, le San Patricio surprend les consommateurs par sa qualité hors norme et son prix abordable. **JB**

Les vignes de Palomino sont soumises à la sécheresse. ➜

González Byass
Sherry Oloroso Vintage

Origine Espagne, Jerez de la Frontera
Type vin muté sec, 22 % vol.
Cépage Palomino Fino
Millésime dégusté 1963, à boire jusqu'à 30 ans+
€€€€

La famille González, dont l'histoire a été racontée par l'expert Julian Jeffs, appartient à l'aristocratie du monde viticole. Il s'agit d'une aristocratie fondée sur l'une des tâches nobles auxquelles l'homme peut se consacrer : pendant plus de 170 ans, la famille a produit des biens appréciés des autres et a expédié ces élixirs partout dans le monde.

En revanche, leur de Añada (millésime) Oloroso et leur Palo Cortado sont bien plus difficiles à obtenir en raison de la rareté inévitable de la production. Pratiquement depuis la fondation de González Byass, un faible pourcentage de chaque millésime a été mis de côté pour former par la suite un vin millésimé, et ce en dehors du système traditionnel des soleras et des criaderas (« rangée de tonneaux »).

Ces derniers furent mis pour la première fois en bouteilles en 1994 pour célébrer le 150ᵉ anniversaire du premier fret de Tío Pepe vers la Grande-Bretagne. Depuis lors, dix millésimes sélectionnés entre 1963 et 1979 ont été mis en bouteilles en tant qu'Oloroso ou Palo Cortado. Afin d'apprécier pleinement un Sherry sec embouteillé il y a de nombreuses années, il est nécessaire de laisser le vin se décanter. **JB**

González Byass
Tío Pepe Fino Sherry

Origine Espagne, Jerez de la Frontera
Type vin muté sec, 17 % vol.
Cépage Palomino Fino
Boire la cuvée actuelle dans l'année
€

C'est vers 1825 que Manuel María González Ángel, originaire de Sanlúcar, fonda ce qui est aujourd'hui González Byass, avec l'aide de son oncle José Ángel de la Peña. C'est en hommage à son oncle qu'il nomma son vin Tío Pepe (Oncle Joe) ; un vin devenu au fil des ans la marque prépondérante dans la région du Sherry. Certes, quelques Manzanillas (La Guita ? La Gitana ?) pourraient sans doute lui disputer la suprématie en termes de marketing ; sans doute un autre Fino, comme La Ina ou Inocente pourrait-il mériter, par son histoire et sa qualité, une place identique dans le cœur des connaisseurs ; certes, sans doute quelques autres marques comme Osborne's Bull possèdent-elles un pouvoir visuel idoine. Mais se maintenir 170 ans sur le marché avec un vin d'une qualité supérieure constante est une prouesse dont très peu peuvent se targuer.

En réalité, Tío Pepe compte parmi les plus importantes marques du monde et peu de noms pourrait rivaliser en termes de suivi de qualité et de tradition. Sans parler du prix, même si cela porte sans doute préjudice à la marque, dans un marché où mode et image dictent les tendances à la consommation. **JB**

Graham's
Porto Malvedos Single Quinta

Origine Portugal, vallée du Douro
Type vin muté doux, 20 % vol.
Cépages T. Nacional, T. Franca, Tinta Roriz, autres
Millésime dégusté 1996, à boire jusqu'en 2020+
€€€

Graham, l'un des grands noms du Porto, débuta en tant que fabricant de textile établi à Glasgow et fit son entrée dans le commerce vinicole par hasard en 1820, lorsqu'il accepta des tonneaux de Porto en guise d'acquittement d'une dette importante. Les vins de la propriété Malvedos surplombant le Douro à Tua dans la région de Cima Corgo entrent dans la composition des Portos millésimés de Graham's depuis plus d'un siècle. Le Malvedos de Graham's compte parmi les premiers de la génération moderne de Portos issus d'un seul terroir et ayant été produits lors des bonnes années entre les millésimes depuis les années 1950.

Dans l'ensemble, 1996 s'avéra une bonne année et renfloua les stocks de Ruby Premium et de Porto Vintage Late Bottled (LBV). Bien que ce ne soit pas une grande année de vins, le Malvedos 1996 de Graham's est devenu un agréable Porto aux arômes fruités en moins de 10 ans (en comparaison avec un vrai millésime qui peut nécessiter 20 ans voire plus). Avec son arôme floral rappelant la violette et son parfum exquis de baies, le Malvedos 1996 est l'expression classique du Porto millésimé Single Quinta. **RM**

Graham's
Porto Vintage

Origine Portugal, vallée du Douro
Type vin muté doux, 20 % vol.
Cépages mélange de variétés traditionnelles
Millésime dégusté 1970, à boire jusqu'en 2020+
€€€€€

L'influence de la famille Graham dans Oporto fut si considérable qu'un quartier de la ville continue d'être appelé Graham. L'entreprise resta aux mains de la famille jusqu'en 1970, date à laquelle l'affaire fut, comme tant d'autres, revendue à la famille Symington.

Les vieilles vignes n'ont cessé de demeurer au cœur des Portos millésimés de Graham's. L'année 1970 marqua la fin d'une ère pour la famille Graham, mais elle coïncida avec un millésime exceptionnel.

Les premières dégustations dévaluèrent les millésimes 1970, parmi lesquels les meilleurs ont mis trente ans à se détériorer. La qualité d'ensemble n'est certes pas aussi élevée que celle de 1963, mais le 1970 de Graham's mérite incontestablement d'être classé parmi les grands Portos millésimés du xxᵉ siècle. Doté d'une robe jeune et profonde, il possède une incroyable intensité rehaussée par les arômes de griottes et de chocolat noir, avec des tanins forts et charpentés masquant une richesse et une élégance sous-jacentes. Avec sa finale éblouissante, ce vin, qui allie puissance et finesse dans une mesure égale, est promu à un bel avenir. **RM**

Gutiérrez Colosía
Sherry Palo Cortado Viejísimo

Origine Espagne, Andalousie, El Puerto de Santa María
Type vin muté sec, 22 % vol.
Cépage Palomino Fino
À boire dès sa sortie et pendant au moins 10 ans
€€€

Les membres de la famille Gutiérrez Colosía sont propriétaires de cette vieille entreprise depuis son acquisition par José Gutiérrez Dosal au début du xxᵉ siècle. À la bodega principale, construite en 1838 d'après les plans assurés des « cathédrales » du Sherry, ils ajoutèrent de nouvelles caves sur les ruines du palais du comte de Cumbrehermosa.

Les infrastructures se situent près de l'embouchure de la rivière Guadalete, non loin la baie de Cadix. C'est là qu'eut lieu la grande expansion de Puerto de Santamaria vers 1830 et c'est ici que se trouvent toujours la plupart des complexes vinicoles. Gutiérrez Colosía est la seule société dont les bodegas s'élèvent sur les rives mêmes de la rivière Guadalete, avec l'avantage non négligeable que procure le taux d'humidité plus élevé pour un vieillissement biologique sous flor en bonne et due forme.

Bien que la maison de Gutiérrez Colosía ait dans son portefeuille tous les différents styles de Sherry, le Palo Cortado Viejísimo reste son joyau le plus précieux par sa rareté. Dans ce vin complexe et intense, les deux âmes de Palo Cortado – celles de l'Amontillado et de l'Oloroso – se disputent l'avantage. **JB**

Gutiérrez de la Vega *Casta Diva*
Cosecha Miel / Reserva Real

Origine Espagne, Alicante
Type vin muté, 14 % vol.
Cépage Muscat romain (Muscat d'Alexandrie)
Millésime dégusté 1970, à boire jusqu'en 2015
€€

Gutiérrez de la Vega est une exploitation familiale à Marina Alta, sous-zone de l'AOC d'Alicante où Felipe, sa femme Pilar et leurs trois enfants travaillent dans deux charmantes vieilles maisons du village de Parcent. Les vins sont le produit de 15 ha parsemés autour des villages avoisinants. Felipe est vinificateur depuis 1973, mais ne commercialisa son vin qu'à partir de 1984. Il offre maintenant quatorze vins, certains portant le nom de William Blake, Maria Callas, Donizetti ou James Joyce et faisant allusion à des thèmes littéraires ou à l'opéra : Viña Ulises, Rojo y Negro, Furtiva Lágrima, Casta Diva.

Comme l'a écrit Victor de la Serna, Gutiérrez de la Vega « a modernisé de manière sublime la tradition des Muscats espagnols ». La Casta Diva, dans sa version Cosecha Miel, est son fleuron et ce remarquable Muscat étiqueté comme un Reserva Real est devenu un vin de collectionneur. D'une séduisante robe ambrée, il offre un bouquet de miel, d'agrumes, d'épices et de figues. Au palais, il est très doux, riche et velouté. C'est un vin de dessert de niveau international décrit par son inventeur comme « un vin fait pour rendre heureux ». **JMB**

Henriques & Henriques
Century Malmsey Solera 1900

Origine Portugal, Madère
Type vin muté doux, 21 % vol.
Cépage Malvoisie
À boire jusqu'en 2050+
€€€€€

Les Henriques étaient à l'origine d'importants propriétaires terriens de Madère ; ils plantèrent des vignes sur l'île de Pico de Torre au milieu du XVe siècle, quelques années seulement après sa découverte et colonisation par les Portugais.

Lorsque le Portugal intégra l'Union européenne en 1986, les soleras de Madère, mal définies et sujettes à la fraude, furent abolies. Cependant, depuis 1998, la solera a été réintroduite et définie plus précisément par les autorités. Aujourd'hui, chaque solera mise en bouteilles doit être un vin issu d'une seule année, et dont 10 % au maximum peuvent être soutirés pour la mise en bouteilles par année.

Henriques & Henriques tourna les nouvelles directives à son avantage en mettant en bouteilles une solera qui reposait depuis 1899, juste à temps pour le nouveau millénaire. Le vin est extraordinaire : sa robe acajou est ornée d'une mince bordure vert olive ; ses arômes relevés et piquants rappellent les feuilles de thé vert. D'une richesse incroyable tirant sur des notes de figues, l'équilibre du vin est maintenu par une puissante acidité qui le garde frais et vif ; s'ensuit une finale puissante et sèche. **RM**

Henriques & Henriques
Madère WS Boal

Origine Portugal, Madère
Type vin muté demi-doux, 21 % vol.
Cépage Boal
À boire jusqu'en 2030+
€€€€€

En 1850, João Joaquim Henriques (connu sous le nom de João de Belém) mit sur pied une entreprise vinicole en utilisant les cépages de la famille situés sur le versant sud de l'île. Les vignes furent revendues en totalité à d'autres affréteurs, jusqu'à ce que les deux fils de João de Belém rebaptisent l'entreprise Henriques & Henriques en 1912 et prennent en charge l'affrètement de leurs propres vins.

WS Boal est l'un des quatre très vieux vins de réserve formant ce que d'aucuns ont décrit comme le « quatuor céleste » Henriques & Henriques (les autres membres du quatuor étant Grand Old Boal, un Malvoisie et un Sercial). Aucun de ces vins ne possède de millésime. Le WS Boal fut mis en bouteilles à partir de 1927 avant d'être à nouveau embouteillé par l'entreprise en 1957, 1975 et 2000. De couleur pâle acajou, exhalant des arômes très fins, élégants, voire légèrement feutrés, ce vin se révèle étonnamment sec pour un Boal et pourtant magnifiquement équilibré par des flaveurs de confiture aigre-douce et une concentration doublée d'une profondeur incroyable. **RM**

Emilio Hidalgo *VORS Sherry Privilegio Palo Cortado 1860*

Origine Espagne, Jerez de la Frontera
Type vin muté sec, 20 % vol.
Cépage Palomino Fino
À boire dès sa sortie pendant 5 ans
€€€€€

Le Palo Cortado Privilegio 1860 est, avec le Pedro Ximénez Santa Ana 1861, le joyau de la couronne d'Emilio Hidalgo.

Les étiquettes des vins andalous traditionnels incluent parfois des références à des dates spécifiques amenant le consommateur à penser qu'il s'agit des dates de millésimes. C'est très rarement le cas, et à quelques exceptions près, ces vins sont produits selon le système traditionnel des soleras par lequel les vins progressent de la rangée de tonneaux la plus récente (criadera) vers celles contenant le vin plus vieux, et ainsi de suite jusqu'à ce qu'ils atteignent la solera.

Une fois transvasés dans les tonneaux de la solera, les vins des différents millésimes sont assemblés et homogénéisés, et la proportion résiduelle des vieux millésimes décroît proportionnellement. Dans le cas du Palo Cortado Privilegio, « 1860 » fait référence à la date de la fondation de la solera, qui précède même la constitution formelle de la bodega en tant que telle ; il est donc probable qu'un minuscule pourcentage du vin mis en bouteilles aujourd'hui provienne de cette année-là. **JB**

Emilio Hidalgo *VORS Sherry Santa Ana Pedro Ximénez 1861*

Origine Espagne, Jerez de la Frontera
Type vin muté doux, 15 % vol.
Cépage Pedro Ximénez
À boire dès sa sortie pendant 30 ans
€€€€€

Emilio Hidalgo est l'une des rares maisons de Sherry encore dirigée par les descendants du fondateur, ici Emilio Hidalgo, qui créa la bodega en 1874. Tout commença par une série de soleras choisies personnellement par le fondateur.

La solera de Santa Ana Pedro Ximénez, l'un des vins doux mythiques de Jerez, fut fondée en 1861. Emilio Hidalgo prospère grâce à la réputation de ce vin ainsi qu'à celle du VORS Privilegio Palo Cortado 1860, tandis que les amateurs de vin découvrent peu à peu l'excellence du Fino Especial La Panesa. Avec son élégance, sa complexité et la facilité de sa production commerciale à des prix abordables, le Fino quasiment non filtré détient sans doute la clé de l'avenir de cette région viticole.

Le Santa Ana Pedro Ximénez VORS 1861 est une relique de la famille Hidalgo. Il trouve son origine dans les vignobles Pedro Ximénez, aujourd'hui disparus. Le vin est opaque, extrêmement dense, d'une fraîcheur extraordinaire, léger et même fruité pour son âge. Un véritable joyau, dont la sortie sur le marché s'effectue au compte-gouttes afin de ne pas affecter l'âge et la profondeur de sa solera. **JB**

Hidalgo-La Gitana
VORS Sherry Palo Cortado Viejo

Origine Espagne, Sanlúcar de Barrameda
Type vin muté sec, 19 % vol.
Cépage Palomino Fino
À boire jusqu'à 10 ans+ après sa sortie
€€€€

Propriétaire · de l'une des meilleures marques de Manzanilla vendues aujourd'hui, Hidalgo-La Gitana est une maisos basée à Sanlúcar et fondée par des négociants originaires de Cantabre, au nord de l'Espagne. Ses vieux vins sont stockés dans une cave semi-souterraine idéale pour le vieillissement des Manzanillas, puisque la faible présence d'oxygène est compensée par une ventilation adéquate, tandis que la proximité avec l'estuaire du fleuve Guadalquivir procure un degré d'humidité optimal à cette profondeur pour le développement de la flor.

Les pertes par évaporation dans les fûts de vieux vins sont en outre plus faibles en raison de l'importante humidité, ce qui limite également l'augmentation naturelle en alcool. C'est probablement l'un des éléments distinctifs qui caractérisent le profil des vieux vins de Hidalgo-La Gitana parfois marqués à l'attaque par un nez réducteur qui se dissipe après une aération méticuleuse dans le verre ou la carafe.

En 2000, un Palo Cortado Scully fut exceptionnellement sorti dans la gamme Matador ; un véritable joyau qu'aucun aficionado digne de ce nom ne manquerait pour sa qualité et sa rareté extrêmes. **JB**

Hidalgo-La Gitana
Pastrana Manzanilla Pasada

Origine Espagne, Sanlúcar de Barrameda
Type vin muté sec, 15,5 % vol.
Cépage Palomino Fino
Boire la cuvée la plus récente
€

Tout aficionado ayant visité la région du Sherry et goûté les vins au fût sait que les Amontillados, Olorosos et Pedro Ximénez en fûts diffèrent peu de leurs versions en bouteilles. À l'inverse, il existe des différences notoires en termes de couleur, de nez et de bouche entre les Finos et les Manzanillas en tonneaux et ceux en bouteilles. Cette différence tient au processus de filtration intense réalisé sur les vins sujets au vieillissement biologique, ce qui est justifié sur deux plans. Premièrement, par la préférence des consommateurs pour les Finos et Manzanillas de couleur pâle, au point que beaucoup rejetteront les vins aux teintes plus prononcées. Deuxièmement, par la grande stabilité de ces vins ultra-filtrés, qui peuvent être exportés et stockés sans perte de fraîcheur pendant une voire deux années.

Par opposition à ces pratiques presque universelles, Hidalgo a entrepris une audacieuse expérience avec sa Pastrana Manzanilla Pasada, vin doté d'une belle robe or, d'un âge et d'une structure permettant de l'exporter presque non filtré, ce qui prouve qu'il existe bel et bien une niche commerciale pour les vraies Manzanillas Pasadas. **JB**

KWV
Muscadel Jerepigo

Origine Afrique du Sud, Boberg
Type vin muté doux, 18,2 % vol.
Cépage Muscadel (Muscat blanc à petits grains)
Millésime dégusté 1953, à boire jusqu'en 2050+
€€

Jusqu'à l'émergence des nouveaux vins semblables au Porto au début des années 1990, ces Jerepigos doux constituaient la plus grande contribution du Cap aux vins doux, bien que l'appellation «vin doux naturel» ne rende pas tout à fait compte de ces délicieuses mistelles, réalisées en ajoutant de l'alcool fort aux jus non fermentés. Injustement démodé, le Jerepigo se languit aujourd'hui.

Alors coopérative nationale dotée de pouvoirs statutaires, KWV produisait quelques-uns des meilleurs d'entre eux. Le 1953 fut élaboré avant que KWV n'établisse ses propres caves pour ces vins-là.

Depuis sa mise en bouteilles en 1861, ce Jerepigo 1953 jouit d'un statut quasi mythique auprès des connaisseurs nostalgiques qui se l'arrachent lorsqu'il paraît sur le second marché. La douceur riche et puissante résiste à la mièvrerie, enveloppée d'une acidité modérée, d'un tanin léger et de l'alcool substantiel. Certaines notes rappellent les vieux Madères, d'autres la mélasse, et il se dégage une réelle complexité de flaveurs. La robe couleur rubis s'est foncée au fil du temps, mais le vin ne montre aucun signe de tarissement de sa splendeur. **TJ**

Domaine de La Rectorie
Banyuls Cuvée Leon Parcé

Origine France, Banyuls
Type vin muté doux, 16 % vol.
Cépages Grenache noir, Mourvèdre occasionnel
Millésime dégusté 2000, à boire jusqu'en 2025
€€€

Marc et Thierry Parcé font partie de la noblesse du bouchon du petit port de Banyuls. Marc est enseignant de formation et commença à se familiariser avec le monde viticole dans le domaine familial de 20 ha en 1984. Thierry reçut des conseils d'expert prodigués par le célèbre œnologue local André Brugirard, qui joua un rôle majeur dans la modernisation des vins du Roussillon.

Les Parcé ont un vieux bunker de la Wehrmacht qui fait office d'excellente cave dans cette chaude région de la France. Ils abandonnèrent le filtrage dès le début, et pratiquèrent l'agriculture organique.

La Cuvée Léon Parcé est le meilleur Banyuls du domaine. Le 2000 a une robe rubis aux éclats mauves. Le vin présente une structure équilibrée et exhale des arômes de cerises et de fraises sucrées. L'ancien meilleur sommelier du monde, Olivier Poussier, le décrit comme «légèrement épicé» en bouche et recommande de le servir à 14 °C. D'autres vins exhalent des arômes de tabac, de chocolat noir ou de figues. La Cuvée Léon Parcé se marie avec du fromage bleu tel que le roquefort, ou avec certains desserts comme le crumble aux fruits rouges. **GM**

Leacock's
Madère Sercial

Origine Portugal, Madère
Type vin muté sec, 20,5 % vol.
Cépage Sercial
Millésime dégusté 1963, à boire jusqu'en 2050+
€€€€

Leacock commença à exporter du vin avec John Leacock au milieu du XVIIIᵉ siècle. Le membre le plus célèbre de la famille est Thomas Slapp Leacock, petit-fils du fondateur, qui possédait des vignobles à São João, en périphérie de Funchal. Lorsque son vignoble subit l'épidémie de phylloxéra en 1873, il fit tout pour protéger ses vignes, traitant leurs racines avec de la résine, de l'essence de térébenthine et du goudron. En 1883, il était venu à bout de l'épidémie et c'est grâce à lui si de nombreuses variétés de cépages traditionnels subsistent sur l'île aujourd'hui.

Le Sercial est la moins estimée de ces variétés puisqu'elle produit un style de Madère sec et brûlant, difficile à apprécier au premier abord. Bien qu'il soit encore relativement jeune, le Leacock's Sercial 1963 (mis en bouteilles en 1994) est l'un des exemples les plus expressifs du cépage. Drapé d'une robe mi-ambrée, il dégage des arômes délicats de feuille verte, légèrement fumés et floraux. D'une austérité remarquable, il se révèle délicat, pur comme de l'eau de roche, finement équilibré et doté d'une finale d'une admirable persistance. Ce vin fera encore parler de lui pendant de très nombreuses années. **RM**

M. Gil Luque *VORS Sherry*
De Bandera Palo Cortado

Origine Espagne, Jerez de la Frontera
Type vin muté sec, 19 % vol.
Cépage Palomino Fino
À boire 30 ans voire plus après sa sortie
€€€

Dans les cercles restreints des vrais aficionados du Sherry, les vieilles vignes de Fernando Carrasco Sagastizábal sont tendrement regrettées. Vieillies dans sa cave des rues Rincón Malillo et Cordobeses, ces soleras furent rachetées par l'entreprise de M. Gil Luque en 1995 et transportées à la Viña El Telégrafo de Pago Carrascal. Douze ans plus tard, le groupe Estévez racheta M. Gil Luque. Les vins furent donc transportés dans un autre lieu, ce qu'ils n'apprécient jamais. L'équipe d'Estévez a cependant eu le mérite, sous la direction technique d'Eduardo Ojeda, de réussir à réorganiser et à restaurer les milliers de tonneaux de la légendaire maison Valdespino.

En 2007, quelques bouteilles sortirent en édition très limitée, soit 300 demi-bouteilles sélectionnées à partir du meilleur des sept tonneaux formant la solera de ce Palo Cortado. Ce tonneau, appelé Bota Punta, est celui qui, dans chaque solera des vins de Sherry, surclasse les autres par son âge, sa profondeur et son équilibre. Par conséquent, le Bota Punta subit une cure spécifique et encore plus stricte de soutirages et de rafraîchissements qui augmentent son âge et son élégance au fil des ans. **JB**

Lustau *Almacenista Cuevas Jurado Manzanilla Amontillada*

Origine Espagne, Sanlúcar de Barrameda
Type vin muté sec, 17,5 % vol.
Cépage Palomino Fino
À boire dès sa sortie pendant 5 ans
€€

Les Almacenistas sont des actionnaires qui achètent du vin ou du moût à des producteurs puis les font vieillir dans leurs propres bodegas. Ils possèdent parfois leurs propres vignobles, comme Manuel Cuevas Jurado. Cependant, s'ils ne sont pas enregistrés auprès du Conseil des réglementations en tant qu'affréteurs, ils ne peuvent vendre directement leurs vins. En général, leurs stocks sont rachetés par des maisons plus importantes qui les incluent dans l'assemblage final de leurs marques principales.

Dans les années 1980, alors qu'elle se trouvait encore sous la direction de Rafael Balao (un grand nom dans l'histoire récente du Sherry), l'entreprise Lustau sortit avec succès quelques vins de choix sélectionnés selon ses propres critères.

Bien que le niveau général des dizaines de vins Almacenistas mis en bouteilles par Lustau soit très élevé, certains sont exceptionnels, comme cette Manzanilla Amontillada. Elle a en outre la caractéristique d'être l'une des rares Manzanillas Amontilladas, voire même la seule, disponible sur le marché. La mention 1/21 sur l'étiquette indique que la solera comprend 21 tonneaux. **JB**

Lustau *Sherry Oloroso Almacenista García Jarana Pata de Gallina*

Origine Espagne, Jerez de la Frontera
Type vin muté sec, 20 % vol.
Cépage Palomino Fino
À boire dès sa sortie pendant 10 ans
€€

L'homme d'affaires Luis Caballero Florido est le principal actionnaire de la maison de Luis Caballero, une bodega d'El Puerto de Santa Maria qui produit, entre autres, le Sherry Fino Pavón Puerto, le Don Luis Amontillado et le Padre Lerchundi Moscatel. La perle de son portefeuille de vins de Xérès demeure incontestablement le Lustau, qu'il acheta en 1990 et dont la direction technique revient à Manuel Arcila.

L'élégant et épicé Pata de Gallina 1/38 Oloroso est issu d'une bodega centenaire de 300 tonneaux, propriété de Juan Garcia Jarana dans le populaire Barrio de Santiago. Fervent amateur de Sherry, ce propriétaire d'une entreprise de motos conserve cette bodega comme hobby, le commerce du Sherry étant toujours embourbé dans la crise qui commença dans les années 1970.

Pata de Gallina signifie «pied de poule», par référence à la forme des traits de craie dessinés par les *capataz* afin de classifier les tonneaux de vins. Après le trait originel, plusieurs marques incurvées furent ajoutées afin de signaler le profil aromatique spécifique du vin, ce qui forma en effet un dessin de patte de poule. **JB**

Vendanges des grappes de Palomino Fino à Jerez. ➔

Marqués del Real Tesoro
VORS Sherry Oloroso Covadonga

Origine Espagne, Jerez de la Frontera
Type vin muté sec, 19,5 % vol.
Cépage Palomino Fino
À boire jusqu'à 20 ans+ après sa sortie
€€€€

Marqués del Real fut en 1984 la première des principales acquisitions de José Estévez. Depuis, sous la direction de la seconde génération, le groupe Estévez a consolidé sa position en tant que l'une des plus importantes entreprises du secteur, en chiffre d'affaires comme en volume. En 2006-2007, il acquit Rainera Pérez Marin (La Guita) et M. Gil Luque.

Outre la production des vins accessibles et produits en masse du groupe Estévez, l'équipe vinicole (dirigée par Eduardo Ojeda et Maribel Estévez) est responsable d'une impressionnante sélection de trésors rarissimes et de classe mondiale, comme ce Covadonga Oloroso VORS.

L'étiquette traditionnelle de ce vin compte parmi les plus indécentes du secteur du Sherry. Y figure un Noé âgé, s'exposant soûl et nu sous une vigne, à la honte de ses enfants. Cette représentation proviendrait d'une gravure d'Europe centrale datant du XVIᵉ siècle. Certains prétendent de surcroît que la typographie de l'étiquette rappellerait vaguement les attributs honteusement exposés de Noé. **JB**

Mas Amiel
Maury

Origine France, Maury
Type vin muté rouge, 16 % vol.
Cépage Grenache noir
Millésime dégusté 2003, à boire jusqu'en 2020+
€€€

C'est au bout de la vallée aride et rocheuse de Maury que s'élève cet immense bâtiment aux allures de cathédrale dédié au vin doux. Le Roussillon est la région la plus chaude de France et cette propriété se trouve dans la partie la plus brûlante de cette région, où le soleil brille environ 260 jours par an. La propriété est ancienne (1816). Elle abrite 155 ha de vignes composées en grande partie de Grenache, et dont l'âge moyen avoisine les 35 ans. La plupart des vins sont mutés, mais moins que le Porto, puis transvasés dans d'énormes fûts en chêne ou en dames-jeannes en verre. Le vin «millésimé» date seulement des années 1990, mais il révèle une plus forte concentration et davantage d'arômes fruités que les vins plus traditionnels vieillis en fûts de bois et mis en bouteilles après six ou huit ans.

Le millésime Maury 2003 se compose exclusivement de Grenache. La couleur est d'une grande profondeur, sans surprise pour ces vins qui cuisent sous un soleil torride. Le vin exhale des arômes de chocolat et de figues; en bouche, la texture se révèle crémeuse, tandis que le goût rappelle le poivre et la framboise. **GM**

◀ La bodega de Marqués del Real Tesoro, à Jerez.

Mas Blanc
Banyuls La Coume

Origine France, Banyuls
Type vin muté doux, 16,5 % vol.
Cépage Grenache noir
Millésime dégusté 2003, à boire jusqu'en 2025
€€€

Banyuls, port situé à la frontière de l'Espagne, bénéficie d'une longue tradition dans l'élaboration des vins rouges mutés et des vins blancs issus des cépages sélectionnés sur les sols schisteux des contreforts pyrénéens. Le fondateur du domaine, le docteur André Parcé, était directeur de la coopérative locale jusqu'à ce qu'un petit scandale l'évince de ses fonctions. Mais en dépit de sa contestation, force est de reconnaître les mérites d'André Parcé : non seulement il fit renaître la production du vin muté semblable au Porto mais il inventa aussi le vin de Collioure non muté. Sa position à l'Institut national des appellations d'origine, à Paris, signifiait que personne n'était en mesure de lui résister.

Les vins du domaine de 20 ha de Mas Blanc sont désormais élaborés par les fils d'André, Jean-Michel et Bernard. Mas Blanc déborde toujours autant de projets innovants. L'on y trouve d'excellents Collioures naturels, un vin de style solera, ainsi que le Banyuls haut de gamme La Coume, composé à 90 % de Grenache noir, et de Syrah et de Mourvèdre pour le restant. Les vins millésimés sont souvent étiquetés Rimatge, ce qui signifie l'âge du cépage en catalan.

Magnifiquement équilibré, ce La Coume 2003 noble et élégant constituera un merveilleux vin de dessert à son 10e anniversaire. Il porte bien ses 80 g/l de sucre résiduel et se marie délicieusement avec une assiette de fromage bleu et de figues noires locales. **GM**

Les vignobles de Banyuls dominent le golfe du Lion. ➔

Massandra Collection
Ayu-Dag Aleatico

Origine Ukraine, Massandra, Ayu-Dag
Type vin muté doux, 15,5 % vol.
Cépage Aleatico
Millésime dégusté 1945, à boire jusqu'en 2040
€€€€€

Le complexe vinicole de Massandra, près de Yalta sur la mer Noire, existe depuis le milieu du XIXᵉ siècle. Il fut édifié afin d'approvisionner en vin le palais estival du tsar, Livadia. Le souverain employa le prince Lev Sergervich Golitzin pour superviser la production. Golitzin constitua la Collection Massandra en mettant de côté des bouteilles de chaque vin élaboré. Le vin est toujours réalisé par la coopérative de Massandra, où plusieurs propriétés membres cultivent 1 780 ha de vignes.

La bibliothèque renferme au moins une bouteille de chaque vin, même si quelques spécimens limités sont mis sur le marché de temps à autre. Le 27 novembre 2007, la société de ventes aux enchères londonienne Bonhams organisa une vente consacrée aux vins au cours de laquelle fut dégusté un Massandra Collection Ayu-Dag Aleatico 1945. Ayu-Dag, où «montagne des Ours», surplombe le complexe; Aleatico est une variété italienne de cépage rouge proche du Muscat blanc à petits grains. Le nez n'était pas particulièrement piquant, mais ces vins possèdent un équilibre de sucre et d'acidité tel qu'ils n'apparaissent jamais écœurants ni mielleux. **SG**

Vins Morris
Old Premium Liqueur Muscat

Origine Australie, Victoria, Rutherglen
Type vin muté doux, 18 % vol.
Cépage Muscat à petits grains
Boire la cuvée actuelle
€€

Style typique de l'Australie, ce vin est un exemple des vins de dessert mutés réalisés à partir des cépages Muscat à petits grains qui poussent dans la région chaude de Rutherglen, au nord-est de Victoria. Mick Morris est une légende dans la région et son fils David fabrique aujourd'hui les vins.

Afin de réaliser ces nectars hédonistes, les cépages sont laissés sur la vigne le plus longtemps possible pour obtenir une teneur en sucre maximale, ce qui fait presque d'eux des raisins secs. Dans l'entreprise, les raisins sont pressés et subissent une fermentation partielle avant l'adjonction d'un alcool fort et neutre afin de stopper la fermentation et atteindre 18 % d'alcool. Le vin est ensuite transféré dans des cuves et des barriques en chêne afin de vieillir doucement dans des remises. Lors de l'assemblage, les plus vieux vins révèlent des arômes intenses et concentrés de sirop de sucre brûlé et de rhum, et les plus jeunes, un caractère fruité et frais.

Ce vin ne pourra que vous plaire avec son nez exhalant des arômes de plantes et sa bouche ultra-sucrée rappelant les raisins secs et les pommes cuites. Il est onctueux, mais pas pour tout le monde. **SG**

Vins Morris
Old Premium Liqueur Tokay

Origine Australie, Victoria, Rutherglen
Type vin muté doux, 18 % vol.
Cépage Muscadelle
À boire pendant au moins 20 ans après sa sortie
€€€

Fondé en 1859, Morris est détenu par Pernod Ricard mais a toujours été dirigée par un membre de la famille Morris. Old Premium est la plus ancienne étiquette Morris pour le Tokay et le Muscat distribués commercialement ; elle fait l'objet d'une production très limitée chaque année. Les cépages de Muscadelle sont cultivés dans la propriété sur du terreau rouge recouvrant des argiles rouges et jaunes dont la capacité de rétention d'eau permet à Morris de ne pas irriguer du tout, pratique exceptionnelle dans cette région. Exceptionnellement, les raisins fermentent un peu ce qui, d'après David Morris, altère le goût de manière subtile mais importante.

Assemblé une fois par an, Old Premium Tokay a en moyenne 20 ans d'âge, le plus vieux ayant 60 ans. Bien qu'élaboré avec des cépages très matures, le Tokay est moins sucré que le Muscat mais très complexe et moelleux. Le Old Premium est assemblé afin de parvenir à un équilibre entre les goûts de malt, de miel et de vin jeune et les caractères de caramel et de toffee nuancés de notes de rancio. « Le vin doit être dominé par les fruits, ajoute Morris, l'âge seul ne fait pas toute la beauté. » **HH**

Niepoort
Colheita Port

Origine Portugal, vallée du Douro
Type vin muté doux, 20 % vol.
Cépages mélange issu de vieux vignobles mixtes
Millésime dégusté 1987, à boire jusqu'à 50 ans+
€€€

Le Colheita est le plus incompris des Portos. Le mot portugais *colheita* signifie « récolte » mais est parfois interprété, à tort, comme « millésime ». Deux dates figurent sur l'étiquette d'un Colheita : celle du millésime et celle de la mise en bouteilles. Cette dernière a son importance, car si un Porto Vintage peut nécessiter trente ans en bouteille, un Colheita peut être bu dès sa mise en bouteilles.

Niepoort a des stocks de Colheita qui remontent à 1935. Ces vins plus anciens issus d'une seule récolte sont impressionnants et ne sont mis en bouteilles que sur demande, mais Niepoort commercialise des vins plus accessibles qui allient la fraîcheur d'un vin jeune à la complexité du vin vieilli sous bois. Bien que prêt dès sa mise en bouteilles, un jeune Porto Colheita continuera à se développer lentement. Le 1987, embouteillé en 2005, est relativement jeune avec ses 18 ans d'élevage en fût. D'une robe ambrée, mordorée pâle, il est encore très frais, parfumé, aux arômes et aux saveurs raffinés. Merveilleusement équilibré et complexe, il est doux, suave et soyeux, d'une grande finesse, et offre une finale délicieusement parfumée d'écorces. **RM**

Niepoort
Porto Tawny de 30 ans d'âge

Origine Portugal, vallée du Douro
Type vin muté doux, 20 % vol.
Cépages mélange issu de vieux vignobles mixtes
Consommer la cuvée actuelle pendant 10 ans+
€€€

Niepoort a certes élaboré d'excellents Portos millésimés, mais elle doit sa réputation bien affirmée à sa gamme de Tawnies, allant des Junior et Senior aux assemblages de 10, 20 et 30 ans d'âge, tous les plus fins de leur catégorie.

En vieillissant en cuves, les composants d'un assemblage de Tawny deviennent incroyablement concentrés, et gagnent en sucre avec l'évaporation. Cela dépend en grande partie de la manière et de l'endroit où les vins ont été élevés. Un vin stocké à l'intérieur des terres de la vallée du Douro, où les températures (et donc le niveau d'évaporation) sont plus élevées, gagnera plus vite en maturité qu'un vin vieilli dans les conditions plus fraîches et humides de Vila Nova de Gaia, près de la côte.

Le Porto Tawny de Niepoort est constitué de vins âgés de 8 à 100 ans. Sa robe pâle ambre et fauve arbore en bordure des nuances vert olive éloquentes. L'arôme est fin, délicat et racé et le nez exhale des parfums d'amandes fraîches grillées, d'abricots secs et de marmelade. Le vin est doux, soyeux, raffiné, et se termine par une finale éblouissante qui reflète son assemblage hors pair. **RM**

Niepoort
Porto Vintage

Origine Portugal, vallée du Douro
Type vin fortifié doux, 20 % vol.
Cépages mélange issu de vieux vignobles mixtes
Millésime dégusté 2005, à boire entre 2015 et 2050+
€€€

En 2005, le Portugal pâtit de la pire sécheresse de mémoire d'homme. Les vignobles plus récents, plus vulnérables aux conditions extrêmes, produisirent des raisins passerillés et des vins déséquilibrés au goût de vin cuit. Mais à cause de la baisse notable des rendements, les vignes anciennes aux racines plus profondes, plus résistantes à la sécheresse, produisirent des petits volumes d'un vin riche et concentré. Pour la majorité des négociants, 2005 aura été une année «non classique» de vins issus d'un seul domaine, et des vins puissants et tendus firent leur apparition au printemps 2007. Nombre de négociants cependant optèrent pour le reconnaître pleinement comme un millésime.

Niepoort décrit la brillance de ce 2005 comme «le résultat de son harmonie et de son équilibre». Le vin amorce une belle et longue vie : d'une couleur intense et opaque, il est encore cru, mais laisse deviner les extraordinaires densité et intensité sous-jacentes. Niepoort a certes produit des millésimes de plus gros calibre, mais ce vin démontre une remarquable pureté du fruité, soutenu par une structure tannique bien ferme. **RM**

Un élevage de Porto en dames-jeannes au chai de Niepoort. ➜

Quinta do Noval *Porto Vintage*

Origine Portugal, vallée du Douro
Type vin muté doux, 19,5 % vol.
Cépages mélange de variétés traditionnelles
Millésime dégusté 1997, à boire jusqu'en 2050+
€€€€

Il n'existe pas de plus belles propriétés sur le Douro que Quinta do Noval, avec sa vue plongeante sur le Pinhão et la vallée du Douro. La propriété apparut pour la première fois sur les cadastres en 1715, passa entre les mains de la famille Rebello Valente et Visconde de Vilar d'Allen avant d'être revendue, ravagée par le phylloxéra, à l'affréteur de Porto António, José da Silva, en 1894. Noval subit d'importantes rénovations et la majeure partie des vignobles fut replantée sur des plants américains résistant au phylloxéra.

En 1981, un incendie désastreux ravagea Noval, qui détruisit la plupart des réserves de l'entreprise ainsi que ses archives. Cette catastrophe, à laquelle se greffa une dispute familiale de longue date, acheva de mettre la société à terre, contraignant les frère et sœur Cristiano et Teresa Van Zeller à vendre Noval en 1993 à AXA Millésimes. Depuis lors, près de la moitié des vignobles a été replantée et les célèbres terrasses ont été conservées. Depuis 1994, le premier millésime sous la nouvelle direction, le rendement est bien moins important que par le passé et s'élève généralement à moins de 1 000 caisses.

Les vins furent cependant d'emblée moins alléchants que ceux de 1994. Noval révèle une densité fruitée, une intensité de chocolat amer et des tanins évoluant vers une finale explosive. Nécessitant 20 ans pour dévoiler tout son caractère, le Noval 1997 marque le début d'une nouvelle ère pour cette propriété de référence. **RM**

AUTRES SUGGESTIONS
Autres grands millésimes
1931 • 1963 • 1966 • 1970 • 1994 • 2000 • 2003
Autres Portos Quinta do Noval
Tawny avec indication d'âge • Colheita
Vintage Late Bottled • Nacional • Silval

Émondage dans les vignobles de Quinta do Noval. ➜

Quinta do Noval *Porto Vintage Nacional*

Origine Portugal, vallée du Douro
Type vin muté doux, 20,5 % vol.
Cépages Touriga Nacional, Tinta Francisca, Souzão
Millésime dégusté 1963, à boire jusqu'en 2050+
€€€€€

Les Portos 1963 sont tous, sans exception, d'une remarquable excellence; et presque chaque expéditeur produisit un admirable Porto millésimé cette année-là. Quinta do Noval était l'un des vins les plus faibles du millésime, mais cette déception est largement compensée par le Quinta do Noval Nacional, qui est assurément l'un des plus grands Portos millésimés jamais élaborés.

«Nacional» désigne une parcelle de quelque 6 000 vignes non greffées situées de chaque côté de la route principale menant à Quinta do Noval. Plantées dans les années 1920, les vignes reposent sur leurs propres racines et sont donc attachées à la terre de la nation. Les rendements sont faibles, et avoisinent les 15 hl/ha, comparés à une moyenne de 30 à 35 hl/ha sur le reste de la propriété Noval.

L'expert en Porto Richard Maysin a testé (et bu) le Nacional 1963 quatre fois au cours de la dernière décennie et désigne le vin comme «l'un des Portos les plus parfaits jamais produits». Ses notes prises lors d'une dégustation verticale de Nacional tenue au Portugal en mars 2001, alors que le vin entrait dans sa 38e année, précisent : «Une robe d'une incroyable profondeur, une bordure rose violacé avec une très légère touche de brun. Au nez, des arômes fermes mais intenses de griottes; une concentration et une franchise extraordinaires, des arômes de chocolat amer. De la plus haute qualité. D'une très très grande finesse. Une merveilleuse finale – indicible – qui dure une éternité.» **SG**

AUTRES SUGGESTIONS
Autres grands millésimes
1931 • 1934 • 1945 • 1958 • 1966 • 1970 • 1994 • 2000
Autres Portos 1963
Cockburn • Croft • Delaforce
Fonseca • Graham • Taylor • Warre

Les vignobles en terrasses de Quinta do Noval surplombent le fleuve Pinhão. ➜

Olivares Dulce
Monastrell Jumilla

Origine Espagne, Jumilla
Type vin muté doux, 16 % vol.
Cépage Monastrell
Millésime dégusté 2003, à boire jusqu'en 2020
€€

Olivares est une entreprise familiale fondée en 1930. Elle possède plus de 202 ha de vignobles plantés de Monastrell, de Syrah et de Tempranillo sur les terres de Jumilla, l'appellation méditerranéenne de la province de Murcie. L'entreprise ne fait cependant pas partie de la Denominación de Origen, l'activité résidant dans la production vinicole de masse.

Parmi ses vignobles, Olivares a une parcelle de très vieilles vignes de Monastrell non greffées, plantées au milieu d'oliviers à une altitude de plus de 792 m. C'est à partir de ces baies que l'entreprise produit l'Olivares, un vin de dessert doux et rouge. Par un étrange procédé, sans doute pas une sorte d'infusion, des notes d'olives infiltrent le vin.

2003, un millésime particulièrement chaud, produisit des raisins mûrs parfaits pour le vin doux. La couleur sombre résulte d'une longue macération et une note d'olives et de jus de tomate le rend immédiatement reconnaissable. Il exhale en outre des notes florales et de fruits secs, comme les figues et les dattes. Riche, tannique dans ses jeunes années, et doté d'une texture épaisse, ce vin révèle une finale des plus persistantes. **LG**

Osborne
VORS Sherry Pedro Ximénez Viejo

Origine Espagne, Andalousie, El Puerto de Santa Maria
Type vin muté doux, 17 % vol.
Cépage Pedro Ximénez
À boire dès sa sortie et pendant 50 ans
€€€€

Voici l'une des étoiles du précieux firmament des très vieux vins doux PX. Presque noir, il révèle une densité telle qu'il colore le verre et offre, au nez comme en bouche, douceur, complexité et persistance, avec des notes de raisins secs, de dattes, d'iode, de sel, de pain grillé et d'encens.

Les vins de la maison Osborne sont généralement très bons, avec une palette de vins d'entrée de gamme d'un excellent rapport qualité-prix. Viennent ensuite les réserves Sacristia, les Rare Sherries dont fait partie ce VORS Pedro Ximénez Viejo. La gamme des Rare Sherries provient des vieilles soleras, dont la plupart se trouvent dans la bodega La Honda. Ces vins étaient réservés au plaisir privé de la famille Osborne, jusqu'à leur commercialisation dans les années 1990. Au début, les gammes incluaient d'autres vins non moins prestigieux, mais aujourd'hui retirés de la vente (Very Old Dry Oloroso, Alonso el Sabio Oloroso, La Honda Fino Amontillado, El Cid Amontillado). Mais ces soleras ont été conservées et peuvent être dégustées si l'on a le privilège de faire quelques pas au milieu des fûts de bois en compagnie de l'œnologue de la maison, Ignacio Lozano. **JB**

Osborne
Sherry Solera PΔP Palo Cortado

Origine Espagne, Andalousie, El Puerto de Santa Maria
Type vin muté demi-doux, 22 % vol.
Cépage Palomino Fino
À boire dès sa sortie et pendant 10 ans
€€€€

Le Solera PΔP Palo Cortado est un vieux Sherry demi-sec alliant concentration, douceur et richesse aromatique. La tradition locale tend à préserver les vins destinés à subir un vieillissement par oxydation dans les soleras, et qui sont soit secs (Amontillado, Oloroso, Palo Cortado), soit doux (le Pedro Ximénez, ou le Moscatel). Ces demi-secs sont obtenus par l'assemblage réalisé selon des proportions différentes.

Cet assemblage adoucit la forte astringence des vieux vins, afin de les rendre plus agréables aux palais délicats. Cependant, cette adjonction, même en petite quantité, de PX à un vin vieux et sec engendre généralement une atténuation de la fragrance d'un grand Palo Cortado, lui ôtant ses spécificités au nez et son caractère racé en bouche.

Le secret du nez merveilleux du Solera PΔP Palo Cortado tient à l'assemblage : ce dernier ne précède pas immédiatement la mise en bouteilles mais survient dès son origine. Dès le début, soit dans les criaderas, ce Palo Cortado contient une bonne part de PX qui se mélange harmonieusement au fil des décennies pour donner un vin vieux, expressif et pourtant moelleux au palais. **JB**

Paternina *VORS Sherry*
Fino Imperial Amontillado

Origine Espagne, Jerez de la Frontera
Type vin muté sec, 18 % vol.
Cépage Palomino Fino
À boire dès sa sortie et pendant 10 ans+
€€€

S'il existe un seul Sherry qui, par sa propre singularité, a droit à une sélection aussi stricte que l'implique sa particularité, le Sherry Fino Imperial Amontillado de Paternina pourrait bien être celui-là.

Il s'agit d'une relique vivante de la maison historique Diez Hermanos (1876) qui fit l'objet de plusieurs changements de direction durant la seconde moitié du XXe siècle, jusqu'à son absorption par le groupe Paternina de Rioja. En outre, il s'agit d'un Amontillado de Jerez mais rafraîchi avec de la Manzanilla de Sanlúcar. L'on peut donc dire qu'il passe son enfance et son adolescence près du fleuve Guadalquivir, puis termine sa maturité à l'intérieur des terres où il bénéficie du soin maternel de l'œnologue patenté de Paternina, Enrique Pérez.

Ce Sherry est en outre un Amontillado « naturel », soit un vin résultant de la consommation naturelle, dans un Fino, du voile de la flor (sans ajout d'alcool) et qui progresse vers une seconde phase de vieillissement par oxydation. D'où son nom, Fino Imperial, qui souligne le caractère manifestement biologique de ce vin. **JB**

Carlo Pellegrino
Marsala Vergine Vintage

Origine Italie, Sicile, Marsala
Type vin muté doux, 18 % vol.
Cépage Grillo
Millésime dégusté 1980, à boire jusqu'en 2050+
€€€€

Pendant plus d'un siècle et jusque dans les années 1960, le vin de Marsala était le vin le plus exporté de Sicile et l'équivalent populaire du Sherry et du Madère au Royaume-Uni. Afin de protéger les vins de Marsala lors des longs voyages en mer, on y ajouta de l'alcool et on en fit ainsi la boisson populaire de la Royal Navy : Horatio Nelson en était son plus ardent amateur.

À la fin du XIXᵉ siècle, les maisons siciliennes de Vincenzio Florio et de Carlo Pellegrino en particulier avaient acquis une réputation de producteur de Marsala de première classe. Bien qu'en accord avec le penchant de l'ère victorienne pour les boissons alcoolisées et revigorantes, ces maisons furent contraintes d'augmenter le titre alcoométrique pour atteindre 20 % vol. Toutefois, le véritable vin de Marsala était et demeure le Vergine, qui excède rarement 16 % vol. Malheureusement, en 1986, les autorités vinicoles italiennes révisèrent les réglementations DOC afin d'imposer des régulations plus strictes de contrôle de la production. En décrétant que tous les vins de Marsala devaient atteindre 18 % vol., ils exclurent le meilleur vin du statut DOC officiel.

Heureusement, ce Pellegrino subsiste encore aujourd'hui. Paré d'une robe ambrée pale, il révèle un nez exquis alliant des notes de noisettes à un léger arôme rancio dû à son vieillissement en fûts pendant 22 ans. Le palais est soyeux, parfaitement équilibré et long. Un vrai *vino di meditazione*. **ME**

Un chariot sicilien destiné au transport des tonneaux. ➔

Pérez Barquero
Amontillado Montilla, 1905

Origine Espagne, Montilla-Moriles, Montilla
Type vin muté sec, 21 % vol.
Cépage Pedro Ximénez
À boire dès sa sortie et pendant 10 ans
€€€€€

Le cépage Pedro Ximénez est souvent associé, dans l'esprit des consommateurs, aux vins denses et doux réalisés à base de raisins séchés dans les régions du Sherry et de Montilla-Moriles. Ces vins sont souvent désignés « PX » en référence à la catégorie des vins doux. Il est principalement planté dans la région de Montilla-Moriles et participe à tous les styles de vin locaux existants (Fino, Amontillado, Oloroso, jeunes vins secs et bien d'autres), y compris ce Solera Fundacional Amontillado 1905.

Comme dans la plupart des autres bodegas, l'existence même de cet Amontillado résulte de l'accumulation de connaissances et d'expertise des générations de viticulteurs qui transmettent l'héritage de ces soleras d'une génération à l'autre. Les moûts proviennent invariablement des excellents sols crayeux de la sierra de Montilla.

Dans le cas de Pérez Barquero, 1905 renvoie à la fois à la création de la solera et à la date anniversaire de la bodega ; la solera dont provient ce vin (comme le PX doux de cette même catégorie) est donc l'une de celles établies par les fondateurs de l'entreprise. **JB**

Pérez Barquero
Pedro Ximénez Montilla, 1905

Origine Espagne, Montilla-Moriles, Montilla
Type vin muté doux, 11,5 % vol.
Cépage Pedro Ximénez
À boire dès sa sortie et pendant 50 ans
€€€€€

La maison Pérez Barquero gère depuis toujours un portefeuille d'un niveau de qualité époustouflant, comprenant aussi bien des jeunes Finos exsudant de flor que des Amontillados matures et élégants, des Olorosos d'une grande profondeur et des PX doux. Ces derniers allient caractère onctueux et équilibre à une grande acidité, résultat de la concentration des raisins lors du processus de séchage et de la concentration des vins lors des longues décennies de vieillissement.

La quasi-totalité du vin doux Pedro Ximénez vieilli en Andalousie provient originairement de la région Montilla-Moriles. Ce commerce régional de PX est une tradition centenaire et une exception légale. En réalité, les vins PX de Jerez, Sanlúcar et El Puerto sont tous rafraîchis avec du jeune PX issu de Montilla-Moriles.

Ce vin a vu défiler de nombreuses décennies dans la Solera 1905 Fundacional PX de Pérez Barquero. Là encore, cela tient aux retraits limités et aux rafraîchissements périodiques avec des vins issus de criaderas qui sont aussi très vieux bien que plus jeunes que ceux de la solera. **JB**

Les vignobles de Pedro Ximénez dominent la ville de Montilla.

Pérez Marín
La Guita Manzanilla

Origine Espagne, Sanlúcar de Barrameda
Type vin muté sec, 15 % vol.
Cépage Palomino Fino
Boire la cuvée actuelle dans l'espace d'un an
€

Au début du XIXe siècle, lors de l'essor commercial des vins de Jerez, la plupart des grands entrepreneurs de la région venaient de Grande-Bretagne et du nord de l'Espagne, plus précisément des hauts plateaux de Santander. Ces montagnards s'établirent majoritairement en tant que commerçants à Sanlúcar de Barrameda et à Cadix ; on leur attribue la découverte du vieillissement biologique sous flor, et, avec elle, la découverte de la Manzanilla et du Fino. Domingo Pérez Marín, fondateur de la bodega en 1852, était l'un de ces montagnards. C'est lui qui baptisa la marque La Guita puisqu'il avait l'habitude de demander de l'argent liquide et non un crédit (*guita* signifie « liquidités »).

Bénéficiaire d'un remarquable succès commercial dans la seconde moitié des années 1990, La Guita est la Manzanilla la mieux vendue sur le marché. Aujourd'hui, l'équipe vinicole de José Estévez S.A., menée par l'éminent œnologue Eduardo Ojeda, doit préserver son aura populaire et son caractère léger tout en essayant de retrouver le niveau de complexité qui faisait de cette Manzanilla l'une des préférées des aficionados et connaisseurs locaux. **JB**

Quinta do Portal
Porto Tawny de 20 ans d'âge

Origine Portugal, vallée du Douro
Type vin muté doux, 20 % vol.
Cépages Tinta Roriz, T. Franca, T. Nacional, autres
À boire dès sa sortie
€€

Quinta do Portal est l'un des acteurs phares de la révolution qui a balayé le Douro. Pendant des siècles, le commerce de la région a été scindé en deux, et les quelques entreprises de fret basées à Oporto achetaient leurs vins ou leur raisin aux milliers de producteurs afin de compléter la production de leurs propres quintas. Aujourd'hui, de plus en plus de producteurs gèrent la totalité du processus et fabriquent leurs propres vins.

Portal se situe en haut de la vallée de Pinhão. La famille détient trois autres propriétés limitrophes d'une superficie totale de 95 ha. Le relief de Portal est majoritairement plat mais les quatre propriétés incluent toutes plusieurs vignobles de haute altitude. Les vins ont une fraîcheur et une légèreté particulièrement appréciées dans un Tawny âgé.

Un long vieillissement a donné à ce Tawny à la robe fauve éclatante un nez exquis de massepain et d'amandes grillées, nuancé de touches d'écorce d'orange séchée et de vieux Cognac. Le palais est doux mais plus léger et moins lourd que celui de nombre de Tawnies issus d'une seule quinta, et la finale se révèle longue et complexe. **GS**

Les vignobles bordent la vallée du Douro, berceau de la production de Porto. ➡

Quady *Essensia*

Origine États-Unis, Californie, Madera County
Type vin muté doux, 15 % vol.
Cépage Orange Muscat
Millésime dégusté 2005, à boire dans les 5 ans
€€

Andrew Quady avait la malchance d'être un vini-ficateur «en herbe» basé en Californie dans la Central Valley – où sont produits pratiquement tous les vins les plus médiocres de l'État vendus en vrac. Mais des vins tout à fait honorables de style Porto et des Alicante Bouschet d'un noir d'encre sortaient du lot. Bien qu'établi dans l'étouffant Madera County, Quady se procura du Zinfandel cultivé sur les contre-forts de la Sierra dans le comté d'Amador et produi-sit du vin de style Porto tout à fait convenable.

Malheureusement, le vin n'eut pas de succès. Il se rappela alors avoir bu avec plaisir de l'«Orange Muscat» alors qu'il étudiait l'œnologie à l'université de Californie, aussi en acheta-t-il quelques cépages locaux pour planter à titre d'essai. Les raisins arrivent à maturité vers la mi-août ; l'acidité est ajustée au moment du pressurage. Après quelques jours, Quady arrête la fermentation avec un ajout d'alcool. À ce moment, le vin contient un taux résiduel de sucre de 120 g/l. Quady optimise son vin avec un élevage de trois mois en fûts de chêne.

Quady commercialisa son vin en demi-bouteilles dotées d'étiquettes très élégantes et le vin fut un succès immédiat, peut-être parce qu'il est très versatile, pouvant être servi comme apéritif ou comme vin de dessert, ou même coupé d'une autre boisson. On est vite séduit par les parfums délicats d'orange et de mandarine de l'Essensia et son abon-dante acidité fait qu'il n'est pas sirupeux. Même si l'Essensia est un vin de millésime, les variations d'une année à l'autre sont minimes. **SBr**

AUTRES SUGGESTIONS
Autres bons millésimes
2000 • 2001 • 2002 • 2003 • 2004
Autres vins du même producteur
Electra • Red Electra • Elysium • Palomino Fino Starboard Batch 88 • Starboard Vintage

Les étiquettes de Quady sont réalisées par des artistes de la région. ➔

ESSENSIa

Audison '81

Ramos Pinto
Porto Tawny de 20 ans d'âge

Origine Portugal, vallée du Douro
Type vin muté doux, 20 % vol.
Cépages T. Nacional, T. Franca, Tinta Roriz, autres
Boire la cuvée actuelle dans les 3 ans
€€€

Établie par Adriano Ramos Pinto en 1880, cette maison a longtemps été plus connue pour ses Portos élevés en fûts de bois que pour ses millésimes vieillis en bouteilles. Alors que les Portos millésimés de Ramos Pinto sont généralement très doux et vieillissent précocement, les Tawnies âgés se révèlent les plus fins de leur catégorie. La date figurant sur l'étiquette est seulement une indication d'âge, car un vieux Tawny peut être élaboré à partir de dix à cinquante composants différents.

Rares sont les vins plus fins qu'un Tawny 20 ans d'âge, assemblage subtil de quelques-uns des Portos les plus délicats et élégants habituellement réservés et mis en cuve après leur constitution en lotes (assemblages) potentiellement millésimés. Le Ramos Pinto de 20 ans possède une délicatesse et une dextérité dont sont dépourvus nombre de vieux Tawnies. D'une robe rosée pâle, exhalant un arôme rappelant un gâteau aux fruits, il est à la fois riche et incroyablement délicat. En bouche, il se révèle onctueux et séduisant, doux et doté d'un caractère savoureux d'amandes grillées et de noix de cajou finissant sur une finale étonnamment sèche. **RM**

Rey Fernando de Castilla
Sherry Antique Palo Cortado

Origine Espagne, Jerez de la Frontera
Type vin muté sec, 20 % vol.
Cépage Palomino Fino
À boire dès sa sortie et pendant 10 ans+
€€€

Le terroir ne vaut pas grand-chose s'il n'est pas correctement compris et interprété par des artisans perspicaces. Dans le cas du Palo Cortado Antique de Rey Fernando de Castilla, cette responsabilité revient à un Scandinave (Jan Pettersen) et à un homme originaire de Jerez (Andrés Soto). Aguerris après de longues années passées dans deux des principales maisons de Jerez (respectivement Osborne et González Byass), ils ont assumé la direction de cette petite bodega fondée par Andrada-Vanderwilde en 1972 et aujourd'hui détenue par un groupe de quatre investisseurs incluant Pettersen lui-même.

L'Antique Palo Cortado révèle finesse et équilibre et est certainement le plus remarquable des vins encore dans la fleur de l'âge ; il est vieux, certes, mais pas autant que certains autres Sherries. Il est mis en bouteilles en quantité limitée, à partir d'une solera de seulement quatorze tonneaux et d'une seule criadera. Le vin acheté pour rafraîchir cette criadera issue d'une sélection impitoyable provient d'une ancienne maison Almacenista, inchangée depuis la fondation de la bodega. **JB**

Ramos Tinto est réputé pour ses Portos Tawny.

Pedro Romero
Aurora en Rama Manzanilla

Origine Espagne, Sanlúcar de Barrameda
Type vin muté sec, 15 % vol.
Cépage Palomino Fino
Boire la cuvée la plus récente
€

Toujours dirigée par ses descendants, la maison de Pedro Romero brandit sa plus célèbre marque comme produit phare : la Manzanilla Aurora, un vin vieilli biologiquement doté d'un caractère et d'une personnalité hors norme. Cette Manzanilla a long-temps fait partie des vins classiques de Sanlúcar, mais sa version plus fragile en rama («en tant que telle» ou «non filtrée»), mise en bouteilles sur demande et très difficile à obtenir autrement que directement à la bodega, mérite d'être incluse parmi les rares élues pour sa délicatesse et sa subtilité, ainsi que pour sa complexité et sa profondeur.

Pedro Romero, défiant hardiment la tendance actuelle, non seulement a préservé ses vieux celliers au cœur de Sanlúcar mais les a élargis en rachetant la bodega adjacente, Müller-Ambrosse. La locali-sation stratégique des celliers dans le quartier infé-rieur de Sanlúcar offre des conditions idéales pour le développement et la croissance du fragile voile de la flor, aidée par le taux d'humidité plus élevé près de l'estuaire du Guadalquivir et par une orien-tation favorable permettant de bénéficier de la brise marine arrivant de l'ouest. **JB**

Quinta de la Rosa
Porto Vintage Vale do Inferno

Origine Portugal, vallée du Douro
Type vin muté doux, 20 % vol.
Cépages mélange issu de vieux vignobles mixtes
Millésime dégusté 1999, à boire jusqu'en 2050
€€€

Les vignobles de Quinta de la Rosa se déploient à une altitude de 300 m, permettant au viticulteur Jorge Moreira de bénéficier d'un vaste éventail de microclimats adaptés à différents styles de vins. Le coin le plus béni de la propriété est un creux ombragé situé juste en amont du Douro. Planté de vieilles vignes sur des terrasses en pierre tradition-nelles, c'est également la zone la plus chaude du vignoble, d'où son surnom de Vale do Inferno.

En 1999, les Bergqvist décidèrent de séparer le vin de la Vale do Inferno du reste de la propriété. Cette année-là présentait un potentiel exceptionnel pour le Porto millésimé. L'hiver froid et sec fut suivi d'un été torride. Au début du mois de septembre, la région du Douro nourrissait l'espoir d'une récolte faible mais de grande qualité : on eut juste assez de temps pour cueillir les grappes des vieux vignobles avant que les éléments ne se déchaînent.

Le vin issu de cette petite récolte est profond, intense, d'une maturité extrême, puissant, reflétant les rendements naturellement bas et la chaleur des mois estivaux. Il s'agit aujourd'hui d'un produit rare de ce qui a dû être un millésime exceptionnel. **RM**

Les vignobles de la vallée du Douro sont aménagés en terrasses. ➡

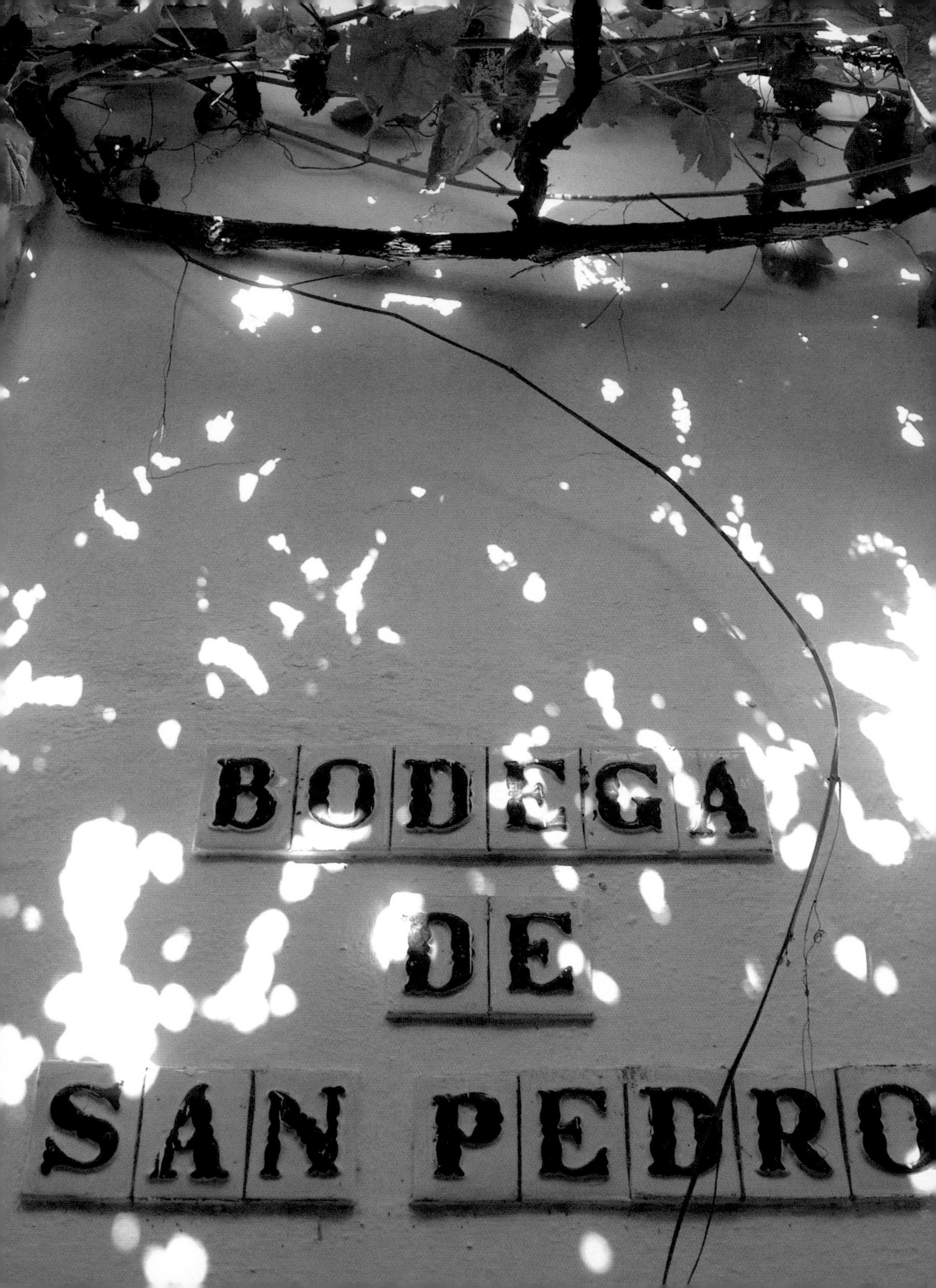
BODEGA
DE
SAN PEDRO

Sánchez Ayala
Sherry Amontillado Navazos

Origine Espagne, Sanlúcar de Barrameda
Type vin muté sec, 20 % vol.
Cépage Palomino Fino
À boire jusqu'à 20 ans+ après sa sortie
€€€

Sánchez Ayala, une maison réputée parmi les connaisseurs pour la qualité de ses Manzanillas, est propriétaire de bodegas situées dans le vieux quartier de La Balsa à Sanlúcar de Barrameda. Jusqu'à récemment, ses bodegas étaient entourées de *navazos*, des marais creusés par les fermiers afin d'extraire l'humidité des nappes souterraines.

Au cours de la seconde partie du XVIIIe siècle, une catastrophe navale obligea le Marqués de Arizón à vendre la bodega de San Pedro à un prêtre de Cadix. C'est dans ce vieux cellier que la maison entrepose plusieurs dizaines de tonneaux de vieil Amontillado demeuré intact pendant ces vingt dernières années. Ce sont des vins d'une fraîcheur et d'un caractère hors norme en dépit de leur âge avancé. Périodiquement, l'un de ces tonneaux est soigneusement sélectionné par l'Equipo Navazos pour sa qualité afin de devenir l'Amontillado du même nom.

Le *capataz*, Luis Gallego, est actuellement en charge de maintenir l'authenticité des vins de cette bodega petite et encore secrète. Il est l'un des jeunes noms dans le domaine du Sherry à tenir entre ses mains l'avenir de ces vins très importants. **JB**

Sánchez Romate *VORS Sherry*
Oloroso La Sacristía de Romate

Origine Espagne, Jerez de la Frontera
Type vin muté sec, 20 % vol.
Cépage Palomino Fino
À boire jusqu'à 10 ans+ après sa sortie
€€€

Parmi les hommes influents dans l'histoire du Sherry, deux hommes portent le nom de Juan Sánchez. L'un est le viticulteur mythique originaire de Santander qui évalua les plus grandes bodegas dans la première moitié du XIXe siècle. L'autre est Juan Sánchez de la Torre, philanthrope et fondateur de Sánchez Romate en 1781.

L'ère glorieuse de cette maison ne commença qu'au milieu des années 1950, lorsqu'elle fut vendue à un groupe de cinq amis dont les descendants gèrent aujourd'hui l'entreprise. Sánchez Romate conserve ses infrastructures dans le cœur de Jerez, en dépit des difficultés logistiques que cela induit. Ils faillirent déménager au tournant du XXIe siècle mais le rachat des anciens celliers de Wisdom & Warter situés juste à côté leur fournit l'espace supplémentaire nécessaire pour demeurer fonctionnels.

Ce vin affiche un caractère pur d'Oloroso, avec des notes volatiles caractéristiques ainsi qu'un palais à la structure, au corps et à la persistance affirmée. Leur portefeuille contient d'autres vins outre les VOS et VORS, comme les vins haut de gamme Marismeño Fino et Cardenal Cisneros Pedro Ximénez. **JB**

◄ Sánchez Ayala stocke le vieil Amontillado dans la cave de cette bodega.

Sandeman *Porto Tawny de 40 ans d'âge*

Origine Portugal, vallée du Douro
Type vin muté doux, 20 % vol.
Cépages mélange issu de vieux vignobles mixtes
Boire la cuvée actuelle jusqu'à 3 ans après sa sortie
€€€€

Le « Don » de Sandeman est un des logos de vin les plus connus. Créé par George Massiot Brown en 1928, il joua un rôle clé dans le succès de cette marque, l'une des plus importantes du genre. La maison fut établie 138 ans plus tôt par un Écossais, George Sandeman, qui commença à vendre du Porto à Tom's Coffee House dans la Cité de Londres. Sous son petit-fils, la House of Sandeman devint le premier négociant de Porto à exporter du vin mis en bouteilles et étiqueté à Oporto. Les ventes étaient appuyées par une campagne publicitaire très en vue : le « Don » de Sandeman, portant la cape et un chapeau à large bord, ornait les fameux bus rouges londoniens.

La famille Sandeman perdit le contrôle de son entreprise en 1952 et en 2001 la société fut finalement vendue à Sogrape, le plus grand producteur de vins portugais. Malgré les nombreuses reprises de la maison au fil des décennies, un de ses vins de Porto semblait ne jamais en pâtir : le Tawny âgé. La maison produit un bon Reserve Tawny, l'Imperial, ainsi que des sublimes Portos de 10, 20, 30 et 40 ans d'âge. Alors que d'autres vins de Porto de 40 ans d'âge sont souvent déséquilibrés par un excès de sucre et font preuve d'une certaine volatilité, le Sandeman conserve une fraîcheur et un équilibre remarquables. Sa robe est ambre pâle et le vin est propre et délicat, très peu volatile. Son côté moelleux reste discret et les saveurs sont d'une délicatesse inhabituelle, s'ouvrant sur une finale longue et suave où domine le zeste confit et qui allie encore élégance et vivacité. **RM**

AUTRES SUGGESTIONS
Autres excellents Porto Tawny de Sandeman
Imperial • 10 Years Old • 20 Years Old • 30 Years Old
Autres Porto Tawny de 40 ans d'âge
Calém • Dow's • Feist • Fonseca   *Graham • Kopke • Noval • Taylor*

Don de Sandeman avec son Porto Tawny dans une publicité de 1934. ➜

G.Massiot

PORTO
SANDEMAN

Smith Woodhouse
Porto Vintage

Origine Portugal, vallée du Douro
Type vin muté doux, 20 % vol.
Cépages Tinta Roriz, T. Franca, T. Nacional, autres
Millésime dégusté 1977, à boire jusqu'en 2020+
€€€

Smith Woodhouse est un Porto énigmatique. Il s'agit d'un label de deuxième catégorie, autrefois utilisé par les propriétaires de la marque pour les Portos bon marché de leur propre marque, mais également d'un Porto millésimé de qualité supérieure et souvent vendu à des prix très raisonnables.

Fondée à l'origine en 1784 par Christopher Smith, ancien membre du parlement britannique et maire de Londres, Smith Woodhouse est aujourd'hui l'une des trois marques exportatrices de Portos détenues par la famille Symington. Graham's, Warre, et Dow's forment leurs trois marques haut de gamme, suivies de Smith Woodhouse, Gould Campbell et Quarles Harris.

Le 1977 était un excellent millésime, très bien coté à sa sortie, même si nombre de dégustateurs ont depuis revu leurs notes à la baisse. De robe pâle et au nez délicat, la plupart des 1977 ont aujourd'hui atteint leur pleine maturité. Obtenu à partir de rendements faibles, le Smith Woodhouse a quant à lui une robe foncée couleur rubis égayée de teintes violacées. Il se révèle riche et plein au nez comme en bouche, en dépit de ses 30 ans d'âge dépassés. **GS**

Stanton & Killeen
Rare Muscat

Origine Australie, Victoria, Rutherglen
Type vin muté doux, 19 % vol.
Cépages Muscat rouge à petits grains
À boire pendant 20 ans au moins après sa sortie
€€€€

Des deux spécialités de vins mutés Rutherglen, le Liqueur Muscat et le Liqueur Tokay (Muscadelle), Stanton & Killeen développe un penchant affirmé pour le Muscat, couvrant les 4 gammes (basique Rutherglen, Classic, Grand et Rare) avec une qualité égale. Fondée en 1875, cette entreprise familiale fait montre d'un penchant résolument anti-économique et rationnel pour le Porto Vintage et élabore de magnifiques vins rouges secs. Son style de Muscat diffère légèrement de celui des autres producteurs.

Les vins sont classifiés immédiatement après le mutage ; les indicateurs clés de qualité supérieure ont une couleur pourpre brillante dénuée de teintes orangées et brunes, un arôme de pétales de rose et un fort taux de sucre. Un système de solera « bâtard » est utilisé pour la maturation. La gamme des « Classic » avoisine les 12 ans d'âge, celle des « Grand », 25 ans et celle des « Rare », 30 à 35 ans. Le Muscat basique de Rutherglen s'écoule à 2 000 dizaines de bouteilles de 500 ml par an, le « Classic » à 1 000 bouteilles, le « Grand » à 100 bouteilles et le « Rare » à 350 demi-bouteilles. Lorsqu'ils disent « Rare », ils le pensent vraiment. **HH**

L'entreprise vinicole Stanton & Killeen, fondée au XIXᵉ siècle à Rutherglen. ➔

Taylor's
Quinta de Vargellas Vinha Velha

Origine Portugal, vallée du Douro
Type vin muté doux, 20 % vol.
Cépages mélange issu de vieux vignobles mixtes
Millésime dégusté 1995, à boire jusqu'en 2100
€€€€€

Pendant plus d'un siècle, la Quinta de Vargellas a constitué l'épine dorsale des Portos Vintage de Taylor. Cette propriété reculée établie sur les hauteurs du Douro supérieur fut construite dans les années 1800. Entre 1893 et 1896, trois quintas portant le nom Vargellas furent fusionnées par Taylor, Fladgate and Yeatman, et la société ajouta un siècle plus tard la Quinta do São Xisto (Saint-Schist). Vargellas s'étend actuellement sur 155 ha.

Taylor fut l'un des premiers affréteurs à sortir un Porto Vintage issu d'un seul domaine ; en 1995, il se démarqua une nouvelle fois en mettant en bouteilles un vin à partir des plus vieilles vignes de la propriété. Connu sous le nom de Quinta de Vargellas Vinha Velha, le vin provient de vignes plantées dans les années 1920. Les rendements de ces vieux vignobles en terrasses sont incroyablement bas : 200 g par vigne uniquement. Par conséquent, ces vignes produisent des vins à l'intensité naturelle.

Quinta de Vargellas Vinha Velha 1995 de Taylor est un vin de grande intensité, toujours profond et opaque, en retrait au nez mais doté de ce parfum floral sous-jacent si caractéristique de Vargellas. En bouche, il se montre toujours impressionnant, avec un fruité généreux, riche, gras et mûr et une intensité semblable à la réglisse ; en dépit de sa concentration et de sa puissance indéniables, il est éminemment raffiné et élégant, la quintessence d'une belle propriété du Douro. **RM**

La propre gare de la quinta, sur un dessin de William Rushton. ➔

the Empire Nº 207 - VARGELLAS Station.

R. 85

Taylor's
Porto Vintage

Origine Portugal, vallée du Douro
Type vin muté doux, 20 % vol.
Cépages Tinta Roriz, T. Franca, T. Nacional, autres
Millésime dégusté 1970, à boire jusqu'en 2020+
€€€€

Si Latour et Margaux sont les grands noms du Bordeaux, alors Taylor (Taylor Fladgate aux États-Unis) est l'un des premiers grands noms du Porto Vintage et atteint des prix plus élevés que ceux de la plupart de ses rivaux lors des ventes aux enchères. L'entreprise est aujourd'hui officiellement baptisée le «Fladgate Partnership».

L'épine dorsale des Portos Vintage de Taylor est le vin issu de la spectaculaire Quinta de Vargellas, au climat chaud sans être trop aride. Comme le meilleur Champagne, le Porto Vintage est toujours un assemblage, la combinaison de deux ou plusieurs terroirs différents.

Le 1970 est issu de conditions météorologiques classiques chez les Portos Vintage : une pluviométrie hivernale supérieure à la moyenne, un temps sec lors de la floraison et une longue période sèche de mûrissement jusqu'au mois d'octobre. Ces conditions, associées à un foulage au pied dans les lagars en granit encore utilisés à Vargellas, forment des vins profonds et riches au fort potentiel de garde. La couleur certes légèrement plus fade conserve cependant sa teinte rouge brique ; le vin ne semble en aucun cas avoir 40 ans d'âge. Il est parfumé au nez, avec des notes de fruits secs et de fruits rouges rehaussées d'une délicate note florale. Le palais complexe et équilibré se caractérise par des tanins doux et des notes épicées de réglisse et de chocolat. **GS**

Foulage au pied selon la méthode traditionnelle à Vargellas. ➔

Toro Albalá
Solera Amontillado Montilla 1922

Origine Espagne, Montilla-Moriles, Aguilar de la Frontera
Type vin muté sec, 21 % vol.
Cépage Palomino Fino
À boire jusqu'à 10 ans après sa sortie
€€

Les origines lointaines de la maison de Toro Albalá remontent à 1844, lorsque Antonio Sánchez fonda une petite bodega à La Noria, au pied du Castillo de Aguilar. La direction ininterrompue de l'actuelle bodega commence cependant en 1922, lorsque José María Toro Albalá acheta les terrains appartenant à la vieille usine électrique d'Aguilar.

Antonio Sánchez Romero, propriétaire actuel et œnologue, est à la fois un descendant direct d'Antonio Sánchez, fondateur de La Noria, et un neveu et héritier de José María ; Antonio était orphelin et fut adopté par son oncle. Homme de cœur, cet Espagnol à la curiosité intellectuelle insatiable considère le Fino comme le véritable apanage de la viticulture andalouse, bien avant les Amontillados et Pedro Ximénez qui le rendirent célèbre.

Comme pour la plupart des vins de cette maison, la date de l'étiquette ne mentionne pas la date du millésime, mais apparaît plutôt comme une forme d'hommage à un événement personnel marquant. Seul importe réellement leur niveau de qualité, et celui de la Solera de 1922 Amontillado est tout simplement incroyable. **JB**

Valdespino *VORS Sherry*
Cardenal Palo Cortado

Origine Espagne, Jerez de la Frontera
Type vin muté sec, 20 % vol.
Cépage Palomino Fino
À boire dès sa sortie et pendant 30 ans
€€€€

L'âge et la profondeur du Cardenal Palo Cortado VORS se devinent à sa bordure verdâtre et à son nez complexe qui conduisent le dégustateur à un festin en apparence inépuisable d'encens et d'épices. Le palais est puissant, salé, très vieux mais franc. Bien que difficilement appréciable par les non-initiés en raison de sa densité et de sa profondeur, il demeure excessivement prisé des amateurs de Sherry.

Lorsque le groupe Estévez racheta Valdespino au tournant du millénaire, les aficionados manifestèrent quelques craintes quant à l'avenir de ces vins vénérés. Cela n'aurait pas été la première fois qu'une rangée unique de soleras aurait été perdue suite à la fusion d'entreprises.

Fort heureusement, rien de cela n'arriva, car José Estévez décida de préserver le caractère de la bodega et mit sur pied une équipe de viticulteurs hors pair. Il en résulte une gamme impressionnante de Sherries authentiques, tels que le Cardenal Palo Cortado VORS, un vin de caractère aujourd'hui élevé dans les nouvelles infrastructures de la banlieue de Jerez. Seul subsiste encore le charme des bodegas originelles Valdespino dans le centre-ville. **JB**

Valdespino
VORS Sherry Amontillado Coliseo

Origine Espagne, Jerez de la Frontera
Type vin muté sec, 22 % vol.
Cépage Palomino Fino
À boire dès sa sortie et pendant 30 ans
€€€€

Coliseo Amontillado VORS est sans doute le plus remarquable des vins de classe mondiale que le destin ait placé entre les mains de la famille Estévez et de son directeur vinicole, Eduardo Ojeda : Cardenal Palo Cortado, Niños PX, Real Tesoro Covadonga Oloroso, Soleras de su Majestad Oloroso, Toneles Moscatel Viejísimo, ainsi que la gamme récemment acquise De Bandera VORS de M. Gil Luque.

La très faible disponibilité de ce vin est dictée par son très grand âge. Dans le cas du Coliseo, à peine 1 % de la totalité est mis en bouteilles chaque année, tandis que 2 à 3 % supplémentaires doivent être remplacés en raison de l'évaporation (« la part des anges »). L'âge moyen du tonneau final est par conséquent bien plus avancé que les 30 ans minimum requis pour l'appellation VORS.

L'une des particularités du Coliseo, celle dont il tient son caractère salin, veut que ses criaderas les plus jeunes soient rafraîchies avec de la Manzanilla Pasada sélectionnée à partir des meilleurs Almacenistas de Sanlúcar plutôt qu'avec les Finos du Pago Macharnudo gérés par Valdespino, excellents au demeurant mais plus charnus. **JB**

Valdespino
Sherry Fino Inocente

Origine Espagne, Jerez de la Frontera
Type vin muté sec, 15 % vol.
Cépage Palomino Fino
À boire dès sa sortie et pendant 3 ans
€

L'Inocente Fino compte parmi les plus grands vins blancs espagnols et est considéré par nombre de connaisseurs comme le Fino le plus précieux. Sa magnifique solera arrive à la fin d'une série de douze échelons (une sobretabla, dix criaderas, et une solera, chacune d'entre elles comprenant soixante-dix tonneaux), où elle subit un vieillissement prolongé pendant une dizaine d'années, protégée de l'oxygène par les levures formant le voile de la flor.

Valdespino est l'une des rares maisons de Sherry qui respectent encore les méthodes traditionnelles de la production de Fino. Inocente est un vin marqué par le terroir, un Fino issu d'un seul vignoble. Ses gammes sont rafraîchies uniquement grâce aux fruits du Pago Macharnudo, plus précisément du sol crayeux du vignoble de Macharnudo Alto situé dans une zone privilégiée au nord de Jerez.

Inocente est un vin pour les connaisseurs, mis en bouteilles à maturité afin de mettre en valeur son caractère. Il peut être savouré dès sa sortie, fraîchement sorti de la solera. S'il est stocké dans de bonnes conditions, il peut procurer un plaisir intense des décennies après sa mise en bouteilles. **JB**

Valdespino
Sherry Moscatel Toneles

Origine Espagne, Jerez de la Frontera
Type vin muté doux, 18 % vol.
Cépage Muscat
À boire dès sa sortie et pendant 100 ans
€€€€€

Le Moscatel Viejísimo Toneles compte parmi les grands vins du monde. Ce joyau d'une extrême rareté séduit invariablement chaque dégustateur, quelles que soient les exigences de ce dernier, par son élégance unique, sa douce puissance et son acidité magique. C'est le choix idéal pour couronner une dégustation de vins de classe mondiale, qu'il s'agisse des crus les plus exclusifs de la Côte d'Or, des plus prestigieux Châteaux bordelais ou même des plus grands Portos Vintage.

La production de ce vin n'atteint qu'une simple demi-douzaine de tonneaux qui culmine par un seul tonneau de solera. Son âge moyen ne peut être établi avec précision, mais ses qualités organoleptiques et l'histoire de la solera suggèrent qu'il pourrait s'élever à plus de 75 ans.

Une centaine de bouteilles sont extraites de cette solera chaque année. Les vins de ce degré de densité et de sucre possèdent très peu d'eau (mais généralement plus de 50 % de sucre) ; ainsi les fûts en bois ne transpirent pas énormément. Contrairement aux vins secs exposés au vieillissement par oxydation, la perte d'éthanol par évaporation est plus importante que la perte d'eau par osmose (par les douves de tonneaux) ; et le pourcentage d'alcool diminue au lieu d'augmenter avec le temps pour atteindre un équilibre naturel. **JB**

Valdespino produit du Sherry depuis plus de six cents ans. ➡

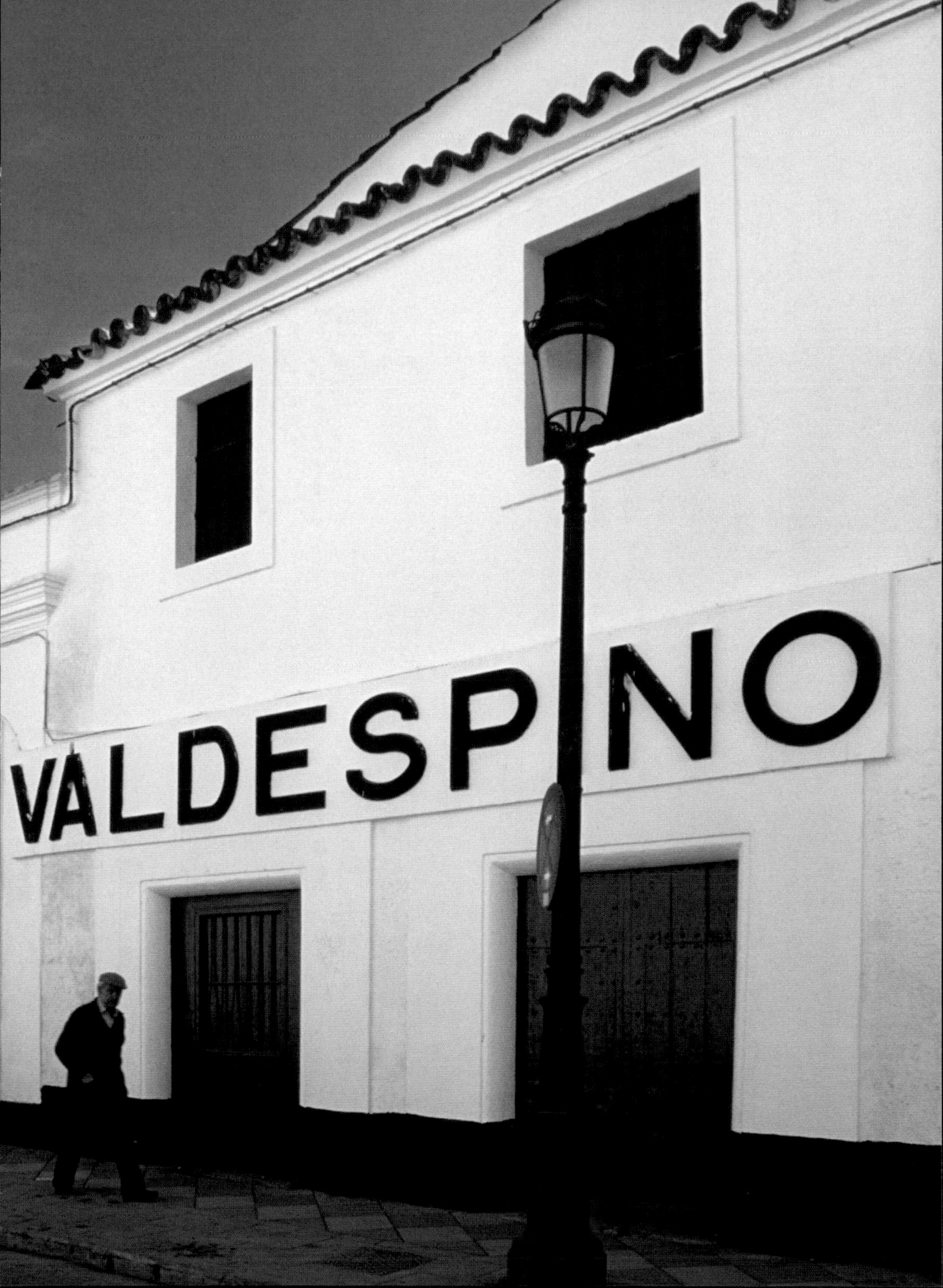
VALDESP NO

Quinta do Vesúvio
Porto Vintage

Origine Portugal, vallée du Douro
Type vin muté doux, 20 % vol.
Cépages mélange de variétés traditionnelles
Millésime dégusté 1994, à boire jusqu'en 2050+
€€€

Quinta do Vesúvio est la propriété la plus majestueuse du Douro. Situé dans le Douro supérieur, le domaine fut créé au début du XIXᵉ siècle par António Bernado Ferreira ; il resta dans la famille Ferreira jusqu'à sa vente à la famille Symington en 1989.

À l'époque de son acquisition par les Symington, le domaine se trouvait dans un état délabré. De nombreux travaux ont depuis été entrepris afin de faire revivre et de restaurer cette propriété orientée principalement au nord et couvrant 408 ha, dont seulement un quart est recouvert de vignes. Les raisins sont foulés dans huit lagars équipés de leur propre système de contrôle de température.

Contrairement aux Portos Vintage des expéditeurs souvent déclarés trois fois tous les dix ans, Quinta do Vesúvio produit du Porto Vintage presque chaque année. 1994 est un grand millésime et Vesúvio compte parmi les meilleurs vins du millésime. Les vins se montrèrent rapidement appréciables, mais gagnèrent en maturité. Quinta do Vesúvio 1994 se révèle à la fois riche et charnu, au nez légèrement parfumé de confiture, avec des notes de fruits secs relevées par des tanins riches et matures. **RM**

Warre's
Porto Vintage Late Bottled

Origine Portugal, vallée du Douro
Type vin muté doux, 20 % vol.
Cépages Tinta Roriz, T. Franca, T. Nacional, autres
Millésime dégusté 1995, à boire jusqu'en 2020+
€€

Le Porto Vintage Late Bottled (LBV) devrait être exactement ce qui est marqué sur l'étiquette, un Porto de grande qualité issu d'un seul millésime et mis en bouteilles plus tardivement que la normale, mail il ressemble aujourd'hui davantage à un Ruby Premium. Certes, ces vins doivent provenir d'un seul millésime, mais ils se montrent bien plus légers et moins complexes que le vrai Porto Vintage.

Contrairement à la plupart des Portos LBV, celui de Warre est élevé sous bois, sur les prémices de Vila Nova de Gaia pendant 4 ans seulement (les réglementations exigent un minimum de 4 ans et un maximum de 6 ans en fûts de bois) avant d'être mis en bouteilles sans filtrage. Il vieillit ensuite en bouteilles avant d'être commercialisé. Cela donne au vin l'occasion de développer la complexité et l'élégance que l'on attend d'un vrai Porto Vintage. En outre, le fait qu'il ne soit pas filtré contribue à sa bonification dans les caves, à la différence de ses pairs.

Le vin qui en résulte arbore une robe des plus profondes. Le nez exhale des arômes de confiture ; quant au palais, il révèle une grande finesse. **GS**

Williams & Humbert *VOS Sherry Dos Cortados Palo Cortado*

Origine Espagne, Jerez de la Frontera
Type vin muté sec, 19,5 % vol.
Cépage Palomino Fino
À boire jusqu'à 10 ans+ après sa sortie
€€€

Williams & Humbert illustre bien la situation paradoxale que plus de trente ans de crise ont provoquée dans le secteur du Xérès (Sherry). Cette maison historique possède tous les atouts dont une maison de Sherry rêverait dans une situation de marché favorable : des vins d'excellente qualité, des marques au prestige international (Dry Sack, Don Zoilo, Jalifa) et un gestionnaire talentueux et méticuleux en la personne d'Antonio Fernández-Vázquez. Et pourtant, elle subit, comme la plupart des autres maisons, la dictature des ventes à grande échelle, la guerre des prix et la concurrence des propres marques des grandes entreprises de distributions européennes.

C'est cette maison qui attira pour la première fois à Jerez l'un de ces écrivains les plus illustres, le célèbre Julian Jeffs, qui relate toute l'histoire dans son livre phare sur le Sherry. Les origines de la maison remontent à la romance entre Alexander Williams, employé chez Wisdom & Warter lors de la seconde moitié du XIXᵉ siècle, et Amy Humbert. Devenu aujourd'hui un vin de référence, il contribua à la création de l'appellation Jerez-Xérès-Brandy.

Ce Palo Cortado possède un profil d'une finesse toute particulière : clair, expressif, avec des notes vives d'herbes fraîches et de jaune d'œuf. **JB**

AUTRES SUGGESTIONS
Autres grands vins Williams & Humbert
VORS Sherry Jalifa Amontillado • *Don Guido* *VOS Sherry Pedro Ximénez* • *Sherry Fino Don Zoilo*
Autres producteurs de Palo Cortado
Barbadillo • *Emilio Hidalgo* • *Bodegas Tradición*

Boire du Xérès au volant… une approche décontractée de la conduite. ➜

Glossaire

Acidité
les substances acides du vin
se divisent en deux catégories,
les acides fixes, qui passent
directement du raisin
au vin, et les acides volatils,
produits de la fermentation.
L'acidité donne de
la fraîcheur au vin et garantit
un bon vieillissement.
Si elle est excessive, le vin
devient aigre et mou.

Acidité totale
acidité fixe et acidité
volatile réunies.

Alta Espresión
en Espagne, qualifie les vins
rouges du Rioja, intenses et
riches en alcool.

Amontillado
Xérès aux notes de noisette,
plus riche que le Fino.
Sa robe est aussi plus foncée.

Ancien Monde
s'applique aux exploitations
viticoles d'Europe, par
opposition au Nouveau
Monde.

**AOC (Appellation
d'origine contrôlée)**
dispositif légal, en France,
qui garantit la provenance
d'un vin, la définition
d'une aire de production
et la conformité à un certain
nombre de règles
(encépagement, rendement,
titre alcoolique volumique).

Assemblage
mélange de vins de même
origine mais de parcelles
ou de cépages différents,
permettant d'obtenir
un vin homogène.

Aszú
mot hongrois signifiant
« sirupeux » ; raisin botrytisé
par passerillage qui permet
de produire le Tokay.

Ausbruch
vin liquoreux autrichien
de type Tokay.

Auslese
vin allemand issu de
vendanges tardives,
permettant de récolter
des raisins surmûris. Le raisin
des Auslese autrichiens est
encore plus mûr.

Autolyse
destruction des cellules mortes
des levures, après
dégorgement des vins
effervescents. Donne au vin
des arômes et des flaveurs de
biscuit et de pain frais.

**AVA (Approuved Viticultural
Area)**
système américain de
classification des vins,
équivalent de l'AOC.

Azienda agricola
en Italie, domaine qui élabore
des vins issus uniquement
de ses propres vignobles.

Barrique
fût de type courant, dont la
contenance est de 225 litres.

Bâtonnage
opération consistant à
remettre les lies en suspension.

Beerenauslese
équivalent allemand de SGN
en France. Vin doux allemand
ou autrichien issu de raisins
botrytisés.

Biodynamique (viticulture)
méthode qui vise à renforcer
les liens avec l'environnement,
inspirée par les théories de
Rudolf Steiner.

Biologique
s'applique à un mode de
culture naturel, qui interdit
le recours aux fertilisants
et aux pesticides.

Blanc de Blancs
désigne un vin issu de cépages
blancs, surtout en ce qui
concerne le Champagne.

Blanc de Noirs
désigne un vin blanc
(notamment un Champagne)
issu de cépages noirs.

Bodega
cave de production, en
Espagne ou dans un pays
hispanophone.

Botrytis (cinerea)
champignon microscopique

qui stimule la concentration des sucres et des acides, et provoque la « pourriture noble », favorable à la production des liquoreux.

Bouchonné
qualifie un vin au goût et à l'odeur de moisi, provoqué par un bouchon de mauvaise qualité. Les débris de bouchon ne constituent pas une preuve de bouchonnage.

Brett
abréviation de Brettanomyces, levures qui donnent au vin une très mauvaise odeur et un « goût de souris ».

Brut
qualifie un Champagne ou un vin effervescent dont la teneur en sucre est inférieure à 15 g/l.

Cantina
en Italie, cave de production.

Chaptalisation
processus qui consiste à ajouter du sucre au jus de raisin pour augmenter son degré d'alcool.

Château
dans le Bordelais, identifie une propriété clairement associée à un cru.

Climat
en Bourgogne, désigne un lieu-dit classé premier cru ou grand cru.

Clone
famille de cépages identiques, obtenus à partir d'une souche mère.

Clos
vignoble entouré de murs, en particulier en Champagne et en Bourgogne.

Colheita
Porto « Tawny » issu d'un seul millésime.

Crémant
vin effervescent autre que le Champagne, élaboré selon la méthode traditionnelle (7 AOC).

Crianza
en Espagne, vin rouge élevé deux ans, dont six mois en fût.

Cru
synonyme de château dans le Bordelais et de lieu-dit en Bourgogne. Il désigne toute une commune en Champagne.

Cru bourgeois
distingue un Bordeaux rouge de grande qualité, juste derrière les crus classés.

Cru classé
dans le Bordelais, désigne exclusivement des vins figurant dans le classement officiel de 1855.

Cru (grand)
appellation, sur décision de l'INAO, qui s'applique à des lieux-dits produisant des vins réputés.

Cru (premier)
en Bourgogne, vin issu de l'un des cent vignobles classés dans cette catégorie, juste en dessous des grands crus. Dans le Bordelais, on compte 5 châteaux de la rive gauche classés premier cru, et 11 Sauternes. Selon l'échelle des crus champenois, la commune doit être classée entre 90 et 99 %. Voir Cru (grand), Échelle des crus, Rive gauche.

Crus classés (premiers grands)
qualifie en 1996 les 13 meilleurs châteaux Saint-Émilion (2 en cat. A, 11 en B).

Cryoextraction
procédé de vinification consistant à refroidir les raisins pour concentrer les sucres et les acides.

Cuvée
vin issu d'une partie sélectionnée des vins d'une même propriété.

Dégorgement
pour le Champagne et les vins effervescents, procédé qui consiste à éliminer les dépôts

après la fermentation
secondaire en bouteille.

Dégustation à l'aveugle
étude de la qualité
de plusieurs vins dont
on ignore au départ
la nature et la provenance.

Demi-sec
vin effervescent contenant
entre 33 et 50 g de sucre
résiduel.

DO (Denominación de origen)
équivalent espagnol
de l'AOC.

DOC (Denominación de origen calificada)
équivalent espagnol
de la DOGC italienne.

DOC (Denominazione di origine controllata)
équivalent italien de l'AOC.

DOC (Denominação de origem controlada)
équivalent portugais
de l'AOC.

DOCG (Denominazione di origine controllata e garantita)
la plus prestigieuse
appellation italienne.
Elle ne concerne que 36 vins.

Domaine
propriété dont le vin
possède une AOC.

Dosage
ajout d'une liqueur sucrée
à un Champagne ou
à un vin effervescent,
après le dégorgement.

Doux
qualifie un vin effervescent
dont la teneur en sucre
résiduel est supérieure
à 50 g/l. Le mot italien
correspondant est dolce,
dulce en espagnol
et edes en hongrois.

Échelle des crus
système de classification
des crus (et donc des
communes) de Champagne.

Eiswein
vin liquoreux, en Allemagne
ou en Autriche, issu
de vendanges tardives.

Éraflage
fait de détacher les baies
des parties ligneuses
de la grappe (rafles).

Essencia
Tokay rare et de grande
qualité, obtenu par
une simple pression.

Estufagem
chauffage, sur plusieurs mois,
du vin de Madère à 40-50°,
dans un local appelé estufa.

Extraction
processus qui donne au vin
ses tanins et sa couleur.

Fermentation en fût
fermentation alcoolique
dans des fûts de bois,
plutôt que dans des cuves
d'inox ou de ciment, pour
lui donner des flaveurs boisées.

Fermentation malolactique
processus, postérieur à la
fermentation alcoolique, qui
transforme l'acide malique
du vin en acide lactique
plus doux.

Fino
Xérès peu alcoolisé (15,5 %)
aux saveurs d'amande. Voir
aussi Amontillado et Oloroso.

Flor
la flor est un voile de levures
qui provoque une oxydation
biologique et permet le
vieillissement du Xérès.

Flying Vinemaker (vinificateur volant)
surnom donné aux œnologues
qui travaillent généralement
pour des groupes
internationaux
et prennent fréquemment
l'avion pour se rendre
d'un domaine à un autre.

Garage (vin de)
désignation (habituellement
ironique) d'un microcru
bordelais de la rive droite.

GI (Geographical Indication)
équivalent australien
de l'AOC.

Gran Reserva
en Espagne, vin rouge élevé
5 ans avant sa
commercialisation,
dont 2 ans au moins
en fût et 3 en bouteilles.

Grand Vin
étiquette principale d'un
château, par opposition
à second vin.

Halbtrocken
demi-sec, en allemand.

Hogshead
barrique australienne
de 300 litres.

Icewine
vin liquoreux canadien.
Voir aussi Eiswein.

**IGT (Indicazione
di geographica tipica)**
équivalent italien
de vin de pays.

INAO
Institut national des
appellations d'origine,
fondé en 1947.

Jerepigo
équivalent sud-africain
des VDN.

Jerez
nom espagnol du Xérès.

Kabinett
catégorie de vins
allemands issus de raisins

mûrs cueillis avant
les Spätlese.

Lagar (pl. lagares)
au Portugal, cuve de pierre
où sont foulés et fermentés
les raisins, utilisée surtout
pour l'élaboration du Porto.

LBV (Late Bottled Vintage)
Porto issu d'un seul millésime
élevé au minimum 6 ans
dans le bois.

Lieu-dit
parcelle ou vignoble
spécifique d'une zone
viticole plus large,
en particulier en Bourgogne.
Voir aussi Climat.

Liquoreux
vins blancs de longue
garde, très sucrés et
parfumés, obtenus à partir
de raisins très mûrs.

Longueur en bouche
persistance des arômes
du vin après qu'il a été
recraché ou avalé
(se mesure en caudalies).

Macération
mise en contact du moût
avec les parties solides du
raisin (peau, pépins, rafles), qui
détermine le caractère plus
ou moins tannique du vin.

Macération carbonique
mode de vinification
consistant à enfermer des

raisins entiers dans une cuve
saturée de gaz carbonique.
Ce processus apporte
au vin une grande
richesse aromatique.

Manzanilla
DOC de Sanlucar de
Barrameda, en Espagne ; Xérès
de type Fino, caractérisé
par des notes salées.

Méthode traditionnelle
procédé d'élaboration
des vins effervescents par
fermentation secondaire.
L'expression « méthode
champenoise » est réservée
au seul Champagne.

Microclimat
climat spécifique local,
concernant un vignoble
ou une parcelle et influençant
la qualité du vin.

Moelleux
vin blanc doux, moins sucré
qu'un liquoreux.

Moût
jus des raisins,
extrait par foulage.

Mutage
arrêt de la fermentation par
apport d'alcool, pour éviter
la transformation des sucres
et obtenir des spiritueux.

MW (Master of Wine)
diplôme supérieur
d'œnologie.

Non millésimé (NM)
assemblage (surtout pour
le Champagne) de vins issus
de plusieurs millésimes.

Nouveau Monde
qualifie les nouvelles régions
viticoles exploitées ailleurs
qu'en Europe, en particulier
en Australie.

Oechsle
échelle de mesure des sucres
contenus dans le raisin. En
Allemagne, détermine la
classification des vins.

Oloroso
Xérès au goût de noix,
plus corsé que le Fino.
Son titre alcoolique
volumique élevé ne
permet pas son élevage
sous voile de levures.
Voir aussi Fino
et Amontillado.

Palo Cortado
Xérès léger, élaboré
sans voile de flor.

Passito
vin italien de dessert,
issu de raisins séchés
(Amarone et Recioto
della Valpolicella).

Pedro Ximénez (PX)
cépage espagnol originaire
de Madère, qui entre dans
la composition du Xérès
et autres vins mutés.

Pétillant
légèrement effervescent
(moins que les Crémants).

Phylloxéra
maladie de la vigne,
provoquée par un insecte
parasite. L'épidémie
a ravagé les vignobles
français vers 1860-1890.

Pourriture noble,
voir Botrytis.

Primeur (achat en)
achat effectué avant la mise
en bouteilles, principalement
dans le Bordelais.

Putton (pl. Puttonyos)
unité de mesure de la teneur
en sucre du Tokay Aszú
(de 3 à 6 Puttonyos).

Quinta
au Portugal, équivalent d'un
domaine ou d'un château.

Remuage
manuelle ou mécanique,
l'opération permet de faire
tomber le dépôt qui se forme
pendant la prise de mousse.

Rendement
quantité de vin produite
par un vignoble (exprimée
en litres par hectare).

Reserva
qualifie un vin rouge
d'Espagne élevé

pendant 3 ans avant
commercialisation, dont un en
fût et deux en bouteilles.
Voir Crianza et Gran Reserva.

Rive droite
désigne les crus et vignobles
situés sur la rive droite de
la Garonne, y compris
Saint-Émilion et Pomerol.

Rive gauche
désigne les crus et vignobles
situés sur la rive gauche
de la Garonne, y compris
Margaux et Pauillac.

Saignée
vidage partiel d'une cuve,
pour l'élaboration du rosé,
qui consiste à séparer le vin
rouge du moût après une
journée seulement
de macération.

Second vin
seconde étiquette d'un cru,
présentant un bon rapport
qualité/prix.

**SGN (Sélection
de grains nobles)**
en Alsace, ces vins blancs
doivent être issus
d'un cépage unique.

Sherry
nom anglais du Xérès.

Solera
empilement des fûts de Xérès
sur plusieurs étages, pour

obtenir un mélange constant du plus jeune au plus ancien.

Soutirage
opération, généralement à l'abri de l'air, qui consiste à transvaser le vin pour éliminer les dépôts.

Spätlese
le terme, qui signifie en allemand « cueilli tard », qualifie des vins doux issus de raisins surmûris.

Spumante
« mousseux » en italien.

Sucre résiduel
sucre qui subsiste dans le vin après fermentation.

TBA (Trockenbeerenauslese)
en allemand, « baies sélectionnées et séchées ». Vin blanc doux, rare et cher.

TCA (Trichloroanisole)
contaminant chimique ayant pour résultat une désagréable odeur de bouchon, même si le liège n'est pas toujours en cause.

Terroir
ensemble des caractéristiques naturelles (sol, exposition, microclimat, etc.) qui donne au vin sa spécificité.

Tête de cuvée
vin issu des premiers ramassages, pour les liquoreux ou le Champagne.

Tawny
vieux Porto de 10, 20, 30 ou 40 ans d'âge, élevé dans le bois. Voir aussi Colheita.

Vin de liqueur (VDL)
jus de fruit (moût) dans lequel on ajoute une eau-de-vie, avant même qu'il y ait fermentation. Par exemple, le Pineau des Charentes résulte d'un mélange de Cognac et de moût de raisin.

Vin doux naturel (VDN)
vin dont la fermentation est interrompue par l'adjonction d'alcool afin d'assurer la conservation d'une partie importante des sucres des raisins dans le vin. VDL et VDN appartiennent à la famille des vins mutés.

Vendanges vertes
éclaircissage des grappes et élimination des grains verts avant maturation, pour diminuer le rendement.

Vin de pays
vins de table soumis à une réglementation précise, à boire jeunes.

Vitis vinifera
nom scientifique des vignes cultivées pour la fabrication du vin.

Weingut
domaine viticole, en allemand.

WO (Wine of Origin)
équivalent sud-africain de l'AOC.

Index des producteurs

Index des appellations françaises

Les vins les moins chers et les plus chers

Collaborateurs

Sarah Ahmed (SA) écrit des textes sur le vin depuis 2000. Elle partage sa passion par le biais de stages, de dégustations et de son site Internet www.thewinedetective.co.uk.

Katrina Alloway (KA) écrit des textes sur le vin et la gastronomie avec un intérêt tout particulier pour la vallée de la Loire.

Jesús Barquin (JB) écrit des articles sur le vin et la gastronomie qui, paraissent régulièrement sur elmundovino. com et dans *Metrópoli*.

Juan Manuel Bellver (JMB) est rédacteur en chef de *El Mundo*, dont il dirige le magazine *Metrópoli*. Il a reçu le prix Arzac du journalisme gastronomique en 1999 et le Prix national de gastronomie espagnole en 2001.

Sara Basra (SB), rédactrice adjointe de *The World of Fine Wine*, a travaillé dans le commerce du vin et comme pigiste pour *Harpers* et *Decanter*.

Neil Beckett (NB) a travaillé chez les négociants de vins britanniques Richards Walford et Lay & Wheeler. En 2004, il fut le premier rédacteur de *The World of Fine Wine* et il est l'un des deux dégustateurs britanniques du Grand Jury européen.

Nicolas Belfrage MW (NBel), maître ès vins depuis 1980, est un spécialiste des vins italiens. Il est l'auteur de plusieurs ouvrages sur le sujet.

Stephen Brook (SBr) a gagné de nombreux prix avec sa plume, notamment les prix André-Simon, Glenfiddich, Lanson et Veuve-Clicquot.

Bob Campbell MW (BC) maître ès vins, a été la deuxième personne en Nouvelle-Zélande à passer le concours de Master of Wine. Il écrit des articles pour des magazines de vin de sept pays.

Clive Coates MW (CC), maître ès vins, a publié son propre magazine, *The Vine*, pendant vingt ans. Avant de vivre de sa plume, il a été négociant en vins, fondant un club vinicole, le Malmaison Wine Club.

Daniel Duane (DD) a un doctorat en littérature américaine. Il a écrit des articles sur le vin et la gastronomie pour *The World of Fine Wine*, *Bon Appétit*, *Outside Magazine* et *Men's Journal*.

Michael Edwards (ME) a été critique de restaurant. Il écrit régulièrement des articles sur le Champagne et le Bourgogne pour de nombreux magazines, dont *The World of Fine Wine* et *Wine Kingdom* (Japon).

Stuart George (SG) travailla pour les négociants en vins Haynes Hanson & Clark. Il a participé à des vendanges en Frioul-Vénétie et en Provence et beaucoup voyagé dans les régions vinicoles d'Europe, d'Afrique du Sud, d'Australie et de Nouvelle-Zélande.

Jamie Goode (JG) travaille comme journaliste spécialiste du vin pour *The Sunday Express* et écrit régulièrement des articles pour plusieurs publications, notamment *The World of Fine Wine*, *Harpers Wine & Spirit Weekly*, *Hong Kong Tatler*, et *Western Mail*. Son premier livre, *The Science of Wine : from Vine to Glass*, parut en 2005. Il a un site Internet dédié au vin (www.wineanorak.com).

Lisa Granik MW (LGr) maître ès vins, travaille à New York comme consultante et formatrice dans le domaine. Elle donne des cours aux candidats au Wine and Spirit Education Trust Advanced Certificate and Diploma.

Luis Gutiérrez (LG) collabore régulièrement à elmundovino. com et à d'autres journaux du groupe *El Mundo* par le biais d'articles et de dégustations. Il écrit également une chronique pour le magazine *blueWine* au Portugal et des articles pour des magazines de vin et de gastronomie en Espagne, à Porto Rico et en Grande-Bretagne.

Huon Hooke (HH) est un écrivain indépendant, grand spécialiste du vin, secteur dans lequel il est à la fois écrivain, juge, enseignant et éducateur. Actuellement, il écrit deux chroniques hebdomadaires dans la rubrique « Good Living » du *Sydney Morning Herald* et dans *Good Weekend*, ainsi que des articles pour *Australian Gourmet Traveller Wine Magazine* dont il est l'un des collaborateurs.

Tim James (TJ) réside au Cap. Il écrit régulièrement des textes sur le vin et dirige un projet chimérique du nom de *Grape* (raisin) ainsi que www.grape.co.za, un site Internet sur le vin résolument indépendant et exempt de publicité.

Andrew Jefford (AJ), dans les années 1980, combina ses passions du vin et de l'écriture, et travailla comme journaliste indépendant et personnalité des médias audiovisuels dans le secteur des boissons. Il a été primé maintes fois, notamment en 2006 et en 2007, par le prix Louis-Roederer « International Wine Writer of the Year ».

Hugh Johnson (HJ) s'est taillé une sérieuse réputation dans le domaine du vin depuis son premier livre, en 1966. Ses recherches pour le manuscrit de son best-seller *L'Atlas mondial du vin* l'ont conduit aux quatre coins du globe. En 2007, il reçut l'ordre de l'Empire britannique pour services rendus. Il est aujourd'hui consultant auprès de la rédaction du magazine *The World of Fine Wine*.

Frank Kämmer MS (FK) , maître ès vins, a travaillé de nombreuses années à Stuttgart comme sommelier au Délice. Il passa le concours de Master Sommelier (MS) en 1996 et devint un membre du conseil des directeurs du UK Court of Master Sommeliers. Il a publié de nombreux ouvrages sur le vin et les spiritueux.

Chandra Kurt (CK), écrivain indépendant spécialiste du vin, participe aux livres et sites Internet de Hugh Johnson,

Jancis Robinson, Tom Stevenson et Stuart Pigott. Elle travaille comme consultante œnologue pour les lignes aériennes internationales suisses et pour bon nombre d'institutions commerciales. Elle a son propre site (www.chandrakurt.com).

Gareth Lawrence (GL) est un visiteur assidu des vignobles de la Croatie, de la Slovénie et de la Grèce, ainsi que d'autres pays de la région. En plus de son travail à la WSET London Wine and Spirit School, il a travaillé pour de nombreuses publications en tant que consultant technique pour l'Europe centrale et du Sud-Est.

Helen Gabriella Lenarduzzi (HL) attribue sa passion pour le vin à ses racines italiennes. Née à Côme et élevée en Lombardie, elle a gardé une forte affinité avec l'Italie.

John Livingstone-Learmonth (JL-L) est l'écrivain le plus notable en matière de vins de la vallée du Rhône en France. Il a également écrit des textes sur les vins de la Loire, du Beaujolais et de Bordeaux, ainsi que des articles pour des magazines anglais. Il est citoyen honorifique du village de Châteauneuf-du-Pape.

Wink Lorch (WL) est à la fois écrivain, éducatrice et rédactrice spécialisée dans le vin. Elle écrit pour Wine Report, la publication annuelle sur le vin de Tom Stevenson. En 2007, elle lança www.winetravelguides.com pour guider l'amateur de vin qui voyage, un site qui initialement couvrait la France.

Giles MacDonogh (GM) est écrivain et spécialiste du vin depuis plus de vingt ans. Il est l'auteur de quatre livres sur le sujet et écrit des articles sur le vin pour de nombreux journaux et magazines en Grande-Bretagne et à l'étranger.

Patrick Matthews (PM) est un journaliste et écrivain indépendant. Il a collaboré à de nombreux journaux et magazines comme *l'Independent*, le *Guardian* et *Time Out*. Ses deux ouvrages sur le vin, *Real Wine* et *The Wild Bunch : Great Wines from Small Producers* ont tous deux été primés.

Richard Mayson (RM) est un spécialiste en matière de Porto, de Xérès et de vin de Madère. Il travailla pendant cinq ans pour *The Wine Society* et par la suite écrivit *Portugal's Wines and Winemakers*, *Port and the Douro* et *The Story of Dow's Port*. Son dernier livre, *The Wines and Vineyards of Portugal* a obtenu le prix André-Simon. Il est aujourd'hui producteur de vin au domaine Pedra Basta dans l'Alentejo, au Portugal.

Jasper Morris MW (JM), maître ès vins, s'est initié à l'univers du vin alors qu'il étudiait à l'université d'Oxford. En 1981, il fonda Morris & Verdin Ltd., société experte en vins de Bourgogne. Auteur de livres sur le Bourgogne blanc et les vins de la Loire, il fut fait chevalier de l'ordre du mérite agricole en 2005.

Kerin O'Keefe (KO) partit vivre en Italie en 1989 et parcourut le pays à la rencontre de producteurs de vins et de vignobles. Son premier livre, *Franco Biondi Santi. The Gentleman of Brunello*, est sorti en 2005.

Michael Palij MW (MP), maître ès vins, né à Toronto, émigra en Grande-Bretagne en 1989 et fonda Winetraders, une société de service pour les importateurs de vin indépendants, en 1995. Il donne des cours pour le Wine and Spirit Education Trust et écrit pour de nombreux magazines.

Joel B. Payne (JP), né aux États-Unis, passa la majeure partie de sa vie en Europe. Après avoir vécu en France, où il participa à plusieurs vendanges avec Marcel Guigal, il s'établit en Allemagne en 1982. Il se mit alors à écrire des textes sur le vin et régulièrement des articles pour les deux plus importants magazines grand public du secteur, *Alles Über Wein* et *Vinum*.

Margaret Rand (MR) écrit pour de nombreuses publications et est rédactrice en chef de *Classic Wine Library* chez Mitchell Beazley.

David Schildknecht (DS) est affilié au Vintner Select de Cincinnati dans l'Ohio. Ses rapports annuels sur l'Autriche et l'Allemagne ont été publiés par l'*International Wine Cellar*, le magazine de Stephen Tanzer, et plus récemment, par le *Wine Advocate*, le guide bimestriel de Robert Parker.

Michael Schuster (MS), écrivain spécialisé dans le vin, a fondé sa

propre école à Londres et donne des cours d'œnologie. Il a travaillé deux ans à Bordeaux. Il est l'auteur de livres, dont *Essential Winetasting*, qui en 2001 lui valut le prix Glenfiddich ainsi que le prix Lanson..

Godfrey Spence (GS) travaille dans le négoce du vin depuis 1983. Auteur de *Port Companion*, il est aussi chevalier de la confrérie du vin de Porto. Il écrit régulièrement des textes sur le Porto pour la presse des négociants en vins.

Tom Stevenson (TS) est un écrivain spécialisé depuis plus de trente ans dans le vin, et plus particulièrement dans les vins de Champagne et d'Alsace. Il est l'auteur de 23 livres et a reçu 31 prix littéraires, dont The Wine Literary Award, le seul prix des États-Unis récompensant les écrivains spécialistes du vin pour le travail de toute une vie.

Andrea Sturniolo (AS) est un journaliste italien spécialisé dans le vin. Il vit et travaille à Londres.

Jonathan Swinchatt (JS) est coauteur avec David Howell de *The Winemaker's Dance : Exploring Terroir in the Napa Valley*. Après une formation de géologue à Yale et à Harvard, il établit aujourd'hui des profils géologiques très pointus des caractéristiques spécifiques à un vignoble. Parmi ses clients, on compte Stag's Leap Wine Cellars, Opus One et Harlan Estate.

Terry Theise (TT) est un négociant en vins américain

spécialiste de l'Allemagne, de l'Autriche et de la Champagne. Parmi ses nombreux prix, on citera le titre d'« importateur de l'année » attribué par *Food & Wine* en 2005, mais aussi d'« homme de l'année » attribué par *Wine & Spirits*.

Monty Waldin (MW), travailla dans sa jeunesse pour un château du Bordelais utilisant les méthodes conventionnelles. Il est l'auteur de nombreux ouvrages, dont *Discovering Wine Country : Bordeaux*, *Discovering Wine Country : Tuscany*, *Wines of South America* et *Biodynamic Wines*. En 2007, il produisit son propre vin français à partir de raisins biodynamiques ; ce fut le thème d'un projet de dix-huit mois filmé par la télévision britannique.

Stuart Walton (SW) est un écrivain spécialisé en vin et en gastronomie. Il a écrit pour les chroniques vinicoles de *The Observer*, *The European*, *BBC Magazines* et *Food and Travel*. Depuis 1994, il est l'un des principaux collaborateurs du très britannique *Good Food Guide*.

Jeremy Wilkinson (JW) fit des études de chimie à Londres et à Cambridge avant de devenir enseignant. Il obtint le diplôme WSET en 2007 et sa performance lui valut une bourse (IWSC/Waitrose). Il travailla pour *The World of Fine Wine* puis s'engagea dans le négoce du vin pour le compte du négociant londonien Jeroboams.

Crédits photographiques

Tous les efforts ont été réunis pour établir les droits de reproduction des images utilisées dans ce livre. Nous nous excusons par avance des oublis ou erreurs ayant pu être commis involontairement et nous nous ferons un plaisir d'insérer, dans une prochaine édition de cet ouvrage, les remerciements appropriés aux sociétés ou individus concernés. Sauf mention contraire, les images sont reproduites grâce à la générosité des propriétaires des domaines.

2 © Danita Delimont/Alamy **23** Comité Interprofessionnel du Vin de Champagne **25** Cephas/Mick Rock **26-27** courtesy of Billecart-Salmon **29** Comité Interprofessionnel du Vin de Champagne **31** www.bisol.it **33** Cephas/Mick Rock **34** Panoramic Images/Getty Images **37** Cephas/Mick Rock **39** © Cephas Picture Library/Alamy **41** © Cephas Picture Library/Alamy **43** © Cephas Picture Library/Alamy **46** Comité Interprofessionnel du Vin de Champagne **48** © Lordprice Collection/Alamy **49** © Lordprice Collection/Alamy **53** © Cephas Picture Library/Alamy **55** © Corbis **58** © WinePix/Alamy **61** © Bon Appetit/Alamy **63** Comité Interprofessionnel du Vin de Champagne **65** © Lordprice Collection/Alamy **67** Cephas/Bruce Fleming **69** Champagne Gosset **73** Domaine Huet **75** Cephas/Mick Rock **76** © Corbis **79** Champagne Krug **80-81** Champagne Krug **85** © Lordprice Collection/Alamy **87** © Lordprice Collection/Alamy **93** Champagne Mumm **94** © Cephas Picture Library/Alamy **97** © Lordprice Collection/Alamy **99** Pekka Nuikki **100** © Corbis **102** © Lordprice Collection/Alamy **105** Comité Interprofessionnel du Vin de Champagne **106** Cephas/Mick Rock **108** akg-images **110** Cephas/Clay McLachlan **113** The Art Archive/Global Book Publishing **115** Cephas/Mick Rock **116** © Greg Balfour Evans/Alamy **119** Art Archive/Château de Brissac/Gianni Dagli Orti **121** Cephas/Mick Rock **124** Cephas/Mick Rock **127** Cephas/Mick Rock **128** Cephas Picture Library/Alamy/Mick Rock **130** Cephas/Mick Rock **137** Cephas/Mick Rock **139** Cephas/Ian Shaw **140** Cephas Picture Library/Mick Rock **142** Cephas Picture Library/R & K Muschenetz **145** © JLImages/Alamy **147** Cephas/Mick Rock **156** © Robert Hollingworth/Alamy **160** Cephas/Mick Rock **165** Cephas Picture Library/Mick Rock **167** Cephas/Nigel Blythe **168** © Per Karlsson–BKWine.com/Alamy **175** Château Coutet **177** Cephas/Herbert Lehmann **179** Cephas Picture Library/Alamy/Mick Rock **183** Schlossgut Diel **184** © Per Karlsson–BKWine.com/Alamy **187** Cephas/R.A.Beatty **191** Dry River **192** Mme. Aly Duhr et Fils **195** Cephas/Mick Rock **196** www.stockfood.co.uk **200** © CuboImages srl/Alamy/Alfio Giannotti **203** William Fèvre **205** Cephas/Mick Rock **206** Cephas/Mick Rock **209** Cephas/Mick Rock **210** © WinePix/Alamy **217** Cephas Picture Library/Alamy/Mick Rock **218** © Per Karlsson–BKWine.com/Alamy **221** Cephas/Mick Rock **223** Cephas Picture Library/Alamy/Mick Rock **225** Cephas/Nigel Blythe **227** © Cephas Picture Library/Alamy/Alain Proust **229** © Corbis Tous Droits Réservés **231** Cephas/Mick Rock **232** © Bon Appetit/Alamy **234** © Bon Appetit/Alamy/Feig/Feig **238** Cephas/Mick Rock **241** Cephas Picture Library/Alamy/Kevin Argue **245** © Cephas Picture Library/Alamy/Nigel Blythe **246** Karthäuserhof **248** © Bildarchiv Monheim GmbH/Alamy/Florian Monheim **251** © Per Karlsson–BKWine.com/Alamy **255** Cephas/Nigel Blyth **257** Cephas/Herbert Lehmann **259** Cephas/Kevin Judd **261** © Cephas Picture Library/Alamy/Mick Rock **262** Azienda Agricola La Monacesca **265** © isifa Image Service s.r.o./Alamy/PHB **267** Château Lafaurie-Peyraguey **272** © Cephas Picture Library/Alamy/Ian Shaw **275** © Bill Heinsohn/Alamy **276** Loimer **279** Panoramic Images/Getty Images **281** Cephas/Mick Rock **283** McWilliam's **285** Cephas/Mick Rock **287** Photographie de Steven Morris **288** Cephas/Nigel Blythe **291** © Cephas Picture Library/Alamy/Nigel Blythe **295** © Cephas Picture Library/Alamy/Ian Shaw **297** © Cephas Picture Library/Alamy/Jerry Alexander **299** © D. H. Webster/Robert Harding World Imagery/Corbis **303** Cephas/Mick Rock **304** © Cephas Picture Library/Alamy/Kevin Judd **312** © Peter Titmuss/Alamy **318** Cephas/Kevin Judd **321** www.stockfood.co.uk **325** Cephas Picture Library/Alamy/Mick Rock **331** © Cephas Picture Library/Alamy/Mick Rock **333** Château Rabaud-Promis **337** © Cephas Picture Library/Alamy/Mick Rock **339** Cephas/Mick Rock **340** Cephas/Andy Christodolo **342** © Michael Busselle/CORBIS **345** Cephas/Mick Rock **346** Cephas/Ian Shaw **349** © Per Karlsson –BKWine.com/Alamy **353** © Cephas Picture Library/Alamy/Nigel Blythe **354** Cephas/Mick Rock **357** © Cephas Picture Library/Alamy/Mick Rock **358** © Corbis Tous Droits Réservés **361** Cephas/Nigel Blythe **365** Cephas/Mick Rock **366** Cephas/Peter Titmuss **369** Château Suduiraut **371** Cephas/Mick Rock **372** © Cephas Picture Library/Alamy **375** Cephas/Mick Rock **381** Cephas/Ted Stefanski **383** Cephas/Mick Rock **385** © Bill Bachman/Alamy **388** Cephas/Mick Rock **388** www.stockfood.co.uk **391** Van Volxem **395** Cephas/Mick Lachlan **396** © Cephas/Mick Rock **399** © Cephas Picture Library/Alamy/Nigel Blythe **401** Cephas/Nigel Blythe **403** Weingut Wittmann **404** © Cephas Picture Library/Alamy/Mick Rock **407** © Cephas Picture Library/Alamy/Kevin Judd **409** Cephas/Mick Rock **412** Cephas Picture Library/Alamy **415** © CuboImages srl/Alamy **420** Cephas/Mick Rock **425** Cephas/R & K Muschenetz **426** Klein Constantia **428** © Cephas Picture Library/Alamy **431** Artadi **433** Cephas/Bruce Jenkins **435** © Cephas Picture Library/Alamy **437** Pekka Nuikki **445** © AM Corporation/Alamy **449** Pekka Nuikki **451** Cephas Picture Library/Graeme Robinson **453** © Per Karlsson–BKWine.com/Alamy **455** Cephas/Mick Rock **459** Cephas Picture Library/Mick Rock **461** © CuboImages srl/Alamy **463** Cephas/Ian Shaw **464** Brokenwood **470** Cephas/Ian Shaw **479** Cephas/Mick Rock **485** Cephas/Mick Rock **489** Pekka Nuikki **490** Chimney Rock **497** Cephas/Mick Rock **499** © Cephas Picture Library/Alamy **500** © Corbis **503** Château La Conseillante **513** Cephas/Kevin Judd **515** CVNE **519** © Bon Appetit/Alamy **521** Cephas/Ted Stefanski **524** Domaine Drouhin **527** Cephas/Kevin Judd **529** © LOOK Die Bildagentur der Fotografen GmbH/Alamy **531** © David Hansford/Alamy **533** Cephas/Stephen Wolfenden **537** David Eley **541** Cephas/Stephen Wolfenden **543** © Images of Africa Photobank/Alamy **545** Cephas/Mick Rock **547** © Brad Perks Lightscapes/Alamy **555** Cephas/Ted Stefanski **560** Château Gazin **563** Cephas/Herbert Lehmann **565** © imagebroker/Alamy **567** Cephas/Mick Rock **568** Cephas/Kevin Judd **571** Cephas/Bruce Fleming **572** Cephas/Kjell Karlsson **575** Château Grand-Puy-Lacoste **580** © Cephas Picture Library/Alamy **585** Hardys **587** Cephas/Clay McLachlan **589** Château Haut-Bailly **591** Pekka Nuikki **600** © Bon Appetit/Alamy **603** © Cephas Picture Library/

Alamy **605** © Cephas Picture Library/Alamy **607** Kloster Eberbach **609** Cephas/Char Abu Mansoor **614** Cephas/Kjell Karlsson **619** Cephas/Mick Rock **620** Cephas/Mick Rock **622** © Per Karlsson–BKWine.com/Alamy **625** Cephas/Steve Elphick **627** Pekka Nuikki **630** Pekka Nuikki **635** © Joseph Becker/Alamy **636** Cephas/Mick Rock **639** David Eley **641** © Cephas Picture Library/Alamy/Mick Rock **643** Château Lezongars **645** Consorzio del Vino Brunello di Montalcino **650** Cephas/Kjell Karlsson **657** Consorzio Tutela Barolo Barbaresco Alba Langhe e Roero **658** Cephas/Ian Shaw **665** Meerlust **667** Cephas/Andy Christodolo **673** Cephas/Mick Rock **674** Cephas/Nigel Blythe **678** Cephas/Mick Rock **681** Cephas/Mick Rock **685** Cephas/Herbert Lehmann **686** Cephas/Mick Rock **688** Cephas/Kevin Judd **690** © Cephas Picture Library/Alamy/Andy Christodolo **692** Christie's **694** Cephas/Mick Rock **696** Cephas/Char Abu Mansoor **701** Cephas/Pierre Mosca **705** Opus One **708** www.stockfood.co.uk **711** Cephas/Mick Rock **713** Cephas/Mick Rock **715** Cephas/Kevin Judd **719** © Cephas Picture Library/Alamy/Mick Rock **721** Château Pavie Macquin/ANAKA **722** Cephas/Herbert Lehmann **727** Cephas/Mick Rock **728** Cephas/Mick Rock **733** © Corbis Tous Droits Réservés **736** © Cephas Picture Library/Alamy/Mick Rock **741** Château Poujeaux **744** Cephas/Mick Rock **746** Cephas/Mick Rock **751** Cephas/Mick Rock **755** Cephas/Stephen Wolfenden **757** Ravenswood **764** Cephas/Mick Rock **770** © Chad Ehlers/Alamy **773** Cephas/Andy Christodolo **781** © Bon Appetit/Alamy/Hendrik Holler **783** Cephas/Andy Christodolo **785** Consorzio del Vino Brunello di Montalcino **789** Stonier Estate **790** © Cephas Picture Library/Alamy/Kevin Judd **793** © Bon Appetit/Alamy/Joerg Lehmann **795** Tapanappa **797** Cephas/Mick Rock **799** Cephas/Mick Rock **805** Cephas/Kevin Judd **806** © Per Karlsson–BKWine.com/Alamy **808** Cephas/Alain Proust **811** Torbreck **812** Cephas/Matt Wilson **815** Cephas/Mick Rock **817** Trinity Hill Wines **819** Cephas/Ian Shaw **821** Cephas Picture Library/Alamy/Stephen Wolfenden **825** Pekka Nuikki **827** Cephas/Mick Rock **831** Pekka Nuikki **833** Cephas/Alain Proust **837** © David R. Frazier Photolibrary, Inc./Alamy **839** Cephas/Kevin Judd **840** Cephas/Ian Shaw **843** Cephas/Andy Christodolo **847** Cephas/Mick Rock **854** Cephas/Mick Rock **856** © Gordon Sinclair/Alamy **859** © Bon Appetit/Alamy **860** © Ian Dagnall/Alamy **862-863** Cephas/Alain Proust **865** Chambers **868** The Fladgate Partnership **871** © Peter Horree/Alamy **873** The Symington Group **875** Cephas/Ian Shaw **877** © CuboImages srl/Alamy **878** © Bon Appetit/Alamy **880-881** Cephas/Mick Rock **883** © Cephas Picture Library/Alamy **884** © Cephas Picture Library/Alamy **893** Cephas/Mick Rock **894** Cephas/Ian Shaw **896-897** Cephas/Mick Rock **901** Cephas/Herbert Lehmann **903** David Eley **905** © Cephas Picture Library/Alamy **908-909** © Cephas Picture Library/Alamy **910** © Cephas Picture Library/Alamy **913** © Cephas Picture Library/Alamy **916** Ramos Pinto **919** Quinta de la Rosa **920** © Mirjam Letsch/Alamy **923** © Mary Evans Picture Library/Alamy **925** © Richard Humphrys **926-927** The Fladgate Partnership **928-929** Cephas/Mick Rock **932-933** © Cephas Picture Library/Alamy **934** The Symington Group **937** © Corbis

Remerciements

Quintessence souhaite remercier Rob Dimery, Irene Lyford, Fiona Plowman et Jane Simmonds (rédaction) ; Anne Plume (correction des épreuves) ; Ann Barrett (index) ; Helena Baser (recherche d'images supplémentaires) ; Emma Wood (assistante designer) ; Chris Taylor (retouche d'images) ; Simon Pask (supplément photographique).

Un mot du directeur de l'ouvrage Neil Beckett :

Je suis extrêmement reconnaissant vis-à-vis de tous ceux qui ont participé à la réalisation de ce livre. Je remercie en particulier Piers Spence, directeur de la Publication chez Quarto ; Sara Basra et Stuart George, mes collègues du magazine *The World of Fine Wine* ; Tristan de Lancey, Jane Laing, Jodie Gaudet, Frank Ritter et Akihiro Nakayama à Quintessence ; Pekka Nuikki pour ses photos sublimes et ma famille pour tous les encouragements qu'elle m'a donnés.

Nous voudrions également remercier tous les producteurs cités dans ce livre ; le personnel de Astrum Wine Cellars, Berkmann Wine Cellars, Caves de Pyrene, Justerini & Brooks, Mille Gusti, Portland Media, Raymond Reynolds et Emma Wellings PR, ainsi que Sarah Chadwick, Patricia Parnell, Dacotah Renneau, Sue Glasgow, Sally Bishop, Lorraine Carrigan, Petra Kulisic, Margaret Harvey MW, Helen Lenarduzzi, John Michael, Thomas Winterstetter, Ben Smith de Bibendum, Isabelle Philippe de Bouchard Père & Fils, Rachel Thompson de Corney & Barrow, Sylvain Boivert du Conseil des Grands Crus classés en 1855, Tamara Grischy de Langtons, Simon Larkin MW de Lay & Wheeler, Nicola Lawrence de Liberty Wines, Joanna Locke MW de The Wine Society, Johana Loubet de Château Margaux, Louise Du Bosky de McKinley Vintners, Elizabeth Ferguson de Mentzendorff, Kristy Parker et Genavieve Alexander de Moët Hennessy UK, Corine Karroum des Ets Jean-Pierre Moueix, Verena Niepoort de Niepoort Vinhos SA, Chantal Gillard de Le Pin, Marita Heil de VDP Die Prädikatsweingüter, Zubair Mohamed de Raeburn Fine Wines, Audrey Domenach et Karen Jenkins de Richards Walford, Antonella Lotti de Thurner PR, Akos Forczek et David Smith de Top Selection, Tim Johns de Wines of Argentina, Karen Sutton et Lauren Laubser de Wines of Chile, et David Motion de The Winery.

1002 et plus… votre cave idéale